计算机科学丛书

原书第2版

数据结构、算法与应用

C++语言描述

[美] 萨特吉·萨尼（Sartaj Sahni）著

王立柱 刘志红 译

Data Structures, Algorithms,
and Applications in C++ Seventh Edition

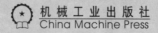

机械工业出版社
China Machine Press

图书在版编目（CIP）数据

数据结构、算法与应用：C++语言描述（原书第2版）/（美）萨尼（Sahni, S.）著；王立柱，刘志红译 . —北京：机械工业出版社，2015.3（2015.11 重印）
（计算机科学丛书）
书名原文：Data Structures，Algorithms，and Applications in C++，Second Edition

ISBN 978-7-111-49600-7

I. 数… II. ①萨… ②王… ③刘… III. ①数据结构 ②算法分析 ③C 语言－程序设计 IV. ① TP311. 12 ② TP312

中国版本图书馆 CIP 数据核字（2015）第 047638 号

全书共分三个部分。第一部分从第 1 章到第 4 章，旨在复习 C++ 程序设计的概念以及程序性能的分析和测量方法。第二部分从第 5 章到第 16 章，研究数据结构，包括线性表的数组描述和链式描述，以及用这两种描述方法描述的数组和矩阵、栈、队列、字典、二叉树、优先级队列、竞赛树和图等数据结构。第三部分从第 17 章到第 21 章，研究常用算法，包括贪婪算法、分而治之算法、动态规划、回溯算法和分支定界算法。

本书内容广博、组织合理、论述清晰、循序渐进，每章包含丰富的习题，对程序性能的分析和测量系统且细致，不仅是数据结构和算法的经典教材，而且是计算机科学与工程领域的理想参考书。

出版发行：机械工业出版社（北京市西城区百万庄大街 22 号 邮政编码：100037）	
责任编辑：朱秀英	责任校对：殷 虹
印　　刷：北京诚信伟业印刷有限公司	版　　次：2015 年 11 月第 1 版第 2 次印刷
开　　本：185mm×260mm　1/16	印　　张：35
书　　号：ISBN 978-7-111-49600-7	定　　价：79.00 元

凡购本书，如有缺页、倒页、脱页，由本社发行部调换
客服热线：（010）88378991　88361066　　　　投稿热线：（010）88379604
购书热线：（010）68326294　88379649　68995259　　读者信箱：hzjsj@hzbook.com

版权所有·侵权必究
封底无防伪标签均为盗版
本书法律顾问：北京大成律师事务所　韩光／邹晓东

文艺复兴以来，源远流长的科学精神和逐步形成的学术规范，使西方国家在自然科学的各个领域取得了垄断性的优势；也正是这样的优势，使美国在信息技术发展的六十多年间名家辈出、独领风骚。在商业化的进程中，美国的产业界与教育界越来越紧密地结合，计算机学科中的许多泰山北斗同时身处科研和教学的最前线，由此而产生的经典科学著作，不仅擘划了研究的范畴，还揭示了学术的源变，既遵循学术规范，又自有学者个性，其价值并不会因年月的流逝而减退。

近年，在全球信息化大潮的推动下，我国的计算机产业发展迅猛，对专业人才的需求日益迫切。这对计算机教育界和出版界都既是机遇，也是挑战；而专业教材的建设在教育战略上显得举足轻重。在我国信息技术发展时间较短的现状下，美国等发达国家在其计算机科学发展的几十年间积淀和发展的经典教材仍有许多值得借鉴之处。因此，引进一批国外优秀计算机教材将对我国计算机教育事业的发展起到积极的推动作用，也是与世界接轨、建设真正的世界一流大学的必由之路。

机械工业出版社华章公司较早意识到"出版要为教育服务"。自 1998 年开始，我们就将工作重点放在了遴选、移译国外优秀教材上。经过多年的不懈努力，我们与 Pearson，McGraw-Hill，Elsevier，MIT，John Wiley & Sons，Cengage 等世界著名出版公司建立了良好的合作关系，从他们现有的数百种教材中甄选出 Andrew S.Tanenbaum，Bjarne Stroustrup，Brain W.Kernighan，Dennis Ritchie，Jim Gray，Afred V.Aho，John E.Hopcroft，Jeffrey D.Ullman，Abraham Silberschatz，William Stallings，Donald E.Knuth，John L.Hennessy，Larry L.Peterson 等大师名家的一批经典作品，以"计算机科学丛书"为总称出版，供读者学习、研究及珍藏。大理石纹理的封面，也正体现了这套丛书的品位和格调。

"计算机科学丛书"的出版工作得到了国内外学者的鼎力相助，国内的专家不仅提供了中肯的选题指导，还不辞劳苦地担任了翻译和审校的工作；而原书的作者也相当关注其作品在中国的传播，有的还专门为其书的中译本作序。迄今，"计算机科学丛书"已经出版了近两百个品种，这些书籍在读者中树立了良好的口碑，并被许多高校采用为正式教材和参考书籍。其影印版"经典原版书库"作为姊妹篇也被越来越多实施双语教学的学校所采用。

权威的作者、经典的教材、一流的译者、严格的审校、精细的编辑，这些因素使我们的图书有了质量的保证。随着计算机科学与技术专业学科建设的不断完善和教材改革的逐渐深化，教育界对国外计算机教材的需求和应用都将步入一个新的阶段，我们的目标是尽善尽美，而反馈的意见正是我们达到这一终极目标的重要帮助。华章公司欢迎老师和读者对我们的工作提出建议或给予指正，我们的联系方法如下：

华章网站：www.hzbook.com
电子邮件：hzjsj@hzbook.com
联系电话：（010）88379604
联系地址：北京市西城区百万庄南街 1 号
邮政编码：100037

华章教育
华章科技图书出版中心

译者序

Data Structures, Algorithms, and Applications in C++, Second Edition

数据结构和算法是计算机科学和工程的基础。它们的相互联系和作用是程序的本质，Nicklaus Wirth 把它们表示为：算法 + 数据结构 = 程序。Sartaj Sahni 博士的《数据结构、算法与应用——C++ 语言描述》一书是彰显这一本质的当代经典，这主要表现在五个方面：

1）每一种数据结构和算法设计不仅都用 C++ 语言优美地实现了，而且与 C++ 标准模板库所使用的结构在相似性或同一性上保持兼容，既纯粹又规范。

2）对程序性能的分析和测量系统而严谨，既有严格的数学分析，又有周密的实验测量。

3）几乎每一种数据结构和算法都是从多个应用实例中分析和抽象出来的，既可以拓宽应用领域知识，又可以提高学习兴趣。

4）一个典型的应用实例常常用多种数据结构和算法来实现，既丰富了程序设计经验，又在比较中提高了鉴别能力。

5）练习题丰富。本书及其网站共有 800 多道练习题，而且和教材正文中的示例代码相辅相成。这些练习题趣味多样且难易相济，可满足各层次读者的需求。

如果你是一名程序设计新手，本书是你拾级而上的阶梯；如果你是一名专业程序设计者，本书是你高屋建瓴的楼台；如果你是在校大学生，本书是你学习数据结构和算法的理想教材或参考书。

对中国学生来说，本书的意义还可以从更高的层次来认识。爱因斯坦认为，西方科学的发展是以两个伟大的成就为基础的：形式逻辑体系和实验体系。今天的计算机科学不仅是这两个成就的综合体现，而且深入社会的每个角落，时刻改变着我们的生活，使每一个人时刻感受到它的力量。数据结构和算法作为计算机科学和工程的核心，可以使更多的中国学子通过这门课程而更积极、更有效地掌握形式逻辑和实验方法。但是长期以来，我国的教材大都使用伪码来描述数据结构和算法，给教学和自学带来极大的困难。因为代码不落实，实验测量就无法进行；没有实验测量，单凭分析就没有可靠的结果（例如高速缓冲存储器对运行时间的影响是不能只靠分析得到的)；分析没有结果，就容易流于形式，以至于理论和实践脱节，成为概念的灌输。这正是 Stroustrup 在《C++ 程序设计原理与实践》一书的前言中所批评的学习模式：先学习一个月的理论知识，然后看看是否能使用这些理论。

Sartaj Sahni 博士的力作如阳光和雨露照耀和滋养我们，它从五个方面引导我们走上精神探险的旅程，饱览西方科学成就中美丽璀璨的风景，尽情品尝科学智慧中一种鲜美甘甜的果实：数据结构与算法。

王立柱

2014 年 10 月于天津

对数据结构和算法的研究是计算机科学和工程的基础。精通这方面的知识，对开发能够有效利用计算机资源的程序是必不可少的。因此，所有计算机科学和工程专业都有一门或几门课程专门用来讲授这方面的内容。一般来说，第一门程序设计课程介绍数据结构和算法的基础知识（数据结构的栈和队列，算法的排序和矩阵运算）。第二门程序设计课程介绍数据结构和算法的系统知识。随后，可以对数据结构和算法进行深入的研究，这通常需要一门或两门课程。

计算机科学和工程的本科专业课程过多，已经迫使很多高等院校进行课程整合。例如，在佛罗里达大学，给本科生只开设一学期的数据结构和算法的课程。在学习本课程之前，要求学生已经学过一学期的 Java 程序设计和离散数学。

本书既可以用于两门或更多的专门研究数据结构和算法的课程，也可以用于相关的一门综合课程。全书共分三个部分。第一部分从第 1 章到第 4 章，旨在复习 C++ 程序设计的概念以及程序性能的分析和测量方法。对于熟悉 C 语言程序设计的学生，通过学习第 1 章应该能够过渡到 C++。第 1 章虽然不是 C++ 的入门知识，但是依然包含了 C++ 的一些基本概念，这些概念常令学生感到困惑，如参数传递、模板函数、动态存储分配、递归、类、继承、异常的抛出和捕捉。第 2 章和第 3 章复习了程序性能的分析和测量方法——操作计数、执行步数和渐近符号（大 O，Ω，Θ，小 o）。第 4 章复习了程序性能的实验测量方法，还简要地讨论了高速缓冲存储器对运行时间测量的影响问题。第 2 章通过程序性能分析方法的应用，深入研究了在程序设计入门课程中遇到的典型的基础性算法：简单的排序算法（冒泡排序、选择排序、插入排序和计数排序），顺序搜索，利用 Horner 法则进行多项式求值，矩阵运算（矩阵相加、矩阵转置、矩阵相乘）。第 3 章研究了二分搜索算法。尽管第 2 章到第 4 章的主要目的是学习程序性能的分析和测量方法，但是也让学生精通了一组基本算法。

本书第二部分从第 5 章到第 16 章，深入研究了数据结构。第 5 章和第 6 章分别研究了数据的数组描述方法和指针（或链式）描述方法，构建起数据结构研究的框架。这两章用这两种数据描述方法来创建 C++ 类，以描述线性表数据结构。我们通过实验数据对不同的数据描述方法在描述线性表时的性能进行了比较。第二部分从第 7 章以后都是应用第 5 章和第 6 章的描述方法来描述其他的数据结构，如数组和矩阵（第 7 章）、栈（第 8 章）、队列（第 9 章）、字典（第 10、14 和 15 章）、二叉树（第 11 章）、优先级队列（第 12 章）、竞赛树（第 15 章）和图（第 16 章）。

本书在处理数据结构时，试图做到与 C++ 标准模板库（STL）所使用的结构在相似性或同一性上保持兼容。例如，第 5 章的线性表数据结构便是按照 STL 的类 vector 的模式而建立的。本书通篇都利用了 STL 的函数，诸如 copy、min 和 max，学生由此会熟悉这些函数。

本书第三部分从第 17 章到第 21 章[⊖]，研究常用的算法设计方法。这些方法有贪婪算法（第 17 章）、分而治之算法（第 18 章）、动态规划（第 19 章）、回溯算法（第 20 章）和分支定界算法（第 21 章）。另外还包括两种下限的证明（最小最大问题和排序问题）（18.4 节）、机器调度的近似算法（12.6.2 节）、箱子装载算法（13.5 节）和 0/1 背包问题（17.3.2 节）。12.6.2

⊖ 第 20 和 21 章发布在原书网站上，中译版书包含第 20 和 21 章。——编辑注

节还简略地介绍了 NP- 复杂问题。

本书的一个特色是强调应用。书中的每一种数据结构和算法设计都通过多个应用实例来演示。通常每一章的最后一节都针对本章介绍的数据结构或设计方法给出具体的应用。很多时候，在一章的前面几节也包含一些应用实例。这些应用实例涉及多个方面——排序（冒泡排序、选择排序、插入排序、计数排序、堆排序、归并排序、快速排序、箱子排序、基数排序和拓扑排序）；矩阵运算（矩阵加法、矩阵转置、矩阵乘法）；电路设计自动化（搜索电路网组、电路布线、元件折叠、开关盒布线、设置信号放大器、交叉分布、电路板排列）；压缩编码（LZW 压缩、霍夫曼编码）；计算几何（凸包和最近点对）；仿真（工厂仿真）；图像处理（图元标注）；趣味数学（汉诺塔、残缺棋盘、迷宫老鼠）；调度（LPT 调度）；优化（装箱问题、货箱装载、0/1 背包、矩阵乘法链）；统计（直方图、寻找最大值和最小值、寻找第 k 个最小值）；图论（生成树、图元、最短路径、最大完备子图、二分覆盖和旅行商）。研究这些应用实例不需要学生具有相关领域的预备知识，因为本书包含了这些知识，而且这些知识会提高学生的学习兴趣。

我们希望通过把实际应用与数据结构和算法设计方法的基础研究紧密结合，能够激发学生更大的专业兴趣。学生通过完成本书和本书网站的 800 多道练习题，知识将会更加丰富和牢固。

网站

本书网站的 URL 为 http://www.cise.ufl.edu/~sahni/dsaac。

访问该网站可以得到本书的所有程序以及示例数据和输出结果。示例数据并不是特意设计的测试数据，而是用来运行程序以便将输出结果与给定的输出结果进行比较的数据。网站还有每一章的练习答案、一些测试样本以及相应的测试结果、补充的应用实例和对书中一部分内容的进一步讨论。

如何使用本书

使用本书讲授数据结构和算法可以采用多种课程安排，这需要教师根据学生的知识背景、对应用的侧重程度和课时的多少来决定。下面是几种可能的课程安排方案。我们建议学生的作业是编写和调试一些程序，开始是一些小程序，随着课程的深入，程序逐渐复杂。学生应该根据课堂讲授的内容，同步阅读本书的相关内容。

两季度课程安排——第一季度

（一周回顾，数据结构和算法内容系列）

周	主题	阅读
1	回顾 C++ 和程序性能	第 1 ~ 4 章，布置作业 1
2	基于数组的描述	第 5 章，完成作业 1
3	链表描述	6.1 ~ 6.4 节，布置作业 2
4	箱子排序和等价类	6.5.1 ~ 6.5.4 节，完成作业 2
5	数组和矩阵	第 7 章，测试
6	栈和队列	第 8 章和第 9 章，布置作业 3
7	跳表和散列	第 10 章，完成作业 3
8	二叉树和其他树	11.1 ~ 11.8 节，布置作业 4
9	并查集应用，堆和堆排序	11.9.2 节、12.1 ~ 12.4 节和 12.6.1 节，完成作业 4
10	左高树，霍夫曼编码和竞赛树	12.5 节和 12.6.3 节，第 13 章

两季度课程安排——第二季度

（数据结构和算法内容系列）

周	主题	阅读
1	二叉搜索树，AVL 或红黑树，直方图	第 14 章和第 15 章，布置作业 1
2	图	16.1 ~ 16.7 节，完成作业 1
3	图	16.8 节和 16.9 节，布置作业 2
4	贪婪算法	17.1 ~ 17.3.5 节，完成作业 2
5	贪婪算法和分而治之算法	17.3.6 节和 18.1 节，布置作业 3
6	分而治之算法应用	18.2 节，测试
7	求解递归式，下限和动态编程	18.3 节、18.4 节和 19.1 节，完成作业 3
8	动态编程应用	19.2.1 节和 19.2.2 节，布置作业 4
9	动态编程应用	19.2.3 ~ 19.2.5 节，完成作业 4
10	回溯和分支定界算法	第 20 章和第 21 章

一学期课程安排

（两周回顾，数据结构内容系列）

周	主题	阅读
1	回顾 C++	第 1 章，布置作业 1
2	回顾程序性能	第 2 ~ 4 章
3	基于数组的描述	第 5 章，完成作业 1
4	链表描述	6.1 ~ 6.4 节，布置作业 2
5	箱子排序和等价类	6.5.1 节和 6.5.4 节
6	数组和矩阵	第 7 章，完成作业 2，第 1 次测试
7	栈和队列，一或两个应用	第 8 章和第 9 章，布置作业 3
8	跳表和散列	第 10 章
9	二叉树和其他树	11.1 ~ 11.8 节，完成作业 3
10	并查集应用	11.9.2 节，布置作业 4，第 2 次测试
11	优先级队列、堆排序和霍夫曼编码	第 12 章
12	竞赛树和装箱问题	第 13 章，完成作业 4
13	二叉搜索树，AVL 树或红黑树，直方图	第 14 章和第 15 章，布置作业 5
14	图	16.1 ~ 16.7
15	图，最短路径	16.8 节、16.9 节、17.3.5 节和 19.2.3 节，完成作业 5
16	最小生成树，合并排序和快速排序	17.3.6 节、18.2.2 节和 18.2.3 节

一学期课程安排

（一周回顾，数据结构和算法内容系列）

周	主题	阅读
1	回顾程序性能	第 1 ~ 4 章
2	基于数组的描述	第 5 章，布置作业 1
3	链表描述	第 6 章
4	数组和矩阵	第 7 章，完成作业 1
5	栈和队列，一或两个应用	第 8 章和第 9 章，布置作业 2
6	跳表和散列	第 10 章，完成作业 2，第 1 次测试
7	二叉树和其他树	11.1 ~ 11.8 节，布置作业 3

（续）

周	主题	阅读
8	并查集应用，堆和堆排序	11.9.2 节、12.1 ~ 12.4 节和 12.6.1 节
9	左高树，霍夫曼编码和竞赛树	12.5 节和 12.6.3 节，第 13 章，完成作业 3
10	二叉搜索树，AVL 树或红黑树，直方图	第 14 章和第 15 章，布置作 4，第 2 次测试
11	图	16.1 ~ 16.7 节
12	图和贪婪算法	16.8 节、16.9 节、17.1 节和 17.2 节，完成作业 4
13	货箱装载，0/1 背包，最短路径和生成树	17.3 节，布置作业 5
14	分而治之算法	第 18 章
15	动态编程	第 19 章，完成作业 5
16	回溯和分支定界算法	第 20 章和第 21 章

致谢

本书的出版有赖于很多人的帮助、意见和建议。我对审阅了本书第 1 版的人士深表感激，他们给予的宝贵意见使本书有了很大的改进。这些人士有：

Jacabo Carrasquel	卡内基梅隆大学
Yu Lo Cyrus Chang	新罕布什尔大学
Teofilo F. Gonzalez	加州大学圣塔芭芭拉分校
Laxmikant V. Kale	伊利诺伊大学
Donald H. Kraft	路易斯安那州立大学
Sang W. Lee	密歇根大学
Jorge Lobo	伊利诺伊大学芝加哥分校
Brian Malloy	克莱姆森大学
Thomas Miller	爱达荷大学
Richard Rasala	东北大学
Craig E. Wills	伍斯特理工学院
Neal E. Young	达特茅斯学院

特别感谢我的学生，他们不仅提出了有价值的反馈意见，而且帮助审查原稿。我还要感谢佛罗里达大学的一些同事所给予的帮助，他们是：Justin Bullart，Edward Y. C. Cheng，Rajesh Dasari，Thomas Davies，Pinkesh Desai，Vinayak Goel，Haejae Jung，Kun-Suk Kim，Haibin Lu，Jawalant Patel，Sanguthevar Rajasekeran，Gauri Sukhatankar，Gayatri Venkataraman 和 Joe Wilson。

Sartaj Sahni

2004 年 6 月于盖恩斯维尔

出版者的话

译者序

前言

第一部分　预备知识

第1章　C++ 回顾 ……………………………… 2

1.1　引言 ……………………………………… 2

1.2　函数与参数 ……………………………… 3

　1.2.1　传值参数 ……………………………… 3

　1.2.2　模板函数 ……………………………… 4

　1.2.3　引用参数 ……………………………… 4

　1.2.4　常量引用参数 ………………………… 5

　1.2.5　返回值 ………………………………… 5

　1.2.6　重载函数 ……………………………… 6

1.3　异常 ……………………………………… 7

　1.3.1　抛出异常 ……………………………… 7

　1.3.2　处理异常 ……………………………… 7

1.4　动态存储空间分配 ……………………… 9

　1.4.1　操作符 new ………………………… 9

　1.4.2　一维数组 ……………………………… 9

　1.4.3　异常处理 ……………………………… 9

　1.4.4　操作符 delete ……………………… 10

　1.4.5　二维数组 …………………………… 10

1.5　自有数据类型 ………………………… 12

　1.5.1　类 currency ……………………… 12

　1.5.2　一种不同的描述方法 ……………… 18

　1.5.3　操作符重载 ………………………… 20

　1.5.4　友元和保护性类成员 ……………… 22

　1.5.5　增加 #ifndef、#define 和 #endif
　　　　语句 …………………………………… 23

1.6　异常类 illegalParameterValue …… 24

1.7　递归函数 ……………………………… 25

　1.7.1　递归的数学函数 …………………… 25

　1.7.2　归纳 ………………………………… 25

　1.7.3　C++ 递归函数 ……………………… 26

1.8　标准模板库 …………………………… 30

1.9　测试与调试 …………………………… 32

　1.9.1　什么是测试 ………………………… 32

　1.9.2　测试数据的设计 …………………… 34

　1.9.3　调试 ………………………………… 36

1.10　参考及推荐读物 ……………………… 37

第2章　程序性能分析 …………………… 38

2.1　什么是程序性能 ……………………… 38

2.2　空间复杂度 …………………………… 39

　2.2.1　空间复杂度的组成 ………………… 39

　2.2.2　举例 ………………………………… 42

2.3　时间复杂度 …………………………… 44

　2.3.1　时间复杂度的组成 ………………… 44

　2.3.2　操作计数 …………………………… 45

　2.3.3　最好、最坏和平均操作计数 ……… 48

　2.3.4　步数 ………………………………… 53

第3章　渐近记法 ………………………… 64

3.1　引言 …………………………………… 64

3.2　渐近记法 ……………………………… 65

　3.2.1　大 O 记法 ………………………… 65

　3.2.2　渐近记法 Ω 和 Θ ……………… 67

3.3　渐近数学（可选） …………………… 69

　3.3.1　大 O 记法 ………………………… 69

　3.3.2　Ω 记法 …………………………… 71

　3.3.3　Θ 记法 …………………………… 72

　3.3.4　小 o 记法 ………………………… 73

　3.3.5　特性 ………………………………… 73

3.4　复杂度分析举例 ……………………… 75

3.5　实际复杂度 …………………………… 78

3.6　参考及推荐读物 ……………………… 80

第4章　性能测量 ………………………… 81

4.1　引言 …………………………………… 81

4.2　选择实例的大小 ……………………… 82

4.3　设计测试数据 ………………………… 82

4.4 实验设计 ················· 82
4.5 高速缓存 ················· 87
　4.5.1 简单计算机模型 ········· 87
　4.5.2 缓存未命中对运行时间的影响 ··· 87
　4.5.3 矩阵乘法 ············· 88
4.6 参考及推荐读物 ··········· 90

第二部分　数据结构

第5章　线性表——数组描述 ······ 92
5.1 数据对象和数据结构 ········ 92
5.2 线性表数据结构 ··········· 93
　5.2.1 抽象数据类型 linearList ···· 94
　5.2.2 抽象类 linearList ········ 94
5.3 数组描述 ··············· 95
　5.3.1 描述 ··············· 95
　5.3.2 变长一维数组 ·········· 96
　5.3.3 类 arrayList ··········· 97
　5.3.4 C++ 迭代器 ·········· 102
　5.3.5 arrayList 的一个迭代器 ···· 103
5.4 vector 的描述 ··········· 107
5.5 在一个数组中实现的多重表 ·· 109
5.6 性能测量 ·············· 111
5.7 参考及推荐读物 ········· 112

第6章　线性表——链式描述 ···· 113
6.1 单向链表 ·············· 113
　6.1.1 描述 ·············· 113
　6.1.2 结构 chainNode ········ 114
　6.1.3 类 chain ············ 115
　6.1.4 抽象数据类型 linearList 的扩充 ·· 121
　6.1.5 类 extendedChain ······ 121
　6.1.6 性能测量 ············ 122
6.2 循环链表和头节点 ········ 126
6.3 双向链表 ·············· 128
6.4 链表用到的词汇表 ········ 129
6.5 应用 ················· 130
　6.5.1 箱子排序 ············ 130
　6.5.2 基数排序 ············ 134
　6.5.3 凸包 ·············· 135
　6.5.4 并查集 ·············· 137

第7章　数组和矩阵 ·········· 146
7.1 数组 ················· 146
　7.1.1 抽象数据类型 ········· 146
　7.1.2 C++ 数组的索引 ······· 147
　7.1.3 行主映射和列主映射 ····· 147
　7.1.4 用数组的数组来描述 ····· 148
　7.1.5 行主描述和列主描述 ····· 149
　7.1.6 不规则二维数组 ········ 149
7.2 矩阵 ················· 151
　7.2.1 定义和操作 ··········· 151
　7.2.2 类 matrix ············ 152
7.3 特殊矩阵 ·············· 157
　7.3.1 定义和应用 ··········· 157
　7.3.2 对角矩阵 ············ 158
　7.3.3 三对角矩阵 ··········· 159
　7.3.4 三角矩阵 ············ 160
　7.3.5 对称矩阵 ············ 161
7.4 稀疏矩阵 ·············· 164
　7.4.1 基本概念 ············ 164
　7.4.2 用单个线性表描述 ······ 165
　7.4.3 用多个线性表描述 ······ 170
　7.4.4 性能测量 ············ 172

第8章　栈 ··············· 175
8.1 定义和应用 ············ 175
8.2 抽象数据类型 ··········· 177
8.3 数组描述 ·············· 178
　8.3.1 作为一个派生类实现 ····· 178
　8.3.2 类 arrayStack ········· 179
　8.3.3 性能测量 ············ 181
8.4 链表描述 ·············· 182
　8.4.1 类 derivedLinkedStack ··· 182
　8.4.2 类 linkedStack ········· 183
　8.4.3 性能测量 ············ 184
8.5 应用 ················· 184
　8.5.1 括号匹配 ············ 184
　8.5.2 汉诺塔 ············· 185
　8.5.3 列车车厢重排 ········· 187
　8.5.4 开关盒布线 ··········· 191
　8.5.5 离线等价类问题 ········ 193
　8.5.6 迷宫老鼠 ············ 196

8.6 参考及推荐读物 ⋯⋯⋯⋯⋯ 204

第 9 章 队列 ⋯⋯⋯⋯⋯⋯⋯⋯⋯ 205

9.1 定义和应用 ⋯⋯⋯⋯⋯⋯⋯ 205

9.2 抽象数据类型 ⋯⋯⋯⋯⋯⋯ 206

9.3 数组描述 ⋯⋯⋯⋯⋯⋯⋯⋯ 207

9.3.1 描述 ⋯⋯⋯⋯⋯⋯⋯ 207

9.3.2 类 arrayQueue ⋯⋯⋯ 209

9.4 链表描述 ⋯⋯⋯⋯⋯⋯⋯⋯ 212

9.5 应用 ⋯⋯⋯⋯⋯⋯⋯⋯⋯⋯ 214

9.5.1 列车车厢重排 ⋯⋯⋯ 214

9.5.2 电路布线 ⋯⋯⋯⋯⋯ 217

9.5.3 图元识别 ⋯⋯⋯⋯⋯ 219

9.5.4 工厂仿真 ⋯⋯⋯⋯⋯ 222

9.6 参考及推荐读物 ⋯⋯⋯⋯⋯ 234

第 10 章 跳表和散列 ⋯⋯⋯⋯⋯ 235

10.1 字典 ⋯⋯⋯⋯⋯⋯⋯⋯⋯ 235

10.2 抽象数据类型 ⋯⋯⋯⋯⋯ 236

10.3 线性表描述 ⋯⋯⋯⋯⋯⋯ 237

10.4 跳表表示（可选） ⋯⋯⋯ 239

10.4.1 理想情况 ⋯⋯⋯⋯⋯ 239

10.4.2 插入和删除 ⋯⋯⋯⋯ 241

10.4.3 级的分配 ⋯⋯⋯⋯⋯ 241

10.4.4 结构 skipNode ⋯⋯⋯ 242

10.4.5 类 skipList ⋯⋯⋯⋯ 242

10.4.6 skipList 方法的复杂度 ⋯ 246

10.5 散列表描述 ⋯⋯⋯⋯⋯⋯ 246

10.5.1 理想散列 ⋯⋯⋯⋯⋯ 246

10.5.2 散列函数和散列表 ⋯ 248

10.5.3 线性探查 ⋯⋯⋯⋯⋯ 250

10.5.4 链式散列 ⋯⋯⋯⋯⋯ 255

10.6 一个应用——文本压缩 ⋯ 260

10.6.1 LZW 压缩 ⋯⋯⋯⋯⋯ 260

10.6.2 LZW 压缩的实现 ⋯⋯ 261

10.6.3 LZW 解压缩 ⋯⋯⋯⋯ 264

10.6.4 LZW 解压缩的实现 ⋯ 265

10.6.5 性能评价 ⋯⋯⋯⋯⋯ 268

10.7 参考及推荐读物 ⋯⋯⋯⋯ 269

第 11 章 二叉树和其他树 ⋯⋯⋯ 270

11.1 树 ⋯⋯⋯⋯⋯⋯⋯⋯⋯⋯ 270

11.2 二叉树 ⋯⋯⋯⋯⋯⋯⋯⋯ 273

11.3 二叉树的特性 ⋯⋯⋯⋯⋯ 274

11.4 二叉树的描述 ⋯⋯⋯⋯⋯ 275

11.4.1 数组描述 ⋯⋯⋯⋯⋯ 275

11.4.2 链表描述 ⋯⋯⋯⋯⋯ 276

11.5 二叉树常用操作 ⋯⋯⋯⋯ 277

11.6 二叉树遍历 ⋯⋯⋯⋯⋯⋯ 277

11.7 抽象数据类型 BinaryTree ⋯ 281

11.8 类 linkedBinaryTree ⋯⋯⋯ 282

11.9 应用 ⋯⋯⋯⋯⋯⋯⋯⋯⋯ 285

11.9.1 设置信号放大器 ⋯⋯ 285

11.9.2 并查集 ⋯⋯⋯⋯⋯⋯ 288

11.10 参考及推荐读物 ⋯⋯⋯⋯ 296

第 12 章 优先级队列 ⋯⋯⋯⋯⋯ 297

12.1 定义和应用 ⋯⋯⋯⋯⋯⋯ 297

12.2 抽象数据类型 ⋯⋯⋯⋯⋯ 298

12.3 线性表 ⋯⋯⋯⋯⋯⋯⋯⋯ 299

12.4 堆 ⋯⋯⋯⋯⋯⋯⋯⋯⋯⋯ 299

12.4.1 定义 ⋯⋯⋯⋯⋯⋯⋯ 299

12.4.2 大根堆的插入 ⋯⋯⋯ 300

12.4.3 大根堆的删除 ⋯⋯⋯ 301

12.4.4 大根堆的初始化 ⋯⋯ 301

12.4.5 类 maxHeap ⋯⋯⋯⋯ 302

12.4.6 堆和 STL ⋯⋯⋯⋯⋯ 305

12.5 左高树 ⋯⋯⋯⋯⋯⋯⋯⋯ 306

12.5.1 高度优先与宽度优先的最大及
最小左高树 ⋯⋯⋯⋯⋯ 306

12.5.2 最大 HBLT 的插入 ⋯ 308

12.5.3 最大 HBLT 的删除 ⋯ 308

12.5.4 两棵最大 HBLT 的合并 ⋯ 308

12.5.5 初始化 ⋯⋯⋯⋯⋯⋯ 309

12.5.6 类 maxHblt ⋯⋯⋯⋯ 310

12.6 应用 ⋯⋯⋯⋯⋯⋯⋯⋯⋯ 313

12.6.1 堆排序 ⋯⋯⋯⋯⋯⋯ 313

12.6.2 机器调度 ⋯⋯⋯⋯⋯ 314

12.6.3 霍夫曼编码 ⋯⋯⋯⋯ 317

12.7 参考及推荐读物 ⋯⋯⋯⋯ 322

第 13 章 竞赛树 ⋯⋯⋯⋯⋯⋯⋯ 323

13.1 赢者树和应用 ⋯⋯⋯⋯⋯ 323

13.2 抽象数据类型 WinnerTree ⋯ 326

13.3 赢者树的实现 ⋯⋯⋯⋯⋯ 327

13.3.1 表示 ……… 327
13.3.2 赢者树的初始化 ……… 328
13.3.3 重新组织比赛 ……… 328
13.3.4 类 completeWinnerTree ……… 328
13.4 输者树 ……… 329
13.5 应用 ……… 331
13.5.1 用最先适配法求解箱子装载问题 … 331
13.5.2 用相邻适配法求解箱子装载问题 … 335
13.6 参考及推荐读物 ……… 337
第14章 搜索树 ……… 338
14.1 定义 ……… 338
14.1.1 二叉搜索树 ……… 338
14.1.2 索引二叉搜索树 ……… 340
14.2 抽象数据类型 ……… 340
14.3 二叉搜索树的操作和实现 ……… 341
14.3.1 类 binarySearchTree ……… 341
14.3.2 搜索 ……… 342
14.3.3 插入 ……… 342
14.3.4 删除 ……… 343
14.3.5 二叉搜索树的高度 ……… 346
14.4 带有相同关键字元素的二叉搜索树 … 347
14.5 索引二叉搜索树 ……… 348
14.6 应用 ……… 349
14.6.1 直方图 ……… 349
14.6.2 箱子装载问题的最优匹配法 ……… 351
14.6.3 交叉分布 ……… 353
第15章 平衡搜索树 ……… 359
15.1 AVL 树 ……… 360
15.1.1 定义 ……… 360
15.1.2 AVL 树的高度 ……… 361
15.1.3 AVL 树的描述 ……… 361
15.1.4 AVL 搜索树的搜索 ……… 361
15.1.5 AVL 搜索树的插入 ……… 361
15.1.6 AVL 搜索树的删除 ……… 364
15.2 红 – 黑树 ……… 367
15.2.1 基本概念 ……… 367
15.2.2 红 – 黑树的描述 ……… 368
15.2.3 红 – 黑树的搜索 ……… 368
15.2.4 红 – 黑树的插入 ……… 368
15.2.5 红 – 黑树的删除 ……… 371

15.2.6 实现细节的考虑及复杂性分析 … 374
15.3 分裂树 ……… 376
15.3.1 介绍 ……… 376
15.3.2 分裂树的操作 ……… 376
15.3.3 折算复杂性 ……… 378
15.4 B-树 ……… 379
15.4.1 索引顺序访问方法 ……… 379
15.4.2 m 叉搜索树 ……… 380
15.4.3 m 阶 B-树 ……… 381
15.4.4 B-树的高度 ……… 382
15.4.5 B-树的搜索 ……… 382
15.4.6 B-树的插入 ……… 382
15.4.7 B-树的删除 ……… 384
15.4.8 节点结构 ……… 387
15.5 参考及推荐读物 ……… 389
第16章 图 ……… 390
16.1 基本概念 ……… 390
16.2 应用和更多的概念 ……… 391
16.3 特性 ……… 394
16.4 抽象数据类型 graph ……… 395
16.5 无权图的描述 ……… 396
16.5.1 邻接矩阵 ……… 396
16.5.2 邻接链表 ……… 397
16.5.3 邻接数组 ……… 398
16.6 加权图的描述 ……… 400
16.7 类实现 ……… 400
16.7.1 不同的类 ……… 400
16.7.2 邻接矩阵类 ……… 401
16.7.3 扩充 chain 类 ……… 405
16.7.4 链表类 ……… 405
16.8 图的遍历 ……… 407
16.8.1 广度优先搜索 ……… 407
16.8.2 广度优先搜索的实现 ……… 408
16.8.3 方法 graph::bfs 的复杂性分析 …… 409
16.8.4 深度优先搜索 ……… 410
16.8.5 深度优先搜索的实现 ……… 411
16.8.6 方法 graph::dfs 的复杂性分析 …… 412
16.9 应用 ……… 412
16.9.1 寻找一条路径 ……… 412
16.9.2 连通图及其构成 ……… 414
16.9.3 生成树 ……… 415

第三部分　算法设计方法

第 17 章　贪婪算法 ································· 420
17.1　最优化问题 ······························· 420
17.2　贪婪算法思想 ··························· 421
17.3　应用 ······································· 424
　17.3.1　货箱装载 ························· 424
　17.3.2　0/1 背包问题 ·················· 425
　17.3.3　拓扑排序 ························· 427
　17.3.4　二分覆盖 ························· 430
　17.3.5　单源最短路径 ·················· 433
　17.3.6　最小成本生成树 ··············· 436
17.4　参考及推荐读物 ····················· 445
第 18 章　分而治之 ························· 446
18.1　算法思想 ······························· 446
18.2　应用 ······································· 453
　18.2.1　残缺棋盘 ························· 453
　18.2.2　归并排序 ························· 455
　18.2.3　快速排序 ························· 459
　18.2.4　选择 ······························· 464
　18.2.5　相距最近的点对 ··············· 466
18.3　解递归方程 ··························· 474
18.4　复杂度的下限 ························· 475
　18.4.1　最小最大问题的下限 ········· 476
　18.4.2　排序算法的下限 ··············· 477
第 19 章　动态规划 ························· 479

19.1　算法思想 ······························· 479
19.2　应用 ······································· 481
　19.2.1　0/1 背包问题 ·················· 481
　19.2.2　矩阵乘法链 ····················· 484
　19.2.3　所有顶点对之间的最短路径 ··· 489
　19.2.4　带有负值的单源最短路径 ····· 492
　19.2.5　网组的无交叉子集 ············ 496
19.3　参考及推荐读物 ····················· 501
第 20 章　回溯法 ··························· 502
20.1　算法思想 ······························· 502
20.2　应用 ······································· 506
　20.2.1　货箱装载 ························· 506
　20.2.2　0/1 背包问题 ·················· 512
　20.2.3　最大完备子图 ·················· 515
　20.2.4　旅行商问题 ····················· 517
　20.2.5　电路板排列 ····················· 519
第 21 章　分支定界 ························· 525
21.1　算法思想 ······························· 525
21.2　应用 ······································· 528
　21.2.1　货箱装载 ························· 528
　21.2.2　0/1 背包问题 ·················· 535
　21.2.3　最大完备子图 ·················· 536
　21.2.4　旅行商问题 ····················· 538
　21.2.5　电路板排列 ····················· 541

预 备 知 识

C++ 回顾

概述

大家好！我们将要开始一段旅程，穿越"数据结构、算法和程序"的世界，以解决现实生活中的许多难题。程序开发过程要求我们做到两点：一是高效的数据描述；二是步骤合理、可用程序实现的算法设计。要做到第一点，必须具备数据结构领域的专门知识；要做到第二点，必须具备算法设计领域的专门知识。

在开始研究数据结构和算法设计方法之前，你要熟练掌握编写 C++ 程序和分析程序的基本技能。这些技能通常是从 C++ 基础课程以及分散的数据结构课程中学到的。本书的前 4 章旨在帮助你复习这些技能，不过有很多内容你可能已经熟悉了。

第 1 章我们将讨论 C++ 语言的一些特性。因为本章不是 C++ 入门，所以没有介绍诸如赋值语句、if 语句和循环语句（如 for 和 while）等基本结构。本章要复习的 C++ 特性如下：

- 参数传递的不同方式（如值传递、引用传递和常量引用传递）。
- 函数或方法返回的不同方式（如值返回、引用返回和常量引用返回）。
- 模板函数。
- 递归函数。
- 常量函数。
- 内存分配和释放函数：new 和 delete。
- 异常处理结构：try、catch 和 throw。
- 类与模板类。
- 类的公有成员、保护成员和私有成员。
- 友元。
- 操作符重载。
- 标准模板库。

本章没有涉及的 C++ 特性将在后续章节需要的时候加以介绍。本章包含如下应用程序的代码：

- 动态分配与释放一维和二维数组。
- 求解二次方程。
- 生成 n 个元素的所有排列方式。
- 寻找 n 个元素的最大值。

此外，本章还给出测试和调试程序的一些技巧。

1.1 引言

在检查一个程序时，我们应该问如下几个问题：

- 它正确吗？

- 它容易读懂吗？
- 它有完善的文档吗？
- 它容易修改吗？
- 它在运行时需要多大内存？
- 它的运行时间有多长？
- 它的通用性如何？能否不加修改就可以解决更大范围的数据？
- 它可以直接在多种计算机上编译和运行吗？或者说它需要修改之后才能运行？

上述一些问题的重要性是相对的，取决于应用环境。例如，如果我们正在编写一个只需运行一次即可丢弃的程序，那么主要考虑的问题应该是程序是否正确、对内存和运行时间有什么要求以及能否在某台计算机上编译和运行。不管具体的应用环境是什么，程序最重要的特性是正确。一个程序如果是不正确的，那么不管它运行得多快、通用性多好、文档多完善，都是毫无意义的（除非把它修改正确）。尽管我们无法明确地详述确立程序正确性的技术，但可以提供一些常用的验证程序正确性的手段以及公认的程序设计习惯，这有助于你编写正确的代码。我们的目标是教你一些技术，用来开发正确、精致和高效的程序。

在学习这些技术之前，我们必须复习一些 C++ 语言的基本内容、测试和调试程序的技术、性能分析和测量程序性能的技术。这一章的重点是前两个内容，第 2 章到第 4 章复习性能分析和测量技术。

1.2　函数与参数

1.2.1　传值参数

考察函数 abc（见程序 1-1）。该函数用来计算表达式 a+b*c，其中 a、b 和 c 是整数，结果也是一个整数。

程序 1-1　计算一个整型表达式

```
int abc(int a, int b, int c)
{
    return a + b * c;
}
```

在程序 1-1 中，a、b 和 c 是函数 abc 的**形参**（formal parameter），每一个形参都是整型的。如果在下面的语句中调用函数 abc：

```
z = abc(2,x,y)
```

那么，2、x 和 y 便是分别与 a、b 和 c 对应的**实参**（actual parameter）。

在程序 1-1 中，形参 a、b、c 实际上是**传值参数**（value parameter）。在运行时，函数 abc 执行前，把实参复制给形参。复制过程是由形参类型的**复制构造函数**（copy constructor）来完成的。如果实参和形参的类型不同，必须进行类型转换，把实参转换为形参的类型，当然，前提是这样的类型转换是允许的。

当调用 abc(2,x,y) 时，a 被赋值 2，b 被赋值 x，c 被赋值 y。如果 x 或 y 不是 int 类型，那么在把它们的值赋值给 b 和 c 之前，首先要对它们进行类型转换。例如，如果 x 是 double 类型，其值为 3.8，那么 b 被赋值为 3。

当函数运行结束时，形参类型的**析构函数**（destructor）负责释放形式参数。当一个函数运行结束时，形参的值不会被复制到对应的实参中。因此，函数调用不会修改与形参对应的实参的值。

1.2.2 模板函数

假定我们希望编写另外一个函数来计算与程序 1-1 相同的表达式，不过这次 a、b 和 c 是 float 类型，结果也是 float 类型。程序 1-2 中给出了具体的代码。程序 1-1 和程序 1-2 的区别仅在于形参以及函数返回值的类型不同。

程序 1-2 计算一个浮点型表达式

```
float abc(float a, float b, float c)
{
  return a + b * c;
}
```

与其对每一种可能的形参类型都编写一个相应函数的新版本，不如编写一段通用代码，它的参数类型是一个变量，它的值由编译器来确定。这种通用代码使用的是模板语句，如程序 1-3 所示。

程序 1-3 利用模板函数计算一个表达式

```
template<class T>
T abc(T a, T b, T c)
{
    return a + b * c;
}
```

从这段通用代码，编译器通过把 T 替换为 int 而构造出程序 1-1，把 T 替换为 float 又构造出程序 1-2。事实上，通过把 T 替换为 double 或 long，编译器还可以构造出函数 abc 的双精度型版本和长整型版本。把函数 abc 编写成模板函数，我们就不必了解形参的类型了。

1.2.3 引用参数

程序 1-3 使用的形参会增加程序的运行时间。例如，我们来考察一下函数被调用以及返回时所涉及的操作。当 a、b 和 c 是传值参数时，一进入函数调用，类型 T 的复制构造函数便把相应的实参分别复制给形参 a、b 和 c，以供函数使用。当函数返回时，类型 T 的析构函数被启用，以释放形式参数 a、b 和 c 的空间。

假定 T 是用户自定义数据类型 matrix，那么它的复制构造函数将复制矩阵 matrix 的所有元素，而析构函数则将逐个释放矩阵元素（假定 matrix 已经定义了操作符 +、* 和 /）。假设矩阵 matrix 有 1000 个元素，函数 abc 的实参是 matrix 类型，当调用函数 abc 时，把三个实参复制给形参 a、b 和 c 需要 3000 次操作。当函数 abc 结束时，matrix 的析构函数又需要 3000 次操作来释放 a、b 和 c。

在程序 1-4 的代码中，a、b 和 c 是**引用参数**（reference parameter）。如果用语句 abc(x,y,z) 来调用函数 abc，其中实参 x、y 和 z 的数据类型是相同的，那么这些实参分别是 a、b 和 c 的别名，即在函数 abc 执行期间，名字 x、y 和 z 分别代替了名字 a、b 和 c。与传值参数的情况不同，当函数被调用时，这个程序没有复制实参的值，在函数返回时，也没有调用析构函数。

程序 1-4　利用引用参数计算一个表达式

```
template<class T>
T abc(T& a, T& b, T& c)
{
    return a + b * c;
}
```

当 a、b 和 c 所对应的实参 x、y 和 z 分别是具有 1000 个元素的矩阵类型时，情况是怎样的？因为不需要把 x、y 和 z 的值复制给对应的形参，所以节省了传值参数在参数复制时所需要的 3000 次操作。

1.2.4　常量引用参数

C++ 还提供了另外一种参数传递模式——**常量引用**（const reference）。这种模式指明的引用参数不能被函数修改。例如，在程序 1-4 中，a、b 和 c 的值没有变化，因此我们可以重写这段代码，如程序 1-5 所示。

程序 1-5　利用常量引用参数计算一个表达式

```
template<class T>
T abc(const T& a, const T& b, const T& c)
{
    return a + b * c;
}
```

用关键字 const 来指明函数不可修改的引用参数，这在软件工程方面具有重要意义。函数头告诉用户该函数不会修改实参。

采用程序 1-6 的语法，我们可以得到程序 1-5 的一个更通用的版本。在新的版本中，每个形参可以是不同的数据类型，而函数返回值的类型与第一个形参类型相同。

程序 1-6　程序 1-5 的一个更通用的版本

```
template<class Ta, class Tb, class Tc>
Ta abc(const Ta& a, const Tb& b, const Tc& c)
{
    return a + b * c;
}
```

1.2.5　返回值

一个函数可以返回一个值、一个引用或一个常量引用。前面的例子都是返回一个值。在这种情况下，返回的对象被复制到调用环境中。对于函数 abc 的所有版本来说，这种复制过程都是必要的，因为函数所计算出的表达式结果被存储在一个局部的临时变量中，当函数结束时，这个临时变量（以及所有其他的临时变量、局部变量和传值参数）所占用的空间将被释放，其值当然也不再有效。为了不丢失这个值，在释放临时变量、局部变量以及传值参数的空间之前，要把这个值从临时变量复制到调用该函数的环境中去。

给函数返回类型增加一个后缀 &，我们便指定了一个**引用返回**（reference return）。函数头

```
T& mystery(int i, T&z)
```

定义了一个函数 mystery，它返回的是类型 T 的一个引用。例如，可以使用下面的语句返回 z：

```
return z
```

这种返回形式不会把 z 的值复制到返回环境中。当函数结束时，形参 i 以及所有局部变量的空间都被释放。因为 z 仅仅是对一个实参的引用，所以它不受影响。

如果把关键字 const 加在函数头上，便得到 const 型引用返回（const reference return）：

```
const T& mystery(int i, T&z)
```

const 引用返回与引用返回是类似的，不同之处在于，const 引用返回在返回调用环境时，必须将值赋给 const 常量。

1.2.6 重载函数

一个函数的**签名**（signature）是由这个函数的形参类型以及形参个数确定的。在程序 1-1 中，函数 abc 的签名是（int,int,int）。C++ 可以定义两个或更多的同名函数，但是任何两个同名的函数不能有同样的签名。定义多个同名函数的机制称为**函数重载**（function overloading）。有了函数重载，一个程序可以包含程序 1-1 的函数 abc 和程序 1-2 的函数 abc。将函数调用语句中的签名与函数定义中的签名进行匹配，C++ 编译器可以确定是哪一个重载函数被调用了。

练习

1. 解释为什么程序 1-7 的交换函数没有把形参 x 和 y 所对应的实参的值交换。如何修改代码，使实参的值得到交换？

程序 1-7　交换两个整数的不正确的代码

```
void swap(int x,int y)
{// 交换整数 x 和 y
   int temp=x;
   x=y;
   y=temp;
}
```

2. 编写一个模板函数 count，返回值是数组 a[0:n-1] 的数值个数。测试你的代码。
3. 编写一个模板函数 fill，给数组 a[start:end-1] 赋值 value。测试你的代码。
4. 编写一个模板函数 inner_product，返回值是 $\sum_{i=0}^{n-1} a[i] * b[i]$。测试你的代码。
5. 编写一个模板函数 iota，使 a[i]=value+i，$0 \leqslant i < n$。测试你的代码。
6. 编写一个模板函数 is_sorted，当且仅当 a[0:n-1] 有序时，返回值是 true。测试你的代码。
7. 编写一个模板函数 mismatch，返回值是使不等式 a[i] $\neq$ b[i] 成立的最小索引 i，$0 \leqslant i < n$。
8. 下面的函数头是具有不同签名的函数吗？为什么？

```
1) int abc(int a,int b,int c)
2) float abc(int a,int b,int c)
```

9. 假设有一个程序包含了程序 1-1 和程序 1-2 的 abc 函数。下面的语句分别调用了哪一个 abc 函数？哪一条语句会出现编译错误？为什么？

1）cout<<abc(1,2,3)<<endln;

2）cout<<abc(1.0F,2.0F,3.0F)<<endln;

3）cout<<abc(1,2,3.0F)<<endln;

4）cout<<abc(1.0,2.0,3.0)<<endln;

1.3 异常

1.3.1 抛出异常

异常是表示程序出现错误的信息。例如，对表达式 a+b*c+b/c 求值，如果 a=2，b=1，c=0，那么除数就是 0，这是一个错误。对这个错误，虽然 C++ 检查不出来，但是硬件会检查出来，并抛出一个异常。

我们可以编写这样的 C++ 程序，它可以对一些异常情况进行检查，而且当查出一个异常时，就抛出异常。例如，程序 1-1 的函数 abc 可以定义为，仅当三个参数都大于 0 时才计算表达式的值。如果有一个或多个参数的值不大于 0，就可以抛出异常，表明有异常出现，如程序 1-8 所示。这个程序所抛出的异常类型是 char*。

程序 1-8 抛出一个类型为 char* 的异常

```
int  abc(int a, int b, int c)
{
    if (a <= 0 || b <= 0 || c <= 0)
        throw "All parameters should be > 0";
    return a + b * c;
}
```

程序可能抛出的异常有很多类型，例如 0 除数、非法参数值、非法输入值、数组下标越界等。如果对每一种类型的异常都定义一个异常类，那么异常处理就有了更多的灵活性。例如，C++ 具有一个异常类的层次结构，类 exception 是根。标准 C++ 函数通过抛出一种异常来表明异常的出现，而这种异常是从基类 exception 派生的类型。例如，C++ 的动态内存分配操作符 new，在得不到内存空间分配时，就抛出类型为 bad_alloc 的异常，而 bad_alloc 是一种从基类 exception 派生的类型。类似的，确定一个对象类型的 C++ 函数 typeid，在遇到 NULL 对象时，就会抛出类型为 bad_typeid 的异常，而 bad_typeid 也是从基类 exception 派生的。在 1.6 节，我们将介绍如何定义异常类。

1.3.2 处理异常

一段代码抛出的异常由包含这段代码的 try 块来处理。紧跟在 try 块之后的是 catch 块。每一个 catch 块都有一个参数，参数的类型决定了这个 catch 块要捕捉的异常的类型。例如，块

```
catch(char *e){}
```

捕捉的异常类型是 char*，而块

```
catch(bad_alloc e){}
```

捕捉的异常类型是 bad_alloc。块

```
catch(exception& e){}
```

捕捉的异常类型是基类型 exception 以及所有从 exception 派生的类型（例如 bad_alloc 和 bad_typeid）。块

```
catch(...){}
```

捕捉所有异常，不管是什么类型。

　　catch 块一般包含异常改正之后所恢复的代码。如果不可能恢复，那么 catch 块的代码输出报错信息。程序 1-9 给出了一个 try-catch 结构示例。在 try 块中调用的函数 abc 是程序 1-8 给出的。

　　在程序 1-9 的 try 块之后只有一个 catch 块，其实可以有多个 catch 块。如果在一个 try 块之内的代码结束时没有发生异常，那么 catch 块就被忽视了。如果一个异常被抛出，那么 try 块的正常运行停止，程序进入第一个能够捕捉到这种异常类型的 catch 块。在这个 catch 块执行完之后，其他的 catch 块就被忽略了。如果没有一个 catch 块能够与抛出的异常类型相对应，那么异常就会跨越嵌入在 try 块里的层次结构，寻找在层次结构中能够处理这个异常的第一个 catch 块。如果该异常没有被任何 catch 块捕捉，那么程序非正常停止。

程序 1-9　捕捉一个类型为 char* 的异常

```
int main()
{
  try {cout << abc(2,0,4) << endl;}
  catch (char* e)
      {
          cout << "The parameters to abc were 2, 0, and 4" << endl;
          cout << "An exception has been thrown" << endl;
          cout << e << endl;
          return 1;
      }
    return 0;
}
```

　　当程序 1-9 运行时，abc 函数抛出了一个类型为 char* 的异常。这个异常使函数 abc 还没有计算表达式的值就停止了。块 try 也立即停止了，其中的 cout 语句没有执行完。因为抛出的异常与 catch 块的参数 e 是同一种类型，所以异常被这个 catch 块捕捉，e 的赋值是抛出的异常，然后进入 catch 块。图 1-1 给出的是由程序 1-9 产生的输出结果。

```
The parameters to abc were 2, 0, and 4
An exception has been thrown
All parameters should be > 0
```

图 1-1　程序 1-9 的输出结果

练习

10. 修改程序 1-8，使抛出的异常类型是整型。如果 a、b、c 都小于 0，那么抛出的异常值是 1；如果 a、b、c 都等于 0，那么抛出的异常值是 2。否则没有异常。编写一个主函数，应用

修改后的代码；若有异常抛出，则捕捉异常；根据异常值输出信息。测试你的代码。

11. 重做练习 2。不过，当 n<1 时，抛出类型为 char* 的异常。测试你的代码。

1.4 动态存储空间分配

1.4.1 操作符 new

C++ 操作符 new 用来进行动态存储分配或运行时存储分配，它的值是一个指针，指向所分配空间。例如，要给一个整数动态分配存储空间，必须利用下面的语句声明一个整型指针变量（例如 y）：

```
int*y;
```

当程序需要这个整数时，就使用下面的语句为这个整数动态分配存储空间：

```
y=new int;
```

操作符 new 分配了一块能够存储一个整数的空间，并将该空间的指针赋给 y，y 是对整数指针的引用，而 *y 是对整数本身的引用。要在动态分配的空间中存储一个整数值，例如 10，可以使用下面的语句：

```
*y=10;
```

我们可以把上述三个步骤（声明 y，动态存储分配，为 *y 赋值）合并为下面的形式：

```
int*y=new int;
*y=10;
```

或

```
int *y=new int(10);
```

或

```
int *y;
y=new int(10);
```

1.4.2 一维数组

本书列举的许多函数都使用了一维或二维数组，这些数组的大小在编译时可能还是未知的，它们随着函数调用的变化而变化，因此，对这些数组只能进行动态存储分配。

为了在运行时创建一个一维浮点型数组 x，必须把 x 声明为一个浮点型指针，然后为数组分配足够的空间。例如，一个长度为 n 的一维浮点数组可以按如下方式来创建：

```
float*x=new float[n];
```

操作符 new 为 n 个浮点数分配了存储空间，并返回第一个浮点数空间的指针。对每个数组元素的访问可以用 x[0],x[1],…,x[n-1] 的形式。

1.4.3 异常处理

执行语句

```
float *x=new float[n];
```

可能出现这样的情况，对 n 个浮点数，计算机没有足够的内存可以分配。在这样的情况下，操作符 new 也不会分配内存，而是抛出一个类型为 bad_alloc 的异常。利用 try-catch 结构，我们可以捕获这个因 new 操作失败而引发的异常：

```
float*x;
try{x=new float [n];}
catch(bad_alloc  e)
{// 仅当 new 失败时才会进入
   cerr<<"Out of Memory"<<endl;
   exit(1);
}
```

1.4.4　操作符 delete

动态分配的存储空间不再需要时应该把它释放。释放的空间可重新用来动态分配。C++ 操作符 delete 用来释放由操作符 new 所分配的空间。下面的语句用来释放分配给 *y 和一维数组 x 的空间；

```
delete y;
delete []x;
```

1.4.5　二维数组

虽然 C++ 采用多种机制来说明二维数组，但是这些机制大多要求在编译时就知道两维的大小。具体来说，使用这些机制很难编写出这样的函数，它的形参是一个第二维大小未知的二维数组。之所以如此，是因为当形参是一个二维数组时，必须指定第二维的大小。例如，a[][10] 是一个合法的形参，而 a[][] 就不是。

克服这种限制的一条有效方法就是对所有二维数组使用动态存储分配。本书从头至尾都使用动态分配的二维数组。

当二维数组的两维大小在编译时都是已知时，可以采用类似于创建一维数组的语法来创建二维数组。例如，一个类型为 char 的 7×5 的二维数组可用下面的语法来声明：

```
char c[7][5];
```

如果在编译时至少有一维的大小是未知的，那么数组空间必须在运行时利用操作符 new 来创建。假定一个二维字符型数组，在编译时已知列数为 5，可采用如下语法来动态分配存储空间：

```
char(*c)[5];
try{c=new char[n][5];}
catch(bad_alloc)
{// 仅当 new 失败时才会进入
   cerr <<"Out of Memory" <<endl;
   exit(1);
}
```

在运行时，这种数组的行数 n 要么通过计算来确定，要么由用户通过输入来指定。如果数组的列数在编译时也是未知的，那么不可能仅调用一次 new 就能创建这个二维数组（即使数组的行数在编译时是已知的）。要构造这样的二维数组，可以把它看做是由若干行所构成的结构，每一行都是一个能用 new 来创建的一维数组。指向每一行的指针保存在另外一个一维数组之中。图 1-2 给出了建立一个 3×5 数组 x 所需要的结构。

x[0]、x[1] 和 x[2] 分别指向第 0 行、第 1 行和第 2 行的首元素。如果 x 是一个字符数组，那么 x[0:2] 是指向字符的指针，而 x 本身是一个指向指针的指针，x 的声明语法如下所示：

```
char **x;
```

程序 1-10 创建了一个如图 1-2 所示的存储结构。该程序创建一个类型为 T 的二维数组。这个数组的行数是 numberOfRows，列数是 numberOfColumns。程序首先为指针 x[0]，…，x[numberOfRows-1] 申请空间，然后为数组的每一行申请空间。在程序 1-10 中，操作符 new 被调用 numberOfRows+1 次。如果 new 的某一次调用引发了一个异常，程序控制将转移到 catch 块，并返回 false。如果 new 的每一次调用都没有出现异常，那么数组创建成功。函数返回 true。对创建的数组 x，每个元素都可以使用标准下标法 x[i][j] 来引用，其中 $0 \leq i < $ numberOfRows, $0 \leq j < $ numberOfColumns。

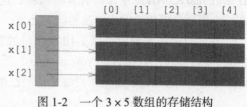

图 1-2 一个 3×5 数组的存储结构

程序 1-10 为一个二维数组分配存储空间

```cpp
template <class T>
bool make2dArray(T ** &x, int numberOfRows, int numberOfColumns)
{// 创建一个二维数组

    try {
        // 创建行指针
        x = new T * [numberOfRows];

        // 为每一行分配空间
        for (int i = 0; i < numberOfRows; i++)
            x[i] = new int [numberOfColumns];
        return true;
    }
    catch (bad_alloc) {return false;}
}
```

在程序 1-10 的函数中，new 抛出的异常（如果有异常的话）是通过函数返回的布尔型值 false 来告知调用者的。其实，函数 make2dArray 在异常出现时可以什么都不做。对程序 1-11，调用者可以捕获操作符 new 抛出的任何异常。

程序 1-11 创建一个二维数组，没有异常处理

```cpp
template <class T>
void make2dArray(T ** &x, int numberOfRows, int numberOfColumns)
{// 创建一个二维数组

    // 创建行指针
    x = new T * [numberOfRows];

    // 为每一行分配空间
```

```
    for (int i = 0; i < numberOfRows; i++)
        x[i] = new T [numberOfColumns];
}
```

当 make2dArray 按程序 1-11 定义时，我们使用如下代码来确定存储分配是否成功：

```
try{make2dArray(x, r, c);}
catch(bad_alloc)
{
cerr<<"Could not create x"<<endl;
exit(1);
}
```

在函数 make2dArray 中，没有异常捕获，这不仅简化了函数的代码设计，而且使异常捕获落在一个更适合报告错误或修改错误的地方。

我们分两步来释放程序 1-10 的二维数组空间，首先释放在 for 循环中为每一行所分配的空间，然后释放为行指针（row pointer）所分配的空间，见程序 1-12。注意，在程序 1-12 中 x 被置为 0，这是为了防止用户继续访问已被释放的空间。

程序 1-12　释放在函数 make2dArray 中分配的空间

```
template <class T>
void delete2dArray(T ** &x, int numberOfRows)
{// 删除二维数组 x

    // 删除行数组空间
    for (int i = 0; i < numberOfRows; i++)
        delete [] x[i];

    // 删除行指针
    delete [] x;
    x = NULL;
}
```

练习

12. 为程序 make2dArray（程序 1-11）编写一个通用型算法，它的第三个参数不是整数 numberOfColumns，而是一维数组 rowSize。它创建一个二维数组，第 i 行的列数是 rowSize[i]。

13. 编写一个模板函数 changeLength1D，它将一个一维数组的长度从 oldLength 变成 newLength。函数首先分配一个新的、长度为 newLength 的数组，然后把原数组的前 min{oldLength，newLength} 个元素复制到新数组中，最后释放原数组所占用的空间。测试你的代码。

14. 编写一个函数 changeLength2D，它改变一个二维数组的大小（见练习 13）。测试你的代码。

1.5　自有数据类型

1.5.1　类 currency

C++ 语言支持诸如 int、float 和 char 这样的数据类型。而本书的许多应用所需要的数据类型是 C++ 不支持的，需要自己定义。定义自有数据类型最灵活的方式就是使用 C++ 的类（class）结构。假定你想处理货币类型 currency 的对象（也称实例），这种对象有三个成员：符号（+ 或 –）、美元和美分。例如，$2.35（2 美元，35 美分，符号是 +，）和 –$6.05（6 美元，5 美分，符号是 – ）。对这种对象我们想要执行的操作如下：

- 给成员赋值。
- 确定成员值（即符号、美元数目和美分数目）。
- 两个对象相加。
- 增加成员的值。
- 输出。

假定用无符号长整型变量 dollars、无符号整型变量 cents 和 signType 类型变量 sign 来描述货币对象，其中 signType 类型的定义如下：

```
enum signType{plus, minus};
```

程序 1-13 用 C++ 定义了一个相应的货币类。第一行仅仅声明了类的名称 currency，而类的成员声明包含在其后的一对 {} 中。类的成员声明有两个部分：公有（public）和私有（private）。公有部分所声明的是用来操作类对象（或实例）的成员函数（又称方法）。它们对类的用户是可见的，是用户与类对象进行交互的唯一手段。私有部分所声明的是用户不可见的数据成员（如简单变量、数组及其他可赋值的结构）和成员函数。通过公有部分和私有部分，我们可以让用户只看到他们需要看到的部分，同时把其余的部分隐藏起来，这部分通常是与实现细节有关的内容。尽管用 C++ 语法可以在公有部分声明数据成员，但是优秀的软件设计者不会这样做。

程序 1-13　currency 类声明

```
class currency
{
    public:
        // 构造函数
        currency(signType theSign = plus,
                 unsigned long theDollars = 0,
                 unsigned int theCents = 0);
        // 析构函数
        ~currency() {}
        void setValue(signType, unsigned long, unsigned int);
        void setValue(double);
        signType getSign() const {return sign;}
        unsigned long getDollars() const {return dollars;}
        unsigned int getCents() const {return cents;}
        currency add(const currency&) const;
        currency& increment(const currency&);
        void output() const;
    private:
        signType sign;                  // 对象的符号
        unsigned long dollars;          // 美元的数量
        unsigned int cents;             // 美分的数量
};
```

公有部分的第一个成员函数与类名相同，这种名称与类名相同的成员函数称为**构造**

（constructor）函数。构造函数指明了创建一个类对象的方法，而且没有返回值。在本例中，构造函数有三个参数，其缺省值分别是 plus、0 和 0。构造函数的实现在本节稍后的部分给出。在创建一个 currency 类对象时，构造函数被自动调用。创建 currency 类对象有如下两种方式：

```
currency f,g(plus,3,45), h(minus,10);
currency *m= new currency(plus,8,12);
```

第一行声明了三个 currency 类对象：f、g 和 h。其中 f 用缺省值（plus, 0, 0）初始化，结果是 $0.00；g 的初始化结果是 $3.45，h 的初始化结果 –$10.00。注意，初始值从左至右分别与构造函数的参数对应。如果初始值的个数少于构造函数的参数个数，剩下的参数取缺省值。在第二行声明了一个 currency 类的指针 m。调用 new 操作符创建一个 currency 对象，并把对象的指针存储在 m 中，对象初始化的结果是 $8.12。

下一个成员函数是 ~currency，比类名多了一个前缀（~），这种成员函数称为**析构**（destructor）函数。每当一个 currency 类对象超出作用域时，析构函数就被自动调用来删除这个对象。在本例中的析构函数被定义为空函数（{}）。不过在其他类中，析构函数可能不是空函数。例如，构造函数可能创建了动态数组，那么当对象超出作用域时，析构函数需要释放动态数组空间，这时的析构函数就不是空函数。与构造函数一样，析构函数也没有返回值。

接下来的两个函数供用户为 currency 类对象赋值。第一个函数共有三个参数，而第二个函数仅有一个参数。这两个函数的具体实现在本节稍后给出。请注意，这两个函数的名字相同，但是它们的签名不同，编译器和用户很容易区分它们。还要注意，这两个函数没有指定赋值（符号，美元，美分）对象的名称，这是因为调用类成员函数的语法是：

```
g.setValue(minus,33,0);
h.setValue(20.52);
```

其中 g 和 h 是 currency 类对象，也是函数的赋值对象。在第一个句子中，g 是调用 setValue 的对象，在第二个句子中，h 是调用 setValue 的对象。在编写函数 setValue 的代码时，我们有办法访问调用该函数的对象，因此，不需要把调用对象的名称放入参数表中。

成员函数 getSign、getDollars 和 getCents 返回调用对象的相应数据成员，关键字 const 指明这些函数不会改变调用对象的值。我们把这种函数称为**常量函数**（constant function）。

成员函数 add 把调用对象的货币值与参数对象（即作为参数的 currency 类对象）的货币值相加，然后返回相加后的结果。因为这个成员函数不会改变调用对象的值，所以它是一个常量函数。成员函数 increment 把参数对象的货币值加到调用对象上，这个函数改变了调用对象的值，因此它不是一个常量函数。最后一个成员函数是 output，它把调用对象插入输出流 cout 中来显示它的值。output 不会改变调用对象，因此是一个常量函数。

尽管 add 和 increment 都返回 currency 类对象，但 add 返回的是对象的值，而 increment 返回的是对象的引用。1.2.5 节已经提到，返回值和返回引用分别与传值参数和引用参数有相同的作用。返回对象的值是将返回的对象复制到返回的环境。而返回对象的引用则避免了这种复制。该对象在返回的环境中可以直接引用。返回引用比返回值要快，因为不用复制对象。成员函数 add 返回的是一个该函数的局部对象，在函数终止时这个局部对象被删除，因此，return 语句必须复制该对象。而成员函数 increment 返回的是该函数的调用对象，因而不需要复制。

程序 1-13 没有指定**复制构造**（copy constructor）函数，C++ 将使用缺省复制构造函数，仅仅复制数据成员。对于类 currency 来说，缺省复制构造函数已经足够了。后面还有一些类，对于它们，缺省复制构造函数就不够了。

私有部分声明了三个数据成员，用来表示一个 currency 类对象。每一个 currency 类对象都有这三个数据成员。

成员函数如果不在类声明体内部实现，而在外部实现，就必须使用作用域说明符（scope resolution operator）:: 以指明该函数是 currency 类的成员函数。因此 currency::currency 表示 currency 类的构造函数，而 currency::output 表示 currency 类的 output 成员函数。程序 1-14 实现了 currency 类的构造函数，它仅仅调用了具有三个参数的成员函数 setValue 来给对象的数据成员初始化。

程序 1-14 currency 的构造函数

```
currency::currency(signType theSign, unsigned long theDollars, unsigned int theCents)
{// 创建一个 currency 类对象
   setValue(theSign, theDollars, theCents);
}
```

程序 1-15 是两个成员函数 setValue 的代码。第一个成员函数首先验证参数值的合法性。只有参数值合法，才能用来给调用对象的私有数据成员赋值。如果参数值不合法，就抛出一个类型为 illegalParametervalue 的异常（1.6 节介绍）。第二个成员函数不验证参数值的合法性，仅使用小数点后面头两个数字。不过要注意，对形如 $d_1.d_2d_3$ 的数，用计算机表示可能是不精确的。例如，用计算机表示数值 5.29 时，可能要比 5.29 稍微小一点。如果用语句

```
cents = (unsigned int)((theAmount - dollars) * 100);
```

来抽取美分的值，那么用计算机来表示就要出错，因为 (theAmount–dollars)*100 要比 29 稍微小一点，当程序再把它转换成一个整数时，赋给 cents 的值是 28 而不是 29。解决这个问题的方法是给 theAmount 加上 0.001，这时，只要 $d_1.d_2d_3$ 用计算机表示后与实际值相比不少于 0.001 或不多于 0.009，结果就是正确的。例如，如果 5.29 用计算机表示是 5.289 99，那么加上 0.001 将得到 5.290 99，这样一来，赋给 cents 的值就等于 29。

程序 1-15 给私有数据成员赋值

```
void currency::setValue(signType theSign, unsigned long theDollars,
                                          unsigned int theCents)
{// 给调用对象的数据成员赋值
   if (theCents > 99)                                    // 美分太多
      throw illegalParameterValue("Cents should be < 100");

   sign = theSign;
   dollars = theDollars;
   cents = theCents;
}

void currency::setValue(double theAmount)
{// 给调用对象的数据成员赋值
   if (theAmount < 0) {sign = minus; theAmount = -theAmount;}
   else sign = plus;
```

```
    dollars = (unsigned long) theAmount;                    // 提取整数部分
    cents = (unsigned int) ((theAmount + 0.001 - dollars) * 100); // 提取两位小数
}
```

　　程序 1-16 是方法 add 的代码，它首先把要相加的两个对象转换为整数，如 \$2.32 转换成 232，–\$4.75 转换成 –475。注意，引用调用对象的数据成员与引用参数对象 x 的数据成员在语法上是有区别的。x.dollars 指的是 x 的数据成员，而前面没有对象名称的 dollars 指的是调用对象的数据成员。当方法 add 终止时，局部变量 a1、a2、a3 和 ans 被析构函数删除，它们的空间被释放。而 currency 类对象 result 是 add 的局部对象，它作为调用的返回值必须复制到调用环境中。因此 add 必须是值返回。

程序 1-16　把两个 currency 对象的值相加

```
currency currency::add(const currency& x) const
{// 把 x 和 *this 相加
    long a1, a2, a3;
    currency result;
    // 把调用对象转化为符号整数
    a1 = dollars * 100 + cents;
    if (sign == minus) a1 = -a1;

    // 把 x 转化为符号整数
    a2 = x.dollars * 100 + x.cents;
    if (x.sign == minus) a2 = -a2;

    a3 = a1 + a2;

    // 转换为 currency 对象的表达形式
    if (a3 < 0) {result.sign = minus; a3 = -a3;}
    else result.sign = plus;
    result.dollars = a3 / 100;
    result.cents = a3 - result.dollars * 100;

    return result;
}
```

　　程序 1-17 是方法 increment 和 output 的代码。在 C++ 中，保留关键字 this 指向调用对象，*this 便是调用对象。以调用语句 g.increment(h) 为例，方法 increment 第一行语句调用公有成员函数 add，它把 x（即 h）与调用对象 g 相加，然后把相加的结果作为返回值赋给 *this，而 *this 就是 g。因此 g 的值增加了 x（即 h）。方法 increment 的返回值是 *this，*this 是调用对象 g。因为这个对象不是 increment 的局部对象，当 increment 结束时，g 的空间不会自动释放，所以我们使用了返回引用，这样就省去了返回值的复制过程。

程序 1-17　函数 increment 和 output

```
currency& currency::increment(const currency& x)
{// 增加 x
    *this = add(x);
    return *this;
}

void currency::output() const
```

```
{// 输出调用对象的值
   if (sign == minus) cout << '-';
   cout << '$' << dollars << '.';
   if (cents < 10) cout << '0';
   cout << cents;
}
```

类 currency 的数据成员已经设为私有（private），类的用户不能直接访问这些成员。因此，用户通过下面的语句直接改变私有数据成员的值是允许的：

```
h.cents=20;
h.dollars=100;
h.sign=plus;
```

如果数据成员在处理之前是有效的，而且经过成员函数处理之后依然是有效的，那么我们就能够保证它们在经过用户程序处理之后依然是有效的，因为用户程序是通过成员函数来处理数据成员的。构造函数和成员函数 setValue 的代码在使用数据之前都要验证它的有效性。而其余成员函数的特性是：如果数据在处理前是有效的，那么在处理之后也是有效的。由于构造函数和成员函数 setValue 已经保证了数据成员的有效性，所以，诸如 add、output 等成员函数的代码在处理之前不必验证数据成员。可是，如果把数据成员声明为公有成员，那就不一样了。例如，用户可能直接赋给 cents 一个无效值 305，从而导致一些成员函数（如 output）的结果有误。在这种情况下，所有成员函数的代码都需要在处理之前验证数据成员。这样一来，代码运行速度就会降低，代码也不那么精简了。

程序 1-18 是类 currency 的一个应用示例。这段代码假定类声明和类实现都在文件 currency.h 之中。我们一般把类声明和类实现分放在不同的文件中，然而这种分置对后续章节要引入的大量模板函数和模板类是行不通的。

主函数 main 的第一行声明了 4 个 currency 类对象 g、h、i 和 j。构造函数使 h 的初始值是 $3.50，其余的都是 $0.00。接下来的两行调用成员函数 setValue，将 g 和 i 分别赋值为 –$2.25 和 –$6.45。下面是调用成员函数 add，它把 g 和 h 加在一起，返回一个值为 $1.25 的对象，然后通过缺省赋值函数把右侧对象的数据成员复制给左侧对象所对应的数据成员。复制的结果是 j 的值为 $1.25。下面的几行代码是输出 h、g 和 j 的值。其余的几行代码是自明的。

程序 1-18 类 currency 的应用

```
#include <iostream>
#include "currency.h"

using namespace std;

int main()
{
   currency g, h(plus, 3, 50), i, j;

   // 使用两种形式的 setValue 来赋值
   g.setValue(minus, 2, 25);
   i.setValue(-6.45);

   // 调用成员函数 add 和 output
   j = h.add(g);
```

```
    h.output();
    cout << " + ";
    g.output();
    cout << " = ";
    j.output(); cout << endl;

    // 连续调用两次成员函数 add
    j = i.add(g).add(h);
        // 省略了输出语句

    // 调用成员函数 increment 和 add
    j = i.increment(g).add(h);
        // 省略了输出语句

    // 测试异常
    cout << "Attempting to initialize with cents = 152" << endl;
    try {i.setValue(plus, 3, 152);}
    catch (illegalParameterValue e)
    {
        cout << "Caught thrown exception" << endl;
        e.outputMessage();
    }
    return 0;
}
```

1.5.2 一种不同的描述方法

假设已经有许多应用程序采用了程序 1-13 的 currency 类，现在我们想要修改对 currency 类对象的数据描述，使应用最多的两个成员函数 add 和 increment 运行更快，进而提高应用程序的执行速度。因为用户仅仅通过公有部分所提供的接口与 currency 类进行交互，所以对私有部分的修改不会影响应用程序的正确性。因此，私有部分修改，而应用程序不用修改。

新的描述仅有一个私有数据成员，类型为 long。数 132 代表 $1.32，而 –20 代表 –$0.20。程序 1-19、程序 1-20、程序 1-21 是 currency 类的新声明以及各成员函数的实现。

注意，如果把新代码放在文件 currency.h 中，程序 1-18 的代码依然可以执行，而不需要任何修改。对用户隐藏类的实现细节的一个重大的益处是，用新的、更高效的类对象描述取代以前的描述之后，应用代码不需要任何改动。

程序 1-19 类 currency 的新声明

```
class currency
{
    public:
        // 构造函数
        currency(signType theSign = plus,
                 unsigned long theDollars = 0,
                 unsigned int theCents = 0);
        // 析构函数
        ~currency() {}
        void setValue(signType, unsigned long, unsigned int);
        void setValue(double);
        signType getSign() const
```

```
      {if (amount < 0) return minus;
       else return plus;}
    unsigned long getDollars() const
      {if (amount < 0) return (-amount) / 100;
       else return amount / 100;}
    unsigned int getCents() const
      {if (amount < 0) return -amount - getDollars() * 100;
       else return amount - getDollars() * 100;}
    currency add(const currency&) const;
    currency& increment(const currency& x)
      {amount += x.amount; return *this;}
    void output() const;
  private:
    long amount;
};
```

程序 1-20　构造函数和成员函数 setValue 的新代码

```
currency::currency(signType theSign, unsigned long theDollars,
                                     unsigned int theCents)
{// 创建一个 currency 类对象
   setValue(theSign, theDollars, theCents);
}

void currency::setValue(signType theSign, unsigned long theDollars,
                                          unsigned int theCents)
{// 给调用对象赋值
   if (theCents > 99)
      // 美分值太大
      throw illegalParameterValue("Cents should be < 100");

   amount = theDollars * 100 + theCents;
   if (theSign == minus) amount = -amount;
}

void currency::setValue(double theAmount)
{// 给调用对象赋值
   if (theAmount < 0)
      amount = (long) ((theAmount - 0.001) * 100);
   else
      amount = (long) ((theAmount + 0.001) * 100);
            // 取两个十位数
}
```

程序 1-21　成员函数 add 和 output 的新代码

```
currency currency::add(const currency& x) const
{// 把 x 和 *this 相加
  currency y;
  y.amount = amount + x.amount;
  return y;
}

void currency::output() const
{// 输出调用对象的值
```

```
long theAmount = amount;
if (theAmount < 0) {cout << '-';
                    theAmount = -theAmount;}
long dollars = theAmount / 100;              // 美元
cout << '$' << dollars << '.';
int cents = theAmount - dollars * 100;       // 美分
if (cents < 10) cout << '0';
cout << cents;
}
```

1.5.3 操作符重载

类 currency 有若干个成员函数与 C++ 标准操作符类似。例如，add 实施的是 + 操作，increment 实施的是 += 操作。使用这些标准的 C++ 操作符比定义新的诸如 add 和 increment 的成员函数要自然得多。为了使用操作符 + 和 +=，我们进行**操作符重载**（operator overloading），它可以扩大 C++ 操作符的应用范围，使其操作新的数据类型或类。

程序 1-22 的类声明分别用操作符 + 和 += 替代了 add 和 increment。成员函数 output 用一个输出流的名字作为参数。程序 1-23 给出了 add 和 output 的新代码，以及重载的 C++ 流插入操作符 << 的代码。

注意，我们重载流插入操作符，但没有把它声明为类的成员函数，而是把重载的 + 和 += 声明为类的成员函数。同样，我们也可以重载流提取操作符 >>，而没有把它声明为类的成员函数。还要注意，使用成员函数 output 有助于对流插入操作符 << 的重载。因为非成员函数不能访问 currency 对象的私有成员（重载的 << 不是成员函数，而重载的 + 是），所以重载 << 的代码不能直接引用要插入到输出流的对象 x 的私有成员。例如，下面的代码是错误的，因为它访问了不该访问的私有数据成员 amount。

```
// 重载 <<
ostream& operator<<(ostream& out , const currency& x)
   {out<< x.amount; return out;}
```

程序 1-22   包含操作符重载的类声明

```
class currency
{
   public:
      // 构造函数
      currency(signType theSign = plus,
              unsigned long theDollars = 0,
              unsigned int theCents = 0);
      // 析构函数
      ~currency() {}
      void setValue(signType, unsigned long, unsigned int);
      void setValue(double);
      signType getSign() const
        {if (amount < 0) return minus;
         else return plus;}
      unsigned long getDollars() const
        {if (amount < 0) return (-amount) / 100;
         else return amount / 100;}
      unsigned int getCents() const
```

```
      {if (amount < 0) return -amount - getDollars() * 100;
       else return amount - getDollars() * 100;}
    currency operator+(const currency&) const;
    currency& operator+=(const currency& x)
      {amount += x.amount; return *this;}
    void output(ostream&) const;
  private:
    long amount;
};
```

程序 1-23   +、output 和 << 的代码

```
currency currency::operator+(const currency& x) const
{// 把参数对象 x 和调用对象 *this 相加
   currency result;
   result.amount = amount + x.amount;
   return result;
}

void currency::output(ostream& out) const
{// 把货币值插入流 out
   long theAmount = amount;
   if (theAmount < 0) {out << '-';
                       theAmount = -theAmount;}
   long dollars = theAmount / 100;              // 美元
   out << '$' << dollars << '.';
   int cents = theAmount - dollars * 100;       // 美分
   if (cents < 10) out << '0';
   out << cents;
}

// 重载 <<
ostream& operator<<(ostream& out, const currency& x)
   {x.output(out); return out;}
```

假设操作符已经重载，而且程序 1-22 和程序 1-23 的代码包含在文件 currenyOverload.h 中，于是就有了程序 1-24，它是程序 1-18 的另一个版本。

程序 1-24   使用重载操作符

```
#include <iostream>
#include "currencyOverload.h"

using namespace std;

int main()
{
   currency g, h(plus, 3, 50), i, j;

   // 使用两种形式的 setValue 来赋值
   g.setValue(minus, 2, 25);
   i.setValue(-6.45);

   // 调用成员函数 add 和 output
   j = h + g;
```

```
    cout << h << " + " << g << " = " << j << endl;

    // 连续两次调用成员函数 add
    j = i + g + h;
    cout << i << " + " << g << " + "
         << h << " = " << j << endl;

    // 调用成员函数 increment 和 add
    cout << "Increment " << i << " by " << g
         << " and then add " << h << endl;
    j = (i += g) + h;
    cout << "Result is " << j << endl;
    cout << "Incremented object is " << i << endl;

    // 测试异常
    cout << "Attempting to initialize with cents = 152" << endl;
    try {i.setValue(plus, 3, 152);}
    catch (illegalParameterValue e)
    {
        cout << "Caught thrown exception" << endl;
        e.outputMessage();
    }
    return 0;
}
```

1.5.4 友元和保护性类成员

正如前面所指出的那样，对一个类的私有成员，仅有类的成员函数才能直接访问。可是在一些应用程序中，我们必须给予别的类和函数直接访问该类私有成员的权利。这就需要把这些类和函数声明为该类的友元（friend）。

在 currency 类的示例中（见程序 1-22），为了便于对操作符 << 的重载，我们定义了成员函数 output。通过 output，下面的函数才能访问私有数据成员 amount。

```
ostream& operator<<(ostream&,const currency&)
```

如果把 ostream& operator<< 声明为 currency 类的友元，它就可以直接访问 currency 类的所有成员（私有和公有），这时也就不用另外定义成员函数 output 了。为了建立友元，我们在currency 类的描述中引入 friend 语句。为了格式统一，friend 语句总是紧跟在类标题语句之后，如：

```
class currency{
    friend ostream& operator<<(ostream&, const Currency&);
    public:
```

有了友元声明，就可以使用程序 1-25 的代码来重载操作符 <<。当 currency 的私有成员发生变化时，必须检查 currency 的友元，并做出相应的修改。

程序 1-25　重载友元操作符 <<

```
// 重载 <<
ostream& operator<<(ostream& out, const currency& x)
{// 把货币值插入流 out
    long theAmount = x.amount;
```

```
if (theAmount < 0) {out << '-';
                    theAmount = -theAmount;}
long dollars = theAmount / 100;          //美元
out << '$' << dollars << '.';
int cents = theAmount - dollars * 100;   //美分
if (cents < 10) out << '0';
out << cents;
return out;
}
```

一个类 A 从另一个类 B 派生，A 是**派生类**（derived class），B 是**基类**（base class）。派生类需要访问基类的部分或所有数据成员，为此，C++ 提供了第三类成员——保护性成员（protected）。保护性成员类似于私有成员，区别在于派生类函数可以访问基类的保护性成员。

用户应用程序可以访问的类成员应该是公有的。数据成员永远不要出现在公有部分，但是它们可以定义为保护性成员或私有成员。优秀的软件工程设计原则要求数据成员是私有的。通过成员函数，派生类可以间接访问基类的私有数据成员，同时，修改基类的实现代码时不用修改它的派生类。

1.5.5 增加 #ifndef、#define 和 #endif 语句

文件 currency.h（或 currencyOverload.h）包含了 currency 类的声明和实现细节。在文件头，应该加上语句

```
#ifndef Currency_
#define Currency_
```

在文件尾加上语句

```
#endif
```

包含在这组语句之内的代码只编译一次。建议你为本书所提供的其他类定义也加上相应的语句。

练习

15. 1）假设无符号长整型、无符号整型都占用 4 字节（所以这些类型的对象范围是 0 ～ $2^{32}-1$），那么在程序 1-13 中，可容许的货币最大和最小值是多少？
    2）在程序 1-13 中，假设美元和美分都改为整型，那么可容许的货币最大和最小值是多少？
    3）在程序 1-16 的 add 中，为了确保从 currency 类型转换成 long int 类型时不会发生错误，a1 和 a2 最大可能的值应该是多少？
16. 扩展程序 1-13 的类 currency，添加下列成员函数：
    1）input() 从标准输入流中读取 currency 的值，然后赋给调用对象。
    2）subtract(x) 从调用对象中减去参数对象 x 的值，然后返回结果。
    3）percent(x) 返回一个 currency 类的对象，它的值是调用对象的 x%。x 的数据类型为 double。
    4）multiply(x) 返回一个 currency 类的对象，它的值是调用对象和 double 型数 x 的乘积。
    5）divide(x) 返回一个 currency 类的对象，它的值是调用对象除以 double 型数 x 的结果。

实现所有成员函数，用适当的数据检验它们的正确性。

17. 使用程序 1-19 的代码完成练习 16。

18. 1）使用程序 1-22 完成练习 16。重载 >>、-、%、* 和 /。当重载 >> 时，将其声明为友元函数，不要定义公有输入函数来支持输入操作。

2）重载赋值操作符 = 替代成员函数 setValue。形式为 operator=(int x) 的重载，把一个整数赋给一个 currency 类的对象，它替代了具有三个参数的成员函数 setValue，x 把符号、美元和美分都集中在一个整数里。形式为 operator=(double x) 的重载，替代的是仅有一个参数的成员函数 setValue。

1.6 异常类 illegalParameterValue

程序 1-26 是一个用户定义的类 illegalParameterValue。当一个函数的实参值无意义时，要抛出的异常就是这个类型。程序 1-27 是程序 1-8 的另一个版本，程序 1-27 抛出的异常类型是 illegalParameterValue，而程序 1-8 抛出的异常类型是 char*。程序 1-28 显示的是如何捕捉 illegalParameterValue 类型的异常。

程序 1-26 定义一个异常类

```
class illegalParameterValue
{
   public:
      illegalParameterValue():
            message("Illegal parameter value"){}
      illegalParameterValue(char* theMessage)
            {message = theMessage;}
      void outputMessage() {cout << message << endl;}
   private:
      string message;
};
```

程序 1-27 抛出 illegalParameterValue 类型的异常

```
int abc(int a, int b, int c)
{
   if (a <= 0 || b <= 0 || c <= 0)
      throw illegalParameterValue ("All parameters should be > 0");
   return a + b * c;
}
```

程序 1-28 捕捉 illegalParameterValue 类型的异常

```
int main()
{
   try {cout << abc(2,0,4) << endl;}
   catch (illegalParameterValue e)
   {
      cout << "The parameters to abc were 2, 0, and 4" << endl;
      cout << "illegalParameterValue exception thrown" << endl;
      e.outputMessage();
      return 1;
   }
```

```
    return 0;
}
```

1.7 递归函数

递归函数（recursive function）或方法自己调用自己。在**直接递归**（direct recursion）中，递归函数 f 的代码包含了调用 f 的语句，而在**间接递归**（indirect recursion）中，递归函数 f 调用了函数 g，g 又调用了函数 h，如此进行下去，直至又调用了 f。在深入探讨 C++ 递归函数之前，我们来考察两个相关的数学概念——数学函数的递归定义和归纳证明。

1.7.1 递归的数学函数

数学中经常有这样的函数，它自己定义自己。例如，n 的阶乘函数 $f(n)=n!$，n 为整数：

$$f(n) = \begin{cases} 1 & n \leqslant 1 \\ nf(n-1) & n > 1 \end{cases} \tag{1-1}$$

当 n 小于或等于 1 时，$f(n)$ 的值为 1，例如 $f(-3) = f(0) = f(1) = 1$。当 n 大于 1 时，$f(n)$ 是递归定义的，因为右侧也有 f。但这不会导致循环定义，因为右侧 f 的参数小于左侧 f 的参数。例如，$f(2) = 2f(1)$，因为 $f(1) = 1$，所以 $f(2) = 2*1 = 2$，以此类推，$f(3) = 3f(2) = 3*2 = 6$。

假定 $f(n)$ 是直接递归的。要使函数 $f(n)$ 的递归定义有一个完全的形式，需要满足如下条件：

- 有一个**基础部分**（base component），它包含 n 的一个或多个值，对这些值，$f(n)$ 是直接定义的（即不用递归就能求解）。为简单起见，我们假定 f 的定义域是非负整数，基础部分包含 $0 \leqslant n \leqslant k$，其中 k 为非负常数。（$n \geqslant k$ 的情形也是可能的，但很少见。）
- 在**递归部分**（recursive component），右侧 f 有一个参数小于 n，因此重复应用递归部分可以把右侧 f 的表达式转变为基础部分。

在公式 (1-1) 中，基础部分是 $f(n) = 1$，$n \leqslant 1$；递归部分是 $f(n) = nf(n-1)$，右侧 f 的参数是 $n-1$，比 n 小。重复应用递归部分将 $f(n-1)$ 转变为 $f(n-2)$，$f(n-3)$，…，直到 $f(1)$，而 $f(1)$ 属于基础部分。例如：

$$f(5) = 5f(4) = 20f(3) = 60f(2) = 120f(1)$$

注意，递归部分的每一次应用都使我们更接近基础部分。最后应用基础部分，我们得到 $f(5)=120$。从这个例子中我们看到的是 $f(n) = n(n-1)(n-2)\cdots1$（$n \geqslant 1$）。

递归定义的另一个例子是**斐波那契数列**：

$$F_0 = 0, \quad F_1 = 1, \quad F_n = F_{n-1} + F_{n-2} \quad (n>1) \tag{1-2}$$

其中 $F_0 = 1$ 和 $F_1 = 1$ 是基础部分，$F_n = F_{n-1} + F_{n-2}$ 是递归部分。右侧的函数参数比 n 小。要使公式（1-2）成为完全递归形式，从 $n>1$ 开始反复应用递归部分，每次 n 的值都要减去 1 或 2，最终将右侧 F 的表达式转化为基础部分的表达式。例如，$F_4=F_3+F_2=F_2+F_1+F_1+F_0=3F_1+2F_0=3$。

1.7.2 归纳

现在我们把注意力转移到与递归函数有关的第二个概念——归纳证明。在一个归纳证明中，我们要证明下列公式成立

$$\sum_{i=0}^{n} i = n(n+1)/2 \quad n \geqslant 0 \tag{1-3}$$

证明的方法是，首先检验，对 n 的一个或多个基础值（一般 $n=0$ 就可以），公式成立；然后假设当 n 从 0 到 m 时公式成立，其中 m 是任意一个大于或等于最大基础值的整数。最后，根据这个假设证明，当 n 等于 $m+1$ 时公式成立。这种证明方法有三个部分——**归纳基础**（induction base）、**归纳假设**（induction hypothesis）和**归纳步骤**（induction step）。

下面归纳证明公式（1-3）。在归纳基础部分，我们可以检验，当 $n=0$ 时公式成立。在归纳假设部分，假定当 $n \leq m$ 时公式成立，其中 m 是任意大于或等于 0 的整数（假定 $n=m$ 时公式成立亦可）。在归纳步骤阶段，要证明当 $n=m+1$ 时公式成立。从归纳假设可知 $\sum_{i=0}^{m} i = m(m+1)/2$ 成立，因此 $\sum_{i=0}^{m+1} i = m + 1 + \sum_{i=0}^{m} i = m + 1 + m(m+1)/2 = (m+1)(m+2)/2$，即公式 (1-3) 成立。

乍看起来，归纳证明好像是一个循环证明——因为我们给出的是一个假设为正确的结论。其实不然。就像递归定义并不是循环定义一样。每一个正确的归纳证明都有一个归纳基础部分，它与递归定义的基础部分相似。归纳步骤使用的是在归纳基础部分已经检验的正确结果。反复应用归纳步骤，把证明部分转化为基础部分所具有的形式。

1.7.3 C++ 递归函数

使用 C++ 可以编写递归函数。正确的递归函数必须包含基础部分。每一次递归调用，其参数值都比上一次的参数值要小，从而重复调用递归函数使参数值达到基础部分的值。

例 1-1[阶乘] 程序 1-29 是一个 C++ 递归函数，它利用公式（1-1）来计算阶乘 n!。基础部分是 n ≤ 1。考虑 factorial(2) 的计算过程。为了计算在 else 语句中的表达式 2*factorial(1)，将 factorial(2) 的计算挂起，然后调用 factorial(1)。当 factorial(2) 的计算被挂起时，程序状态（即局部变量和传值形参的值、与引用形参绑定的值、代码执行位置等）被保留在递归栈中。当 factorial(1) 的计算结束时，程序状态恢复。factorial(1) 的返回值是 1。接下来继续计算 factorial(2)，即计算 2*1。■

程序 1-29 计算 n! 的递归函数

```
int factorial(int n)
{// 计算 n!
    if (n <= 1) return 1;
    else return n * factorial(n - 1);
}
```

在计算 factorial(3) 时，遇到 else 语句，factorial(3) 的计算被挂起，先计算出 factorial(2)。我们已经知道 factorial(2) 的计算过程，其结果为 2。当 factorial(2) 返回时，factorial(3) 的计算继续，计算的是 3*2。

因为程序 1-29 与公式 (1-1) 相似，所以它们的正确性是等价的。

例 1-2 模板函数 sum（程序 1-30）对数组元素 a[0] 至 a[n-1]（简记为 a[0:n-1]）求和。当 n=0 时，函数返回值是 0。

程序 1-30 累加数组元素 a[0:n-1]

```
template<class T>
T sum(T a[], int n)
```

```
{// 返回数值数组元素 a[0:n-1] 的和
    T theSum = 0;
    for (int i = 0; i < n; i++)
        theSum += a[i];
    return theSum;
}
```

程序 1-31 是对数组元素 a[0:n-1] 求和的递归函数。当 n 等于 0 时，和为 0；当 n 大于 0 时，n 个元素的和是前 n-1 个元素的和加上最后一个元素。

程序 1-31　累加数组元素 a[0:n-1] 的递归代码

```
template<class T>
T rSum(T a[], int n)
{// 返回数组元素 a[0:n-1] 的和
    if (n > 0)
        return rSum(a, n-1) + a[n-1];
    return 0;
}
```

■

例 1-3[排列]　我们常常要从 n 个不同元素的所有排列中确定一个最佳的排列。例如，a、b 和 c 的排列有 abc、acb、bac、bca、cba 和 cab。n 个元素的排列个数是 $n!$。

为输出 n 个元素的所有排列，编写非递归的 C++ 函数比较困难，但是编写递归函数就不那么困难了。设 $E=\{e_1, \cdots, e_n\}$ 是 n 个元素的集合，求 E 的元素的所有排列。令 E_i 表示从 E 中去除第 i 个元素 e_i 以后的集合，令 perm(X) 表示集合 X 的元素所组成的所有排列，令 $e_i.$perm(X) 表示在 perm(X) 中的每个排列加上前缀 e_i 之后的排列表。例如，$E=\{a, b, c\}$，$E_1=\{b, c\}$，perm(E_1)=(bc, cb)，$e_1.$perm(E_1)=(abc, acb)。

当 $n=1$ 时，是递归基础部分。这时的集合 E 只有一个元素 e，因此只有一个排列：perm(E)=(e)。当 $n>1$ 时，perm(E) 是一个表：$e_1.$perm(E_1)，$e_2.$perm(E_2)，$e_3.$perm(E_3)，…，$e_n.$perm(E_n)。这个定义是用 n 个集合 perm(X) 来定义集合 perm(E)，其中每个 X 包含 $n-1$ 个元素，它成为递归步骤。既有基础部分，又有递归部分，这是一个完整的递归定义。

根据上述递归定义，当 $n=3$ 且 E=(a, b, c) 时，有 perm(E)=a.perm(\{b,c\}),b.perm(\{a,c\}),c.perm(\{b,a\})。同样，perm(\{b,c\})=b.perm(\{c\}),c.perm(\{b\})。因此，a.perm(\{b,c\})=ab.perm(\{c\}),ac.perm(\{b\})=ab.c,ac.b=(abc, acb)。同理，b.perm(\{a,c\})=ba.perm(\{c\}),bc.perm(\{a\})=ba.c,bc.a=(bac,bca) 且 c.perm(\{b, a \})=cb.perm(\{a\}),ca.perm(\{b\})= cb.a,ca.b= (cba,cab)。因此 perm(E)=(abc,acb,bac,bca,cba,cab)。

注意，a.perm(\{b,c\}) 实际上是两个排列：abc 和 acb，其中 a 是它们的前缀，perm(\{b,c\}) 是它们的后缀。同样，ac.perm(\{b\}) 表示前缀为 ac、后缀为 perm(\{b\}) 的排列。

程序 1-32 把上述 perm(E) 的递归定义转变成一个 C++ 函数。这个函数输出的排列具有如下特征：其前缀为 list[0:k-1]，后缀为 list[k:m]。调用 permutations(list,0,n-1)，输出 list[0:n-1] 的所有 n! 个排列。在这个调用中，k=0，m=n-1。这时输出的排列是前缀为空、后缀为 list[0:n-1] 的排列。当 k=m 时，仅有一个后缀 list[m]，这时输出的仅是一个排列 list[0:m]。当 k<m 时，执行 else 语句。令 E 表示 list[k:m] 的所有元素，E_i 表示从 E 中去除元素 e_i=list[i] 之后的集合。for 循环的第一个 swap 把 e_k 和 e_i 交换，即 list[k] = e_i，list[i] = e_k。然后调用 permutations 计算 $e_i.$perm(E_i)。第二个 swap 把 list[k:m] 恢复到第一个 swap 调用之前的状态。

程序 1-32   使用递归函数生成排列

```cpp
template<class T>
void permutations(T list[], int k, int m)
{// 生成 list[k:m] 的所有排列
    if (k == m) {// list[k:m] 仅有一个排列，输出它
        copy(list, list+m+1,
                ostream_iterator<T>(cout, ""));
        cout << endl;
                }
    else  // list[k:m] 有多于一个的排列，递归地生成这些排列
        for (int i = k; i <= m; i++)
        {
            swap(list[k], list[i]);
            permutations(list, k+1, m);
            swap(list[k], list[i]);
        }
}
```

图 1-3 显示了程序 1-32 的处理过程，其中 k=0，m=2，list[0:2]=[a,b,c]。图 1-3 显示的是每一次调用 permutations 之后以及第二次调用 swap 之后的 list[0:2] 的布局。无阴影部分表示 list[0:k–1]，阴影部分表示 list[k:m]。数组外的数字是布局的编号。在执行 permutations(list,0,2) 的过程中，图的每一条边都经过两次：一次是在 for 循环中调用函数 permutations，另一次是从函数 permutations 返回。

从布局 1 开始。for 循环的第一个 swap 调用（swap(list[0],lint[0])）对数组没有改变；布局 2 是在 for 循

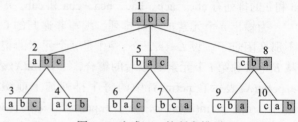

图 1-3   生成 abc 的所有排列

环中调用 permutations 之后（permutations(lint,1,2)）的数组状态。从布局 2 走到布局 3（swap(list[1],list[1])，permutations(list,2,2)），即排列 abc 被输出，因为 k=m。输出布局 3 之后返回，然后执行 for 循环的第二个 swap 语句，结果是回到布局 2。从布局 2 走到布局 4，排列 acb 被输出。然后往上返回直到又可以继续。我们回到布局 2，然后回到布局 1。从布局 1 我们走到布局 5 和布局 6。整个过程经历的布局顺序是 1,2,3,2,4,2,1,5,6,5,7,5,1,8,9,8,10,8,1。∎

练习

19. 编写非递归程序计算 $n!$。测试你的代码。

20. 1）编写递归函数计算斐波那契数（Fibonacci）F_n。测试你的代码。

   2）证明对于 1）中编写的代码，当计算 F_n 且 $n>2$ 时，F_i 的计算多于一次。

   3）编写非递归函数计算斐波那契数（Fibonacci）F_n。对每一个斐波那契数，你的代码应该只计算一次。测试你的代码。

21. 考察在下面的公式（1-4）中定义的函数 f，其中 n 是非负整数。

$$f(n) = \begin{cases} n/2 & n \text{ 是偶数} \\ f(3n+1) & n \text{ 是奇数} \end{cases} \qquad (1\text{-}4)$$

1）使用公式（1-4）手算 $f(5)$ 和 $f(7)$。

2）确定函数的基础部分和递归部分。证明重复应用递归部分可以把等式右侧的 f 表达式转为基础部分。

3）编写一个 C++ 递归函数计算 $f(n)$。测试你的代码。

4）使用 2) 的证明编写 C++ 非递归函数计算 $f(n)$，不能使用循环。测试你的代码。

22. [阿克曼函数（Ackermann's Function）] 公式（1-5）定义的是阿克曼函数。其中，i 和 j 是大于等于 1 的整数。

$$A(i,j) = \begin{cases} 2^j & i = 1 \text{和} j \geq 1 \\ A(i-1,2) & i \geq 2 \text{和} j = 1 \\ A(i-1.A(i,j-1)) & i,j \geq 2 \end{cases} \quad (1\text{-}5)$$

1）使用公式（1-5）手算 $A(1,2)$、$A(2,1)$ 和 $A(2,2)$。

2）确定函数定义中的基础部分和递归部分。

3）编写 C++ 递归函数计算 $A(i,j)$。测试你的代码。

23. [最大公约数（Greatest Common Divisor, GCD）] 当两个非负整数 x 和 y 都是 0 的时候，它们的最大公约数是 0。当两者至少有一个不是 0 的时候，它们的最大公约数是可以除尽二者的最大整数。因此，gcd(0,0)=0，gcd(10,0)=gcd(0,10)=10，而 gcd(20,30)=10。求最大公约数的欧几里得算法（Euclid's Algorithm）是一个递归算法，据说出现在公元前 375 年，或许是最早的递归算法实例。它的定义由下面的公式（1-6）给出

$$\gcd(x,y) = \begin{cases} x & y = 0 \\ \gcd(y,x \bmod y) & y > 0 \end{cases} \quad (1\text{-}6)$$

在公式（1-6）中，mod 是模数运算子（modulo operator），它相当于 C++ 的求余操作符 %。$x \bmod y$ 是 x/y 的余数。

1）用公式（1-6）手工计算 gcd(20,30) 和 gcd(112,42)。

2）确定函数定义的基础部分和递归部分。证明反复应用递归部分可以把公式右侧的 gcd 表达式转变为基础部分的表达式。

3）编写一个 C++ 递归函数计算 $\gcd(x,y)$。测试你的代码。

24. 编写一个递归模板函数，确定元素 x 是否属于数组 a[0:n–1]。

25. [子集生成方法（Subset Generation）] 编写一个 C++ 递归函数，输出 n 个元素的所有子集。例如，三元素集 {a,b,c} 的子集是 {}（空集），{a}，{b}，{c}，{a,b}，{a,c}，{b,c}，{a,b,c}。这些子集用 0/1 组成的**代码序列**来表示分别是 000, 100, 010, 001, 110, 101, 011, 111（0 表示相应的元素不在子集中，1 表示相应的元素在子集中）。因此，你的程序输出长度为 n 的 0/1 序列即可。

26. [格雷码（Gray Code）] 两个代码之间的**海明距离**（Hamming distance）是对应位不等的数量。例如，100 和 010 的海明距离是 2。一个（二进制）格雷码是一个代码序列，其中任意相邻的两个代码之间的海明距离是 1。练习 25 的三位代码序列不是格雷码。而三位代码序列 000, 100, 110, 010, 011, 111, 101, 001 是格雷码。这个代码序列也有一个特性，第一个代码和最后一个代码只有一位二进制数不同，即海明距离是 1。在代码序列的一些应用中，从一个代码到下一个代码的代价取决于它们的海明距离。因此我们希望这个代码序列是格雷码。格雷码可以用代码变化的位置序列简洁地表示。对上面的三位格雷码序列，这个位置序列是 1, 2, 1, 3, 1, 2, 1。令 $g(n)$ 是一个 n 元素的格雷码的位置变化序列。公式

（1-7）是 $g(n)$ 的递归定义。

$$g(n) = \begin{cases} 1 & n = 1 \\ g(n-1), n, g(n-1) & n > 1 \end{cases} \qquad (1\text{-}7)$$

1）使用公式（1-6）手算 $g(4)$。

2）确定函数定义的基础部分和递归部分。证明反复应用递归部分可以把公式右侧的 g 表达式转变为基础部分的表达式。

3）编写一个 C++ 递归函数计算 $g(n)$。测试你的代码。

1.8　标准模板库

C++ 标准模板库（STL）是一个容器、适配器、迭代器、函数对象（也称仿函数）和算法的集合。有效使用 STL，应用程序的设计会简单许多。本书首先使用基本的 C++ 语言结构解决一个问题，以说明求解问题的方法。然后利用 STL 说明如何用更简单的方法解决同样的问题。

例 1-4[STL 算法 accumulate]　STL 有一个算法 accumulate 是对顺序表元素顺序累计求和。它的语法是

```
accumulate(start,end ,initialValue)
```

其中 start 指向首元素，end 指向尾元素的下一个位置。因此要累计求和的元素范围是 [start, end)。调用语句是

```
accumulate(a,a+n ,initialValue)
```

其中 a 是一个一维数组。返回值是

$$initialValue + \sum_{i=0}^{n-1} a[i]$$

程序 1-33 利用 STL 算法 accumulate，它实现了与程序 1-30 和程序 1-31 一样的功能。

程序 1-33　利用 STL 的算法 accumulate 对 a[0:n−1] 求和

```
template<class T>
T sum(T a[], int n)
{// 返回数组 a[0:n-1] 的累计和
   T theSum = 0;
   return accumulate(a, a+n, theSum);
}
```

STL 的算法 accumulate 利用操作符 ++，从 start 开始，到 end 结束，相继访问要累计求和的顺序表元素。因此，对于任意一个序列，如果它的元素可以通过重复应用操作符 ++ 来访问，那么就可以用这个算法对它的值累计求和。一维数组和 STL 容器 vector 都是这种顺序表实例。在本书后面还有其他类似的例子。

STL 算法 accumulate 还有一个更通用的形式，语法如下：

```
accumulate(start,end ,initialValue,operator)
```

其中，operator 是一个函数，它规定了在累计过程中的操作。例如，利用 STL 的函数对象 multiplies 能够计算数组元素的乘积，如程序 1-34 所示。

程序 1-34　计算数组元素 a[0:n–1] 的乘积

```
template<class T>
T product(T a[], int n)
{// 返回数组 a[0:n-1] 的累计和
   T theProduct = 1;
   return accumulate(a, a+n, theProduct, multiplies<T>());
}
```

例 1-5[STL 算法 copy 和 next_permutation]　算法 copy 把一个顺序表的元素从一个位置复制到另一个位置。语法是

```
copy(start,end,to)
```

其中 to 给出了第一个元素要复制到的位置。因此，元素从位置 start, start+1,⋯ ,end–1 依次复制到位置 to, to+1 , ⋯， to+end–start。

算法 next_permutation，其语法是

```
next_permutation(start,end)
```

对范围 [start,end) 内的元素，按字典顺序，产生下一个更大的排列。当且仅当这个排列存在时，返回值为 true。对一个其元素各不相同的顺序表，从字典顺序最小的一个排列开始，连续调用 next_permutation，可以得到所有的排列。程序 1-35 便是这样的算法。该程序调用 copy 将元素 list[0:m] 复制到输出流 cout，每一个复制的元素都跟着一个空串 (" ")。如果初始的序列是字典顺序最小的，那么程序 1-35 与程序 1-32 等价。注意，程序 1-35 不输出按字典顺序比初始序列小的排列，而程序 1-32 输出所有排列，不论初始序列如何。练习要求修改程序 1-35，使它能够输出所有排列。

程序 1-35　使用 STL 算法 next_permutation 求排列

```
template<class T>
void permutations(T list[], int k, int m)
{// 生成 list[k:m] 的所有排列
 // 假设 k ≤ m
   // 将排列逐个输出
   do {
      copy(list, list+m+1,
           ostream_iterator<T>(cout, ""));
      cout << endl;
   } while (next_permutation(list, list+m+1));
}
```

next_permutation 算法具有更一般的形式，它带有第三个参数 compare，如下所示：

```
next_permutation(start,end,compare)
```

函数 compare 用来判定一个排列是否比另一个排列要小。而在仅有两个参数的版本中，比较操作是由操作符 < 来执行的。

STL 还有很多算法。如果使用得当，练习 2 至练习 7 就容易得多。这一节的练习进一步探索了 STL 算法。

练习

27. 编写 C++ 代码实现三个参数的模板函数 accumulate。测试代码。
28. 编写 C++ 代码实现四个参数的模板函数 accumulate。测试代码。
29. 编写 C++ 代码实现模板函数 copy。测试代码。
30. 修改程序 1-35,输出所有不同元素的所有排列。在生成排列之前,把表元素按升序排列。使用 STL 的排序方法

    ```
    sort(start, end)
    ```

    它把范围 [start,end) 之内的元素按升序排列。测试你的代码。
31. 修改程序 1-35,输出所有不同元素的所有排列。先用 STL 算法 next_permutation 生成比初始排列大的排列,再用 STL 算法 prev_permutation 生成比初始排列小的排列。测试你的代码。
32. 修改程序 1-35,输出所有不同元素的所有排列。注意,当 next_permutation 的返回值是 false 时,序列 [start,end) 是最小序列。因此,调用 next_permutation 可得到剩余的排列。测试你的代码。
33. 使用 STL 算法 count 做练习 2。count 的语法是:

    ```
    count(start,end ,value)
    ```

34. 使用 STL 算法 fill 做练习 3。fill 的语法是:

    ```
    fill(start,end value)
    ```

35. 使用 STL 算法 inner_product 做练习 4。inner_product 的语法是:

    ```
    inner_product(start1,end1,start2,initialValue)
    ```

36. 使用 STL 算法 iota 做练习 5。iota 的语法是:

    ```
    iota(start,end,value)
    ```

37. 使用 STL 算法 is_sorted 做练习 6。is_sorted 的语法是:

    ```
    is_sorted (start,end)
    ```

38. 使用 STL 算法 mismatch 做练习 7。mismatch 的语法是:

    ```
    mismatch (start1,end1,start2)
    ```

39. 编写 C++ 代码,实现练习 33 的 STL 模板函数 count。测试你的代码。
40. 编写 C++ 代码,实现练习 34 的 STL 模板函数 fill。测试你的代码。
41. 编写 C++ 代码,实现练习 35 的 STL 模板函数 inner_product。测试你的代码。
42. 编写 C++ 代码,实现练习 36 的 STL 模板函数 iota。测试你的代码。
43. 编写 C++ 代码,实现练习 37 的 STL 模板函数 is_sorted。测试你的代码。
44. 编写 C++ 代码,实现练习 38 的 STL 模板函数 mismatch。测试你的代码。

1.9 测试与调试

1.9.1 什么是测试

如 1.1 节所示,正确性是程序最重要的属性。可是,哪怕一个小程序,用数学方法严格

地去证明它的正确性都是很困难的，因此我们转而求助于**程序测试**（program testing）。在程序测试中，我们在目标计算机上，用一组输入数据来实际运行一个程序，然后将运行结果与期望结果相比较。这组输入数据称为**测试数据**（test data）。如果两个结果不同，就可以判定程序有问题。遗憾的是，即使两个结果相同，也不能断定该程序是正确的，因为对于其他的测试数据，两个结果有可能不同。如果使用了多组测试数据都能得到两个相同的结果，我们对程序的正确性就增加了信心。如果使用了所有可能的测试数据，我们就可以判定程序是正确的。然而对于大多数的实用程序，可能的测试数据实在太多了，不可能一一测试。实际使用的测试数据仅仅是一部分，这一部分称为**测试集**（test set）。

例 1-6[二次方程求解]　一个 x 的**二次函数**（quadratic function）形式如下：

$$ax^2 + bx + c$$

其中 a、b、c 的值是实数，而且 $a \neq 0$。例如，$3x^2-2x+4$、$-9x^2-7x$、$3.5x^2+4$ 以及 $5.8x^2+3.2x+5$ 都是二次函数，而 $5x+3$ 不是。

一个二次函数的**根**（root）是使函数值为 0 的那些 x 的值。例如，函数 $f(x)=x^2-5x+6$ 的根是 2 和 3，因为 $f(2)=f(3)=0$。每个二次函数都有两个根，且按如下公式计算：

$$\frac{-b \pm \sqrt{b^2 - 4ac}}{2a}$$

对函数 $f(x)=x^2-5x+6$ 而言，$a=1$，$b=-5$，$c=6$，把它们代入公式便得到：

$$\frac{5 \pm \sqrt{25 - 4*1*6}}{2} = \frac{5 \pm 1}{2}$$

所以函数 $f(x)$ 的根为 $x=3$ 和 $x=2$。

当 $d=b^2-4ac=0$ 时，两个根相同；当 $d>0$ 时，两个根不相同且为实数；当 $d<0$ 时，两个根不相同且为复数，实部为 $-b/2a$，虚部为 $\sqrt{-d}/(2a)$，复数根为 "实部 + 虚部 *i" 和 "实部 – 虚部 *i"，其中 i= $\sqrt{-1}$。

程序 1-36 的函数 outputRoots 计算并输出一个二次方程的根。对这样的程序，我们不是要通过规范的证明来确定其正确性，而是要通过测试来确立其正确性。所有可能的测试数据是全部三元组（a，b，c），其中 $a \neq 0$。即使 a、b 和 c 都被限制为 16 位非负整数，其数目也是巨大的，不可能都用来测试程序。假设每一个整数都是 16 位，那么 b 和 c 取不同值的数量都是 2^{16}，a 取不同值的数量是 $2^{16}-1$（a 不能是 0），于是不同三元组的数量是 $2^{32}*(2^{16}-1)$。如果目标计算机每秒处理 1 000 000 个三元组，则需要 9 年才能完成测试。更快的计算机，假设每秒处理 1 000 000 000 个三元组，也需要 3 天。所以，我们只能从全部测试数据中取出一小部分用来测试程序。

程序 1-36　计算并输出一个二次方程 $ax^2 + bx + c$ 的根

```cpp
void outputRoots(const double& a, const double& b, const double& c)
{// 计算和输出二次方程的根

    double d = b * b - 4 * a * c;
    if (d > 0) {// 两个实数根
            double sqrtd = sqrt(d);
            cout << "There are two real roots "
                << (-b + sqrtd) / (2 * a) << " and "
                << (-b - sqrtd) / (2 * a)
                << endl;
        }
```

```
else if (d == 0)
        // 两个根相同
        cout << "There is only one distinct root "
             << -b / (2 * a)
             << endl;
    else // 复数共轭根
        cout << "The roots are complex"
             << endl
             << "The real part is "
             << -b / (2 * a) << endl
             << "The imaginary part is "
             << sqrt(-d) / (2 * a) << endl;
}
```

　　如果使用数据集 $(a, b, c) = (1, -5, 6)$ 来进行测试，程序输出的根是 2 和 3，这与期望的结果一致。程序对于这个测试数据而言是正确的。　　　　　　　　　　　　■

　　测试的目的不是要证明程序是否正确，而是要暴露程序的错误！因此，选择的测试集一定要能暴露程序的错误。测试集不同，暴露的程序错误也不同。

　　例 1-7　测试数据 $(a, b, c) = (1, -5, 6)$ 使函数 outputRoots 的代码产生两个实数根。如果输出的是根 2 和 3，那么我们可以相信，在本次测试中所执行的语句是正确的。但是，一段错误的代码也可能产生正确的结果。例如，在代码中，如果关于 d 的表达式漏掉 a，错写成：

```
double d=b*b-4*c;
```

那么 d 的值与从测试数据得到的值相同，因为 $a=1$。因为测试数据 $(1, -5, 6)$ 没有执行所有语句，所以我们对没有执行的语句没有信心。

　　测试集 $\{(1, -5, 6), (1, 3, 2), (2, 5, 2)\}$ 仅可能暴露 outputRoots 代码的前 7 行语句的错误，因为测试集的每一个三元组仅需要执行前 7 行语句。而测试集 $\{(1, -5, 6), (1, -8, 16), (1, 2, 5)\}$ 需要执行每条语句，因此该测试集可以暴露更多的错误。　　　■

1.9.2　测试数据的设计

　　在设计测试数据的时候，要牢记测试目标是暴露错误。如果用来暴露程序错误的测试数据没有暴露出程序错误，我们就可以相信程序是正确的。为了清楚对于给定的一组测试数据程序是否存在错误，首先必须知道对于该测试数据程序的正确结果应是什么。

　　例 1-8　以程序 1-36 的二次方程求解为例，对任意测试数据，有两种方法来测试程序结果的正确性，你可以任选一种。一种方法是，我们知道二次方程的根。例如，当系数 $(a, b, c) = (1, -5, 6)$ 时，方程的根是 2 和 3。我们可以用测试数据 $(1, -5, 6)$，把程序计算输出的根与 2 和 3 进行比较，以验证程序 1-36 是否正确。另一种方法是，把程序输出的根代入二次函数以验证函数的值是否真为 0。如果程序输出的根是 2 和 3，那么 $f(2) = 2^2 - 5*2 + 6 = 0$ 和 $f(3) = 3^2 - 5*3 + 6 = 0$。这两种验证方法都可以用计算机程序来实现。第一种方法，检验程序输入三元组 (a, b, c) 和期望的根，把程序计算出的根与期望的根进行比较。第二种方法，检验程序用输出的根计算方程的值，验证函数值是否为 0。　　　　　　　　　　　　■

　　测试数据的设计标准是：

● 这组数据具有暴露程序错误的可能吗？

- 使用这组数据能够检验程序的正确性吗?

设计测试数据的技术分为两类：**黑盒法**和**白盒法**。**黑盒法**（black box method）考查的是程序功能，而不是实际的代码。**白盒法**（white box method）考查的是程序代码，以便设计出能够在程序执行中全面覆盖程序的语句和执行路径的测试数据。

1. 黑盒法

最常用的黑盒法是 I/O 分类和因果图，本节仅探讨 I/O 分类。这种方法把输入数据和输出数据分成若干类，不同类的数据使程序结果有质的不同，而相同类的数据使程序结果在本质上类似。以二次方程求解为例，有三种本质上的不同结果：根是复数，根是实数且不同，根是实数且相同。根据这三种结果把输入数据分为三类。第一类数据产生第一种结果，第二类数据产生第二种结果，第三类数据产生第三种结果。一个测试集应该至少包含每一类的一个输入数据。

2. 白盒法

白盒法基于代码来设计测试数据。对一个测试集最起码的要求是使程序的每一条语句都至少执行一次。这种要求被称为**语句覆盖**（statement coverage）。以二次方程求解为例，测试集 {（1，–5，6），（1，–8，16），（1，2，5）} 使程序 1-36 的每一条语句都得以执行，而测试集 {（0，1，2），（1，–5，6），（1，3，2），（2，5，2）} 不能提供语句覆盖。

分支覆盖（decision coverage）要求测试集能够使程序的每一个条件都分别取到 true 和 false 值。程序 1-36 的代码有两个条件：d>0 和 d==0。

例 1-9[最大元素]　程序 1-37 的返回值是数组 a[0:n-1] 最大元素的位置。该程序从 0 到 n 扫描数组，以查找这个位置，用变量 indexOfMax 来记录扫描中的当前最大元素的位置。数据集 {(a,–1),(a,4)} 和 a[0:4]=[2,4,6,8,9] 能够提供语句覆盖，但不能提供分支覆盖，因为条件 a[indexOfMax]<a[i] 不会有 false 值。而数据集 a[0:4]=[4,2,6,8,9] 既能提供语句覆盖也能提供分支覆盖。

程序 1-37　寻找 a[0:n-1] 的最大元素位置

```
template<class T>
int indexOfMax(T a[], int n)
{// 查找数组 a[0:n-1] 的最大元素
   if (n <= 0)
      throw illegalParameterValue("n must be > 0");

   int indexOfMax = 0;
   for (int i = 1; i < n; i++)
     if (a[indexOfMax] < a[i])
        indexOfMax = i;
   return indexOfMax;
}
```

可以加强分支覆盖的条件，要求每个条件的每个从句既能出现 true 也能出现 false 的情况。这种加强版的分支覆盖称为**从句覆盖**（clause coverage）。一个从句（clause）在形式上被定义成一个不包含布尔操作符（即 &&、||、!）的布尔表达式。表达式 x>y、x + y < y*z 和 c（c 是布尔类型的）都是从句。考察如下语句：

```
if((C1&&C2)||(C3&&C4)) S1;
else S2;
```

其中 C1、C2、C3 和 C4 是从句，S1 和 S2 是语句。分支覆盖要求的测试集能使条件 ((C1&&C2)||(C3&&C4)) 分别出现 true 和 false 的值。而从句覆盖要求的测试集能使 4 个从句 C1、C2、C3 和 C4 都分别至少取一次 true 值和一次 false 值。

还可以继续加强从句覆盖的条件，要求对从句值的所有可能组合都进行测试。对条件 ((C1&&C2)||(C3&&C4))，加强后的从句覆盖要求测试集包含 16 组测试数据，每组测试数据对应 4 个从句值的一个组合。不过有些组合是不可能的。

按照某个测试集来排列程序语句的执行次序，可以得到一条执行路径。不同的测试数据可能产生不同的执行路径。程序 1-36 仅存在 3 条执行路径——第 1 ~ 7 行（第 1 行始于 double d=…），第 1、2、8~12 行，第 1、2、8、13 ~ 19 行。而程序 1-37 的执行路径随着 n 的增加而增加。当 n < 0 时，仅有一条执行路径——第 1、2 行（第 1 行始于第一个 if 语句，第 3 行是空白行）。当 n=0 时，只有一条路径——1、4、5、8。当 n=1 时，有二条路径——1、4、5、6、5、8 和 1、4、5、6、7、5、8。当 n = 2 时，有 4 条路径——1、4、5、6、5、6、5、8，1、4、5、6、7、5、6、5、8，1、4、5、6、5、6、7、5、8，1、4、5、6、7、5、6、7、5、8。一般地说，对 n ≥ 0，执行路径的数量是 2^n。

执行路径覆盖（execution path coverage）要求测试集能使每条执行路径都得以执行。对于二次方程求解程序，语句覆盖、分支覆盖、从句覆盖以及执行路径覆盖都是等价的。而对于程序 1-37，语句覆盖、分支覆盖和执行路径覆盖是不同的，而分支覆盖和从句覆盖是等价的。

在目前我们所讨论的白盒测试方法中，执行路径覆盖一般是要求最多的。一个测试集如果能实现全部执行路径覆盖，它就能实现语句覆盖和分支覆盖，然而，可能无法实现从句覆盖。全部执行路径覆盖所需要的测试数据通常是数量无限的，或至少是数量可怖的，因此，全部的执行路径覆盖在实践中一般是不可能实现的。

本书很多练习都要求你测试代码的正确性。你所用的测试数据应至少提供语句覆盖。此外，你必须测试那些可能会使程序出错的特定情况。例如，一个对 n(n ≥ 0) 个元素排序的程序，除了测试 n 的正常取值以外，还必须测试 n=0 和 1 这两种特殊情形。如果排序的对象是数组 a[0:99]，那还需要测试 n=100 的情况。n=0,1 和 100 分别表示数组为空、数组为单值和数组为满的**边界条件**（boundary condition）。

1.9.3 调试

测试可以暴露程序的错误。一旦测试结果与期望结果不同，就说明程序有错误。确定并纠正程序错误的过程称为**调试**（debugging）。尽管透彻地研究程序调试的方法超出了本书的范围，但我们还是要提供一些建议：

- 可以用逻辑推理的方法来确定错误的原因。如果这种方法失败，还可以进行程序跟踪（使用 Microsoft Visual C++.NET 的调试器），以确定程序在什么时候出现错误。当程序需要执行的指令很多，导致测试集和程序跟踪耗时很长，难以人工完成时，这种方法就不可行。这时，必须把可疑的代码分离出来，专门跟踪。
- 不要靠产生异常来纠正错误。异常的数量将迅速增长。你的代码会像一碗意大利通心面一样杂乱。必须首先确定错误的原因，然后在必要时重新设计。
- 在纠正一个错误时，要保证纠正后不会产生新的错误。要用原来使用过且测试结果正确的测试集来测试纠正后的程序。

- 测试和调试一个含有多个函数的程序时，要从一个独立的函数开始。这个函数通常是一个输入或输出函数。然后每次加入一个尚未测试的函数，使程序逐渐变大。这种策略称为增量测试与调试（incremental testing and debugging）。利用这种策略，把检测到的错误定位在刚刚加入的函数之中是合乎逻辑的。

练习

45. 证明对程序 1-36 既可以提供语句覆盖的测试集，也可以提供分支覆盖和执行路径覆盖的测试集。
46. 为程序 1-37 设计一个测试集，它对 n=3 的 for 循环可以提供执行路径覆盖。
47. 程序 1-30 有多少执行路径？
48. 在程序 1-31 的 rSum 函数中有多少执行路径？

1.10 参考及推荐读物

1）J. Cohoon, J. Davidson. *C++ Program Design*: *An Introduction to Programming and Object-Oriented Design*.3rd ed. McGraw Hill, NY, 2002.

2）H. Deitel, P. Deitel. *C++ How to Program*. 4th ed. Prentice Hall, Englewood Cliffs, NJ, 2002.
以上两本书是比较好的 C++ 语言入门教材。

3）网站 http:// codeguru.earthweb.com/spp/stlguide 有关于 STL 所有内容的说明。

4）G. Myers. *The Art of Software Testing*. John Wiley, 1979.

5）Boris Beizer. *Software Testing Techniques*. 2nd ed. Van Nostrand Reinhold, 1990.
后两本书对软件测试及调试技术有透彻的讲解。

程序性能分析

概述

程序最重要的属性是正确性。一个程序，如果不能正确地实现算法，它就没有什么用处。然而，程序即使能够正确地实现算法，也可能用处不大。例如，一个程序，如果需要的内存比计算机可用的内存还要大，或者运行时间比用户愿意等待的时间还要长，那么这样的程序就没有什么意义。我们用程序性能（program performance）来指一个程序对内存和时间的需求。要对数据结构和算法设计方法给予应有的评价，就必须能够计算程序性能。

本章的重点是学习手算程序性能的方法。我们用操作数和执行步数来估计程序的运行时间。用符号法来分别描述程序在最好、最坏和平均情况下的运行时间。在本书网站上还介绍了更先进的运行时间度量法——平摊复杂度。不过，你要在学完第 9 章之后，再学习这种方法。

第 3 章复习渐近符号，诸如 O、Ω、Θ、o。它们是性能分析的通用语。使用渐近符号法经常可以使分析简化。第 4 章学习如何使用时钟来度量程序的实际运行时间。

本章开发了很多应用程序，这些程序在以后的章节中是很有用处的。它们是：

数组元素的查找。

数组元素的排序：排列排序、选择排序、冒泡排序和插入排序。

基于霍纳法则的多项式计算。

矩阵加法、转置和乘法。

2.1 什么是程序性能

所谓**程序性能**（performance of a program）是指运行这个程序所需要的内存和时间的多少。我们用两种方法来确定一个程序的性能，一个是分析方法，另一个是实验方法。在**性能分析**（performance analysis）时，采用分析方法，而在**性能测量**（performance measurement）时，使用实验方法。

所谓一个程序的**空间复杂度**（space complexity）是指该程序的运行所需内存的大小。我们对程序的空间复杂度感兴趣的主要原因如下：

- 如果一个程序要运行在一个多用户计算机系统中，那么我们需要指明该程序所需内存的大小。
- 在任何一个计算机系统上运行程序，都需要知道是否有足够的内存可以用来运行该程序。
- 一个问题可能有若干个解决方案，它们对内存的需求各不相同。比如，对于你的计算机来说，某个 C++ 编译器仅需要 1MB 的空间，而另一个 C++ 编译器可能需要 4MB 的空间。如果你的计算机内存少于 4MB，你只能选择 1MB 的编译器。如果较小的编译器和较大的编译器有同样的作用，那么即使用户计算机有更多的内存，他也宁愿使用较小的编译器，以便把更多的内存留作他用。
- 利用空间复杂度，我们可以估算一个程序所能解决的问题最大可以是什么规模。例如，一个电路模拟程序要模拟一个具有 c 个元件和 w 个连线的电路，需要 $10^6+100(c+w)$ 字节的内存。如果可用内存的总量是 5.01×10^8 字节，那么最大可以模拟 $c+w \leqslant 5\,000\,000$ 的电路。

所谓程序的**时间复杂度**（time complexity）是指运行程序所需要的时间。我们对程序的时间复杂度感兴趣的主要原因如下：
- 有些计算机需要用户提供程序运行时间的上限，一旦达到这个上限，程序将被强制结束。你可以简单地指定时间上限为几千年，但是如果你的程序因为数据问题而陷入死循环，你可要为机时付出巨额资金。因此我们希望时间上限稍大于所期望的运行时间。
- 正在开发的程序可能需要一个令人满意的实时响应。例如，所有交互式程序都必须如此。一个文本编辑器，光标上移一页或下移一页需要 1 分钟，就很难找到用户；一个电子制表软件，对一个单元重新计值需要几分钟，就没人乐意买账；一个数据库管理系统，对一个关系进行排序时，用户可以有时间去喝两杯咖啡，就不可能有市场。为交互式应用所设计的程序都必须具有令人满意的实时响应。利用程序或程序模块的时间复杂度，我们可以判定响应时间是否可以接受。如果不能接受，那就要重新设计算法，或者为用户提供一台更快的计算机。
- 如果一个问题有多种解决方案，那么具体采用哪一种方案，主要根据这些方案的性能差异。对于各种方案的时间和空间性能，我们将采用加权测量方式进行评价。

练习

1. 给出两种以上的原因说明为什么程序分析员对程序的空间复杂度感兴趣?
2. 给出两种以上的原因说明为什么程序分析员对程序的时间复杂度感兴趣?

2.2 空间复杂度

2.2.1 空间复杂度的组成

程序所需要的空间主要由以下部分构成：

（1）指令空间（instruction space）

指令空间是指编译之后的程序指令所需要的存储空间。

（2）数据空间（data space）

数据空间是指所有常量和变量值所需要的存储空间。它由两个部分构成：
- 常量（例如程序 1-29 和程序 1-30 的数 0 和 1）和简单变量（例如程序 1-1 的 a、b 和 c）所需要的存储空间。
- 动态数组和动态类实例等动态对象所需要的空间。

（3）环境栈空间（environment stack space）

环境栈用来保存暂停的函数和方法在恢复运行时所需要的信息。例如，如果函数 foo 调用了函数 goo，那么我们至少要保存在函数 goo 结束时函数 foo 继续执行的指令地址。

1. 指令空间

指令空间的数量取决于如下因素：

- 把程序转换成机器代码的编译器。
- 在编译时的编译器选项。
- 目标计算机。

在决定最终代码需要多少空间的时候，编译器是一个最重要的因素。图 2-1 是计算表达式 a+b+b*c+(a+b−c)/(a+b)+4 的三段可能的代码，它们所需要的空间不一样。每一个代码都由相应的编译器产生。

```
LOAD   a          LOAD   a          LOAD   a
ADD    b          ADD    b          ADD    b
STORE  t1         STORE  t1         STORE  t1
LOAD   b          SUB    c          SUB    c
MULT   c          DIV    t1         DIV    t1
STORE  t2         STORE  t2         STORE  t2
LOAD   t1         LOAD   b          LOAD   b
ADD    t2         MUL    c          MUL    c
STORE  t3         STORE  t3         ADD    t2
LOAD   a          LOAD   t1         ADD    t1
ADD    b          ADD    t3         ADD    4
SUB    c          ADD    t2
STORE  t4         ADD    4
LOAD   a
ADD    b
STORE  t5
LOAD   t4
DIV    t5
STORE  t6
LOAD   t3
ADD    t6
ADD    4
       a)                b)                c)
```

图 2-1　三段等价的代码

即使采用相同的编译器，编译后的程序代码也可能不同。例如，一个编译器可能具备优化选项，如代码大小的优化和执行时间的优化等。在非优化模式下，编译器产生的是图 2-1b 的代码。在优化模式下，编译器可能利用知识 a+b+b*c=b*c+(a+b) 而产生了图 2-1c 所示的更短、更高效的代码。不过，使用优化模式会增加程序编译的时间。

从图 2-1 的例子中可以看出，一个程序还可能需要其他额外的空间，诸如临时变量 t1，t2，…，t6 所占用的空间。

编译器的**覆盖选项**也可以显著地减少程序空间。在覆盖模式下，空间仅分配给当前正在执行的程序模块。调用一个新模块需要从磁盘或其他设备中读取，新模块的代码将覆盖原模块的代码。因此，程序所需要的空间便是最大模块所需要的空间，而不是所有模块所需要的空间之和。

目标计算机的配置也会影响编译后的代码大小。如果计算机安装了浮点处理硬件，那么每个浮点操作都将转换成一条机器指令。否则，就需要生成代码来模拟浮点操作。

2. 数据空间

对各种数据类型，C++ 语言并没有指定它们的空间大小，只是大多数 C++ 编译器有相应的空间分配，如图 2-2 所示。一个整型数据空间的大小与一个字的空间大小一样（1 字节＝ 8 位）。在一个字占 4 字节的计算机中，一个整型占 4 字节。而在一个字 2 字节的计算机中，一个整型通常也是 2 字节。当我们计算变量和常量的空间大小时，可以使用图 2-2 的数据。

类型	空间大小（字节数）	范围
bool	1	{true,false}
char	1	[−128,127]
unsigned char	1	[0,255]
Short	2	[−32 768,32 767]
unsigned short	2	[0,65 535}
long	4	$[-2^{31},2^{31}-1]$
unsigned long	4	$[0,2^{32}-1]$
int	4	$[-2^{31},2^{31}-1]$
unsigned int	4	$[0,2^{32}-1]$
float	4	$\pm 3.4\,E\pm 38$(7 位)
double	8	$\pm 1.7E\pm 308$（15 位）
long double	10	$\pm 1.2E\pm 4392$（19 位）
pointer	2	(near,_cs,_ds,_es,_ss 指针)
pointer	4	(far,huge 指针)

图 2-2　在 32 位计算机上 C++ 数据类型通常占用的空间

一个结构变量的空间大小是每个结构成员所需的空间大小之和。类似的，一个数组的空间大小是数组的长度乘以一个数组元素的空间大小。

考虑如下的数组声明：

```
double a[100];
int maze[rows][cols];
```

当计算分配给一个数组的空间时，我们只关心分配给数组元素的空间。数组 a 的空间是 100 个 double 类型元素所占用的空间。若每个元素空间是 8 字节，则数组 a 的空间是 800 字节。数组 maze 有 rows*cols 个 int 类型的元素，占用的空间是 4*rows*cols 字节。

3. 环境栈空间

在开始性能分析时，人们通常会忽略环境栈所需要的空间，因为他们不理解函数（特别是递归函数）是如何被调用的以及在函数调用结束时会发生什么。每当一个函数被调用时，下面的数据将被保存在环境栈中：

● 返回地址。

● 正在调用的函数的所有局部变量的值以及形式参数的值（仅对递归函数而言）。

以程序 1-31 的递归函数 rSum 为例，每当它被调用时，不管调用来自函数外部还是内部，a 和 n 的当前值以及调用结束时程序的断口地址都被存储在环境栈中。

值得注意的是，有些编译器，不论对递归函数还是非递归函数，在函数调用时，都会保留局部变量和形参的值，而有些编译器仅对递归函数才会如此。因此，实际使用的编译器将影响环境栈所需空间的大小。

4. 小结

程序所需要的空间大小取决于若干因素。有些因素在构思或编写程序阶段是未知的（例如将要使用的计算机或编译器）。不过即使这些因素已经确定，我们也无法精确地分析一个程序所需要的空间。

不过，程序要处理的问题实例都有一些特征，这些特征都包含着可以决定程序空间大小的因素（例如，输入和输出的数量或相关数的大小）。例如，对 n 个元素排序的程序，它所需要的空间大小是 n 的函数，n 为其实例特征；将两个 $n \times n$ 矩阵累加的程序，n 为其实例特征；把两个 $m \times n$ 矩阵相加的程序，m 和 n 为其实例特征。

相对来说，指令空间的大小受实例特征的影响不大。常量及简单变量所需要的空间与实例特征也没有多大关系，除非相关数的规模对于选定的数据类型来说实在太大，这时，要么改变数据类型，要么使用多精度算法重写该程序，然后再对新程序进行分析。

一些动态分配空间也可以不依赖实例特征。环境栈的大小一般不依赖实例特征，除非使用了递归函数。当使用递归函数时，实例特征通常影响（但不总是）环境栈的大小。

递归函数所需要的栈空间通常称为**递归栈空间**（recursion stack space）。它的大小依赖于局部变量和形式参数所需要的空间，依赖于递归的最大深度（即嵌套递归调用的最大层次）和编译器。程序 1-31 的嵌套递归调用直到 n 等于 0，嵌套调用的层次关系如图 2-3 所示，最大的递归深度是 n+1。智能编译器可以把**尾递归**（tail recursion）转化为迭代，从而减少，甚至排除递归栈空间。

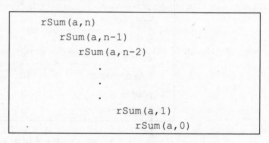

图 2-3　程序 1-31 的嵌套调用层次

可以把一个程序所需要的空间分成两部分：

- 固定部分。它独立于实例特征。这一部分通常包括指令空间（即代码空间）、简单变量空间和常量空间等。
- 可变部分。它由动态分配空间构成和递归栈空间构成。前者在某种程度上依赖实例特征，而后者主要依赖实例特征。

任意程序 P 所需要的空间可以表示为：

$$c + S_P\text{（实例特征）}$$

其中 c 是一个常量，表示空间需求的固定部分，S_P 表示空间需求的可变部分。要精确地分析空间性能，还要考虑在编译期间所产生的临时变量所需要的空间（如图 2-1 所示）。这种空间是与编译器直接相关的，除递归函数以外，它不依赖于实例特征。本书将忽略这种由编译器生成的变量空间。

在分析一个程序的空间复杂度时，我们将集中计算 S_P。对于任意给定的问题，我们首先要确定哪些实例特征可以用来估算空间需求。选择实例特征是一个很具体的问题，我们需要求助于实际的例子来说明各种可能的情况。一般来说，我们的选择仅限于程序输入和输出的规模。有时我们也会对数据项之间的关系进行复杂的估算。

2.2.2　举例

例 2-1　考虑程序 1-1。在计算 S_P 之前，必须选择实例特征。假定我们用 a、b、c 值的大小作为实例特征。因为 a、b、c 是整型，所以每一个都占用 4 字节。另外，需要的空间是指令空间。因为数据空间和指令空间都不受 a、b、c 值的大小所影响，所以 S_{abc}(实例特征) = 0。 ■

例 2-2[顺序查找]　程序 2-1 在数组中从左至右查找第一个与 x 相等的元素。如果找到了，则返回它第一次出现的位置。如果没有找到，则返回 –1。

程序 2-1　顺序查找

```
template<class T>
int sequentialSearch(T a[], int n, const T& x)
{// 在数组 a[0:n-1] 中查找元素 x
 // 如果找到，则返回该元素的位置，否则返回 -1
   int i;
   for (i = 0; i < n && a[i] != x; i++);
   if (i == n) return -1;
   else return i;
}
```

用实例特征 n 来估算程序 2-1 的空间复杂度。虽然形参 a、x、n，常量 0、–1，以及代码都需要空间，但是它们都不依赖实例特征 n，因此，$S_{sequentialSearch}$(n) = 0。

注意，数组 a 必须足够大，可以容下待查找的 n 个元素。这个数组所需要的大小为 n*s，其中 s 是类型为 T 的对象所需要的字节数。然而，这个数组所需要的空间已在定义实际参数的函数中分配，所以在函数 sequentialSearch 中就不需要再分配了。 ■

例 2-3　考虑程序 1-30 的函数 sum。假定用累加元素的总数 n 作为实例特征来估计空间复杂度。在该函数中，形参 a 和 n，局部变量 i 和 theSum，常数 0，以及指令都需要分配空间。但是所需要的空间与 n 的值无关，因此有 S_{sum}(n) = 0。 ■

例 2-4　考虑程序 1-31 的函数 rSum。与上例一样，假定实例特征为 n。递归栈空间包括形式参数 a 和 n 以及返回地址的空间。对于 a，需要保留一个指针（4 字节），而对于 n 则需要保留一个 int 类型的值（也是 4 字节）。如果假定返回地址也是 4 字节，那么每一次递归调用需要 12 字节的栈空间。因为递归深度是 n+1，所以递归栈空间需要 12(n+1) 字节。因此 S_{rSum}(n) = 12(n+1)。

程序 1-30 所需要的空间比程序 1-31 所需要的空间要小。 ■

例 2-5[阶乘]　考虑程序 1-29 的阶乘函数。它的空间复杂度是 n 的函数而不是输入（只有一个）或输出（也只有一个）个数的函数。递归深度是 max{n,1}。每次调用函数 factorial，递归栈都需要保留返回地址（4 字节）和 n 的值（4 字节）。此外没有其他依赖于 n 的空间，因此 $S_{factorial}$(n)=8*max{n,1}。 ■

例 2-6[排列]　程序 1-32 输出一组元素的所有排列。初始调用是 permutations(list,0,n–1)，递归深度是 n。每次递归调用需要 20 字节的递归栈空间（返回地址、list、k、m 以及 i 各需要 4 字节），因此 $S_{permutations}$(n)=20n。 ■

练习

3. 如果采用两种 C++ 编译器编译一个 C++ 程序，那么生成的代码长度相同还是不同？

4. 可能还有很多因素影响程序的空间复杂度，请列举出来。

5. 使用图 2-2 的数据来计算以下的数组所需要的字节数：

1）double y[3]

2）int matrix[10][100]

3）double x[100][5][20]

4）float z[10][10][10][5]

5）bool a[2][3][4]

6）long b[3][3][3][3]

6. 程序 2-2 是在数组元素 a[0:n−1] 中查找元素 x 的递归函数 rSequentialSearch。如果找到 x，则返回 x 在 a 中的位置，否则返回 −1。计算 $S_P(n)$ 和 $S_{rSequentialSearch}(n)$。

7. 编写一个非递归函数来计算 n!（见例 1-1）。并和程序 1-29 的递归函数比较空间复杂度。

程序 2-2　顺序查找的递归算法

```
template<class T>
int rSequentialSearch(T a[], int n, const T& x)
{// 在数组 a[0:n-1] 中查找元素 x
 // 如果找到，则返回该元素的位置，否则返回 -1
   if (n < 1) return -1;
   if (a[n-1] == x) return n - 1;
   return rSequentialSearch(a, n-1, x);
}
```

2.3　时间复杂度

2.3.1　时间复杂度的组成

影响空间复杂度的因素也影响时间复杂度。一个程序在一台每秒执行 10^9 条指令的计算机上运行要比在一台每秒执行 10^6 条指令的计算机上运行快得多。图 2-1c 的代码要比图 2-1a 的代码运行时间少。一些编译器比另一些编译器生成代码的速度快。较小的问题实例通常比较大的问题实例用时要少。

一个程序 P 所需要的时间是编译时间和运行时间之和。编译时间与实例特征无关。一个编译过的程序可以运行若干次而不需要重新编译。因此我们将主要关注程序的运行时间。运行时间通常用 "t_P（实例特征）" 来表示。

我们在构思一个程序时，对影响 t_P 的许多因素还不清楚，因此我们对 t_P 的值仅能估算。如果我们了解编译器的特征，就可以确定代码 P 进行加、减、乘、除、比较、加载、存储等操作所需要的时间，从而可以得到一个计算 t_P 的公式。令 n 代表实例的特征，$t_P(n)$ 的表达式：

$$t_p(n)=c_a\text{ADD}(n)+c_s\text{SUB}(n)+c_m\text{MUL}(n)+c_d\text{DIV}(n)+\cdots \tag{2-1}$$

其中 c_a、c_s、c_m、c_d 分别表示加、减、乘、除所需要的时间，函数 ADD、SUB、MUL、DIV 分别表示具有实例特征 n 的程序 P 所需要的加、减、乘、除的次数。

因为一个算术操作的时间取决于操作数的类型（int、float、double 等），所以要精确地计算运行时间，必须按照数据类型对操作进行分类。在这种情况下，使用细化的公式（2-1）还是不能准确地计算运行时间，因为现在的计算机未必是顺序地执行算术操作。例如，计算机可以同时进行一个整数操作和一个浮点型操作。而且，算术操作流水线和存储等级（见 4.5 节）使 m 次加操作的时间未必是一次加操作的 m 倍。

用分析方法确定一个程序的运行时间是很复杂的，因此只能估算运行时间。而且有两个比较容易控制的方法：1）找出一个或多个关键操作，确定它们的执行时间；2）确定程序总的步数。

2.3.2 操作计数

估算一个程序或函数的时间复杂度，一种方法是选择一种或多种关键操作，例如加、乘、比较等，然后确定每一种操作的执行次数。使用这种方法成功与否取决于是否能够找到耗时最大的操作。下面若干个例子都采用了这种方法。

例 2-7[最大元素] 程序 1-37 的返回值是数组 a[0:n–1] 中最大元素的位置。我们可以根据数组元素之间的比较次数来估算时间复杂度。当 n ≤ 0 时，异常抛出，比较次数为 0。当 n=1 时，没有进入 for 循环体，比较次数还是 0。当 n>1 时，for 循环的每一次迭代都执行一次比较，比较次数为 n–1。因此总的比较次数是 max{n–1,0}。函数 indexOfMax 还执行了其他的比较，例如在每一次迭代之前都要做一次 i 和 n 的比较。不过这些比较并没有包含在操作计数的估算中。另外，indexOfMax 的初始化和循环控制变量 i 的增值，也没有包含在操作计数的估算中。如果包含这些操作，那么操作计数将增加一个常量。∎

例 2-8[多项式求值] 考虑多项式 $P(x) = \sum_{i=0}^{n} c_i x^2$。如果 $c_n \neq 0$，那么 $P(x)$ 是一个 n 阶多项式。程序 2-3 是对给定的 x 值来计算 $P(x)$ 值。它的时间复杂度可以根据 for 循环内的加法和乘法的次数来估算。用阶数 n 作为实例特征。进入 for 循环的总次数为 n，每次执行 1 次加法和 2 次乘法（不包括对循环控制变量 i 的加法操作）。因此加法的次数为 n，乘法的次数为 $2n$。

程序 2-3 多项式计算

```
template<class T>
T polyEval(T coeff[], int n, const T& x)
{// 计算 n 阶多项式在点 x 处的值，系数为 coeff[0:n]
   T y = 1, value = coeff[0];
   for (int i = 1; i <= n; i++)
   {// 加上下一项
      y *= x;
      value += y * coeff[i];
   }
   return value;
}
```

利用 Horner 法则的分解式计算一个多项式如下：

$$P(x) = (\cdots(c_n*x + c_{n-1})*x + c_{n-2})*x + c_{n-3})*x \cdots)*x + c_0$$

因此，$P(x) = 5*x^3 - 4*x^2 + x + 7 = ((5*x-4)*x + 1)*x + 7$。相应的 C++ 函数见程序 2-4。采用程序 2-3 的估算方法，程序 2-4 的时间复杂度是 n 次加法和 n 次乘法。由于程序 2-3 的乘法次数是程序 2-4 的两倍而加法次数相同，因此后者应该更快。

程序 2-4 利用 Horner 法则的多项式计算

```
template<class T>
T horner(T coeff[], int n, const T& x)
{// 计算 n 阶多项式在点 x 处的值，系数为 coeff[0:n]
   T value = coeff[n];
```

```
for (int i = 1; i <= n; i++)
   value = value * x + coeff[n - i];
return value;
}
```

■

例 2-9[名次计算（ranking）]   一个元素在一个序列中的**名次**（rank）是所有比它小的元素个数加上在它左边出现的与它相同的元素个数。例如，数组 a=[4,3,9,3,7] 是一个序列，各元素的名次为 r=[2,0,4,1,3]。程序 2-5 的函数 rank 计算数组 a 的各元素的名次。rank 的时间复杂度根据 a 的元素比较次数来估算。比较操作是由 if 语句来完成的。对于每一个 i 的值，比较次数为 i，因此总的比较次数为 1+2+3+…+n–1=（n–1）n/2（见公式（1-3））。

程序 2-5   名次计算

```
template<class T>
void rank(T a[], int n, int r[])
{// 给数组 a[0:n-1] 的 n 个元素排名次
 // 结果在 r[0:n-1] 中返回
   for (int i = 0; i < n; i++)
      r[i] = 0;                      // 初始化

   // 比较所有元素对
   for (int i = 1; i < n; i++)
      for (int j = 0; j < i; j++)
         if (a[j] <= a[i]) r[i]++;
         else r[j]++;
}
```

注意，在估算时间复杂度时，没有考虑 for 循环的经常性用时、数组 r 初始化的用时以及每次 a 的两个元素比较时 r 增值操作的用时。■

例 2-10[按名次排序（rank sort）]   数组 a 的元素一旦由程序 2-5 计算出名次，就可以移到与其名次对应的位置，按递增顺序重新排列，即 a[0] ≤ a[1] ≤…≤ a[n-1]。程序 2-6 的函数 rearrange 使用一个附加数组 u 实现了这个算法。

假设调用 new 操作符给附加数组 u 分配空间的操作是成功的。那么在执行函数 rearrange 时元素移动次数是 2n。完成排序需要 (n–1)n/2 次比较和 2n 次元素移动。这种排序方法也称**计数排序**（count sort）。实现这种排序的另外一种方法是程序 2-11，它不需要附加数组 u。

程序 2-6   利用附加数组的计数排序

```
template<class T>
void rearrange(T a[], int n, int r[])
{// 使用一个附加数组 u，将元素排序
   T *u = new T [n];                 // 创建附加数组

   // 把 a 中元素移到 u 中正确位置
   for (int i = 0; i < n; i++)
      u[r[i]] = a[i];

   // 把 u 中元素移回 a
   for (i = 0; i < n; i++)
      a[i] = u[i];
```

```
        delete [] u;
    }
```

例 2-11[选择排序（selection sort）] 给数组元素排序，例 2-10 是一种方法，还有另一种方法：首先找出最大的元素，把它移到 a[n-1]。然后在余下的 n-1 个元素中找出最大的元素，把它移到 a[n-2]。如此进行下去，直到剩下一个元素。这种排序方法称为**选择排序**。图 2-4a 是一个应用选择排序的例子，要排序的数组为 a[0:5]=[6,5,8,4,3,1]。阴影部分是没有排序的部分，深色杠标志的是最大元素的位置，浅色杠标志的是最大元素要移向的位置。

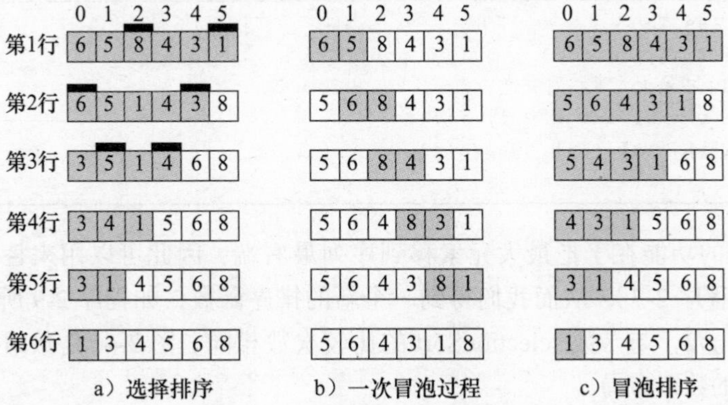

a）选择排序 b）一次冒泡过程 c）冒泡排序

图 2-4 选择排序和冒泡排序

图 2-4a 的第 1 行是数组的初始布局，整个数组元素 a[0:5] 还没有排序。最大元素在 a[2]，要移向的位置是 a[5]，这两个位置用杠符号标志。交换这两个位置上的元素。交换之后，我们只需考虑数组元素 a[0:4] 的排序问题，因为 a[5] 中的元素已经是最大元素。第 2 行是交换之后的数组布局，a[0:4] 的最大元素是 a[0]，这个元素应该与 a[4] 中的元素交换。第 3 行是交换后的结果。如此继续下去。在第 6 行，数组中未排序的部分只有一个元素 a[0:0]，它小于或等于其他元素。因此整个数组已经排好序。

程序 2-7 的 C++ 函数 selectionSort 实现了这一过程。其中的函数 indexOfMax 在程序 1-37 中已经给出。时间复杂度可以根据元素的比较次数来估算。从例 2-7 中已经知道，每次调用 indexOfMax(a,size) 需要执行 size-1 次比较，因此总的比较次数为 $n-1+n-2+\cdots+1=(n-1)n/2$。元素的移动次数为 $3(n-1)$。选择排序的比较次数与按名次排序的比较次数相同，但元素移动次数多出 50%。在例 2-16 中，我们将考虑另一种选择排序。

程序 2-7 选择排序

```
template<class T>
void selectionSort(T a[], int n)
{// 给数组 a[0:n-1] 的 n 个元素排序
    for (int size = n; size > 1; size--)
    {
        int j = indexOfMax(a, size);
        swap(a[j], a[size - 1]);
    }
}
```

例 2-12[**冒泡排序（bubble sort）**]　　这是一种简单的排序方法，它使用一种"冒泡策略"把最大元素移到序列最右端。在一次冒泡过程中，相邻的元素比较。如果左边的元素大于右边的元素，则交换。假定有 6 个元素 [6,5,8,4,3,1]（见图 2-4b 第 1 行）。首先 6 和 5 比较并交换，结果如第 2 行所示。然后 6 和 8 比较，无须交换。接下来 8 和 4 比较（第 3 行）并交换，结果如第 4 行所示。再下来是 8 和 3 比较并交换。最后一次是 8 和 1 比较并交换，结果如第 6 行所示。一次冒泡过程结束后，最大的元素肯定在最右端。

程序 2-8 的函数 bubble 是对数组 a[0:n−1] 的一次冒泡过程，其中元素比较次数是 n−1。

程序 2-8　一次冒泡过程

```
template<class T>
void bubble(T a[], int n)
{// 把 a[0:n-1] 中最大元素移到右边
   for (int i = 0; i < n - 1; i++)
      if (a[i] > a[i+1]) swap(a[i], a[i + 1]);
}
```

函数 bubble 的功能在于把最大元素移到序列最右端，因此可以用来替代选择排序中的 indexOfMax（见程序 2-7），从而我们得到一个新的排序函数，如程序 2-9 所示。新函数的比较次数为（n−1）n/2，与函数 selectionSort 的比较次数相同。图 2-4c 是数组初始布局和每一次冒泡过程之后的数组布局。

程序 2-9　冒泡排序

```
template<class T>
void bubbleSort(T a[], int n)
{// 对数组元素 a[0:n - 1] 使用冒泡排序
   for (int i = n; i > 1; i--)
      bubble(a, i);
}
```

2.3.3　最好、最坏和平均操作计数

到目前为止，所有例子中的操作计数都是像输入数或输出数那样简单的实例特征的函数。如果把其他一些操作也都考虑在内，有些例子就可能变得很复杂了。以 bubble 函数为例（程序 2-8），它的交换次数不仅依赖于实例特征 n，而且依赖于数组元素的具体值。交换次数可在 0 到 n−1 之间变化。既然操作计数并不总是由实例特征唯一确定的，我们就来估算最好、最坏和平均操作计数。因为平均操作计数通常不易确定，所以我们集中分析最好和最坏两种操作计数。

例 2-13[**顺序搜索**]　　对程序 2-1 的顺序查找函数，我们要确定 x 与数组元素之间的比较次数。我们自然地把 n 作为实例特征。可是比较次数不是由 n 唯一确定的。例如，如果 n=100 且 x=a[0]，那么仅需要一次比较。如果 x 不在数组中，则需要 100 次比较。

若 x 属于 a，则查找成功，否则查找不成功。查找不成功时的比较次数都是 n。如果查找成功，则最少比较 1 次，最多比较 n 次。为了计算平均比较次数，我们假设所有数组元素都不相同，但每个元素被查找的概率都相同。这时，查找成功的平均比较次数如下：

$$\frac{1}{n}\sum_{i=1}^{n}i=(n+1)/2$$

例 2-14[在有序数组中插入元素] 在有序数组中插入一个新元素，插入之后数组依然有序。例如，在数组 a[0:4]=[2,4,6,8,9] 中插入 3，结果是 a[0:5]=[2,3,4,6,8,9]。为此，从数组最右端开始，连续把一些元素向右移动一个位置，直到为新元素找到插入空间。图 2-5a 显示了这个过程：把 9、8、6 和 4 依次向右移动了一个位置，然后把 3 插到 a[1]。

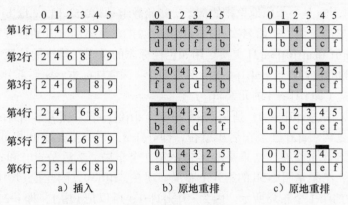

图 2-5 插入和重排

程序 2-10 利用这种排序方法把一个元素 x 插入一个有序数组 a[0:n-1]。

程序 2-10 在一个有序数组中插入一个元素

```
template<class T>
void insert(T a[], int& n, const T& x)
{// 把 x 插入有序数组 a[0:n-1]
 //假设数组 a 的容量大于 n
   int i;
   for (i = n-1; i >= 0 && x < a[i]; i--)
      a[i+1] = a[i];
   a[i+1] = x;
   n++; // 数组 a 多了一个元素
}
```

现在我们要确定 x 与数组元素的比较次数。我们自然把数组的初始元素个数 n 作为实例特征。最少的比较次数是 1，这是把 x 插入数组最右端的时候出现的情况。最多的比较次数是 n，这是把 x 插入数组最左端的时候出现的情况。x 的可能插入位置有 n+1 个。为了估算平均的比较次数，我们假定把 x 插入任意一个位置上的概率是相等的。如果 x 的插入位置是 a[i+1]，$i \geq 0$，则比较次数为 n-i。如果 x 的插入位置是 a[0]，则比较次数为 n。因此平均比较次数为：

$$\frac{1}{n+1}\left(\sum_{i=0}^{n-1}(n-i)+n\right)=\frac{1}{n+1}\left(\sum_{j=1}^{n}j+n\right)$$

$$=\frac{1}{n+1}\left(\frac{n(n+1)}{2}+n\right)$$

$$=\frac{n}{2}+\frac{n}{n+1}$$

平均比较次数几乎比最坏情况下的比较次数的一半大 1。

例 2-15[**再看按名次排序**] 假定对数组 a 的元素已经用函数 rank（见程序 2-5 和例 2-9）计算出名次，并将名次存于数组 r。在不借助其他空间的条件下，把数组 a 的元素按名次排序，即原地重排（in-place rearrange）。从索引 i=0 开始检查数组 a 的元素 a[i]。如果 r[i]=i，则 i 增 1，然后按照新的索引 i，检查下一个数组元素。如果 r[i]≠i，则将索引分别为 i 和 r[i] 的元素交换。把原来索引为 i 的元素移到按名次排列的位置。在索引 i 处重复这种操作直到 r[i]=i。然后 i 增 1，按照新的索引 i，检查下一个数组元素。

图 2-5b 和图 2-5c 是一个原地重排的例子。初始数组是 a[0:5]=[d,a,e,f,c,b]，数组元素的名次显示在数组元素的上面，初始名次 r[0:5]=[3,0,4,5,2,1]。从索引 0 开始检查数组元素。因为 r[0]≠0，所以 a[0] 和 a[r[0]]=a[3] 交换。用深色杠标志的是正在检查的位置。用浅色杠标志的是 a[i] 应该移到的位置。当 r[a[i]]=i 时，只有 a[i] 有深色杠标志。阴影部分表示还没有按名次排列到位的元素（即 r[i]≠i 的元素 a[i]）。

从 i=0 开始，因为 r[0]≠0，所以交换 a[0] 和 a[r[0]]=a[3]，r[0] 和 r[3]，结果是图 2-5b 的第 2 个布局。这时，a[3] 已经按名次就位，即 r[3]=3。下一步是 a[0] 和 a[r[0]]=a[5] 交换，以及它们对应的名次也交换，结果是图 2-5b 的第 3 个布局。然后是 a[0] 和 a[r[0]]=a[1] 以及相应的名次交换，结果是图 2-5b 的第 4 个布局。现在，r[0]=0，因此把 i 增 1，即 i=1，继续检查，如图 2-5c 的第 1 个布局所示。因为 r[i]=r[1]=1，所以把 i 增 1，即 i=2，继续检查，如图 2-5c 的第 2 个布局所示。现在是 a[2] 和 a[r[2]]=a[4] 以及相应的名次交换，结果是 r[2]=2。这时的数组已经有序，不过代码不能检测出来，只有继续增加 i 的值，直到剩余的数组元素都检查完为止。因此，i 增加至 3（见图 2-5c 的第三个布局）。然后 i 增至 4 和 5。

程序 2-11 是原地重排函数 rearrange。

程序 2-11 原地重排数组元素

```
template<class T>
void rearrange(T a[], int n, int r[])
{// 原地重排数组元素使之有序
    for (int i = 0; i < n; i++)
        // 把正确的元素移到 a[i]
        while (r[i] != i)
        {
            int t = r[i];
            swap(a[i], a[t]);
            swap(r[i], r[t]);
        }
}
```

交换次数从最少 0（当数组元素初始有序时）到最多 2(n-1)。注意，每次交换至少使一个元素移到正确位置（即 a[i]）。因此最多需要 n-1 次交换，所有 n 个元素都能按名次排列。练习 20 将证明，确实存在这样的序列，需要经过 n-1 次交换才会有序。因此，交换次数最少为 0（初始元素数已经有序），最多为 2(n-1)（包括名次交换）。与程序 2-6 相比，最坏执行时间增加了，因为需要更多的移动（每次交换需要三次移动）。不过，程序所需要的内存减少了。 ■

例 2-16[**再看选择排序**] 程序 2-7 的选择排序有一个缺点：即使元素已经有序，程序仍然会继续运行。例如，即使数组元素在第二次迭代后已经有序，for 循环仍要执行 n-1 次迭代。为了去除不必要的迭代，我们在查找最大元素时，同时检查数组是否已经有序。程序 2-12 执行了这种策略，它把查找最大元素的循环语句直接和函数 selectionSort 合并在一起，而不是作为一个独立的函数。

程序 2-12　及时终止的选择排序

```
template<class T>
void selectionSort(T a[], int n)
{// 及时终止的选择排序
   bool sorted = false;
   for (int size = n; !sorted && (size > 1); size--)
   {
      int indexOfMax = 0;
      sorted = true;
      // 查找最大元素
      for (int i = 1; i < size; i++)
         if (a[indexOfMax] <= a[i]) indexOfMax = i;
         else sorted = false; // 无序
      swap(a[indexOfMax], a[size - 1]);
   }
}
```

图 2-6a 用数组 a[0:5]=[6,5,4,3,2,1] 的排序演示了程序 2-12 的处理过程。在外层 for 循环的第一次迭代中，size=6，而且当 i=1,2,3,4,5 时，都执行了语句 sorted=false。在 a[0] 和 a[5] 交换之后，结果如图第 2 行所示。接下来重新回到外层 for 循环，这时 size=5，而且当 i=2,3,4 时，也都执行了语句 sorted=false。在 a[1] 和 a[4] 交换之后回到外层 for 循环，这时 size=4，而且当 i=3 时，执行了语句 sorted=false。在 a[2] 和 a[3] 交换之后回到外层 for 循环，这时的数组布局如图第 4 行所示，语句 sorted=false 没有执行。外层循环终止。图 2-6a 的及时终止选择排序和图 2-4a 的选择排序相比，迭代次数少一次。

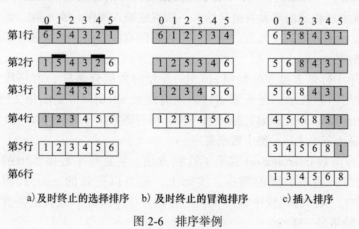

a) 及时终止的选择排序　　b) 及时终止的冒泡排序　　c) 插入排序

图 2-6　排序举例

对及时终止的选择排序，最好情况是初始数组 a 有序，这时外部 for 循环仅执行一次，数组元素的比较次数为 n-1。最坏情况是外部 for 循环直到 size=1 时才结束，数组元素的比较次数为（n-1）n/2。在最好和最坏情况下，交换次数与程序 2-7 的相同。注意，在最坏时，及时终止的选择排序要略慢一些，因为它需要额外的操作以维护变量 sorted。■

例 2-17[再看冒泡排序]　与选择排序一样，我们可以设计一个及时终止的冒泡排序。如果在一次冒泡过程中没有发生元素互换，则说明数组已经有序，这时可以提前终止冒泡过程。

程序 2-13 是一个及时终止的冒泡排序函数。

程序 2-13　及时终止的冒泡排序

```
template<class T>
bool bubble(T a[], int n)
{// 把数组 a[0:n-1] 中的最大元素移到最右端
    bool swapped = false; // 目前为止未交换
    for (int i = 0; i < n - 1; i++)
        if (a[i] > a[i+1])
        {
            swap(a[i], a[i + 1]);
            swapped = true; // 交换
        }
    return swapped;
}

template<class T>
void bubbleSort(T a[], int n)
{// 及时终止冒泡排序
    for (int i = n; i > 1 && bubble(a, i); i--);
}
```

图 2-6b 第 1 行是实例，调用 bubble(a,6) 使图从第 1 行变为第 2 行。调用 bubble(a,5) 使图从第 2 行变为第 3 行。每一次调用时都至少发生一次交换。而调用 bubble(a,4) 时没有发生交换，排序终止。

最坏情况的比较次数与原来程序 2-9 的一样。最好情况的比较次数为 n−1。　　■

例 2-18[插入排序]　程序 2-10（在有序数组中插入一个元素）可以作为一种排序方法的基础。因为只有一个元素的数组，即单元数组，是一个有序数组，所以对 n 个元素的数组，可以从第一个元素所构成的单元数组开始，不断实施插入操作。插入第二个元素，得到 2 个元素的有序数组。插入第三个元素，得到 3 个元素的有序数组。如此进行下去，最终得到 n 个元素的有序数组。

图 2-6c 的第 1 行是未排序的数组 a[0:5]。开始时数组分两段：有序段 a[0:0]，无序段 a[1:5]。无序段用阴影表示。把元素 a[1] 插入有序段 a[0:0]，得到图第 2 行所示的有序段 a[0:1] 和无序段 a[2:5]。把元素 a[2] 插入有序段，得到图第 3 行所示的有序段 a[0:2] 和无序段 a[3:5]。再连续插入三次之后，整个数组有序。

程序 2-14 的函数 insertionSort 实现了这种方法。它重写了程序 2-10 的函数 insert，省去了这个函数的一些不必要的操作。实际上，还可以把新的 insert 代码直接嵌入函数 insertionSort 之中，从而得到程序 2-15 的另一种插入排序函数；或者把函数 insert 作为内联（inline）函数，结果是一样的。

程序 2-14　插入排序

```
template<class T>
void insert(T a[], int n, const T& x)
{// 把 x 插入有序数组 a[0:n-1]
    int i;
    for (i = n-1; i >= 0 && x < a[i]; i--)
        a[i+1] = a[i];
    a[i+1] = x;
```

```
    }

template<class T>
void insertionSort(T a[], int n)
{// 对数组 a[0:n-1] 实施插入排序
    for (int i = 1; i < n; i++)
    {
        T t = a[i];
        insert(a, i, t);
    }
}
```

程序 2-15　　另外一种插入排序

```
template<class T>
void insertionSort(T a[], int n)
{// 对数组 a[0:n-1] 实施插入排序
    for (int i = 1; i < n; i++)
    {// 把 a[i] 插入 a[0:i-1]
        T t = a[i];
        int j;
        for (j = i-1; j >= 0 && t < a[j]; j--)
            a[j+1] = a[j];
        a[j+1] = t;
    }
}
```

两种插入排序的比较次数相同。最好的比较次数是 n–1，最坏的比较次数是 (n–1)n/2。■

2.3.4　步数

在一些讨论过的例子中，用操作计数方法来估算程序的时间复杂度时，都是针对选定的操作，而忽视了其他的操作。在**步数**（step-count）方法中，将对程序 / 函数的所有操作部分都进行统计。与操作计数一样，步数也是实例特征的函数。任何一个具体的实例都可能有若干个特征（例如输入个数、输出个数、输入和输出的大小），但是步数是特征的一个子集的函数。通常我们选择的特征都是我们感兴趣的特征。例如，如果我们想知道，程序的运行时间（即时间复杂度）如何随着输入个数的增加而增加，那么就把步数仅看成是输入个数的函数。对另一个不同的程序，如果我们想知道的是，程序的运行时间如何随着输入规模的增大而增加，那么就把步数仅看成是输入规模的函数。因此，要确定一个程序的步数，必须先确定所要采用的实例特征。这些特征不仅确定了在步数计算表达式中的变量，还确定了一步应该包含多少次计算。

在选择了相关的实例特征以后，可以确定什么是一步。**一步**（a step）是一个计算单位，它独立于所选定的实例特征。10 次加法可以视为一步，100 次乘法也可以视为一步，但 n 次加法不能视为一步，其中 n 为实例特征。$m/2$ 次加法或 $p+q$ 次减法也都不能视为一步，其中 m、p 和 q 都是实例特征。

定义 2-1[程序步]　**一个程序步**（a program step）可以大概地定义为一个语法或语义上的程序片段，该片段的执行时间独立于实例特征。

一个程序步所表示的计算量可能与另一个程序步所表示的计算量不同。例如，下面这条

完整的语句:

```
return a+b+b*c+(a+b-c)/(a+b)+4;
```

只要它的执行时间独立于所选用的实例特征,就可以视为一个程序步。也可以把如下语句:

```
x=y;
```

视为一个程序步。

为了确定一个程序或函数的步数,可以创建一个初始值为 0 的全局变量 stepCount。把这个变量的增值语句嵌入原程序,每当原程序或原函数的一条语句执行一次,stepCount 的值就增 1。当程序或函数运行结束时,stepCount 的值便是程序步数。

例 2-19　把 stepCount 的增值语句嵌入程序 1-30,得到程序 2-16。程序运行结束时,stepCount 的值便是程序 1-30 的程序步数。

程序 2-16　计算程序 1-30 的程序步数

```
template<class T>
T sum(T a[], int n)
{// 返回数值数组元素 a[0:n-1] 的和
   T theSum,= 0;
   stepCount++;                        // theSum = 0 是一个程序步
   for (int i = 0; i < n; i++)
   {
      stepCount++;                     // for 循环的每一次条件判断是一个程序步
      theSum += a[i];
      stepCount++;                     // theSum += a[i] 是一个程序步
   }
   stepCount++;                        // for 循环语句的最后一次条件判断是一个程序步
   stepCount++;                        // return theSum 是一个程序步
   return theSum;
}
```

程序 2-17 是程序 2-16 的一个简化版,它仅仅计算 stepCount 的值,最终计算结果和程序 2-16 的一样。如果 stepCount 的初值为 0,在程序 2-17 的 for 循环结束时,stepCount 的值是 2n,在程序结束时它的值是 2n+3。因此,程序 1-30 中的 sum 函数所需要的程序步数是 2n+3。

程序 2-17　程序 2-16 的简化版

```
template<class T>
T sum(T a[], int n)
{// 返回数值数组元素 a[0:n-1] 的和
   for (int i = 0; i < n; i++)
      stepCount=+2;
   stepCount=+3;
   return 0;
}
```

例 2-20　把 stepCount 的增值语句嵌入程序 1-31 的函数 rSum,得到程序 2-18。函数 rSum 是递归函数,它需要递归栈空间。注意,程序 1-31 是递归函数,它需要递归栈空间。如果这个空间不足,该函数就可能运行失败。为了分析步数,我们假设内存充分大,足以支持函数 rSum 的运行所需要的递归栈空间。

程序 2-18　计算程序 1-31 的程序步数

```
template<class T>
T rSum(T a[], int n)
{//返回数组元素 a[0:n-1] 的和
    stepCount++;                        //if 语句是一个程序步
    if (n > 0) { stepCount++;           //return 语句和调用语句是一个程序步
                return rSum(a, n-1) + a[n-1];}
    stepCount++;                        //return 语句是一个程序步
    return 0;
}
```

令 $t_{rSum}(n)$ 是函数 rSum 从初始调用到结束调用时 stepCount 的增值。如果 stepCount 的初始为 0，那么 $t_{rSum}(0) = 2$。当 $n > 0$ 时，stepCount 的增值应该是 2 加上在调用语句 $t_{rSum}(n-1)$ 之后 stepCount 的增值，于是 $t_{rSum}(n) = 2 + t_{rSum}(n-1)$。

在分析一个递归函数的步数时，通常可以得到一个递归公式（例如，$t_{rSum}(n) = 2 + t_{rSum}(n-1)$，$n > 0$，且 $t_{rSum}(0) = 2$）。这种递归公式称为**递推方程**（recurrence equation），或简称为**递推**。反复替换可以求解递推方程，如下所示：

$$
\begin{aligned}
t_{rSum}(n) &= 2 + t_{rSum}(n-1)\\
&= 2 + 2 + t_{rSum}(n-2)\\
&= 4 + t_{rSum}(n-2)\\
&\vdots\\
&= 2n + t_{rSum}(0)\\
&= 2n + 2, \quad n \geqslant 0
\end{aligned}
$$

其中 $n \geqslant 0$。因此，程序 1-31 的函数 rSum 的步数为 2n+2。　　　　　　　■

比较程序 1-30 和程序 1-31 的步数，后者小于前者。然而不能因此断定前者比后者慢，因为一步所对应的时间单位是不确定的。rSum 的一步可能要比 sum 的一步需要更多的时间，因此 rSum 很可能要比 sum 慢。

步数可以告诉我们，程序的执行时间是如何随着实例特征的变化而变化的。从 sum 的步数可以看到，如果 n 加倍，程序运行时间也近似地加倍；如果 n 增加 10 倍，运行时间也会增加 10 倍。因此可以预计，运行时间随着 n 的增加线性增长。

如果不想嵌入 stepCount 的增值语句，可以建立一张表，列出每条语句的总步数。为此，首先要确定每条语句每次执行所需要的步数（s/e, steps per execution），以及该语句总的执行次数，即频率（frequency）。然后把这两个数据相乘，便得到每条语句的总步数。最后把所有语句的总步数加在一起便得到整个程序的步数。这种方法称为**剖析法**（profiling）。

一条语句的执行步数（s/e）是该语句在执行结束之后，步数 stepCount 的增值。一条语句的步数与该语句的执行步数（s/e）有很大差别。例如语句：

```
x=sum(a,m);
```

的步数为 1，而该语句的执行步数是 $1+2m+3=2m+4$，其中 $2m+3$ 是调用 sum 所引起的 stepCount 的增值。

图 2-7 列出了在程序 1-30 的函数 sum 中每条语句的执行步数（s/e）和频率。程序的总步数为 2n+3。注意 for 语句的频率为 $n+1$ 而不是 n，因为循环变量 i 必须递增到 n，for 语句才能结束。

语句	s/e	频率	总步数
T sum(T a[], int n)	0	0	0
{	0	0	0
T theSum = 0;	1	1	1
for (int i = 0; i < n; i++)	1	$n+1$	$n+1$
theSum += a[i];	1	n	n
return theSum;	1	1	1
}	0	0	0
总计			$2n+3$

图 2-7 计算程序 1-30 的步数

程序 2-19 是 rows × rows 矩阵 a[0:rows−1][0:rows−1] 的转置。称矩阵 b 是矩阵 a 的转置，当且仅当对所有的 i 和 j，有 b[i][j]=a[j][i]。

程序 2-19 矩阵转置

```
template<class T>
void transpose(T **a, int rows)
{// 原地完成矩阵 a[0:rows-1][0:rows-1] 的转置
    for (int i = 0; i < rows; i++)
        for (int j = i+1;  j < rows; j++)
            swap(a[i][j], a[j][i]);
}
```

图 2-8 是程序 2-19 的执行步数表。让我们来推导第二条 for 循环语句的频率。对于 i 的每个值，该语句执行次数为 $rows-i$，因此频率为：

$$\sum_{i=0}^{rows-1}(rows-i) = \sum_{q=1}^{rows} q = rows(rows+1)/2$$

swap 语句的频率为：

$$\sum_{i=0}^{rows-1}(rows-i-1) = \sum_{q=0}^{rows-1} q = rows(rows-1)/2$$

语句	s/e	频率	总步数
void transpose(T **a, int rows)	0	0	0
{	0	0	0
for (int i = 0; i < rows; i++)	1	$rows+1$	$rows+1$
for (int j = i+1; j < rows; j++)	1	$rows(rows+1)/2$	$rows(rows+1)/2$
swap(a[i][j], a[j][i]);	1	$rows(rows-1)/2$	$rows(rows-1)/2$
}	0	0	0
总计			$rows^2+rows+1$)

图 2-8 程序 2-19 的执行步数

有时，一条语句的执行步数是变化的。例如，程序 2-20 的赋值语句便是如此。其中函数 inef 在对数组前置元素求和时的效率很低：

$$b[j] = \sum_{i=0}^{j} a[i], \quad 其中 \quad j = 0,1,\cdots,n-1$$

程序 2-20 低效的前缀求和程序

```
template <class T>
void inef(T a[], T b[], int n)
```

```
{// 前置元素求和
    for (int j = 0; j < n; j++)
        b[j] = sum(a, j + 1);
}
```

我们已知函数 sum(a,m) 的执行步数为 $2m+3$（见例子 2-19）。因此，在函数 inef 中，赋值语句 b[j]=sum(a,j+1) 的执行步数为 $2(j+1)+3+1=2j+6$，其中增加的 1 是把函数 sum 的值赋给 b[j] 所做的一步。赋值语句的频率为 n，但该语句的总步数并不是 $(2j+6)n$，而是

$$\sum_{j=0}^{n-1}(2j+6) = n(n+5)$$

图 2-9 是对该函数的完整分析。

语句	s/e	频率	总步数
void inef(T a[], T b[], int n)	0	0	0
{	0	0	0
for (int j = 0; j < n; j++)	1	$n+1$	$n+1$
b[j] = sum(a, j + 1);	$2j+6$	n	$n(n+5)$
}	0	0	0
总计			n^2+6n+1

图 2-9　程序 2-20 的执行步数

最好、最坏和平均操作计数的概念可以很容易地扩充到步数中。例 2-21 和例 2-22 就说明了这些概念。

例 2-21[顺序搜索]　图 2-10 和图 2-11 分别给出了函数 sequentialSearch（见程序 2-1）在最好和最坏情况下的步数分析。

语句	s/e	频率	总步数
int sequentialSearch(T a[], int n, const T& x)	0	0	0
{	0	0	0
int i;	1	1	1
for (i = 0; i < n && a[i] != x; i++);	1	1	1
if (i == n) return -1;	1	1	1
else return i;	1	1	1
}	0	0	0
总计			4

图 2-10　程序 2-1 在最好情况下的步数

语句	s/e	频率	总步数
int sequentialSearch(T a[], int n, const T& x)	0	0	0
{	0	0	0
int i;	1	1	1
for (i = 0; i < n && a[i] != x; i++);	1	$n+1$	$n+1$
if (i == n) return -1;	1	1	1
else return i;	1	0	0
}	0	0	0
总计			$n+3$

图 2-11　程序 2-1 在最坏情况下的步数

为了分析一个成功查找的平均步数，我们假定数组 a 的 n 个元素值都互不相同，并且 x 与数组的任何一个元素相等的概率都是一样的。在这样的假设下，一个成功查找的平均步数是 n 个成功查找的执行步数之和除以 n。为此，首先得到当 x=a[j] 时的步数，其中 j 介于 [0, n–1]，如图 2-12 所示。

语句	s/e	频率	总步数
`int sequentialSearch(T a[], int n, const T& x)`	0	0	0
`{`	0	0	0
`  int i;`	1	1	1
`  for (i = 0; i < n && a[i] != x; i++);`	1	$j+1$	$j+1$
`  if (i == n) return -1;`	1	1	1
`  else return i;`	1	1	1
`}`	0	0	0
总计			$j+4$

图 2-12　程序 2-1 在当 x=a[j] 时的执行步数

现在可以计算出成功查找的平均步数：

$$\frac{1}{n}\sum_{j=0}^{n-1}(j+4) = (n+7)/2$$

这个值比非成功查找的步数的一半还大一点。

现在假定成功查找的概率为80%，并且每个 x=a[i] 被查找的机会相同，则 sequentialSearch 的平均步数为：

$$0.8*(\text{成功查找的平均步数})+0.2*(\text{不成功查找的步数})$$

$$=0.8(n+7)/2+0.2(n+3)$$

$$=0.6n+3.4$$

■

例 2-22[在有序数组中插入元素]　程序 2-10 的函数 insert 在最好和最坏情况下的步数分别如图 2-13 和图 2-14 所示。

语句	s/e	频率	总步数
`void insert(T a[], int& n, const T& x)`	0	0	0
`{`	0	0	0
`  int i;`	1	1	1
`  for (i = n-1; i >= 0 && x < a[i]; i--)`	1	1	1
`    a[i+1] = a[i];`	1	0	0
`  a[i+1] = x;`	1	1	1
`  n++;　　　//一个元素插入 a`	1	1	1
`}`	0	0	0
总计			4

图 2-13　程序 2-10 的最好执行步数

x 的插入位置有 $n+1$ 个，为了计算平均执行步数，假定把 x 插入任何位置上的概率是一样的。如果 x 的插入位置是 j，$j \geq 0$，则步数为 $2n-2j+4$。因此平均步数为：

$$\frac{1}{n+1}\sum_{j=0}^{n}(2n-2j+4) = \frac{1}{n+1}\left[2\sum_{j=0}^{n}(n-j)+\sum_{j=0}^{n}4\right]$$

$$= \frac{1}{n+1}\left[2\sum_{k=0}^{n}k+4(n+1)\right]$$

$$= \frac{1}{n+1}[n(n+1)+4(n+1)]$$

$$= \frac{(n+4)(n+1)}{n+1}$$

$$= n+4$$

语句	s/e	频率	总步数
`void insert(T a[], int& n, const T& x)`	0	0	0
`{`	0	0	0
`    int i;`	1	1	1
`    for (i = n-1; i >= 0 && x < a[i]; i--)`	1	n+1	n+1
`        a[i+1] = a[i];`	1	n	n
`    a[i+1] = x;`	1	1	1
`    n++;          //一个元素插入 a`	1	1	1
`}`	0	0	0
总计			2n+4

图 2-14　程序 2-10 的最坏执行步数

平均步数比最坏情况下的步数的一半多 2。　　　　　　　　　　■

练习

8. 根据例 2-8 的分析，要计算多项式 $3x^4+4x^3+5x^2+6x+7$，程序 2-3 需要做 4 次加法和 8 次乘法，程序 2-4 需要 4 次加法和 4 次乘法。请在 $x=2$ 的情况下，把这些加法和乘法一一表示出来，而且把每次的加数和乘数也显示出来。

9. 对数组 a[0:8]=[3,2,6,5,9,4,7,1,8] 计算所有元素的名次，并存于数组 r（见例 2-9）。

10. 假设对数组 a[0:6]=[3,2,6,5,9,4,8] 实施程序 2-7 的选择排序，请画出类似于图 2-4a 的图。

11. 假设对数组 a[0:6]=[3,2,6,5,9,4,8] 实施程序 2-8 的冒泡过程，请画出类似于图 2-4b 的图。

12. 假设对数组 a[0:6]=[3,2,6,5,9,4,8] 实施程序 2-9 的冒泡排序，请画出类似于图 2-4c 的图。

13. 假设在有序数组 a[0:6]=[1,2,4,6,7,8,9] 中插入 3，请画出类似于图 2-5a 的图，显示程序 2-10 的插入过程。

14. 数组 a[0:8]=[g,h,i,f,c,a,d,b,e]，按名次排序结果 r[0:8]=[6,7,8,5, 2,0,3, 1,4]，请画出类似于图 2-5b 和图 2-5c 的图，显示原地重排函数（见程序 2-11）的排序过程。

15. 1）使用及时终止选择排序（见程序 2-12），对数组 a[0:9]=[9,8,7,6,5,4,3,2,1,0] 排序，画出类似于图 2-6a 的图，显示排序过程。

    2）对数组 a[0:8]=[8,4,5,2,1,6,7,3,0] 重复过程 1）。

16. 使用及时终止冒泡排序（见程序 2-13），对数组 a[0:9]=[4,2,6,7,1,0,9,8,5,3] 排序，画出类似于图 2-6b 的图，显示排序过程。

17. 使用插入排序（见程序 2-14），对数组 a[0:9]=[4,2,6,7,1,0,9,8,5,3] 排序，画出类似于图 2-6c 的图，显示排序过程。

18. 在函数 sum（见程序 1-30）的 for 循环中，执行了多少次加法（即调用 increment）？

19. 函数 factorial（见程序 1-29）执行了多少次乘法？

20. 创建一个输入数组 a，使函数 rearrange（见程序 2-11）执行 $n-1$ 次元素交换和 $n-1$ 次名次交换。

21. 函数 matrixAdd（见程序 2-21）对数组元素执行了多少次加法？

程序 2-21 矩阵的加法

```
template<class T>
void matrixAdd( T **a, T **b, T **c, int numberOfRows, int numberOfColumns)
{// 将矩阵 a 和 b 相加得到矩阵 c
    for (int i = 0; i < numberOfRows; i++)
        for (int j = 0;  j < numberOfColumns; j++)
            c[i][j] = a[i][j] + b[i][j];
}
```

22. 函数 transpose（见程序 2-19）共执行了多少次交换？

23. 试确定函数 squareMatrixMultiply（见程序 2-22）在两个 $n \times n$ 矩阵相乘时执行了多少次乘法。

程序 2-22 两个 $n \times n$ 矩阵的乘法

```
template<class T>
void squareMatrixMultiply(T **a, T **b, T **c, int n)
{// 将 n x n 矩阵 a 和 b 相乘得到矩阵 c
    for (int i = 0; i < n; i++)
        for (int j = 0; j < n; j++)
        {
            T sum = 0;
            for (int k = 0; k < n; k++)
                sum += a[i][k] * b[k][j];
            c[i][j] = sum;
        }
}
```

24. 试确定函数 matrixMultiply（见程序 2-23）在实现一个 $m \times n$ 矩阵与一个 $n \times p$ 矩阵相乘时执行了多少次乘法。

程序 2-23 $m \times n$ 矩阵与 $n \times p$ 矩阵的乘法

```
template<class T>
void matrixMultiply(T **a, T **b, T **c, int m, int n, int p)
{// 将一个 m×n 矩阵 a 和一个 n×p 矩阵 b 相乘得到矩阵 c
    for (int i = 0; i < m; i++)
        for (int j = 0; j < p; j++)
        {
            T sum = 0;
            for (int k = 0; k < n; k++)
                sum += a[i][k] * b[k][j];
            c[i][j] = sum;
        }
}
```

25. 确定函数 permutations（见程序 1-32）执行了多少次交换操作？

26. 函数 minmax（见程序 2-24）是查找数组 a 的最大元素和最小元素。令 n 为实例特征。试问 a 的元素之间有多少次比较？程序 2-25 是另一个查找方法。在最好和最坏情况下的比较次数分别是多少？试分析两个函数之间的相对性能。

程序 2-24 查找最大和最小元素

```
template<class T>
bool minmax(T a[], int n, int& indexOfMin, int& indexOfMax)
{// 在 a[0:n-1] 中确定最小和最大元素的位置
 // 如果少于一个元素，则返回 false
    if (n < 1) return false;
    indexOfMin = indexOfMax = 0;              // 初始假定
    for (int i = 1; i < n; i++)
    {
        if (a[indexOfMin] > a[i]) indexOfMin = i;
        if (a[indexOfMax] < a[i]) indexOfMax = i;
    }
    return true;
}
```

程序 2-25 查找最大和最小元素的另一个函数

```
template<class T>
bool minmax(T a[], int n, int& indexOfMin, int& indexOfMax)
{// 在 a[0:n-1] 中确定最小和最大元素的位置
 // 如果少于一个元素，则返回 false
    if (n < 1) return false;
    indexOfMin = indexOfMax = 0;              // 初始假定
    for (int i = 1; i < n; i++)
        if (a[indexOfMin] > a[i]) indexOfMin = i;
        else if (a[indexOfMax] < a[i]) indexOfMax = i;
    return true;
}
```

27. 在递归函数 rSequentialSearch(见程序 2-2) 中，数组 a 的元素与 x 有多少次比较？

28. 程序 2-26 是另一个迭代式顺序搜索函数。在最坏情况下，x 与 a 的元素有多少次比较？与程序 2-1 的比较次数对比，哪一个函数运行得更快？为什么？

程序 2-26 另一个顺序搜索函数

```
template<class T>
int sequentialSearch(T a[], int n, const T& x)
{// 在无序表 a[0:n-1] 中查找 x
 // 如果找到，返回它的位置，否则返回 -1
    a[n] = x;                                 // 假设有另外一个位置可以用来存储 x
    int i;
    for (i = 0; a[i] != x; i++);
    if (i == n) return -1;
    return i;
}
```

29. 1）在程序 2-27 的所有需要的位置插入 stepCount 的计数语句。

2）删除不必要的语句，简化 1) 的程序。简化后的程序和 1) 程序所计算出的 stepCount 值相同。

3）假定 stepCount 的初值为 0，当程序结束时，它的值是多少？

4）采用频率方法分析程序 2-27 的步数，列出步数表。

程序 2-27   练习 29 的函数

```
void d(int x[],int n)
{
    for(int i=0;i<n;i+=2)
        x[i]+=2;
    i=1;
    while(i<=n/2)
    {
        x[i]+=x[i+1];
        i++;
    }
}
```

30. 分别用如下函数完成练习 29：

    1）indexOfMax（见程序 1-37）。

    2）minmax（见程序 2-24）。

    3）minmax（见程序 2-25），确定在最坏情况下的步数。

    4）factorial（见程序 1-29）。

    5）polyEval（见程序 2-3）。

    6）horner（见程序 2-4）。

    7）rank（见程序 2-5）。

    8）permutations（见程序 1-32）。

    9）sequentialSearch（见程序 2-26）。确定在最坏情况下的步数。

    10）selectionSort（见程序 2-7）。确定在最好和最坏情况下的步数。

    11）selectionSort（见程序 2-12）。确定在最好和最坏情况下的步数。

    12）insertionSort（见程序 2-14）。确定在最坏情况下的步数。

    13）insertionSort（见程序 2-15）。确定在最坏情况下的步数。

    14）bubbleSort（见程序 2-9）。确定在最坏情况下的步数。

    15）bubbleSort（见程序 2-13）。确定在最坏情况下的步数。

    16）matrixAdd（见程序 2-21）。

    17）squareMatrixMultiply（见程序 2-22）。

31. 对如下函数完成练习 29 中的 1)、2) 和 3)：

    1）transpose（见程序 2-19）。

    2）inef（见程序 2-20）。

32. 确定如下函数的平均步数：

    1）rSequentialSearch（见程序 2-2）。

    2）sequentialSearch（见程序 2-26）。

    3）insert（见程序 2-10）。

33. 1）对程序 2-23 完成练习 29。

    2）在什么条件下适合交换最外层的两个 for 循环？

34. 试比较在最坏情况下，函数 selectionSort（见程序 2-12），函数 insertionSort（见程序 2-15）以及函数 bubble Sort（见程序 2-13）的元素移动次数。利用程序 2-11 完成按名次排序。

35. 在最坏的情况下，一个程序所需要的运行时间和内存一定同时都是最大的吗？证明你的结论。

36. 重复替换以求解下列方程（见例 2-20）。

1）$t(n) = \begin{cases} 2 & n = 0 \\ 2 + t(n-1) & n > 0 \end{cases}$

2）$t(n) = \begin{cases} 0 & n = 0 \\ 1 & n = 1 \\ 1 + t(n-2) & n > 0 \end{cases}$

3）$t(n) = \begin{cases} 0 & n = 0 \\ 2n + t(n-1) & n > 0 \end{cases}$

4）$t(n) = \begin{cases} 1 & n = 0 \\ 2 * t(n-1) & n > 0 \end{cases}$

5）$t(n) = \begin{cases} 1 & n = 0 \\ 3 * t(n-1) & n > 0 \end{cases}$

渐近记法

概述

在第 2 章我们介绍了程序的空间和时间复杂度的分析方法。因为不是简单地估算步数，而是要确切地计算步数，所以计算方法有些繁琐。本章我们要复习渐近记法。当实例特征很大的时候，程序性能的说明需要这种方法。这种方法仅是估算步数。在这里，虽然大 O 记法的使用最普遍，但是 Ω、Θ 和小 o 记法也是很常用的。

在 3.2 节，我们首先简略地说明渐近记法。虽然不够详尽，但足以满足本书分析的需要。比较严格的说明出现在 3.3 节。不过这一节可以忽略，对以后的学习没有多大影响。

为了说明渐近记法的使用方法，我们不仅要引用第 1 章和第 2 章的实例，而且还要开发和分析一个重要而有效的查找方法——有序数组的折半查找（也称二分查找）。这种查找方法也可以作为 STL 的折半查找算法（binary_search）。

3.1 引言

考察程序的操作计数和执行步数有两个重要的原因：1）预测程序运行时间如何随着实例特征的变化而变化；2）对两个功能相同的程序，比较它们的时间复杂度。在使用操作计数时，我们关注的是某些"关键"的操作，而忽略了其他的操作。因此，使用这种方法要非常谨慎。例如，一个程序可能比较了 $2n$ 次，但是总的步数是 $6n^2+8n$。如果以比较次数 $2n$ 来断定程序运行时间是 n 的线性函数，那就错了。对两个功能相同的程序，比较次数是 $2n$ 的程序和比较次数是 $3n$ 的程序相比，如果你认为前者更快，可能也不对，因为在总的步数上，后者可能比前者少。

操作计数说明的仅是一个程序中的一部分工作。而步数要说明所有的工作。然而，步数的概念是不精确的。指令 x=y 和 x=y+z(x/y) 都可以算一个程序步。对同样的程序，两个分析员计算的步数可能相差很大，比如一个为 $4n^2+6n+2$，另一个为 $7n^2+3n+4$。我们不能判断应该是哪一个，因为任何一个具有形式 $c_1n^2+c_2n+c_3$（$c_1>0$ 且 c_1、c_2、c_3 是常数）的步数对该程序都是正确的。一步表示什么，这个概念并不严谨，因此它在比较程序性能方面的用处不是很大。当然，当两个程序的步数相差很大，比如 $3n+3$ 对 $900n+10$，那就另当别论了。我们可以毫不犹豫地预测，步数为 $3n+3$ 的程序比步数为 $900n+10$ 的程序运行时间要少。

当实例特征 n 很大时（即用渐近记法表示，n 趋近无穷），使用步数可以准确地预计运行时间的增长，以比较两个程序的性能。假定一个程序的步数是一个多项式 $c_1n^2+c_2n+c_3$，$c_1>0$。当 n 很大时，c_1n^2 要比 c_2n+c_3 大很多。它们的比率是 $r(n)=(c_2n+c_3)/c_1n^2$。图 3-1 描绘出了 $r(n)$ 在 $c_1=1$、$c_2=2$ 和 $c_3=3$ 时的变化。即使 $r(n)$ 永远不会等于 0，但是随着 n 越来越大，它越来越接近 0。

不考虑 $c_1>0$ 和 c_2、c_3 的值，$r(n)$ 的值随 n 的无限增大而趋于 0，即

$$\lim_{n \to \infty} \left(\frac{c_2}{c_1 n} + \frac{c_3}{c_1 n^2} \right) = 0$$

当 n 很大时，$c_2 n + c_3$ 与 $c_1 n^2$ 比，其大小是不重要的，因此程序运行时间可以近似地表示为 $c_1 n^2$。令 n_1 和 n_2 是 n 的两个很大的值，我们有近似表达式

$$\frac{t(n_1)}{t(n_2)} \approx \frac{c_1 n_1^2}{c_1 n_2^2} = \left(\frac{n_1}{n_2} \right)^2$$

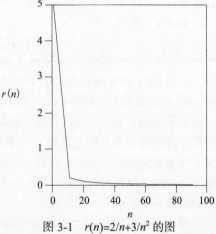

由此可知，当实例大小增加到 2 倍时，运行时间近似增加到 4 倍；当实例大小增加到 3 倍时，运行时间增加 9 倍；以此类推。只要认识到，执行步数的最大项是 n^2，而且其系数 c_1 的值无关紧要，我们就能得出上述结论。

图 3-1　$r(n) = 2/n + 3/n^2$ 的图

假定程序 A 和 B 具有同样的功能。假设 John 得出的步数是 $t_A(n) = n^2 + 3n$，$t_B(n) = 43n$。而 Mary 分析的结果很可能是 $t_A(n) = 2n^2 + 3n$，$t_B(n) = 83n$。假使 John 分析的结果是正确的，那么所有其他人的分析结果只要是正确的，都应该具有形式 $t_A(n) = c_1 n^2 + c_2 n + c_3$，$t_B(n) = c_4 n$，其中 c_1、c_2、c_3、c_4 均为常数，$c_1 > 0$ 和 $c_4 > 0$。

要理解上述结论，请看图 3-2。首先看 John 的分析曲线：$t_A(n) = n^2 + 3n$，$t_B(n) = 43n$。当 $n < 40$ 时，程序 A 更快；当 $n > 40$ 时，程序 B 更快；$n = 40$ 是两个程序的均衡点（break-even point）。现在假定分析结果换成 $t_B(n) = 83n$：当 $n < 80$ 时，程序 A 更快；当 $n > 80$ 时，程序 B 更快；$n = 80$ 是两个程序的均衡点。只要 n 很大，程序 B 就一直比程序 A 快。这个结论不会变，变的只是均衡点。

如果 John 的分析结果是 $t_A(n) = 2n^2 + 3n$，那么情形又是怎么样呢？从图 3-2 可以看出，无论 $t_B(n) = 43n$，还是 $t_B(n) = 83n$，只要 n 足够大，程序 B 都一直比程序 A 快（对 $t_B(n) = 43n$，$n > 20$；对 $t_B(n) = 83n$，$n > 40$）。

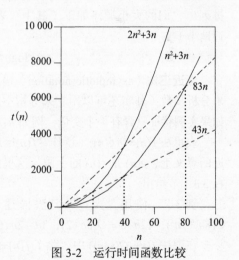

图 3-2　运行时间函数比较

为得到上述结论，我们需要认识到，在程序 A 的执行步数中，最大一项是 n^2；而在程序 B 的执行步数中，最大一项是 n；系数 c_1 到 c_4 的值与结论没有关系。渐近分析方法主要确定的是复杂函数中的最大项（但不包括最大项的系数）。

3.2　渐近记法

3.2.1　大 O 记法

定义 3-1　令 $p(n)$ 和 $q(n)$ 是两个非负函数。称 $p(n)$ **渐近地大于** $q(n)$（$p(n)$ *渐近地优于* $q(n)$），当且仅当

$$\lim_{n \to \infty} \frac{q(n)}{p(n)} = 0 \qquad\qquad (3\text{-}1)$$

称 $q(n)$ **渐近地小于** $p(n)$，当且仅当 $p(n)$ 渐近地大于 $q(n)$。称 $p(n)$ **渐近地等于** $q(n)$，当且仅当任何一个都不是渐近地大于另一个。

例 3-1   因为

$$\lim_{n \to \infty} \frac{10n + 7}{3n^2 + 2n + 6} = \frac{10/n + 7/n^2}{3 + 2/n + 6/n^2} = 0/3 = 0$$

所以 $3n^2 + 2n + 6$ 渐近地大于 $10n + 7$，或者说 $10n + 7$ 渐近地小于 $3n^2 + 2n + 6$。相似的推论有，$8n^4 + 9n^2$ 渐近地大于 $100n^3 - 3$，$2n^2 + 3n$ 渐近地大于 $83n$，$12n + 6$ 渐近地等于 $6n + 2$。   ■

在下面的讨论中，$f(n)$ 作为实例特征 n 的函数，表示一个程序的时间或空间复杂度。因为程序的时间或空间复杂度是一个非负数，所以我们假设函数 f 对所有 n 都是非负值。还因为 n 代表实例特征，所以 $n \geq 0$。函数 $f(n)$ 一般是若干项的和。例如，$f(n) = 9n^2 + 3n + 12$，其中 $9n^2$、$3n$ 和 12 都是 $f(n)$ 的项。我们可以两个两个地比较，确定哪一项更大（见定义 3-1）。本例中的最大项是 $9n^2$。

图 3-3 给出了经常在步数分析中出现的项。虽然其中所有项的系数都是 1，但是在实际分析中，这些项的系数都有不同的值。

图 3-3 的对数都没有对数基，原因是对于任何大于 1 的常数 a 和 b，都有 $\log_a n = \log_b n / \log_b a$，因此 $\log_a n$ 和 $\log_b n$ 是渐近相等的。

利用定义 3-1，对图 3-3 的所有项，可以排列出它们的大小顺序如下（其中 < 表示渐近地小于）：

项	名称
1	常量
$\log n$	对数
n	线性
$n \log n$	n 倍对数
n^2	平方
n^3	立方
2^n	指数
$n!$	阶乘

图 3-3   通常出现的项

$$1 < \log n < n < n \log n < n^2 < n^3 < 2^n < n!$$

渐近记法（asymptotic notation）描述的是大实例特征的时间或空间复杂度。我们将用它来分析步数（其实还可以用它来分析空间复杂度和操作步数）。时间复杂度和步数是同义词。如果实例特征只含有一个变量，例如 n，渐近记法就用步数中渐近最大的一项来描述复杂度。

表示法 $f(n) = O(g(n))$（读作 "$f(n)$ is big oh of $g(n)$"）代表 $f(n)$ 渐近小于或等于 $g(n)$。在渐近的意义上，$g(n)$ 是 $f(n)$ 的上限。这里的 "大 O" 可以作为一个实用性定义，它的严格定义在 3.3.1 节给出。

例 3-2   使用 "大 O" 记法描述例 3-1 的结果为：$10n + 7 = O(3n^2 + 2n + 6)$；$100n^3 - 3 = O(8n^4 + 9n^2)$；$12n + 6 = O(6n + 2)$；$3n^2 + 2n + 6 \neq O(10n + 7)$；$8n^4 + 9n^2 \neq O(100n^3 - 3)$。   ■

在记法 $f(n) = O(g(n))$ 中，除了 $f(n) = 0$ 以外，函数 $g(n)$ 习惯上是**单位项**（unit term），即一个系数为 1 的单项，而且通常是令 $f(n) = O(g(n))$ 为真的最小单位项。当 $f(n) = 0$ 时，$g(n) = 0$。

例 3-3   用习惯的 "大 O" 记法描述例 3-2 的结果是：$10n + 7 = O(n)$；$100n^3 - 3 = O(n^3)$；$12n + 6 = O(n)$；$3n^2 + 2n + 6 \neq O(n)$；$8n^4 + 9n^2 \neq O(n^3)$。   ■

在渐近复杂度分析中，我们要确定一个最大项以表示复杂度，而且把这个最大项的系数置为 1。一个步数函数的单位项是系数变为 1 的项。例如，$3n^2 + 6n \log n + 7n + 5$ 的单位项是 n^2、$n \log n$、n 和 1；最大单位项是 n^2。如果一个程序的执行步数是 $3n^2 + 6n \log n + 7n + 5$，那么它的渐近复杂度是 $O(n^2)$。

例 3-4 在例 2-19 中，$t_{sum}(n) = 2n+3$。最大单位项是 n，因此 $t_{sum}(n)=O(n)$。

在例 2-20 中，$t_{rSum}(n) = 2n + 2$，因此 $t_{rSum}(n)=O(n)$。

程序 2-19 的步数是 $rows^2 + rows + 1$（见图 2-8）。最大单位项是 $rows^2$，因此 $t_{transpose}(rows)$ $= O(rows^2)$。 ■

注意，$f(n)=O(g(n))$ 与 $O(g(n)) = f(n)$ 不同。实际上，后者没有意义。使用符号 "$=$" 是一种遗憾，因为这种符号通常表示相等关系，而我们要表示的意思为 "是"。因此，我们要把符号 "$=$" 读作 "是"，而不是 "等于"。

定义 3-2 令 $t(m,n)$ 和 $u(m,n)$ 是两项。$t(m,n)$ 渐近大于 $u(m,n)$（也可以说 $u(m,n)$ 渐近小于 $t(m,n)$），当且仅当

$$\lim_{n \to \infty} \frac{u(m,n)}{t(m,n)} = 0 \text{ 且 } \lim_{m \to \infty} \frac{u(m,n)}{t(m,n)} \neq \infty$$

或

$$\lim_{n \to \infty} \frac{u(m,n)}{t(m,n)} \neq \infty \text{ 且 } \lim_{m \to \infty} \frac{u(m,n)}{t(m,n)} = 0$$

对多于一个变元的步数函数，"大 O" 的一个实用性定义如下：

- 令 $f(m,n)$ 是一个程序的步数。其中任一项，如果渐近小于另一项，都被去除。
- 把剩余项的系数改为 1。

例 3-5 考虑 $f(m,n)=3m^2n+m^3+10mn+2n^2$。$10mn$ 渐近小于 $3m^2n$，因为

$$\lim_{n \to \infty} \frac{10mn}{3m^2n} = \frac{10}{3m} \neq \infty \text{ 且 } \lim_{m \to \infty} \frac{10mn}{3m^2n} = \lim_{m \to \infty} \frac{10}{3m} = 0$$

在其余的项中，没有一个渐近小于另一个。去除 $10mn$，把剩余项的系数改为 1，我们得到 $f(m,n)=O(m^2n+m^3+n^2)$。 ■

3.2.2 渐近记法 Ω 和 Θ

尽管大 O 记法是最常用的渐近记法，但是 Ω 记法和 Θ 记法有时也用来描述程序的渐近复杂度。本节我们给出这两个记法的实用性定义。3.3.2 节和 3.3.3 节将给出严格定义。

记法 $f(n)=\Omega(g(n))$（读作 "$f(n)$ is Ω of $g(n)$"）表示 $f(n)$ 渐近大于或等于 $g(n)$。因此，在渐近意义上，$g(n)$ 是 $f(n)$ 的下界。记法 $f(n)= \Theta(g(n))$（读作 "$f(n)$ is Θ of $g(n)$"）表示 $f(n)$ 渐近等于 $g(n)$。

例 3-6 $10n+7=\Omega(n)$，因为 $10n+7$ 渐近等于 n；$100n^3-3=\Omega(n^3)$；$12n+6=\Omega(n)$；$3n^3+2n+6=\Omega(n)$；$8n^4+9n^2=\Omega(n^3)$；$3n^3+2n+6 \neq \Omega(n^5)$；$8n^4+9n^2 \neq \Omega(n^5)$。

$10n+7=\Theta(n)$，因为 $10n+7$ 渐近等于 n；$100n^3-3=\Theta(n^3)$；$12n+6=\Theta(n)$；$3n^3+2n+6 \neq \Theta(n)$；$8n^4+9n^2 \neq \Theta(n^3)$；$3n^3+2n+6 \neq \Theta(n^5)$；$8n^4+9n^2 \neq \Theta(n^5)$。

因为 $t_{sum}(n)=2n+3$（见例 2-19），而且 $2n+3$ 渐近等于 n，所以 $t_{sum}(n)= \Theta(n)$。

因为 $t_{rSum}(n)=2n+2$（见例 2-20），而且 $2n+2$ 渐近等于 n，所以 $t_{rSum}(n)= \Theta(n)$。

程序 2-19 的步数是 $rows^2+rows+1$（见图 2-8），而且 $rows^2+rows+1$ 渐近等于 $rows^2$，所以 $t_{transpose}(rows)= \Theta(rows^2)$。

对程序 2-1 的函数 sequentialSearch，最好情况下的步数是 4（见图 2-10），最坏情况下的步数是 $n+3$，平均步数是 $0.6n+3.4$。因此，最好的渐近时间复杂度是 $\Theta(1)$，最坏和平均的渐近时间复杂度是 $\Theta(n)$。也可以说，函数 sequentialSearch 的时间复杂度是 $\Omega(1)$ 和 $O(n)$，因为就步数而言，1 是渐近意义上的下界，n 是渐近意义上的上界。

从图 2-13 和图 2-14 可以得到，$4 \leqslant t_{insert}(n) \leqslant 2n+4$。因此 $t_{insert}(n)$ 是 $\Omega(1)$ 和 $O(n)$。 ■

有时候，按照如下方式解释 $O(g(n))$、$\Omega(g(n))$ 和 $\Theta(g(n))$ 是有用的：

$$O(g(n)) = \{f(n) \mid f(n) = O(g(n))\}$$

$$\Omega(g(n)) = \{f(n) \mid f(n) = \Omega(g(n))\}$$

$$\Theta(g(n)) = \{f(n) \mid f(n) = \Theta(g(n))\}$$

基于这种解释，诸如 $O(g_1(n)) = O(g_2(n))$ 和 $\Theta(g_1(n)) = \Theta(g_2(n))$ 就是有意义的了。利用这种解释，可以很便利地把 $f(n) = O(g(n))$ 读作 "f of n is in (or is a member) big oh of g of n"，等等。

对于理解本书的性能分析来说，渐近表示法 O、Ω 和 Θ 的实用性定义都是需要的。下一节是关于渐近记法的更严格的定义，它有助于更复杂的性能分析。

练习

1. 利用公式（3-1）证明下面的 $p(n)$ 渐近大于 $q(n)$。

   1）$p(n) = 3n^4 + 2n^2, q(n) = 100n^2 + 6$

   2）$p(n) = 6n^{1.5} + 12, q(n) = 100n$

   3）$p(n) = 7n^2 \log n, q(n) = 10n^2$

   4）$p(n) = 17n^2 2^n, q(n) = 100n2^n + 33n$

2. 使用大 O 记法解释下面的步数。函数 $g(n)$ 应该是最小的单元项。

   1）$2n^3 - 6n + 30$

   2）$44n^{1.5} + 33n - 200$

   3）$16n^2 \log n + 5n^2$

   4）$31n^3 + 17n^2 \log n$

   5）$23n2^n - 3n^3$

3. 使用大 O 记法的实用性定义和公式（3-1）证明下面的式子：

   1）$2n + 7 \neq O(1)$

   2）$12n^2 + 8n + 7 \neq O(n)$

   3）$5n^3 + 6n^2 \neq O(n^2)$

   4）$15n^3 \log n + 16n^2 \neq O(n^3)$

4. 使用 Ω 记法表示练习 2 的步数。

5. 使用 Ω 记法的实用性定义和公式（3-1）证明下面的式子：

   1）$2n + 7 \neq \Omega(n^2)$

   2）$12n^2 + 8n + 7 \neq \Omega(n^3)$

   3）$5n^3 + 6n^2 \neq \Omega(n^3 \log n)$

   4）$15n^3 \log n + 16n^2 \neq \Omega(n^4)$

6. 使用 Θ 记法表达练习 2 的步数。

7. 令 $t(n)$ 是一个程序的步数。使用渐近记法表示下面的步数。使用最合适的 $g(n)$ 函数。

   1）$6 \leqslant t(n) \leqslant 20$

   2）$6 \leqslant t(n) \leqslant 2n$

   3）$3n^2 + 1 \leqslant t(n) \leqslant 4n^2 + 3n + 9$

   4）$3n^2 + 1 \leqslant t(n) \leqslant 4n^2 \log n + 3n^2 + 9$

5）$t(n) \geqslant 5n^3 + 7$

6）$t(n) \geqslant 32n\log n + 77n - 6$

7）$t(n) = 17n^2 + 3n$

8. 使用大 O 记法表示下面的步数，其中 m 和 n 是实例特征。

1）$7m^2n^2 + 2m^3n + mn + 5mn^2$

2）$2m^2\log n + 3mn + 5m\log n + m^2n^2$

3）$m^4 + n^3 + m^3n^2$

4）$3mn^2 + 7m^2n + 4mn + 8m + 2n + 16$

3.3　渐近数学（可选）

3.3.1　大 O 记法

大 O 记法用来表示函数在渐近增长率意义上的上限。

定义 3-3[大 O 记法]　$f(n)=O(g(n))$，当且仅当存在常数 $c>0$ 和 n_0，使得对于所有的 $n \geqslant n_0$，有 $f(n) \leqslant cg(n)$。

上述定义表明，除非 n 小于 n_0，否则函数 f 最多是函数 g 的 c 倍，其中 c 是一个正的常数。于是对于足够大的 n（如 $n \geqslant n_0$），g 是 f 的一个上限（最多加一个常数因子 c）。图 3-4 说明函数 $g(n)$ 是函数 $f(n)$ 的上限（最多加一个常数因子 c）意味着什么。虽然对 n 的一些值来说，函数 $f(n)$ 可能小于、等于，或大于 $cg(n)$，但是一定存在一个 m 值，当 n 大于 m 时，$f(n)$ 永远不会大于 $cg(n)$。在大 O 记法定义中的 n_0 是 $\geqslant m$ 的任意整数。

函数 g 作为函数 f 的一个上限，形式通常比较简单，一般只是一个用变量 n 表示的、系数为 1 的单项。

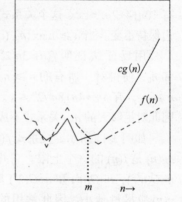

图 3-4　$g(n)$ 是 $f(n)$ 的一个上限（最多带一个常量因子 c）

例 3-7[线性函数]　考虑 $f(n)=3n+2$。当 $n \geqslant 2$ 时，$3n+2 \leqslant 3n+n \leqslant 4n$。因此 $f(n)=O(n)$，这时 $f(n)$ 的上限是一个线性函数。同样的结论还可以用其他方法得到。例如，对 $n>0$，有 $3n+2 \leqslant 10n$，这时 $c=10$，$n_0>0$。而对 $n \geqslant 1$，有 $3n+2 \leqslant 3n+2n=5n$，这时 $c=5$，$n_0=1$。在大 O 定义中，c 和 n_0 只是用来说明 $f(n)$ 和 $g(n)$ 的关系，它们具体是什么值并不重要。

对函数 $f(n)=3n+3$，当 $n \geqslant 3$ 时，$3n+3 \leqslant 3n+n \leqslant 4n$，因此 $f(n)=O(n)$。类似的，$f(n)=100n+6 \leqslant 100n+n=101n$，$n \geqslant n_0=6$，因此 $100n+6=O(n)$。按照大 O 定义，$3n+2$、$3n+3$ 和 $100n+6$ 都以 n 的线性函数为上限。 ■

例 3-8[平方函数]　假定 $f(n)=10n^2+4n+2$。当 $n \geqslant 2$ 时，$f(n) \leqslant 10n^2+5n$。当 $n \geqslant 5$ 时，$5n \leqslant n^2$。于是当 $n \geqslant n_0=5$ 时，$f(n) \leqslant 10n^2+n^2 = 11n^2$，因此 $f(n)= O(n^2)$。

另一个例子是 $f(n)=1000n^2+100n-6$。显然对所有 n，有 $f(n) \leqslant 1000n^2 + 100n$。因为对 $n \geqslant 100$，有 $100n \leqslant n^2$，所以对 $n \geqslant n_0 =100$，有 $f(n)<1001n^2$。因此 $f(n)=O(n^2)$。 ■

例 3-9[指数函数]　考虑 $f(n)=6*2^n+n^2$。对 $n \geqslant 4$，因为有 $n^2 \leqslant 2^n$，所以有 $f(n) \leqslant 6*2^n+2^n=7*2^n$。因此 $6*2^n+n^2=O(2^n)$。 ■

例 3-10[常量函数]　对于常量函数 $f(n)$，比如 $f(n)=9$ 或 $f(n)=2033$，可以记为 $f(n)=O(1)$。

对这种记法的正确性，很容易用大 O 定义来证明。例如，$f(n)=9 \leqslant 9*1$，只要令 $c=9$ 以及 $n_0=0$ 即有 $f(n)=O(1)$。同样，$f(n)=2033 \leqslant 2033*1$，只要令 $c=2033$ 以及 $n_0=0$ 即可。■

例 3-11[松散界限]   当 $n \geqslant 2$ 时，有 $3n+3 \leqslant 3n^2$，因此 $3n+3=O(n^2)$。虽然 n^2 是 $3n+3$ 的一个上限，但不是最小上限；可以用一个更小的函数（线性函数）作为上限，即 $3n+3=O(n)$。

当 $n \geqslant 2$ 时，$10n^2+4n+2 \leqslant 10n^4$，因此 $10n^2+4n+2=O(n^4)$。但 n^4 同样不是 $100n^2+4n+2$ 的最小上限。

类似的，$6n2^n+20=O(n^22^n)$，但 n^22^n 不是最小上限，$n2^n$ 是更小的上限，即 $6n2^n+20=O(n2^n)$。■

在上述推导的例子中，所用的策略是：用次数低的项目替换次数高的项目，直到剩下一个单项为止。

例 3-12[错误界限] $3n+2 \neq O(1)$，因为不存在 $c>0$ 及 n_0，使得对于所有的 $n \geqslant n_0$，有 $3n+2 \leqslant c$。可以用反证法严格证明这个结论。假定存在这样的 c 及 n_0，使得对于所有的 $n \geqslant n_0$，有 $3n+2 \leqslant c$，即 $n \leqslant (c-2)/3$。那么当 $n>\max\{n_0,(c-2)/3\}$ 时，$3n+2 \leqslant c$ 就不成立了。

用反证法证明 $10n^2+4n+2 \neq O(n)$。假设 $10n^2+4n+2=O(n)$，因此存在一个正数 c 和 n_0，使得对于所有的 $n \geqslant n_0$，有 $10n^2+4n+2 \leqslant cn$。关系式两边同时除以 n，于是对于所有的 $n \geqslant n_0$，有 $10n+4+2/n \leqslant c$。这个关系式不总是成立的，因为关系式的左边随着 n 的增长而增大，而右边保持不变。当 $n \geqslant \max\{n_0,(c-4)/10\}$ 时，关系式不成立，即最初假设不成立。

用反证法证明 $f(n)=3n^22^n+4n2^n+8n^2 \neq O(2^n)$。假定 $f(n) = O(2^n)$，因此，存在一个 $c>0$ 和 n_0，使得对于所有的 $n \geqslant n_0$，有 $f(n) \leqslant c*2^n$。关系式两边同时除以 2^n，于是对于所有的 $n \geqslant n_0$，有 $3n^2+4n+8n^2/2^n \leqslant c$。这个关系式的左边随着 n 的增长而增大，而右边是一个常数。因此对足够大的 n，关系式不成立，即最初假设不成立。■

如例 3-11 所示，关系式 $f(n) = O(g(n))$ 仅表明：存在一个 $c>0$ 和 n_0，对于所有的 $n \geqslant n_0$，$cg(n)$ 是 $f(n)$ 的一个上限。它并未表明该上限是否为最小上限。注意，虽然关系式 $n=O(n^2)$，$n=O(n^{2.5})$，$n=O(n^3)$ 和 $n=O(2^n)$ 都是成立的，但是为了使关系式 $f(n)=O(g(n))$ 具有实际意义，$g(n)$ 应尽量地小。因此常用的关系式是 $3n+3=O(n)$，而不是 $3n+3=O(n^2)$，尽管后者也是正确的。

当 $f(n)$ 是一个 n 的多项式时，定理 3-1 对关系式 $f(n)=O(g(n))$ 中的 $g(n)$ 给出了一个非常有用的结论。

定理 3-1   如果 $f(n)=a_mn^m + \cdots +a_1n+a_0$ 且 $a_m>0$，那么 $f(n)=O(n^m)$。

证明 $f(n) \leqslant \sum_{i=0}^{m}|a_i|n^i \leqslant n^m\sum_{i=0}^{m}|a_i|n^{i-m} \leqslant n^m\sum_{i=0}^{m}|a_i|$，$n \geqslant 1$。因此，$f(n) = O(n^m)$ ■

例 3-13   把定理 3-1 应用到例 3-7、例 3-8 和例 3-10。例 3-7 的三个线性函数都有 $m=1$，因此它们均是 $O(n)$。例 3-8 的多项式 $f(n)$ 都有 $m=2$，因此它们均为 $O(n^2)$。例 3-10 的两个常量函数有 $m=0$，因此它们是 $O(1)$，即 $O(n^0)$。■

例 3-12 的策略可以扩充，以表明一个满足大 O 定义的上限，未必是满足需要的上限。这正是定理 3-2 的内容。这个定理通常要比大 O 定义更容易说明 $f(n)=O(g(n))$ 的意义。

定理 3-2[大 O 比率定理]   假设函数 $f(n)$ 和 $g(n)$ 有极限 $\lim_{n\to\infty}f(n)/g(n)$ 存在，那么关系式 $f(n)=O(g(n))$ 成立，当且仅当存在常数 c，使 $\lim_{n\to\infty}f(n)/g(n) \leqslant c$。

证明   若 $f(n)=O(g(n))$，则存在 $c>0$ 及 n_0，使得对所有的 $n \geqslant n_0$，有 $f(n)/g(n) \leqslant c$，因此 $\lim_{n\to\infty}f(n)/g(n) \leqslant c$。反过来，若 $\lim_{n\to\infty}f(n)/g(n) \leqslant c$，则存在一个 n_0，使得对于所有 $n \geqslant n_0$，有

$f(n) \leqslant \max\{1,c\}*g(n)$。

例 3-14　因为 $\lim\limits_{n\to\infty}(3n+2)/n=3$，所以 $3n+2=O(n)$。因为 $\lim\limits_{n\to\infty}(10n^2+4n+2)/n^2=10$，所以 $10n^2+4n+2=O(n^2)$。由 $\lim\limits_{n\to\infty}(6*2^n+n^2)/2^n=6$，得知 $6*2^n+n^2=O(2^n)$ 成立。由 $\lim\limits_{n\to\infty}(2n^2-3)/n^4=0$，得到 $2n^2-3=O(n^4)$。因为 $\lim\limits_{n\to\infty}(3n^2+5)/n=\infty$，故 $3n^2+5\neq O(n)$。　■

3.3.2　Ω 记法

Ω 记法与大 O 记法类似，它表示的是函数在渐近增长率意义上的下限。

定义 3-4[Ω 记法]　$f(n)=\Omega(g(n))$ 当且仅当存在常数 $c>0$ 和 n_0，使得对所有的 $n \geqslant n_0$，有 $f(n) \geqslant cg(n)$。

由 $f(n)=\Omega(g(n))$ 的定义可知，除非 n 小于 n_0，否则函数 f 至少是函数 g 的 c 倍，其中 c 是一个大于 0 的常数。因此，对足够大的 n（如 $n \geqslant n_0$），g 是 f 的一个下限（最多加一个常数因子 c）。图 3-5 说明函数 $g(n)$ 是函数 $f(n)$ 的下限（最多加一个常数因子 c）意味着什么。虽然对 n 的一些值来说，函数 $f(n)$ 可能小于、等于，或大于 $cg(n)$，但是一定存在一个 m 值，当 n 大于 m 时，$f(n)$ 永远不会小于 $cg(n)$。Ω 记法定义中的 n_0 是 $\geqslant m$ 的任意整数。

与大 O 记法的应用一样，通常使用的仅是单项形式的 g 函数。

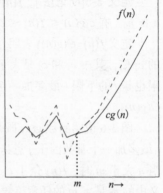

图 3-5　$g(n)$ 是 $f(n)$ 的一个下限（最多加一个常数因子）

例 3-15　对于所有的 n，有 $f(n)=3n+2>3n$，因此 $f(n)=\Omega(n)$。同样，由 $f(n)=3n+3>3n$，得知 $f(n)=\Omega(n)$。因 $f(n)=100n+6>100n$，所以 $100n+6=\Omega(n)$。因此，$3n+2$、$3n+3$ 和 $100n+6$ 都以线性函数为下限。

对于所有的 $n \geqslant 0$，有 $f(n)=10n^2+4n+2>10n^2$，因此 $f(n)=\Omega(n^2)$。同样，$1000n^2+100n-6=\Omega(n^2)$。由于 $6*2^n+n^2>6*2^n$，所以 $6*2^n+n^2=\Omega(2^n)$。

还有，$3n+3=\Omega(1)$；$10n^2+4n+2=\Omega(n)$；$10n^2+4n+2=\Omega(1)$；$6*2^n+n^2=\Omega(n^{100})$；$6*2^n+n^2=\Omega(n^{50.2})$；$6*2^n+n^2=\Omega(n^2)$；$6*2^n+n^2=\Omega(n)$ 和 $6*2^n+n^2=\Omega(1)$。

为了理解 $3n+2 \neq \Omega(n^2)$，可以用反证法。先假设关系式 $3n+2=\Omega(n^2)$ 成立。因此存在正数 c 和 n_0，使得对于所有的 $n \geqslant n_0$，有 $3n+2 \geqslant cn^2$，即有 $cn^2/(3n+2) \leqslant 1$。但是这个不等式不可能总成立，因为不等式的左边的表达式随着 n 的增大而增大，以至无限。这说明假设不对，原式正确。　■

与大 O 记法的情形一样，存在若干个函数 $g(n)$ 满足 $f(n)=\Omega(g(n))$，其中 $g(n)$ 仅是 $f(n)$ 的一个下限（最多加一个常数因子）。为了让关系式 $f(n)=\Omega(g(n))$ 有价值，$g(n)$ 应该足够大。因此常用的是 $3n+3=\Omega(n)$ 及 $6*2^n+n^2=\Omega(2^n)$，而不是 $3n+3=\Omega(1)$ 及 $6*2^n+n^2=\Omega(1)$，尽管后者也是正确的。

定理 3-3 是与定理 3-1 类似的一个关于 Ω 记法的定理。

定理 3-3　如果 $f(n)=a_mn^m+\cdots+a_1n+a_0$ 且 $a_m>0$，则 $f(n)=\Omega(n^m)$。

证明　见练习 12。　■

例 3-16　由定理 3-3 可知，$3n+2=\Omega(n)$；$10n^2+4n+2=\Omega(n^2)$；$100n^4+3500n^2+82n+8=\Omega(n^4)$。　■

定理 3-4 是与定理 3-2 类似的一个定理，采用定理 3-4 通常要比采用 Ω 定义更容易证明

$f(n) = \Omega(g(n))$。

定理 3-4[Ω 比率定理]　假设函数 $f(n)$ 和 $g(n)$ 有极限 $\lim\limits_{n\to\infty}g(n)/f(n)$ 存在，那么关系式 $f(n)=\Omega(g(n))$ 成立，当且仅当有常数 c，使 $\lim\limits_{n\to\infty}g(n)/f(n) \leqslant c$ 成立。

证明　见练习 13。

例 3-17　因为 $\lim\limits_{n\to\infty}n/(3n+2) = 1/3$，所以 $3n+2=\Omega(n)$；因为 $\lim\limits_{n\to\infty}n^2/(10n^2+4n+2) = 0.1$，所以 $10n^2+4n+2=\Omega(n^2)$。因为 $\lim\limits_{n\to\infty}2^n/(6*2^n+n^2) = 1/6$，所以 $6*2^n+n^2=\Omega(2^n)$；因为 $\lim\limits_{n\to\infty}n/(6n^2+2) = 0$，所以 $6n^2+2=\Omega(n)$；因为 $\lim\limits_{n\to\infty}n^3/(3n^2+5) = \infty$，所以 $3n^2+5 \neq \Omega(n^3)$。

3.3.3　Θ 记法

Θ 记法用来表示 f 的上限和下限都是一个函数时的情况。

定义 3-5[Θ 记法]　$f(n)=\Theta(g(n))$，当且仅当存在常数 $c_1>0$，$c_2>0$ 和 n_0，使得对于所有的 $n \geqslant n_0$，有 $c_1g(n) \leqslant f(n) \leqslant c_2g(n)$。

定义 $f(n)=\Theta(g(n))$ 表明，除非 n 小于 n_0，否则函数 f 至少是函数 g 的 c_1 倍，至多是函数 g 的 c_2 倍，其中 c_1 和 c_2 是大于 0 的常数。因此对于所有足够大的 n（如 $n \geqslant n_0$），g 既是 f 的上限也是 f 的下限（最多加一个常数因子）。对 Θ 记法的另一种观点是，$f(n)$ 既是 $\Omega(g(n))$ 又是 $O(g(n))$。

图 3-6 说明函数 $g(n)$ 既是 $f(n)$ 的上限也是 $f(n)$ 的下限（最多加一个常数因子）意味着什么。一定存在一个 m 值，当 n 大于 m 时，$f(n)$ 介于 $c_1g(n)$ 和 $c_2g(n)$ 之间。Θ 记法定义中的 n_0 是 $\geqslant m$ 的任意整数。

与大 O 记法和 Ω 记法的应用一样，我们通常仅使用单项形式的 g 函数。

例 3-18　从例 3-7、例 3-8、例 3-9 和例 3-15 可以得到：$3n+2=\Theta(n)$；$3n+3=\Theta(n)$；$100n+6=\Theta(n)$；$10n^2+4n+2 = \Theta(n^2)$；$1000n^2+100n-6=\Theta(n^2)$；$6*2^n+n^2=\Theta(2^n)$。

对 $n \geqslant 16$，$\log_2 n<10*\log_2 n+4 \leqslant 11*\log_2 n$，因此 $10*\log_2 n+4=\Theta(\log_2 n)$。前面曾提过 $\log_a n$ 等于 $\log_b n$ 的一个常数倍，因此可以把 $\Theta(\log_a n)$ 简写为 $\Theta(\log n)$。

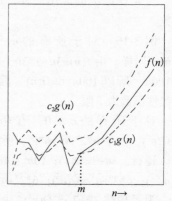

图 3-6　$g(n)$ 既是 $f(n)$ 的上限也是 $f(n)$ 的下限（最多加一个常数因子）

在例 3-12 中证明了 $3n+2 \neq O(1)$，因此 $3n+2 \neq \Theta(1)$。同样有 $3n+3 \neq \Theta(1)$，$100n+6 \neq \Theta(1)$。因为 $3n+3 \neq \Omega(n^2)$，所以 $3n+3 \neq \Theta(n^2)$。因为 $10n^2+4n+2 \neq O(n)$，所以 $10n^2+4n+2 \neq \Theta(n)$。因为 $10n^2+4n+2 \neq O(1)$，所以 $10n^2+4n+2 \neq \Theta(1)$。

因为 $6*2^n+n^2 \neq O(n^2)$，所以 $6*2^n+n^2 \neq \Theta(n^2)$。同理，$6*2^n+n^2 \neq \Theta(n^{100})$，$6*2^n+n^2 \neq \Theta(1)$。

正如前面所提到的，在实际应用中，仅使用系数为 1 的 g 函数。因此几乎从来不用 $3n+3=O(3n)$，或 $10=O(100)$，或 $10n^2+4n+2=\Omega(4n^2)$，或 $6*2^n + n^2=\Omega(6*2^n)$，或 $6*2^n+n^2=\Theta(4*2^n)$，即使这些表达式都是正确的。

定理 3-5　如果 $f(n)=a_m n^m + \cdots +a_1 n+a_0$ 且 $a_m>0$，则 $f(n)=\Theta(n^m)$。

证明　见练习 12。

例 3-19　根据定理 3-5，$3n+2=\Theta(n)$，$10n^2+4n+2=\Theta(n^2)$，$100n^4+3500n^2+82n+8=\Theta(n^4)$。

定理 3-6 与定理 3-2 和定理 3-4 类似。

定理 3-6[Θ 比率定理] 假设 $f(n)$ 和 $g(n)$ 有极限 $\lim\limits_{n\to\infty} f(n)/g(n)$ 和 $\lim\limits_{n\to\infty} g(n)/f(n)$ 存在，那么关系式 $f(n)=\Theta(g(n))$ 成立，当且仅当存在常数 c，使 $\lim\limits_{n\to\infty} f(n)/g(n) \le c$ 及 $\lim\limits_{n\to\infty} g(n)/f(n) \le c$ 成立。

证明 见练习 13。 ∎

例 3-20 因为 $\lim\limits_{n\to\infty}(3n+2)/n = 3$ 且 $\lim\limits_{n\to\infty} n/(3n+2) = 1/3 < 3$，所以 $3n + 2 = \Theta(n)$；因为 $\lim\limits_{n\to\infty}(10n^2+4n+2)/n^2 = 10$ 且 $\lim\limits_{n\to\infty} n^2/(10n^2+4n+2) = 0.1 < 10$，所以 $10n^2 + 4n + 2 = \Theta(n^2)$；因为 $\lim\limits_{n\to\infty}(6*2^n+n^2)/2^n = 6$ 且 $\lim\limits_{n\to\infty} 2^n/(6*2^n+n^2) = 1/6 < 6$，所以 $6*2^n + n^2 = \Theta(2^n)$；因为 $\lim\limits_{n\to\infty}(6n^2+2)/n = \infty$，所以 $6n^2+2 \ne \Theta(n)$。 ∎

3.3.4 小 o 记法

对函数 f 的渐近增长比率，小 o 记法给出了严格的上限。简单地讲，$f(n)=o(g(n))$，当且仅当 $f(n)$ 渐近小于 $g(n)$（回忆一下 $f(n)=o(g(n))$），当且仅当 $f(n)$ 渐近小于或等于 $g(n)$。

定义 3-6[小 o 记法] $f(n)=o(g(n))$，当且仅当 $f(n)= O(g(n))$ 且 $f(n) \ne \Omega(g(n))$。

例 3-21[小 o 记法] 因为 $3n+2=O(n^2)$ 且 $3n+2 \ne \Omega(n^2)$，所以 $3n+2=o(n^2)$。但 $3n+2 \ne o(n)$。同样，$10n^2+4n+2=o(n^3)$，但 $10n^2+4n+2 \ne o(n^2)$。 ∎

小 o 记法经常用于步数分析。步数为 $3n+o(n)$，意思是步数相当于 $3n$ 加上一个渐近值小于 n 的值。当分析步数时，程序中其步数小于 $\Theta(n)$ 的部分就可以省略。

3.3.5 特性

下面的定理可用于渐近记法的计算。

定理 3-7 对于任意一个实数 $x>0$ 和任意一个实数 $\varepsilon>0$，下面的结论都是正确的：

1）存在某个 n_0，使得对于任何 $n \ge n_0$，有 $(\log n)x<(\log n)^{x+\varepsilon}$。

2）存在某个 n_0，使得对于任何 $n \ge n_0$，有 $(\log n)x<n^\varepsilon$。

3）存在某个 n_0，使得对于任何 $n \ge n_0$，有 $n^x <n^{x+\varepsilon}$。

4）对于任意实数 y，存在某个 n_0，使得对于任何 $n \ge n_0$，有 $n^x(\log n)^y<n^{x+\varepsilon}$。

5）存在某个 n_0，使得对于任何 $n \ge n_0$，有 $n^x<2^n$。

证明 可参考各个函数的定义。 ∎

例 3-22 根据定理 3-7，可以得到如下结论：$n^3+n^2\log n=\Theta(n^3)$；对于每一个自然数 k，有 $2^n/n^2=\Omega(n^k)$；$n^4+n^{2.5}\log^{20}n=\Theta(n^4)$；$2^n n^4\log^3 n+2^n n^4/\log n=\Theta(2^n n^4\log^3 n)$。 ∎

关于 O、Ω 和 Θ 记法，图 3-7 列出了一些最常用的等式，其中除 n 以外所有符号均代表正的常数。图 3-8 是关于和与积的一些推理原则。

要用渐近记法来描述程序的时间复杂度（或步数），你应该具备图 3-7 和图 3-8 的知识。

O、Ω、Θ 和 o 的定义可以推广到多变量函数。例如，$f(n,m)=O(g(n,m))$，当且仅当存在正常数 c、n_0 和 m_0，使得对所有 $n \ge n_0$ 和 $m \ge m_0$，有 $f(n,m) \le cg(n,m)$ 成立。

	$f(n)$	渐近分析法
E1	c	$\oplus(1)$
E2	$\sum_{i=0}^{k} c_i n^i$	$\oplus(n^k)$
E3	$\sum_{i=1}^{n} i$	$\oplus(n^2)$
E4	$\sum_{i=1}^{n} i^2$	$\oplus(n^3)$
E5	$\sum_{i=1}^{n} i^k, k > 0$	$\oplus(n^{k+1})$
E6	$\sum_{i=0}^{n} r^i, r > 1$	$\oplus(r^n)$
E7	$n!$	$\oplus(\sqrt{n}(n/e)^n)$
E8	$\sum_{i=1}^{n} 1/i$	$\oplus(\log n)$
		$\oplus$ 可以表示 O、Ω 和 Θ 中的任何一个

图 3-7   渐近等式

I1	$\{f(n) = \oplus(g(n))\} \rightarrow \sum_{n=a}^{b} f(n) = \oplus\left(\sum_{n=a}^{b} g(n)\right)$
I2	$\{f_i(n) = \oplus(g_i(n)), 1 \leqslant i \leqslant k\} \rightarrow \sum_{i=1}^{k} f_i(n) = \oplus(\max_{1 \leqslant i \leqslant k}\{g_i(n)\})$
I3	$\{f_i(n) = \oplus(g_i(n)), 1 \leqslant i \leqslant k\} \rightarrow \prod_{i=1}^{k} f_i(n) = \oplus\left(\prod_{i=1}^{k} g_i(n)\right)$
I4	$\{f_1(n) = O(g_1(n)), f_2(n) = \Theta(g_2(n))\} \rightarrow f_1(n) + f_2(n) = O(g_1(n) + g_2(n))$
I5	$\{f_1(n) = \Theta(g_1(n)), f_2(n) = \Omega(g_2(n))\} \rightarrow f_1(n) + f_2(n) = \Omega(g_1(n) + g_2(n))$
I6	$\{f_1(n) = O(g(n)), f_2(n) = \Theta(g(n))\} \rightarrow f_1(n) + f_2(n) = \Theta(g(n))$

图 3-8   关于 $\oplus$ 的推理规则（$\oplus \in \{O, \Omega, \Theta\}$）

练习

9. 使用 O、Ω、Θ 和 o 的定义之一，证明下列等式的正确性。不用定理 3-1 至定理 3-6，也不用图 3-7 和图 3-8。

1）$5n^2 - 6n = \Theta(n^2)$

2）$n! = O(n^n)$

3）$2n^2 2^n + n\log n = \Theta(n^2 2^n)$

4）$\sum_{i=0}^{n} i^2 = \Theta(n^3)$

5）$\sum_{i=0}^{n} i^3 = \Theta(n^4)$

6）$n^2 + 6 * 2^n = \Theta(2^n)$

7）$n^3 + 10^6 n^2 = \Theta(n^3)$

8）$6n^3/(\log n + 1) = O(n^3)$

9）$n^{1.001} + n\log n = \Theta(n^{1.001})$

10）$n^{k+\varepsilon} + n^k \log n = \Theta(n^{k+\varepsilon})$，$k \geq 0$ 且 $\varepsilon > 0$

10. 使用定理 3-2、定理 3-3 和定理 3-6，完成练习 9。

11. 证明下列等式不正确：

1）$10n^2 + 9 = O(n)$

2）$n^2 \log n = \Theta(n^2)$

3）$n^2 / \log n = \Theta(n^2)$

4）$n^3 2^n + 6n^2 3^n = O(n^3 2^n)$

12. 证明定理 3-3 和定理 3-5。

13. 证明定理 3-4 和定理 3-6。

14. 证明等式 $f(n) = o(g(n))$ 成立，当且仅当 $\lim\limits_{n \to \infty} f(n)/g(n) = 0$。

15. 证明图 3-7 的等式 E5 ～ E8。

16. 证明图 3-8 的推理规则 I1~I6。

17. 下面的推理规则哪一个是正确的？为什么？

1）$\{f(n) = O(F(n)), g(n) = O(G(n))\} \to f(n)/g(n) = O(F(n)/G(n))$

2）$\{f(n) = O(F(n)), g(n) = O(G(n))\} \to f(n)/g(n) = \Omega(F(n)/G(n))$

3）$\{f(n) = O(F(n)), g(n) = O(G(n))\} \to f(n)/g(n) = \Theta(F(n)/G(n))$

4）$\{f(n) = \Omega(F(n)), g(n) = \Omega(G(n))\} \to f(n)/g(n) = \Omega(F(n)/G(n))$

5）$\{f(n) = \Omega(F(n)), g(n) = \Omega(G(n))\} \to f(n)/g(n) = O(F(n)/G(n))$

6）$\{f(n) = \Omega(F(n)), g(n) = \Omega(G(n))\} \to f(n)/g(n) = \Theta(F(n)/G(n))$

7）$\{f(n) = \Theta(F(n)), g(n) = \Theta(G(n))\} \to f(n)/g(n) = \Theta(F(n)/G(n))$

8）$\{f(n) = \Theta(F(n)), g(n) = \Theta(G(n))\} \to f(n)/g(n) = \Omega(F(n)/G(n))$

9）$\{f(n) = \Theta(F(n)), g(n) = \Theta(G(n))\} \to f(n)/g(n) = O(F(n)/G(n))$

3.4 复杂度分析举例

在 3.2 节，对于若干个例子，我们从步数的计算开始，然后逐步到渐近复杂度的分析。实际上，不用精确地计算步数，也可以很容易地得到渐近复杂度。步骤是，先确定每一条语句或一组语句的渐近复杂度，再把它们加起来。图 3-9 ～图 3-12 是若干个相应的例子，它们的前提是：如果 $f_1(n) = \Theta(g_1(n))$ 和 $f_2(n) = \Theta(g_2(n))$，那么 $f_1(n) + f_2(n) = \Theta(\max\{g_1(n), g_2(n)\})$。

语句	执行步数	频率	总步数
`T sum(T a[], int n)`	0	0	$\Theta(0)$
`{`	0	0	$\Theta(0)$
`    T theSum = 0;`	1	1	$\Theta(1)$
`    for (int i = 0; i < n; i++)`	1	$n+1$	$\Theta(n)$
`        theSum += a[i];`	1	n	$\Theta(n)$
`    return theSum;`	1	1	$\Theta(1)$
`}`	0	0	$\Theta(0)$

$$t_{\text{sum}}(n) = \Theta(\max\{g_i(n)\}) = \Theta(n)$$

图 3-9　程序 1-30 的函数 sum 的渐近复杂度

语句	执行步数	频率	总步数
`void transpose(T **a, int rows)`	0	0	$\Theta(0)$
`{`	0	0	$\Theta(0)$
`  for (int i = 0; i < rows; i++)`	1	$rows+1$	$\Theta(rows)$
`    for (int j = i+1;  j < rows; j++)`	1	$rows(rows+1)/2$	$\Theta(rows^2)$
`      swap(a[i][j], a[j][i]);`	1	$rows(rows-1)/2$	$\Theta(rows^2)$
`}`	0	0	$\Theta(0)$

$$T_{\text{transpose}}(rows)= \Theta(rows^2)$$

图 3-10   程序 2-19 的函数 transpose 的渐近复杂度

语句	执行步数	频率	总步数
`void inef(T a[], T b[], int n)`	0	0	$\Theta(0)$
`{`	0	0	$\Theta(0)$
`  for (int j = 0; j < n; j++)`	1	$n+1$	$\Theta(n)$
`    b[j] = sum(a, j + 1);`	$2j+6$	n	$\Theta(n^2)$
`}`	0	0	$\Theta(0)$

$$T_{\text{inef}}(n)= \Theta(n^2)$$

图 3-11   程序 2-20 的函数 inef 的渐近复杂度

语句	执行步数	频率	总步数
`int sequentialSearch(T a[], int n, const T& x)`	0	0	$\Theta(0)$
`{`	0	0	$\Theta(0)$
`  int i;`	1	1	$\Theta(1)$
`  for (i = 0; i < n && a[i] != x; i++);`	1	$\Omega(1), O(n)$	$\Omega(1), O(n)$
`  if (i == n) return -1;`	1	1	$\Theta(1)$
`  else return i;`	1	$\Omega(0), O(1)$	$\Omega(0), O(1)$
`}`	0	0	$\Theta(0)$

$t_{\text{sequentialSearch}}(n)= \Omega(1)$ $t_{\text{sequentialSearch}}(n)= O(n)$

图 3-12   程序 2-1 的函数 sequentialSearch 的渐近复杂度

对图 3-9 ~ 图 3-12 的分析实际上是根据执行步数进行的，但是，每一步的执行时间仅为 $\Theta(1)$，因此，可以把 $t_P(n)=\Theta(g(n))$，$t_P(n)=O(g(n))$，或者 $t_P(n)=\Omega(g(n))$ 作为语句，用以计算程序 P 的运行时间。

通过对图 3-9 ~ 图 3-12 的分析，就有了经验，进而可以更全面地考察程序的渐近复杂度。下面用几个例子来详细地阐述这种方法。

例 3-23[排列]   考虑程序 1-32 的排列方法 permutation。假设 $m=n-1$。当 $k=m$ 时，所需时间为 cn，其中 c 是一个常数。当 $k<m$ 时，执行 else 语句，此时，for 循环执行 $m-k+1$ 次。每次循环所需时间为 $dt_{\text{permutations}}(k+1,m))$，其中 d 是一个常数。因此，当 $k<m$ 时，$t_{\text{permutations}}(k,m)=d(m-k+1)t_{\text{permutations}}(k+1,m)$。通过置换得到：$t_{\text{permutations}}(0,m)=\Theta((m+1)*(m+1)!)=\Theta(n*n!)$。 ∎

例 3-24[折半查找]   程序 3-1 的函数是在一个有序数组中查找元素 x。与 STL 的算法 binary_search 非常类似。变量 left 和 right 分别表示搜索段的左右两个端点。开始时，在 0 到 $n-1$ 之间进行查找，因此 left 和 right 的初值分别为 0 和 $n-1$。在查找过程中，保持不变的是：x 是数组 a[0:n-1] 的元素，当且仅当 x 是 a[left:right] 的元素。

程序 3-1　折半查找

```
template<class T>
int binarySearch(T a[], int n, const T& x)
{// 在有序数组 a 中查找元素 x
 // 如果存在，就返回元素 x 的位置，否则返回 -1
    int left = 0;                        // 数据段的左端
    int right = n - 1;                   // 数据段的右端
    while (left <= right) {
        int middle = (left + right)/2;   // 数据段的中间
        if (x == a[middle]) return middle;
        if (x > a[middle]) left = middle + 1;
        else right = middle - 1;
        }
    return -1;                           // 没有找到 x
}
```

查找过程从 x 与搜索段的中间元素的比较开始。如果 x 等于中间元素，则查找过程结束。如果 x 小于中间元素，则仅需要查找搜索段的左半部分，因此 right 被修改为 middle−1。如果 x 大于中间元素，则仅需要查找搜索段的右半部分，这时，left 将被修改为 middle+1。

while 循环的每一次迭代（最后一次除外）都将以减半的比例缩小搜索的范围，因此该循环在最坏情况下的执行次数是 $\Theta(\log n)$。因为每次循环需耗时 $\Theta(1)$，所以在最坏情况下，总的时间复杂度是 $\Theta(\log n)$。　　　　　　　　　　　　　　　　　　　　　　　■

例 3-25[插入排序]　　程序 2-15 的插入排序对象是 n 个元素。对于 i 的每个值，最内部的 for 循环在最坏情况下的时间复杂度为 $\Theta(i)$，因此，程序 2-15 的时间复杂度，最坏为 $\Theta(1+2+3+\cdots+n-1)=\Theta(n^2)$，最好是 $\Theta(n)$。　　　　　　　　　　　■

练习

18. 计算以下函数的渐近复杂度，建立一个类似于图 3-9 ~ 图 3-12 的频率表。

　1）factorial（见程序 1-29）

　2）minmax（见程序 2-24）

　3）minmax（见程序 2-25）

　4）matrixAdd（见程序 2-21）

　5）squareMatrixMultiply（见程序 2-22）

　6）matrixMultiply（见程序 2-23）

　7）indexOfMax（见程序 1-37）

　8）polyEval（见程序 2-3）

　9）horner（见程序 2-4）

　10）rank（见程序 2-5）

　11）permutations（见程序 1-32）

　12）selectionSort（见程序 2-7）

　13）selectionSort（见程序 2-12）

　14）insertionSort（见程序 2-14）

　15）insertionSort（见程序 2-15）

　16）bubbleSort（见程序 2-9）

　17）bubbleSort（见程序 2-13）

3.5 实际复杂度

我们已经知道，一个程序的时间复杂度通常是其实例特征的函数。在确定程序的时间需求是如何随着实例特征的变化而变化时，这种函数非常有用。我们也可以利用这种函数对两个功能相同的程序 P 和 Q 进行比较。假定程序 P 的复杂度是 $\Theta(n)$，程序 Q 的复杂度是 $\Theta(n^2)$，由此可以断定，对于"足够大"的 n，程序 P 比程序 Q 快。为了说明这种判断的正确性，让我们进行一次实际的计算。对于某些常量 c 和所有的 $n \geq n_1$，程序 P 的时间上限为 cn；对于某些常量 d 和所有的 $n \geq n_2$，程序 Q 的时间下限为 dn^2。由于对于所有 $n \geq c/d$，有 $cn \leq dn^2$，因此每当 $n \geq \max\{n_1, n_2, c/d\}$ 时，程序 P 比程序 Q 快。

对上述判断所使用的"足够大"的概念，我们要始终关注它的意义。在对两个程序进行取舍的时候，必须清楚实例特征 n 是否真的足够大。如果程序 P 的实际运行时间为 $10^6 n$ 毫秒，而程序 Q 的实际运行时间为 n^2 毫秒，并且，如果总有 $n \leq 10^6$，那么优先使用的将是程序 Q。

为了感知各种函数是如何随着 n 的增长而变化的，可以仔细地研究图 3-13 和图 3-14。从图中可以看出，随着 n 的增长，2^n 的增长极快。事实上，如果程序的执行步数是 2^n，那么当 $n=40$ 时，执行步数将大约为 $1.1*10^{12}$。在一台每秒执行 1 000 000 000 步的计算机上，该程序大约需要执行 18.3 分钟。如果 $n=50$，同样的程序在该计算机上需要执行 13 天。当 $n=60$ 时，需要执行 310.56 年。当 $n=100$ 时，则需要执行 $4*10^{13}$ 年。因此可以断定，一个程序的复杂度如果是指数级，那么它的实例特征 n 就必须限制在适度小的范围（一般是 $n \leq 40$）。

$\log n$	n	$n\log n$	n^2	n^3	2^n
0	1	0	1	1	2
1	2	2	4	8	4
2	4	8	16	64	16
3	8	24	64	512	256
4	16	64	256	4096	65 536
5	32	160	1024	32 768	4 294 967 296

图 3-13　各种函数值

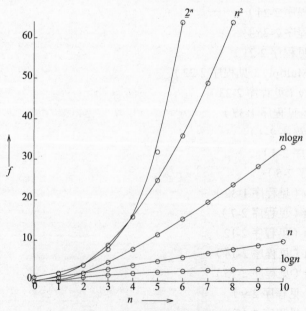

图 3-14　各种函数的测算图

一个函数的复杂度如果是高次多项式，那么它也必须限制使用。例如，若程序的执行步数是 n^{10}，那么当 $n=10$ 时，每秒执行 1 000 000 000 步的计算机需要 10 秒钟；当 $n=100$ 时，需要 3171 年；$n=1000$ 时，需要 $3.17*10^{13}$ 年。如果程序的复杂度是 n^3，则当 $n=1000$ 时，需要执行 1 秒；当 $n=10\,000$ 时，需要 110.67 分钟；当 100 000 时，要 11.57 天。

图 3-15 是复杂度为 $f(n)$ 的程序在每秒 1 000 000 000 条指令的计算机上的运行。目前只有世界上最快的计算机才能每秒执行 1 000 000 000 条指令。从实际应用来看，对于相当大的 n（比如 $n>100$），只有那些复杂度比较小（如 n、$n\log n$、n^2、n^3）的程序才是可行的。即使能够制造出每秒 10^{12} 条指令的计算机，情况也是如此。如果有这样的计算机，图 3-15 的计算时间将分别减小 1000 倍。当 $n=100$ 时，执行 n^{10} 条指令需耗时 3.17 年，执行 2^n 条指令需耗时 $4*10^{10}$ 年。

				$f(n)$			
n	n	$n\log_2 n$	n^2	n^3	n^4	n^{10}	2^n
10	.01μs	.03μs	.1μs	1μs	10μs	10s	1μs
20	.02μs	.09μs	.4μs	8μs	160μs	2.84h	1ms
30	.03μs	.15μs	.9μs	27μs	810μs	6.83d	1s
40	.04μs	.21μs	1.6μs	64μs	2.56ms	121d	18m
50	.05μs	.28μs	2.5μs	125μs	6.25ms	3.1y	13d
100	.10μs	.66μs	10μs	1ms	100ms	3171y	$4*10^{13}$y
10^3	1μs	9.96μs	1ms	1s	16.67m	$3.17*10^{13}$y	$32*10^{283}$y
10^4	10μs	130μs	100ms	16.67m	115.7d	$3.17*10^{23}$y	
10^5	100μs	1.66ms	10s	11.57d	3171y	$3.17*10^{33}$y	
10^6	1ms	19.92ms	16.67m	31.71y	$3.17*10^7$y	$3.17*10^{43}$y	

1 微秒（μs）=10^{-6} 秒　　1 毫秒（ms）=10^{-3} 秒

s= 秒　　m= 分钟　　h= 小时　　d= 天　　y= 年

图 3-15　在一台每秒 1 000 000 000 条指令的计算机上的运行时间

练习

19. 令 A 和 B 是功能相同的程序。$t_A(n)$ 和 $t_B(n)$ 分别表示它们的运行时间。对于下面的每一对数据，确定 n 的取值范围，使程序 A 在这个范围中比程序 B 要快。

1）$t_A(n)=1000n$，$t_B(n)=10n^2$

2）$t_A(n)=2n^2$，$t_B(n)=n^3$

3）$t_A(n)=2^n$，$t_B(n)=100n$

4）$t_A(n)=1000n\log_2 n$，$t_B(n)=n^2$

20. 假定一台计算机每秒能执行 1 万亿条指令，重新给出图 3-15 的数据。

21. 假定有一个程序和一台计算机，它们可以在"合理的时间"内解决规模为 $n=N$ 的问题。用一个表格来说明，用同样的程序和速度快 x 倍的计算机，能够在"合理的时间"内解决问题的最大规模是多少（即最大的 n 值）。分别取 $x=10$、100、1000 和 1 000 000 以及 $t_A(n)=n$、n^2、n^3、n^5 和 2^n 来完成练习。

3.6　参考及推荐读物

下面的参考书包含若干个程序的渐近复杂度分析：

1）E. Horowitz, S. Sahni, S. Rajasekaran. *Fundamentals of Computer Algorithms*. W. H. Freeman, New York, NY, 1998.

2）T. Cormen, C. Leiserson, R. Rivest. *Introduction to Algorithms*. 2nd ed. McGraw-Hill, New York, NY, 2002.

3）G. Rawlins.*Compared to What: An Introduction to the Analysis of Algorithms*. W. H. Freeman, New York, NY, 1992.

性能测量

概述

要知道梨子的滋味，就要亲口尝一尝。你要把应用软件推销给客户，就要让客户知道这个软件需要多少内存和运行时间。对内存的需求容易处理，只要知道编译后的代码和数据空间的大小就可以了；其中，数据空间的大小取决于用户所要解决的问题实例的大小。而要确定程序运行时间，你就要通过实验来测量。这一章就是讨论实验测量的步骤。

程序性能不仅依赖操作类型和数量，而且依赖数据和指令的内存模式。计算机内存是有等级之分的，例如，L1 高速缓存、L2 高速缓存和主存。内存模式不同，访问时间也就不同。一个程序，操作计数很大，但访问低速内存的数量很小；另一个程序，操作计数不大，但访问低速内存的数量不小；结果前者可能比后者快。这个现象可以用矩阵乘法问题来说明。

4.1　引言

性能测量（performance measurement）关注的是一个程序实际需要的空间和时间。如前所述，这些数据不仅与特定的编译器及编译器选项相关，还与计算机相关。就计算机而言，本书的所有性能值，除非特别声明，都是在英特尔奔腾 4 处理器（1.7GHz，512MB 的随机存储器）的 PC 上，用 Microsoft Visual Studio. NET 2003 获得的。时间优化的代码由下面的语句产生：

```
#program optimize("t",on)
```

我们忽略编译所需的时间和空间，这是因为每一个调试后的程序仅需要编译一次，然后可以运行若干次。不过，如果测试的时间要比运行最终代码的时间多，编译所需的时间和空间就变得很重要了。

对运行空间，我们无法明确地考量，这是因为如下两个因素：

- 指令空间和静态分配的数据空间是由编译器在编译时确定的，它们的大小可以用操作系统指令来得到。
- 递归栈空间和动态分配的变量空间可以用前面的分析方法明确地估算。

现在要确定的是程序的运行时间。为此我们需要一个定时机制。本书使用 C++ 函数 clock() 来测量时间，它用"滴答"数来计时。在头文件 time.h 中定义了常数 CLOCK_PER_SEC，它记录每秒流逝的"滴答"数，并转换成秒。CLOCK_PER_SEC=1000，滴答一次等于一毫秒。虽然还有更精确的时间函数，例如 QueryPerformanceCounter，但是 C++ 的 clock() 函数已经足够用了。

假定要测量程序 2-15 的函数 insertionSort 在最坏情况下的运行时间。首先需要做的是：

1）确定实例特征 n 的一组值以及对应的运行时间。

2）对实例特征 n 的每一个值，设计最坏情况下的测试数据。

4.2 选择实例的大小

确定实例特征 n 的值需要以下两个因素：程序执行的时间及执行的次数。假定要预测在最坏情况下对 n 个元素的数组进行插入排序所需要的时间。例 3-25 的 insertionSort 函数在最坏情况下的复杂度为 $\Theta(n^2)$，即 n 的平方函数。在理论上，如果知道 n 的任意 3 个值所对应的运行时间，就可以确定这个平方函数。利用这个平方函数，可以得到 n 的任何一个值所对应的运行时间。在实践过程中，通常需要 n 的 3 个以上的值，其原因如下：

1）渐近分析仅对足够大的 n 给出了程序的复杂度。当 n 比较小时，程序的运行时间可能并不满足渐近曲线。为了确定渐近曲线以外的点，我们需要检查若干个 n 值所对应的运行时间。

2）即使在渐近曲线的区间内，程序实际运行时间也可能不满足预定的渐近曲线，原因是渐近分析忽略了许多低次项的时间需求。例如，一个程序的渐近复杂度为 $\Theta(n^2)$，而它的实际复杂度可以是 $c_1n^2+c_2n\log n+c_3n+c_4$，或其他任何最高次项为 c_1n^2 的函数，其中 c_1 为常量且 $c_1>0$。

我们认为，程序 2-15 的时间复杂度，对一些小于 100 的 n 值，就开始满足渐近曲线了。因此，可能只需要很少量的大于 100 的 n 值来测量时间。一个合理的选择是 $n=200$，300，400，$\cdots$，1000，这个选择并没有任何奥妙。也可以选择 $n=500$，1000，1500，$\cdots$，10 000 或 $n=512$，1024，2048，$\cdots$，2^{15}。后者将耗费更多的机时，而且很可能得不到更好的测量结果。

而对 [0,100] 范围内的 n 值，可以进行更精细的测量，因为我们并不是很清楚渐近复杂度从何处开始有效。当然，如果测量结果表明，平方函数复杂度并不是从这个范围开始有效的，那么可对 [100,200] 范围进行更细致的测量，如此进行下去，直至找到起始点。测量 [0,100] 范围内的运行时间可以从 $n=0$ 开始，n 每次增加 10。

4.3 设计测试数据

为了使很多程序能够产生最好和最坏复杂度，我们可以徒手设计或借助计算机设计相应的测试数据。可是通常很难设计可以产生平均复杂度的测试数据。以 n 元素的插入排序 insertionSort 为例，能产生最坏复杂度的测试数据应是一个递减的序列，如 n, $n-1$, $n-2$, $\cdots$, 1；能产生最好复杂度的测试数据应是一个递增的序列，如 $0,1,2,\cdots,n-1$；但是，我们很难设计一组能够产生平均复杂度的测试数据。

如果不能为预期的复杂度设计一组测试数据，那就从随机生成的数据中选择用时最少（最多，平均）的数据作为测试数据，以得到最好（最坏，平均）复杂度的估算值。

4.4 实验设计

在选择了实例的大小并设计了测试数据之后，就可以编写程序来测量所期望的运行时间了。对于插入排序，程序 4-1 给出了测试的过程。相应的测试数据见图 4-1。

程序 4-1　导致插入排序出现最坏复杂度的程序

```
int main()
{
    int a[1000], step = 10;
```

```
double clocksPerMillis = double(CLOCKS_PER_SEC) / 1000;
                        //每毫秒滴答一次

cout << "The worst-case time, in milliseconds, are" << endl;
cout << "n \t Time" << endl;

//次数 n = 0, 10, 20, …, 100, 200, 300, …, 1000
for (int n = 0; n <= 1000; n += step)
{
   //用最坏测试数据初始化
   for (int i = 0; i < n; i++)
     a[i] = n - i;

   clock_t startTime = clock( );
   insertionSort(a, n);
   double elapsedMillis = (clock( ) - startTime) / clocksPerMillis;

   cout << n << '\t' << elapsedMillis << endl;

   if (n == 100) step = 100;
}
return 0;
}
```

我们来看图 4-1 给出的测试结果。当元素个数 n 不等于 800 时，排序时间为 0。排序 800 个元素最多用时 15 毫秒，而排序 1000 个元素却用时为 0，这个结果显然不对。出现这个问题的原因是，在最坏情况下的排序时间太少，计时函数 clock() 测量不出来。C++ 语言没有说明计时函数的精确度，我们假设精确度在 100 个时钟单位之内，在我们选用的系统中等于 100 毫秒。如果时钟函数返回值是 t，那么实际时间应在 $\max\{0, t-100\}$ 和 $t+100$ 之间。在图 4-1 中，对 $n=1000$ 的测量时间是 0。因此，实际时间可能在 0 和 100 毫秒之间。如果我们希望测量结果的精确度在 10% 以内，那么 clock()-startTime 的值至少应该是 1000 个时钟单位，即 1 秒。图 4-1 显示的时间没有达到这个标准。

n	时间	n	时间
0	0	100	0
10	0	200	0
20	0	300	0
30	0	400	0
40	0	500	0
50	0	600	0
60	0	700	0
70	0	800	15
80	0	900	0
90	0	1000	0

时间单位毫秒

图 4-1 程序 4-1 的测试结果

为了提高测量的精确度，需要对实例特征 n 的每个值重复排序若干次。因为每次排序都使数组有序，所以再次排序之前，要重新对数组初始化。程序 4-2 是新的时间测试程序。现在所测量的时间，不仅包括排序所需的时间，还包括数组 a 的初始化和 while 循环所需要的时间。图 4-2 是相应的测量结果。图 4-3 是相应的曲线图。

程序 4-2 误差在 10% 以内的测量程序

```
int main()
{
   int a[1000], step = 10;
   double clocksPerMillis = double(CLOCKS_PER_SEC) / 1000;
```

```
                    // 每毫秒滴答一次
cout << "The worst-case time, in milliseconds, are" << endl;
cout << "n \tRepetitions \t Total Ticks \tTime per Sort" << endl;

// 次数 n = 0, 10, 20, …, 100, 200, 300, …, 1000
for (int n = 0; n <= 1000; n += step)
{
    // 为实例特征 n 测量运行时间
    long numberOfRepetitions = 0;
    clock_t startTime = clock( );
    do
    {
        numberOfRepetitions++;

        // 用最坏测试数据初始化
        for (int i = 0; i < n; i++)
            a[i] = n - i;

        insertionSort(a, n);
    } while (clock( ) - startTime < 1000);
            // 重复运行, 只到有足够的时间流逝

    double elapsedMillis = (clock( ) - startTime) / clocksPerMillis;
    cout << n << '\t' << numberOfRepetitions << '\t' << elapsedMillis
         << '\t' << elapsedMillis / numberOfRepetitions
         << endl;

    if (n == 100) step = 100;
}
return 0;
}
```

n	重复次数	总时间	每次排序时间
0	6 605 842	1000	0.000 15
10	2 461 486	1000	0.000 41
20	1 020 396	1000	0.000 98
30	585 217	1000	0.001 71
40	384 720	1000	0.002 60
50	262 557	1000	0.003 81
60	200 216	1000	0.004 99
70	150 964	1000	0.006 62
80	126 457	1000	0.007 91
90	99 776	1000	0.010 02
100	80 252	1000	0.012 46
200	20 849	1000	0.047 96
300	9527	1000	0.104 97
400	5537	1000	0.180 60
500	3576	1000	0.279 64
600	2466	1000	0.405 52
700	1870	1000	0.534 76
800	1393	1000	0.717 88
900	1156	1000	0.865 05
1000	918	1000	1.089 32

时间单位毫秒

图 4-2 程序 4-2 的测试结果

为了确定 while 循环和数组初始化所需要的额外时间，我们运行程序 4-2，但是要去除其中的语句：

```
insertionSort(a,n);
```

图 4-4 是相应的运行结果。从图 4-2 的每次排序时间中减去每次排序的额外时间，便是最坏情况下的插入排序时间。注意，在图 4-2 中，当 n 较大时，n 每次增到两倍，相应的时间都增到 4 倍。这是我们期望的结果，因为程序最坏的复杂度是 $\Theta(n^2)$。

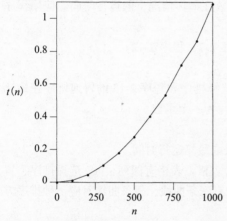

n	重复次数	总时间	一次用时
0	6 588 805	1000	0.000 15
10	6 129 343	1000	0.000 16
50	3 014 729	1000	0.000 33
100	2 985 688	1000	0.000 33
500	909 538	1000	0.001 10
1000	482 291	1000	0.002 07

时间单位毫秒

图 4-3 在最坏情况下的插入排序时间曲线图　　图 4-4 对图 4-2 的额外时间测量

练习

1. 为什么程序 4-3 的误差范围不在 10% 以内？

程序 4-3　测量时间的不正确方法

```
int main()
{
    long numberOfRepetitions=0;
    clock_t elapsedTime=0;
    do
    {
        numberOfRepetitions++;
        clock_t startTime=clock();

        doSomething();

        elapsedTime+=clock()-startTime;
    }while(elapsedTime<1000);
        // 重复直至有足够的时间流逝

    cout<<"Time is (in ticks)"
        <<((double)elapsedTime)/numberOfRepetitions
        <<endl;
    return(0);
}
```

2. 利用程序 4-2，对程序 2-14 和程序 2-15 的两个插入排序版本，测量在最坏情况下的运行时间。使用程序 4-2 的 n 值。试比较两种插入排序方法的优点。

3. 利用程序 4-2，对程序 2-9 和程序 2-13 的两种冒泡排序，测量在最坏情况下的运行时间。使用程序 4-2 的 n 值。不过你要证实，程序 4-2 在最坏情况下的测试数据实际上也是这两种冒泡排序函数在最坏情况下的测试数据。使用三列的表格显示结果。三列分别是：n、程序 2-9、程序 2-13。指出这两种冒泡排序函数在最坏情况下的性能。

4. 1）为程序 2-7 和程序 2-12 的两个选择排序函数，设计最坏复杂度的测试数据。

 2）适当修改程序 4-2，用以测量这两种选择排序函数在最坏情况下的运行时间。使用程序 4-2 的 n 值。

 3）使用三列的表格显示结果。三列分别是：n、程序 2-7、程序 2-12。

 4）比较这两种选择排序函数在最坏情况下的性能。

5. 比较程序 2-15 的插入排序、程序 2-12 的及时终止选择排序和程序 2-13 的冒泡排序在最坏情况下的运行时间。为了形式一致，把程序 2-13 重写为一个函数。

 1）设计测试数据，以使每种函数产生最坏复杂度。

 2）使用 1) 中的测试数据和程序 4-2 的测试程序，获取最坏运行时间。

 3）采用两种形式来显示最坏运行时间。一种形式为表格。表格有四列：n、选择排序、冒泡排序、插入排序。另一种形式为曲线图，其中有三条曲线，每条曲线对应一种排序方法。图的 x 轴表示 n，y 轴表示时间。

 4）比较这三种排序函数在最坏情况下的性能。

 5）对于每个 n，测量额外时间，并用图 4-4 的表格形式给出测试结果。从 2）所得到的时间中减去额外时间，然后给出一个新的时间表和新的曲线图。

 6）在减去额外时间后，在 4）中所得到的结论是否发生了变化？

 7）利用已得到的数据，估算每种排序函数对 2000、4000 和 10 000 个元素进行排序时的最坏运行时间。

6. 修改程序 4-2，用以估算 insertionSort 函数（见程序 2-15) 的平均运行时间。要求如下：

 1）在每一次 while 循环中，对 0，1，…，n–1 的随机排列进行排序。这种随机排列是由一个随机排列产生器生成的。如果找不到这样的函数，可以用随机数生成器来编写，或简单地产生一个 n 个数的随机序列。

 2）设置 while 循环，使得在一次循环中至少有 20 个随机排列被排序，并且至少需要耗费 10 个时钟单位。

 3）用耗费的时间除以随机排列数目，得到平均排序时间。

 用表格的形式显示平均运行时间。

7. 利用练习 6 的策略，对程序 2-9 和程序 2-13 的冒泡排序函数估算平均运行时间。使用程序 4-2 的 n 值。分别用表格和曲线图显示估算结果。

8. 利用练习 6 的策略，对程序 2-7 和程序 2-12 的选择排序函数估算平均运行时间。使用程序 4-2 的 n 值。分别用表格和曲线图显示结果。

9. 利用练习 6 的策略，对程序 2-12、程序 2-13 和程序 2-15 的排序函数估算和比较平均运行时间。使用程序 4-2 的 n 值。分别用表格和曲线图显示结果。

10. 编写测试程序，用以确定顺序查找（见程序 2-1) 和折半查找（见程序 3-1) 在查找成功时的平均时间。假定数组的每个元素被查找的概率相同。分别用表格和曲线图显示估算结果。

11. 编写测试程序，用以确定顺序查找 (见程序 2-1) 和折半查找 (见程序 3-1) 在查找成功时的最坏运行时间。分别用表格和曲线图显示结果。

12. 对于 rows=10, 20, 30, …, 100, 确定函数 matrixAdd(见程序 2-21) 的运行时间。分别用表格和曲线图显示结果。

13. C++ 有一个排序函数 sort(begin,end), 可以用来对数组 a[0:n−1] 排序，调用语句 sort(a,a+n)。这个排序函数在头文件 algorithm 中，综合了插入排序、快速排序（见 18.2.3 节）和堆排序（见 12.6.1 节）。时间复杂度是 $O(n\log n)$。对最好和最坏的测试数据，测量这种排序方法的运行时间。并与程序 2-15 的运行时间比较。

14. 对于 rows=10, 20, 30, …, 100, 确定函数 transpose(见程序 2-19) 的运行时间。分别用表格和曲线图显示结果。

15. 对于 rows=10, 20, 30, …, 100, 确定函数 squareMatrixMultiply(见程序 2-22) 的运行时间。分别用表格和曲线图显示结果。

4.5 高速缓存

4.5.1 简单计算机模型

我们来看一个简单的计算机模型，它的存储由一个一级缓存 L1（level 1）、一个二级缓存 L2 和主存构成。算术和逻辑操作由算术和逻辑单元（ALU）对存储在寄存器（R）中的数据进行处理来完成。图 4-5 是这个计算机模型的一部分。

通常，主存的大小是几十或几百 MB；二级缓存的大小不足 1MB；一级缓存的大小是几十 KB；寄存器的数量在 8 和 32 之间。程序开始运行时，所有数据都在主存。

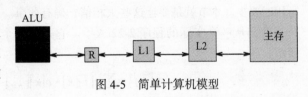

图 4-5　简单计算机模型

要执行一个算术运算，例如加法，首先把相加的数据从主存移到寄存器，然后把寄存器的数据相加，最后把结果写入主存。

我们把寄存器的数据相加所需要的时间作为一个周期。把一级缓存的数据送到一个寄存器所需要的时间是两个周期。如果需要的数据没有在一级缓存，而是在二级缓存，即一级缓存未命中，那么把需要的数据从二级缓存送到一级缓存和寄存器需要 10 个周期。当需要的数据没有在二级缓存，即二级缓存未命中时，把需要的数据从主存复制到二级缓存、一级缓存和寄存器需要 100 个周期。我们把写操作，甚至向主存的写操作，算作一个周期，因为不需要等到写操作完成之后再进行下一个操作。

4.5.2 缓存未命中对运行时间的影响

在我们的简化计算机模型中，语句 a=b+c 编译后的机器指令是

```
load a;load b;add; store c;
```

其中，load 操作把数据送到寄存器，store 操作把相加后的结果送到主存。add 和 store 操作共需要两个周期。两个 load 操作可能需要 4 个周期至 200 个周期不等，这取决于数据是否在缓存中，即缓存是否命中。因此，语句 a=b+c 所需要的总时间从 6 个周期到 202 个周期不等。

在实际操作中，时间差别没有这么极端，因为可以把连续的缓存未命中所花费的时间交叉处理。

假定有两个类型相同的算术运算。第一个算术运算是 2000 次加法，它需要 4000 次 load 操作、2000 次 add 操作和 2000 次 store 操作。第二个算术运算是 1000 次加法。第一个算术运算的数据访问有 25% 的 load 操作出现一级缓存未命中，另有 25% 的 load 操作出现二级缓存未命中。在我们这个简化的计算机模型中，第一个算术运算所需要的时间是 2000*2（有 50% 的 load 操作是缓存命中）+1000*10（有 25% 的 load 操作出现一级缓存未命中）+1000*100（有 25% 的 load 操作出现二级缓存未命中）+2000*1（用于 adds）+2000*1（用于 stores）=118 000 个周期。如果第二个算术运算有 100% 的二级缓存未命中，它的用时 =2000*100（有 100% 的二级缓存未命中）+1000*1（adds）+1000*1（stores）=202 000 个周期。第二个运算的量是第一个的一半，但实际用时却比第一个多 76%。

为了减少缓存未命中的数量，从而减少程序的运行时间，计算机采用了一些策略，比如，把最近需要处理的数据预载到缓存中，当出现一个缓存未命中时，把需要的数据和相邻字节中的数据装入缓存中。当连续的计算机操作使用的是相邻字节的数据时，这个策略很有效。

虽然我们的讨论集中在如何用缓存来减少访问数据的时间问题上，但是我们也用缓存来减少访问指令的时间。

4.5.3　矩阵乘法

也许有人不相信，在一台商用计算机上，一个操作多的程序可能比一个操作少的程序实际用时要少。本节就是要让这些人相信，确有此事。

我们从一个实际的程序 2-22 入手。它是把两个用二维数组描述的方阵相乘。计算如下所示：

$$c[i][j] = \sum_{k=1}^{n} a[i][k] * b[k][j], 1 \leqslant i \leqslant n, 1 \leqslant j \leqslant n \qquad (4-1)$$

（你不理解矩阵乘法没关系，这不影响你对我们要说明的问题的理解。矩阵乘法将在 7.2.1 节中讨论。）程序 2-22 是一段标准代码，你在很多教科书上都可以找到。程序 4-4 是另一段代码，它和程序 2-22 一样，产生一个二维数组 c。我们来观察程序 4-4。它有两层嵌套的 for 循环，这是程序 2-22 所没有的，这使它对数组 c 的索引处理得更多一些。其余的操作都一样。

程序 4-4　比程序 2-22 效率低的方阵乘法

```
void fastSquareMatrixMultiply(int ** a, int ** b, int ** c, int n)
{
    for (int i = 0; i < n; i++)
        for (int j = 0; j < n; j++)
            c[i][j] = 0;

    for (int i = 0; i < n; i++)
        for (int j = 0; j < n; j++)
            for (int k = 0; k < n; k++)
                c[i][j] += a[i][k] * b[k][j];
}
```

你会发现，把程序 4-4 的三层嵌套 for 循环重新排列一下顺序，结果是不变的。我们把程序 4-4 的嵌套循环顺序称为 ijk。当我们把第二层和第三层的 for 循环交换次序，我们得到的嵌套循环顺序是 ikj。一共有 3!=6 种嵌套循环顺序。由 6 种嵌套循环顺序分别生成的函数都以同样的数量执行每一种类型的操作。因此你也许认为这些函数所需的运行时间也是相同的。但是错了。改变了循环的次序，也就改变了数据访问模式，进而改变了缓冲未命中的数量，最终影响了运行时间。

在 ijk 顺序中，数组 a 和 c 的元素是按行访问的，数组 b 的元素是按列访问的。因为同行的元素在存储中是相邻的，而同列的元素在存储中是分开的，所以当数组很大，以至三个数组不能同时存储在二级缓存 L2 中的时候，访问数组 b 可能导致很多二级缓存未命中的事件。在 ikj 的顺序中，数组 a、b 和 c 的元素是按行访问的，因此二级缓存未命中的事件就比较少，因此所需时间也比较少。

图 4-6 给出了程序 2-22 和程序 4-4 分别使用 ijk 顺序和 ikj 顺序时的运行时间。图 4-7 显示的是标准运行时间，即一个函数的运行时间除以在 ikj 顺序下执行的时间。

n	程序 2-22	程序 4-4	
	乘	ijk 顺序	ikj 顺序
500	1.5	2.6	0.9
1000	16.1	26.5	6.7
2000	719.8	844.6	54.2

图 4-6　矩阵乘法的用时（以秒为单位）

多么神奇啊 !ikj 顺序要比 ijk 顺序和程序 2-22 运行快。实际上，当 n=500 时，ikj 顺序所需要的时间仅是 ijk 顺序的 1/3，是程序 2-22 的 1/2；当 n=1000 时，比率近似是 7/16 和 1/4；当 n=2000 时，比率近似是 1/13 和 1/16。记住，按操作步数计算，ikj 顺序比程序 2-22 和 ijk 顺序所执行的操作要多。只有 ikj 顺序的运行时间是按照渐近分析的比率 $\Theta(n^3)$ 增长的。ijk 顺序和程序 2-22 的运行时间是受缓冲未命中事件所控制的，而不受执行步数所控制。

存储等级制对代码性能的影响随着程序语言、编译器、编译器选项和计算机配置的变化而变化。例如，2.4GHz Intel Pentium IV PC 的二级缓存比 1.7 GHz PC 的二级缓存大一倍，图 4-6 和图 4-7 所给出的矩阵乘法的时间是用后者实验得来的，如果用前者实验，那么当 n=500 时，比率大约是 9/16 和 2/5；当 n=1000 时，比率大约是 1/2 和 1/3；当 n=2000 时，比率大约是 1/4 和 1/5。

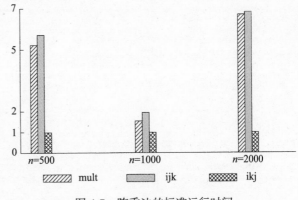

图 4-7　阵乘法的标准运行时间

练习

16. 对程序 4-4 中三层嵌套 for 循环的所有 6 个顺序，重复图 4-6 的实验。分别用表格和条形图给出实验结果。

17. 在另一种矩阵相乘的实现中，我们首先计算转置矩阵 bt[i][j]=b[k][j]。于是公式（4-1）变为：

$$c[i][j] = \sum_{k=1}^{n} a[i][k] * bt[j][k], 1 \leqslant i \leqslant m, 1 \leqslant j \leqslant p \qquad （4-2）$$

1）编写函数计算二维数组 c，首先计算矩阵 bt，然后使用公式（4-2）。你应该编写出 7 个函数：对三层嵌套 for 循环的 6 个排列顺序，每一个对应一个函数。还有一个是与程序 2-22 对应的函数。

2）选择 n=500, 1000, 2000，分别测量这 7 个函数的运行时间。

3）用表格和条形图显示测量结果。把这些结果与练习 16 的结果进行比较。

18. 编写一个函数，把一个 $n \times n$ 矩阵分块转置。也就是说，把矩阵分割为一组 $k \times k$ 的子矩阵（一个子矩阵算一块），然后一次转置一个子矩阵。对一个很大的 n，测量你的转置函数的运行时间，其中 k=2,4,8,16,32 和 64，n 是 2 的幂。你的代码性能和程序 2-19 的转置代码性能如何比较？你能解释各自的优劣吗？

4.6 参考及推荐读物

要更多地了解关于缓存的知识，请参考 J. Hennessey, D. Patterson.*Computer Organization and Design*.2nd ed.Morgan Kaufmann Publishers, Inc., SanFrancisco，CA，1998，第 7 章。

数 据 结 构

线性表——数组描述

概述

我们从本章开始研究数据结构，一直到第 16 章为止。第 5 章和第 6 章集中研究线性表，但主要是介绍数据的描述方法，即数据在计算机内存和磁盘上的存储方式。在随后的章节中，我们研究其他常用的数据结构描述方法。这些数据结构有矩阵、栈、队列、字典、优先级队列、竞赛树、搜索树和图。

C++ 程序常用的数据描述方法是数组描述和链式描述。线性表可以用来说明这两种方法。本章研究数组描述的线性表，下一章研究链式描述的线性表。

STL 容器（vector 和 list）大致相当于线性表的数组描述方法和链式描述方法。STL 的类还有很多其他的方法。在建立线性表的数组描述和链式描述中，我们使用的函数名和签名与 STL 代码所使用的相同。这使读者很容易转换到 STL 代码。

数组描述方法将元素存储在一个数组中，用一个数学公式来确定每个元素存储的位置，即在数组中的索引。这是最简单的一种存储方式，所有元素依次存储在一片连续的存储空间中，这就是通常所说的顺序表。

本章引入的数据结构的概念如下：

- 抽象数据类型和相应的 C++ 抽象类。
- 线性表。
- 变长数组和数组容量倍增。
- 数组描述。
- 数据结构迭代器。

本章新增的 C++ 概念：

- 抽象类。
- 迭代器。

本章没有介绍数组的应用实例，因为第 1 ~ 3 章已经介绍了许多。

5.1 数据对象和数据结构

数据对象（data object）是一组实例或值，例如：

- boolean={false,true}
- digit={0，1，2，3，4，5，6，7，8，9}
- letter={A，B，C，…，Z，a，b，…，z}
- naturalNumber={0，1，2，…}
- integer={0，±1，±2，±3，…}
- string={a，b，…，aa，ab，ac，…}

Boolean、digit、letter、naturalNumber、integer 和 string 都是数据对象，true 和 false 是 boolean 的实例，而 0，1，…，9 是 digit 的实例。数据对象的一个实例，要么是一个不可再分的"**原子**"，要么是由另一个数据对象的实例作为成员复合而成。对后一种情形，用**元素**（element）来表示这些成员。

例如，对数据对象 naturalNumber 的每个实例，可以看做是原子，不可能再分解；也可以看做是由 digit 数据对象的若干实例复合而成的。按照这种观点，naturalNumber 的实例 675 是由 digit 的实例 6、7 和 5 顺序组成的。

数据对象 string 是由所有可能的串实例组成的集合。每个实例都由字符组成。例如，good、a trip to Hawaii、going down hill 和 abcabcdabcde 都是串实例。第一个串由 4 个元素 g、o、o 和 d 顺序组成，每个元素都是数据对象 letter 的实例。

数据对象的实例以及构成实例的元素通常都有某种相关性。例如，自然数 0 是最小的自然数，1 是仅比 0 大的自然数，而 2 是 1 之后的下一个自然数。在自然数 675 中，6 是最高有效位，7 在其次，而 5 是最低有效位。在串 good 中，g 是第一字母，o 是第二和第三个字母，而 d 是最后一个字母。

除了相关性以外，任何一个数据对象通常都有一组相关的操作或函数。这些函数可以把对象的某个实例转化成该对象的另外一个实例，或转化成另一个数据对象的实例，或者同时进行上述两种转化。函数也可以不用转化而创建一个新的实例。例如，把两个自然数相加的函数创建了一个新的自然数，而两个加数并没有发生转化。

数据结构（data structure）是一个数据对象，同时这个对象的实例以及构成实例的元素都存在着联系，而且这些联系由相关的函数来规定。

研究数据结构，关心的是数据对象（实际上是实例）的描述以及相关函数的具体实现。数据对象描述得好，函数的实现就会高效。[⊖]

最常用的数据对象以及操作都已经在 C++ 中作为基本数据类型而实现，如整数对象（int）、布尔对象（bool）等。其他数据对象均可以用基本数据类型以及由 C++ 的类、数组和指针所提供的组合功能来描述。本书研究的很多数据对象（例如线性表、栈、队列和优先级队列）都可以用 STL 的类来实现。

5.2 线性表数据结构

线性表（linear list）也称**有序表**（ordered list），它的每一个实例都是元素的一个有序集合。每一个实例的形式为 $(e_0, e_1, ..., e_{n-1})$，其中 n 是有穷自然数，e_i 是线性表的元素，i 是元素 e_i 的**索引**，n 是线性表的**长度**或**大小**。元素可以被看做原子，它们本身的结构与线性表的结构无关。当 $n=0$ 时，线性表为**空**；当 $n>0$ 时，e_0 是线性表的**第 0 个**元素或**首元素**，e_{n-1} 是线性表的**最后一个**元素。可以认为 e_0 **先于** e_1，e_1 先于 e_2，等等。除了这种先后关系之外，线性表不再有其他关系。

以下是一些线性表的例子：1）一个班级的学生按姓名的字母顺序排列的列表；2）按非递减次序排列的考试分数表；3）按字母顺序排列的会议列表；4）奥林匹克男子篮球比赛的金牌获得者按年代次序排列的列表。根据这些例子可以理解对线性表应该实施的下列操作：

- 创建一个线性表。

⊖ 这里的效率是指操作执行时的效率和软件开发和维护时的效率。

- 撤销一个线性表。
- 确定线性表是否为空。
- 确定线性表的长度。
- 按一个给定的索引查找一个元素。
- 按一个给定的元素查找其索引。
- 按一个给定的索引删除一个元素。
- 按一个给定的索引插入一个元素。
- 从左至右顺序输出线性表元素。

5.2.1 抽象数据类型 linearList

一个线性表可以用一个**抽象数据类型**（abstract data type，ADT）来说明，既说明它的实例，也说明对它的操作（见 ADT 5-1）。抽象数据类型的说明独立于任何程序语言的描述。所有对抽象数据类型的语言描述必须满足抽象数据类型的说明，抽象数据类型的说明保证了程序语言描述的有效性。另外，所有满足抽象数据类型说明的语言描述，都可以在应用中替换使用。在 ADT 5-1 中，我们省略了对创建一个实例和撤销一个实例的操作说明，所有 ADT 说明都隐含着对它们的说明。

抽象数据类型 *linearList*
{
　实例
　　有限个元素的有序集合
　操作
　　　　　empty(): 若表空，则返回 true，否则返回 false
　　　　　　size(): 返回线性表的大小 (表的元素个数)
　　　get(*index*): 返回线性表中索引为 *index* 的元素
　　indexOf(*x*): 返回线性表中第一次出现的 x 的索引。若 x 不存在，则返回 –1
　　erase(*index*): 删除索引为 *index* 的元素，索引大于 *index* 的元素其索引减 1
insert(*index*, *x*): 把 x 插入线性表中索引为 *index* 的位置上，索引大于等于 *index* 的元素其索引加 1
　　　output(): 从左到右输出表元素
}

ADT 5-1   线性表的抽象数据类型说明

5.2.2 抽象类 linearList

C++ 支持两种类——抽象类和具体类。一个抽象类包含着没有实现代码的成员函数。这样的成员函数称为纯虚函数（pure virtual function）。纯虚函数用数字 0 作为初始值来说明，形式如下：

```
virtual int myPureVirtualFunction(int x)=0;
```

具体类是没有纯虚函数的类。只有具体类才可以实例化。也就是说，我们只能对具体类建立实例或对象。不过，我们可以建立抽象类的对象指针。

对抽象数据类型 ADT，与其用 ADT 5-1 所示的非形式语言方法来描述，不如用抽象类来描述，如程序 5-1 所示。

程序 5-1　一个线性表的抽象类

```
template<class T>
class linearList
{
    public:
        virtual ~linearList() {};
        virtual bool empty() const = 0;
                    // 返回 true，当且仅当线性表为空
        virtual int size() const = 0;
                    // 返回线性表的元素个数
        virtual T& get(int theIndex) const = 0;
                    // 返回索引为 theIndex 的元素
        virtual int indexOf(const T& theElement) const = 0;
                    // 返回元素 theElement 第一次出现时的索引
        virtual void erase(int theIndex) = 0;
                    // 删除索引为 theIndex 的元素
        virtual void insert(int theIndex, const T& theElement) = 0;
                    // 把 theElement 插入线性表中索引为 theIndex 的位置上
        virtual void output(ostream& out) const = 0;
                    // 把线性表插入输出流 out
};
```

显然，ADT 5-1 的抽象数据类型不依赖程序语言，而程序 5-1 的 C++ 抽象类依赖程序语言，其中有很多关键词只在 C++ 中才有定义。但是它们的说明很相似，即公有函数相同，这使得从 C++ 抽象类派生出的具体类也与抽象数据类型相似。不过，一个抽象类的派生类，只有实现了基类的所有纯虚函数才是具体类，否则依然是抽象类而不能实例化。

我们把抽象类的析构函数定义为虚函数，目的是，当一个线性表的实例离开作用域时，需要调用的缺省析构函数是引用对象中数据类型的析构函数。

练习

1. 令 L=（a,b,c,d）是一个线性表。下面每一个操作的结果是什么？

　　1）empty()

　　2）size()

　　3）get(0)，get(2)，get(6)，get(-3)

　　4）indexOf(a)，indexOf(c)，indexOf(q)

　　5）erase(0)，erase(2)，erase(3)

　　6）insert(0,e)，insert(2,f)，insert(3,g)，insert(4,h)，insert(6,h)，insert(-3,h)

5.3　数组描述

5.3.1　描述

在**数组描述**（array representation）中，用数组来存储线性表的元素。虽然可以用一个数组存储若干个线性表的实例（见 5.5 节），但是用不同数组存储每个实例更容易一些。我们可以用一个数学公式来确定一个线性表的元素在数组中的位置。

假定使用一个一维数组 element 来存储线性表的元素。数组 element 的位置有 element[0]… element[arrayLength-1]，其中 arrayLength 是数组长度或容量。数组的每一个位

置都可以存储线性表的一个元素。我们需要一个映射，使线性表的一个元素对应数组的一个位置。线性表的第 0 个元素在数组的什么位置？线性表的最后一个元素在数组的什么位置？这种映射可以用下面的一个公式来表示：

$$location(i)=i \tag{5-1}$$

由公式（5-1）可知，第 i 个线性表元素（如果存在的话）在数组中的存储位置是 i。图 5-1a 应用公式（5-1），在长度为 10 的数组 element 中，存储了 5 个元素的线性表 [5,2,4,8,1]。

把线性表元素映射到数组中去，公式（5-1）是一种自然的选择。但是也可以选择其他的公式。例如公式

$$location(i) = \text{arrayLength}-i-1 \tag{5-2}$$

从数组右端开始存储线性表元素。公式

$$location(i) = (location(0)+i)\%\text{arrayLength} \tag{5-3}$$

从数组的某一个位置开始，环绕到数组头来存储线性表元素。图 5-1b 显示了应用公式（5-2）时，线性表 [5, 2, 4, 8, 1] 是如何存储的。图 5-1c 显示了应用公式（5-3）时，该列表是如何存储的，其中 location(0)=7。公式（5-3）在第 9 章用于将一个队列映射到一个一维数组。

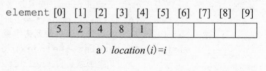

a）$location(i)=i$

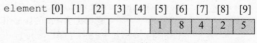

b）$location(i)=9-i$

c）$location(i)=(i+7)\%10$

图 5-1 利用不同公式把表 [5,2,4,8,1] 映射到一个一维数组

在线性表的数组描述中，我们用一维数组 element，通过公式（5-1）来存储表元素，用变量 listSize 记录当前存储的线性表元素个数，用变量 arrayLength 表示数组长度。

要删除线性表元素 e_i，方法是把它右边的元素都向左移动一个位置。例如，要删除 $e_1=2$，必须把 e_1 右边的元素 $e_2=4$、$e_3=8$ 和 $e_4=1$ 移到数组位置 1、2 和 3，图 5-2a 是删除后的结果，阴影部分是移动的元素。

为了插入一个元素，使其成为线性表的第 i 个元素，必须首先把当前元素 e_i 和它右边的元素都向右移动一个位置，然后把新元素存储到数组第 i 个位置。例如，要插入 7，使其成为图 5-2a 的第 2 个元素，首先把元素 $e_2=8$ 和 $e_3=1$ 向右移动一个位置，然后把 7 插到数组的第 2 个位置。图 5-2b 是插入后的结果，阴影部分是移动的元素。

a）从 element [1] 处删除 2，listSize = 4

b）在 element [2] 处插入 7，listSize = 5

图 5-2 删除和插入一个元素

要创建一个数组类，以实现抽象数据类型 linearList，必须首先选择数组 element 的类型和数组长度。使用模板类可以很好地解决第一个问题。使用动态数组可以很好地解决第二个问题，首先按照用户估计的长度创建数组，然后在数组空间不足的情况下，动态地增加数组长度。

5.3.2 变长一维数组

一维数组 a，线性表元素存储在 a[0:n-1] 中。要增加或减少这个数组的长度，首先要建

立一个具有新长度的数组，然后把数组 a 的元素复制到这个新数组，最后改变数组 a 的值，使它能够引用新数组。程序 5-2 的函数 changeLength1D 所实现的便是这个算法。

创建一个长度为 m 的数组所需时间为 $\Theta(1)$。注意，调用操作符 new 可能会抛出类型为 bad_alloc 的异常。如果操作符 new 实施成功，那么将源数组复制到目标数组的时间复杂度是 $\Theta(n)$。因此，程序 5-2 的时间复杂度是 $O(n)$。

当数组满而需要加大数组长度时，数组长度常常是要加倍的。这个过程称为**数组倍增**（array doubling）。数组倍增的时间，从渐近意义上考量，不会大于元素插入的总时间（见定理 5-1）。

程序 5-2　改变一个一维数组长度

```
template<class T>
void changeLength1D(T*& a, int oldLength, int newLength)
{
   if (newLength < 0)
      throw illegalParameterValue("new length must be >= 0");

   T* temp = new T[newLength];                    //新数组
   int number = min(oldLength, newLength);        //需要复制的元素个数
   copy(a, a + number, temp);
   delete [] a;                                   //释放老数组的内存空间
   a = temp;
}
```

5.3.3　类 arrayList

1. arrayList 的类定义

我们定义一个 C++ 抽象类 linearList 的派生类 arrayList，它利用公式（5-1）实现抽象数据类型 linearList。程序 5-3 是类头、数据成员和方法 / 函数原型。因为 arrayList 是一个具体类，所以它必须实现抽象类 linearList 的所有方法。不仅如此，它还包含基类 linearList 没有声明的方法，例如，capacity 和 checkIndex。方法 capacity 给出的是数组 element 当前的长度，而方法 checkIndex 要确定一个元素在范围 0 ~ listSize-1 内的索引。

程序 5-3　类 arrayList 的定义

```
template<class T>
class arrayList : public linearList<T>
{
   public:
      //构造函数，复制构造函数和析构函数
      arrayList(int initialCapacity = 10);
      arrayList(const arrayList<T>&);
      ~arrayList() {delete [] element;}

      //ADT 方法
      bool empty() const {return listSize == 0;}
      int size() const {return listSize;}
      T& get(int theIndex) const;
      int indexOf(const T& theElement) const;
      void erase(int theIndex);
      void insert(int theIndex, const T& theElement);
```

```
        void output(ostream& out) const;

        // 其他方法
        int capacity() const {return arrayLength;}

    protected:
        void checkIndex(int theIndex) const;
            // 若索引 theIndex 无效，则抛出异常
        T* element;                 // 存储线性表元素的一维数组
        int arrayLength;            // 一维数组的容量
        int listSize;               // 线性表的元素个数
};
```

2. arrayList 的构造函数和复制构造函数

程序 5-4 给出了类的构造函数和复制构造函数。构造函数创建了一个长度为 initialCapacity 的数组，initialCapacity 的缺省值是 10。构造函数令数据成员 arrayLength 的值等于 initialCapacity，listSize 等于 0。复制构造函数是复制一个对象。当一个对象传值给一个函数，或者一个函数返回一个对象时，都需要调用复制构造函数。它的代码利用了 STL 的算法 copy（见 1.8 节）。

程序 5-4   类 arrayList 的构造函数

```
template<class T>
arrayList<T>::arrayList(int initialCapacity)
{// 构造函数
    if (initialCapacity < 1)
    {ostringstream s;
     s << "Initial capacity = " << initialCapacity << " Must be > 0";
     throw illegalParameterValue(s.str());
    }
    arrayLength = initialCapacity;
    element = new T[arrayLength];
    listSize = 0;
}

template<class T>
arrayList<T>::arrayList(const arrayList<T>& theList)
{// 复制构造函数
    arrayLength = theList.arrayLength;
    listSize = theList.listSize;
    element = new T[arrayLength];
    copy(theList.element, theList.element + listSize, element);
}
```

程序 5-4 也给出了函数 empty、size 和 capacity 的代码。如果操作符 new 的时间复杂度是 $O(1)$，那么当 T 是基本类型时，构造函数的时间复杂度是 $O(1)$。当 T 是用户自定义类型时，构造函数的时间复杂度是 $O(\text{initialCapacity})$，因为在创建数组时，数组每一个位置上的用户自定义类型 T 都需要调用构造函数。方法 empty、size 和 capacity 的时间复杂度都是 $O(1)$，复制构造函数的时间复杂度是 $O(n)$，其中 n 是要复制的线性表的大小。

3. arrayList 实例化

用数组描述的线性表需要使用下面的语句来创建 / 实例化。

```
// 创建两个容量为 100 的线性表
linearList *x=(linearList)new arrayList<int>(100);
arrayList<double> y(100);

// 利用容量的缺省值创建一个线性表
arrayList<char> z;

// 用线性表 y 复制创建一个线性表
arrayList<double> w(y);
```

4. arrayList 的基本方法

程序 5-5 是方法 checkIndex、get 和 indexOf 的实现。方法 indexOf 的代码使用了 STL 的函数 find 以查找匹配元素第一次出现的位置。

程序 5-5　checkIndex、get 和 indexOf

```
template<class T>
void arrayList<T>::checkIndex(int theIndex) const
{// 确定索引 theIndex 在 0 和 listSize - 1 之间
   if (theIndex < 0 || theIndex >= listSize)
   {ostringstream s;
    s << "index = " << theIndex << " size = " << listSize;
    throw illegalIndex(s.str());
   }
}

template<class T>
T& arrayList<T>::get(int theIndex) const
{// 返回索引为 theIndex 的元素
 // 若此元素不存在，则抛出异常
   checkIndex(theIndex);
   return element[theIndex];
}

template<class T>
int arrayList<T>::indexOf(const T& theElement) const
{// 返回元素 theElement 第一次出现时的索引
 // 若该元素不存在，则返回 -1

   // 查找元素 theElement
   int theIndex = (int) (find(element, element + listSize, theElement)- element);

   // 确定元素 theElement 是否找到
   if (theIndex == listSize)
     // 没有找到
     return -1;
   else return theIndex;
 }
```

方法 checkIndex 和 get 的时间复杂度是 $\Theta(1)$，indexOf 的时间复杂度是 $O(\max\{listSize,1\})$。为简单起见，我们以后常把 $O(\max\{listSize,1\})$ 写成 O(listSize)。

5. 删除一个元素

为了从线性表中删除索引为 theIndex 的元素，首先要确定线性表包含这个元素，然后删除这个元素。若没有这个元素，则抛出类型为 illegalIndex 的异常。

当要删除索引为 theIndex 的元素时，利用 copy 算法把索引从 theIndex+1，theIndex+2，…，listSize-1 的元素向左移动一个位置，然后把变量 listSize 的值减 1。程序 5-6 的 erase 实现了这个算法。

程序 5-6　删除索引为 theIndex 的元素

```
template<class T>
void arrayList<T>::erase(int theIndex)
{// 删除其索引为 theIndex 的元素
 // 如果该元素不存在，则抛出异常 illegalIndex
   checkIndex(theIndex);

   // 有效索引，移动其索引大于 theIndex 的元素
   copy(element + theIndex + 1, element + listSize, element + theIndex);

   element[--listSize].~T();      // 调用析构函数
}
```

如果没有索引 theIndex 的元素，就抛出异常，erase 时间复杂度是 $\Theta(1)$。如果有这个元素，那么要移动的元素个数是 listSize-theIndex，时间复杂度是 $\Theta(\text{listSize}-\text{theIndex})$（假设每一个元素的移动需要 $O(1)$ 时间）。因此全部时间复杂度是 $O(\text{listSize}-\text{theIndex})$。

6. 插入一个元素

要在线性表中索引为 theIndex 的位置上插入一个新元素，首先把索引从 theIndex 到 listSize-1 的元素向右移动一个位置，然后将新元素插入索引为 theIndex 的位置，最后将变量 listSize 的值增 1。向右移动元素的操作是利用 STL 函数 copy_backward 来完成的，而没有利用 copy 函数。该函数是从最右端的元素开始移动。程序 5-7 是完成插入操作的 C++ 代码。如果在插入前，数组空间已满，那么将数组长度加倍。

程序 5-7　在索引 theIndex 的位置上插入一个元素

```
template<class T>
void arrayList<T>::insert(int theIndex, const T& theElement)
{// 在索引 theIndex 处插入元素 theElement
   if (theIndex < 0 || theIndex > listSize)
   {// 无效索引
      ostringstream s;
      s << "index = " << theIndex << " size = " << listSize;
      throw illegalIndex(s.str());
   }

   // 有效索引，确定数组是否已满
   if (listSize == arrayLength)
      {// 数组空间已满，数组长度倍增
         changeLength1D(element, arrayLength, 2 * arrayLength);
         arrayLength *= 2;
      }

   // 把元素向右移动一个位置
   copy_backward(element + theIndex, element + listSize,
                 element + listSize + 1);

   element[theIndex] = theElement;
```

```
        listSize++;
    }
```

确定是否抛出异常，时间复杂度是 $\Theta(1)$。数组长度加倍，时间复杂度是 $\Theta(arrayLength)=\Theta(listSize)$。移动数组元素，时间复杂度是 $\Theta(listSize-theIndex)$。因此，总的时间复杂度是 $O(listSize)$。

为什么数组长度不是增加 1 或 2，而是要加倍呢？数组长度每次增加 1 或 2，虽然不影响插入操作的最坏时间复杂度（即 $\Theta(listSize)$），但是影响连续插入时的渐近时间复杂度。假设从一个长度为 1 的空表开始，执行 $n=2^k+1$ 次插入。假设插入的位置都是表尾。于是，插入不需要移动已经存在的元素，n 次插入的时间是 $\Theta(n)$ 加上增加数组长度的时间。如果数组长度每次增加 1，那么增加数组长度的时间是 $\Theta\left(\sum_{i=1}^{n-1} i\right) = \Theta(n^2)$。于是，$n$ 次插入的总时间是 $\Theta(n^2)$。

如果数组长度增倍，那么改变数组长度的时间是 $\Theta\left(\sum_{i=0}^{k} 2^i\right)=\Theta(2^{k+1}-1) = \Theta(n)$。于是，$n$ 次插入的总时间是 $\Theta(n)$。事实上，对这种分析进行简单归纳后得出，如果数组长度总是按一个乘法因子来增加（从 arrayLength 到 $c*arrayLength$，其中 $c>1$ 是一个常数），那么增加数组长度的总时间是 $O(number\ of\ inserts)$，即使删除和其他操作掺杂其间。通过这种分析，我们得到了定理 5-1。

定理 5-1　如果我们总是按一个乘法因子来增加数组长度（程序 5-7 的常数因子是 2），那么实施一系列线性表的操作所需的时间与不用改变数组长度时相比，至多增加一个常数因子。

7. 输出函数 output 和重载 <<

程序 5-8 是输出函数 output 的代码。假设插入一个元素的时间是 $O(1)$，那么这个代码的时间是 $O(listSize)$。程序 5-8 还重载了流插入符（insertion operator）<<。

程序 5-8　把一个线性表插入输出流

```
template<class T>
void arrayList<T>::output(cout → out) const
{// 把线性表插入输出流
    copy(element, element + listSize, ostream_iterator<T>(cout, "  "));
}
// 重载 <<
template <class T>
ostream& operator<<(ostream& out, const arrayList<T>& x)
    {x.output(out); return out;}
```

8. 减少数组长度

虽然用数组实现的线性表在需要的时候要增加数组长度，但是从来不减少数组长度。比如说，一个数组的长度增加到 1 000 000 之后，将一直保持这个长度，直到数组空间被撤销，哪怕数组只有不到 10 个元素。

为了能够在数组元素减少时释放一些数组空间，我们可以修改 erase 方法，当 listSize<arrayLength/4 时数组长度减到 max{initialCapaciy，arrayLength/2}。这个改动留作练习 20。

9. 使用类 arrayList

作为使用 arrayList 的实例，主函数和生成的 output 函数可以在本书网站上找到。

5.3.4 C++ 迭代器

一个**迭代器**（iterator）是一个指针，指向对象的一个元素（例如，一个指向数组元素的指针）。顾名思义，一个迭代器可以用来逐个访问对象的所有元素。程序 5-9 是用一个指向数组元素的指针 y 访问数组的所有元素。指针 y 的类型是 int*，表明它是指向整型元素的指针。在 for 循环中，y 经初始化指向数组 x[] 的首元素（x 实际上就是指向数组首元素的指针）。表达式 y++ 使 y 指向数组的下一个元素。类似的，x+3 是一个指针，指向从 x 开始的第 3 个位置，即指向数组最后一个元素 x[2] 的下一个位置。因此，在程序 5-9 的 for 循环语句中，指针 y 访问了范围 [x,x+3) 内的所有元素。表达式 *y 是指针 y 的解引用，以此取得 y 指向的元素。程序 5-9 输出 x[0:2]。

程序 5-9　使用数组迭代器

```
int main()
{
    int x[3]={0,1,2};
    //用指针 y 遍历数组 x
    for(int* y=x;y!=x+3;y++)
        cout<<*y<<" ";
    cout<<endl;
    return 0;
}
```

下面的代码与程序 5-9 的循环语句等价。

```
for(int i=0;i!=3;i++)
    cut<<x[i]<< "  ";
```

你可能认为这个代码比程序 5-9 更容易理解，但是程序 5-9 容易推广，以至可以输出任何具有迭代器的对象的元素。代码

```
for(iterator i=start;i!=end;i++)
    cut<<*i<< "  ";
```

输出在范围 [start, end) 之内的所有元素。其中，iterator 是迭代器类型，start 是迭代器的一个值，指向范围内的首元素，end 是迭代器的另一个值，指向要输出的最后一个元素的下一个位置。

迭代器是编写 C++ 通用算法的基础概念。STL 的 copy 函数便是用来复制任何具有迭代器的对象的元素。作为示例，程序 5-10 给出了这个函数的一种可行的代码。任何一个具有迭代器的对象都定义了操作符 !=、*、++（后 ++）以及解引用赋值操作（*to =）。通用算法不同，对迭代器的性能要求也不同。例如，算法 copy_backward 要求对迭代器的值可以进行减法。

程序 5-10　对 STL 的 copy 函数的一种可行的代码

```
template<class iterator>
void copy(iterator start, iterator end, iterator to)
{// 从 [start,end) 复制到 [to,to+end-start)
    while(start!=end)
    {*to=*start;start++;to++}
}
```

为了简化迭代器的开发和基于迭代器的通用算法的分类，C++ 的 STL 定义了 5 种迭代器：输入、输出、向前、双向和随机访问。所有迭代器都具备操作符 ==、!= 和解引用操作符 *。另外，输入迭代器还提供了对其指向元素的只读操作以及前 ++ 和后 ++ 操作符。输出迭代器提供了对其指向元素的写操作和 ++ 操作符。向前迭代器具有 ++ 操作符，而双向迭代器既具有 ++ 操作符也具有 -- 操作符。随机访问迭代器是最一般的迭代器，它既可以随意地实现跳跃移动，也可以通过指针算术运算来实现跳跃移动。程序 5-9 的数组迭代器 y 便是随机访问迭代器。

5.3.5　arrayList 的一个迭代器

我们定义一个 C++ 类 iterator，它是类 arrayList 的双向迭代器。这个迭代器是类 arrayList 的公有成员。此外，我们还为类 arrayList 增加两个公有的方法 begin() 和 end()。它们的返回值分别是指向线性表首元素 element[0] 的指针和尾元素的下一个位置 element[listSize] 的指针。这两个方法的代码是：

```
class iterator;
iterator begin(){return iterator(element);}
iterator end(){return iterator(element+listSize);}
```

程序 5-11 是类 iterator 的代码。5 个 typedef 语句使它成为双向迭代器，而且适用于 STL 的基于双向迭代器的算法。每一个方法的时间复杂度是 $\Theta(1)$。

下面的语句创建了一个迭代器实例并初始化：

```
arrayList<int>:.iterator x=y.begin();
```

其中 y 是 arrayList 类型的对象。有了迭代器，我们可以利用 STL 的算法去实现那些仅需要双向迭代器的计算。例如，利用 STL 的算法 reverse，将线性表 y 的元素逆置。利用 STL 的算法 accumulate，对线性表 y 的元素求和。下面是实现这两个算法的代码：

```
reverse(y.begin(),y.end());
int sum=accumulate(y.begin(), y.end(),0);
```

然而，我们不能使用 STL 的算法 sort 去实现基于随机访问迭代器的算法。

程序 5-11　类 arrayList 的一个迭代器

```
class iterator
{
   public:
      // 用 C++ 的 typedef 语句实现双向迭代器
      typedef bidirectional_iterator_tag iterator_category;
      typedef T value_type;
      typedef ptrdiff_t difference_type;
      typedef T* pointer;
      typedef T& reference;

      // 构造函数
      iterator(T* thePosition = 0) {position = thePosition;}

      // 解引用操作符
      T& operator*() const {return *position;}
      T* operator->() const {return &*position;}
```

```
// 迭代器的值增加
iterator& operator++()              // 前加
        {++position; return *this;}
iterator operator++(int)            // 后加
     {iterator old = *this;
      ++position;
      return old;
      }

// 迭代器的值减少
iterator& operator--()              // 前加
        {--position; return *this;}
iterator operator--(int)            // 后加
     {iterator old = *this;
      --position;
      return old;
      }

// 测试是否相等
bool operator!=(const iterator right) const
     {return position != right.position;}
bool operator==(const iterator right) const
     {return position == right.position;}
protected:
T* position;                        // 指向表元素的指针
};
```

练习

2. 令 L=(a,b,c,d,e) 是一个线性表，且基于公式（5-1），用数组 element 描述。假设 arrayLength=10。模仿图 5-2 做图，在下面的每一个操作之后显示数组的内容和 listSize 的值：初始状态，insert(0,f)，insert(3,g)，insert(7,h)，erase(0)，erase(4)。

3. 编写一个函数 changeLength2D，用以改变一个二维数组的长度。二维数组的每一维的长度都是可以变化的。测试你的代码。

4. 在类 arrayList 中增加一个构造函数，它允许你指定一个值，在数组空间满时，用以改变数组长度。如果没有指定这个值，在数组空间满时，将数组长度加倍。按同样的方法修改函数 insert。测试你的代码。

5. 编写一个方法 arrayList<T>::trimToSize，它使数组的长度等于 max{listSize,1}。这个方法的复杂度是多少？测试你的代码。

6. 编写方法 arrayList<T>::setSize，它使线性表的大小等于指定的大小。若线性表开始的大小小于指定的大小，则不增加元素。若线性表开始的大小大于指定的大小，则删除多余的元素。这个方法的复杂度是多少？测试你的代码。

7. 重载操作符 []，使得表达式 x[i] 返回对线性表第 i 个元素的引用。若线性表没有第 i 个元素，则抛出异常 illegalIndex。语句 x[i]=y 和 y= x[i] 按以往预期的方式执行。测试你的代码。

8. 重载操作符 ==，使得表达式 x==y 返回 true，当且仅当两个用数组描述的线性表 x 和 y 相等（即对所有的 i，两个线性表的第 i 个元素相等）。测试你的代码。

9. 重载操作符 !=，使得表达式 x!=y 返回 true，当且仅当两个用数组描述的线性表 x 和 y 不等（见练习 8）。测试你的代码。

10. 重载操作符 <，使得表达式 x<y 返回 true，当且仅当用数组描述的线性表 x 按字典顺序小于用数组描述的线性表 y（见练习 8）。测试你的代码。

11. 编写方法 arrayList<T>::push_back，它把元素 theElement 插到线性表的右端。不要利用 insert 方法。方法的时间复杂度是多少？测试你的代码。

12. 编写方法 arrayList<T>::pop_back，它把线性表右端的元素删除。不要利用 erase 方法。方法的时间复杂度是多少？测试你的代码。

13. 编写方法 arrayList<T>::swap(theList)，它交换线性表的元素 *this 和 theList。方法的时间复杂度是多少？测试你的代码。

14. 编写方法 arrayList<T>::reserve(theCapacity)，它把数组的容量改变为当前容量和 theCapacity 的较大者。测试你的代码。

15. 编写方法 arrayList<T>::set(theIndex,theElement)，它用元素 theElement 替换索引为 theIndex 的元素。若索引 theIndex 超出范围，则抛出异常。返回原来索引为 theIndex 的元素。测试你的代码。

16. 编写方法 arrayList<T>::clear，它使线性表为空。方法的复杂度是多少？测试你的代码。

17. 编写方法 arrayList<T>::removeRange，它删除指定索引范围内的所有元素。方法的复杂度是多少？测试你的代码。

18. 编写方法 arrayList<T>::lastInexOf，它的返回值是指定元素最后出现时的索引。如果这样的元素不存在，则返回 –1。方法的复杂度是多少？测试你的代码。

19. 证明定理 5-1。

20. 类 arrayList（程序 5-1）的缺点是，它不减少数组 element 的长度。

   1）编写类 arrayList 的一个新版本。如果在删除之后，线性表的大小降至 arrayLength/4 以下，就创建一个新的数组，长度为 max{arrayLength/2，initialCapacity}。然后将老表中的元素复制到新表。

   2）（选择性练习）从空表开始，考察大小为 n 的线性表的操作序列。假设当初始容量等于或超过线性表大小的最大值时，总的执行步数是 $f(n)$。证明，如果起始容量为 1，而且在插入和删除操作中，可以按照上面和 5.3 节所述的方式改变数组长度，那么执行步数最多为 $cf(n)$，其中 c 是某个常数。

21. 证明一个与定理 5-1 类似的定理。当数组满时，数组长度增加一个常数因子 $c>1$。当数组长度少于 $1/(2c)$ 时，数组长度减少一个常数因子（当然，约定数组长度永远不能低于初始长度）。

22. 1）编写方法 arrayList<T>::reverse，它原地颠倒线性表元素的顺序（即在数组 element 中完成操作，不创建新的数组）。颠倒顺序之前，线性表的第 k 个元素是 element[k]，颠倒之后，线性表的第 k 个元素是 element[listSize–k–1]。不要利用 STL 函数 reverse。

   2）方法应具有 listSize 的线性复杂度。证明这个性能。

   3）设计测试数据，测试方法的正确性。

   4）编写另一个原地颠倒 arrayList 对象的方法。它不是 arrayList 的成员函数，不能访问 arrayList 的数据成员。不过，这个方法可以调用 arrayList 的成员函数。

   5）计算方法的复杂度。

6）使用大小分别为 1000、5000 和 10 000 的线性表，比较两个颠倒顺序算法的运行时间性能。

23. 1）编写方法 arrayList<T>::leftShift(i)，它将线性表的元素向左移动 i 个位置。如果 x=[0,1,2,3,4]，那么 x.leftShift(2) 的结果是 x=[2,3,4]。

2）计算方法的复杂度。

3）测试你的代码。

24. 在一个循环移动的操作中，线性表的元素根据给定的值，按顺时针方向移动。例如，x=[0,1,2,3,4]，循环移动 2 的结果是 x=[2,3,4,0,1]。

1）描述一下如何利用 3 次逆转操作完成循环移动。每一次逆转操作都可以将线性表的一部分或全部逆转。

2）编写方法 arrayList<T>::circularShift(i)，它将线性表的元素循环移动 i 个位置。方法应具有线性表长度的线性复杂度。

3）测试你的代码。

25. 调用语句 x.half()，可以将 x 的元素隔一个删除一个。如果 x.size() 是 7，x.element[]=[2,13,4,5,17,8,29]，那么 x.half() 的结果是 x.size() 是 4，x.element[]=[2,4,17,29]。如果 x.size() 是 4，x.element[]=[2,13,4,5]，那么 x.half() 的结果是 x.size() 是 2，x.element[]=[2,4]。如果 x 为空，那么 x.half() 的结果也是 x 为空。

1）编写方法 arrayList<T>::half()。不能利用类 arrayList 的其他方法。复杂度应该为 $O(listSize)$。

2）证明方法的复杂度为 $O(listSize)$。

3）测试你的代码。

26. 编写一个函数，它与练习 25 的方法 half 等价。这个函数不是类 arrayList 的成员，不能访问类的任何数据成员。但是它利用类 arrayList 的公共方法可以完成算法。计算方法的复杂度。测试你的代码。

27. 扩展迭代器类 arrayList::iterator（程序 5-11），使得它成为随机访问迭代器。利用 STL 的排序函数对一个线性表排序，以测试这个迭代器类。

28. 令 a 和 b 是类 arrayList 的两个对象。

1）编写方法 arrayList<T>::meld(a,b)，它生成一个新的线性表，从 a 的第 0 个元素开始，交替地包含 a 和 b 的元素。如果一个表的元素取完了，就把另一个表的剩余元素附加到新表中。调用语句 c.meld(a,b) 使 c 成为合并后的表。方法应具有两个输入线性表大小的线性复杂度。

2）证明方法具有 a 和 b 大小之和的线性复杂度。

3）测试你的代码。

29. 令 a 和 b 是类 arrayList 的两个对象。假设它们的元素从左到右非递减有序。

1）编写方法 arrayList<T>::merge(a,b)，它生成一个新的有序线性表，包含 a 和 b 的所有元素。归并后的线性表是调用对象 *this。不要利用 STL 函数 merge。

2）计算方法的复杂度。

3）测试你的代码。

30. 1）编写方法 arrayList<T>::split(a,b)，它生成两个线性表 a 和 b。a 包含 *this 中索引为偶数的元素，b 包含其余的元素。

2）计算方法的复杂度。

3）测试你的代码。

31. 假设用公式（5-3）来表示线性表。分别用变量 first 和 last 表示线性表首元素和尾元素的位置。

    1）开发一个类 circularArrayList，它与 arrayList 类似。实现所有的方法。在删除和插入方法中，对位于删除或插入元素的左面或右面的元素，有选择地决定向左移动或向右移动，以此提高方法的性能。

    2）计算每一个方法的复杂度。

    3）测试你的代码。

32. 为练习 31 的类 circularArrayList 编写双向迭代器。

33. 使用公式（5-3）完成练习 22。

34. 使用公式（5-3）完成练习 28。

35. 使用公式（5-3）完成练习 29。

36. 使用公式（5-3）完成练习 30。

5.4 vector 的描述

STL 提供了一个基于数组的类 vector。这个类不仅具有类 arrayList 的所有功能，而且还增加了很多方法。数组的长度是按需要动态增加的。如果实施插入操作时 vector 已满，那么 vector 的容量将按原容量的 50% ~ 100% 来增加。类 vector 没有一个构造函数与 arrayList 的构造函数等价，也没有名为 get、indexOf 和 output 的方法。但是 vector 和 arrayList 都有方法 empty 和 size，而且等价。虽然 vector 具有方法 erase 和 insert，分别表示删除和插入，但它们需要内存地址，而不是索引。vector 和 arrayList 还有一点不同，它们抛出的异常是不同的类型。为了说明这些不同点，我们定义了一个类 vectorList，它利用 vector 描述线性表，其方法的签名和操作与 linearList 方法的签名和操作相同。因此，arrayList 和 vectorList 可以交替使用。

程序 5-12 ~ 程序 5-14 实现了一部分 vectorList 的方法。

程序 5-12 利用 vector 实现的基于数组的线性表

```
template<class T>
class vectorList : public linearList<T>
{
    public:
        // 构造函数，复制构造函数和析构函数
        vectorList(int initialCapacity = 10);
        vectorList(const vectorList<T>&);
        ~vectorList() {delete element;}

        // ADT 方法
        bool empty() const {return element->empty();}
        int size() const {return (int) element->size();}
        T& get(int theIndex) const;
        int indexOf(const T& theElement) const;
        void erase(int theIndex);
        void insert(int theIndex, const T& theElement);
        void output(ostream& out) const;
```

```
   //增加的方法
   int capacity() const {return (int) element->capacity();}

   //线性表的起始和结束位置的迭代器
   typedef typename vector<T>::iterator iterator;
   iterator begin() {return element->begin();}
   iterator end() {return element->end();}

protected:                    //增加的成员
   void checkIndex(int theIndex) const;
   vector<T>* element;        //存储线性表元素的向量
};
```

程序 5-13　vectorList 的构造函数

```
template<class T>
vectorList<T>::vectorList(int initialCapacity)
{//构造函数
   if (initialCapacity < 1)
   {ostringstream s;
    s << "Initial capacity = " << initialCapacity << " Must be > 0";
    throw illegalParameterValue(s.str());
   }

   element = new vector<T>;
          //创建容量为 0 的空向量
   element->reserve(initialCapacity);
          //vector 容量从 0 增加到 initialCapacity
}

template<class T>
vectorList<T>::vectorList(const vectorList<T>& theList)
{//复制构造函数
   element = new vector<T>(*theList.element);
}
```

程序 5-14　vectorList 的删除和插入

```
template<class T>
void vectorList<T>::erase(int theIndex)
{//删除索引为 theIndex 的元素
 //如果没有这个元素, 则抛出异常
   checkIndex(theIndex);
   element->erase(begin() + theIndex);
}

template<class T>
void vectorList<T>::insert(int theIndex, const T& theElement)
{//在索引为 theIndex 处插入元素 theElement
   if (theIndex < 0 || theIndex > size())
   {//无效索引
     ostringstream s;
     s << "index = " << theIndex << " size = " << size();
     throw illegalIndex(s.str());
   }
```

```
element->insert(element->begin() + theIndex, theElement);
        // 如果在重定向量长度时空间不足，那么可以抛出没有捕捉的异常
}
```

练习

37. 为方法 vectorList<T>::half（见练习 25）编写代码。该方法应该具有线性表大小的线性复杂度。测试你的代码。

38. 为方法 vectorList<T>::meld(a,b)（见练习 28）编写代码。该方法应该具有两个输入线性表大小的线性复杂度。测试你的代码。

39. 为方法 vectorList<T>::merge(a,b)（见练习 29）编写代码。测试你的代码。

40. 为方法 vectorList<T>::split(a,b)（见练习 30）编写代码。测试你的代码。

5.5　在一个数组中实现的多重表

用数组描述线性表有它的优点，很多线性表的操作可以简单地利用 C++ 的方法来实现。而且方法 indexOf、remove 和 add 的最坏时间复杂度与表的大小也只是线性关系，这是令人满意的时间性能。（在第 15 章，我们还会看到这种描述法还有更好的时间性能。）

数组描述的缺点是空间利用率低。考虑下面一种情况：我们使用三个线性表，而且在任何时候，它们共同存储的元素个数不超过 4097。然而很有可能在某一时刻，一张表的元素个数是 4097，而在另一时刻，另一张表的元素个数是 4097。如果我们要创建三个 arrayList 的实例，那么每一个实例的初始长度都应该是 4097，于是我们需要 12 291 个元素的空间，尽管实际存储的元素个数在任何时候不超过 4097。不过，这样一来，数组空间不需要在运行时段改变容量，所以程序执行速度很快。可是换一种情况来看，如果三个数组的初始长度是 1，那么，当一个数组的长度需要从 4096 增加到 4097，首先要创建一个长度为 8192 的数组，然后把 4096 个元素复制到新数组。在这个复制过程中，长度分别为 4096 和 8192 的数组都需要，因此至少需要能容纳 12 288 个元素的内存空间。

在线性表的很多应用中，内存空间的大小不是一个问题，因为计算机对一表一数组的描述方法有足够大的内存。然而，如果使用很大的数组，即使总的元素并不多，这种描述方法也会因内存不足而失败。内存不足可能是动态数组空间分配失败或数组长度加倍失败所致。

解决空间需求问题的一个方法是购买内存更大的计算机。而另一个方法是把所有线性表映射到一个足够大的数组 element。另外，再用两个数组，front 和 last，来作为数组的索引。图 5-3 是用一个数组 element 描述的三个表。约定是，如果有 m 个表，那么表的编号从 1 至 m，而且 front[i] 是表 i 的第 0 个元素的前一个位置（front[i] 的这个约定使它更容易表示），last[i] 是表 i 的最后一个元素的位置。依照这个约定，表非空时，last[i]>front[i]，表空时，last[i]=front[i]。在图 5-3 的示例中，表 2 是空的。在数组中表的顺序从左到右，从 1 到 m。

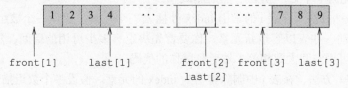

图 5-3　一个数组中的三个表

为了使第一个表和最后一个表的处理方法与其他表的处理方法一致，我们定义两个代表边界的表，表 0 和表 m+1，其中，front[0]=last[0]=-1，front[m+1]=last[m+1]=list.length-1。要在表 i 的索引 index 处插入一个元素，首先需要把表 i 的索引为 index 的元素至最后的元素向右移动一个位置，为新元素腾出一个插入空间。可是，如果 last[i]=front[i+1]，那么在表 i 和表 i+1 之间就没有可以移动元素的空间。这时，可以把表 i 的索引 0 至索引 index-1 的元素向左移动一个位置，前提是关系 last[i-1]<front[i] 成立。如果这个关系不成立，那么我们就有两个选择，或者把表 1 至表 i-1 中的一些表整个向左移动，或者把表 i+1 至表 m 中的一些表向右移动，以便使表 i 增大容量。这样的移动是可能的，因为总的元素个数小于 list.length。

图 5-4 是表 i 的插入方法的一个伪码。这个伪码可以细化成为可编译的 C++ 代码。

```
void insert(int i,int index,Object element)
{//在表 i 的索引 index 处插入 y
   size=last[i]-front[i];//表 i 的元素个数
   if(index<0||index>size)
   throw an exception;
   //在右面是否还有空间
   Find the least j,j>=i,such that last[j]<front[j+1];
   If such a j exists, then move lists i+1 through j and elements index through
     the last one of list i up one position and insert element into list i;
     This move should update appropriate last and first values.

   //在左面是否还有空间

   If no j was found above, then find the largest j,j<i such that
   last[j]<front[j+1];
   If such a j is found ,then move lists j through i-1
   and elements 1 through index-1 of list i one position left and inser element;
   This move should update appropriate last and first values.

   //是否成功
   if(no j was found above) throw an exception;
}
```

图 5-4   在一个数组所描述的三个表中插入一个元素的伪码

虽然用一个数组描述多个表可以有效地利用空间，但是插入操作在最坏情况下的用时增加了。实际上，一次插入需要移动的元素可能多至 arrayLength-1，其中 arrayLength 是线性表长度。而且用一个数组存储多个表的方法实现起来也是很麻烦的。下一章将介绍一个更简单的解决方法，它对空间的需求是所有元素所需要的空间加上为每一个元素所配备的一个指针的空间。

练习

41. 把图 5-4 细化为一个 C++ 方法，然后测试。

42. 编写一个 C++ 方法，在表 i 的索引 index 处插入一个元素。假设一个数组描述了 m 个表。如果必须移动一些表以容纳新元素，你要首先决定有多少可用的空间，然后进行表移动，使每个表的可用空间大致相等。然后测试你的代码。

43. 编写一个 C++ 方法，在表 i 中删除索引为 index 的元素。假设一个数组描述了 m 个表。测试你的代码。

5.6 性能测量

本章为了实现线性表，创建了两个基于数组的类——arrayList 和 vectorList。就空间利用率而言，它们有同样好的性能。甚至它们的渐近时间复杂度也相同，但是它们的实际运行时间还是有区别的。

为了得到它们实际的运行时间，我们必须设计一个实验，测量 get、indexOf、erase 和 insert 操作的运行时间。对操作 get 和 indexOf，我们通过下面的操作序列来测量总的运行时间：get(i)，$0 \leqslant$ i<listSize 和 indexOf(e_i)，$0 \leqslant$ i<listSize，其中 e_i 是表的第 i 个元素。图 5-5 显示的是 listSize=50 000 时的运行时间。图 5-6 是以条形图显示的运行时间。

操作	arrayList	vectorList
get	1.0ms	1.4ms
indexOf	2.3s	2.3s
最好插入	4.0/2.1ms	7.5/5.3ms
平均插入	1.5/1.5s	1.5/1.5s
最坏插入	2.5/2.5s	2.7/2.5s
最好删除	2.0ms	2.9ms
平均删除	1.5s	1.5s
最坏删除	2.5s	2.4s

50 000次操作的时间

图 5-5　不同的线性表描述方法的运行时间

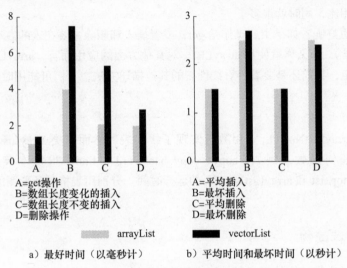

A=get操作
B=数组长度变化的插入
C=数组长度不变的插入
D=删除操作

A=平均插入
B=最坏插入
C=平均删除
D=最坏删除

■ arrayList　　■ vectorList

a）最好时间（以毫秒计）　　b）平均时间和最坏时间（以秒计）

图 5-6　运行时间的条形图

对插入操作 insert，我们设计的操作序列是 50 000 次插入，从空表开始，统计总的运行时间。最好的情况是，每次插入位置都是表的右端，最坏的情况是，每次插入位置都是表的左端。为得到一个平均值，每次插入位置是随机的。图 5-5 是按格式 *TA/TB* 给出的插入时间，其中 *TA* 是表的初始容量为缺省值 10 的时候统计的时间，*TB* 是表的初始容量为 50 000 时统计的时间。对类 arrayList 而言，在最好的时候，数组长度加倍与数组长度不变相比，运行时间增加 90% 左右。对类 vectorList 而言，如果按照 50% 乘数因子来增加数组长度，那么在最好的时候，数组长度增加与数组长度不变相比，运行时间增加 42% 左右。在数组长度改变时的总耗费时间，对 arrayList 而言是 1.9 ms，对 vectorList 而言是 2.2 ms。在平均和最坏的情况下，数组长度改变所耗费的时间与总耗费时间相比可以忽略。这个结果是我们所期望的，因为数组长度加倍和数组长度按 50% 的乘数因子增加使 n 次插入的总时间增加 $\Theta(n)$；在最好情况下的 n 次插入所需要的时间是 $\Theta(n)$，在平均和最坏的情况下，n 次插入所需时间是 $\Theta(n^2)$。

请注意，对 arrayList 而言，插入操作的运行时间，从最好情况下的 4.0 ms，到最坏情况下的 2.5 s，增量是巨大的，后者是前者的 625 倍。考虑到最好情况的 n 次插入时间是 $\Theta(n)$；最坏情况的 n 次插入时间是 $\Theta(n^2)$，这个增量并不特别惊人。如果在最好情况和最坏情况的时间表达式中，常数因子是相同的（也可以不同），那么我们期望时间几乎是按照 *n*=50 000 的因子增加。

平均的插入时间大约是最坏情况时的一半。这个结果是在期望之中的，因为在平均情况下，有一半的元素需要移动，而在最坏的情况下，所有元素都需要移动。

对删除操作 erase，设计一个表有 *n*=50 000 个元素，操作序列是 *n* 次删除。最好的情况是每次删除的元素都在表的右端，最坏的情况是每次删除的元素都在表的左端。为了估计一个平均值，每次删除的元素位置是随机的。

对操作 get 而言，arrayList 比 vectorList 要快得多，这与最好情况时的 insert 和 erase 一样。然而对操作 indexOf 而言，两个类的性能一样，这与平均和最坏情况时的 insert 和 erase 一样。这个结果是在期望之中的，因为基于 vector 类的操作比基于数组的操作需要更多的时间。因为 get 与最好情况时的 insert 和 erase 一样，用时为 $O(1)$，这是最少的时间开销，它使 vectorList 的性能相形见绌。但是，indexOf 与平均和最坏时的 insert 和 erase 一样，和查找或移动元素的操作相比，用时就很多了。

用哪一个类更好呢？如果主要操作是 get，或者插入和删除主要在表的右端进行（就像第 8 章的栈结构一样），那么你就使用 arrayList。对其他方面的应用而言，arrayList 和 vectorList 都可以。不过别急，我们还是要看一看线性表的其他描述方法，它们可能用时更少。

练习

44. 开发一个类 arrayListNoSTL，它用数组实现了线性表。然而与类 arrayList 不同，它没有利用 STL 的任何函数，例如，copy、copy_backward 和 find。重复本节的实验，获取 arrayList、vectorList 和 arrayListNoSTL 的运行时间。分别用表格和条形图的形式表示你的结果。

5.7 参考及推荐读物

关于用 C++ 描述的数据结构的更多资料请参考系列教材：

1）N. Dale, Jones, Bartlett. *C++ Plus Data Structures*.3rd ed. Sudbury, MA, 2003.

2）M. Weiss. *Data Structures and Algorithm Analysis in C++*. 2nd ed. Addison-Wesley, Nenlo Park, CA, 1998.

3）M. Goodrich, R. Tanassia, D. Mount. *Data Structures and Algorithm in C++*. Jhon Wiley & Sons, New York, NY. 2002.

4）E. Horowitz, S. sahni, D. Mehta. *Fundamentals of Data Structures in C++*. Computer Science Press, New York, NY, 1995.

线性表——链式描述

概述

用数组描述线性表是很自然的，因此你可能以为没有其他的描述方法了。这一章将改变你的想法。

在链式描述中，线性表的元素在内存中的存储位置是随机的。每个元素都有一个明确的指针或链（指针和链是一个意思）指向线性表的下一个元素的位置（即地址）。

在基于数组的描述中，元素的地址是由数学公式决定的。而在链式描述中，元素的地址是随机分布的。

本章引入的数据结构概念如下：

- 链式描述
- 链表、循环表、双向链表
- 头节点

STL 的容器类 list 使用带有头节点的双向循环链表来描述实例。它的方法与 vector 的方法具有相同的签名和操作。因此，它的 erase 和 insert 的签名和抽象数据类型 linearList 的要求不同，然而和 vector 一样，它可以用来设计从抽象类 linearList 派生的具体类。

这一章的应用部分有箱子排序（bin sort）（也称桶排序（bucket sort））、基数排序（radix sort）、凸包（convex hull）和并查集（union-find）问题。箱子排序、基数排序和并查集问题使用了链表，凸包使用了双向链表。箱子排序或基数排序可以用来对 n 个元素排序，如果关键字取值在恰当的范围内，那么用时为 $O(n)$。第 2 章的排序方法用时为 $O(n^2)$，不过它们对关键字取值没有要求。并查集问题说明了将整数作为指针来建立链表的方法。

6.1 单向链表

6.1.1 描述

在链式描述中，数据对象实例的每一个元素都用一个单元或节点来描述。节点不必是数组成员，因此不是用公式来确定元素的位置。取而代之的是，每一个节点都明确包含另一个相关节点的位置信息，这个信息称为链（link）或指针（pointer）。

设 $L=(e_0,e_1,\cdots,e_{n-1})$ 是一个线性表。在对这个线性表的一个可能的链式描述中，每个元素都在一个单独的节点中描述，每一个节点都有一个链域，它的值是线性表的下一个元素的位置，即地址。这样一来，元素 e_i 的节点链接着元素 e_{i+1} 的节点，$0 \leqslant i < n-1$。元素 e_{n-1} 的节点没有其他节点可链接，因此链域的值为 NULL。变量 firstNode 用来指向链式描述的第 1 个节点。图 6-1 是线性表 L 的链式描述。链域的值用箭头表示。为了确定元素 e_2 的位置，必须从 firstNode 开始，从其中的链域找到 e_1 节点的指针，再从 e_1 节点的链域找到 e_2 节点的指针。

一般来说，为了找到索引为 theIndex 的元素，需要从 firstNode 开始，跟踪 theIndex 个指针才能找到。

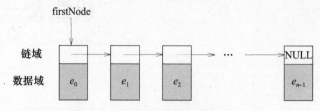

图 6-1 一个线性表的链式描述

在图 6-1 的链式描述中，每一个节点只有一个链，这种结构称为**单向链表**（singly linked list）。链表从左到右，每一个节点（最后一个节点除外）都链接着下一个节点，最后一个节点的链域值为 NULL。这样的结构也称为**链条**（chain）。

要从图 6-2 的链表中删除元素 e_2，需要以下步骤（注意，e_2 的节点是链表中的第 3 个节点）：

- 找到第 2 个节点（即 e_1 的节点）。
- 把第 2 个节点与第 4 个节点链接起来。

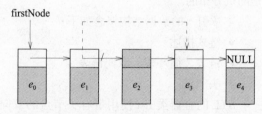

注意，删除了图 6-2 的第 3 个节点，其后续节点的索引自动减 1（即删除前的第 4 和第 5 个节点，删除后自动成为第 3 和第 4 个节点）。链表的节点都是从 firstNode 开

图 6-2 在 5 个节点的链表中删除第 2 个节点

始，沿着一系列指针可以找到的节点，而一个被删除的节点，从 firstNode 开始是不可能找到的，因此它不再是链表的节点，也就不用去修改它的指针域。

为了在链表中插入一个未来索引为 index 的节点，需要首先找到索引为 index−1 的节点，然后在它后面插入新节点。图 6-3 显示了在两种情况下（index=0 和 0<index ≤ listSize）实施删除时的指针变化。实线箭头是删除前的指针，虚线箭头是删除后的指针。

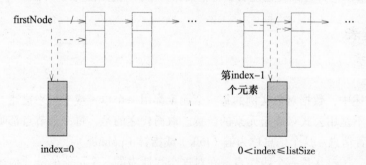

图 6-3 链表的插入操作

6.1.2 结构 chainNode

为了用链表描述线性表，我们要定义一个结构 chainNode 和一个类 chain。程序 6-1 是结构 chainNode，它为图 6-1 的节点定义了数据类型。数据成员 element 是节点的数据域，存储

表元素；数据成员 next 是节点的链域，存储下一个节点的指针。

程序 6-1　链表节点的结构定义

```cpp
template <class T>
struct chainNode
{
    // 数据成员
    T element;
    chainNode<T> *next;

    // 方法
    chainNode() {}
    chainNode(const T& element)
        {this->element = element;}
    chainNode(const T& element, chainNode<T>* next)
        {this->element = element;
         this->next = next;}
};
```

注意，结构 chainNode 的两个构造函数使用了语法 this->element 和 this->next 来访问实例的数据成员，这是因为实例的数据成员与构造函数的形参同名，只有使用这种语法才能把它们区分开来。

6.1.3　类 chain

1. 链表 chain 的方法 header、empty 和 size

类 chain 用单向链表实现了线性表，其中最后一个节点的指针域为 NULL，即它用单向链接的一组节点实现线性表。程序 6-2 是这个类的头、数据成员以及方法 empty 和 size 的代码。

程序 6-2　链表节点的结构定义

```cpp
template<class T>
class chain : public linearList<T>
{
    public:
        // 构造函数，复制构造函数和析构函数
        chain(int initialCapacity = 10);
        chain(const chain<T>&);
        ~chain();

        // 抽象数据类型 ADT 的方法
        bool empty() const {return listSize == 0;}
        int size() const {return listSize;}
        T& get(int theIndex) const;
        int indexOf(const T& theElement) const;
        void erase(int theIndex);
        void insert(int theIndex, const T& theElement);
        void output(ostream& out) const;

    protected:
        void checkIndex(int theIndex) const;
            // 如果索引无效，抛出异常
```

```
chainNode<T>* firstNode;      // 指向链表第一个节点的指针
int listSize;                 // 线性表的元素个数
};
```

数据成员是 firstNode 和 listSize。firstNode 是指向首元素（即线性表第 0 个元素的节点）节点的指针。当链表为空时，firstNode 的值为 NULL。listSize 表示线性表的元素个数，它等于链表的节点个数。

2. 构造函数和复制构造函数

程序 6-3 是链表 chain 的构造函数和复制构造函数。

为了创建一个空链表，只需令第一个节点指针 firstNode 的值为 NULL。与数组描述的线性表不同，链表在创建时不需要估计元素的最大个数以分配初始空间。不过，构造函数还是具有一个表示初始容量的形参 initialCapacity，目的是与类 arrayList 相容。尤其在应用中，可能需要一个类型为 linearList 的数组，对数组成员的初始化将会用到如下所示的每一种形式的构造函数。

```
linearList<int>* list[10];
list[0]=new arrayList<int>(20);
list[1]=new arrayList<int>();
list[2]=new chain<int>(5);
list[3]=new chain<int>;
```

构造函数的时间复杂度是 $\Theta(1)$。复制构造函数要复制链表 theList（原书为 theChain，原书有误——译者注）的每一个节点，因此时间复杂度是 $O(\max\{ListSize, theList.listSize\})$。

程序 6-3　链表的构造函数和复制构造函数

```
template<class T>
chain<T>::chain(int initialCapacity)
{// 构造函数
   if (initialCapacity < 1)
   {ostringstream s;
    s << "Initial capacity = " << initialCapacity << " Must be > 0";
    throw illegalParameterValue(s.str());
   }
   firstNode = NULL;
   listSize = 0;
}


template<class T>
chain<T>::chain(const chain<T>& theList)
{// 复制构造函数
   listSize = theList.listSize;

   if (listSize == 0)
   {// 链表 theList 为空
      firstNode = NULL;
      return;
   }

   // 链表 theList 为非空
   chainNode<T>* sourceNode = theList.firstNode;
                 // 要复制链表 theList 的节点
```

```
firstNode = new chainNode<T>(sourceNode->element);
                    // 复制链表 theList 的首元素
sourceNode = sourceNode->next;
chainNode<T>* targetNode = firstNode;
                    // 当前链表 *this 的最后一个节点
while (sourceNode != NULL)
{// 复制剩余元素
    targetNode->next = new chainNode<T>(sourceNode->element);
    targetNode = targetNode->next;
    sourceNode = sourceNode->next;
}
targetNode->next = NULL;        // 链表结束
}
```

3. 析构函数

程序 6-4 是链表 chain 的析构函数。析构函数要逐个清除链表的节点。实现的策略是重复清除链表的首元素节点，直到链表为空。注意，我们必须在清除首元素节点之前用变量 nextNode 保存第 2 个元素节点的指针。析构函数的时间复杂度是 $O(listSize)$。

程序 6-4　链表的析构函数

```
template<class T>
chain<T>::~chain()
{// 链表析构函数 . 删除链表的所有节点
    while (firstNode != NULL)
    {// 删除首节点
        chainNode<T>* nextNode = firstNode->next;
        delete firstNode;
        firstNode = nextNode;
    }
}
```

4. 方法 get

在数组描述的线性表中，我们根据公式来计算一个表元素的位置。然而在链表中，要寻找索引为 theIndex 的元素，必须从第一个节点开始，跟踪链域 next 直至找到所需的元素节点指针，也就是说，必须跟踪 theIndex 个指针。不可能对 firstNode 套用公式来计算所需节点的位置。程序 6-5 是方法 get 的代码。其中的方法 checkIndex 与在 arrayList 中定义的一样。方法 get 的时间复杂度在链表 chain 中为 $O(theIndex)$，而在数组描述的线性表 arrayList 中是 $\Theta(1)$。

程序 6-5　方法 get 的返回值是索引为 theIndex 的元素

```
template<class T>
T& chain<T>::get(int theIndex) const
{// 返回索引为 theIndex 的元素
 // 若该元素不存在, 则抛出异常
    checkIndex(theIndex);

    // 移向所需要的节点
    chainNode<T>* currentNode = firstNode;
    for (int i = 0; i < theIndex; i++)
        currentNode = currentNode->next;
```

```
        return currentNode->element;
    }
```

5. 方法 indexOf

程序 6-6 是方法 chain<T>::indexOf 的代码。它与 arrayList<T>::indexOf 的代码不同，主要体现在从一个元素寻找下一个相邻元素的方式上面。在数组描述的线性表中，我们根据当前元素的位置，套用公式来计算下一个相邻元素的位置（当使用方程 5-1 时，当前位置加 1便是下一个元素的位置）。在链表描述的线性表中，唯一的方法是用当前节点的指针确定下一个相邻节点的位置。chain<T>::indexOf 的时间复杂度是 $O(listSize)$。

程序 6-6　返回元素 theElement 首次出现时的索引

```
template<class T>
int chain<T>::indexOf(const T& theElement) const
{ // 返回元素 theElement 首次出现时的索引
    // 若该元素不存在，则返回 -1

    // 搜索链表寻找元素 theElement
    chainNode<T>* currentNode = firstNode;
    int index = 0;          // 当前节点的索引
    while (currentNode != NULL &&
           currentNode->element != theElement)
    {
        // 移向下一个节点
        currentNode = currentNode->next;
        index++;
    }

    // 确定是否找到所需的元素
    if (currentNode == NULL)
        return -1;
    else
        return index;
}
```

6. 方法 erase

程序 6-7 是方法 erase 的代码，它删除索引为 theIndex 的元素。需要考虑三种情况：

- theIndex<0 或者 theIndex ≥ listSize。这时，删除操作无效，因为没有这个位置上的元素。这种情况可能表示链表为空。
- 删除非空表的第 0 个元素节点。
- 删除其他元素节点。

为了理解程序 6-7，画出空表以及至少含有一个元素的链表。另外，画出下列各种情况下的删除操作：theIndex<0, theIndex=0(删除第 0 个元素节点)，theIndex=listSize-1（删除最后的元素节点），theIndex ≥ listSize 和 0<theIndex<listSzie-1(删除内部节点)。

chain<T>::erase 的时间复杂度是 $O(theIndex)$，而 arrayList<T>::erase 的时间复杂度是 $O(listSize-theIndex)$。因此在接近表头的位置实施删除操作时，链式描述的线性表比数组描述的线性表有更好的时间性能。

程序 6-7 删除索引为 theIndex 的元素

```
template<class T>
void chain<T>::erase(int theIndex)
{// 删除索引为 theIndex 的元素
 // 若该元素不存在，则抛出异常
   checkIndex(theIndex);

 // 索引有效，需找要删除的元素节点
   chainNode<T>* deleteNode;
   if (theIndex == 0)
   {// 删除链表的首节点
      deleteNode = firstNode;
      firstNode = firstNode->next;
   }
   else
   {  // 用指针 p 指向要删除节点的前驱节点
      chainNode<T>* p = firstNode;
      for (int i = 0; i < theIndex - 1; i++)
         p = p->next;

      deleteNode = p->next;
      p->next = p->next->next;            // 删除 deleteNode 指向的节点
   }
   listSize--;
   delete deleteNode;
}
```

7. 方法 insert

插入和删除的过程很相似。为了在链表中索引为 theIndex 的位置上插入一个新元素，需要首先找到索引为 theIndex–1 的元素节点，然后在该节点之后插入新元素节点。程序 6-8 是这个操作的代码。它的时间复杂度为 $O(\text{theIndex})$。

程序 6-8 插入元素 theElement 并使其索引为 theIndex

```
template<class T>
void chain<T>::insert(int theIndex, const T& theElement)
{// 在索引为 theIndex 的位置上插入元素 theElement
   if (theIndex < 0 || theIndex > listSize)
   {// 无效索引
      ostringstream s;
      s << "index = " << theIndex << " size = " << listSize;
      throw illegalIndex(s.str());
   }

   if (theIndex == 0)
      // 在链表头插入
      firstNode = new chainNode<T>(theElement, firstNode);
   else
   {  // 寻找新元素的前驱
      chainNode<T>* p = firstNode;
      for (int i = 0; i < theIndex - 1; i++)
         p = p->next;

      // 在 p 之后插入
```

```
        p->next = new chainNode<T>(theElement, p->next);
    }
    listSize++;
}
```

8. 输出链表

程序 6-9 既是对输出方法 output 的实现，又是对流插入符 << 的重载。chain<T>::output 与 arrayList<T>::output 不同，主要在于它从一个节点向另一个节点移动时使用了指针 next。不过，两者的时间复杂度一样，都是 $O(\text{listSize})$。

程序 6-9   方法 output

```
template<class T>
void chain<T>::output(ostream& out) const
{// 把链表放入输出流
    for (chainNode<T>* currentNode = firstNode;
                       currentNode != NULL;
                       currentNode = currentNode->next)
        out << currentNode->element << "  ";
}
// 重载 <<
template <class T>
ostream& operator<<(ostream& out, const chain<T>& x)
    {x.output(out); return out;}
```

9. 链表的成员类 iterator

在单向链表中，使用指针 next，我们能很快地从一个节点找到它的后继。但是我们不能从一个节点很快地找到它的前驱。因为对单向链表，只能定义一个向前迭代器。而对 arrayList 类，我们定义了一个双向迭代器，很容易就能从任何一个元素移到它的后继和前驱，时间仅为 $O(1)$。程序 6-10 是链表的一个向前迭代器的部分代码。完整的代码可以从本书网站上得到。

程序 6-10   迭代器类 chain<T>::iterator

```
class iterator
{
  public:
      // 向前迭代器所需要的 typedef 语句在此省略

      // 构造函数
      iterator(chainNode<T>* theNode = NULL)
          {node = theNode;}

      // 解引用操作符
      T& operator*() const {return node->element;}
      T* operator->() const {return &node->element;}

      // 迭代器加法操作
      iterator& operator++()       // 前加
              {node = node->next; return *this;}
      iterator operator++(int)     // 后加
              {iterator old = *this;
               node = node->next;
```

```
            return old;
        }

// 相等检验
  bool operator!=(const iterator right) const
        {return node != right.node;}
  bool operator==(const iterator right) const
        {return node == right.node;}
  protected:
  chainNode<T>* node;
};
```

方法 chain<T>::begin 和 chain<T>::end 的定义如下：

```
iterator begin(){return iterator(firstNode);}
iterator end(){return iterator(NULL);}
```

在链表 chain 中，从左至右的访问线性表的元素时，使用 get 方法和使用迭代器方法，在运行时间上的差别是很大的。使用 get 方法访问第 i 个元素的时间是 $\Theta(i)$。因此，如果一次考察一个元素，get 方法的总时间是 $\Theta(\text{listSize}^2)$。而迭代器方法的时间仅为 $\Theta(\text{listSize})$。

6.1.4 抽象数据类型 linearList 的扩充

在线性表的一些应用中，除了抽象数据类型 linearList（见 ADT 5-1）所具有的操作外，还需要另外一些操作，因此需要扩展 ADT 使其包含这些操作，诸如 clear（清除表的所有元素）和 push_back(theElement)（将元素 theElement 插入表尾）。程序 6-11 给出了扩展后的抽象类。

程序 6-11　对扩展的线性表的抽象类

```
template<class T>
class extendedLinearList : linearList<T>
{
   public:
      virtual ~extendedLinearList() {}
      virtual void clear() = 0;
              // 清表
      virtual void push_back(const T& theElement) = 0;
              // 将元素 theElement 插到表尾
};
```

6.1.5 类 extendedChain

我们将开发一个类 extendedChain，以作为抽象类 extendedLinearList 的链式描述。而开发的捷径是从链表 chain 派生。

为了在链表的末端最快地插入一个元素，我们增加一个数据成员 lastNode，它是指向链表尾节点的指针。利用这个指针，可以把新元素直接附加在链表后面，时间是 $\Theta(1)$。但是这个新的数据成员 lastNode 有时需要修改，因为在删除和插入时可能会改变尾节点，这时就要更新指向尾节点的指针 lastNode。因此，设计类 extendedChain 需要完成的工作有：声明一个数据成员 lastNode；提供改进的 erase 和 insert 代码；定义在 linearList 中剩余的纯虚函数，使其调用类 chain 的相应方法；实现方法 clear 和 push_back。

程序 6-12 是方法 clear 和 push_back 的代码。而类 extendedChain 的完整代码可以从本书网站上得到。

程序 6-12　类 extendedChain<T> 的方法 clear 和 push_back

```cpp
template<class T>
void extendedChain<T>:: clear()
{// 删除链表的所有节点
   while (firstNode != NULL)
   {// 删除节点 firstNode
       chainNode<T>* nextNode = firstNode->next;
       delete firstNode;
       firstNode = nextNode;
   }
   listSize = 0;
}

template<class T>
void extendedChain<T>::push_back(const T& theElement)
{// 在链表尾端插入元素 theElement 的节点
   chainNode<T>* newNode = new chainNode<T>(theElement, NULL);
   if (firstNode == NULL)
       // 链表为空
       firstNode = lastNode = newNode;
   else
   {   // 把新元素节点附加到 lastNode 指向的节点
       lastNode->next = newNode;
       lastNode = newNode;
   }
   listSize++;
}
```

6.1.6　性能测量

1. 内存比较

在数组描述的线性表中，当数组满时，数组长度加倍。我们希望，当数组空间占有率不足 25% 时，数组长度要减半（注意，STL 的容器类 vector 是按照乘数因子 1.5 来增加数组长度的，而且和我们现在定义的数组线性表类一样，从来不减少数组长度）。因此，具有 n 个元素的线性表可以存储在一个长度介于 n 和 $4n$ 之间的数组中。这样的数组空间也可用于元素个数在 n 和 $4n$ 之间的线性表。当用链表来描述线性表时，n 个元素正好分配了 n 个节点空间，每个节点有两个域。因此，链表描述需要 n 个元素空间和 n 个指针空间。假设一个元素需要 s 字节，一个指针需要 4 字节。忽略数据成员 size 和 firstNode 所需要的字节数，对 n 个元素的线性表，数组描述所需要的字节数在 ns 和 $4ns$ 之间，而链表描述所需要的字节数是 $n(s+4)$。因此，大多数的应用设计在选择线性表的描述方法时，空间需求上的差异不是决定因素。

2. 运行时间比较

在时间需求方面，我们预计 chain<T>::get 比 arrayList<T>::get 要慢得多，因为 chain<T>::get 的时间复杂度是 $O(\text{listSize})$，而 arrayList<T>::get 的时间复杂度是 $\Theta(1)$。这一数据是由实验证实了。在一个空链表的左端连续插入，建立起一个 50 000 个节点的链表。然后实施 50 000 次 get 操作 get(i)，$0 \leqslant i < 50\,000$。chain<T>::get 的总耗时为 13.2 s。而 arrayList<T>::get 的总耗

时为 1.0 ms，这使链表相形见绌。比较 indexOf、insert 和 erase 的耗时，链表的情况也不好。

图 6-4 和图 6-5 显示的是 arrayList 和 chain 在实施 5.6 节的系列操作时所使用的时间。执行 50 000 次的 indexOf 操作，chain<T>::indexOf 的用时大约是 arrayList<T>::indexOf 的 6 倍。在平均情况下的插入和删除操作，链表 chain 的用时大约分别是数组 arrayList 的 33 倍和 46 倍。

操作	arrayList	chain
get	1.0 ms	13.2 s
indexOf	2.3 s	13.0 s
最好插入	2.1 ms	45.1 ms
平均插入	1.5 s	49.3 s
最坏插入	2.5 s	12.9 s
最好删除	2.0 ms	2.1 ms
平均删除	1.5 s	68.8 s
最坏删除	2.5 s	12.9 s

50 000 次操作的时间

图 6-4　不同的线性表描述方法的操作记时

即使在最坏的情况下，对链表实施一系列的插入和删除操作（在链表的右端插入和删除）所做的工作最多，但是因为高速缓存的作用（见 4.5 节），其相应的运行时间不一定是最多的。事实上，你会发现，最坏情况下的运行时间比平均情况下的要小。

在平均情况下实施插入操作，链表的插入位置是随机的。因而，在链表中相邻的节点在内存中的位置是随机的。于是，当你在链表中从左至右移动时，你访问的内存是随机的。这就导致了很多的高速缓存缺失。对平均情况下的删除实验，结果也是如此，因为所用的链表是随机构建的。而最坏情况的实验是连续在链表的右端执行插入操作。这样设计的实验，使连续调用的操作符 new 所生成的节点，不仅在链表中是相邻的，在内存中也是相邻的。因此，当你在链表中从左至右移动时，你访问的内存是相邻的，这是高速缓存管理机制所青睐的一种内存访问模式。高速缓存缺失的数量由此而减少。这样就产生了一种异常现象，对插入和删除的操作性能实验，在最坏情况下的用时比在平均情况下的用时要少。

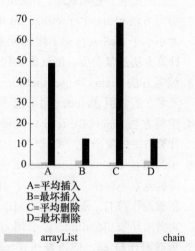

A=平均插入
B=最坏插入
C=平均删除
D=最坏删除

▨ arrayList　　■ chain

图 6-5　平均和最坏情况的操作记时，时间单位是秒，操作数 50 000

对 chain<T>::get 和 chain<T>::indexOf 的操作性能实验，采用的是在链表头连续插入而生成的链表（在最好情况下插入生成的链表），因此，在实验所用的链表中，相邻的节点在内存中也是相邻的。期望的是，在随机插入所生成的链表中，实施同样的 get 和 indexOf 操作序列，将耗费更多的时间。事实上，在分别的实验中，它们的耗时分别是 167s 和 165s。连续 50 000 次的 get 操作实验，实验所用的链表一个是随机插入生成的，另一个是在最好情况下插入生成的，前者耗时是后者的 13 倍。这个比率对 indexOf 操作实验来说是一样的。就线性表的标准操作而论，链表描述的性能令人失望。

注意，在数组描述的线性表中，我们利用高速缓存效果来比较最好情况、平均情况和最坏情况的操作时间（见 5.6 节），这是因为，在所有测试中，数组元素不仅是从左至右连续访问的，而且在内存中也是连续存放的。

3. 指针有什么好处

你大概会奇怪，为什么要花那么多时间来研究指针呢？在第 15 章，我们要创建平衡二叉树结构，诸如 AVL 和红黑树。这些结构的索引版（例如索引 AVL 树）可以描述线性表（见练习 15，练习 20）。它们使用了指针，而且就最坏情况的插入和删除而言，它们击败了数组描述的线性表 arrayList。

尽管链表描述的线性表在计时实验中表现不好，但是在若干个线性表的应用中，它比数组描述的线性表更有效。6.5 节给出这样一些应用实例。这些实例需要我们把多个表合并为一个表，或者在删除或插入一个节点时要知道它的前驱。

把一个链表的尾节点和另一个链表的首节点链接起来，两个链表可以合并为一个链表。如果我们知道一个链表的首尾节点，合并的用时为 $O(1)$。要把两个数组描述的线性表合并为一个，必须把第二个表复制到第一个表的数组中。这种复制耗时 $\Theta(\text{size of second list})$。当我们知道一个节点的前驱，链表的删除和插入操作的用时为 $O(1)$；而这种操作在数组描述的线性表中需用时 $O(\text{list size})$。

练习

1. 令 $L=(a,b,c,d,e)$ 是一个线性表，且用链表描述。模仿图 6-1 做图，显示在下面的每一个操作之后的链表：初始状态，insert(0,f)，insert(3,g)，insert(7,h)，erase(0)，erase(4)。

2. 编写方法 chain<T>::setSize(int theSize)，它使线性表的大小等于 theSize。若初始线性表的大小小于 theSize，则不增加元素。若初始线性表的大小大于 theSize，则删除多余的元素。计算方法的复杂度。测试你的代码。

3. 编写方法 chain<T>::set(theIndex,theElement)，它用元素 theElement 替换索引为 theIndex 的元素。若索引 theIndex 超出范围，则抛出异常。计算方法的复杂度。测试你的代码。

4. 编写方法 chain<T>::removeRange(fromIndex,toIndex)，它删除指定索引范围内的所有元素。计算方法的复杂度。测试你的代码。

5. 编写方法 chain<T>::lastIndexOf(theElement)，返回值是指定元素最后出现时的索引。若这样的元素不存在，则返回 –1。计算方法的复杂度。测试你的代码。

6. 重载操作符 []，使得表达式 x[i] 返回对链表 x 的第 i 个元素的引用。若链表没有第 i 个元素，则抛出异常 illegalIndex。语句 x[i] = y 和 y = x[i] 按以往预期的方式执行。测试你的代码。

7. 重载操作符 ==，使得表达式 x==y 返回 true，当且仅当两个链表 x 和 y 相等，即对所有的 i，两个链表的第 i 个元素相等。测试你的代码。

8. 重载操作符 !=，使得表达式 x!=y 返回 true，当且仅当两个链表 x 和 y 不等（见练习 7）。测试你的代码。

9. 重载操作符 <，使得表达式 x<y 返回 true，当且仅当链表 x 按字典顺序小于链表 y（见练习 7）。测试你的代码。

10. 编写方法 chain<T>::swap(theChain)，它交换链表元素 *this 和 theChain。计算方法的复杂度。测试你的代码。

11. 编写一个方法，它把数组线性表转换为链表。这个方法既不是类 arrayList 的成员函数，也不是类 chain 的成员函数。使用类 arrayList 的方法 get 和类 chain 的方法 insert。计算方法的复杂度。测试你的代码。

12. 编写一个方法，它把链表转换为数组线性表。这个方法既不是类 arrayList 的成员函数，也不是类 chain 的成员函数。

    1）使用类 chain 的 get 方法和 listSize 方法，类 arrayList 的 insert 方法。计算方法的复杂度。测试你的代码。

    2）使用链表迭代器。计算方法的复杂度。设计数据测试你的代码。

13. 在类 chain 中增加转换方法。一个方法是 fromList(theList)，它把数组线性表 theList 转换为链表。另一个方法是 toList(theList)，它把链表 *this 转换为数组线性表 theList。计算方法的复杂度。测试你的代码。

14. 1）编写方法 chain<T>::leftShift(i)，它将表中的元素向左移动 i 个位置。如果 l=[0,1,2,3,4]，那么 l.leftShift(2) 的结果是 l=[2,3,4]。

   2）计算方法的复杂度。

   3）测试你的代码。

15. 1）编写方法 chain<T>::reverse，它颠倒 *this 中的元素的顺序，而且原地完成，不用分配任何新的节点空间。

   2）计算方法的复杂度。

   3）使用自己的测试数据检验方法的正确性。

16. 编写一个非成员方法，它使用 chain 的成员方法来颠倒链表的元素。计算方法的复杂度。测试你的方法。

17. 令 a 和 b 的类型为 extendedChain。

   1）编写一个非成员方法 meld，它生成一个新的扩展的链表 c，它从 a 的首元素开始，交替地包含 a 和 b 的元素。如果一个链表的元素取完了，就把另一个链表的剩余元素附加到新的扩展链表 c 中。方法的复杂度应与链表 a 和 b 的长度具有线性关系。

   2）证明方法具有线性复杂度。

   3）使用自己的测试数据检验方法的正确性。

18. 编写方法 chain<T>::meld。它与练习 17 的方法 meld 类似。然而，a 和 b 以及合并结果，都是 chain<T> 类型。合并后的链表使用的应该是链表 a 和 b 的节点空间。合并之后，输入链表 a 和 b 是空表。

   1）编写方法 meld，其复杂度应该与输入链表的长度具有线性关系。

   2）证明方法具有线性复杂度。

   3）测试代码的正确性。使用自己的测试数据。

19. 令 a 和 b 的类型为 extendedChain。假设 a 和 b 的元素类型都定义了操作符 <、>、<=、>=、== 和 !=。而且假设 a 和 b 是有序链表（从左至右非逆减）。

   1）编写一个非成员方法 merge，它生成一个新的有序链表 c，包含 a 和 b 的所有元素。

   2）计算方法的复杂度。

   3）使用自己的测试数据检验方法的正确性。

20. 重做练习 19，但是编写的是方法 chain<T>::merge。归并之后，两个输入链表 a 和 b 为空。

21. 令 c 的类型为扩展链表 extendedChain。

   1）编写一个非成员方法 split(a,b)，它生成两个扩展链表 a 和 b。a 包含 c 中索引为奇数的元素，b 包含 c 中其余的元素。这个方法不能改变 c。

   2）计算方法的复杂度。

   3）使用自己的测试数据检验方法的正确性。

22. 编写方法 chain<T>::split，它与练习 21 的函数类似。然而，它用输入链表 *this 的空间建立了链表 a 和 b。

23. 在一个循环移动的操作中，线性表的元素根据给定的值，按顺时针方向移动。例如 L=[0,1,2,3,4]，循环移动 2 的结果是 L=[2,3,4,0,1]。

   1）编写方法 extendedChain<T>::circularShift(i)，它将线性表的元素循环移动 i 个位置。

   2）测试你的代码。

24. 令 theChain 是一个链表。假定向链表右端移动，逆转指针方向。当移动到节点 p 时，链表被划分为两个链表。一个链表从节点 p 开始，向前到最后一个节点。另一个从 p 的前驱节点 l 开始，向后到首节点。初始时，p=theChain.firstNode，l=NULL。

1）一个链表有 6 个节点，当 p 是第三个节点，l 是第二个节点时，画出链表的布局。

2）开发类 moveLeftAndRightOnChain。其构造函数初始化数据成员 p 和 l。其公有方法 moveRight——将 p 和 l 向右移动一个节点，moveLeft——将 p 和 l 向左移动一个节点，currentElement——返回节点 p 的元素，previousElement——返回节点 l 的元素。

3）用适当的数据测试你的代码。

25. 应用练习 24 的思想，对程序 6-2 的类 chain 开发一个新版本。使用这个新链表可以很快地前后移动，而且实现 linearList 方法，即使像练习 24 所描述的那样将链表分裂为两个链表。为此，增加练习 24 中的数据成员 p 和 l，增加下列公有方法：

1）reset——令 p 为 firstNode，l 为 NULL。

2）current()——返回 p 指向的元素；若操作失败，则抛出异常。

3）attend——若 p 指向链表的最后一个元素，则返回 true，否则，返回 false。

4）atFront——若 p 指向链表的第一个元素，则返回 true，否则，返回 false。

5）moveToNext——将 p 和 l 向前移动一个节点。若操作失败，则抛出异常。

6）moveToPrevious——将 p 和 l 向后移动一个节点。若操作失败，则抛出异常。

为了有效地实现 insert、erase 和 indexOf，再增加一个数据成员 currentElement 是有用的，它是 p 所指向的元素的索引。用适当的测试数据检验代码的正确性。

26. 编写方法 chain<T>::insertSort，它使用插入排序（见程序 2-15）对链表按非递减顺序重新排序。不开发新的节点，也不删除老的节点。可以假设元素的类型定义了关系操作符（<、> 等）。

1）方法在最坏情况下的复杂度是多少？如果元素已经有序，那么该方法需要多少时间？

2）使用自己的测试数据检验方法的正确性。

27. 对如下的排序方法（见第 2 章的描述）重做练习 26：

1）冒泡排序。

2）选择排序。

3）计数排序或排列排序。

6.2 循环链表和头节点

下面有两条措施，它们可以使链表的应用代码简洁和高效：1）把线性表描述成一个**单向循环链表**（singly linked circular list）（简称**循环链表**），而不是单向链表；2）在链表的前面增加一个节点，称为**头节点**（header node）。只要将单向链表的尾节点与头节点链接起来，单向链表就成为循环链表，如图 6-6a 所示。图 6-6b 是一个带有头节点的非空循环链表。图 6-6c 是一个带有头节点的空循环链表。

使用头节点的链表非常普遍，这样可以使程序更简洁、运行速度更快。假定类 circularListWithHeader 是带有头节点的循环链表。程序 6-13 是其构造函数和 indexOf 方法的代码。构造函数创建了空表（如图 6-6c）。构造函数的时间复杂度是 $\Theta(1)$，indexOf 方法的时间复杂度是 $O(listSize)$。虽然 chain<T>::indexOf 和 circularListWithHeader<T>::indexOf 具有相同的时间复杂度，但是后者的代码更简单。因为不需要在 while 循环语句中对每一个迭代器检查条件 currentNode!=NULL，所以运行也更快一些，除非要查找的元素紧靠表头。

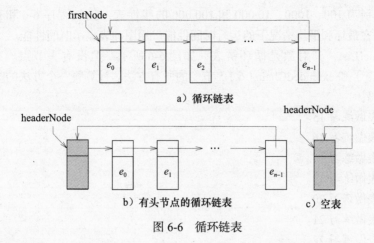

a）循环链表

b）有头节点的循环链表　　　c）空表

图 6-6 循环链表

程序 6-13　搜索带有头节点的循环链表

```cpp
template<class T>
circularListWithHeader<T>::circularListWithHeader()
{// 构造函数
    headerNode = new chainNode<T>();
    headerNode->next = headerNode;
    listSize = 0;
}

template<class T>
int circularListWithHeader<T>::indexOf(const T& theElement) const
{// 返回元素 theElement 首次出现的索引
 // 若该元素不存在，则返回 -1

    // 将元素 theElement 放入头节点
    headerNode->element = theElement;

    // 在链表中搜索元素 theElement
    chainNode<T>* currentNode = headerNode->next;
    int index = 0;  // 当前节点的索引
    while (currentNode->element != theElement)
    {
        // 移动到下一个节点
        currentNode = currentNode->next;
        index++;
    }

    // 确定是否找到元素 theElement
    if (currentNode == headerNode)
        return -1;
    else
        return index;
}
```

练习

28. 使用大小分别为 100、1000、10 000 和 100 000 的线性表，比较程序 6-6 和程序 6-13 的 indexOf 方法在最坏和平均情况下的运行时间性能。用图和表显示时间性能。

29. 设计类 circularList，其对象是循环链表，如图 6-6 所示，但没有头节点。必须实现类 chain（6.1.3 节）和 extendedChain（6.1.5 节）的所有方法。计算每一个方法的时间复杂度。测试你的代码。

30. 使用循环链表做练习 15。

31. 使用循环链表做练习 16。

32. 使用循环链表做练习 17。

33. 使用循环链表做练习 19。

34. 使用循环链表做练习 20。

35. 使用循环链表做练习 21。

36. 使用循环链表做练习 22。

37. 令 x 指向循环链表的任意一个节点。

   1）编写一个方法，删除节点 x。提示：因为不知道节点 x 的前驱，所以删除节点 x 有困难。然而，可以用后继 y 的数据域覆盖 x 的数据域，然后删除节点 y。当删除最后一个节点之后，首节点成为最后的节点。

   2）计算方法的时间复杂度。

   3）使用自己的测试数据检验方法的正确性。

38. 编写 extendedLinearList 的剩余方法，以完成了 circularListWithHeader。每一个方法的时间复杂度是多少？测试你的代码。

39. 使用带头节点的循环链表，做练习 15 和 16。

40. 使用带头节点的循环链表，做练习 17 和 18。

41. 使用带头节点的循环链表，做练习 19 和 20。

42. 使用带头节点的循环链表，做练习 21 和 22。

6.3 双向链表

对于线性表的大多数应用来说，采用链表和 / 或循环链表已经足够了。然而，对于有些应用，如果每个元素节点既有一个指向后继的指针，又有一个指向前驱的指针，就会更方便。**双向链表**（doubly linked list）便是这样一个有序的节点序列，其中每个节点都有两个指针：next 和 previous。next 指针指向右边节点（如果存在），previous 指针指向左边节点（如果存在）。图 6-7 给出了线性表 (1,2,3,4) 的双向链表描述。

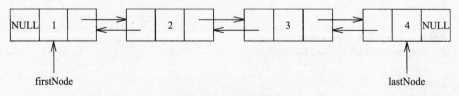

图 6-7 双向链表

定义一个双向链表类 doublyLinkedList，它用两个数据成员 firstNode 和 lastNode，分

别指向链表最左边的节点和最右边的节点（见图 6-7）。当双向链表只有一个元素节点 p 时，firstNode=lastNode=p。当双向链表为空时，firstNode=lastNode=NULL。这些约定与扩展链表 extendedChain 的约定相似（见程序 6-12）。如果在双向链表中查找索引为 index 的元素，那么当 index<listSize/2 时，就从左至右查找，否则，就从右至左查找。练习 43 要求开发类 doublyLinkedList。

我们能够使双向链表成为具有头节点的循环链表。在一个非空的双向循环链表中，firstNode.previous 是一个指向最右端节点的指针（即 firstNode.previous=lastNode），lastNode.next 是指向最左端节点的指针。我们可以省略变量 firstNode 或 lastNode，只用一个变量来跟踪链表。

练习

43. 设计类 doublyLinkedList。它的对象是不带头节点的双向链表。实现类 extendedChain（6.1.5 节）的所有方法。每一个方法的时间复杂度是多少？测试你的代码。

44. 编写一个方法，把两个双向链表合并为一个双向链表。在合并中，把第二个链表的元素节点附加到第一个链表的尾部。合并之后，第二个链表应该为空。测试你的代码。

45. 使用双向链表，做练习 15 和 16。

46. 使用双向链表，做练习 17 和 18。

47. 使用双向链表，做练习 19 和 20。

48. 使用双向链表，做练习 21 和 22。

49. 开发类 doubleCircularList。它的对象是不带头节点的双向链表。它实现类 extendedChain 的所有方法（见 6.1.5 节）。每一个方法的时间复杂度是多少？测试你的代码。

50. 使用双向循环链表，做练习 15 和 16。

51. 使用双向循环链表，做练习 44。

52. 使用双向循环链表，做练习 17 和 18。

53. 使用双向循环链表，做练习 19 和 20。

54. 使用双向循环链表，做练习 21 和 22。

55. 为练习 49 的双向循环链表加上头节点。然后和一个等价的类比较运行时间。这个等价类使用 STL 容器类 list，就像 vectorList（程序 5-12）使用向量实现数组线性表一样。进行与 6.1.6 节一样的实验。

56. 使用带有头节点的双向循环链表，做练习 15 和 16。

57. 使用带有头节点的双向循环链表，做练习 44。

58. 使用带有头节点的双向循环链表，做练习 17 和 18

59. 使用带有头节点的双向循环链表，做练习 19 和 20。

60. 使用带有头节点的双向循环链表，做练习 21 和 22。

61. 为练习 55 中带有头节点的双向循环链表设计一个双向迭代器。使用适当的测试数据测试你的代码。

6.4 链表用到的词汇表

本章介绍了如下重要概念：

- 单向链表（chain or singly linked list）。令 x 是一个单向链表。当且仅当 x.firstNode=NULL

时，x 为空表。如果 x 非空，则 x.firstNode 指向链表的第一个节点，即首节点。第一个节点指向第二个节点，第二个节点指向第三个节点，以此类推。最后一个节点的链指针为 NULL。

- 单向循环链表（singly linked circular list）。这种链表与单向链表的唯一区别是最后一个节点反过来指向第一个节点。当循环链表 x 为空时，x.firstNode=NULL。

- 头节点（header node）。头节点是链表的一个附加节点。有了这个节点，空表就不用作为特殊情况来处理了，程序因此变得简单。有了头节点，每个链表（包括空表）都至少包括一个节点（即头节点）。

- 双向链表（doubly linked list）。双向链表的节点从左至右按序排列。节点的指针域 next 把节点从左至右链接在一起。在最右边的节点中，next 指针为 NULL。节点的另一个指针域 previous 把节点从右至左链接在一起。在最左边节点中，previous 指针为 NULL。

- 双向循环链表（circular doubly linked list）。这种链表与双向链表的唯一区别在于，最左边节点的 previous 指针指向最右边的节点，而最右边节点的 next 指针指向最左边的节点。

6.5   应用

6.5.1   箱子排序

假定用一个链表保存一个班级学生的清单。节点的数据域有：学生姓名、社会保险号码、每次作业和考试的分数、所有作业和考试的加权总分。假设分数是 0 ~ 100 的整数。我们要按总分排序。如果采用第 2 章的任一种排序算法，所需时间都为 $O(n^2)$，其中 n 为学生总数。一种更快的排序方法是**箱子排序**（bin sort）。这种排序首先把分数相同的节点放在同一个箱子里，然后把箱子链接起来就得到有序的链表。

图 6-8a 是一个箱子排序的例子，链表有 10 个节点，每个节点仅显示姓名和分数。为简便起见，我们假设姓名仅为一个字符，分数介于 0 ~ 5 之间。

我们需要 6 个箱子，每个箱子对应一个分数。图 6-8b 是 10 个节点按分数在箱子里的布局。沿输入链表的指针逐个检查每个节点，把检查到的节点放入与它存储的分数相对应的那个箱子。第一个节点放入 2 号箱子，第二个节点放入 4 号箱子，以此类推。然后从 0 号箱子开始收集节点，得到如图 6-8c 所示的有序链表。

每一个箱子都是一个链表。一个箱子的节点数目介于 0 ~ n 之间。开始时，所有箱子都是空的。

箱子排序需要做的是：1）逐个删除输入链表的节点，把删除的节点分配到相应的箱子里；2）把每一个箱子中的链表收集并链接起来，使其成为一个有序链表。如果输入链表是程序 6-2 所示的 chain 类型，那么我们能够做的是：1）连续删除链表的首元素，并将其插入相应的某个箱子的链表首位；2）从最后一个箱子开始，逐个删除每个箱子的元素，并将其插入一个初始为空的链表的首位。

程序 6-14 是为学生记录而定义的一个结构 studentRecord，使用的链表类型是 chain<studentRecord>。结构 studentRecord 省却了一些在实际应用中应有的数据成员。重载的操作符 != 和 << 是为了在链表 chain 中使用。

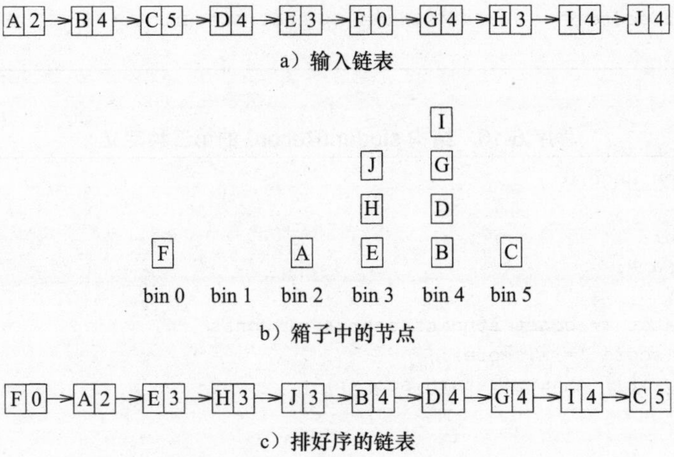
A 2 → B 4 → C 5 → D 4 → E 3 → F 0 → G 4 → H 3 → I 4 → J 4
a）输入链表
I
J G
H D
F A E B C
bin 0 bin 1 bin 2 bin 3 bin 4 bin 5
b）箱子中的节点
F 0 → A 2 → E 3 → H 3 → J 3 → B 4 → D 4 → G 4 → I 4 → C 5
c）排好序的链表

图 6-8　箱子排序的例子

程序 6-14　用于箱子排序的链表元素结构

```
struct studentRecord
{
   int score;
   string* name;
   int operator !=(const studentRecord& x) const
      {return (score != x.score);}
};

ostream& operator<<(ostream& out, const studentRecord& x)
   {out << x.score << ' ' << *x.name << endl; return out;}
```

在程序 6-14 定义的结构 studentRecord 中，重载了操作符 !=，它把 studentRecord 类型转换为数值类型，以实现比较操作和其他目的。而程序 6-15 给出了结构 studentRecord 的另一个定义，它重载了类型转换操作符 int()。这样一来，诸如 +、/、<= 和 != 这些算术和关系操作符，虽然没有在结构 studentRecord 中明确定义，但是首先借助类型转换操作符 int() 转换成 int 类型，就可以完成这些操作。在某种程度上，这个方法比程序 6-14 的方法更具普遍性，因为即使链表 chain 的方法对其元素 this->element 实施其他操作，都不会出现问题。

我们可以把上述两种重载的方法合并，如程序 6-16 所示。这样一来，重载的类型转换操作符 int() 只有在操作符 != 和 << 以外操作中被调用。

程序 6-15　结构 studentRecord 的另一种定义

```
struct studentRecord
{
   int score;
   string* name;

   operator int() const {return score;}
      // 从 studentRecord 到 int 的类型转换
};

ostream& operator<<(ostream& out, const studentRecord& x)
```

```
{out << x.score << ' ' << *x.name << endl; return out;}
```

程序 6-16   结构 studentRecord 的第三种定义

```
struct studentRecord
{
    int score;
    string* name;

    int operator !=(const studentRecord& x) const
    {return (score != x.score);}
    operator int() const {return score;}
};

ostream& operator<<(ostream& out, const studentRecord& x)
    {out << x.score << ' ' << *x.name << endl; return out;}
```

程序 6-17 是箱子排序方法，其中一个箱子用一个链表。虽然可以用数组来表示箱子，但是我们使用了链表，这是因为我们还要开发另一种箱子排序方法，而它是链表的成员函数。在这个算法中，使用链表比使用数组更有效率，因为输入表和输出表都是链表。

程序 6-17   使用链表的多个方法进行箱子排序

```
void binSort(chain<studentRecord>& theChain, int range)
{// 按分数排序

    // 对箱子初始化
    chain<studentRecord> *bin;
    bin = new chain<studentRecord> [range + 1];

    // 把学生记录从链表取出，然后分配到箱子里
    int numberOfElements = theChain.size();
    for (int i = 1; i <= numberOfElements; i++)
    {
        studentRecord x = theChain.get(0);
        theChain.erase(0);
        bin[x.score].insert(0,x);
    }

    // 从箱子中收集元素
    for (int j = range; j >= 0; j--)
        while (!bin[j].empty())
        {
            studentRecord x = bin[j].get(0);
            bin[j].erase(0);
            theChain.insert(0,x);
        }

    delete [] bin;
}
```

现在分析时间性能。首先注意，程序 6-17 可能因为异常而提早终止。例如，语句

```
bin=new chain<studentRecord> [range+1];
```

因内存不足而失败。这时，整个方法的时间复杂度是 $\Theta(1)$。假设在程序运行过程中没有异常。第一个 for 循环（执行操作符 new）需要用时 $\Theta(1)$。在两个 for 循环中，每一个 get、insert 和 erase 操作所需时间都是 $\Theta(1)$。因此，第一个 for 循环的时间复杂度是 $\Theta(n)$，其中 n 是输入链表的大小，第二个 for 循环的时间复杂度是 $\Theta(n+range)$，如果不考虑异常，那么总的时间复杂度是 $\Theta(n+range)$。

箱子排序 binSort 作为链表 chain 的成员函数

如果你在乎效率，你很可能已经注意到，如果把程序 6-17 的箱子排序函数 binSort 定义为链表 chain 的一个成员函数，就可以省略很多操作：每次 insert 函数的调用所包含的 new 操作符的调用，每次 erase 函数的调用所包含的 delete 操作符的调用。不仅如此，通过跟踪每一个箱子的首尾节点，就可以在"子收集阶段"把箱子链接起来，如程序 6-18 所示。

程序 6-18　箱子排序作为链表 chain 的一个成员方法

```cpp
template<class T>
void chain<T>::binSort(int range)
{// 对链表中的节点排序
   // 创建并初始化箱子
   chainNode<T> **bottom, **top;
   bottom = new chainNode<T>* [range + 1];
   top = new chainNode<T>* [range + 1];
   for (int b = 0; b <= range; b++)
      bottom[b] = NULL;

   // 把链表的节点分配到箱子
   for (; firstNode != NULL; firstNode = firstNode->next)
   {// 把首节点 firstNode 加到箱子中
      int theBin = firstNode->element;     // 元素类型转换到整型 int
      if (bottom[theBin] == NULL)          // 箱子为空
        bottom[theBin] = top[theBin] = firstNode;
      else
      {// 箱子不空
        top[theBin]->next = firstNode;
        top[theBin] = firstNode;
      }
   }

   // 把箱子中的节点收集到有序链表
   chainNode<T> *y = NULL;
   for (int theBin = 0; theBin <= range; theBin++)
      if (bottom[theBin] != NULL)
      {// 箱子不空
         if (y == NULL)                    // 第一个非空箱子
            firstNode = bottom[theBin];
         else                              // 不是第一个非空箱子
            y->next = bottom[theBin];
         y = top[theBin];
      }
   if (y != NULL)
      y->next = NULL;

   delete [] bottom;
   delete [] top;
}
```

每个箱子都以底部节点作为首节点，顶部节点作为尾节点。每个箱子都有两个指针，分别存储在数组 bottom 和 top 中，分别指向尾节点和头节点。bottom[theBin] 指向箱子 theBin 的尾节点，而 top[theBin] 指向箱子 theBin 的首节点。所有箱子开始为空表，这时 bottom[theBin]=NULL。程序 6-18 的第二个 for 循环把输入链表的节点逐个插入相应的箱子顶部。第三个 for 循环从第 0 个箱子开始，把非空的箱子依次链接起来，形成一个有序链表。

现在分析时间性能，假定没有异常。创建和初始化数组 bottom 和 top，与第三个 for 循环一样，所需时间为 $\Theta(range)$，第二个 for 循环所需时间为 $\Theta(n)$，因此总的时间复杂度为 $\Theta(n+range)$。

注意，程序 6-18 的箱子排序函数不会改变分数相同的节点的相对次序。例如，在输入链中，E、G 和 H 的分数均为 3，E 在 G 前，G 在 H 前，那么，在排序后的链表中，E 仍在 G 前，G 仍然在 H 前。如果一个排序方法能够保持同值元素之间的相对次序，则该方法称为**稳定排序**（stable sort）。

6.5.2 基数排序

对 6.5.1 节的箱子排序方法可以扩展，使其仅在 $\Theta(n)$ 时间内，就可以对 $0 \sim n^c-1$ 之间的 n 个整数进行排序，其中 $c \geq 0$ 是一个整数常量。如果用原来的 binSort 方法对 range=n^c 来排序，则复杂度为 $\Theta(n+range)=\Theta(n^c)$。扩展后的方法与 binSort 不同，它不直接对数进行排序，而是把数（number）按照某种基数（radix）分解为数字（digit），然后对数字排序。例如，用基数 10 把十进制数 928 分解为数字 9、2 和 8（即 $928=9*10^2+2*10^1+8*10^0$），把 3725 分解为 3、7、2 和 5，用基数 60 把 3725 分解为 1、2 和 5（即 $(3725)_{10}=(125)_{60}$）。这便是**基数排序**（radix sort）。

例 6-1 假定对 $0 \sim 999$ 之间的 10 个整数进行排序。如果使用 range=1000 的箱子排序方法，那么箱子链表的初始化需要 1000 个执行步，节点分配需要 10 个执行步，从箱子中收集节点需要 1000 个执行步，总的执行步数为 2010。而基数排序方法是：

1）利用箱子排序方法，根据最低位数字（即个位数字），对 10 个数进行排序。因为每个数字都在 $0 \sim 9$ 之间，所以 range=10。图 6-9a 是 10 个数的输入链表，图 6-9b 是按最低位数字排序后的链表。

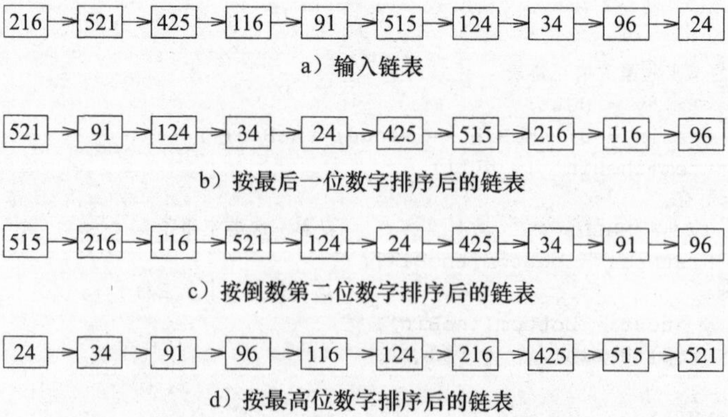

$$216 \to 521 \to 425 \to 116 \to 91 \to 515 \to 124 \to 34 \to 96 \to 24$$

a）输入链表

$$521 \to 91 \to 124 \to 34 \to 24 \to 425 \to 515 \to 216 \to 116 \to 96$$

b）按最后一位数字排序后的链表

$$515 \to 216 \to 116 \to 521 \to 124 \to 24 \to 425 \to 34 \to 91 \to 96$$

c）按倒数第二位数字排序后的链表

$$24 \to 34 \to 91 \to 96 \to 116 \to 124 \to 216 \to 425 \to 515 \to 521$$

d）按最高位数字排序后的链表

图 6-9 用 r=10 和 d=3 进行基数排序

2）利用箱子排序方法，对 1）的结果按次低位数字（即十位数字）进行排序。同样有 range=10。因为箱子排序是稳定排序，所以次低位数字相同的节点，按最低位数字排序所得到的次序保持不变。因此，现在的链表是按照最后两位数字进行排序的。图 6-9c 是相应的排序结果。

3）利用箱子排序方法，对 2）的结果按第三位数字（即百位数字）进行排序。小于 100 的数，第三位数字为 0。因为按第三位数字排序是稳定排序，所以第三位数字相同的节点，按最后两位数字排序所得到的次序保持不变。因此，现在的链表是按照后三位数字进行排序的。图 6-9d 是相应的排序结果。

上述基数排序方法是以 10 为基数，把数分解为十进制数字进行排序。因为每个数至少有三位数字，所以要进行三次排序，每次排序都使用 range=10 个箱子排序。每次箱子的初始化需要 10 个执行步，节点分配需要 10 个执行步，从箱子中收集节点需要 10 个执行步，总的执行步数为 90，比使用 range=1000 的箱子排序要少得多。单个箱子排序（一数一个箱子的）实际上等价于 r=1000 的基数排序。■

例 6-2　假定对 0 ~ 10^6–1 的 1000 个整数进行排序，使用基数 r=10^6 的排序方法相当于直接对数使用箱子排序。对箱子初始化需要 10^6 个执行步，节点分配需要 1000 个执行步，收集箱子节点需要 10^6 个执行步，总的执行步数为 2 001 000。而使用基数 r=1000 的排序方法，其过程如下：

1）采用每个数的最低三位数字进行排序，令 range=1000。

2）对 1）的结果按倒数次三位（即倒数第四到六位）数字进行排序。

上述每次排序都需要 3000 个执行步，因此总共需要 6000 个执行步。若使用基数为 r=100 的排序方法，则需要三次箱子排序，每次针对两位数字。每次箱子排序需要 1200 个执行步，总的执行步数为 3600。如果使用基数为 r=10 的排序方法，则要进行 6 次箱子排序，每次针对一位数字，总的执行步数为 6(10+1000+10)=6120。对于本例，基数 r=100 的排序效率最高。■

把数分解为数字需要除法和取模操作。如果用基数 10 来分解，那么从最低位到最高位的数字分解式为：

$$x\%10；\ (x\%100)/10；\ (x\%1000)/100；\ ...$$

若 r=100，则相应的数字分解式为：

$$x\%100；\ (x\%10000)/100；\ (x\%1000000)/10000；\ ...$$

对于一般的基数 r，相应的分解式为：

$$x\%r；\ (x\%r^2)/r；\ (x\%r^3)/r^2；\ ...$$

当使用基数 r=n 对 0 ~ n^c–1 范围内的 n 个整数进行分解时，每个数可以分解出 c 个数字。因此，对 n 个数，可以用 c 次 range=n 个箱子排序。因为 c 是一个常量，所以整个排序时间为 $\Theta(cn)=\Theta(n)$。

6.5.3　凸包

至少有三条直线边的平面封闭图形称为**多边形**（polygon）。图 6-10a 的多边形有 6 条边，图 6-10b 的多边形有 8 条边。多边形既包含其边线上的点，也包含边线内的点。一个多边形，如果它的任意两个点的连线都不包含该多边形以外的点，就称为**凸多边形**（convex polygon）。图 6-10a 的多边形是凸多边形，而图 6-10b 的多边形不是凸多边形。图 6-10b 的两条虚线段虽然其端点属于多边形，但它们都包含了多边形以外的点。

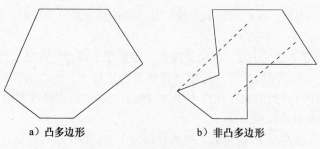

a）凸多边形　　　　　　　b）非凸多边形

图 6-10　凸多边形和非凸多边形

一个平面点集 S 的**凸包**（convex hull）是指包含 S 的最小凸多边形。该多边形的顶点（即角）称为 S 的**极点**（extreme point）。图 6-11 是平面上的 13 个点，它的凸包是由实线连成的多边形，极点用圆圈来标识。如果 S 的点都落在一条直线段上（即这些点是共线点），那么 S 的凸包就退化为包含 S 的最短直线。

寻找一个平面点集的凸包是计算几何（computational geometry）的基本问题。计算几何还有其他问题（如包含一个指定点集的最小矩形），求解这些问题需要计算凸包。此外，凸包在图象处理和统计学中也有应用。

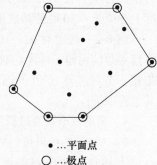

●…平面点

○…极点

图 6-11　平面点集的凸包

假定在 S 的凸包内部取一个点 X，然后从 X 向下画一条垂直线（如图 6-12a 所示）。练习 67 说明了如何选择点 X。这条垂直线与 X 和 S 的第 i 个点的连线之间有一个逆时针夹角，称为极角（polar），用 a_i 表示。图 6-12a 给出了极角 a_2。现在按照极角非递减次序来排列 S 的点，对于极角相同的点，按照它们与 X 的距离从小到大来排列。在图 6-12a 中，所有点按照上述次序被依次编号为 1～13。

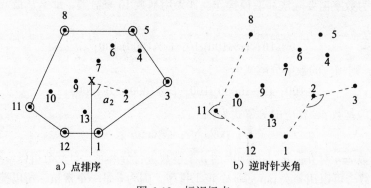

a）点排序　　　　　　　　b）逆时针夹角

图 6-12　标识极点

从 X 向下的垂线沿逆时针扫描，按照极角的次序会依次遇到 S 的极点。如果 u、v 和 w 是按照逆时针排列的三个连续的极点，那么从 u 到 v 与从 w 到 v 两条连线之间的逆时针夹角大于 180 度。（图 6-12b 给出了点 8，11，12 之间的逆时针夹角。）当按照极角次序排列的 3 个连续点之间的逆时针夹角小于或等于 180 度时，第二个点不是极点。当 u、v、w 间的逆时针夹角小于 180 度时，如果从 u 走到 v 再走到 w，那么在 v 点将会向右转。当按逆时针方向在一个凸多边形上行走时，所有的转弯都是向左转。根据这种观察，得出了图 6-13 的算法，用以寻找 S 的极点和凸包。

步骤 1）[处理退化情况]

  如果 S 的点少于 3 个，则返回 S

  如果 S 的所有点都在一条直线上，即共线，则计算并返回包含 S 所有点的最短直线的两个端点

步骤 2）[按极角排序]

  在 S 的凸包内找到一个点 X

  按照极角递增次序来排列 S 的点，对于极角相同的点，按照它们与 X 的距离从小到大来排列

  创建一个以 S 的点为元素，按照上述顺序排列的双向循环链表

  令 right 指向后继，left 指向前驱

步骤 3）[删除非极点的点]

  令 p 是 y 坐标最小的点（也可以是 x 坐标最大的）

```
for(x=p,rx=x 右边的下一个点; p!=rx;)
{
    rrx= rx 右边的点;
    if(x,rx 和 rrx 的逆时针夹角小于或等于180度)
    {
        从链表中删除 rx;
        rx=x; x=rx 左边的点;
    }
    else{x=rx; rx=rrx;}
}
```

图 6-13　寻找 S 的凸包的伪码

  步骤 1）处理退化情况，即 S 的点数为 0 或 1，或 S 的所有点是共线的。这一步用时 $O(n)$，其中 n 是 S 的点数。判断共线的方法是，任取两个点，求出两点连线的方程式，然后检查余下的 $n-2$ 个点是否在这条直线上。如果所有点是共线的，也可以确定最短直线的端点。

  步骤 2）按照极角的次序排列 S 的点，并把它们存入一个双向链表。之所以采用双向链表是因为步骤 3）需要消除非极点的点，并在链表中反向移动（练习 67 会要求你采用一个单向链表）。因为需要排序，所以如果采用第 2 章的排序算法，需要耗时 $O(n^2)$。在第 9 章和第 14 章中，可以在 $O(n\log n)$ 时间内完成排序，因此步骤 2) 的时间复杂度可以计为 $O(n\log n)$。

  步骤 3）依次检查按逆时针次序排列的三个连续点，如果它们的逆时针夹角小于或等于 180 度，则中间的点 rx 不是极点，要从链表中删除之。如果夹角超过 180 度，则 rx 可能是也可能不是极点，可将点 x 移到下一个点。当 for 循环终止时，在链表中每三个连续的点所形成的逆时针夹角都超过 180 度，因此链表的点都是极点。沿着链表的 next 指针域移动，就是按逆时针方向遍历凸包的边界。从 y 坐标最小的点开始，是因为这个点肯定在凸包上。

  现在分析步骤 3) 的时间复杂度。在 for 循环中，每次检查一个夹角之后，或者顶点 rx 被删除，x 在链表中后移一个位置，或者 x 前移一个位置。由于被删除的顶点数为 $O(n)$，x 最多向后移动 $O(n)$ 个位置。因此第二种情形只会发生 $O(n)$ 次，因而 for 循环将执行 $O(n)$ 次。因为检查一个夹角需要耗时 $\Theta(1)$，所以步骤 3) 的复杂度为 $O(n)$。结果，为了找到 n 个点的凸包，需要耗时 $O(n\log n)$。

6.5.4　并查集

1. 等价类

  假定一个具有 n 个元素的集合 $U=1, 2, \cdots, n$ 和一个具有 r 个关系的集合 $R=(i_1,j_1),(i_2,j_2), \cdots, (i_r,j_r)$。关系 R 是一个**等价关系**（equivalence relation），当且仅当如下条件为真：

- 对于所有的 $a \in U$, 有 $(a,a) \in R$ 时（关系是自反的）。
- $(a,b) \in R$, 当且仅当 $(b,a) \in R$（关系是对称的）。
- 若 $(a,b) \in R$ 且 $(b,c) \in R$, 则有 $(a,c) \in R$（关系是传递的）。

在给出等价关系 R 时，我们经常会忽略其中的某些数对，这些数对可以应用等价关系的自反性、对称性和传递性来得到。

例 6-3　假定 $n=14$, $R=\{(1,11)$, $(7,11)$, $(2,12)$, $(12,8)$, $(11,12)$, $(3,13)$, $(4,13)$, $(13,14)$, $(14,9)$, $(5,14)$, $(6,10)\}$。我们忽略了所有形如 (a,a) 的数对，因为按照自反性，这些数对是隐含的。同样也忽略了所有对称的数对。因为 $(1,11) \in R$, 所以按照对称性应有 $(11,1) \in R$。其他被忽略的数对由传递性可以得到。例如，由 $(7,11)$ 和 $(11,12)$, 可以得到 $(7,12) \in R$。　■

如果 $(a,b) \in R$, 则元素 a 和 b 是等价的。所谓**等价类**（equivalence class）是指相互等价的元素的最大集合。"最大"意味着不存在类以外的元素与类内部的元素等价。因为一个元素只能属于一个等价类，等价关系把集合 U 划分为不相交的等价类。

例 6-4　考察例 6-3 中的等价关系。由于元素 1 与 11, 11 与 12 是等价的，因此，元素 1、11、12 是等价的，它们应属于同一个等价类。不过，这三个元素还不能构成一个等价类，因为还有其他的元素与它们等价（例如 7）。因此 $\{1,11,12\}$ 不是等价元素的最大集合。集合 $\{1,2,7,8,11,12\}$ 才是一个等价类。关系 R 还定义了另外两个等价类：$\{3,4,5,9,13,14\}$ 和 $\{6,10\}$。注意，这三个等价类是互不相交的。　■

在**离线等价类**（offline equiralence class）问题中，已知 n 和 R, 确定所有的等价类。由等价类的定义得知，每个元素只能属于一个等价类。在**在线等价类**（online equiralence class）问题中，初始时有 n 个元素，每个元素都属于一个独立的等价类。需要执行以下的操作：1）combine(a,b)，把包含 a 和 b 的等价类合并成一个等价类。2）find(theElement)，确定元素 theElement 在哪一个类，目的是对给定的两个元素，确定是否属于同一个类。它对同一类的元素，返回相同的结果，而对不同类的元素，返回不同的结果。

可以用 find 操作和 unite(或 union) 操作产生一个组合操作，该操作能把两个不同的类合并成一个类。因此 combine(a,b) 等价于

```
classA=find(a);
classB=find(b);
if (classA!=classB)
    unite(classA,classB);
```

注意，利用查找与合并操作，可以向 R 中添加新关系。例如，为了添加关系 (a,b), 可以首先判断 a 和 b 是否已经位于同一个等价类，如果是，则新关系是冗余的，如果不是，则对包含 a 和 b 的两个类执行 unite 操作。

本节主要关心在线等价类问题，这类问题通常又称为**并查集**（union-find）问题。本节给出的解决方案很简单，但是效率不是最高的。11.9.2 节给出了一个更快的解决方案。离线等价类问题的快速解决方案将在 8.5.5 节给出。

2. 应用

下面有两个在线等价类问题的应用实例：机器调度问题和布线问题。布线问题也可以描述为离线等价类问题。

例 6-5　某工厂有一台机器能够执行 n 个任务，任务 i 的开始时间为整数 r_i, 截止时间为整数 d_i。在该机器上完成每个任务都需要一个单元的时间。一种**可行的调度方案**是为每个任

务分配相应的时间段，使得分配给任务 i 的时间段正好位于开始时间和截止时间之间。一个时间段不允许分配给多个任务。

考察下面的 4 个任务：

任务	A	B	C	D
开始时间	0	0	1	2
截止时间	4	4	2	3

任务 A 和任务 B 的开始时间均为 0，任务 C 的开始时间为 1，任务 D 的开始时间为 2。下面的任务的时间调度方案是可行的：在 0 ~ 1 期间执行任务 A；1 ~ 2 期间执行任务 C；2 ~ 3 期间执行任务 D；3 ~ 4 期间执行任务 B（见图 6-14）。

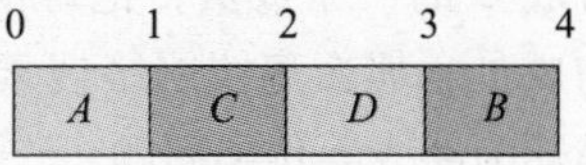

设计一个调度的直观方法如下：

1）按开始时间的非递增次序对任务进行排序。

2）按开始时间的非递增次序考察任务。对于每个任务，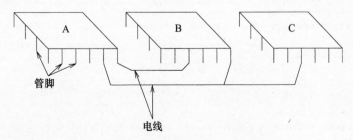确定一个空闲时间段，这个时间段在截止时间之前，但与截止时间最接近。如果这个空闲时间段位于任务的开始时间之前，则分配失败，否则就把这个时间段分配给该任务。

图 6-14 对 4 个任务的一个调度

练习 74 要求你证明，如果不存在一个可行的调度方案，则上述策略失败。

在线等价类问题的方法可用来实现步骤 2）。令 d 为所有任务中最后的截止时间。将可用时间段表示为 "从 $i-1$ 至 i"，其中 $1 \leq i \leq d$。把这些时间段称为时间段 1 至时间段 d。对于任意一个时间段 a，用 near(a) 表示空闲时间段 i，其中 i 是在 $\leq a$ 范围内最大的 i。如果这样的 i 不存在，则定义 near(a)=near(0)=0。两个时间段 a 和 b 属于同一个等价类，当且仅当 near(a)=near(b)。

在任务调度之前，对于所有时间段都有 near(a)=a，且每个时间段都是一个独立的等价类。当按步骤 2）把时间段 a 分配给某个任务时，对于原来所有 near(b)=a 的时间段 b，near(b) 的值都发生了变化。对于这些时间段，其新的 near 值为 near($a-1$)。因此，当把时间段 a 分配给一个任务时，需要对当前包含时间段 a 和 $a-1$ 的等价类进行合并。如果每个等价类 e 用 nearest[e] 表示其成员的 near 值，那么 near(a) 将由 nearest[find(a)] 给出。（假设等价类名是 find 操作返回值。）∎

例 6-6[布线] 一个电路由构件、管脚和电线构成。图 6-15 是一个由三个构件 A、B 和 C 构成的电路。每根电线连接一对管脚。两个管脚 a 和 b 是**电子等价**（electrically equivalent）的，当且仅当有一根电线直接连接 a 和 b，或者存在一个管脚序列 i_1，i_2，…，i_k，使得在管脚对序列 a，i_i；i_1，i_2；i_2，i_3；…；i_{k-1}，i_k 和 i_k，b 中，每一对管脚均有电线直接连接。一个**网络 net** 是指由电子等价的管脚所构成的最大集合。"最大"是指不存在网络外的管脚与网络内的管脚电子等价。

图 6-15 一个印制电路板上的 3 芯片电路

考察图 6-16 所示的电路。在该图中仅画出了管脚和电线。14 个管脚从 1 ~ 14 编号。每根电线可由它所连接的两个管脚来描述。例如，连接管脚 1 和 11 的电线可以表示为 (1,11)，它与 (11,1) 等价。电线的集合为 {(1,11)，(7,11)，(2,12)，(12,8)，(11,12)，(3,13)，(4,13)，(13,14)，(14,9)，(5,14)，(6,10)}。因此，在该电路中的网络有：{1，2，7，8，11，12}，{3，4，5，9，13，14} 和 {6，10}。

在**离线网络搜索问题**（offline net finding problem）中，已知管脚和电线，需要确定相应的网络。如果把每个管脚看成 U 的一个成员，把每根电线看成 R 的成员，那么离线网络搜索问题就可以描述为离线等价类问题。

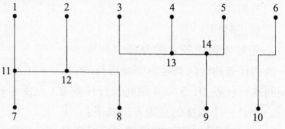

图 6-16 仅有管脚和电线的电路

对于**在线网络搜索问题**（online net finding problem），起始时有一组管脚的集合，没有电线，然后要执行以下操作：1）增加一根连接 a 和 b 的电线；2）搜索包含管脚 a 的网络。搜索的目的是确定两个管脚是否属于同一个网络。在线网络搜索问题实际上等同于在线等价类问题。初始时没有电线，相当于 $R= \phi$，网络搜索操作对应于等价类的 find 操作，添加电线 (a,b) 对应于 combine(a,b)，它与 unite(find(a),find(b)) 等价。 ■

3. 第一种并查集解决方案

对在线等价类问题，有一种简单的解决办法。使用一个数组 equivClass，且令 equivClass[i] 为包含元素 i 的等价类。初始化、合并及搜索的方法如程序 6-19 所示。n 是元素个数。n 和 equivClass 均为全局变量。为了合并两个不同的类，我们从两者中任取一个类，然后把该类所有元素的值修改成另一个类元素的值。注意，函数 unite 的输入是 equivClass 值（即 find 函数的结果），而不是元素的索引。在函数 unite 中，我们假设参与合并的两个类是不同的，尽管两个类相同时，函数也是正确的。函数 initialize 和 unite 的复杂度均为 $\Theta(n)$（假定在 initialize 中实施 new 操作时不产生异常），函数 find 的复杂度为 $\Theta(1)$。从例 6-5 和例 6-6 可知，在应用这些函数时，通常执行一次初始化、u 次合并和 f 次查找，故所需的总时间为 $\Theta(n+u*n+f)=\Theta(u*n+f)$。

程序 6-19 使用数组实现的并查集算法

```
int *equivClass,        // 等价类数组
    n;                  // 元素个数

void initialize(int numberOfElements)
{// 用每个类的一个元素，初始化 numberOfElements 个类
   n = numberOfElements;
   equivClass = new int [n + 1];
   for (int e = 1; e <= n; e++)
      equivClass[e] = e;
}

void unite(int classA, int classB)
{// 合并类 classA 和 classB
 // 假设类 classA != classB
   for (int k = 1; k <= n; k++)
      if (equivClass[k] == classB)
```

```
        equivClass[k] = classA;
}

int find(int theElement)
{// 查找具有元素 theElement 的类
    return equivClass[theElement];
}
```

4. 第二种并查集解决方案

如果一个等价类对应一个链表，那么合并操作的时间复杂度就可以降低，因为在一个等价类中，可以沿着链表的指针找到所有的元素，而不必去检查所有的 equivClass 的值。事实上，如果知道每一个等价类的大小，我们可以选择较小的类来改变 equivClass 的值，从而加快合并速度。通过使用整型指针（也称模拟的指针），可以快速访问元素 e 的节点。我们采用以下约定：

- equivNode 是一个结构，具有数据成员 equivClass、size 和 next。程序 6-20 是这个结构的代码。
- 类型为 equivNode 的数组 node[1:n] 用于描述 n 个元素，每个元素都有一个对应的等价类链表。
- node[e].equivClass 既是函数 find(e) 的返回值，也是一个整型指针，该指针指向等价类 node[e]. equivClass 的链表的首节点。
- 只有 e 是链表的首节点，才定义 node[e].size，这时，node[e].size 表示从 node[e] 开始的链表的节点个数。
- node[e].next 给出了包含节点 e 的链表的下一个节点。因为节点从 1 至 n 编号，所以可以用 0 来表示空指针 NULL。

程序 6-20　结构 equivNode

```
struct equivNode
{
    int equivClass,          // 元素类标识符
        size,                // 类的元素个数
        next;                // 类中指向下一个元素的指针
};
```

程序 6-21 给出了 initialize、unite 和 find 的新代码。

程序 6-21　使用链表和整型指针实现的并查集算法

```
equivNode *node;            // 节点的数组
int n;                      // 元素个数

void initialize(int numberOfElements)
{// 用每个类的一个元素，初始化 numberOfElements 个类
    n = numberOfElements;
    node = new equivNode [n + 1];

    for (int e = 1; e <= n; e++)
    {
        node[e].equivClass = e;
        node[e].next = 0;      // 链表中没有下一个节点
```

```
            node[e].size = 1;
        }
}

void unite(int classA, int classB)
{// 合并类 classA 和 classB
 // 假设 classA != classB
 // classA 和 classB 是链表首元素

    // 使 classA 成为较小的类
    if (node[classA].size > node[classB].size)
        swap(classA, classB);

    // 改变较小类的 equivClass 值
    int k;
    for (k = classA; node[k].next != 0; k = node[k].next)
        node[k].equivClass = classB;
    node[k].equivClass = classB; // 链表的最后一个节点

    // 在链表 classB 的首元素之后插入链表 classA
    // 修改新链表的大小
    node[classB].size += node[classA].size;
    node[k].next = node[classB].next;
    node[classB].next = classA;
}

int find(int theElement)
{// 查找包含元素 theElement 的类
    return node[theElement].equivClass;
}
```

在使用链表时，因为一个等价类的大小为 $O(n)$，所以合并操作的复杂度为 $O(n)$。而初始化和查找操作的复杂度仍分别保持为 $O(n)$ 和 $\Theta(1)$。为了确定 1 次初始化操作、u 次合并操作和 f 次查找操作所需要的时间复杂度，需要使用如下的定理。

引理 6-1 如果开始时有 n 个类，每个类有一个元素，则在执行 u 次合并操作以后，

a）任何一个类的元素数都不会超过 $u+1$。

b）至少存在 $n-2u$ 个单元素类。

c）$u<n$。

证明 见练习 72。∎

1 次初始化和 f 次查找的复杂度为 $O(n+f)$。对于 u 次合并，每一次合并的性能为 Θ（较小类的大小）。在合并中，小类的元素被移到大类。一次合并的复杂度为 O（移动的元素个数），u 次合并的复杂度为 O（总的移动元素的个数）。一次合并之后，新类的大小至少是原来小类大小的两倍。因此，由于在操作结束时没有哪个类的元素数会超过 $u+1$（引理 6-1a），所以在 u 次合并中，没有哪个元素的移动次数超过 $\log_2(u+1)$。另外，根据引理 6-1b，最多有 $2u$ 个元素移动。于是，元素移动的总次数不会超过 $2u\log_2(u+1)$。结果是，u 次合并操作所需要的时间为 $O(u\log u)$。1 次初始化、u 次合并操作和 f 次搜索的复杂度为 $O(n+u\log u+f)$。

练习

62. 程序 6-17 的排序算法是稳定的吗？

63. 比较程序 6-17 和程序 6-18 的箱子排序函数的运行时间，使用 n=10 000, 50 000, 100 000 进行测试。计算由类 chain 所产生的开销。

64. 设计一个方法，它应用基数排序思想给链表排序。

1）编写方法 chain<T>::radixSort(r,d)，它使用基数排序思想，按递增顺序给链表排序。方法的输入为：基数 r、按基数 r 分解的数字的个数 d。假设定义了从类型 T 到 int 的类型转换。方法的复杂度应为 $O(d(r+n))$。证明这个复杂度成立。

2）使用自己设计的测试数据来测试方法的正确性。

3）比较你的方法和基于链表的插入排序方法的性能。为此可使用 $n=100, 1000, 10\,000$；$r=10$ 和 $d=3$。

65. 1）编写一个方法，使用 $r=n$ 的基数排序算法对 n 个 $0\sim n^c-1$ 范围内的整数进行排序。方法的复杂度应为 $O(cn)$。证明这个复杂度成立。假设整数存储在链表中，链表的元素类型是 int。

2）测试方法的正确性。

3）对于 $n=10, 100, 1000, 10\,000$ 和 $c=2$，测量方法的运行时间。用表格和图形显示测量结果。

66. 一堆 n 组卡片。每张卡片有三个域：卡片的组号、卡片的样式及卡片的面值。每组最多有 52 张卡片（因为每一组可能有丢失的卡片），因此该堆卡片最多有 $52n$ 张。可以假设每组卡片至少有一张，因此卡片总数至少为 n。

1）按照组号对卡片进行排序，对组号相同的卡片按样式排序，对样式也相同的卡片按其面值排序。应该采用三次箱子排序过程来完成这种排序。

2）编写一段程序，输入为 n 和一个卡片堆，输出为有序的卡片。把卡片堆描述为一个链表，链表节点包含如下域：deck、suit、face 和 link。程序的复杂度应为 $O(n)$，证明这个复杂度成立。

3）测试程序的正确性。

67. [凸包]

1）令 u、v、w 是平面上的三个点。假设这三点不在同一直线上。编写一个方法，从这三个点所构成的三角形中取一个点。

2）令 S 是一个平面点集。编写一个方法来判断 S 的所有点是否共线。如果共线，计算出包含所有点的最短直线的端点。如果不共线，从点集中找出三个不共线的点。利用这三个点和 1) 的方法，确定 S 凸包内的一个点。方法的复杂度应为 $O(n)$。证明这个复杂度成立。

3）使用 1) 和 2) 的代码，把图 6-13 的算法细化成一个 C++ 程序。程序的输入为点集 S，输出为 S 的凸包。在输入 S 时，可把点存入双向链表之中，然后按照极角对这些点排序。排序时，可使用第 2 章的一个排序算法，或者任何一个复杂度为 $O(n\log n)$ 的排序算法。

4）编写其他的凸包程序，它不用双向链表，而使用单向链表或数组链表。

5）测试程序的正确性。

68. 使用单向链表来完成练习 67。用练习 24 的思想，以确保在图 6-13 的步骤 3 中，其 for 循环的复杂度为 $O(n)$。

69. 给出一种整数的表示方法，它适用于对任意大的整数所进行的算术运算，而且运算结果没有精度损失。编写一个 C++ 方法，输入和输出大的整数，而且实施算术运算加、减、乘和除。除法返回两个整数：商和余数。

70. [多项式] 一个阶数为 d 的**一元多项式**（univariate polynomial）形式如下：

$$c_d x^d + c_{d-1} x^{d-1} + c_{d-2} x^{d-2} + \cdots + c_0$$

其中 $c_d \neq 0$，c_i 是系数，d，$d-1$，$\cdots$ 是指数。根据定义，d 是非负整数。可以假设，系数也是整数。每个 $c_i x^i$ 都是多项式的一个项。我们要设计一个 C++ 类，它支持多项式算术运算。为此，需要把每一个多项式表示成一个由系数构成的线性表 $(c_0, c_1, c_2, \cdots, c_d)$。

　　设计一个 C++ 类 polynomial，它包含一个数据成员 degree，表示多项式的阶数。当然，它还可能包含其他的数据成员。这个类应支持以下操作：

1）polynomial()——创建一个 0 阶多项式。这个多项式的阶数为 0，不包含任何项。它是类的构造函数。

2）degree()——返回多项式的阶数。

3）input(inStream)——从输入流 inStream 读入一个多项式。可以假设输入流包含多项式的阶数和一个系数表，系数表中的系数按指数递增的次序排列。

4）output(outStream)——向输出流 outStream 输出一个多项式。输出流的形式应该与输入流的形式相同。

5）add(b)——加上多项式 b，并返回所得结果。

6）subtract(b)——减去多项式 b，并返回所得结果。

7）multiply(b)——乘以多项式 b，并返回所得结果。

8）divide(b)——除以多项式 b，并返回所得的商。

9）valueOf(x)——返回多项式在 x 处的值。

测试你的程序。

71. [多项式] 设计一个链表类来表示和处理一元多项式（见练习 70）。假设系数为整数，链表是带头节点的循环链表。每个节点有三个域：exp（指数）、coeff（系数）和 next（指向下一个相邻节点的指针）。除头节点以外，一个节点对应多项式的一个非 0 项。系数为 0 的多项式项没有节点对应。多项式的项在链表节点中按指数递减次序排列，头节点的指数域为 -1。图 6-17 是一些相应的例子。

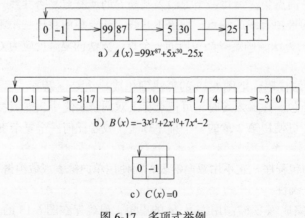

a) $A(x) = 99x^{87} + 5x^{30} - 25x$

b) $B(x) = -3x^{17} + 2x^{10} + 7x^4 - 2$

c) $C(x) = 0$

图 6-17　多项式举例

一个一元多项式的输入和输出是一个序列 n, e_1, c_1, e_2, c_2, e_3, c_3, $\cdots e_n$, c_n，其中 e_i 表示指数，

c_i 表示系数，n 表示项的个数。指数按递减次序排列，即 $e_1 > e_2 > \cdots > e_n$。

你的类应该支持练习 70 的所有方法。使用适当的多项式测试你的代码。

72. 证明引理 6-1。

73. 对于例 6-6 的在线网络搜索问题，编写一个 C++ 程序。把该问题作为在线等价类问题处理，并使用链表。测试程序的正确性。

74. 证明例 6-5 所叙述的策略仅当不存在可行的调度方案时才会失败。

75. 比较程序 6-19 和程序 6-21 运行时的时间性能。

76. 设计程序 6-21 的一个版本，用数组替代链表。

　1）测试你的代码。

　2）新程序的时间复杂度是多少？

　3）比较程序 6-21 和新代码的性能。

77. 设计程序 6-21 的一个版本，链表用 C++ 指针，而不用整数指针（即模拟指针）。为了用时间 $O(1)$ 访问元素 i 的节点，使用一个数组 theNode，使得 theNode[i] 表示一个指针，指向元素 i 的节点。

　1）测试你的代码。

　2）计算代码的复杂度。

　3）比较你的代码和程序 6-21 的性能。

78. 对于例 6-5 的调度问题编写一个 C++ 程序。把该问题按照在线等价类问题进行处理，而且使用链表。测试程序的正确性。

数组和矩阵

概述

在实际应用中，数据通常以表的形式出现。尽管用数组来描述表是最自然的方式，但为了减少程序所需的时间和空间，经常采用自定义的描述方式。例如，当表中大部分数据为 0 的时候，就会用自定义的描述方式。

本章首先检查了多维数组的行主描述方式和列主描述方式。这些描述方式把多维数组映射成一维数组。

矩阵经常用二维数组来描述。然而，矩阵的索引通常从 1 开始，而 C++ 的二维数组是从 0 开始。矩阵的操作有加法、乘法和转置，但是 C++ 的二维数组不支持这些操作。因此我们开发了类 matrix，它与矩阵的关系更密切。

我们还要考察具有特殊结构的矩阵，如对角矩阵、三对角矩阵、三角矩阵和对称矩阵。关于这些矩阵的描述方法，自定义数组与二维数组相比，不仅大大减少了存储空间，也减少了大多数矩阵操作的运行时间。

本章的最后一节设计了稀疏矩阵（即大部分元素为 0 的矩阵）的数组和链表描述方式，对 0 元素做了特殊的处理。

7.1 数组

7.1.1 抽象数据类型

一个数组的每一个实例都是形如（索引，值）的数对集合，其中任意两个数对的索引（index）都不相同。有关数组的操作如下：

- 取值——对一个给定的索引，取对应数对中的值。
- 存值——把一个新数对加到数对集合中。如果已存在一个索引相同的数对，就用新数对覆盖。

这两个操作定义了抽象数据类型 array（ADT 7-1）。

抽象数据类型 *array*

{

  实例

    形如 (index,value) 的数对集合，任意两个数对的索引都不同

  操作

      get(*index*): 返回索引为 index 的数对中的值

    set(*index,value*): 加入一个新数对，如果索引相同的数对已存在，则用新数对覆盖

}

ADT 7-1　数组的抽象数据类型描述

例 7-1 上个星期每天的温度（华氏度数）可用如下的数组来表示：

high={{Sunday,82}, (Monday,79), (Tuesday,85), (Wednesday,92), (Thursday,88), (Friday,89),
(Saturday,91)}

数组的名称为 high，数组的每对数据都包含一个索引（星期几）和一个值（当天的温度）。通过如下操作，可以将 Monday 的温度改变为 83：

$$\text{set(Monday，83)}$$

通过如下操作，可以确定 Friday 的温度：

$$\text{get(Friday)}$$

可以采用如下的数组来描述每天的温度：

$$\text{high=\{（0,82），（1,79），（2,85），（3,92），（4,88），（5,89），（6,91）\}}$$

在这个数组中，索引是一个数值，而不是日期名。数值（0,1,2，…）代替了一周每天的名称（Sunday，Monday，Tuesday，…）。∎

7.1.2 C++ 数组的索引

数组是 C++ 的标准数据结构，数组的索引（也称**下标**）具有如下形式：

$$[i_1][i_2][i_3]\cdots[i_k]$$

其中 i_j 是非负整数。如果 k 为 1，则数组为一维数组；如果 k 为 2，则为二维数组。i_1 是索引的第一个坐标，i_2 是第二个，i_k 是第 k 个。在 C++ 中，一个 3 维整型数组 score 可用如下语句来创建：

```
int score[u₁][u₂][u₃]
```

其中 u_i 是正常量或表示正常量的表达式。对于这样一个数组描述，索引 i_j 的取值范围是：$0 \leq i_j < u_j$，$1 \leq j \leq 3$。因此，该数组最多可容纳 $n=u_1u_2u_3$ 个值。因为数组 score 的每个值都是整数，且每个整数占 4 字节，所以整个数组的存储空间大小 sizeof(score) 是 $4n$ 字节。C++ 编译器将为数组预留这么多字节的存储空间。如果预留空间的起始字节地址为 start，则该空间将一直延伸到地址为 start+sizeof(score)-1 的字节。

7.1.3 行主映射和列主映射

数组的应用需要我们把数组元素序列化，即按一维顺序排列。例如，数组元素只能一次输出或输入一个。因此，我们必须确定一个输出或输入的顺序。7.3 节和 7.4 节有若干个二维表（矩阵），我们要把它们映射成一维数组。为此，我们把表元素的二维排列方式转变为一维排列方式。

令 n 是一个 k 维数组的元素个数。该数组的序列化需要借助一个映射函数，把数组的一个索引 $[i_1][i_2][i_3]\cdots[i_k]$ 映射为 $[0，n-1]$ 范围中的一个数 $\text{map}(i_1,i_2,i_3\cdots,i_k)$，把索引为 $[i_1][i_2][i_3]\cdots[i_k]$ 的数组元素映射为序列中第 $\text{map}(i_1,i_2,i_3，\cdots,i_k)$ 的元素。

当数组维数是 1（即 $k=1$）时，映射函数是

$$\text{map}(i_1) = i_1 \tag{7-1}$$

当数组维数是 2 时，索引可按图 7-1 所示的表形式进行排列，第一个坐标相同的索引位于同一行，第二个坐标相同的索引位于同一列。

在图 7-1 中，从第一行开始，依次对每一行的索引从左至右连续编号，得到图 7-2a 所示的映射结果。它把二维数组的索引映射为 [0,n–1] 中的数，这种映射方式称为**行主映射**（row major mapping）。索引对应的数称为**行主次序**（row-major order）。图 7-2b 是另一种映射模式，称为**列主映射**（column major mapping）。在列主映射中，对索引的编号从最左列开始，依次对每一列的索引从上到下连续编号。

[0][0]	[0][1]	[0][2]	[0][3]	[0][4]	[0][5]
[1][0]	[1][1]	[1][2]	[1][3]	[1][4]	[1][5]
[2][0]	[2][1]	[2][2]	[2][3]	[2][4]	[2][5]

图 7-1   整型数组 score[3][6] 的索引排列表

```
0   1   2   3   4   5           0   3   6   9   12  15

6   7   8   9   10  11          1   4   7   10  13  16

12  13  14  15  16  17          2   5   8   11  14  17
```

       a）行主映射   b）列主映射

图 7-2   映射一个二维数组

在行主次序中，映射函数为：

$$\text{map}(i_1, i_2) = i_1 u_2 + i_2 \tag{7-2}$$

其中 u_2 是数组的列数。公式（7-2）之所以正确，是在于行主映射模式在对索引 $[i_1][i_2]$ 编号时，0 至 i_1-1 行中的 $i_1 u_2$ 个元素以及第 i_1 行中的前 i_2 个元素都已经编号。

我们用图 7-2a 的 3×6 数组来验证行主映射函数。因为列数为 6，所以映射公式为：

$$\text{map}(i_1, i_2) = 6i_1 + i_2$$

因此有 $\text{map}(1,3) = 6 + 3 = 9$，$\text{map}(2,5) = 6*2+5 = 17$。这与图 7-2a 的编号相同。

二维数组的行主映射模式可以扩展为二维以上数组。对于一个二维数组，在行主次序中，首先列出所有第一个坐标为 0 的索引，然后是第一个坐标为 1 的索引，等等。第一个坐标相同的索引按其第二个坐标的递增次序排列。即索引按照词典序排列。对于一个三维数组，首先列出所有第一个坐标为 0 的索引，然后是第一个坐标为 1 的索引，等等。第一个坐标相同的索引按其第二个坐标的递增次序排列，前两个坐标相同的索引按其第三个坐标的递增次序排列。例如，数组 score[3][2][4] 的索引按行主次序排列为：

```
[0][0][0]   [0][0][1]   [0][0][2]   [0][0][3]   [0][1][0]   [0][1][1]   [0][1][2]   [0][1][3]

[1][0][0]   [1][0][1]   [1][0][2]   [1][0][3]   [1][1][0]   [1][1][1]   [1][1][2]   [1][1][3]

[2][0][0]   [2][0][1]   [2][0][2]   [2][0][3]   [2][1][0]   [2][1][1]   [2][1][2]   [2][1][3]
```

三维数组的行主映射函数为：

$$\text{map}(i_1,\ i_2,\ i_3) = i_1 u_2\, u_3 + i_2\, u_3 + i_3$$

为了认识这个映射函数的正确性，我们来观察检验。在第一个坐标为 i_1 的元素之前都是第一个坐标小于 i_1 的元素，第一个坐标都相同的元素个数为 $u_2 u_3$。因此第一个坐标小于 i_1 的元素个数为 $i_1 u_2 u_3$。第一个坐标等于 i_1 且第二个坐标小于 i_2 的元素个数为 $i_2 u_3$，第一个坐标等于 i_1 且第二个坐标等于 i_2 且第三个坐标小于 i_3 的元素个数为 i_3。

7.1.4   用数组的数组来描述

C++ 用所谓数组的数组来表示一个多维数组。一个二维数组被表示为一个一维数组，这个一维数组的每一个元素还是一个一维数组。为表示二维数组

```
int x[3][5];
```

实际上是创建一个长度为 3 的一维数组 x，x 的每一个元素是一个长度为 5 的一维数组。图 7-3 显示了这种存储结构。其中有 4 块，浅色的一块存储了三个指针，其余的每一块用来存储 5 个整型数。每个指针和每个整型各占 4 字节，一共 72 字节。

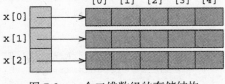

图 7-3　一个二维数组的存储结构

C++ 对元素 x[i][j] 的定位过程是：利用一维数组的映射函数（见公式（7-1））找到指针 x[i]，它是第 i 行第 0 个元素的地址；再利用一维数组的映射函数找到第 i 行中索引为 [j] 的元素。

一个三维数组被表示为一个一维数组，这个一维数组的每一个元素是一个二维数组，每一个二维数组如图 7-3 所示。

7.1.5　行主描述和列主描述

另有一种是 C++ 没有的表示方法，它创建一个一维数组，然后利用行主映射或列主映射，把多维数组映射到这个一维数组。用这种方法把上一节的整型二维数组 x[3][5] 映射到一个长度为 15 的整型数组：

```
int y[15];
```

它只需要一块连续的、能够容纳 15 个整数的存储空间。存储空间的大小从 72 字节降到 60 字节。

为了访问元素 x[i][j]，必须利用二维映射函数（见行主映射公式（7-2））计算出一个 u，然后利用一维映射函数访问元素 y[u]。C++ 数组中是行主描述法快还是列主描述法快，这取决于是先用一维映射函数定位指针，再用指针定位元素的方法快，还是用二维映射函数定位元素的方法快。

7.1.6　不规则二维数组

所谓规则的二维数组是指每行元素个数相同的二维数组。例如，图 7-1 的 3×6 数组 score，它的每一行有 6 个元素。当一个二维数组有两行或更多的行，它们的元素个数不等时，这个数组称为**不规则数组**（irregular array）。程序 7-1 创建并使用了一个不规则数组。注意，一个二维数组是否是规则的取决于每一行的元素个数是否相同，而元素的访问方式都是相同的。

程序 7-1　一个不规则二维数组的创建和使用

```
int main(void)
{
    int numberOfRows = 5;

    // 定义每一行的长度
    int length[5] = {6, 3, 4, 2, 7};

    // 声明一个二维数组变量
    // 且分配所需要的行数
    int **irregularArray = new int* [numberOfRows];

    // 分配每一行的空间
```

```
    for (int i = 0; i < numberOfRows; i++)
        irregularArray[i] = new int [length[i]];

    // 像使用规则数组一样使用不规则数组
    irregularArray[2][3] = 5;
    irregularArray[4][6] = irregularArray[2][3] + 2;
    irregularArray[1][1] = 3;

    // 输出选择的数组元素
    cout << irregularArray[2][3] << endl;
    cout << irregularArray[4][6] << endl;
    cout << irregularArray[1][1] << endl;

    return 0;
}
```

练习

1. 1）按行主次序列出数组 score[2][3][2][2] 的索引。

   2）给出四维数组的行主映射函数。

2. 给出五维数组的行主映射函数。

3. 给出 k 维数组的行主映射函数。

4. 1）按列主次序列出数组 score[2][3][4] 的索引。注意，此时首先列出第三个坐标为 0 的全部索引，然后列出第三个坐标为 1 的全部索引，以此类推。第三个坐标相同的索引按其第二个坐标的次序进行排列，后两个坐标都相同的索引按其第一个坐标的次序排列。

   2）给出三维数组的列主映射函数。

5. 1）按列主次序列出数组 score[2][3][2][2] 的索引。

   2）给出四维数组的列主映射函数（参考练习 4）。

6. 给出 k 维数组的列主映射函数。

7. 假定把一个二维数组的元素从最后一行开始，每一行从右至左进行映射。

   1）按这种映射次序列出数组 score[3][5] 的索引。

   2）给出数组 score[u_1][u_2] 的映射函数。

8. 假定把一个二维数组的元素从最后一列开始，每一列从顶至底进行映射。

   1）按这种次序列出数组 score[3][5] 的索引。

   2）给出数组 score[u_1][u_2] 的映射函数。

9. 一个 $m \times n$ 的二维数组有 mn 个元素。

   1）当用 C++ 的二维数组来存储时，存储空间需要多大？当用行主映射下的一维数组来存储时，存储空间需要多大？假定元素是整型的。先处理 $m=10$ 和 $n=2$ 的情况，再处理一般情况。

   2）两种存储空间需求的比例有多大？

10. 一个 $m \times n \times p$ 的三维数组有 mnp 个元素。

    1）当用 C++ 的三维数组来存储时，存储空间需要多大？如果用行主映射下的一维数组来存储时，那么存储空间需要多大？假定元素是整型的。先处理 $m=10$、$n=4$ 和 $p=2$ 的情况，再处理一般情况。

2）两种存储空间需求的比例有多大？

3）在什么时候，一个存储模式比另一个存储模式快？

11. 一个 $m \times n \times p \times q$ 的四维数组有 $mnpq$ 个元素。

1）当用 C++ 的四维数组来存储时，存储空间需要多大？当用行主映射下的一维数组来存储时，存储空间需要多大？假定元素是整型的。

2）两种存储空间需求的比例有多大？

12. $u_1 \times u_2 \times \cdots \times u_k$ 的 k 维数组有 $u_1 u_2 \cdots u_k$ 个元素。

1）当用 C++ 的 k 维数组来存储时，存储空间需要多大？当用行主映射下的一维数组来存储时，存储空间需要多大？假定元素是整型的。

2）两种存储空间需求的比例有多大？

3）在什么时候，一个存储模式比另一个存储模式快？

7.2　矩阵

7.2.1　定义和操作

一个 $m \times n$ 的**矩阵**（matrix）是一个 m 行、n 列的表（如图 7-4 所示），m 和 n 是矩阵的**维数**（dimension）。

例 7-2　矩阵通常用来组织数据。例如，要登记世界上的资源，可以首先生成一个令我们关注的资源类型表，这个表可能包含矿产（金、银等）、动物（狮子、大象等）、人（物理学家、工程师等）等。然后确定每一种资源在每一个国家的数量。这些数据可以组织在一个二维表中，其中每一列对应一个国家，每一行对应一种资源。这样就得到了一个资源矩阵：n 列对应 n 个国家，m 行对应 m 种资源。用符号 $M(i, j)$ 来引用矩阵 M 的第 i 行、第 j 列

	列1	列2	列3	列4
行1	7	2	0	9
行2	0	1	0	5
行3	6	4	2	0
行4	8	2	7	3
行5	1	4	9	6

图 7-4　一个 5×4 的矩阵

（$1 \leqslant i \leqslant m$，$1 \leqslant j \leqslant n$）的元素。如果第 i 行代表猫，第 j 列代表美国，那么 asset(i, j) 就代表美国所拥有的猫的总数。

图 7-5a 是一个资源矩阵，有 4 个国家，分别用 A、B、C 和 D 表示；有三种资源：白金、黄金和白银。B 国家有 5 个单位的白金（asset(1,2)=5）、2 个单位的黄金（asset(2,2)=2）和 10 个单位的白银（asset(3,2)=10）。

图 7-5b 的矩阵是在三个不同经济环境中每种资源的单位价值。在第三个经济环境中，1 单位白金的价值是 value(1,3)=\$50；1 单位黄金的价值是 value(2,3)=\$40；1 单位白银的价值是 value(3,3)=\$2。

国家				
资源	A	B	C	D
白金	2	5	1	0
黄金	6	2	3	8
白银	0	10	50	30

a）资源

经济环境			
资源	1	2	3
白金	20	15	50
黄金	15	12	40
白银	1	1	2

b）价值

图 7-5　资源和价值矩阵

矩阵最常见的操作是矩阵转置、矩阵相加、矩阵相乘。一个 $m \times n$ 的矩阵 M 转置之后是一个 $n \times m$ 的矩阵 M^T，它们的关系是：

$$M^T(i,j)=M(j,i), \quad 1 \leqslant i \leqslant n, \ 1 \leqslant j \leqslant m$$

两个矩阵仅当维数相同时（即它们的行数和列数都分别相等）才可以相加。两个 $m \times n$ 的矩阵 A 和 B 相加之后是一个 $m \times n$ 的矩阵 C，如下所示：

$$C(i,j)=A(i,j)+B(i,j), \quad 1 \leqslant i \leqslant n, \ 1 \leqslant j \leqslant m \tag{7-3}$$

一个 $m \times n$ 的矩阵 A 和一个 $q \times p$ 的矩阵 B，只有当 A 的列数等于 B 的行数（即 $n=q$）时，才可以相乘 $A*B$。$A*B$ 的结果是一个 $m \times p$ 的矩阵 C，它们的关系是：

$$C(i,j) = \sum_{k=1}^{n} A(i,k) * B(k,j), \quad 1 \leqslant i \leqslant m, 1 \leqslant j \leqslant p$$

例 7-3 假定有两家机构分别给出了如例 7-2 所描述的资源矩阵，而且没有重复累计的数据。如果这是两个 $m \times n$ 的矩阵 assert1 和 assert2，那么要得到所需要的资源矩阵，只需把矩阵 assert1 和 assert2 相加即可。

接下来，假定有另一个 $m \times s$ 的矩阵 value（如图 7-5b 所示），value(i,j) 代表在经济环境 j 下，资源 i 的单位价值。$CV(i,j)$ 代表在经济环境 j 下国家 i 所拥有的资源总价值。基于图 7-5 的数据，在经济环境 3 下，国家 B 所拥有的资源总价值为：

$CV(2,3) = $（白金数量 * 白金单位价值）+（黄金数量 * 黄金单位价值）

$\qquad$ +（白银数量 * 白银单位价值）

$\qquad$ =asset(1,2)*value(1,3) + asset(2,2)*value(2,3) + asset(3,2)*value(3,3)

$\qquad$ =5*50+2*40+10*2

$\qquad$ =350

CV 是一个 $m \times s$ 矩阵，而且

$$CV(i,j) = \sum_{k=1}^{m} \text{asset}(k,i) * \text{value}(k,j) = \sum_{k=1}^{m} asset^T(i,k) * \text{value}(k,j)$$

于是 CV 满足方程

$$CV = \text{asset}^T * \text{value}$$

图 7-6a 是图 7-5a 的矩阵 asset 的转置矩阵，图 7-6b 是矩阵 CV。

	p	g	s
A	2	6	0
B	5	2	10
C	1	3	50
D	0	8	30

a）asset^T

	1	2	3
A	130	102	340
B	140	109	350
C	115	101	270
D	150	126	380

b）CV=asset^T*value

图 7-6　矩阵转置和乘积的例子

我们在第 2 章已经讨论过按照二维数组来计算矩阵转置、矩阵相加和矩阵相乘的 C++ 函数（见程序 2-21, 程序 2-19, 程序 2-22 和程序 2-23）。

7.2.2　类 matrix

一个 rows × cols 的整型矩阵 M 可用如下的二维整数数组来描述：

```
int x[rows][cols];
```

其中 M(i,j) 对应于 x[i−1][j−1]。这种描述形式使应用时的数组索引和矩阵索引不同：数组的索引从 0 开始，矩阵的索引从 1 开始。另一种描述形式是把数组 x 定义为

```
int x[rows+1][cols+1];
```

并且对形式为 [0][*] 和 [*][0] 的数组元素弃之不用。本节我们所开发的一个矩阵描述方法，是用行主次序把矩阵映射到一个一维数组中。

类 matrix 用一个一维数组 element 存储，在行主次序中，储存 rows×cols 矩阵的 rows*cols 个元素。程序 7-2 是类头，即类声明。我们要重载函数操作符 ( )，使得在程序中对矩阵索引的用法和在数学中的一样。我们还要重载算术操作符，使它们能够用于矩阵对象。

程序 7-2　矩阵类 matrix 的声明

```
template<class T>
class matrix
{
    friend ostream& operator<<(ostream&, const matrix<T>&);
    public:
        matrix(int theRows = 0, int theColumns = 0);
        matrix(const matrix<T>&);
        ~matrix() {delete [] element;}
        int rows() const {return theRows;}
        int columns() const {return theColumns;}
        T& operator()(int i, int j) const;
        matrix<T>& operator=(const matrix<T>&);
        matrix<T> operator+() const;        //unary +
        matrix<T> operator+(const matrix<T>&) const;
        matrix<T> operator-() const;        //unary minus
        matrix<T> operator-(const matrix<T>&) const;
        matrix<T> operator*(const matrix<T>&) const;
        matrix<T>& operator+=(const T&);
    private:
        int theRows,                    //矩阵的行数
            theColumns;                 //矩阵的列数
        T *element;                     //数组 element
};
```

程序 7-3 是矩阵类 matrix 的构造函数和复制构造函数。注意，构造函数不仅生成行数和列数都大于 0 的矩阵，也生成 0×0 的矩阵。

程序 7-3　矩阵类 matrix 的构造函数和复制构造函数

```
template<class T>
matrix<T>::matrix(int theRows, int theColumns)
{// 矩阵构造函数
    //检验行数和列数的有效性
    if (theRows < 0 || theColumns < 0)
        throw illegalParameterValue("Rows and columns must be >= 0");
    if ((theRows == 0 || theColumns == 0)
                && (theRows != 0 || theColumns != 0))
        throw illegalParameterValue
        ("Either both or neither rows and columns should be zero");
```

```
    // 创建矩阵
    this->theRows = theRows;
    this->theColumns = theColumns;
    element = new T [theRows * theColumns];
}


template<class T>
matrix<T>::matrix(const matrix<T>& m)
{// 矩阵的复制构造函数
    // 创建矩阵
    theRows = m.theRows;
    theColumns = m.theColumns;
    element = new T [theRows * theColumns];

    // 复制 m 的每一个元素
    copy(m.element,
        m.element + theRows * theColumns,
        element);
}
```

程序 7-4 是重载赋值操作符 =。

程序 7-4　矩阵类 matrix 对赋值操作符＝的重载

```
template<class T>
matrix<T>& matrix<T>::operator=(const matrix<T>& m)
{// 赋值 . (*this) = m
    if (this != &m)
    {// 不能自己复制自己
        delete [] element;
        theRows = m.theRows;
        theColumns = m.theColumns;
        element = new T [theRows * theColumns];
        // 复制每一个元素
        copy(m.element,
            m.element + theRows * theColumns,
            element);
    }
    return *this;
}
```

为了用左右括号来表示矩阵索引，我们重载 C++ 的函数操作符 ()，它可以具有任意个数的参数，不过在矩阵应用中，我们需要两个整型参数。程序 7-5 是重载函数操作符 () 的代码。它的返回值是对索引为 (i,j) 的矩阵元素的引用，这个引用既可以用来取值，也可以用来赋值。例如，语句 a(i,j) = 2 和语句 x = a(i,j) 都可以，其中 a 是矩阵。

程序 7-5　矩阵类 matrix 对 () 操作符的重载

```
template<class T>
T& matrix<T>::operator()(int i, int j) const
{// 返回对元素 element (i,j) 的引用
    if (i < 1 || i > theRows
        || j < 1 || j > theColumns)
    throw matrixIndexOutOfBounds();
```

```
    return element[(i - 1) * theColumns + j - 1];
}
```

程序 7-6 是重载操作符 +，以实现矩阵加法。因为矩阵被映射到一维数组，所以两个矩阵相加只需要一层 for 循环。诸如矩阵的一元增值操作（每个元素增加相同的值）和矩阵减法的代码都与矩阵加法的代码相似。

程序 7-6　矩阵加法

```
template<class T>
matrix<T> matrix<T>::operator+(const matrix<T>& m) const
{// 返回矩阵 w = (*this) + m
    if (theRows != m.theRows
        || theColumns != m.theColumns)
        throw matrixSizeMismatch();

    // 生成结果矩阵
    matrix<T> w(theRows, theColumns);
    for (int i = 0; i < theRows * theColumns; i++)
        w.element[i] = element[i] + m.element[i];

    return w;
}
```

在程序 7-7 的矩阵乘法代码中有三层嵌套 for 循环，循环结构与程序 2-23 的相似。最内层的循环利用公式（7-3）来计算矩阵乘积后索引为 (i, j) 的元素。进入最内层循环时，element[ct] 是第 i 行的第一个元素，m.element [cm] 是第 j 列的第一个元素。为了得到第 i 行的下一个元素，将 ct 增加 1，因为在行主次序中同一行的元素是连续存放的。为了得到第 j 列的下一个元素，将 cm 增加 m.theColumns，因为在行主次序中同一列的两个相邻元素在位置上相差 m.theColumns。当最内层循环完成时，ct 指向第 i 行的最后一个元素，cm 指向第 j 列的最后一个元素。对于 j 循环的下一次循环，起始时必须将 ct 指向第 i 行的第一个元素，cm 指向 m 的下一列的第一个元素。对 ct 的调整是在最内层循环完成后进行的。当 j 循环完成时，需要将 ct 指向下一行的第一个元素，而将 cm 指向第一列的第一个元素。

像程序 4-4 所采用的 ikj 顺序一样，通过减少缓存未命中事件的次数可以提高矩阵乘法代码的效率。矩阵剩余方法的代码可以从本书网站上获得。

程序 7-7　矩阵乘法

```
template<class T>
matrix<T> matrix<T>::operator*(const matrix<T>& m) const
{// 矩阵乘法．返回结果矩阵 w = (*this) * m
    if (theColumns != m.theRows)
        throw matrixSizeMismatch();

    matrix<T> w(theRows、m.theColumns);              // 结果矩阵

    // 定义矩阵 *this, m 和 w 的游标且初始化以为 (1,1) 元素定位
    int ct = 0, cm = 0, cw = 0;

    // 对所有 i 和 j 计算 w(i,j)
    for (int i = 1; i <= theRows; i++)
```

```
{//计算结果矩阵的第 i 行
    for (int j = 1; j <= m.theColumns; j++)
    { //计算 w(i,j) 第一项
        T sum = element[ct] * m.element[cm];

        //累加其余所有项
        for (int k = 2; k <= theColumns; k++)
        {
            ct++;                          // *this 中第 i 行的下一项
            cm += m.theColumns;            // m 中第 j 列的下一项
            sum += element[ct] * m.element[cm];
        }
        w.element[cw++] = sum;         // 存储在 w(i,j)

        //从行的起点和下一列从新开始
        ct -= theColumns - 1;
        cm = j;
    }

    //从下一行和第一列重新开始
    ct += theColumns;
    cm = 0;
}

return w;
}
```

复杂度

当 T 是 C++ 的一个内部数据类型时（例如整型、实型），矩阵构造函数和析构函数的复杂度是 $O(1)$。当 T 是一个用户自定义的数据类型时，构造函数和析构函数的复杂度为 O（theRows*theColumns），因为在创建（释放）数组时，类型为 T 的每一个数组元素的构造函数（析构函数）都要被调用。

假定一个矩阵复制和两个矩阵相加所需时间分别都是 $\Theta(1)$，那么矩阵复制构造函数和矩阵加法的渐近复杂度是 O(theRows*theColumns)。矩阵乘法的复杂度是 O(theRows*theColumns*m.theColumns)。

练习

13. 1）图 7-4 矩阵的转置矩阵是什么？

　　2）图 7-4 矩阵和其转置矩阵的乘积是什么？

14. 用图 7-2b 矩阵做练习 13。

15. 扩充 matrix 类：增加方法 -=（每个矩阵元素减去一个指定的值），<<（输入一个矩阵），*=（每个矩阵元素乘以一个指定的值），/=。测试编写的代码。

16. 扩充 matrix 类，增加一个方法 tranpose()，返回值是转置后的矩阵。测试你的代码。

17. 1）开发一个类 matrixAs2DArray，用二维数组表示矩阵。这个类应该包含所有矩阵方法和矩阵转置。

　　2）测试你的方法。

　　3）针对矩阵加法和乘法的性能，对类 matrix 和类 matrixAs2DArray 进行比较。比较的方法是测量实际的运行时间。你认为行主映射的一维数组表示方法比二维数组表示方法好在哪里？

7.3 特殊矩阵

7.3.1 定义和应用

方阵（square matrix）是行数和列数相同的矩阵。一些常用的特殊方阵如下：

- **对角矩阵**（diagonal）。M 是一个对角矩阵，当且仅当 $i \neq j$ 时，$M(i,j) = 0$。如图 7-7a 和图 7-8a 所示。

- **三对角矩阵**（tridiagonal）。M 是一个三对角矩阵，当且仅当 $|i-j|>1$ 时，$M(i,j) = 0$。如图 7-7b 和图 7-8b 所示。

- **下三角矩阵**（lower triangular）。M 是一个下三角矩阵，当且仅当 $i<j$ 时，$M(i,j) = 0$。如图 7-7c 和图 7-8c 所示。

- **上三角矩阵**（upper triangular）。M 是一个上三角矩阵，当且仅当 $i>j$ 时，$M(i,j) = 0$。如图 7-7d 和图 7-8d 所示。

- **对称矩阵**（symmetric）。M 是一个对称矩阵，当且仅当对于所有的 i 和 j，$M(i,j)=M(j,i)$。如图 7-8e 所示。

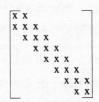

a）对角矩阵　　　　b）三对角矩阵

c）下三角矩阵　　　　d）上三角矩阵

x表示非0元素，0元素未给出

图 7-7　特殊矩阵的非 0 元素

```
2 0 0 0        2 1 0 0        2 0 0 0
0 1 0 0        3 1 3 0        5 1 0 0
0 0 4 0        0 5 2 7        0 3 1 0
0 0 0 6        0 0 9 0        4 2 7 0
```

a）对角矩阵　　　b）三对角矩阵　　　c）下三角矩阵

```
2 1 3 0        2 4 6 0
0 1 3 8        4 1 9 5
0 0 1 6        6 9 4 7
0 0 0 0        0 5 7 0
```

d）上三角矩阵　　　e）对称矩阵

图 7-8　4×4 的特殊矩阵

例 7-4　考察佛罗里达州（Florida）的 6 个城市 Gainesville、Jacksonville、Miami、Orlando、Tallaha--ssee 和 Tampa。按照上面列出的顺序，从 1 ~ 6 编号。任意两个城市之间的距离可以用一个 6×6 的矩阵 distance 来表示。矩阵的第 i 行和第 i 列代表第 i 个城市。distance(i,j) 代表城市 i 和城市 j 之间的距离。图 7-9 给出了相应的矩阵，因为对于所有的 i 和 j 有 distance(i,j)=distance(j,i)，所以这是一个对称矩阵。■

	GN	JX	MI	OD	TL	TM
GN	0	73	333	114	148	129
JX	73	0	348	140	163	194
MI	333	348	0	229	468	250
OD	114	140	229	0	251	84
TL	148	163	468	251	0	273
TM	129	194	250	84	273	0

GN = Gainesville	OD = Orlando
JX = Jacksonville	TL = Tallahassee
MI = Miami	TM = Tampa

距离单位：千米

图 7-9　distance 矩阵

（来源：Rand McNally Road Atlas）

例 7-5   假定一个栈有 n 个纸盒，纸盒 1 位于栈底，纸盒 n 位于栈顶。每个纸盒的宽度为 w，深度为 d。第 i 个纸盒的高度为 h_i。栈的体积为 $w*d*\sum_{i=1}^{n}h_i$。在**栈折叠**（stack folding）问题中，我们要选择一个折叠点 i，把栈分成两个相邻的子栈，其中一个子栈包含纸盒 1 至 i，另一个子栈包含纸盒 $i+1$ 至 n。重复这种折叠过程，可以得到若干个子栈。如果生成了 s 个子栈，则这些子栈所需要的空间宽度为 $s*w$，深度为 d，高度 h 为最高子栈的高度。s 个子栈所需要的空间容量为 $s*w*d*h$。由于 h 是第 i 个至第 j 个纸盒所构成栈的高度（其中 $i\le j$），因此 h 的可能取值可由 $n\times n$ 矩阵 H 给出，其中对于 $i>j$ 有 $H(i,j)=0$，对于 $i\le j$ 有 $H(i,j)=\sum_{k=i}^{j}h_k$。由于每个纸盒的高度可以认为大于 0，所以 $H(i,j)=0$ 代表一个不可能的高度。图 7-10a 给出了一个五个纸盒的栈。每个矩形中的数字代表纸盒的高度。图 7-10b 给出了五个纸盒栈折叠成三个栈后的情形，其中最大栈的高度为 7。矩阵 H 是一个上三角矩阵，如图 7-10c 所示。栈折叠问题的一个应用是栈所包含的内容为电子部件，目的是折叠后的栈所需空间最小（见本书网站）。

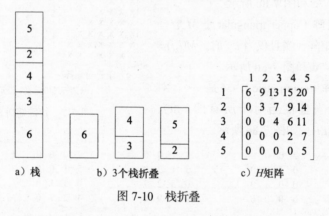

a）栈   b）3个栈折叠   c）H矩阵

图 7-10   栈折叠

7.3.2   对角矩阵

一个 rows × rows 的对角矩阵 D 可以表示为一个二维数组 element[rows][rows]，其中 element[i−1][j−1] 表示 $D(i,j)$。这种表示法需要 rows² 个类型为 T 的数据空间。然而，对角矩阵最多只有 rows 个非 0 元素，因此可以用一维数组 element[rows] 来表示对角矩阵，其中 element[i−1] 表示 $D(i,i)$。所有未在一维数组中出现的矩阵元素均为 0。这种表示法仅需要 rows 个类型为 T 的数据空间，而且产生了 C++ 类 diagonalMatrix（见程序 7-8 至程序 7-10）。

构造函数的时间复杂度，当 T 是内部类型时为 $O(1)$，当 T 是用户定义类型时为 $O(rows)$。方法 get 和 set 的时间复杂度为 $\Theta(1)$。

程序 7-8   类 diagonalMatrix 的声明和构造函数

```
template<class T>
class diagonalMatrix
{
    public:
        diagonalMatrix(int theN = 10);
        ~diagonalMatrix() {delete [] element;}
        T get(int, int) const;
        void set(int, int, const T&);
```

```
    private:
        int n;                    // 矩阵维数
        T *element;               // 存储对角矩阵的一维数组
};

template<class T>
diagonalMatrix<T>::diagonalMatrix(int theN)
{// 构造函数
    // 检验 theN 的值是否有效
    if (theN < 1)
        throw illegalParameterValue("Matrix size must be > 0");

    n = theN;
    element = new T [n];
}
```

程序 7-9　类 diagonalMatrix 的方法 get

```
template <class T>
T diagonalMatrix<T>::get(int i, int j) const
{// 返回矩阵中 (i,j) 位置上的元素
    // 检验 i 和 j 的值是否有效
    if (i < 1 || j < 1 || i > n || j > n)
        throw matrixIndexOutOfBounds();

    if (i == j)
        return element[i-1];      // 对角线上的元素
    else
        return 0;                 // 非对角线上的元素
}
```

程序 7-10　类 diagonalMatrix 的方法 set

```
template<class T>
void diagonalMatrix<T>::set(int i, int j, const T& newValue)
{// 存储 (i,j) 项的新值
    // 检查 i 和 j 的值是否有效
    if (i < 1 || j < 1 || i > n || j > n)
        throw matrixIndexOutOfBounds();

    if (i == j)
        // 存储对角元素的值
        element[i-1] = newValue;
    else
        // 非对角元素的值必须是 0
        if (newValue != 0)
            throw illegalParameterValue
                ("nondiagonal elements must be zero");
}
```

7.3.3　三对角矩阵

在一个 rows × rows 的三对角矩阵中，非 0 元素排列在如下三条对角线上：

1）主对角线——$i=j$。

2）主对角线之下的对角线（称低对角线）——$i=j+1$。

3）主对角线之上的对角线（称高对角线）——$i=j-1$。

这三条对角线上的元素总数为 3*rows-2。可以用一个容量为 3*rows-2 的一维数组 element 来描述三对角矩阵，因为只有三条对角线上的元素需要真正地存储。考察图 7-8b 的 4×4 三对角矩阵。三条对角线上共有 10 个元素。如果逐行映射，则 element[0:9]= [2,1,3,1,3,5,2,7,9,0]；如果逐列映射，则有 element=[2,3,1,1,5,3,2,9,7,0]；如果从最下面的对角线开始逐条对角线映射，则有 element=[3,5,9,2,1,2,0,1,3,7]。如上所述，把三对角矩阵映射到数组 element 有三种不同方式。每一种方式都有不同的 get 和 set 函数代码。假定类 tridiagonalMatrix 采用的是逐条对角线映射。数据成员和构造函数与类 diagonal 的相似。程序 7-11 是 get 函数的代码，而 set 函数的与之相似，可以从本书网站上得到。

程序 7-11　三对角矩阵的方法 get

```
template <class T>
T tridiagonalMatrix<T>::get(int i, int j) const
{// 返回矩阵中 (i,j) 位置上的元素

    // 检验 i 和 j 的值是否有效
    if ( i < 1 || j < 1 || i > n || j > n)
        throw matrixIndexOutOfBounds();

    // 确定要返回的元素
    switch (i - j)
    {
        case 1:      // 下对角线
                return element[i - 2];
        case 0:      // 主对角线
                return element[n + i - 2];
        case -1:     // 上对角线
                return element[2 * n + i - 2];
        default: return 0;
    }
}
```

练习 25 是三对角矩阵的另一种节省空间的表示方法，它使用了不规则矩阵（见 7.1.6 节）。

7.3.4　三角矩阵

在一个 n 行的下三角矩阵中（见图 7-7c），非 0 区域的第一行有 1 个元素，第二行有 2 个元素，…，第 n 行有 n 个元素。在一个上三角矩阵中，非 0 区域的第一行有 n 个元素，第二行有 $n-1$ 个元素，…，第 n 行有 1 个元素。这两种三角形非 0 区域共有非 0 元素：

$$\sum_{i=1}^{n} i = n(n+1)/2$$

这两种三角矩阵都可以用一个大小为 $n(n+1)/2$ 的一维数组来表示。考察一个下三角矩阵 L，它被映射到一维数组 element。可以按行映射，也可以按列映射。图 7-8c 的 4×4 下三角矩阵，按行映射的结果是 element[0:9]=[2,5,1,0,3,1,4,2,7,0]，按列映射的结果是 element=[2,5,0,4,1,3,2,1,7,0]。

考察一个下三角矩阵的元素 $L(i,j)$。如果 $i<j$，则 $L(i,j)=0$；如果 $i \geq j$，则 $L(i,j)$ 位于非 0

区域。在按行映射方式中，在元素 $L(i,j)$（$i \geq j$）之前分别有 $\sum_{k=1}^{i-1} k$ 个元素位于第 1 行至第 $i-1$ 行的非 0 区域和 $j-1$ 个元素位于第 i 行的非 0 区域，共有 $i(i-1)/2+j-1$ 个。这个表达式同时给出了元素 $L(i,j)$ 在数组 element 中的位置。利用这个表达式，得到在程序 7-12 给出的 set 方法，方法 get 与之类似。二者的时间复杂度均为 $\Theta(1)$。

练习 26 是三角矩阵的另一种节省空间的表示方法，它使用了不规则矩阵（见 7.1.6 节）。

程序 7-12 方法 lowerTriangularMatrix\<T>::set

```
template<class T>
void lowerTriangularMatrix<T>::set(int i, int j, const T& newValue)
{// 给 (i,j) 元素赋新值
    // 检验 i 和 j 的值是否合法
    if ( i < 1 || j < 1 || i > n || j > n)
        throw matrixIndexOutOfBounds();


    // (i,j) 在下三角，当且仅当 i >= j
    if (i >= j)
        element[i * (i - 1) / 2 + j - 1] = newValue;
    else
        if (newValue != 0)
            throw illegalParameterValue
                ("elements not in lower triangle must be zero");
}
```

7.3.5 对称矩阵

一个 $n \times n$ 对称矩阵，可以视为下三角或上三角矩阵，用三角矩阵的表示方法，用一个大小为 $n(n+1)/2$ 的一维数组来表示。未存储的元素可以用存储的元素来计算。

练习

18. 在夏日，坐着内胎，上千人一起沿沉睡河顺流而下，是一项令人开心的体验。沉睡河有 7 个地点可以出入。我们按照从上游到下游的顺序，把它们依此编号 1 到 7。每一个地点都有不同的商贩出租内胎。在 1 号地点出租内胎的商贩，在 1、3、6 和 7 号地点回收内胎；在 2 号地点出租内胎的商贩在 3、5 和 6 号地点回收内胎。在 3、4、5、6 和 7 号地点出租的内胎，其回收地点分别为 3、5、7；5、6、7；7；6、7；7。

    1）写一个 7×7 矩阵，如果在 i 号地点出租内胎，在 j 号地点回收内胎，则 (i,j) 项为 1，否则 (i,j) 项为 0。这个矩阵是对称的吗？是否为上三角？是否为下三角？

    2）写一个 7×7 矩阵，如果在 j 号地点出租内胎，在 i 号地点回收内胎，则 (i,j) 项为 1，否则 (i,j) 项为 0。这个矩阵是对称的吗？是否为上三角？是否为下三角？

    3）按照从下游到上游的顺序重新为出入地点编号。然后写一个 7×7 矩阵，如果在 i 号地点出租内胎，在 j 号地点回收内胎，则 (i,j) 项为 1，否则 (i,j) 项为 0。这个矩阵是对称的吗？上三角的吗？下三角的吗？

19. 一排有 5 个间距相等的狗窝。每一个狗窝有一只狗，而且被链条拴在狗窝的柱子上，每一根链条长度等于相邻两个狗窝的距离。假定第 i 只狗被拴在第 i 个狗窝。

1）第 3 只狗可以走到哪一个狗窝？

2）写一个 5×5 矩阵，当第 i 只狗可以走到第 j 个狗窝时，元素 (i, j) 的值为 1，否则为 0。

3）这个矩阵是哪一种特殊矩阵，对称矩阵、上三角矩阵、下三角矩阵、三对角矩阵或对角矩阵？

20. 1）扩充 diagonalMatrix 类（见程序 7-8），增加以下成员方法：输入、输出、加、减、乘和矩阵转置。每个成员方法的结果都是一个用一维数组表示的对角矩阵。

2）测试代码。

3）每个成员方法的时间复杂度是多少？

21. 1）扩充 tridiagonalMatrix 类（见程序 7-11），增加以下成员方法：输入、输出、加、减、乘和矩阵转置。

2）测试代码。

3）每个成员方法的时间复杂度是多少？

22. 1）开发一个 C++ 类 tridiagonalByColumns，它按列顺序把 $n \times n$ 三对角矩阵映射为长度为 $3n{-}2$ 的一维数组。包含如下方法：输入、输出、取值、存值、加、减和矩阵转置。

2）测试代码。

3）每个方法的时间复杂度是多少？

23. 开发一个 C++ 类 tridiagonalByRows，它按行顺序把 $n \times n$ 三对角矩阵映射为长度为 $3n{-}2$ 的一维数组。其余的要求同练习 22。

24. 两个三对角矩阵的乘积仍然是一个三对角矩阵吗？

25. 编写一个类 tridiagonalAsIrregularArray，它用二维数组 element 表示一个 $n \times n$ 的三对角矩阵，数组 element 的第 0 行和第 $n{-}1$ 行有两个位置，其余的行有三个位置。参考 7.1.6 节来创建这个二维数组。这个类应该包含类 tridiagonalMatrix 的所有方法。

1）测试代码。

2）类 tridiagonalMatrix 和类 tridiagonalAsIrregularArray 各自的优点是什么。

26. 编写一个类 lowerTriangleAsIrregularArray，用二维数组表示一个 $n \times n$ 的下三角矩阵，数组 element 的第 i 行有 i 个位置。参考 7.1.6 节来创建这个二维数组。这个类应该包含类 lowerTriangularMatrix 的所有方法。

1）测试代码。

2）类 lowerTriangularMatrix 和类 lowerTriangleAsIrregularArray 各自的优点是什么。

27. 模仿程序 7-12，为上三角矩阵编写 C++ 类 upperTriangularMatrix。包含构造、取值 get 和存值 set 方法。

28. 扩充类 lowerTriangularMatrix，增加以下方法：输入、输出、加和减。确定方法的时间复杂度。

29. 扩充类 lowerTriangularMatrix，增加矩阵转置方法，返回值是下三角矩阵的转置矩阵，是上三角矩阵，是类 upperTriangularMatrix 的一个实例。确定时间复杂度。

30. 令 A 和 B 是两个 $n \times n$ 的下三角矩阵。它们在非 0 区域的元素总个数是 $n(n+1)$。设计一个映射方式，用 element[n+1][n] 来表示这两个矩阵。（提示：把下三角矩阵 A 和上三角矩阵 B^{T} 合并，得到一个 $(n+1) \times n$ 的矩阵。）分别为矩阵 A 和 B 编写取值和存值函数。时间复杂度应该是 $\Theta(1)$。

31. 编写一个方法，实现两个下三角矩阵的乘法，作为类 lowerTriangularMatrix 的成员（见程序 7-12）。结果用一个二维数组表示。确定方法的时间复杂度。

32. 编写一个方法，实现一个下三角矩阵和一个上三角矩阵的乘法，这两个矩阵都是按行的方式存储在一维数组中。结果矩阵用二维数组表示。方法的时间复杂度是什么？

33. 假定按行的方式把对称矩阵的下三角区域存储在一个一维数组中。设计一个 C++ 类 lowerSymmetricMatrix，包含取值和存值方法。这两个方法的时间复杂度应为 $\Theta(1)$。

34. 一个 $n \times n$ 的 **C 形矩阵** 是除第 1 行、第 n 行和第 1 列以外的元素都是 0 的矩阵（见图 7-11）。它的非 0 元素最多有 $3n-2$ 个。一个 C 形矩阵可以压缩存储在一个一维数组，只存储第 1 行、第 n 行和第 1 列剩余的元素。

x项表示一个可能的非0元素，
其他项都是0

图 7-11 一个 C 形矩阵

1）给出一个 4×4 的 C 形矩阵和它的压缩表示方式。

2）证明一个 $n \times n$ 的 C 形矩阵最多有 $3n-2$ 个非 0 元素。

3）设计一个类 cMatrix，用上述的一维数组表示 $n \times n$ 的 C 形矩阵。包含构造、取值和存值方法。

35. 一个 $n \times n$ 的矩阵 M 称为 **反对角矩阵**（antidiagonal），当且仅当 $i+j \neq n+1$ 时，元素 $M(i,j)=0$。

1）给出一个 4×4 的反对角矩阵的例子。

2）证明 $n \times n$ 的反对角矩阵 M 最多有 n 个非 0 元素。

3）设法用长度为 n 的一维数组表示一个 $n \times n$ 的反对角矩阵。

4）用 3）的表示方式设计 C++ 类 antidiagonalMatrix，包含取值和存值方法。

5）取值和存值方法的时间复杂度是什么？

6）测试代码。

36. 一个 $n \times n$ 的矩阵 T 称为 **等对角矩阵**（Toeplitz matrix），当且仅当 $i>1$ 和 $j>1$ 时，$T(i,j)=T(i-1,j-1)$。

1）证明一个 $n \times n$ 的等对角矩阵最多有 $2n-1$ 个不同的元素。

2）设计一个映射，把一个等对角矩阵映射到一个长度为 $2n-1$ 的一维数组。

3）采用 2）的映射模式设计一个 C++ 类 toeplitzMatrix，用一个大小为 $2n-1$ 的一维数组来存储等对角矩阵。包含 get 和 set 方法。这两个方法的时间复杂度应为 $\Theta(1)$。

4）编写一个成员方法，实现以 2）方式存储的两个等对角矩阵的乘法，结果存储在一个二维数组。确定时间复杂度。

37. 一个 **带状方阵**（square band matrix）$D_{n,a}$ 是一个 $n \times n$ 矩阵，所以非 0 元素都处于以主对角线为中心的一个带状区域中。这个带状区域包括主对角线和主对角线上下的 $a-1$ 条对角线，如图 7-12 所示。

1）带状矩阵 $D_{n,a}$ 有多少个元素？

2）对 $D_{n,a}$ 的带状区域中的元素 $d_{i,j}$ 来说，i 和 j 之间有什么关系？

3）假定从最下面的一条对角线开始，沿角线把 $D_{n,a}$ 的带状区域映射到一个一维数组 b 中。图 7-13 用这种方式表示了图 7-12 的带状方阵 $D_{4,3}$。
    给出一个公式，用来计算带状区下方元素 $d_{i,j}$ 的存储位置（在上例中 d_{10} 的位置为 2，即 location(d_{10})=2）。

4）使用 3) 的映射方法设计一个 C++ 类 squareBandMatrix，包含 get 和 set 方法。这两个方法的时间复杂度分别是多少？测试你的代码。

5）设计一个类 squareBandAsIrregularArray，存储空间是二维数组 element，每一行的长度是该行带状区域的长度。例如，element［0］是一个一维数组，有 a 个位置。该类包含 get 和 set 方法。每个方法的时间复杂度是什么？测试你的代码。

6）对 4) 和 5) 的表示方法，比较优缺点。

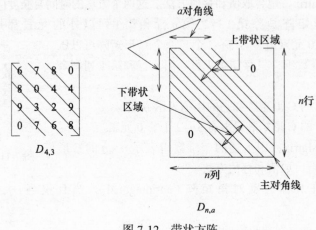

图 7-12　带状方阵

b[0]	b[1]	b[2]	b[3]	b[4]	b[5]	b[6]	b[7]	b[8]	b[9]	b[10]	b[11]	b[12]	b[13]
9	7	8	3	6	0	2	8	7	4	9	8	4
d_{20}	d_{31}	d_{10}	d_{21}	d_{32}	d_{00}	d_{11}	d_{22}	d_{33}	d_{01}	d_{12}	d_{23}	d_{02}	d_{13}

图 7-13　图 7-12 方阵 $D4,3$ 的描述

7.4　稀疏矩阵

7.4.1　基本概念

一个 $m \times n$ 的矩阵，如果大多数元素都是 0，则称为**稀疏矩阵**（spare matrix）。一个矩阵如果不是稀疏的，就称为**稠密矩阵**（dense matrix）。在稀疏矩阵和稠密矩阵之间没有明确的界限。$n \times n$ 的对角矩阵和三对角矩阵是稀疏矩阵。它们的非 0 元素是 $O(n)$，0 元素是 $O(n^2)$。一个 $n \times n$ 的三角矩阵是稀疏矩阵吗？它至少有 $n(n-1)/2$ 个 0 元素，最多有 $n(n+1)/2$ 个非 0 元素。本节规定，稀疏矩阵的非 0 元素个数要小于 $n^2/3$，有时还要小于 $n^2/5$，因此三角矩阵被视为稠密矩阵。

诸如对角矩阵和三对角矩阵这样的稀疏矩阵，其非 0 区域的结构很有规律，因此可以设计一个很简单的存储结构，其大小就等于矩阵非 0 区域的大小。本节中主要考察非 0 区域不规则的稀疏矩阵。

例 7-6　某超级市场正在开展一项关于顾客购物品种的综合研究。为此收集了 1000 个顾客的购物数据，这些数据被组织成一个矩阵 purchases，其中 purchases(i,j) 表示顾客 j 所购买的商品 i 的数量。假定该超级市场有 10 000 种不同的商品，那么 purchases 将是一个 10 000 × 1000 的矩阵。如果每个顾客平均购买了 20 种不同的商品，那么在 10 000 000 个矩阵元素中大约只有 20 000 个元素为非 0，并且非 0 元素的分布没有很明确的规律。

超级市场有一个 10 000 × 1 的价格矩阵 price，price(i) 代表商品 i 的单价。矩阵

spent=purchases^T*price 是一个 1000 × 1 的矩阵，它给出每个顾客所花费的购物资金。如果用一个二维数组来描述矩阵 purchases，那么将浪费大量的存储空间，并且计算 spent 时也将耗费很多不必要的时间。 ∎

7.4.2 用单个线性表描述

可以按行主次序把无规则稀疏矩阵的非 0 元素映射到一个线性表中。例如图 7-14a 的 4 × 8 矩阵按行主次序排列为：2，1，6，7，3，9，8，4，5。

为了重建矩阵结构，必须记录每个非 0 元素的行号和列号，因此数组元素需要三个域：row（矩阵元素所在行）、col（矩阵元素所在列）和 value（矩阵元素的值）。为此，定义结构 matrixTerm，使其具有三个数据成员：整型 row 和 col，T 类型 value。

图 7-14a 的稀疏矩阵非 0 元素，按行主次序存储在图 7-14b 的线性表 terms 中。带有 terms 标签的一行是矩阵非 0 元素在线性表中的索引；线性表元素不仅存储矩阵非 0 元素，还要存储它在矩阵中的行号和列号。

```
0 0 0 2 0 0 1 0        terms  0 1 2 3 4 5 6 7 8
0 6 0 0 7 0 0 3          row  1 1 2 2 2 3 3 4 4
0 0 0 9 0 8 0 0          col  4 7 2 5 8 4 6 2 3
0 4 5 0 0 0 0 0        value  2 1 6 7 3 9 8 4 5
```

a）一个 4 × 8 矩阵   b）线性表描述

图 7-14 一个稀疏矩阵和线性表描述

假定线性表 terms 是类 arrayList 的一个实例。如果图 7-14a 的 9 个非 0 元素都按整型存储，那么线性表描述需要的空间是 8（存储行数和列数）+9*12（每个非 0 元素需要存储行、列和值，每一个需要 4 字节）+8（存储线性表 terms 的元素个数和容量）+4（数组 terms. elements 的引用）=128 字节。如果用一个 4 × 8 的二维数组 theArray 来表示这个稀疏矩阵，那么需要空间 32*4（数组元素）+4*4（theArray[] 中的指针）+4（数组 theArray 的引用）=148 字节。在这个例子中，使用线性表没有节省很多空间。然而，对例 7-6 的矩阵 purchase，线性表所需空间大约是 20 000*12=240 000 字节，而二维数组大约需要 10 000 000*4=40 000 000 字节。节省了大约 39 760 000 字节。节省了初始化二维数组的时间。

稀疏矩阵的线性表描述并没有提高 get 和 set 函数的执行效率。如果折半查找，那么 get 函数的执行时间是 $O(\log[$ 非 0 元素个数 $])$。因为需要移动元素，所以 set 函数的执行时间是 O（非 0 元素个数）。如果采用链表，那么两个函数的执行时间都是 $O($ 非 0 元素个数 $)$。如果采用标准的二维数组来描述矩阵，这两种函数所需要的时间均为 $\Theta(1)$。不过，使用线性表，诸如转置、加法和乘法的矩阵操作都可以提高效率。

1. 类 sparseMatrix

基于 6.1.6 节的实验，我们给 terms 所属的类 arrayList 添加如下方法：

1）reSet(newSize) 把数组的元素个数改为 newSize，必要时增大数组容量。

2）set(theIndex, theElement) 使元素 theElement 成为表中索引为 theIndex 的元素。

3）clear() 使表的元素个数为 0。

程序 7-13 是类 spareMatrix 的头，它用行主次序把稀疏矩阵映射到 arrayList。注意，这个类的唯一构造函数是缺省构造函数。

程序 7-13   类 spareMatrix 的头

```
template<class T>
class sparseMatrix
{
   public:
      void transpose(sparseMatrix<T> &b);
      void add(sparseMatrix<T> &b, sparseMatrix<T> &c);
   private:
      int rows,                          // 矩阵行数
          cols;                          // 矩阵列数
      arrayList<matrixTerm<T> > terms;   // 非 0 项表
};
```

程序 7-14 是重载输出操作符 << 的代码。注意，这个代码对类 arrayList 的元素使用了从左至右的顺序迭代器，按行主次序提取矩阵非 0 元素，一行输出一个矩阵项。

程序 7-14   重载输出操作符 <<

```
template <class T>
ostream& operator<<(ostream& out, sparseMatrix<T>& x)
{// 将 x 放入输出流

   // 输出矩阵特征
   out << "rows = " << x.rows << " columns = "
       << x.cols  << endl;
   out << "nonzero terms = " << x.terms.size() << endl;

   // 输出矩阵项，一行一个
   for (arrayList<matrixTerm<T> >::iterator i = x.terms.begin();
        i != x.terms.end(); i++)
      out << "a(" << (*i).row << ',' << (*i).col
          << ") = " << (*i).value << endl;

   return out;
}
```

程序 7-15 的代码是按行主次序输入稀疏矩阵元素，建立内部的表示。练习 42 是对这个代码进行的改进。

程序 7-15   重载输入操作符 >>

```
template<class T>
istream& operator>>(istream& in, sparseMatrix<T>& x)
{// 输入一个稀疏矩阵

   // 输入矩阵特征
   int numberOfTerms;
   cout << "Enter number of rows, columns, and #terms"
        << endl;
   in >> x.rows >> x.cols >> numberOfTerms;
   // 这里应该检验输入的合法性，留作练习

   // 设置 x.terms 的大小，确保足够的容量
   x.terms.reSet(numberOfTerms);
```

```
// 输入项
matrixTerm<T> mTerm;
for (int i = 0; i < numberOfTerms; i++)
{
    cout << "Enter row, column, and value of term "
         << (i + 1) << endl;
    in >> mTerm.row >> mTerm.col >> mTerm.value;
    // 这里应该检验输入的合法性，留作练习

    x.terms.set(i, mTerm);
}

return in;
}
```

2. 矩阵转置

程序 7-16 是矩阵转置方法 transpose。转置后的矩阵存储在矩阵 b 中。首先设置 b 的行数和列数，然后使线性表 b.terms 的元素个数等于被转置矩阵的元素个数。尽管这时的线性表 b.terms 还没有元素，但还是要令它的元素个数等于它最后将具有的元素个数。这一步是必要的，这样就可以使用方法 arrayList<T>::set 把转置后的矩阵元素存储到线性表 b.terms 的任意相应的位置。否则，就要借助插入操作，每插入一个元素，增加一次线性表的元素个数。可是，当我们转置一个稀疏矩阵时，原来的第 0 个元素可能成为转置后的第 6 个元素（比如说），而除非线性表的元素个数是 6 或更多，否则我们是不能把一个元素插到第 6 个位置上去的。因此，我们实质上是把线性表作为一个一维数组，一开始的元素个数等于它最终的元素个数，然后通过方法 set 给任一个位置赋一个新值。

接下来是创建两个数组 colSize 和 rowNext。colSize[i] 是输入矩阵 *this 在第 i 列的非 0 元素个数，rowNext[i] 是转置矩阵第 i 行首个非 0 元素在 b 中的索引。例如，对图 7-14a 的稀疏矩阵，colSize[1:8]=[0,2,1,2,1,1,1,1]。rowNext[1:8]=[0,0,2,3,5,6,7,8]。

对 colSize 的计算在前两个 for 循环中完成：使用迭代器，检查每个输入矩阵元素。对 rowNext 的计算在第三个 for 循环中完成：rowNext[i] 的值是转置矩阵 b 的第 0 行至第 i−1 行的元素个数，即输入矩阵 *this 的第 0 列至第 i−1 列的元素个数。在最后一个 for 循环中，非 0 元素被复制到 b 中相应位置。

程序 7-16　稀疏矩阵的转置

```
template<class T>
void sparseMatrix<T>::transpose(sparseMatrix<T> &b)
{// 返回 b 中 *this 的转置

    // 设置转置矩阵特征
    b.cols = rows;
    b.rows = cols;
    b.terms.reSet(terms.size());

    // 初始化以实现转置
    int* colSize = new int[cols + 1];
    int* rowNext = new int[cols + 1];

    // 寻找 *this 中每一列的项的数目
```

```
for (int i = 1; i <= cols; i++)          // 初始化
    colSize[i] = 0;
for (arrayList<matrixTerm<T> >::iterator i = terms.begin();
    i != terms.end(); i++)
    colSize[(*i).col]++;

// 寻找 b 中每一行的起始点
rowNext[1] = 0;
for (int i = 2; i <= cols; i++)
    rowNext[i] = rowNext[i - 1] + colSize[i - 1];

// 实施从 *this 到 b 的转置复制
matrixTerm<T> mTerm;
for (arrayList<matrixTerm<T> >::iterator i = terms.begin();
    i != terms.end(); i++)
{
    int j = rowNext[(*i).col]++;          // b 中的位置
    mTerm.row = (*i).col;
    mTerm.col = (*i).row;
    mTerm.value = (*i).value;
    b.terms.set(j, mTerm);
}
}
```

与矩阵的二维数组表示（见程序 2-19）相比，尽管程序 7-16 更复杂，但是对于有很多个 0 元素的矩阵来说，它要快得多。不难发现，用线性表表示的例 7-6 矩阵 purchases 和函数 transpose，比用二维数组表示要更快。transpose 的时间复杂度为 $O(\text{cols}+\text{terms.size()})$。

3. 两个矩阵相加

程序 7-17 计算 c=*this+b。这是通过从左至右扫描 *this 和 b 的非 0 项来实现的。在扫描过程中使用了矩阵 *this 的迭代器 it 和矩阵 b 的迭代器 ib。在 while 循环的每一次迭代中，需要区分三种情况来处理：*it 的索引小于、等于、大于 *ib 的索引。为此，可以比较 *it 和 *ib 的行主索引。其实可以更简单，把它们的行主索引加上列数，结果即程序中的 tIndex 和 bIndex，然后进行比较即可。

函数 add 的 while 循环最多执行次数是 terms.size()+b.terms.size()，因为在每一次循环过程中，只可能执行下面的一种操作：it 增 1，ib 增 1，两者都增 1。第一个 for 循环最多执行次数是 terms.size()，而第二个 for 循环最多执行次数是 $O(\text{b.terms.size()})$。另外，每个循环的每次循环所需时间是常量。因此函数 add 的时间复杂度为 $O(\text{terms.size()}+\text{b.terms.size()})$。如果用二维数组分别表示矩阵 *this 和 b，则两个矩阵相加需耗时 $O(\text{rows}*\text{cols})$。当 terms.size()+b.terms.size() 远小于 rows*cols 时，稀疏矩阵的加法执行效率将大大提高。

程序 7-17　两个稀疏矩阵相加

```
template<class T>
void sparseMatrix<T>::add(sparseMatrix<T> &b, sparseMatrix<T> &c)
{// 计算 c = (*this) + b

    // 检验相容性
    if (rows != b.rows || cols != b.cols)
        throw matrixSizeMismatch();          // 矩阵不相容
```

```
// 设置结果矩阵 c 的特征
c.rows = rows;
c.cols = cols;
c.terms.clear();
int cSize = 0;

// 定义 *this 和 b 的迭代器
arrayList<matrixTerm<T> >::iterator it = terms.begin();
arrayList<matrixTerm<T> >::iterator ib = b.terms.begin();
arrayList<matrixTerm<T> >::iterator itEnd = terms.end();
arrayList<matrixTerm<T> >::iterator ibEnd = b.terms.end();

// 遍历 *this 和 b, 把相关的项相加
while (it != itEnd && ib != ibEnd)
{
   // 行主索引加上每一项的列数
   int tIndex = (*it).row * cols + (*it).col;
   int bIndex = (*ib).row * cols + (*ib).col;

   if (tIndex < bIndex)
   {// b 项在后
      c.terms.insert(cSize++, *it);
       it++;
   }
   else {if (tIndex == bIndex)
         {// 两项同在一个位置

             // 仅当相加后不为 0 时加入 c
             if ((*it).value + (*ib).value != 0)
             {
                matrixTerm<T> mTerm;
                mTerm.row = (*it).row;
                mTerm.col = (*it).col;
                mTerm.value = (*it).value + (*ib).value;
                c.terms.insert(cSize++, mTerm);
             }

             it++;
             ib++;
         }
         else
         {// 一项在后
            c.terms.insert(cSize++, *ib);
            ib++;
         }
       }
   }

// 复制剩余项
for (; it != itEnd; it++)
   c.terms.insert(cSize++, *it);
for (; ib != ibEnd; ib++)
   c.terms.insert(cSize++, *ib);
}
```

7.4.3 用多个线性表描述

如果把每一行的非 0 元素用一个线性表存储，就得到描述稀疏矩阵的另一种方法。在本节研究这种方法时，我们使用链表。在练习 52 中，使用数组。

1. 表示方法

把每行的非 0 元素串接在一起，构成一个链表，称作**行链表**（row chain），如图 7-15 的非阴影节点所示。

在图 7-15 中，每一个非阴影节点都代表稀疏矩阵的一个非 0 元素。在行链表中，每一个节点有两个域：element（数据域）和 next（指针域）。数据域 element 有两个子域：col（元素的列号）、value（元素的值）。图 7-16a 是行链表的一个节点结构。element 的子域没有阴影。

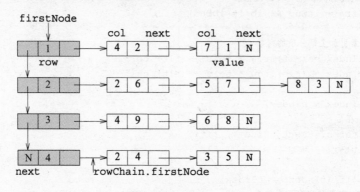

N = NULL

图 7-15   图 7-14a 矩阵的链表描述

element		next
col	value	
a）非0项的节点		

next	element	
	row	rowChain
	b）头节点链表的节点	

图 7-16   在稀疏矩阵的链表描述中的节点结构

一行至少有一个非 0 元素，才会建立该行的行链表。行链表的节点按列号升序链接在一起。所有行链表（即非阴影链表）被另外一个链表（称为头节点链表）收集在一起，如图 7-15 中的阴影节点所示。像行链表的节点一样，头节点链表的节点也有两个域：element 和 next。element 有两个子域：row（与行链表对应的行号）、rowChain（指向行链表，rowChain.firstNode 指向行链表的第一个非阴影节点）。头节点链表的节点结构如图 7-16b 所示。

头节点链表的节点按行号升序的顺序链接在一起。每个节点可以被视为一个行链表的头节点。空的头节点链表表示没有非 0 元素的矩阵。

2. 链表元素类型

结构 rowElement 定义了行链表的元素类型。它的数据成员有 col（元素的行索引）和 value（元素的值）。结构 headerElement 定义了头节点链表的元素类型。它的数据域有 row（行索引）和 rowChain（实际的链表，数据类型是 extendedChain）。

3. 类 linkedMatrix

用图 7-15 的表示方法创建类 linkedMatrix。图 7-15 的行链表和头节点链表实际上都表示为 extendedChain 的实例，因为我们都是在链表的右端插入节点，即附加节点。在一个

extendedChain（见程序 6-12）中，附加一个节点的时间是 $\Theta(1)$。而在程序 6-2 的链表 chain 中附加一个节点的时间是 $\Theta($ 链表元素个数 $)$。在用 extendedChain 表示稀疏矩阵的时候，我们增加一个函数 zero()。它使链表的元素个数的值为 0，但不删除链表节点（它与函数 clear 不同，clear 不仅使元素个数的值为 0，而且还删除所有链表节点）。

linkedMatrix 的数据成员与 spareMatrix 的数据成员几乎相同；不同之处是数据成员 terms 被 headerChain 取代，后者的类型是 extendedChain。重载操作符 << 和 >> 的代码从本书网站上获得。

4. 转置方法 linkedMatrix<T>::transpose

关于转置操作，我们使用箱子从输入矩阵 *this 中收集那些在结果矩阵中位于同一行的非 0 元素。bin[i] 是与结果矩阵 b 的第 i 行非 0 元素所对应的链表。在程序 7-18 的嵌套 while 循环中，我们按照行主次序，对头节点链表从上到下，对行链表从左到右，逐个考察矩阵 *this 的元素，其中使用了头节点链表迭代器 ih 和行链表迭代器 ir。把扫描到的矩阵 *this 的每一个元素都附加到用于相应的箱子链表中。在 for 循环中收集箱子链表，生成头节点链表，作为结果。

while 循环的时间是 O（非 0 元素的个数），for 循环的时间是 $O(this->cols)$。因此总时间是 $O($ 非 0 元素的个数 $+ this->cols)$。

练习 51 要求实现 add 函数和其他基本函数。

程序 7-18 一个稀疏矩阵的转置

```
template<class T>
void linkedMatrix<T>::transpose(linkedMatrix<T> &b)
{// 将 *this 的转置在矩阵 b 中返回
   b.headerChain.clear();              // 从 b 中删除所有节点

   // 创建 bins 以收集 b 的行
   extendedChain<rowElement<T> > *bin;
   bin = new extendedChain<rowElement<T> > [cols + 1];

   // 头节点迭代器
   extendedChain<headerElement<T> >::iterator
      ih = headerChain.begin(),
      ihEnd = headerChain.end();

   // 把 *this 的项复制到 bins
   while (ih != ihEnd)
   {// 检查所有行
      int r = ih->row;                 // 行链表的行数

      // 行链表迭代器
      extendedChain<rowElement<T> >::iterator
         ir = ih->rowChain.begin(),
         irEnd = ih->rowChain.end();

      rowElement<T> x;
      // 将 *this 中行 r 中的项复制到 b 中的列 r
      x.col = r;

      while (ir != irEnd)
      {// 把行链表的一项复制到 bin
         x.value = ir->value;
         // x 最终在转置矩阵的行 ir->col 中
```

```
        bin[ir->col].push_back(x);
        ir++;              // 行中的下一项
    }

    ih++;                  // 进入下一行
}

// 设置转置矩阵的维数
b.rows = cols;
b.cols = rows;

// 收集转置矩阵的头链表
headerElement<T> h;
// 扫描 bins
for (int i = 1; i <= cols; i++)
    if (!bin[i].empty())
    {// 转置矩阵的行 i
        h.row = i;
        h.rowChain = bin[i];
        b.headerChain.push_back(h);
        bin[i].zero();   // 免于析构
    }

h.rowChain.zero();       // 免于析构

delete [] bin;
}
```

7.4.4　性能测量

　　类 sparseMatrix 和 linkedMatrix 对空间的需求近似。然而对前者可以改进，减少 33% 的空间（见练习 47），但是没有减少运行时间。练习 53 设计了另一种链表表示方法，但是比 linkedMatrix 的空间需求增加了 66%。

　　图 7-17 和图 7-18 是分别用几种表示方法实现矩阵加法和转置时所测量到的运行时间，这些表示方法有：二维数组，如程序 2-21 和程序 2-19 所示（分别简记为 2DArray，2DA）；sparseMatrix（简记为 SM）和 linkedMatrix（简记为 LM）。相加的两个稀疏矩阵是 500 × 500，一个有 1994 个非 0 元素，另一个有 999 个非 0 元素。转置的矩阵是 500 × 500，有 1994 个非 0 元素。

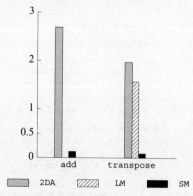

类	加	转置
2DArray	2.69	1.97
spareMatrix	0.13	0.09
linkedMatrix	***	1.57

*** 没有测量时间

时间单位：毫秒

图 7-17　稀疏矩阵不同表示方法的运行时间

图 7-18　稀疏矩阵的运行时间，以毫秒为单位

　　linkedMatrix 方法虽然比 sparseMatrix 方法慢，但是比 2DArray 方法快。sparseMatrix 方法与 2DArray 方法比，时间减少的程度是显著的，矩阵加法和转置的时间大约为后者的 1/20。

练习

38. 1）对图 7-8 的矩阵，按图 7-14b 做图。

　2）对图 7-8b 的矩阵实施 sparseMatrix<T>::transpose 操作，画出操作后的结果矩阵。

　3）对图 7-8b 和图 7-8c 实施 sparseMatrix<T>::add 操作，画出操作后的结果矩阵。

39. 1）假定一个 500×500 的矩阵有 2000 个非 0 元素要存储。用 500×500 的二维整型数组来存储需要多少空间？用 sparseMatrix 来存储需要多少空间？

　2）一个 $m \times n$ 矩阵要有多少个非 0 元素，才使 sparseMatrix 的存储所需要的空间超过 $m \times n$ 二维数组的存储所需要的空间？可以假定 T 是整型。

40. 设计一个公式，对 rows × cols 矩阵，按行主次序计算元素 (i,j) 的索引。为什么计算 index=行主索引 +cols 比计算行主索引要简单？证明，如果 $index_1$ 和 $index_2$ 是两个矩阵元素的索引，那么 $index_1 < index_2$，当且仅当在行主次序中第一个元素先于第二个元素。

41. 编写类 sparseMatrix 的方法 get(theRow,theColumn) 和 set(theRow,theColumn,theValue)。方法的时间复杂度分别是多少？

42. 细化程序 7-15 的输入代码，要求验证：元素是否按行主次序输入，每个元素的行号和列号是否有效，每个输入元素是否非 0。

43. 编写类 sparseMatrix 的复制构造函数。

44. 假定按列主次序把一个稀疏矩阵的非 0 元素映射到一个 arrayList（带有本章补充的函数）。

　1）给出图 7-14a 的稀缺矩阵的描述。

　2）编写 get 和 set 方法。

　3）get 和 set 方法的时间复杂度分别是多少？

45. 编写一个方法，把两个存储在一维数组的稀缺矩阵相乘。假定两个矩阵和结果矩阵都是按行主次序存储。

46. 按照列主映射来做练习 45。

47. 在稀疏矩阵的线性表表示中，去除结构 matrixTerm 的数据成员 row，用数组 rowStart，rowStart[i] 表示第 i 行第 1 个元素的索引，第 i 行的元素索引是 rowStart[i]…rowStart[i+1]。

　1）对图 7-14a 的稀疏矩阵，做出类似图 7-14b 的图。用本练习的表示法，显示出在行主次序中的元素。并且给出 rowStart[1:5] 的值。

　2）写出新结构 newMatrixTerm，表示非 0 元素。与结构 matrixTerm 不同之处在于，它没有数据成员 row。

　3）用本练习的表示法设计一个类 newSparseMatrix 以实现稀疏矩阵。它不仅具有类 sparseMatrix 的所有方法，而且还有 get 和 set 方法（见练习 41）。

　4）测试你的代码。

　5）对类 newSparseMatrix 和类 sparseMatrix 做性能上的比较。

　6）对一个约有 6000 个非 0 元素的 500×500 的稀疏矩阵，比较在两个类中，方法 add 和 transpose 的运行时间。

48. 对练习 47 的表示方法，编写矩阵乘法代码。测试你的代码。

49. 1）对图 7-8 的矩阵，做出类似图 7-15 的图。

2）对图 7-8b 的矩阵，做出用 linkedMatrix<T>::transpose 实现的转置矩阵。

50. 1）一个 500×500 的矩阵，有 2000 个非 0 元素。用 500×500 的二维整型数组表示时，需要多少空间？用 linkedMatrix 表示时，需要多少空间？

2）一个 $m \times n$ 矩阵要有多少个非 0 元素，才使 linkedMatrix 的存储所需要的空间超过 $m \times n$ 二维数组的存储所需要的空间？

51. 给类 linkedMatrix 增加下列操作：

1）已知一个元素的行、列和数值，存储这个元素。

2）已知一个元素的行和列，从矩阵中取出这个元素。

3）两个稀疏矩阵相加。

4）两个稀疏矩阵相减。

5）两个稀疏矩阵相乘。

细化操作符 >> 的代码，如练习 42 所要求的那样。并测试代码。

52. 设计一个类 arrayMatrix，每一行的非 0 元素用一个数组来存储。这种表示方法与 7.4.3 节的表示方法不同之处在于，链表被数组取代。实现方法 input、output、add、transpose 和 multiply。测试代码。

53. [垂直链表描述法] 在描述稀疏矩阵的另一种链表法中，链表节点包含的域有：down、right、row、col 和 value。每个非 0 元素都用一个节点来表示。0 元素不存储。所有节点链接在一起形成两个循环链表。第一个链表是行链表，它使用 right 域按行的次序（每行按列次序）链接所有节点。第二个链表是列链表，它使用 down 域按列次序（每列按行次序）链接所有节点。这两个链表共享同一个头节点。此外，有一个附加的节点用来存储矩阵的维数。

1）给出一个 5×8 的矩阵，它正好有 9 个非 0 元素，并且每行和每列至少有一个非 0 元素。对于这个稀疏矩阵，给出垂直链表表示。

2）假定一个 $m \times n$ 矩阵有 t 个非 0 元素，若用垂直链表表示，则 t 应该多小才能保证所需要的存储空间比用一个 $m \times n$ 数组来表示所需要的空间少？

3）设计一个外部表示方法，可用来输入和输出，它不许输入 0 元素。

4）设计一个类，它采用这个练习的表示方法，而且包含类 sparseMatrix 的所有方法。

5）对于类的每个公有方法，计算渐近时间复杂度。并与 sparseMatrix 中的函数比较其复杂度。

栈

概述

  栈和队列很可能是应用频率最高的数据结构。我们在第 5 章和第 6 章曾经广泛研究了线性表和有序表数据结构，而栈和队列是它们的限制版。栈和队列的应用广泛，以至于 C++ 的标准类模板库 STL 都提供了用数组实现的栈和队列。我们在本章研究栈，在下一章研究队列。尽管 C++ 已经提供了栈和队列，我们还是要自己动手创建，目的就是要学习如何实现这些数据结构。

  把线性表的插入和删除操作限制在同一端进行，就得到栈数据结构。因此，栈是一个后进先出（last-in-first-out，LIFO）的数据结构。因为栈是一种特殊的线性表，所以从相应的线性表类派生出栈类是很自然的事情。基于数组的栈类可以从第 5 章的基于数组的线性表类派生，基于链表的栈类可以从程序 6-2 的链表类派生。通过类的派生，程序设计的难度大大降低了，但是代码执行的效率也明显降低了。因为栈是一个很基本的数据结构，许多程序都要用到它，所以本章也直接创建了基于数组和基于链表的栈类（而不是从其他类派生），它们比派生的栈具有更好的执行效率。

  本章还设计了 6 个栈的应用程序。第一个应用是简单的应用程序，实现表达式中左右括号的匹配。第二个应用解决经典的汉诺塔问题。汉诺塔问题要求把一个塔座上的所有圆盘按照一定的规则移到另一个塔座上，每次只能移动一个圆盘，期间可以借助第三个塔座。在求解过程中，每个塔座都被视为一个栈。第三个应用用栈表达车厢编序问题，目标是把列车车厢按所希望的次序重新排列。第四个应用电子布线问题，在这个应用中，借助栈来确定一个电路是否可以成功布线。第五个应用重新解决 6.5.4 节的离线等价类问题，使用栈可以在线性时间内确定等价类。最后一个应用解决经典的迷宫问题，即在迷宫中寻找一条从入口到出口的路径。要非常仔细地研究这个应用，因为其解决方法体现了许多软件工程的原理。在后面的章节中，还有更多的栈应用实例。

8.1 定义和应用

  定义 8-1 **栈**（stack）是一种特殊的线性表，其插入（也称入栈或压栈）和删除（也称出栈或弹栈）操作都在表的同一端进行。这一端称为**栈顶**（top），另一端称为**栈底**（bottom）。

  图 8-1a 给出了一个 4 个元素的栈。假定要在图 8-1a 的栈中插入一个元素 E，这个元素将插在元素 D 的顶部，结果如图 8-1b 所示。如果要从图 8-1b 的栈中删除一个元素，这个元素便是 E，删除 E 之后的结果是图 8-1a。如果对图 8-1b 的栈连续执行三次删除操作，结果如图 8-1c 所示。

  从上面的讨论可以看出，栈是一个后进先出表。这种类型的表在计算过程中将频繁使用。

	E ← top	
D ← top	D	
C	C	
B	B	B ← top
A ← bottom	A ← bottom	A ← bottom
a）	b）	c）

图 8-1　栈的布局

例 8-1[现实世界的栈]

- 仔细看一看打印机（或复印机）的打印纸托盘，你会发现，下一张要打印的纸是托盘最上面的纸；当你往托盘中添加一张打印纸时，你是把它放到托盘的顶部。打印纸托盘维护的是一个打印纸栈，它的工作方式是后进先出。如果你临时想在一张带有机构名称的纸上或者格式纸上打印，你只要把这张纸放到托盘的上面就可以了，打印机将在你需要的纸张上打印。
- 走进自助餐厅，你会发现一摞盘子。当你进入取餐队列时，会从这摞盘子的最上面拿出一个盘子；当盘子快用完了，新的盘子被放在这摞盘子的顶部。如果人人都按这种规矩行事，那么在自助餐厅里的那摞盘子便是我们定义的栈结构：盘子是后进先出的。
- 新学期伊始，观察大学书店里任何一摞大部头的教科书，你会发现，每一个要买这种书的学生，都是从最上面拿走一本买下。当这摞书差不多要卖完时，一个店员就会神秘地出现，在上面又放上一些书。这摞书就是一个栈：后进先出。■

例 8-2[递归]　计算机是如何执行递归函数的呢？答案是使用**递归工作栈**（recursion stack）。当一个函数被调用时，一个返回地址（即被调函数一旦执行完，接下去要执行的程序指令的地址）和被调函数的局部变量和形参的值都要存储在递归工作栈中。当执行一次返回时，被调函数的局部变量和形参的值被恢复为调用之前的值（这些值存储在递归工作栈的顶部），而且程序从返回地址处继续执行，这个返回地址也存储在递归工作栈的顶部。

假定递归求和函数 rSum（见程序 1-31）由函数 outerFunction 通过下面的语句来调用：

```
y=rSum(x,2);
```

这条语句经编译后形成调用 rSum 的代码和将 rSum 的返回值赋给 y 的代码。令 l_1 是将 rSum 的返回值赋给 y 的代码中第一条指令的地址。在程序 1-31 中，函数 rSum 的 return 返回语句经编译后形成调用函数的 rSum 代码，后边是将返回值与 a[n−1] 相加的代码，再后边是把求和结果返回的代码。令 l_2 是将返回值与 a[n−1] 相加的代码中第一条指令的地址。

当函数 outerFunction 执行 rSum(x,2) 的调用代码时，返回地址（l_1）以及 rSum 的形参和局部变量的值，都以一个元组的形式保存在递归调用工作栈中：

（返回地址，形参的值，局部变量的值）

因为这时的 a 和 n 还没有指定的值，所以元组 (l_1,*,*)（符号 * 代表一个没有指定的值）被插入递归工作栈（注意，rSum 没有局部变量）。然后 rSum 的形参被赋予新的值。参数 a 的赋值是 x，它是数组 x[] 第 1 个元素 x[0] 的引用，参数 n 的赋值是 2。程序从 rSum 的第一条指令继续执行。

当函数 rSum 在 rSum 的函数体内被调用时，元组 (l_2,x,2) 被插入递归工作栈；rSum 的形参被赋予新的值（x 和 1）；然后从 rSum 的第一条指令继续执行。函数 rSum 在 rSum 的函数体内又一次被调用，(l_2,x,1) 被插入递归工作栈；rSum 的形参被赋予新的值（x 和 0）；然后从

rSum 的第一条指令继续执行。现在，参数 n 等于 0，rSum 的返回值是 0。我们如何知道返回的地址是 l_1 还是 l_2 呢？这要由递归工作栈的栈顶元组来决定。从栈底到栈顶，栈的元组排列如下所示：

$$[(l_1,*,*), (l_2,x,2), (l_2,x,1)]$$

从栈顶取出元组 $(l_2,x,1)$，给 rSum 的形参和局部变量重新赋值，a 的值是 x，n 的值是 1。然后从地址 l_2 处继续执行指令。计算 0+x[0]，然后又一次执行返回指令。这时，递归工作栈的布局如下：

$$[(l_1,*,*), (l_2,x,2)]$$

从栈顶取出元组 $(l_2,x,2)$，给 a 赋值 x，n 赋值 2，返回 0+a[0] 的和，然后从地址 l_2 处继续执行。这时，将 a[1] 累加到 0+a[0] 中。然后从栈顶取出 $(l_1,*,*)$，给 a 赋值 *，n 赋值 *，返回 0+a[0]+a[1] 的和。然后从地址 l_1 处继续执行。∎

练习

1. 下面的操作序列在一个初始为空的栈中进行：压入 A，压入 B，弹栈，压入 T，压入 T，压入 U，弹栈，弹栈，压入 A，压入 D。画出类似图 8-1 的图，显示每一次操作之后栈的布局。
2. 对如下操作序列完成练习 1：压入 S，压入 S，压入 T，压入 U，弹栈，弹栈，压入 A，压入 L，压入 G，弹栈，压入 C，压入 A，压入 B，弹栈，弹栈。
3. 举出现实世界中另外三个关于栈的应用。
4. 显示函数 rSum（见程序 1-31）在每一次调用和返回时递归栈的内容。初始调用语句是 rSum(x,3)。
5. 显示函数 factorial（见程序 1-29）在每一次调用和返回时递归栈的内容。初始调用语句是 factorial(3)。
6. 显示函数 perm（见程序 1-32）在每一次调用和返回时递归栈的内容。初始调用语句是 perm(x,0,2)。

8.2 抽象数据类型

栈的抽象数据类型见 ADT 8-1。栈操作方法的名称与 STL 中栈类的一样。

```
抽象数据类型 stack
{
  实例
    线性表；一端称为底，另一端称为顶
  操作
  empty()：// 栈为空时返回 true，否则返回 false
    size()：// 返回栈中元素个数
     top()：// 返回栈顶元素
     pop()：// 删除栈顶元素
  push(x)：// 将元素 x 压入栈顶
};
```

ADT 8-1 栈的抽象数据类型

程序 8-1 给出了与抽象数据类型 stack 对应的 C++ 抽象类。

程序 8-1   C++ 抽象类栈

```
template<class T>
class stack
{
   public:
       virtual ~stack() {}
       virtual bool empty() const = 0;
               // 返回 true , 当且仅当栈为空
       virtual int size() const = 0;
               // 返回栈中元素个数
       virtual T& top() = 0;
               // 返回栈顶元素的引用
       virtual void pop() = 0;
               // 删除栈顶元素
       virtual void push(const T& theElement) = 0;
               // 将元素 theElement 压入栈顶
};
```

8.3   数组描述

因为栈是一种插入和删除操作都被限制在一端进行的线性表，所以可以使用 5.3.3 节的任何一种线性表的描述方法。如果把数组线性表的右端定义为栈顶，那么入栈和出栈操作对应的就是线性表在最好情况下的插入和删除操作。结果两个操作的时间都为 $O(1)$。

8.3.1   作为一个派生类实现

程序 8-2 是从类 arrayList 和 stack 派生的类 derivedArrayStack。

类 derivedArrayStack 的构造函数直接调用类 arrayList 的构造函数，动态创建一维数组，数组容量（长度）是参数 initialCapaticy 的值。initialCapaticy 的缺省值是 10。其他成员函数的代码也是直接调用基类的成员函数来实现的。

程序 8-2   一个从类 arrayList 派生的数组栈类

```
template<class T>
class derivedArrayStack : private arrayList<T>,
                          public stack<T>
{
   public:
       derivedArrayStack(int initialCapacity = 10)
         : arrayList<T> (initialCapacity) {}
       bool empty() const
            {return arrayList<T>::empty();}
       int size() const
          {return arrayList<T>::size();}
       T& top()
          {
             if (arrayList<T>::empty())
                throw stackEmpty();
             return get(arrayList<T>::size() - 1);
          }
       void pop()
```

```
            {
                if (arrayList<T>::empty())
                    throw stackEmpty();
                erase(arrayList<T>::size() - 1);
            }
        void push(const T& theElement)
                {insert(arrayList<T>::size(), theElement);}
    };
```

1. 类 derivedArrayStack 的方法复杂度

构造函数的复杂度在 T 是基本类型时为 $O(1)$，在 T 是用户定义的类型时为 $O(initialCapaticy)$。插入操作的复杂度在数组长度不增加时为 $\Theta(1)$，在增加时为 $O(stack\ size)$。其他操作的复杂度都是 $\Theta(1)$。

2. 对类 derivedArrayStack 的评价

函数 top 和 pop 都在类方法 get 和 erase 之前检查栈是否为空。因为基类的方法 get 和 erase 在遇到空栈时将抛出异常，所以我们可以从 top 和 pop 中删除对空栈的检查，而不会影响程序结果。但是，类 arrayList 的方法 get 和 remove 抛出的异常是 illegalIndex 形式的，而派生类栈的用户在调用 top 和 pop 时，对 illegalIndex 形式的异常会感到困惑不解。解决这个问题的一个方案是用一个 try-catch 结构代替对空栈的检查，在这个结构中，catch 块将捕捉基类抛出的异常，然后抛出新的、符合意义的异常来替代。程序 8-3 给出的方法 top 就是应用了这个方案之后的代码。相应的类称为 derivedArrayStackWithCatch。

程序 8-3　使用 try-catch 结构的 top 的实现

```
T& top()
    {
        try {return get(arrayList<T>::size() - 1);}
        catch (illegalIndex)
            {throw stackEmpty();}
    }
```

arrayList 的派生类 derivedArrayStack 具有访问权限修饰符 private。因此，arrayList 的公有和保护性方法以及数据成员都是类 derivedArrayStack 可以访问的。尤其是，栈 stack 的用户不能访问 arrayList 的方法 get、insert、erase，因此，LIFO 原则得以在类 derivedArrayStack 的实例上贯彻执行。

数组形式的栈的另一种非常类似的实现方法是用类 arrayList 的一个数据成员 stack，并用线性表 stack 的操作来定义栈方法。这个代码与程序 8-2 非常相似。数据成员 stack 可以选择为一个 T 类型的数组，stack 的方法代码可以不使用线性表 linearList 的任何方法。我们在下一节讨论这种方法。

8.3.2　类 arrayStack

当我们像程序 8-2 那样通过线性表类的派生得到一个栈类时，付出的代价是性能的损失。例如，每当我们往栈中插入一个元素时，push 方法都会调用 arrayList 的 insert 方法 arrayList<T>::insert。这个方法在实际插入一个新元素之前要进行下标检查，可能要将数组加长，而且还要往回复制（copy-backward）。下标检查和往回复制是不必要的，因为我们总是把新元素插入线性表的右端。

要得到一个性能更好的数组栈的实现方法，一种途径就是开发一个类，它利用数组 stack 来包含所有的栈元素。程序 8-4 给出的类 arrayStack 便是这样做的。栈底元素是 stack[0]，栈顶元素是 stack[stackTop]。它利用 arrayList 的代码实现 arrayStack 的方法，同时排除 arrayList 的代码中多余的部分。在渐近时间复杂度方面，arrayStack 的每一种方法与 derivedArrayStack 的相应部分一样。

程序 8-4　类 arrayStack

```
template<class T>
class arrayStack : public stack<T>
{
    public:
        arrayStack(int initialCapacity = 10);
        ~arrayStack() {delete [] stack;}
        bool empty() const {return stackTop == -1;}
        int size() const
            {return stackTop + 1;}
        T& top()
            {
                if (stackTop == -1)
                    throw stackEmpty();
                return stack[stackTop];
            }
        void pop()
            {
                if (stackTop == -1)
                    throw stackEmpty();
                stack[stackTop--].~T();    // T 的析构函数
            }
        void push(const T& theElement);
    private:
        int stackTop;                      // 当前栈顶
        int arrayLength;                   // 栈容量
        T *stack;                          // 元素数组
};

template<class T>
arrayStack<T>::arrayStack(int initialCapacity)
{// 构造函数
    if (initialCapacity < 1)
    {ostringstream s;
     s << "Initial capacity = " << initialCapacity << " Must be > 0";
     throw illegalParameterValue(s.str());
    }
    arrayLength = initialCapacity;
    stack = new T[arrayLength];
    stackTop = -1;
}


template<class T>
void arrayStack<T>::push(const T& theElement)
{// 将元素 theElement 压入栈
    if (stackTop == arrayLength - 1)
        {// 空间已满，容量加倍
```

```
        changeLength1D(stack, arrayLength, 2 * arrayLength);
        arrayLength *= 2;
    }

    // 在栈顶插入
    stack[++stackTop] = theElement;
}
```

8.3.3 性能测量

尽管数组栈类 arrayStack(AS)、derivedArrayStack(DAS) 和 C++ STL 容器类 stack(STL) 都实现了栈的抽象数据类型的所有方法，而且渐近时间复杂度相同，但是，每一种类方法的实际性能都不尽相同。

我们定义一个 n- 操作序列，它是由首先执行的 n 次 push 操作，加上随后交替执行的 n 次 top 操作和 n 次 pop 操作所构成的操作序列。图 8-2 是执行 50 000 000- 操作序列时测量的时间，图 8-3 是相应的条形图。除了 STL 的栈类，其他栈类都分两种情况测量了运行时间：1）栈的初始容量是缺省值，2）栈的初始容量是 50 000 000。对 STL 的栈类，我们没有测量它在第 2）种情况下的运行时间，因为它的构造函数不允许指定初始容量。

	初始容量	
类	缺省值	50 000 000
arrayStack	2.7	1.5
derivedArrayStack	7.5	6.3
stack	5.6	-

时间单位：秒

图 8-2　不同数组栈的实现方法之用时

当栈的初始容量是默认值的时候，执行 50 000 000- 操作序列，STL 的栈所用时间是栈 arrayStack 的两倍。当初始容量为 50 000 000 时，性能之比突增到 3.7，这是因为类 stack 不允许指定初始容量，因此改变数组大小的操作在所难免。将 STL 的栈 和 derivedArrayStack 栈 做性能比较更恰当，因为它们都是具体的线性表类派生的。STL 的栈 stack 派生于 STL 的类 deque（见练习 9-9），而 derivedArrayStack 派生于 arrayList。stack 比 derivedArrayStack 的性能更好，主要是因为 deque 没有索引检查，而 arrayList 有。

本节中两个栈的实现方法在改变数组容量的操作中所用时间近似相等（大约 1.2 秒），进行这种检验不仅是有趣的，而且是我们期待的。如果

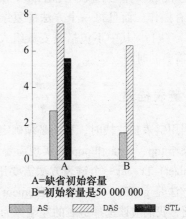

A=缺省初始容量
B=初始容量是 50 000 000

AS　　DAS　　STL

图 8-3　栈的运行时间，单位是秒

一个数组缺省长度为 10，那么类 arrayStack 在改变数组容量时所用的时间占总时间的 44%。

练习

7. 1）对栈的 ADT 进行扩充，增加以下函数：

　　i. 输入栈。

　　ii. 将一个栈转变为一个适合输出的串。

　　iii. 将一个栈分裂为两个栈。第一个栈包含从栈底开始的一半元素，第二个栈包含剩余元素。

iv. 将两个栈合并，把第二个栈的所有元素置于第一个栈的顶部。不改变第二个栈中元素的相对顺序。

2）定义抽象类 extendedStack，它扩展抽象类 stack（见程序 8-1），而且包含与 1) 中函数对应的方法。

3）开发具体类 extendedDerivedArrayStack 和 extendedArrayStack，它们的基类是 extendedStack，而且各自派生于 derivedArrayStack 和 arrayStack。

4）测试你的代码的正确性。

8. 考察类 arrayStack。证明即使个别 push 操作可能用时为 Θ(栈的大小)，栈的任何 n 个操作构成的操作序列所需要的时间为 $O(n)$。

9. 考察类 arrayStack。

1）如程序 8-4 所示，一个栈的容量可能增加，但不会减少。为了更有效地使用空间，请修改 pop 的实现代码，使得当 pop 操作将栈中元素减少到不足原来的四分之一时，栈容量减少到当前容量的一半。

2）证明即使个别 push 和 pop 操作可能用时为 Θ(容量)，栈的任何 n- 操作序列所需要的时间仍为 $O(n)$。

10. 开发具体类 stackWithArrayList，它派生于抽象类 stack。这个类具有单个数据成员 list，其类型为 arrayList<T>。评价类 derivedArrayStack 和 stackWithArrayList 各自的优点。

11. 开发类 twoStacks，它用一个数组描述两个栈。一个栈的栈底在位置 0，另一个栈的栈底在位置 arrayLength–1。两个栈都向数组的中间增长（见图 8-4）。该类的方法必须能够在每一个栈中实施 ADT 栈的所有操作。而且每一个方法的复杂度应为 $O(1)$，其中不包括改变数组大小所需要的时间。

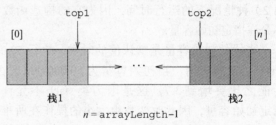

$n = $ arrayLength-1

图 8-4　一个数组中的两个栈

8.4 链表描述

当用链表描述栈时，我们必须确定用链表的哪一端表示栈顶。若用链表的右端作为栈顶，则栈操作 top、push 和 pop 的实现需要调用链表方法 get(size()–1)、insert(size(),theElement) 和 erase(size()–1)。每一个链表方法需要用时 $O(size())$。而用链表的左端作为栈顶，需要调用的链表方法是 get(0)、insert(0,theElement) 和 erase(0)，其中每一个链表方法需要用时 $\Theta(1)$。分析表明，我们应该选择链表的左端作为栈顶。

8.4.1 类 derivedLinkedStack

类 derivedLinkedStack 从 chain（见程序 6-2）派生，实现了抽象类 stack，其代码可以从 derivedArrayStack 的代码（见程序 8-2）得到，但是要用分句 private chain<T> 替代 private arrayList<T>，用名称 derivedLinkedStack 替代名称 derivedArrayStack，将方法 get、insert 和 erase 的调用中作为索引的实参改为 0，使这些操作发生在链表的左端。这样做有什么好处？因为使用了面向对象设计中信息隐藏和封装的原理，所以大大简化了程序的设计。derivedLinkedStack 的每一种方法（包括构造函数和 push 方法）的时间复杂度都为 $\Theta(1)$。

8.4.2　类 linkedStack

就像类 arrayStack（见程序 8-4）一样，我们可以定制代码而不是从类 chain 派生，由此改进代码的时间性能。程序 8-5 便是这样的定制代码。

程序 8-5　定制链表栈

```cpp
template<class T>
class linkedStack : public stack<T>
{
   public:
      linkedStack(int initialCapacity = 10)
            {stackTop = NULL; stackSize = 0;}
      ~linkedStack();
      bool empty() const
            {return stackSize == 0;}
      int size() const
            {return stackSize;}
      T& top()
            {
               if (stackSize == 0)
                  throw stackEmpty();
               return stackTop->element;
            }
      void pop();
      void push(const T& theElement)
            {
               stackTop = new chainNode<T>(theElement, stackTop);
               stackSize++;
            }
   private:
      chainNode<T>* stackTop;      // 栈顶指针
      int stackSize;               // 栈中元素个数
};
template<class T>
linkedStack<T>::~linkedStack()
{// 析构函数
   while (stackTop != NULL)
   {// 删除栈顶节点
      chainNode<T>* nextNode = stackTop->next;
      delete stackTop;
      stackTop = nextNode;
   }
}

template<class T>
void linkedStack<T>::pop()
{// 删除栈顶节点
   if (stackSize == 0)
      throw stackEmpty();

   chainNode<T>* nextNode = stackTop->next;
   delete stackTop;
   stackTop = nextNode;
   stackSize--;
}
```

8.4.3 性能测量

执行 50 000 000- 操作序列，derivedLinkedStack 和 linkedStack 分别耗时 41 秒和 40.5 秒（这些时间是由一个 10 000 000- 操作序列的时间乘以 5 得到的）。与图 8-2 的时间比较可以看出，如果 linkedStack 和 arrayStack 比较运行时间，那么当初始容量为 10 的时候，前者是后者的 15 倍；当初始容量为 50 000 000 的时候，前者是后者的 27 倍。

练习

12. 在某些栈应用中，要插入的元素已经存储在类型为 chainNode 的节点中。对此，需要方法 pushNode(chainNode* theNode) 把节点 theNode 压入栈，还需要方法 popNode 把栈顶节点删除并返回。
    1）编写这两个方法的代码。
    2）测试代码。
    3）比较 pushNode 和 popNode 的 10 000 000- 操作序列与 push 和 pop 的 10 000 000- 操作序列的性能。

13. 设计具体类 extendedLinkedStack，它派生于类 linkedStack 和抽象类 extendedStack（见练习 7）。

14. 用 push 和 pop 的 10 000 000- 操作序列比较图 8-2 的数组栈、链栈 derivedLinkedStack 和 linkedStack 的性能。数组栈的初始容量是缺省值。数组容量加倍的操作在这个实验中会出现吗？为什么？

8.5 应用

8.5.1 括号匹配

1. 问题描述

我们要做的是：对一个字符串的左右括号进行匹配。例如，字符串（a*（b+c）+d）在位置 0 和 3 有左括号，在位置 7 和 10 有右括号。位置 0 的左括号与位置 10 的右括号匹配，位置 3 的左括号与位置 7 的右括号匹配。在字符串（a+b））（中，位置 5 的右括号没有与之匹配的左括号，位置 6 的左括号没有与之匹配的右括号。我们的目标是编写一个 C++ 程序，其输入是一个字符串，输出是匹配的括号以及不匹配的括号。注意，括号匹配问题等价于 C++ 程序中的 {} 匹配问题。

2. 求解策略

通过观察可以发现，如果从左至右地扫描一个字符串，那么每一个右括号都与最近扫描的那个未匹配的左括号相匹配。这种观察结果促使我们在从左至右的扫描过程中，将扫描到的左括号保存到栈中。每当扫描都一个右括号，就将它与栈顶的左括号（如果存在）相匹配，并将匹配的左括号从栈顶删除。

3. C++ 实现

程序 8-6 给出了相应的 C++ 程序。

程序 8-6　输出匹配的括号

```
void printMatchedPairs(string expr)
{// 括号匹配
```

```
arrayStack<int> s;
int length = (int) expr.size();

// 扫描表达式 expr 寻找左括号和右括号
for (int i = 0; i < length; i++)
    if (expr.at(i) == '(')
        s.push(i);
    else
        if (expr.at(i) == ')')
    try
        {// 从栈中删除匹配的左括号
            cout << s.top() << ' ' << i << endl;
            s.pop();       // 没有栈匹配
        }
    catch (stackEmpty)
    {// 栈为空。没有匹配的左括号
        cout << "No match for right parenthesis"
             << " at " << i << endl;
    }

// 栈不为空。剩余在栈中的左括号是不匹配的
while (!s.empty())
{
    cout << "No match for left parenthesis at "
         << s.top() << endl;
    s.pop();
}
}
```

4. 复杂度

程序 8-6 的时间复杂度是 $O(n)$，其中 n 为输入表达式的长度。要理解这个结果需要注意，程序执行了 $O(n)$ 次入栈和 $O(n)$ 次出栈。尽管个别入栈操作时间的复杂度为 $O($容量$)$（因为数组容量加倍），但 $O(n)$ 次入栈操作的时间复杂度依然是 $O(n)$。每一次出栈操作的时间复杂度是 $O(1)$，因此 $O(n)$ 次出栈操作的时间复杂度是 $O(n)$。

8.5.2 汉诺塔

1. 问题描述

汉诺塔（Towers of Hanoi）问题来自大梵天创世的一个古老传说。在创世之日，有一座钻石宝塔（塔 1），其上有 64 个金碟（如图 8-5 所示），所有碟子从大到小从塔底堆到塔顶，旁边还有另外两座钻石宝塔（塔 2 和塔 3）。从创世之日起，婆罗门一直试图把塔 1 上的碟子移到塔 2 上去，不过要借助塔 3。由于碟子非常重，所以一次只能移动一个碟子。另外，任何时候大碟子都不能压在小碟子上面。根据这个传说，等到婆罗门把盘子搬完了，世界末日也就到了。

在汉诺塔问题中，假设有 n 个碟子和 3 座塔。初始时所有碟子从大到小堆在塔 1 上，我们要把碟子都移动到塔 2 上，每次移动一个，而且任何时候都不能把大碟子压在小碟子上面。再继续往下阅读之前，可以尝试令 n=2,3 和 4 来解决这个问题。

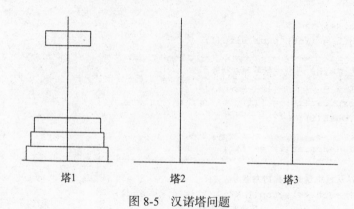

图 8-5 汉诺塔问题

2. 求解策略

一个简洁的解决方法是递归。为了把最大的碟子移到塔 2 的底部，必须把其余 $n-1$ 个碟子移到塔 3，然后把最大的碟子移到塔 2。接下来是把塔 3 上的 $n-1$ 个碟子移到塔 2。为此可以利用塔 2 和塔 1。可以完全忽略塔 2 上已有的一个碟子，因为这个碟子比塔 3 上将要移过来的所有碟子都大，在它顶上可以堆放任何一个碟子。

3. 第一种实现方法

程序 8-7 给出了按递归方式求解汉诺塔的 C++ 代码。初始调用语句是 towersOfHanoi（n，1，2，3）。程序 8-7 的正确性很容易证明。

程序 8-7　求解汉诺塔问题的递归方法

```
void towersOfHanoi(int n, int x, int y, int z)
{// 把塔 x 顶部的 n 个碟子移到塔 y
 // 用塔 z 作为中转地
   if (n > 0)
   {
      towersOfHanoi(n-1, x, z, y);
      cout << "Move top disk from tower " << x
           << " to top of tower " << y << endl;
      towersOfHanoi(n-1, z, y, x);
   }
}
```

4. 时间复杂度

程序 8-7 的运行时间正比于输出的信息行数目，而信息行数目等于碟子移动的次数。分析程序 8-7 可以得到碟子移动次数的递归式 $moves(n)$：

$$moves(n) = \begin{cases} 0 & n = 0 \\ 2\,moves(n-1) + 1 & n > 0 \end{cases}$$

可以使用第 2 章介绍的迭代方法（见程序 2-20）来计算这个公式。得到的结果应为 $moves(n) = 2^n - 1$。可以证明，$2^n - 1$ 实际上是最少的移动次数。在大梵天的宝塔中 $n=64$，因此大梵天的婆罗门需要很多年才可以完成任务。根据上面的公式，可以判定函数 towersOfHanoi 的复杂度为 $\Theta(2^n)$。

5. 第二种实现方法

程序 8-7 的输出是把碟子从塔 1 移到塔 2 的移动次序。假定我们要显示出每次移动之后三座塔的布局（即塔上的碟子和它们从底到顶的次序），那就必须在内存中保留这些布局，并在每次移动碟子之后对塔的布局进行修改。这样每移动一个碟子，就可以在一个输出设备（如计算机屏幕、打印机、录像机）上输出塔的布局。

从每个塔上移走碟子是按照 LIFO 方式进行的，因此可以把每个塔表示成一个栈。三座塔在任何时候都总共有 n 个碟子，因此，如果使用链表形式的栈，只需申请 n 个元素空间；如果使用数组形式的栈，那么因为塔 1 和塔 2 的容量都必须是 n，塔 3 的容量必须是 $n-1$，因此所需要的总空间为 $3n-1$。前面的分析已经指出，汉诺塔问题的复杂度是以 n 为指数的函数，因此，在可以接受的时间范围内，只能解决 n 值比较小（如 $n \leqslant 30$）的汉诺塔问题。对于这些比较小的 n 值，数组形式的栈和链表形式的栈在空间需求上差别相当小，因此用哪一种都可以。但是，数组形式的栈比链表形式的栈运行速度要快，因此我们还是用数组形式的栈。

程序 8-8 使用了数组描述的栈。towersOfHanoi(n) 仅仅是递归函数 moveAndShow 的预处理程序，moveAndShow 是以程序 8-7 为模式来设计的。预处理程序创建三个堆栈 tower[1:3] 用来储存 3 座塔的布局。所有碟子从 1（最小的碟子）到 n（最大的碟子）编号。因为碟子用整数来模拟，所以栈元素类型为 int。初始布局是所有碟子在 tower[1] 中，其他两座塔为空。构建好初始布局之后，预处理程序调用函数 moveAndShow。

程序 8-8　使用栈求解汉诺塔问题

```
//全局变量，tower[1:3] 表示三个塔
arrayStack<int> tower[4];

void moveAndShow(int, int, int, int);

void towersOfHanoi(int n)
{// 函数 moveAndShow 的预处理程序
   for (int d = n; d > 0; d--)        // 初始化
      tower[1].push(d);               // 把碟子 d 加到塔 1

   // 把 n 个碟子从塔 1 移到塔 3，用塔 2 作为中转站
   moveAndShow(n, 1, 2, 3);
}

void moveAndShow(int n, int x, int y, int z)
{// 把塔 x 顶部的 n 个碟子移到塔 y，显示移动后的布局
 // 用塔 z 作为中转站
   if (n > 0)
   {
      moveAndShow(n-1, x, z, y);
      int d = tower[x].top();         // 把一个碟子
      tower[x].pop();                 // 从塔 x 的顶部移到
      tower[y].push(d);              // 塔 y 的顶部
      showState();                    // 显示塔 3 的布局
      moveAndShow(n-1, z, y, x);
   }
}
```

8.5.3　列车车厢重排

1. 问题描述

一列货运列车有 n 节车厢，每节车厢要停靠在不同的车站。假设 n 个车站从 1 到 n 编号，

而且货运列车按照从 n 到 1 的顺序经过车站。车厢的编号与它们要停靠的车站编号相同。为了便于从列车上卸掉相应的车厢，必须按照从前至后、从 1 到 n 的顺序把车厢重新排列。这样排列之后，在每个车站只需卸掉最后一节车厢即可。车厢重排工作在一个转轨站（shunting yard）上进行，转轨站上有一个入轨道（input track）、一个出轨道（output track）和 k 个缓冲轨道（holding track）。缓冲轨道位于入轨道和出轨道之间。图 8-6a 显示了一个转轨站，其中有 3 个缓冲轨道 $H1$、$H2$ 和 $H3$，即 $k=3$。开始时，挂有 n 节车厢的货车开始在入轨道，而最后在出轨道上的顺序是从右到左，从 1 至 n。在图 8-6a 中，$n=9$，车厢从后至前的初始顺序为 5，8，1，7，4，2，9，6，3。图 8-6b 是按要求的顺序重新排列的结果。

图 8-6 具有三个缓冲轨道的转轨站

2. 求解策略

为了重排车厢，我们从前至后检查入轨道上的车厢。如果正在检查的车厢是满足排列要求的下一节车厢，就直接把它移到出轨道上。如果不是，就把它移到一个缓冲轨道上，直到它满足排列要求时才将它移到出轨道上。缓冲轨道是按照 LIFO 的方式管理的，车厢的进出都在缓冲轨道的顶部进行。在重排车厢过程中，仅允许以下移动：

- 车厢可以从入轨道的前端（即右端）移动到一个缓冲轨道的顶部或出轨道的后端（即左端）。
- 车厢可以从一个缓冲轨道的顶部移到出轨道的后端。

考虑图 8-6a 的入轨道上的车厢排列。3 号车厢在入轨道上的前端，但是不能将它移到出轨道上，因为 1 号和 2 号车厢必须排在它前面。因此，3 号车厢被卸下，移到缓冲轨道 $H1$。入轨道上的下一节车厢是 6 号，也必须移到缓冲轨道。如果把 6 号车厢移到 $H1$，那么重排过程无法完成，因为 3 号车厢在 6 号车厢的下面，它无法在 6 号车厢之前从 $H1$ 进入出轨道。于是要把 6 号车厢移到 $H2$。入轨道上的下一节车厢是 9 号，它被移到 $H3$，因为如果把它移到 $H1$ 或 $H2$，重排过程也无法完成。请注意：当任何一条缓冲轨道上的车厢不是从顶到底按照递增序排列时，重排过程都无法完成。缓冲轨道的当前状态如图 8-7a 所示。

接下来考虑 2 号车厢。它可以进入任何一个缓冲轨道，但是要优先选择 $H1$。因为如果它进到 $H3$，那么缓冲轨道就无法按排列要求容纳 7 号和 8 号车厢。如果 2 号车厢进到 $H2$，那么接下来的 4 号车厢就必须进到 $H3$，这样一来，缓冲轨道将无法按排列要求容纳 5 号、7 号和 8

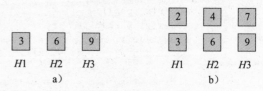

图 8-7 缓冲轨道状态

号车厢。对缓冲轨道选择的最基本的要求是：编号为 u 的车厢应该进入的缓冲轨道，其顶部车厢编号是大于 u 的最小者。我们将依据这条**分配规则**（assignment rule）来选择缓冲轨道。

当考虑 4 号车厢时，三个缓冲轨道顶部的车厢分别是 2 号、6 号和 9 号。根据分配规则，

4 号车厢进到 H2。然后 7 号车厢进到 H3。图 8-7b 给出了缓冲轨道的当前布局。接下来是 1 号车厢，它直接进入出轨道。现在把 2 号车厢从 H1 移到出轨道。然后把 3 号车厢从 H1 移到出轨道，接着把 4 号车厢从 H2 移到出轨道。至此，没有可以立即进入出轨道的车厢了。

接下来要进入缓冲站的是 8 号车，它被调入 H1。然后是 5 号车厢，它从入轨道直接进入出轨道。然后依次把 6 号、7 号、8 号和 9 号车厢从它们所在的缓冲轨道移到出轨道。

初始排列如图 8-6a 所示的车厢，只需三个缓冲轨道就可以进行车厢重排，而按照其他初始顺序排列的车厢，可能需要更多的缓冲轨道才能重排。例如，初始排列为 1，n，$n-1$，…，2 的车厢需要 $n-1$ 个缓冲轨道。

3. C++ 实现

用 k 个数组栈来表示 k 个缓冲轨道。之所以使用数组栈，是因为它比链栈要快。程序 8-9 是我们要使用的全局变量。

程序 8-9　列车车厢重排程序的全局变量

```
arrayStack<int> *track;              // 缓冲轨道数组
int numberOfCars;
int numberOfTracks;
int smallestCar;                     // 在缓冲轨道中编号最小的车厢
int itsTrack;                        // 停靠着最小编号车厢的缓冲轨道
```

函数 railroad（见程序 8-10）计算一个车厢的移动序列，以此完成车厢的重排。车厢初始顺序为 inputOrder[1:theNumberOfCars]，缓冲轨道最多为 theNumberOfTracks。如果移动序列不存在，railroad 的返回值是 false，否则是 true。

函数 railroad 从创建栈 track 开始，track[i] 代表缓冲轨道 i，1 ≤ i ≤ numberOfTracks。for 循环开始时，编号为 nextCarToOutput 的车厢并没有在缓冲轨道上。

在 for 循环的第 i 次迭代中，入轨道上的车厢 inputOrder[i] 被调出。若 inputOrder[i]=nextCarToOutput，则该车厢直接被移到出轨道，然后 nextCarToOutput 的值增 1。这时，缓冲轨道可能有若干节车厢可以进入出轨道，把这些车厢移到出轨道的过程由 while 循环完成。如果车厢 inputOrder[i] 不能移到出轨道，那么就没有车厢可以移到出轨道。这时，按照已经确定的轨道分配规则，把车厢 inputOrder[i] 移到一个缓冲轨道。

程序 8-10　函数 railroad

```
bool railroad(int inputOrder[], int theNumberOfCars, int theNumberOfTracks)
{// 从初始顺序开始重排车厢
 // 如果重排成功，返回 true，否则返回 false

    numberOfCars = theNumberOfCars;
    numberOfTracks = theNumberOfTracks;

    // 创建用于缓冲轨道的栈
    track = new arrayStack<int> [numberOfTracks + 1];

    int nextCarToOutput = 1;
    smallestCar = numberOfCars + 1;        // 缓冲轨道中无车厢

    // 重排车厢
    for (int i = 1; i <= numberOfCars; i++)
```

```
        if (inputOrder[i] == nextCarToOutput)
        {//将车厢 inputOrder[i] 直接移出到轨道
            cout << "Move car " << inputOrder[i]
                << " from input track to output track" << endl;
            nextCarToOutput++;

            // 从缓冲轨道移到出轨道
            while (smallestCar == nextCarToOutput)
            {
                outputFromHoldingTrack();
                nextCarToOutput++;
            }
        }
        else
        //将车厢 inputOrder[i] 移到一个缓冲轨道
            if (!putInHoldingTrack(inputOrder[i]))
                return false;

    return true;
}
```

程序 8-11 和程序 8-12 分别给出函数 railroad 中所调用的函数 outputFromHoldingTrack 和 putInHoldingTrack。函数 outputFromHoldingTrack 用于把一节车厢从缓冲轨道移到出轨道，而且修改 smallestCar 和 itsTrack 的值。函数 putInHoldingTrack 根据车厢分配规则把车厢 c 移到某个缓冲轨道，它也修改 smallestCar 和 itsTrack 的值。

程序 8-11   函数 outputFromHoldingTrack

```
void outputFromHoldingTrack()
{// 将编号最小的车厢从缓冲轨道移到出轨道

    // 从栈 itsTrack 中删除编号最小的车厢
    track[itsTrack].pop();
    cout << "Move car "  << smallestCar  << " from holding "
        << "track "  << itsTrack  << " to output track" << endl;

    // 检查所有栈的栈顶，寻找编号最小的车厢和它所属的栈 itsTrack
    smallestCar = numberOfCars + 2;
    for (int i = 1; i <= numberOfTracks; i++)
        if (!track[i].empty() && (track[i].top() < smallestCar))
        {
            smallestCar = track[i].top();
            itsTrack = i;
        }
}
```

程序 8-12   函数 putInHoldingTrack

```
bool putInHoldingTrack(int c)
{// 将车厢 c 移到一个缓冲轨道。返回 false，当且仅当没有可用的缓冲轨道

    // 为车厢 c 寻找最适合的缓冲轨道
    // 初始化
    int bestTrack = 0,                      // 目前最合适的缓冲轨道
```

```
        bestTop = numberOfCars + 1;        // 取 bestTrack 中顶部的车厢

    // 扫描缓冲轨道
    for (int i = 1; i <= numberOfTracks; i++)
        if (!track[i].empty())
        {// 缓冲轨道 i 不空
            int topCar = track[i].top();
            if (c < topCar && topCar < bestTop)
            {// 缓冲轨道 i 的栈顶具有编号更小的车厢
                bestTop = topCar;
                bestTrack = i;
            }
        }
        else // 缓冲轨道 i 为空
            if (bestTrack == 0) bestTrack = i;

    if (bestTrack == 0) return false;       // 没有可用的缓冲轨道

    // 把车厢 c 移到轨道 bestTrack
    track[bestTrack].push(c);
    cout << "Move car " << c << " from input track "
         << "to holding track " << bestTrack << endl;

    // 如果需要，更新 smallestCar 和 itsTrack
    if (c < smallestCar)
    {
        smallestCar = c;
        itsTrack = bestTrack;
    }

    return true;
}
```

4. 复杂度

为了计算程序 8-10 的时间复杂度，我们首先注意，outputFromHoldingTrack 和 putInHoldingTrack 的复杂度均为 O(numberOfTracks)。在 railroad 中，while 循环最多把 numberOfCars−1 节车厢调出，else 语句最多把 numberOfCars−1 节车厢移到缓冲轨道，因此，函数 outputFromHoldingTrack 和 putInHoldingTrack 所消耗的总时间为 O(numberOfTracks*numberOfCars)。在 railroad 中，for 循环语句的其余部分需耗时 Θ(numberOfCars)。所以，程序 8-10 总的时间复杂度为 O(numberOfTracks*numberOfCars)。如果使用一个平衡二叉搜索树（例如 AVL 树）来存储缓冲轨道顶部的车厢编号（见第 15 章），那么程序的复杂度可以降至 O(numberOfCars*log(numberOfTracks))。这个时候，可重写函数 outputFromHoldingTrack 和 putInHoldingTrack，使其复杂度为 O(log(numberOfTracks))。在这个应用中，仅当 numberOfTracks 很大时，才推荐使用平衡二叉搜索树。

8.5.4 开关盒布线

1. 问题描述

在开关盒布线问题中，给定一个矩形布线区域，其外围有若干管脚。两个管脚之间通过布设一条金属线路来连接。这条金属线路称为电线，它被限制在矩形区域内。两条电线交叉会发生电流短路。因此，电线不许交叉。每对要连接的管脚称为一个**网组**。对于给定的一些网组，我们需要确定，它们能否连接而又不发生交叉。图 8-8a 是一个布线的示例，其中有 8 个管脚和 4 个网组。四个网组分别是（1，4），（2，3），（5，6）和（7，8）。图 8-8b 的布线在网组（1，4）和（2，3）之间有交叉，而图 8-8c 的布线没有交叉。因为这 4 个网组的布线可以没有交叉，所以这个开关盒称为**可布线开关盒**（routable switch box）。（在现实问题中，两个相邻的电线之间还要求保留一个最小的间隙，但是我们忽略这个额外的要求。）我们的问题是，输入一个开关盒布线实例，然后确定它是否可以布线。

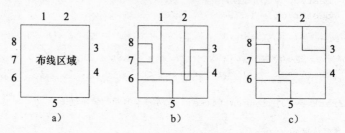

图 8-8 开关盒布线示例

图 8-8b 和图 8-8c 的电线都是与 x 轴和 y 轴平行的直线段，但与轴不平行的直线段或曲线段也是可以的。

2. 求解策略

为了解决开关盒布线问题，我们注意到，当一个网组互连时，连线把布线区域分隔成两个分区。分区边界上的管脚属于哪一个分区与连线无关，而与互连网组的管脚有关。例如，当网组（1，4）互连时，就有两个分区。一个分区包含管脚 2 和 3，另一个分区包含管脚 5 ~ 8。现在如果有一个网组，其两个管脚分别属于两个不同的分区，那么这个网组是不可布线的，进而整个开关盒布线实例也是不可布线的。如果没有出现这样的网组，那么我们就可以根据连线不能跨区的原则，对每个分区是否可独立布线的问题做出判断。如果从一个分区中选择一个网组，这个网组把其所属分区分成两个子分区，而其余任一个网组的两个管脚都分属不同的子分区，那么就可以判断，这个分区是可布线的。

为了实现这个策略，可以从任意一个管脚开始，按顺时针或逆时针方向沿着开关盒的边界进行遍历。如果从管脚 1 开始沿顺时针方向遍历图 8-8a 的管脚，那么遍历的管脚顺序是 1，2，…，8。管脚 1 和 4 是一个网组，于是管脚 1 至 4 之间出现的所有管脚构成第一个分区，管脚 4 至 1 之间出现的所有管脚构成另一个分区。把管脚 1 插入栈，然后继续处理，直到管脚 4。这个过程使我们仅在处理完一个分区之后才能进入下一个分区。下一个是管脚 2，它与管脚 3 是一个网组，它们把当前分区分成两个分区。与前面的做法一样，把管脚 2 插入栈，然后继续处理，直到管脚 3。由于管脚 3 和管脚 2 是一个网组，而管脚 2 正处在栈顶，因此这表明已经处理完一个分区，可将管脚 2 从栈顶删除。接下来将遇到管脚 4，而与它同是一个网组的管脚 1 正处在栈顶。现在，对一个分区的处理已经完毕，可从栈顶删除管脚 1。按照这种方法继续下去，我们可以完成对所有分区的处理，而且当 8 个管脚都检查之后，栈为空。

当我们处理不可布线的开关盒时，将会出现什么样的情况呢？假定图 8-8a 的网组是（1，5），（2，3），（4，7）和（6，8）。开始时，管脚 1 和 2 入栈。当检查到管脚 3 时，管脚 2 出栈。下一个是管脚 4，因为它与栈顶的管脚不能构成一个网组，所以它入栈。当检查到管脚 5 时，它也入栈。尽管已经扫描到管脚 1 和管脚 5，但还不能结束由这两个管脚所定义的第一个分区的处理过程，因为管脚4的网组布线将不得不跨越这个分区的边界。结果是，当检查了所有的管脚时，栈不是空的。

3. C++ 实现和时间复杂度

程序 8-13 给出了实现上述策略的 C++ 程序。它假设管脚的数目已知，每个管脚都对应一个网组编号。对于图 8-8c 的示例，输入数组 net 的值是 [1, 2, 2, 1, 3, 3, 4, 4]。该程序的复杂度为 $O(n)$，其中 n 是管脚的数目。

程序 8-13   开关盒布线

```cpp
bool checkBox(int net[], int n)
{// 确定开关盒是否可布线
 // 数组 net[0..n-1] 管脚数组，用以形成网组
 // n 是管脚个数

    arrayStack<int>* s = new arrayStack<int>(n);

    // 按顺时针扫描网组
    for (int i = 0; i < n; i++)
        // 处理管脚 i
        if (!s->empty())
            // 检查栈的顶部管脚
            if (net[i] == net[s->top()])
                // 管脚 net[i] 是可布线的，从栈中删除
                s->pop();
            else s->push(i);
        else s->push(i);

    // 是否有剩余的不可布线的管脚
    if (s->empty())
    {// 没有剩余的管脚
        cout << "Switch box is routable" << endl;
        return true;
    }

    cout << "Switch box is not routable" << endl;
    return false;
}
```

8.5.5 离线等价类问题

1. 问题描述

离线等价类问题的定义见 6.5.4 节。这个问题的输入是元素数目 n、关系对数目 r 以及 r 个关系对。目标是把 n 个元素划分为等价类。

2. 求解策略

求解分为两个阶段。在第一个阶段，我们输入数据，建立 n 个表以表示关系对。对每一个关系对 (i,j)，i 放在 list[j]，j 放在 list[i]。

例 8-3   假定 $n=9$，$r=11$，且 11 个关系对是 (1,5)，(1.6)，(3,7)，(4,8)，(5,2)，(6,5)，(4.9)，(9,7)，(7,8)，(3,4)，(6.2)。9 个表是

$$list[1]=[5,6]$$

list[2]=[5,6]

list[3]=[7,4]

list[4]=[8,9,3]

list[5]=[1,2,6]

list[6]=[1,2,5]

list[7]=[3,9,8]

list[8]=[4,7]

list[9]=[4,7]

表中元素的顺序不重要。 ■

在第二个阶段是寻找等价类。为寻找一个等价类，首先要找到该等价类中第一个没有输出的元素。这个元素作为该等价类的**种子**。该种子作为等价类的第一个成员输出。从这个种子开始，我们找出该等价类的所有其他成员。种子被加到一个表 unprocessedList 中。从表 unprocessedLis 中删除一个元素 *i*，然后处理表 *list*[*i*]。*list*[*i*] 中所有元素和种子同属一个等价类；将 *list*[*i*] 中还没有作为等价类成员的元素输出，然后加入 unprocessedList 中。这是一个过程：从表 unprocessedLis 中删除一个元素 *i*，然后把表 *list*[*i*] 中还没有输出的元素输出，并且加入 unprocessedList 中。这个过程持续进行到 unprocessedList 为空。这时我们就找到了一个等价类，然后继续寻找下一个等价类的种子。

例 8-4   考虑例 8-3。令 1 是第一个种子，作为一个等价类的成员被输出，然后加入表 unprocessedList 中。接下来把 1 从 unprocessedList 中删除，然后处理 *list*[1]。元素 5 和 6 属于 *list*[1]，与 1 同属一个等价类，它们被输出，然后加入 unprocessedList 中。将 5 或 6 从 unprocessedList 中删除，然后处理它们所在的表。假定删除的是 5。考察 *list*[5] 中的元素 1、2 和 6。因为 1 和 6 已经输出，所以被忽略。把元素 2 输出，然后加入 unprocessedList 中。当 unprocessedList 中的剩余元素（6 和 2）被删除和处理，没有其他元素被输出或加入 unprocessedList 时，unprocessedList 成为空表，这时我们便找到了一个等价类。

为找到另一个等价类，我们要寻找一个种子，它是还没有输出的元素。元素 3 还没有输出，因此可以作为下一个等价类得种子。元素 3、4、7、8 和 9 作为这个等价类的元素被输出。这时不再有种子，因此我们找到了所有等价类。 ■

3. C++ 实现

为了实现上述算法，我们必须选择表 list 和 unprocessedList 的描述方法。表 list 上的操作是插入和检查所有元素。因为元素在 list 中的插入位置并不重要，所以用任何线性表或栈来描述都可以。选择的标准是空间和时间性能最优。

在 *n* 个表 list[1:*n*] 中，元素总数为 2*r*。所以，就空间需求而言，数组线性表和栈类需要的空间所能容纳的元素个数为 2*r* 和 4*r*（因为数组容量加倍，所以数组长度最多可以达到数组元素个数的两倍）。链表类需要的空间要能容纳 2*r* 个元素和 2*r* 个指针。我们对线性表和栈的时间性能研究（见 5.6 节、6.1.6 节、8.3.3 节和 8.4.3 节）表明，这些结构的链表实现比数组实现要慢。因此，我们在对离线等价类问题做进一步研究时，不考虑链表表示法。

如果在表的右端插入新元素，那么应用 arrayList（见 5.3 节）将有更好的时间性能。然而，使用 arrayStack 性能会更好一点。从性能上考虑，线性表 unprocessedList 也用 arrayStack 来实现。

程序 8-14 给出了解决离线等价类问题的 C++ 程序，它由两部分组成。在程序 8-14 的第一部分，输入 n、r 和 r 对关系，对于每个元素都建立了一个相应的栈。栈 list[i] 对应元素 i，它包含所有这样的元素 j：(i,j) 或 (j,i) 是输入的关系对。如果通过检验可以保证对每一个输入对 (a,b)，a 和 b 都属于 [1,h]，那么代码会更易维护。练习 31 要求改进代码，增加对输入关系的合法性检验。

程序 8-14 的第二部分是输出等价类。其中使用了数组 out，而且 out[i]=true，当且仅当 i 已经作为某个等价类的元素而输出。栈 unprocessedList 辅助寻找一个等价类的所有元素。这个栈中的元素都作为当前等价类的元素被输出，并且用来寻找当前等价类的其他元素。为寻找下一个等价类的种子，我们扫描数组 out 以寻找一个尚未输出的元素。如果没有这样的元素，就没有下一个等价类。如果有，则开始寻找下一个等价类。

程序 8-14 离线等价类程序

```cpp
int main()
{
   int n,                           // 元素个数
       r;                           // 关系个数

   cout << "Enter number of elements" << endl;
   cin >> n;
   if (n < 2)
   {
      cout << "Too few elements" << endl;
      return 1;                     // 因错误而终止
   }

   cout << "Enter number of relations" << endl;
   cin >> r;
   if (r < 1)
   {
      cout << "Too few relations" << endl;
      return 1;                     // 因错误而终止
   }

   // 建立空栈组成的数组，stack[0] 不用
   arrayStack<int>* list = new arrayStack<int> [n+1];

   // 输入 r 个关系，存储在表中
   int a, b;  // (a, b) 是一个关系
   for (int i = 1; i <= r; i++)
   {
      cout << "Enter next relation/pair" << endl;
      cin >> a >> b;
      list[a].push(b);
      list[b].push(a);
   }

   // 初始化以输出等价类
   arrayStack<int> unprocessedList;
   bool* out = new bool[n + 1];
   for (int i = 1; i <= n; i++)
      out[i] = false;

   // 输出等价类
```

```
for (int i = 1; i <= n; i++)
   if (!out[i])
   {// 启动一个新类
       cout << "Next class is: " << i << " ";
       out[i] = true;
       unprocessedList.push(i);
       // 从 unprocessedList 中取类的剩余元素
       while (!unprocessedList.empty())
       {
           int j = unprocessedList.top();
           unprocessedList.pop();

           // 表 list[j] 中的元素属于同一类
           while (!list[j].empty())
           {
               int q = list[j].top();
               list[j].pop();
               if (!out[q])   // 未输出
               {
                   cout << q << " ";
                   out[q] = true;
                   unprocessedList.push(q);
               }
           }
       }
       cout << endl;
   }

cout << "End of list of equivalence classes" << endl;

return 0;
}
```

4. 复杂度分析

为了分析等价类程序的复杂度，我们假设没有异常抛出。程序第一部分用时 $\Theta(n+r)$。在程序的第二部分，每个元素只输出一次，只入栈 unprocessedList 一次，只从栈 unprocessedList 中出栈一次，因此，入栈和出栈操作所需要的总时间为 $\Theta(n)$。最后，当一个元素 j 从栈 unprocessedList 中出栈时，list[j] 中的所有元素要出栈接受检查。每个 list[j] 中的每一个元素只出栈一次。所以，在所有 list[1:n] 中的所有元素出栈接受检查所需要的时间为 $\Theta(r)$（注意，在输入阶段之后，所有 list[1:n] 中的元素总数是 $2*r$）。对于程序 8-14 的总时间复杂度，如果考虑异常，则为 $O(n+r)$，如果不考虑异常，则为 $\Theta(n+r)$。

因为解决离线等价类问题的每一个程序对每一个关系和元素都至少考察一次，所以用时不可能少于 $O(n+r)$。

8.5.6 迷宫老鼠

1. 问题描述

迷宫（如图 8-9 所示）是一个矩形区域，有一个入口和一个出口。迷宫内部包含不能穿越的墙壁或障碍物。这些障碍物沿着行和列放置，与迷宫的边界平行。迷宫的入口在左上角，出口在右下角。

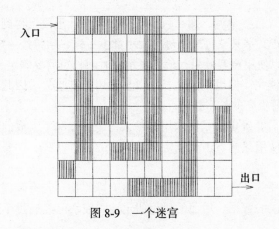

图 8-9 一个迷宫

假定用 $n \times m$ 的矩阵来描述迷宫，矩阵的位置 $(1，1)$ 表示入口，$(n，m)$ 表示出口，n 和 m 分别代表迷宫的行数和列数。迷宫的每个位置都可用其行号和列号表示。在矩阵中，当且仅当在位置 $(i，j)$ 处有一个障碍时，其值为 1，否则其值为 0。图 8-10 给出了图 8-9 中的迷宫所对应的矩阵表示。**迷宫老鼠**（rat in a maze）问题是要寻找一条从入口到出口的路径。**路径**是一个由位置组成的序列，每一个位置都没有障碍，而且除入口之外，路径上的每个位置都是前一个位置在东、南、西或北方向上相邻的一个位置（如图 8-11 所示）。

```
0 1 1 1 1 1 0 0 0 0
0 0 0 0 0 1 0 1 0 0
0 0 0 0 1 0 1 0 0 0
0 1 0 1 0 1 0 1 1 0
0 1 0 1 0 1 0 1 0 0
0 1 1 1 0 1 0 1 0 1
0 1 0 0 0 1 0 1 0 1
0 1 0 1 1 1 0 1 0 0
1 0 0 0 0 0 0 0 0 0
0 0 0 0 1 1 1 1 0 0
```

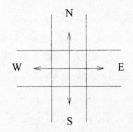

图 8-10 用矩阵描述的图 8-9 的迷宫 　图 8-11 从迷宫任意位置移动一步时的 4 种方向选择

我们要编写程序来解决迷宫老鼠问题。假设迷宫是一个方阵（即 m=n）且足够小，能够整个存储在目标计算机的内存中。程序应是独立的，一个用户可以输入自己选择的迷宫来直接寻找迷宫路径。

2. 设计

我们将采用自顶向下的模块化方法来设计这个程序。不难理解，这个程序有三个部分：输入迷宫、寻找路径和输出路径。每个部分都用一个程序模块来实现。还有一部分用于显示欢迎信息、软件名称及作者信息，这部分用第四个模块来实现，这个模块主要是为了增强程序界面的友好性，它与我们要编写的程序没有任何直接关系。

寻找路径的模块不直接与用户打交道，因此没有提供帮助机制，也不是由菜单驱动的。其他三个模块都与用户进行交互，因此应多花一些精力来设计用户接口。友好的用户接口能让用户更喜欢你的程序。

首先设计欢迎模块。我们希望显示如下信息：

Welcome To

RAT IN A MAZE

© Joe Bloe，2000

如果觉得这种形式有些单调，那么可以利用多种设计手段以得到满意的效果。例如，文字是多种颜色的，每行文字甚至每个字母的大小都不一样，字符按一定的时间间隔依次出现，间隔可以很小。还可以使用声音效果。信息显示的时间长短需要确定，显示的时间应足够长，以便用户能够把信息读完，但也不能太长，以至于用户打哈欠。因此，欢迎信息（乃至整个用户接口）的设计需要很高的艺术技巧。

输入模块的设计需要确定，是要求用户输入一个由 0 和 1 组成的矩阵好呢？还是显示一个矩阵，然后让用户使用鼠标点击来选定有障碍物的位置好呢？还要决定使用什么颜色，是否使用声响，等等。

输入模块的设计要验证迷宫的入口或出口没有障碍物。若有障碍物，则不存在路径。而用户很有可能输入错误的数据。后面的讨论假定输入模块已经通过了这种验证，即入口和出口没有障碍物。

在这里我们又一次看到，如果要设计一个用户友好的接口，那么最初看上去很简单的任务（读入一个矩阵）实际上是很复杂的。

设计输出模块时需要考虑的问题基本上与设计输入模块时的一样。

3. 程序开发计划

设计阶段已经指出需要 4 个程序模块。而实际上还需要一个模块（即主模块）来调用这 4 个模块，调用的次序是：欢迎模块、输入模块、寻找路径模块和输出模块。

程序的模块结构如图 8-12 所示。每个模块都可以独立编写。根模块被编写成一个 main 方法，欢迎模块、输入模块、寻找路径模块和输出模块分别是一个私有方法。

图 8-12   迷宫老鼠程序的模块化结构

至此我们认识到，程序具有了如图 8-13 所示的形式。

4. 程序开发

数据结构和算法的大量问题仅仅出现在寻找路径模块的开发过程中。因此，这一节我们专门开发这个模块。其他模块的开发放到了练习 33。在详细设计寻找路径模块的代码之前，我们先给出图 8-14 所示的 C++ 伪码。对这段代码，我们很容易判断它的正确性。但是遗憾的是，不能直接在计算机上使用这种形式的代码，必须把这种伪码细化成真正的 C++ 代码。

```
// 此处是函数 welcome
// 此处是函数 inputMaze
// 此处是函数 findPath
// 此处是函数 outputPath
void main()
{
    welcome();
    inputMaze();
    if(findPath())
        outputPath();
    else
        cout<< "No path "<<endl;
}
```

图 8-13   迷宫老鼠程序的形式

在细化图 8-14 的伪码以得到更详尽的 C++ 代码之前，首先要明白如何寻找迷宫路径。首先把迷宫的入口作为当前位置。如果当前位置是迷宫出口，那么已经找到了一条路径，寻找工作结束。如果当前位置是迷宫出口，则在当前位置上放置障碍物，以阻

```
bool findPath()
{
    寻找迷宫中到达出口的一条路径
    if (路径找到) return true;
    else return false;
}
```

图 8-14   寻找路径函数的第一个版本

止寻找过程又绕回到这个位置。然后检查相邻位置是否有空闲（即没有障碍物），如果有，就移动到一个空闲的相邻位置上，然后从这个位置开始寻找通往出口的路径。如果不成功，就选择另一个空闲的相邻位置，并从它开始寻找通往出口的路径。为了方便移动，在进入新的相邻位置之前，把当前位置保存在一个栈中。如果所有空闲的相邻位置都已经被探索过，但还未能找到路径，则表明迷宫不存在从入口到出口的路径。

让我们使用上述策略来考察图 8-9 的迷宫。首先把位置（1，1）插入栈，并从它开始进行寻找，移到与它相邻的唯一的空闲位置（2，1），并在位置（1，1）上放置障碍物，以防止以后的寻找过程再经过这个位置。从位置（2，1）可以移动到（3，1）或（2，2）。假定移动到位置（3，1）。在移动之前，先在位置（2，1）上放置障碍物并将（2，1）插入栈。从位置（3，1）可以移到（4，1）或（3，2）。如果移到（4，1），那么要在（3，1）处放置障碍物，并把（3，1）插入栈。从（4，1）依次移动到（5，1）、（6，1）、（7，1）和（8，1）。移到（8，1）以后无路可走。此时的栈包含着从（1，1）至（8，1）的路径。为了寻找其他路径，从栈中删除（8，1），回退至（7，1），由于（7，1）也没有新的空闲的相邻位置，因此从栈中删除位置（7，1），回退至（6，1）。按照这种方式，一直要回退到（3，1），然后才可以继续移动（即移动到（3，2））。注意，在栈中始终有一条从入口到当前位置的路径。如果最终到达了出口，那么栈中的路径就是从入口到出口的路径。

为了细化图 8-14，我们需要把迷宫（一个 0 和 1 的矩阵）、迷宫的每个位置以及栈都表示出来。首先考虑迷宫。迷宫一般被描述成一个 int 类型的二维数组 maze。（由于每个数组的位置仅有 0 或 1 两种取值，因此可以用 bool 型二维数组，true 代表 1，false 代表 0。这样，表示迷宫的数组空间就被减少了。）迷宫矩阵的位置（i，j）对应于数组 maze 的位置 [i] [j]。

从迷宫的内部位置（非边界位置）开始，有 4 种可能的移动方向：右、下、左和上。从迷宫的边界位置开始，只有两种或三种可能的移动方向。为了避免在处理内部位置和边界位置时存在差别，可以在迷宫的周围增加一圈障碍物。对于一个 $m \times m$ 的数组 maze，这一圈障碍物将占据数组 maze 的第 0 行、第 m+1 行、第 0 列和第 m+1 列（如图 8-15 所示）。

现在，迷宫的所有位置都处在一圈障碍物所围成的边界之内，从迷宫的每个位置开始，都有 4 种可能的移动方向（可能每个方向都有障碍物）。因为给迷宫围上了一圈障碍物，所以程序不再需要处理边界条件，这就大大简化了代码设计。这种简化的代价是迷宫数组的空间稍稍增加了。

```
1 1 1 1 1 1 1 1 1 1 1 1
1 0 1 1 1 1 1 0 0 0 0 1
1 0 0 0 0 0 1 0 1 0 0 1
1 0 0 0 1 0 1 0 0 1 0 1
1 1 0 1 0 0 1 0 1 1 0 1
1 0 0 1 0 1 0 1 1 0 0 1
1 0 1 0 1 0 1 0 1 0 0 1
1 0 1 0 1 0 1 0 1 0 0 1
1 0 1 0 1 0 1 0 1 1 0 1
1 1 0 0 0 0 0 0 1 0 0 1
1 0 0 0 0 1 0 1 1 0 0 1
1 1 1 1 1 1 1 1 1 1 1 1
```

图 8-15 设有一圈障碍物的图 8-9 的迷宫

每个迷宫位置都可以用行和列的下标来表示，分别称为迷宫位置的行坐标和列坐标。可以定义一个带有数据成员 row 和 col 的类 position，使用它的对象来跟踪记录迷宫位置。用数组表示栈，栈用来保存从入口到当前位置的路径。一个没有障碍物的 $m \times m$ 迷宫，最长的路径可包含 m^2 个位置（如图 8-16a 所示）。

因为路径包含的位置没均不相同，而且迷宫仅有 m^2 个位置，所以一条路径所包含的位置最多不超过 m^2。又因为路径的最后一个位置不必存储到栈中，所以在栈中存储的位置最多是 m^2-1。注意，在一个没有障碍物的迷宫中，在入口和出口之间，总有一条最多包含 $2m$ 个位置的路径（例如，见图 8-16b）。不过，我们现在无法保证寻找路径的程序模块能够找到最短路径。

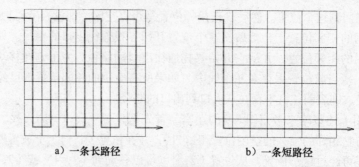

a）一条长路径　　　　　　　　b）一条短路径

图 8-16　没有障碍物的迷宫路径

现在可以来细化图 8-14，细化的结果见图 8-17，它已经接近了 C++ 程序。

```
bool findPath()
{//寻找一条从入口 (1,1) 到出口 (m,m) 的路径
    初始化迷宫四周的围墙
    // 初始化变量，以记录我们在迷宫的当前位置
    here.row=1;
    here.col=1;

    maze[1][1]=1;   // 防止返回到入口

    // 寻找通向出口的路径
    while(不是出口)do
    {
        寻找可以移动的下一步；
        if(下一步存在)
        {
            把下一步的位置压进路径栈；
            //走到下一步，然后在这一步加上障碍物
            here=neighbor;
            maze[here.row][here.col]=1；
        }
        else
        {
            //不能继续往下走，退回
            if(路径为空)return false;
            退回的位置在路径栈的顶部；
        }
    }
    return true;
}
```

图 8-17　图 8-14 的细化版

现在的问题是，要确定从位置 here 开始向哪一个相邻位置移动。如果用一种系统方式来选择，那么问题就简化了。例如，首先尝试向右移动，然后向下和向左，最后向上。一旦选择了要移动的位置，就要知道该位置的坐标。而利用一个如图 8-18 所示的偏移量表，就很容易计算这些坐标。把向右、向下、向左和向上移动分别表示为 0、1、2 和 3。在图 8-18 的表中，offset[i].row 和 offset[i].col 分别是从当前位置沿方向 i 移动到下一个相邻位置时，row 和 col 坐标的增量。例如，如果当前位置是（3，4），则其右边相邻位置的行坐标为 3+ offset[0].row=3，

列坐标为 4+offset[0].col=5。

移动	方向	行偏移量	列偏移量
0	右	0	1
1	下	1	0
2	左	0	−1
3	上	−1	0

图 8-18　偏移量表

为了不重蹈已经走过的位置，我们在每一个走过的位置 maze[i][j] 上设置障碍物（即令 maze[i][j]=1）。

把上述细化工作并入图 8-17 的代码中，就得到了程序 8-15 的 C++ 代码。在程序 8-15 的代码中，变量 size 存储着迷宫的行和列的大小。

程序 8-15　寻找迷宫路径的代码

```
bool findPath()
{// 寻找一条从入口 (1,1) 到达出口 (size, size) 的路径
 // 如果找到，返回 true，否则返回 false

   path = new arrayStack<position>;

   // 初始化偏移量
   position offset[4];
   offset[0].row = 0; offset[0].col = 1;          // 右
   offset[1].row = 1; offset[1].col = 0;          // 下
   offset[2].row = 0; offset[2].col = -1;         // 左
   offset[3].row = -1; offset[3].col = 0;         // 上

   // 初始化迷宫外围的障碍墙
   for (int i = 0; i <= size + 1; i++)
   {
      maze[0][i] = maze[size + 1][i] = 1;         // 底部和顶部
      maze[i][0] = maze[i][size + 1] = 1;         // 左和右
   }

   position here;
   here.row = 1;
   here.col = 1;
   maze[1][1] = 1;                                // 防止回到入口
   int option = 0;                                // 下一步
   int lastOption = 3;

   // 寻找一条路径
   while (here.row != size || here.col != size)
   {// 没有到达出口
      // 找到要移动的相邻的一步
      int r, c;
      while (option <= lastOption)
      {
         r = here.row + offset[option].row;
         c = here.col + offset[option].col;
         if (maze[r][c] == 0) break;
         option++;                                // 下一个选择
      }
```

```
                    // 相邻的一步是否找到?
                    if (option <= lastOption)
                    {// 移到 maze[r][c]
                        path->push(here);
                        here.row = r;
                        here.col = c;
                        maze[r][c] = 1;                        // 设置1, 以防重复访问
                        option = 0;
                    }
                    else
                    {// 没有邻近的一步可走, 返回
                        if (path->empty())
                            return false;                      // 没有位置可返回
                        position next = path->top();
                        path->pop();
                        if (next.row == here.row)
                            option = 2 + next.col - here.col;
                        else option = 3 + next.row - here.row;
                        here = next;
                    }
                }

                return true;                                   // 到达出口
            }
```

    函数 findPath 首先创建一个空栈。然后对偏移量数组进行初始化，并在迷宫周围设置一圈障碍物。在 while 循环中，从当前位置 here 出发，按右、下、左、上的顺序选择下一个移动位置。如果存在下一个移动位置，则将当前位置插入栈，然后移动到下一个位置。如果不存在下一个移动位置，则退回到前一个位置。如果无路可退（即栈为空），则表明不存在通往出口的路径。如果可以退，那么当退到栈的顶部元素所表示的位置（next）时，就从 next 和 here 来计算下一个移动位置。注意 here 与 next 相邻。实际上，在程序前面某一时刻，我们从 next 移到 here，而且是最后一次移动。对下一个移动位置的选择可用以下代码来实现：

```
if(next.row==here.row)
    option=2+next.col-here.col;
else option=3+next.row-here.row;
```

    现在分析程序的时间复杂度。在最坏情况下，可能要遍历每一个空闲位置，而每个空闲位置进入栈的机会最多有 3 次。（每次从一个位置移动时，该位置都要插入栈，而从任何一个位置开始，最多有 3 种移动选择。）因而每个位置从栈中被删除的机会也最多有 3 次。在每个位置上，检查相邻位置所需要的时间是 $\Theta(1)$。因此，程序的时间复杂度应为 $O(\text{unblocked})$，其中 unblocked 是迷宫的空闲位置数目。这个复杂度是 $O(\text{size}^2) = O(m^2)$。

    参看 16.8.4 节你会发现，函数 findPath 的策略实际上就是深度优先搜索，它是更一般的所谓回溯策略中一种特殊方法。因此，findPath 是深度优先搜索、回溯和栈的应用。

练习

15. 编写一个程序，判定字符串中是否有不匹配的括号，不许使用栈。测试你的程序。计算时间复杂度。

16. 编写程序 8-6 的另一个版本，寻找匹配的圆括号和匹配的方括号。在字符串 (a+[b*(c-d)+f]) 中，匹配的结果是 (0,14), (3,13), (6,10)；在字符串 (a+[b*(c-d)+f)) 中，却存在一个

嵌套问题：位置 6 的左圆括号应该在其后的右方括号出现之前和一个右圆括号匹配。测试你的代码。

17. 对一个包含圆括号、方括号和花括号的表达式完成练习 16。

18. 对 4 个碟子的汉诺塔问题，用笔算出碟子的移动序列。

19. 对碟子个数运用归纳法，证明程序 8-7 的正确性。

20. 假设汉诺塔中的碟子按 1 ~ n 编号，最小的碟子为 1 号碟子。改进程序 8-7，让它同时输出被移动碟子的编号。只需简单地改动输出语句，不要做其他改动。

21. 编写程序 8-8 中的 showState 方法，假设输出设备是计算机屏幕。如果必要，可以给类 arrayStack 增加方法，使其能够方便地访问塔上的碟子。需要添加时间延迟，以防显示太快而看不清。不同的碟子用不同的颜色显示。

22. 哈哈塔与汉诺塔类似。碟子从 1 ~ n 编号；奇数号碟子是红色，偶数号碟子是黄色。碟子最初在 1 号塔，从顶到底按照 1 ~ n 堆放。碟子要移到 2 号塔，任何时候，同色的碟子不能上下挨着。碟子的最后次序和最初次序相同。

1）编写一个程序，把碟子从 1 号塔移到 2 号塔，可以用 3 号塔作为中转站。

2）你的程序需要碟子移动多少次？

23. 探讨中转塔个数 k>1 时的汉诺塔问题。使用更多的塔以减少碟子移动次数。例如，当中转塔的个数是 n–1 的时候，碟子移动 2n–1 次就够了。我们的探讨可以从两个中转塔开始。

24. 1）一个转轨站有 3 个后进先出的缓冲轨道。车厢的初始顺序为 3，1，6，7，2，8，5，4。像图 8-6 和图 8-7 一样画图显示，按照 8.5.3 节求解每一节车厢移动之后，转轨站、入轨道和出轨道的布局。

2）假定有两个缓冲轨道，完成 1）。

25. 在求解列车车厢重排问题时（见 8.5.3 节），用 k 个数组形式的栈来表示 k 个缓冲轨道。请问每个栈多大？总的栈空间是多少？

26. 1）采用 k 条缓冲铁轨进行车厢重排，程序 8-10 总能成功吗？

2）车厢移动的总次数为 n+（车厢移动到一条缓冲轨道的次数）。假定对初始排列的车厢，使用 k 条缓冲轨道和程序 8-10 可以完成车厢重排。程序 8-10 所需要的移动次数是否是最少的？证明你的结论。

27. 假定每条缓冲轨道 i 最多容纳 s_i 节车厢，其中 $1 \leq i \leq k$，编写一个车厢重排程序。

28. 对网组 (1,6)，(2,5)，(3,4)，(7,10)，(8,9)，(12,13) 和 (11,14)，应用程序 8-13。在检查每一个管脚之后显示栈的布局。

29. 在开关盒布线问题中，当同一网组的两个管脚都进入栈的时候，处理过程可以结束。编写一个 checkBox 的新版本以完成这一过程。新程序的时间复杂度应为 $O(n)$，其中 n 为管脚个数。假设网组数量是 1 ~ n/2。需要多大的栈？

30. 求解下列离线等价类问题：

1）给定表 list[1:n]，且 n=9，r=9，关系对是 (1,3)，(4,2)，(3,8)，(6,7)，(5,8)，(6,2)，(1,5)，(4,7)，(9,7)。

2）用 1）的表熟悉一下求解策略的第二阶段。利用例 8-4 解释你的处理过程。

31. 程序 8-14 对输入的关系没有做合法性检验。修改这个程序，确保输入的每一对 a 和 b 都在范围 [1,n] 之中，否则抛出类型为 myInputException 的异常。

32. 1）修改程序 8-14，使 list[] 成为 arrayList 型数组，而非 arrayStack 型数组。使用线性表迭

代器，在程序的第二阶段检查线性表的元素。

2）通过实验来比较程序修改前后的性能。

33. 完成迷宫程序的代码设计。编写一个令人愉快的 C++ 程序，它包含下列内容：

1）编写一个 welcome 函数，它融汇了图像和声音。

2）编写一个不易出错的 inputMaze 函数，它包含对输入数据的合法性检验。还包含输入提示。

3）编写一个 outputPath 函数，输出从入口到出口的路径。

使用迷宫实例来测试代码。

34. 修改迷宫程序，使老鼠从当前位置可以向北、东北、东、东南、南、西南、西和西北方向移动到一个相邻的位置。用迷宫实例来测试修改后的代码。

35. 对栈 path 的最大值，给出一个比 m^2-1 更理想的上限。

36. 在迷宫中寻找路径的策略实际上是一个递归策略。从当前位置寻找并移动到一个相邻位置，然后确定从这个相邻位置到出口之间是否存在一条路径。如果存在一条路径，则寻找过程结束，否则，寻找并移动到另一个相邻位置。采用递归方法寻找迷宫中的路径。用迷宫实例来测试代码。

37. 在本书网站上学习迷宫动画制作。

1）把启发式方法写入迷宫程序，使老鼠更聪明地选择下一个可以移向的位置。例如，老鼠可以先沿着迷宫四周的墙壁寻找漏洞。

2）修改程序 8-15，以吸收启发式方法。

3）测试新程序。

4）比较新程序和程序 8-15 的运行时间性能。

38. 已知整型数组 data[]，计算另一个整型数组 lastAsBig[]。简单地说，lastAsBig[i] 是处于 data[i] 左面其值不小于 data[i] 但距离 data[i] 最近的元素的位置。例如，如果 data[]=[6,2,3,1,7,5]，那么 lastAsBig[]=[-1,0,0,2,-1,4]。简单一点说，lastAsBig[i] 是在小于 i 的 j 中、满足 data[j] ≥ data[i] 的最大 j。如果不存在这样的 j，则 lastAsBig[i]=-1。

lastAsBig 的一个应用是天气预报。令 data[i] 表示最近一年中第 i 日盖恩斯维尔的最高温度。如果 lastAsBig[i]=-1，表明这一年开始还没有温度记录。当 lastAsBig[i] ≠ -1 时，lastAsBig[i] 是这一年达到 i 日最高温且离 i 日最近的日子。i-lastAsBig[i] 是它与 i 日相隔的天数。

1）给出 lastAsBig 的两个以上的应用。

2）编写一个方法，它使用一个栈来计算 lastAsBig。其时间复杂度应为 O(数组 data 的长度)。

3）测试你的代码。

8.6 参考及推荐读物

开关盒布线算法选自如下论文：

1）C. Hsu. *General River Routing Algorithm*. ACM/IEEE Design Automation Conference，578 ~ 583, 1983.

2）R. Pinter. *River-Routing*: *Methodology and Analysis*. Third Caltech Conference on VLSI, 1983, 3.

队 列

概述

队列和栈一样，是一种特殊的线性表。队列的插入和删除操作分别在线性表的两端进行，因此，队列是一个先进先出（FIFO）的线性表。还有一种队列是优先级队列，它的删除操作是按照元素的优先级顺序进行的，我们在第 12 章研究这种队列。C++ 标准模板库 STL 的队列是一种用数组描述的队列数据结构，它是从 STL 的双端队列派生的。本章练习 9 要求开发一种用数组实现的双端队列数据结构。

尽管队列很容易从第 5 章和第 6 章的线性表类派生，但是本章并没有这样做。为了执行时的效率，我们把队列设计成一个基类，而且分别采用数组描述和链表描述。

本章的应用部分设计了 4 个队列应用的示范程序。第一个应用是关于火车车厢重排问题，它最初是在 8.5.3 节中介绍的。本章在这个问题上做了修改，要求缓冲轨道按照 FIFO 方式而不是 LIFO 方式工作。第二个应用是寻找两个定点之间最短线路的经典 Lee 算法。这个应用可以看成是 8.5.6 节的迷宫问题的一种变形，它寻找从迷宫入口到迷宫出口的最短路径。而 8.5.6 节的代码并不保证能够找到一条最短的路径，它只保证，如果存在一条从入口到出口的路径，则一定能找到这条路径（没有限定长度）。第三个应用是机器视觉领域的二值图像的像素识别，两个像素具有相同的标志，当且仅当它们属于同一个图元。最后一个应用是工厂仿真程序。工厂有若干台机器，每台机器能够执行一道不同的工序。工厂的每一项任务都由一个或多个工序组成。我们给出了一个程序来仿真在工厂中的任务流。该程序能够确定每项任务在每台机器上总的等待时间和总的等待时间。这些信息能够用来改进工厂的设计。虽然本章的工厂仿真程序使用的是 FIFO 队列，但是现实的工厂可能有一部分或全部需要优先级队列。在后续章节中将介绍其他几种队列的应用。

9.1 定义和应用

定义 9-1 队列（queue）是一个线性表，其插入和删除操作分别在表的不同端进行。插入元素的那一端称为**队尾**（back 或 rear），删除元素的那一端称为**队首**（front）。

一个三元素的队列如图 9-1a 所示。从中删除第一个元素 A 之后得到图 9-1b 所示的队列。如果向图 9-1b 的队列中插入一个元素 D，必须把它插在元素 C 的后面。插入元素 D 以后的结果如图 9-1c 所示。

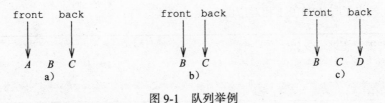

图 9-1 队列举例

队列是一个先进先出（FIFO）的线性表，而栈是一个后进先出（LIFO）的线性表。

例 9-1[现实世界的队列]

1）虽然自助餐厅的盘子是按 LIFO 的方式摆放的（见例 8-1），但是人们排队选择食物时是按照 FIFO 方式进行的，顾客结账离开的顺序与进入队伍的顺序一样，这便是队列。你在很多情况下都要这样排队——在商店的结账台，在银行的服务窗口，在洗车场，在邮政中心。

2）在汽水贩卖机里，口味相同的汽水放在一起出售，一种口味占一栏，一听压着一听。你买一听汽水，贩卖机把最下面的一听给你。往贩卖机里添加货物时，从栏的顶部添加。贩卖机进货取货的方式是 FIFO 的，每一种口味的汽水是一个队列。

3）在一个分布式系统中，一个队列要为多个队列提供服务。一个具有 m 个服务器的分布式系统，具有 m 个服务器队列，一个队列服务于一个服务器。另外，有一个代理人队列。服务请求首先进入代理人队列排队；代理人按照 FIFO 方式检查代理人队列中的服务请求，然后把每一个请求送到最对口的服务器队列；服务器按照 FIFO 方式处理来自服务器队列的服务请求。下面是两个具体的例子。

- 在一个分布式系统中，计算机文件在文件服务器上复制，以提供更好的服务。一个文件的所有请求都首先进入代理人队列；代理人把每一个请求分发到负载最小的服务器，等待服务器处理。

- 选民投票站的队列是非常有趣的。当你到达投票站时，你进入到一个代理人队列。当你排到第一个时，一个志愿者根据你姓氏的第一个字母领你进入一个服务器队列。在每一个服务器队列的前头是一个志愿者，他检查你的身份证号，让你签字，然后发给你一张投票卡。你拿着投票卡进入另一个队列，等待着在投票卡上穿孔，以选择你喜欢的候选人。 ■

练习

1. 下面的队列操作序列从一个空队列开始：加入 X、加入 Y，删除，加入 D、加入 A、删除、加入 T、加入 A。仿照图 9-1 画出每一次操作之后的队列布局。

2. 在现实世界中找出另外三个队列应用的实例。不能是人员排队或贩卖机之类的队列应用。可以是有人参与的分布式系统。

3. 在现实世界中找出三个队列和栈的应用实例，它有时应用栈，有时应用队列。例如，餐巾纸机。有的餐巾纸机的工作方式像栈，而有的像队列。

4. 在 8.5 节的应用实例中，哪一个可以用队列代替栈而又不影响程序的正确性？

9.2 抽象数据类型

队列的抽象数据类型描述见 ADT 9-1。该类型的函数名称和 C++ 的 STL 容器类队列的函数名称相同。

程序 9-1 给出了与 ADT 9-1 相对应的 C++ 抽象类。

抽象数据类型 *queue*

{

　　实例

　　　　元素的有序表，一端称为队首，另一端称为队尾

```
操作
    empty():          // 返回 true，当且仅当队列为空，否则返回 false
    size();           // 返回队列中元素个数
    front();          // 返回队列头元素
    back();           // 返回队列尾元素
    pop();            // 删除队列首元素
    push(x);          // 把元素 x 加入队尾
};
```

ADT 9-1　队列的抽象数据类型

程序 9-1　抽象类队列

```cpp
template<class T>
class queue
{
    public:
        virtual ~queue() {}
        virtual bool empty() const = 0;
                             // 返回 true，当且仅当队列为空
        virtual int size() const = 0;
                             // 返回队列中元素个数
        virtual T& front() = 0;
                             // 返回头元素的引用
        virtual T& back() = 0;
                             // 返回尾元素的引用
        virtual void pop() = 0;
                             // 删除首元素
        virtual void push(const T& theElement) = 0;
                             // 把元素 theElement 加入队尾
};
```

9.3　数组描述

9.3.1　描述

假定采用公式（9-1）把队列的元素映射到一个数组 queue 中。

$$\text{location}(i)=i \tag{9-1}$$

这个公式用在数组描述的线性表和栈中很有效。队列第 i 个元素存储在 queue[i] 中，$i \geqslant 0$。令 arrayLength 是队列 queue 的长度，令 queueFront 和 queueBack 分别表示队首和队尾元素的位置。利用公式（9-1），queueFront=0，队列长度 =queueBack+1。在队列空时，queueBack=-1。使用公式（9-1），图 9-1 的队列可以表示成图 9-2 的形式。

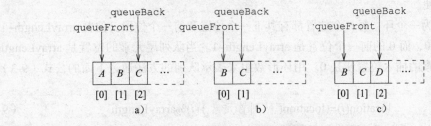

图 9-2　用公式（9-1）描述的图 9-1 的队列

要在队列中插入一个元素时，先将 queueBack 增 1，然后把新元素插到 queue[queueBack] 中。这意味着一次插入操作所需要的时间为 $\Theta(1)$。要删除一个元素，必须把位置 1 至位置 queueBack 上的元素左移一个位置。删除一个元素所需要的时间为 $\Theta(n)$，其中 n 为删除之后剩余元素的个数。

如果不采用公式（9-1），而采用下面的公式（9-2），那么删除一个队列元素所需要的时间将减少至 $\Theta(1)$。

$$location(i)=location(\text{队首元素})+i \qquad (9\text{-}2)$$

使用公式（9-2），每次删除一个队列元素时，不需要把剩余元素左移一个位置，只需要简单地把 location（队首元素）加 1 即可。图 9-3 给出了用公式（9-2）描述图 9-1 队列的结果。注意，queueFront=location（队首元素），queueBack=location（队尾元素），队列为空时，queueBack<queueFront。

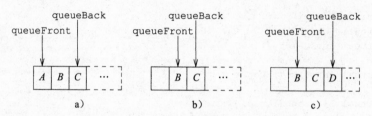

图 9-3 用公式（9-2）描述图 9-1 队列的结果

如图 9-3b 所示，每次删除一个元素都使 queueFront 右移一个位置。因此，常常会有这样的情况，queueBack=arrayLength−1 和 queueFront>0。这时，队列的元素个数小于数组长度，队列左端还有放置新元素的空间。为了可以继续插入元素，我们可以把队列所有元素整个移到队列左端（如图 9-4 所示），这样就在队列的右端腾出空间。这种移动使一次插入操作在最坏情况下的时间复杂度从 $\Theta(1)$ 增至 $\Theta(arrayLength)$，和使用公式（9-1）的结果一样。这样看来，删除操作的效率提高了，插入操作的效率降低了。

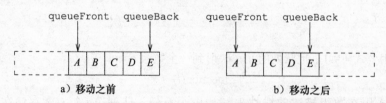

图 9-4 队列平移

如果把队列的两端环接，那么，在数组长度不变的情况下，插入和删除操作的最坏时间复杂度均可变成 $\Theta(1)$。这时，把数组视为一个环（如图 9-5 所示）而不是一条直线（如图 9-4 所示）会更方便。

把数组视为一个环，每一个位置都有其下一个位置和前一个位置。位置 arrayLength−1 的下一个位置是 0，而 0 的前一个位置是 arrayLength−1。当队列尾元素的位置是 arrayLength−1 时，下一个元素的插入位置便是 0。用环形数组来表示队列的方法通过下面的公式（9-3）来实现。

$$location(i)=(location(\text{队列首元素})+i)\%arrayLength \qquad (9\text{-}3)$$

在图 9-5 中，我们改变了对于变量 queueFront 的约定。现在，它沿逆时针方向，指向队列首元素的下一个位置。对于变量 queueBack 的约定不变。这种改变使代码简化了。

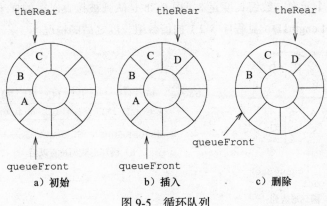

图 9-5 循环队列

向图 9-5a 的队列插入一个元素，结果如图 9-5b 所示。从图 9-5b 的队列删除一个元素，结果如图 9-5c 所示。

当且仅当 queueFront=queueBack 时，队列为空。初始条件 queueFront=queueBack=0 定义了一个初始为空的队列。如果向图 9-5b 的队列插入元素，直到数组 queue 的元素个数等于数组长度（即队列满）为止，那么结果如图 9-6 所示。这时有 queueFront=queueBack，与队列为空的条件完全一样！这样我们无法判定出队列是空还是满。为了避免出现这种问题，队列不能插满。在向队列插入一个元素之前，先要判断本次操作是否会使队列变满。如果是，就先把数组长度加倍，然后再执行插入操作。使用这种策略，队列元素个数最多是 arrayLength−1。

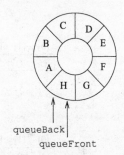

图 9-6 一个具有 arrayLength 个元素的循环队列

9.3.2 类 arrayQueue

类 arrayQueue 用公式（9-3）把队列映射到一个一维数组。数据成员是 queueFront、queueBack 和 queue；除插入和删除操作之外，所有方法都与类 arrayStack 的对应方法相似。这些相似的代码可以从本书 Web 网站得到。程序 9-2 的方法 push 使用程序 9-3 中定制的代码来加倍数组长度。

程序 9-2 在队列中插入一个元素

```
template<class T>
void arrayQueue<T>::push(const T& theElement)
{// 把元素 theElement 加入队列

   // 如果需要，则增加数组长度
   if ((theBack + 1) % arrayLength == theFront)
   {// 加倍数组长度
      // 此处是数组长度加倍的代码
   }
   // 把元素 theElement 插入队列的尾部
   queueBack = (queueBack + 1) % arrayLength;
   queue[queueBack] = theElement;
}
```

为了易于想象，当给环形队列的数组空间长度加倍时，最好还是把图 9-7a 的数组拉直。这个图的队列有 7 个元素，数组长度是 8。图 9-7b 是队列被拉直以后的样子。图 9-7c 显示的是利用程序 changeLength1D（见程序 5-2）加倍数组长度之后的情况。

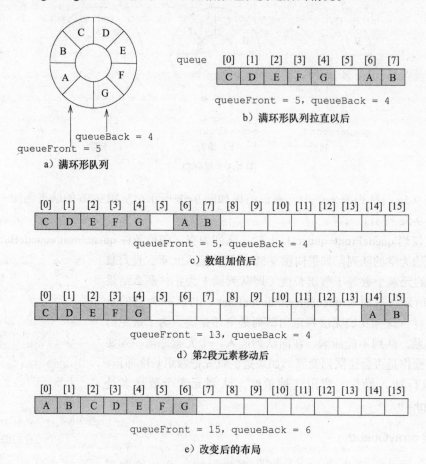

a）满环形队列

b）满环形队列拉直以后

c）数组加倍后

d）第2段元素移动后

e）改变后的布局

图 9-7　加倍数组长度

为了得到合理的环形队列元素的布局，必须把第 2 段的元素（即 A 和 B）移到数组的右端，如图 9-7d 所示。数组加长的过程要复制 arrayLength 个元素，这是加长之前的队列容量，当第 2 段的元素移到右端之后，总共有 arrayLength−2 个额外元素要复制。用已有的代码，要复制的元素个数被限制在 arrayLength−1 个。图 9-7e 给出了数组加长之后，队列元素的另外一种布局。这个布局可以按照下面的步骤得到：

- 创建一个新的数组 newQueue，其容量加倍。
- 把第 2 段的元素（从 queue[queueFront+1] 到 queue[arrayLength−1]）复制到 newQueue 从 0 开始的位置。
- 把第 1 段的元素（从 queue[0] 到 queue[queueBack]）复制到 newQueue 从 arrayLength−queueFront−1 开始的位置。

通过程序 9-3 得到的是图 9-7e 的队列元素布局。其中元素复制是用 STL 的复制函数完成的。程序 9-4 是队列删除的代码。

程序 9-3　数组队列长度加倍

```
// 分配新的数组空间
T* newQueue = new T[2 * arrayLength];

// 把原数组元素复制到新数组
int start = (theFront + 1) % arrayLength;
if (start < 2)
   // 没有形成环
   copy(queue + start, queue + start + arrayLength - 1, newQueue);
else
{  // 队列形成环
   copy(queue + start, queue + arrayLength, newQueue);
   copy(queue, queue + theBack + 1, newQueue + arrayLength - start);
}

// 设置新队列的首和尾的元素位置
theFront = 2 * arrayLength - 1;
theBack = arrayLength - 2;                  // 队列长度 arrayLength - 1
arrayLength *= 2;
delete[] queue;
queue = newQueue;
```

程序 9-4　从队列中删除一个元素

```
void pop()
     {// 删除队列首元素
       if (theFront == theBack)
         throw queueEmpty();
       theFront = (theFront + 1) % arrayLength;
       queue[theFront].~T();                 // 给 T 析构
     }
```

队列构造函数的复杂度在 T 是一个基本数据类型时为 $O(1)$，在 T 是一个用户定义的类型时为 $O(\text{initialCapacity})$。队列操作函数 empty、size、front、back 和 pop 的复杂度均为 $\Theta(1)$；插入函数的复杂度，在队列容量不加倍时为 $\Theta(1)$，加倍时为 $\Theta(\text{queue size})$。根据定理 5-1，插入操作调用 m 次，其复杂度为 $O(m)$。

练习

5. 1）扩充队列的 ADT，增加以下函数：

　　i 输入一个队列。

　　ii 输出一个队列。

　　iii 把一个队列分解成两个新队列。一个队列包含原队列中的第 1、3、5、…个元素，另
　　　一个队列包含其余的元素。

　　iv 把两个队列合并为一个新队列。从队列 1 开始，轮流从两个队列选择元素插入新队
　　　列。若某个队列空了，则将另一个队列中的剩余元素插入新队列。合并前后，每一个
　　　队列的元素其相对顺序不变。

　2）定义一个抽象类 extendedQueue，它派生于抽象类 queue，而且包含与 1）中函数对应的
　　　方法。

3）为具体的类 extendedarrayQueue 编写代码，它派生于类 arrayQueue 和 extendedQueue。

4）测试你的代码。

6. 设计一个具体的类 slowArrayQueue，它派生于 queue，而且使用映射公式（9-2）。测试你的代码，并与 arrayQueue 比较性能。

7. 修改类 arrayQueue 的描述方法，使得一个队列的容量与数组 queue 的大小相同。为此，用变量 queueSize 代替变量 queueBack，queueSize 表示队列的大小。按习惯，队列首元素是 queue[queueFront]。而队列尾元素的位置可以用 queueSize 和 queueFront 计算出来。测试修改后的代码。

8. 修改类 arrayQueue 的描述方法，使得一个队列的容量与数组 queue 的大小相同。为此，可引入另外一个私有成员 lastOp 来记录最后一次队列操作。如果最后一次队列操作是 push，则队列一定不为空；如果最后一次队列操作是 pop，则队列一定不会满。因此，当 queueFront=queueBack 时，lastOp 可以用来区分队列是空还是满。试测修改后的代码。

9. **双端队列**（deque）是一个有序线性表，在表的任何一端可以插入和删除操作。

   1）定义双端队列的抽象数据类型。要求包含以下操作：empty、size、front、back、push_front、push_back、pop_front 和 pop_back。

   2）定义一个 C++ 抽象类 deque，使抽象数据类型 deque 中每一个函数都在该抽象类中有对应的方法。

   3）用公式（9-3）表示一个双向队列。设计一个具体的 C++ 类 arrayDeque，它派生于 deque。注意，C++ 的 STL 中的类 deque 是数据结构 deque 的数组实现。

   4）用适当的测试数据测试你的代码。

10. 1）设计一个具体的类 dequeStack，它派生于 stack（见程序 8-1）和 arrayDeque（见练习 9）。

    2）计算 dequeStack 中每一个方法的时间复杂度。

    3）对 dequeStack 的方法和 arrayStack 的对应方法，做预期性能的评价。

11. 1）设计一个具体的类 dequeQueue，它派生于 queue（见程序 9-1）和 arrayDeque（见练习 9）。

    2）计算 dequeQueue 中每一个方法的时间复杂度。

    3）对 dequeQueue 的方法和 arrayQueue 的对应方法，做预期性能的评价。

9.4   链表描述

队列和栈一样，也可以用链表来表示。这时需要两个变量 queueFront 和 queueBack 来记录队列两端的变化，而且根据链接的方向不同，有两种记录方式：从头到尾链接（如图 9-8a 所示）或从尾到头（如图 9-8b 所示）。链接的方向不同，插入和删除操作的难易程度也不同。图 9-9 和图 9-10 分别演示了两种链接模式下的插入和删除过程。可以看出，两种链接方向都适合于插入操作，而从头至尾的链接方向更便于删除操作。因此，我们采用从头至尾的链接方向。

可以取初值 queueFront=queueBack=NULL，而且当且仅当队列为空时，queueFront=NULL。类 linkedQueue 可以定义为类 extendeChain（见程序 6-12）的一个派生类。练习 12 便是按照这种方式来创建 linkedQueue 的。在本节我们把

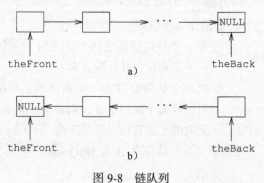

图 9-8   链队列

linkedQueue 定义为一个基类。

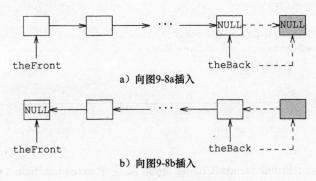

a）向图9-8a插入

b）向图9-8b插入

图 9-9　链队列的插入操作

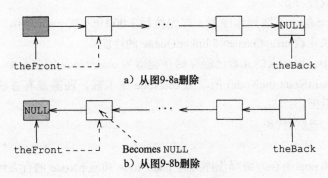

a）从图9-8a删除

Becomes NULL

b）从图9-8b删除

图 9-10　链队列的删除操作

程序 9-5 给出了链表队列的插入和删除方法。建议你分别用空队列、单元素队列和多元素队列来运行这些代码。每一个链队列方法的复杂度都是 $\Theta(1)$。

程序 9-5　链队列中的插入和删除方法

```
template<class T>
void linkedQueue<T>::push(const T& theElement)
{// 把元素 theElement 插到队尾

   // 申请新元素节点
   chainNode<T>* newNode = new chainNode<T>(theElement, NULL);

   // 把新节点插到队尾
   if (queueSize == 0)
      queueFront = newNode;           // 队列空
   else
      queueBack->next = newNode;      // 队列不空
   queueBack = newNode;

   queueSize++;
}


template<class T>
void linkedQueue<T>::pop()
{// 删除首元素
```

```
    if (queueFront == NULL)
        throw queueEmpty();

    chainNode<T>* nextNode = queueFront->next;
    delete queueFront;
    queueFront = nextNode;
    queueSize--;
}
```

练习

12. 设计类 linkedQueueFromExtendedChain，它是派生于 extendedChain（6.1.5 节）和 queue 的一个链表。

13. 用链队列来完成练习 5。

14. 利用 push 和 pop 的百万级操作序列（即先执行 1 000 000 次 push 操作，再执行 1 000 000 次 pop 操作）来比较 arrayQueue 和 linkedQueue 的性能。

15. 在某些栈应用中，要插入的元素已经存储在类型为 chainNode 的节点中。对此，需要有方法 pushNode(chainNode theNode) 把节点 theNode 压入栈，还需要有方法 popNode 把队列首节点删除并返回。

    1）编写这两个方法的代码。

    2）测试代码。

    3）比较 push 和 pop 的百万级操作序列与 pushNode 和 popNode 的百万级操作序列的运行时间。

16. 参看练习 9 中双端队列的定义。

    1）设计一个具体的 C++ 类 doublyLinkedDeque，它派生于练习 9 的抽象类 deque，而且使用了一个双向链表。你设计的类不能派生于其他的类。

    2）你设计的类中每一个方法的时间复杂度是多少？

    3）使用适当的测试数据测试你的代码。

17. 使用单向链表完成练习 16。类的名称为 linkedDeque。

18. 使用单向循环链表完成练习 16。类的名称为 circularDeque。

9.5 应用

9.5.1 列车车厢重排

1. 问题描述和求解策略

下面我们重新考察 8.5.3 节的列车车厢重排问题。这一次，位于入轨道和出轨道之间的缓冲轨道按照 FIFO 方式运作（如图 9-11 所示），因此可将它们视为队列。与 8.5.3 节一样，禁止将车厢从缓冲轨道移到入轨道，或从出轨道移到缓冲轨道。所有的车厢移动

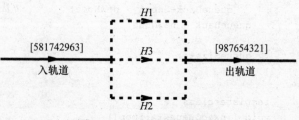

图 9-11 三个缓冲轨道示例

都要按照图 9-11 中箭头所示的方向进行。

第 k 条轨道 Hk 可直接将车厢从入轨道移到出轨道。其余 $k–1$ 条轨道用来缓存不能直接进入出轨道的车厢。

假定有 9 节车厢需要重排，其初始顺序为 5,8,1,7,4,2,9,6,3。假设 $k=3$（见图 9-11）。3 号车厢不能直接进入出轨道，因为 1 号车厢和 2 号车厢必须排在 3 号车厢之前。因此，3 号车厢进入缓冲轨道 $H1$。6 号车厢可进入缓冲轨道 $H1$，排在 3 号车厢之后，因为 6 号车厢是在 3 号车厢之后进入出轨道。9 号车厢可以继续进入缓冲轨道 $H1$，排在 6 号车厢之后。2 号车厢不可排在 9 号车厢之后，因为它必须在 9 号车厢之前进入出轨道。因此，2 号车厢进入缓冲轨道 $H2$，排在第一。4 号车厢可以进入缓冲轨道 $H2$，排在 2 号车厢之后。7 号车厢也可进入缓冲轨道 $H2$，排在 4 号车厢之后。这时，1 号车厢可通过缓冲轨道 $H3$ 直接进入出轨道。接下来，2 号车厢从缓冲轨道 $H2$ 进入出轨道；3 号车厢从缓冲轨道 $H1$ 进入出轨道；4 号车厢从缓冲轨道 $H2$ 进入出轨道。由于 5 号车厢此时仍在入轨道上，且排在 8 号车厢之后，所以 8 号车厢进入缓冲轨道 $H2$，这样 5 号车厢可以通过缓冲轨道 $H3$，直接从入轨道进入出轨道。然后，6 号、7 号、8 号和 9 号车厢依次从缓冲轨道进入出轨道。

当一节车厢 c 进入缓冲轨道时，依据如下的原则来选择缓冲轨道：缓冲轨道上已有的车厢其编号均小于 c；如果有多个缓冲轨道都满足这一条件，则选择左端车厢编号最大的缓冲轨道；否则选择一个空的缓冲轨道（如果有的话）。

2. 第一种实现方法

实现车厢重排算法的程序可以用队列表示 $k–1$ 个缓冲轨道。可以模仿程序 8-9 ~ 程序 8-12 来编码。程序 9-6 和程序 9-7 分别是函数 outputFromHoldingTrack 和 putInHoldingTrack 的新代码。对于程序 8-10 的函数 railroad 应做以下修改：1）缓冲轨道数量减 1；2）轨道的类型改为 arrayQueue。完成车厢重排所需的时间为 $O(numberOfCars*k)$。借助 AVL 树（见第 15 章），可以把复杂度减小至 $O(numberOfCars*\log k)$。

程序 9-6 输出车厢

```
void outputFromHoldingTrack()
{  // 将编号最小的车厢从缓冲轨道移到出轨道
   // 从栈 itsTrack 中删除编号最小的车厢
   track[itsTrack].pop();
   cout << "Move car " << smallestCar << " from holding track "
        << itsTrack << " to output track" << endl;

   // 检查所有栈的栈顶，寻找编号最小的车厢和它所属的栈
   smallestCar = numberOfCars + 2;
   for (int i = 1; i <= numberOfTracks; i++)
      if (!track[i].empty() && track[i].front() < smallestCar)
      {
         smallestCar = track[i].front();
         itsTrack = i;
      }
}
```

程序 9-7 把车厢调入一个缓冲轨道

```
bool putInHoldingTrack(int c)
{// 将车厢 c 移到一个缓冲轨道。返回 false，当且仅当没有可用的缓冲轨道
```

```
// 为车厢 c 寻找最适合的缓冲轨道
// 初始化
int bestTrack = 0,              // 目前最合适的缓冲轨道
    bestLast = 0;              // 取 bestTrack 中最后的车厢

// 扫描缓冲轨道
for (int i = 1; i <= numberOfTracks; i++)
    if (!track[i].empty())
    {// 缓冲轨道 i 不空
        int lastCar = track[i].back();
        if (c > lastCar && lastCar > bestLast)
        {
            // 缓冲轨道 i 的尾部具有编号更大的车厢
            bestLast = lastCar;
            bestTrack = i;
        }
    }
    else // 缓冲轨道 i 为空
        if (bestTrack == 0)
            bestTrack = i;

if (bestTrack == 0)
    return false;              // 没有可用的缓冲轨道

// 把车厢 c 移到轨道 bestTrack
track[bestTrack].push(c);
cout << "Move car " << c << " from input track "
     << "to holding track " << bestTrack << endl;

// 如果需要, 更新 smallestCar 和 itsTrack
if (c < smallestCar)
{
    smallestCar = c;
    itsTrack = bestTrack;
}

return true;
}
```

3. 第二种实现方法

为了驱动车厢重排算法的过程, 第一种实现方法中的队列是有用的。在一个驱动程序中, 一条缓冲轨道上的第一节车厢移出之后, 该轨道上的所有剩余车厢都向右移动一个位置。做到这一步并不难, 因为缓冲轨道是一个队列。

如果只是为了简单地输出车厢重排过程中所有必要的车厢移动顺序, 那么我们只需要知道每条缓冲轨道队列中最后一节车厢的号码, 以及每节车厢当前所在的轨道即可。如果缓冲轨道 i 为空, 则令 lastCar[i]=0, 否则令 lastCar[i] 为缓冲轨道 i 中最后一节车厢的编号。如果车厢 i 位于入轨道, 令 whichTrack[i]=0; 否则, 令 whichTrack 为车厢 i 所在的缓冲轨道。起始时, lastCar[i]=0, $1 \leq i < k$, whichTrack[i]=0, $1 \leq i \leq n$。使用这些变量而不使用队列, 也可以得到第一种实现方法的结果。这样的代码可在本书网站上的文件 railroadWithNoQueues. cpp 中找到。

9.5.2 电路布线

1. 问题描述

在 8.5.6 节的迷宫老鼠问题中，可以寻找从迷宫入口到迷宫出口的一条最短路径。这种在网格中寻找最短路径的算法有许多应用。例如，在电路布线问题的求解中，一个常用的方法就是在布线区域设置网格，该网格把布线区域划分成 $n \times m$ 个方格，就像迷宫一样（如图 9-12a 所示）。一条线路从一个方格 a 的中心点连接到另一个方格 b 的中心点，转弯处可以采用直角，如图 9-12b 所示。已经有线路经过的方格被"封锁"，成为下一条线路的障碍。我们希望用 a 和 b 之间的最短路径来布线，以减少信号的延迟。

2. 求解策略

在下面的讨论中，我们假设你对 8.5.6 节的迷宫求解算法已经很熟悉。a 和 b 之间的最短路径需要在两个过程中确定。一个是距离标记过程，另一个是路径标记过程。在距离标记过程中，先从位置 a 开始，把从 a 可到达的相邻方格都标记为 1（表示与 a 相距为 1），然后把从编号为 1 的方格可到达的相邻方格都标记为 2（表示与 a 相距为 2）。这个标记过程继续下去，直至到达 b 或者没有可到达的相邻方格为止。图 9-13a 显示了这种搜索过程的结果，其中 $a=(3,2)$，$b=(4,6)$。图中的阴影部分是被封锁的方格。

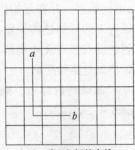

a) 7×7 的网格　　b) a 和 b 之间的布线

图 9-12　电路布线示例

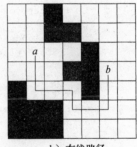

a) 距离标记　　b) 布线路径

图 9-13　电路布线

一旦到达 b，b 的编号便是 b 与 a 之间的距离（在图 9-13a 中，b 上的标号为 9）。距离标记过程结束之后，路径标记过程开始。从方格 b 开始，首先移动到一个其编号比 b 的编号小 1 的相邻方格上。在图 9-13a 中，我们从 b 移到方格 (5,6)。接下来，从方格 (5,6) 移到比当前编号小 1 的相邻位置上。重复这个过程，直至到达 a 为止。在图 9-13a 的例子中，从 (5,6)，然后移到 (6,6)、(6,5)、(6,4)、(5,4)，等等。图 9-13b 给出了所得到的路径，它是 (3,2) 和 (4,6) 之间的最短路径。注意，最短路径不是唯一的，(3,2)、(3,3)、(4,3)、(5,3)、(5,4)、(6,4)、(6,5)、(6,6)、(5,6)、(4,6) 是另一条最短路径。

3. C++ 实现

现在我们采取上述策略来设计 C++ 代码，寻找一个网格中的最短路径。我们从 8.5.6 节的迷宫解决方案中吸取很多思想。一个 $m \times m$ 的网格被描述成一个二维数组 grid，其中用 0 表示可到达的方格，1 表示被封锁的方格。整个网格的四周是由 1 构成的一圈"障碍物"。数组 offsets 帮助我们从一个位置移动到相邻位置。用一个队列来记录本身已经编号而其相邻位置尚未编号的方格。

　　为了实现距离标记过程，我们可以使用另外一个数组存储距离，也可以重用数组 grid。可实际上，电路布线网格很大，即使内存再大的计算机，存储这样的网格也是一个负担。所以我们不提倡开辟另外的数组空间。但是，重用数组 grid 存在一个冲突：用编号 1 表示的是具有障碍物的位置，还是距离起点 a 的一个单位的距离？为了解决这个冲突，我们把所有距离编号都增加 2。这样一来，grid[i][j]=1 表示一个被封锁的位置；grid[i][j]>1 表示一个位置，它距起始位置的距离为 grid[i][j]-2；对一个没封锁且没有到达的位置 grid[i][j]=0。

　　程序 9-8 是相应的代码。Grid、size、pathLengh、q、start、finish 和 path 是全局变量。

　　代码中假设起始位置 start 和终点位置 finish 都没有障碍。代码首先检查始点和终点是否相同。如果相同，则距离等于 0，且程序终止。否则，在网格四周设置"障碍墙"，初始化 offset 数组，并在起始位置上做标记 2。借助队列 q，并从位置 start 开始，首先移动距起始位置为 1 的可到达的位置，然后移动距起始位置为 2 的可到达位置，这样不断进行下去，直至到达终点或者无法继续移动的时候。后一种情况表示路径不存在，在前一种情况下，终点的标记就是路径距离。

　　如果到达终点，则使用距离标记重构路径。路径上的位置（start 除外）都存储在数组 path 中。

程序 9-8　寻找电路布线的路径

```
bool findPath()
{// 寻找从始点到终点的最短路径
 // 找到时，返回 true，否则返回 false

    if ((start.row == finish.row) && (start.col == finish.col))
    {// 始点 ==终点
        pathLength = 0;
        return true;
    }

    // 初始化偏移量
    position offset[4];
    offset[0].row = 0; offset[0].col = 1;        // 右
    offset[1].row = 1; offset[1].col = 0;        // 下
    offset[2].row = 0; offset[2].col = -1;       // 左
    offset[3].row = -1; offset[3].col = 0;       // 上

    // 初始化网格四周的障碍物
    for (int i = 0; i <= size + 1; i++)
    {
        grid[0][i] = grid[size + 1][i] = 1;      // 底部和顶部
        grid[i][0] = grid[i][size + 1] = 1;      // 左边和右边
    }

    position here = start;
    grid[start.row][start.col] = 2;              // 标记
    int numOfNbrs = 4;                           // 一个方格的相邻位置数

    // 对可达到的位置做标记
    arrayQueue<position> q;
    position nbr;
    do
    {// 给相邻位置做标记
        for (int i = 0; i < numOfNbrs; i++)
```

```
{// 检查相邻位置
   nbr.row = here.row + offset[i].row;
   nbr.col = here.col + offset[i].col;
   if (grid[nbr.row][nbr.col] == 0)
   {// 对不可标记的 nbr 做标记
      grid[nbr.row][nbr.col]
         = grid[here.row][here.col] + 1;
      if ((nbr.row == finish.row) &&
         (nbr.col == finish.col)) break;        // 标记完成
      // 把后者插入队列
      q.push(nbr);
   }
}

// 是否到达终点？
if ((nbr.row == finish.row) &&
   (nbr.col == finish.col)) break;              // 到达

// 终点不可到达，可以移到 nbr 吗？
if (q.empty())
   return false;                                // 路径不存在
here = q.front();                               // 取下一个位置
q.pop();
} while(true);

// 构造路径
pathLength = grid[finish.row][finish.col] - 2;
path = new position [pathLength];

// 从终点回溯
here = finish;
for (int j = pathLength - 1; j >= 0; j--)
{
   path[j] = here;
   // 寻找祖先位置
   for (int i = 0; i < numOfNbrs; i++)
   {
      nbr.row = here.row + offset[i].row;
      nbr.col = here.col + offset[i].col;
      if (grid[nbr.row][nbr.col] == j + 2) break;
   }
   here = nbr;                                  // 移向祖先
}

return true;
}
```

4. 复杂度分析

由于任意一个方格至多插入队列 1 次，所以距离标记过程需耗时 $O(m^2)$（就一个 $m \times m$ 的网格来说）。而路径标记过程需耗时 O（最短路径长度）。

9.5.3 图元识别

1. 问题描述

数字化图像是一个 $m \times m$ 的像素矩阵。在单色图像中，每一个像素要么为 0，要么为 1。

值为 0 的像素表示图像的背景。值为 1 的像素表示图元上的一个点，称其为图元像素。两个像素是相邻的，是指它们左右相邻或上下相邻。两个相邻的图元像素是同一个图元的像素。图元识别的目的就是给图元像素做标记，使得两个像素标记相同，当且仅当它们是同一个图元的像素。

考察图 9-14a，它是一个 7×7 图像。空白方格表示背景像素，标记为 1 的方格表示图元像素。像素 (1,3) 和 (2,3) 是同一个图元的像素，因为它们是相邻的。像素 (2,4) 与 (2,3) 是相邻的，它们也属于同一图元。因此，三个像素 (1,3)、(2,3) 和 (2,4) 属于同一个图元。由于没有其他的像素与这三个像素相邻，因此这三个像素定义了一个图元。图 9-14a 的图像有 4 个图元。

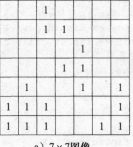
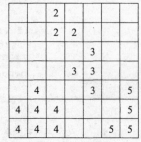

a）7×7图像　　　　b）已标记的图元

图 9-14　识别图元

第一个图元是像素集合 {(1,3)，(2,3)，(2,4)}；第二个是 {(3,5)，(4,4)，(4,5)，(5,5)}；第三个是 {(5,2)，(6,1)，(6,2)，(6,3)，(7,1)，(7,2)，(7,3)}；第四个是 {(5,7)，(6,7)，(7,6)，(7,7)}。在图 9-14b 中，图元像素都做了标记，两个像素标记相同，当且仅当它们属于同一个图元。我们用数字 2，3，4，…作为图元标记。这里我们没有用数字 1 做图元标记，是因为我们用 1 表示未做标记的图元像素。

2. 求解策略

通过扫描像素来识别图元。扫描的方式是逐行扫描，每一行逐列扫描。当扫描到一个未标记的图元像素时，给它一个图元标记。然后把这个图元像素作为一个新图元的种子，通过识别和标记所有与该种子相邻的图元像素，来寻找新图元剩余的像素。与种子相邻的图元像素称为 1- 间距像素。然后，识别和标记与 1- 间距像素相邻的所有未标记的图元像素，这些像素被称为 2- 间距像素。接下来识别和标记与 2- 间距像素相邻的未标记的图元像素。这个过程一直持续到没有新的、未标记的、相邻的图元像素为止。

3. 用 C++ 实现

标记图元像素的程序用到电路布线中的很多技术：用 0 值像素在图像四周建立"围墙"；用数组 offset 来寻找与给定像素相邻的像素。

图元识别问题中的标记过程与电路布线中用距离（与起始方格的距离）标记方格的过程很相似。因此程序 9-9 中的图元识别代码与程序 9-8 很相似。

程序 9-9 首先在图像周围包上一圈背景像素（即 0 值像素），并对数组 offset 初始化。接下来的两个 for 循环通过扫描图像来寻找下一个图元的种子。种子是一个未标记的图元像素。对这样的像素，有 pixel[r][c]=1。将 pixel[r][c] 从 1 变成一个图元编号（id），赋给种子。然后借助一个队列（也可借助一个栈），可以识别出该图元中的其余像素。当方法 labelComponents 结束时，所有的图元像素都已经获得一个编号。

程序 9-9　图元识别

```
void labelComponents()
{// 给图元编号

    // 初始化数组 offset
```

```
position offset[4];
offset[0].row = 0; offset[0].col = 1;          //右
offset[1].row = 1; offset[1].col = 0;          //下
offset[2].row = 0; offset[2].col = -1;         //左
offset[3].row = -1; offset[3].col = 0;         //上

// 初始化 0 值像素围墙
for (int i = 0; i <= size + 1; i++)
{
    pixel[0][i] = pixel[size + 1][i] = 0;      //底部和顶部
    pixel[i][0] = pixel[i][size + 1] = 0;      //左和右
}

int numOfNbrs = 4;                             //一个像素的相邻位置数

// 扫描所有像素，标记图元
arrayQueue<position> q;
position here, nbr;
int id = 1;                                    //图元 id
for (int r = 1; r <= size; r++)                //图像的行 r
    for (int c = 1; c <= size; c++)            //图像的列 c
        if (pixel[r][c] == 1)
        {// 新图元
            pixel[r][c] = ++id;                //取下一个 id
            here.row = r;
            here.col = c;

            while (true)
            {// 寻找其余的图元
                for (int i = 0; i < numOfNbrs; i++)
                {// 检查所有相邻位置
                    nbr.row = here.row + offset[i].row;
                    nbr.col = here.col + offset[i].col;
                    if (pixel[nbr.row][nbr.col] == 1)
                    {// 像素是当前图元的一部分
                        pixel[nbr.row][nbr.col] = id;
                        q.push(nbr);
                    }
                }

                // 图元中任意未考察的像素
                if (q.empty()) break;
                here = q.front();              //一个图元像素
                q.pop();
            }

        }                                      //结束 if
}
```

4. 复杂度分析

初始化"围墙"需耗时 $\Theta(m)$，初始化 offset 需耗时 $\Theta(1)$。尽管条件 pixel[r][c]==1 检查了 m^2 次，但它为"真"的次数是图元总数。对每一个图元，识别和标记其像素（种子除外）所需要的时间为 O（图元中的像素个数）。由于任意一个像素都不会同时属于两个或两个以上的图元，因此，识别并标记所有非种子图元像素所需要的总时间为 O（图像中图元像素总数）。因为图元像素总数等于输入图像中值为 1 的像素个数，这个数最多等于 m^2，所以，函数 labelComponents 总的时间复杂度为 $O(m^2)$。

9.5.4　工厂仿真

1. 问题描述

一个工厂有 m 台机器。工厂的每项任务都需要若干道工序才能完成。每台机器都执行一道工序，不同的机器执行不同的工序。一台机器一旦开始执行一道工序就不会中断，直到该工序完成为止。

例 9-2　一个钣金场可能对如下每道工序都有一台相应的机器来执行：设计、切割、钻孔、挖孔、修边、造型和焊接。每台机器每次执行一道工序。

每项任务都包含若干道工序。例如，为一套新房子安装暖气管道和空调管道，需要用一些时间设计，然后用一些时间根据设计尺寸把金属板切割成片，在金属片上钻孔或挖孔，把金属片塑造成管道，焊接管缝，打磨。　　　　　　　　　　　　　　　　　　　　　　■

每道工序都需要**工序时间**（即完成该道工序所需要的时间）和执行该工序的机器。一项任务中的若干道工序必须按照一定顺序来完成。一项任务首先被调度到执行其第一道工序的机器上；当第一道工序完成后，该任务被转到执行第二道工序的机器上；依此进行下去，直到该任务的最后一道工序完成为止。当一项任务到达一台机器时，可能机器正忙，因此要等待。事实上，很可能有若干项任务同时在一台机器旁等待。

每台机器都可以有如下三种状态：活动状态、空闲状态和转换状态。在活动状态，机器正在执行一道工序；在空闲状态，机器无事可做；在转换状态，机器刚刚完成一道工序，并准备执行一道新工序。在转换状态，机器操作员可能需要清理机器，把刚刚使用的工具放好，然后稍作休息。每台机器在转换状态所花费的时间多少因机器而定。

当一台机器可以执行一项新任务时，它需要从等待执行的任务中选择一项任务。我们假设每台机器都按照 FIFO 的方式来选择，因此在每台机器旁等待执行的任务构成一个队列。也可以假设其他的选择方式。例如，根据任务的优先级来选择。每项任务都有一个优先级，当机器空闲时，等待执行的任务中优先级最高的任务被优先执行。

一项任务的最后一道工序的完成时间称为该任务的**完成时间**（finish time）。一项任务的**长度**等于其所有工序时间之和。如果一项长度为 l 的任务在 0 时刻到达工厂，在 f 时刻完成，那么它在机器队列中的等待时间恰好为 $f-l$。为了让顾客满意，我们要尽量减少任务的等待时间。如果知道任务的等待时间是多少，而且知道在哪些机器旁等待的时间最多，我们就可以改进和提高工厂的效率。

2. 如何仿真

在对工厂进行仿真时，我们只是记录任务在机器间的流动，并不实际地执行任何一道工序。我们用一个模拟时钟来计时，每当一道工序完成或一项新任务到达工厂时，模拟时钟就向前移动。机器上的工序完成了，新的工序又产生了。每当一道工序完或一项新任务到达工厂时，我们就称一个**事件**（event）发生了。仿真过程由一个**启动事件**（start event）来启动。当两个或两个以上的事件同时发生时，它们的顺序任意规定。图 9-15 描述了一个仿真是如何进行的。

```
// 初始化
输入数据
为每台机器建立任务队列
在每一台机器的任务队列中，调度第一个任务

// 仿真
while( 还有未完成的任务 )
{
    确定下一个事件
    if( 下一个事件是一台机器的转换工序即转换状态的结束 )
            从该机器的任务队列中调度下一个任务（如果还有任务的话）
    else
    {//一道任务工序完成
        将完成任务工序的机器放入其转换工序；
        把任务移到执行其下一道工序的机器（如果还有工序的话）；
    }
}
```

图 9-15　仿真原理

例 9-3　考察一个工厂，它有 3 台机器（$m=3$），有 4 项任务（$n=4$）。假设这 4 项任务都在 0 时刻出现，而且在仿真期间不再有新的任务。仿真过程一直持续到所有任务完成为止。

三台机器为 $M1$、$M2$ 和 $M3$，它们的转换状态所花费的时间分别为 2、3 和 1。因此，当一道工序完成时，机器 $M1$ 必须等待 2 个时间单元才能启动下一道工序，机器 $M2$ 必须等待 3 个时间单元才能启动下一道工序，机器 $M3$ 必须等待 1 个时间单元才能启动下一道工序。图 9-16a 分别列出了 4 项任务的特征。例如，1 号任务有 3 道工序。每道工序用形如（机器，时间）的数对来描述。1 号任务的第一道工序在 $M1$ 上完成，需要 2 个时间单元；第二道工序在 $M2$ 上完成，需要 4 个时间单元；第三道工序在 $M1$ 上完成，需要 1 个时间单元。各项任务的长度分别为 7、6、8 和 4。

图 9-16b 显示了工厂仿真的过程。起始时刻，把 4 项任务插入其第一道工序所对应的队列中。1 号和 3 号任务的第一道工序要在 $M1$ 上执行，因此这两项任务被放入 $M1$ 的队列中。2 号和 4 号任务的第一道工序要在 $M3$ 上执行，因此这两项任务被放入 $M3$ 的队列中。$M2$ 的队列为空。在启动仿真过程时，所有 3 台机器是空闲状态。用符号 I 表示空闲状态。若一台机器处于空闲状态，则该机器完成当前工序（实际上不存在）的时间没有定义，我们用符号 L 来表示。

仿真从 0 时刻开始。第一个事件即启动事件出现在 0 时刻。此时，每个机器队列中的第一个任务被调度到相应的机器上执行。1 号任务的第一道工序被调度到 $M1$ 上执行，2 号任务的第一道工序被调度到 $M3$ 上执行。这时 $M1$ 的队列中仅剩 3 号任务，而 $M3$ 的队列中仅剩 4 号任务，$M2$ 的队列仍然为空。这样，1 号任务成为 $M1$ 上的活动任务，2 号任务成为 $M3$ 上的活动任务，$M2$ 仍然为空闲。$M1$ 的结束时间变成 2（当前时刻 0+ 工序时间 2），$M3$ 的结束时间变成 4。

下一个事件在时刻 2 出现，这个时刻是根据机器完成时间的最小值来确定的。在时刻 2，$M1$ 完成了它的当前活动工序。这个工序是 1 号任务的工序。1 号任务被移动到 $M2$ 上以执行下一道工序。这时的 $M2$ 是空闲的，因此立即执行 1 号任务的第二道工序，这道工序将在第 6

时刻完成（当前时刻 2 + 工序时间 4）。M1 进入转换工序（即转换状态）并持续 2 个时间单元。M1 的活动任务被设置为 C（转换状态），其完成时刻为 4。

任务编号	工序数目	工序	任务长度
1	3	(1,2) (2,4) (1,1)	7
2	2	(3,4) (1,2)	6
3	2	(1,4) (2,4)	8
4	2	(3,1) (2,3)	4

a）任务特性

时间	机器队列			活动任务			完成时间		
	M1	M2	M3	M1	M2	M3	M1	M2	M3
初始	1,3	—	2,4	I	I	I	L	L	L
0	3	—	4	1	I	2	2	L	4
2	3	—	4	C	1	2	4	6	4
4	2	—	4	3	1	C	8	6	5
5	2	—	—	3	1	4	8	6	6
6	2,1	4		3	C	3	8	9	7
7	2,1	4		3	C	I	8	9	L
8	2,1	4,3	—	C	C	I	10	9	L
9	2,1	3		C	4	I	10	12	L
10	1	3		2	4	I	12	12	L
12	1	3	—	C	C	I	14	15	L
14	—	3		1	C	I	15	15	L
15	—	3		C	3	I	17	19	L
16	—	3		C	3	I	17	19	L
17	—	—	—	I	3	I	L	19	L

b）仿真

任务编号	完成时间	等待时间
1	15	8
2	12	6
3	19	11
4	12	8
总计	58	33

c）完成时间和等待时间

图 9-16

在时刻 4，M1 和 M3 完成了各自的当前工序。M1 完成的是"转换"工序，开始执行新的任务，从队列中选择第一个任务——3 号任务。3 号任务第一个工序的长度为 4，因此该工序的结束时间为 8，M1 的完成时间变为 8。2 号任务在 M3 上完成其第一道工序之后移至 M1 上继续执行，由于 M1 正忙，所以 2 号任务被放入 M1 的队列。M3 进入转换状态，转换状态的结束时刻为 5。以此类推，能够推出剩余的事件序列。

图 9-16c 给出了任务的完成时间和等待时间。因为 2 号任务的长度是 6，完成时间是 12，所以它在机器队列中的等待时间是 12−6=6。类似的，4 号任务的等待时间是 12−4=8。

等待的总时间为 33 个时间单位，可以确定这些等待时间在 3 台机器上的具体分布。例如，4 号任务在 0 时刻进入 $M3$ 的队列，直到时刻 5 才开始执行，所以它的等待时间为 5 个时间单元。其他的任务都不需要在 $M3$ 上等待，因此在 $M3$ 上总的等待时间为 5。仔细检查图 9-16b，可以计算出在 $M1$ 和 $M2$ 上的等待时间分别为 18 和 10 个时间单元。正如所料，各任务的等待时间之和等于在各机器上的等待时间之和。 ■

3. 工厂仿真的好处

为什么要进行工厂仿真呢？理由如下：

- 通过仿真，可以发现工厂中的瓶颈。如果瓶颈是油漆工段，就可以补强油漆工段。类似的，如果瓶颈是钻孔等待时间过长，就可以调配更多的钻孔操作员和钻孔机器。所以，仿真可以用于短期运行调度决策。
- 使用工厂仿真器，我们可以回答这样的问题：如果用一台投资更多但效果更好的机器替代一台现有的机器，平均等待时间是否可以减少？因此，仿真可以在工厂的扩展 / 现代化的过程中帮助决策。
- 当客户想估计任务完成的准确时间时，可以通过工厂仿真器得到。

4. 高级仿真器设计

在设计仿真器时，假定所有的任务都在初始时刻到达（即在仿真过程中不会出现新任务），而且仿真过程一直持续到所有任务都完成时为止。

仿真器由类 machineShopSimulator 来实现。仿真器是一个相当复杂的程序，因此把它分解成若干个模块。仿真器所执行的任务是：输入数据，然后把任务按其第一道工序放入相应队列；执行启动事件（即装入初始任务）；处理所有事件（即开始实际仿真）；输出机器等待时间。一个任务对应一个 C++ 函数。程序 9-10 是主函数。用全局变量 largeTime 表示一个时间，所有工序都必须在这个时间以前完成。

程序 9-10　工厂仿真的主要程序

```
void main()
{
    inputData();              // 获取机器和任务的数据
    startShop();              // 装入初始任务
    simulate();               // 执行所有任务
    outputStatistics();       // 输出在每台机器上的等待时间
}
```

5. 结构 task

在设计程序 9-10 中所调用的 4 个函数之前，必须设计数据对象的描述方法，这些数据对象包括工序、任务、机器和事件表。前三个数据对象用结构，第四个对象用类。

每个工序都由两部分构成：machine（执行该工序的机器）和 time（完成该工序所需要的时间）。程序 9-11 给出了结构 task 的定义。因为机器的编号是整型，所以 machine 是 int 类型。假设所有的时间都是整数。

程序 9-11　结构 task

```
struct task
{
    int machine;
    int time;

    task(int theMachine = 0, int theTime = 0)
```

```
    {
        machine = theMachine;
        time = theTime;
    }
};
```

6. 结构 job

每项任务都有一个工序表，每道工序按表中的顺序执行。可以把工序表描述成一个队列
taskQ。为了计算一项任务的总等待时间，需要知道该任务的长度和完成时间。完成时间通过
计时确定，任务长度为各工序时间之和。为了计算任务长度，我们定义一个数据成员 length。
程序 9-12 给出了结构 job 的定义。

程序 9-12　结构 job

```
struct job
{
    arrayQueue<task> taskQ;               // 任务的工序
    int length;                           // 被调度的工序时间之和
    int arrivalTime;                      // 到达当前队列的时间
    int id;                               // 任务标志符

    job(int theId = 0)
    {
        id = theId;
        length = 0;
        arrivalTime = 0;
    }

    void addTask(int theMachine, int theTime)
    {
        task theTask(theMachine, theTime);
        taskQ.push(theTask);
    }

    int removeNextTask()
    {// 删除任务的下一道工序，返回它的时间
     // 更新长度

        int theTime =  taskQ.front().time;
        taskQ.pop();
        length += theTime;
        return theTime;
    }
};
```

数据成员 arrivalTime 用于记录一项任务进入当前机器队列的时间，然后确定该任务在这
个队列中的等待时间。任务标志符存储在 id 中，仅在输出该任务的总的等待时间时才会使用
这个标志符。

方法 addTask 把一道工序加入任务的工序队列中。该工序在机器 theMachine 上执行，需
要时间为 theTime。该方法仅在数据输入时使用。当一个任务从一个机器队列中删除然后进入
活动状态时，使用方法 removeNextTask。这时，该任务的第一道工序从工序队列（工序队列

用于保存尚未被执行的工序）中删除，并把该工序时间加到任务长度中，然后返回该工序时间。当调度任务的最后一道工序时，数据成员 length 的值等于该任务的长度。

7. 结构 machine

每台机器都有转换时间、当前任务和等待任务的队列。由于每项任务在任何时刻只会在一台机器队列中，因此所有队列的空间总量以任务的数目为限。不过，任务在各个机器队列中的分布随着仿真过程的进展会不断变化。有的队列在某一时刻可能很长。如果使用链队列，就可以把机器队列所需要的空间限制为 n 个节点的空间，其中 n 是任务个数。

程序 9-13 是结构 machine 的定义。数据成员 jobQ、changeTime、totalWait、numTasks 和 activeJob 分别表示等待任务的队列、机器的转换时间、任务在机器上总的等待时间、机器所执行的工序数目和当前任务。当机器空闲或处于转换状态时，当前处理的任务为 NULL。

程序 9-13 结构 machine

```
struct machine
{
   arrayQueue<job*> jobQ;
                              //本机器的等待处理的任务队列
   int changeTime;            //本机器转换时间
   int totalWait;             //本机器的总体延时
   int numTasks;              //本机器处理的工序数量
   job* activeJob;            //本机器当前处理的任务

   machine()
   {
      totalWait = 0;
      numTasks = 0;
      activeJob = NULL;
   }
};
```

8. 类 EventList

所有机器的完成时间都存储在一个事件表中。为了从一个事件转向下一个事件，我们需要在机器的完成时间中确定最小者。仿真器还需要一个操作，来设置一台特定机器的完成时间。每当一个新任务被调度到一台机器上运行时就要执行该操作。当一台机器空闲时，其完成时间被设置成一个很大的数 largeTime。程序 9-14 是类 eventList 的定义，它用一维数组 finishTime 实现事件表，finishTime[p] 表示机器 p 的完成时间。

程序 9-14 类 eventList

```
class eventList
{
   public:
      eventList(int theNumMachines, int theLargeTime)
      {//为 m 台机器，初始化其完成时间
         if (theNumMachines < 1)
            throw illegalParameterValue
                  ("number of machines must be >= 1");
         numMachines = theNumMachines;
         finishTime = new int [numMachines + 1];

         // 所有机器都空闲，用大的完成时间初始化
```

```
        for (int i = 1; i <= numMachines; i++)
            finishTime[i] = theLargeTime;
    }

    int nextEventMachine()
    {// 返回值是处理下一项工序的机器

        // 寻找完成时间最早的机器
        int p = 1;
        int t = finishTime[1];
        for (int i = 2; i <= numMachines; i++)
            if (finishTime[i] < t)
            {// 机器 i 完成时间更早
                p = i;
                t = finishTime[i];
            }
        return p;
    }

    int nextEventTime(int theMachine)
    {return finishTime[theMachine];}

    void setFinishTime(int theMachine, int theTime)
    {finishTime[theMachine] = theTime;}
private:
    int* finishTime;                    // 完成时间数组
    int numMachines;                    // 机器数量
};
```

方法 nextEventMachine 的返回值是第一个完成其活动工序的机器。机器 p 完成其活动工序的时间通过调用方法 nextEventTime(p) 来确定。对于一个有 m 台机器的工厂，寻找其最小的完成时间需要耗时 $\Theta(m)$，因此 nextEventMachine 的复杂度为 $\Theta(m)$。方法 setFinishTime 用来设置一台机器的完成时间，其复杂度为 $\Theta(1)$。在第 13 章，将引入两个数据结构——堆和最左树，每一个都可以描述事件表。这时，nextEventMachine 和 setFinishTime 的复杂度均变成 $O(\log m)$。如果所有任务的工序总数为 numTasks，那么，一次仿真运行，方法 nextEventMachine 和 setFinishTime 各自调用次数为 $\Theta(numTasks)$。使用程序 9-14 的事件表，调用 nextEventMachine 和 setFinishTime 需要总耗时为 $\Theta(numTasks*m)$；而使用堆或最左树，总耗时为 $\Theta(numTasks*\log m)$。虽然堆或最左树的结构有些复杂，但是当 m 比较大时，它们可以加快仿真过程。

9. 全局变量

程序 9-15 是全局变量。多数全局变量的含义从变量名中就可以看出来。timeNow 是模拟的时钟，记录当前时间。每次发生一个事件，就会修改 timeNow 的值。largeTime 表示的时间大于最后一个任务的完成时间。

程序 9-15　仿真器中所使用的全局变量

```
// 全局变量
int timeNow;                    // 当前时间
int numMachines;                // 机器数量
int numJobs;                    // 任务数量
```

```
eventList* eList;                    // 事件表的指针
machine* mArray;                     // 机器数组
int largeTime = 10000;               // 在这个时间之前所有机器都已完成工序
```

10. 函数 inputData

在函数 inputData 的代码（见程序 9-16）中，首先输入机器数和任务数，然后创建初始事件表 eList（其中每台机器的完成时间均为 largeTime）和机器数组 mArray。接下来输入每台机器的转换时间。然后依次输入每项任务。对于每项任务，首先输入该任务的工序数目，然后按（machine，time）的形式输入每个工序。执行任务的第一道工序的机器被记录在变量 firstMachine 中。当一个任务的所有工序都已输入完毕时，该任务被插入执行第一道工序的机器队列中。

程序 9-16　输入工厂数据

```
void inputData()
{// 输入工厂数据

   cout << "Enter number of machines and jobs" << endl;
   cin >> numMachines >> numJobs;
   if (numMachines < 1 || numJobs < 1)
        throw illegalInputData
              ("number of machines and jobs must be >= 1");

   // 生成事件和机器队列
   eList = new eventList(numMachines, largeTime);
   mArray = new machine [numMachines + 1];

   // 输入机器的转换时间
   cout << "Enter change-over times for machines" << endl;
   int ct;
   for (int j = 1; j <= numMachines; j++)
   {
      cin >> ct;
      if (ct < 0)
         throw illegalInputData("change-over time must be >= 0");
      mArray[j].changeTime = ct;
   }

   // 输入任务
   job* theJob;
   int numTasks, firstMachine, theMachine, theTaskTime;
   for (int i = 1; i <= numJobs; i++)
   {
      cout << "Enter number of tasks for job " << i << endl;
      cin >> numTasks;
      firstMachine = 0;                 // 第一道工序的机器
      if (numTasks < 1)
         throw illegalInputData("each job must have > 1 task");

      // 生成任务
      theJob = new job(i);
      cout << "Enter the tasks (machine, time)"
           << " in process order" << endl;
```

```
for (int j = 1; j <= numTasks; j++)
{// 读取任务 i 的工序
   cin >> theMachine >> theTaskTime;
   if (theMachine < 1 || theMachine > numMachines
      || theTaskTime < 1)
   throw illegalInputData("bad machine number or task time");
   if (j == 1)
      firstMachine = theMachine;                    // 处理任务的第一台机器
      theJob->addTask(theMachine, theTaskTime);     // 加到工序队列
}
   mArray[firstMachine].jobQ.push(theJob);
}
}
```

11. 函数 startShop 和 changeState

为了启动仿真过程，需要从每台机器的任务队列中取出第一个任务并放到该机器上执行。由于每台机器的初始状态为空闲状态，所以加载初始任务都是把机器从空闲状态变成活动状态。方法 changeState(i) 便用于机器 i 的这种转换。程序 9-17 是启动工厂仿真的方法，它只需对每台机器调用 changeState 即可。

程序 9-17   启动仿真

```
void startShop()
{// 在每台机器上装载其第一个任务
   for (int p = 1; p <= numMachines; p++)
      changeState(p);
}
```

程序 9-18 是函数 changeState 的代码。如果机器 theMachine 空闲或处于转换状态，则 changeState 返回 NULL，否则返回机器 theMachine 当前正在执行的任务。此外，changeState（theMachine）改变机器 theMachine 的状态。如果机器 theMachine 先前为空闲或处于转换状态，则开始执行队列中的下一项任务。如果队列为空，则将机器的状态设置为空闲。如果机器 theMachine 先前正在执行一项任务，则进入转换状态。

如果 mArray[theMachine].activeJob 为 NULL，则机器 theMachine 要么空闲，要么处于转换状态；任务 lastJob 的返回值是 NULL。如果机器的任务队列为空，则将该机器转入空闲状态，并将其完成时间设置为 largeTime。如果任务队列不为空，则删除队列中的第一个任务，并使其成为机器 theMachine 的活动任务。该任务在队列中的等待时间被累加到该机器的总的等待时间中，同时将该机器所处理的工序数目增加 1。接下来把将要处理的工序从任务的工序表中删除，并将机器的完成时间设置为新工序的完成时间。

如果 mArray[theMachine].activeJob 不为 NULL，则表明机器 theMachine 一直在处理一项任务，这项任务刚刚完成。因为这项任务将作为返回值，所以它被存储在变量 lastJob 中。现在机器应该进入转换状态，持续时间为 changeTime。

程序 9-18   修改机器状态

```
job* changeState(int theMachine)
{// 机器 theMachine 上的工序完成了，调度下一道工序
 // 返回值是在机器 theMachine 上刚刚完成的任务
   job* lastJob;
```

```
    if (mArray[theMachine].activeJob == NULL)
    {// 处于空闲或转换状态
        lastJob = NULL;
        // 等待，准备处理新的任务
        if (mArray[theMachine].jobQ.empty())           // 没有等待执行的任务
            eList->setFinishTime(theMachine, largeTime);
        else
        {// 从队列中提取任务，在机器上执行
            mArray[theMachine].activeJob =
                mArray[theMachine].jobQ.front();
            mArray[theMachine].jobQ.pop();
            mArray[theMachine].totalWait +=
                timeNow - mArray[theMachine].activeJob->arrivalTime;
            mArray[theMachine].numTasks++;
            int t = mArray[theMachine].activeJob->removeNextTask();
            eList->setFinishTime(theMachine, timeNow + t);
        }
    }
    else
    {// 在机器 theMachine 上刚刚完成一道工序
     // 设置转换时间
        lastJob = mArray[theMachine].activeJob;
        mArray[theMachine].activeJob = NULL;
        eList->setFinishTime(theMachine, timeNow + mArray[theMachine].changeTime);
    }

    return lastJob;
}
```

12. 函数 simulate 和 moveToNextMachine

在程序 9-19 中，函数 simulate 对所有事件循环调度，直到最后一项任务完成。numJobs 是尚未完成的任务数目，while 循环在 numJobs 等于 0 时结束。在 while 循环的每一次迭代中，要确定下一个事件的时间并将该时间存入变量 timeNow。对于产生事件的机器 nextToFinish，我们要改变它的状态。如果该机器刚刚处理完一道工序（theJob 不为 NULL），则调度任务 theJob 进入该机器，执行该任务的下一道工序。函数 moveToNextMachine 执行这个调度。如果任务 theJob 没有下一道工序，则该任务完成，函数 moveToNextMachine 将返回 false，而且将 numJobs 减 1。

程序 9-19　处理所有任务

```
void simulate()
{// 处理所有未处理的任务
    while (numJobs > 0)
    {// 至少有一个任务未处理
        int nextToFinish = eList->nextEventMachine();
        timeNow = eList->nextEventTime(nextToFinish);
        // 改变机器 nextToFinish 上的任务
        job* theJob = changeState(nextToFinish);
        // 把任务 theJob 调度到下一台机器
        // 如果任务 theJob 完成，则减少任务数
        if (theJob != NULL && !moveToNextMachine(theJob))
            numJobs--;
    }
}
```

函数 moveToNextMachine（见程序 9-20）首先查看任务 theJob 中是否有尚未被处理的工序。如果没有，则该任务已完成，应该输出该任务的完成时间和等待时间。函数返回 false 以表明任务 theJob 不再需要机器来处理。

如果任务 theJob 还有下一道工序，则要确定执行这道工序的机器 p，然后把任务 theJob 加入该机器的等待处理的任务队列中。如果机器 p 为空闲，则调用函数 changeState 来改变它的状态，使它立即处理任务 theJob 的下一道工序。

程序 9-20　把一项任务移至下一道工序对应的机器

```
bool moveToNextMachine(job* theJob)
{// 调度任务 theJob 到执行其下一道工序的机器
 // 如果任务已经完成，则返回 false

   if (theJob->taskQ.empty())
   {// 没有下一道工序
      cout << "Job " << theJob->id << " has completed at "
           << timeNow << " Total wait was "
           << (timeNow - theJob->length) << endl;
      return false;
   }
   else
   {// 任务 theJob 有下一道工序
    // 确定执行下一道工序的机器
      int p = theJob->taskQ.front().machine;
      // 把任务插入机器 p 的等待任务队列
      mArray[p].jobQ.push(theJob);
      theJob->arrivalTime = timeNow;
      // 如果机器 p 空闲，则改变它的状态
      if (eList->nextEventTime(p) == largeTime)
         // 机器空闲
         changeState(p);

      return true;
   }
}
```

13. 函数 outputStatistics

由于一个任务的完成时间和等待时间已由函数 moveToNextMachine 输出，因此函数 outputStatistics 只需输出完成所有任务所需要的时间（它也是最后一个任务的完成时间，而且在 moveToNextMachine 中已经输出）和每台机器的统计信息（总的等待时间和处理的工序数目）。程序 9-21 是相应的代码。

程序 9-21　输出每台机器的等待时间

```
void outputStatistics()
{// 输出在每台机器上的等待时间
   cout << "Finish time = " << timeNow << endl;
   for (int p = 1; p <= numMachines; p++)
   {
      cout << "Machine " << p << " completed "
           << mArray[p].numTasks << " tasks" << endl;
      cout << "The total wait time was "
```

```
                 << mArray[p].totalWait << endl;
            cout <<  endl;
        }
    }
```

练习

19. 本节中的哪一个应用可以用栈代替队列且不影响程序的正确性？

20. 1）一个转轨站有三条按队列模式运行的缓冲轨道。车厢的初始顺序为3, 1, 7, 6, 2, 8, 5, 4。
    在9.5.1节的求解策略下，每一节车厢移动之后，按照图9-11，画出缓冲轨道、入轨道
    和出轨道的布局。

    2）当缓冲轨道为两条时，完成1）。

21. 采用 k 个队列模式的缓冲轨道，对于所有可能的车厢排列，程序9-6能否成功地进行车厢
    重排？试证明你的结论。

22. 重写程序9-6，假定任意时刻在缓冲轨道 i 中最多只能有 s_i 节车厢。将 s_i 值最小的铁轨作
    为直接通道。

23. 当每一次移动一节车厢之后，你都必须显示缓冲轨道的状态时，你可以不用队列，而用车
    厢重排问题求解的第二个实现方法吗？证明你的答案。

24. 不使用栈，可以解决8.5.3节的问题吗（参看9.5.1节的第二个实现方法）？如果可以，设
    计和测试你的程序。

25. 考虑图9-13a的电路布线网格。要求在(1,4)和(2,2)之间布一条线路。在距离标记过程中，
    用距离给所达到的方格做标记。然后用路径标记过程的方法标记最短线路路径。

26. 设计一个完整的用于电路布线的C++程序。程序应包含如下函数：welcome函数（用于显
    示程序名称和功能）；输入函数（用于输入网格的数量、封锁的和未封锁的网格位置、电
    路的端点）；findPath函数（见程序9-8）；输出函数（用于输出带有电路路径的网格）。测
    试程序的正确性。

27. 在电路布线的一个典型应用中，若干个线路顺序布线。一条电路布线完毕，它所占用的网
    格被封锁，然后下一条电路继续布线。当数组grid重复使用，表示封锁和未封锁的位置
    以及距离时，在记录新的线路之前，要清除数组grid（将路径上的方格都设置为1，将其
    余标记大于1的方格设置为0）。编写一个函数来实现清除数组grid的操作。首先利用类
    似于距离标记过程的方法恢复方格的初始值。然后封锁刚刚找到的路径上的位置。这样一
    来，清除数组的复杂度和距离标记的复杂度一样。

28. 设计一个完整的图元识别的C++程序。程序应包含welcome函数（用于显示程序名称和
    功能）；输入函数（用于输入图像的大小及单色图像）；函数labelComponents（见程序
    9-9）；输出函数（用于输出识别后的图像，不同图元中的像素用不同的颜色）。测试程序
    的正确性。

29. 采用栈来重写函数labelComponents。使用栈来代替队列，有哪些优点和缺点？

30. 能否把程序8-6中的栈换成队列？为什么？

31. 能否把程序8-13中的栈换成队列？为什么？

32. 能否把程序8-14中的栈换成队列？为什么？

33. 能否把程序8-15中的栈换成队列？为什么？

34. 设计一个改进的工厂仿真器，允许指定同一个任务中各个相邻的工序之间最少的等待时间。在完成一项任务的每一道工序（包括最后一道工序）时，仿真器必须使该任务进入等待状态。因此，一项任务的一道工序一完成，该任务就被立即插入下一个队列。该任务一进入队列，就进入等待状态。当一台机器准备启动一道新工序时，它必须跳过在队头仍处于等待状态的任务。可以把被跳过的任务移到队尾。

35. 设计一个改进的工厂仿真器，允许新任务在仿真期间到达。仿真过程在预定的时刻结束，尚未完成的任务保持未完成状态。

9.6　参考及推荐读物

9.5.2 节中的电路布线算法是著名的李氏路由算法。选自 N. Sherwani. *Algorithms for VLSI Physical Design Automation*. 2nd ed. Kluwer Academic Publishers, Boston, 1995. 书中详细讨论了该算法，并给出了其他算法。

跳表和散列

概述

虽然在 n 个元素的有序数组上折半查找所需要的时间为 $O(\log n)$，但是在有序链表上查找所需要的时间为 $O(n)$。为了提高有序链表的查找性能，可以在全部或部分节点上增加额外的指针。在查找时，通过这些指针，可以跳过链表的若干个节点，不必从左到右连续查看所有节点。

增加了额外的向前指针的链表叫做**跳表**（skip list）。它采用随机技术来决定链表的哪些节点应增加向前指针，以及增加多少个指针。基于这种随机技术，跳表的查找、插入、删除的平均时间复杂度为 $O(\log n)$。然而，最坏情况下的时间复杂度却变成 $\Theta(n)$。

散列是用来查找、插入、删除的另一种随机方法。与跳表相比，它把操作时间提高到 $\Theta(1)$，但最坏情况下的时间仍为 $\Theta(n)$。尽管如此，如果经常需要按序输出所有元素或按序查找元素（如查找第 10 个最小元素），那么跳表的执行效率将优于散列。

有序数组、有序链表、跳表和哈希表的渐近性能汇总在下面的表中。

方法	最坏情况			平均情况		
	查找	插入	删除	查找	插入	删除
有序数组	$\Theta(\log n)$	$\Theta(n)$	$\Theta(n)$	$\Theta(\log n)$	$\Theta(n)$	$\Theta(n)$
有序链表	$\Theta(n)$	$\Theta(n)$	$\Theta(n)$	$\Theta(n)$	$\Theta(n)$	$\Theta(n)$
跳表	$\Theta(n)$	$\Theta(n)$	$\Theta(n)$	$\Theta(\log n)$	$\Theta(\log n)$	$\Theta(\log n)$
哈希表	$\Theta(n)$	$\Theta(n)$	$\Theta(n)$	$\Theta(1)$	$\Theta(1)$	$\Theta(1)$

C++ 的 STL 中使用了散列的容器类有：hash_map、hash_multimap、hash_multiset、hash_set。

本章有一个散列的应用：文本压缩和解压缩。程序是基于当前流行的 Lempel-Ziv-Welch 算法来编写的。

10.1 字典

字典（dictionary）是由一些形如 (k, v) 的数对所组成的集合，其中 k 是**关键字**，v 是与关键字 k 对应的**值**（也可以说，v 是值，它的关键字是 k）。任意两个数对，其关键字都不等。

有关字典的操作有：
- 确定字典是否为空。
- 确定字典有多少数对。
- 寻找一个指定了关键字的数对。
- 插入一个数对。
- 删除一个指定了关键字的数对。

例 10-1 一个班级选修数据结构课程的清单是一个字典。当一个新学生要选修数据结构时，与该学生有关的数对/记录被插入字典。当一个学生放弃这门课程时，他的记录从字典中删除。在课程进行中，老师可以通过字典查看某个学生的记录或修改相关的记录（例如，加入或修改考试成绩）。学生姓名可以作为关键字，其他信息是与关键字相关的值。 ∎

一个**多重字典**（dictionary with duplicate）与上述字典类似，只是两个或更多的数对可以具有相同的关键字。

例 10-2   一个字典是数对的集合，每个数对都由一个词和它的值组成。一个词的值包括词的意思、发音、词源等等。在韦氏字典中，包含与词 date 对应的是一个数对（词条）。这个数对的一部分是 "date，the point of time at which a transaction or event takes place"，其中 date 是关键字。实际上，韦氏字典有若干个带有关键字 date 的数对。它们的简化形式是 "date，the oblong fruit of a palm" 和 "date，to assign a chronology record"。随着新词的出现和新词意的出现，字典出版商把新的数对插入字典。当一个词不再用了，出版商就把相应的数对从字典中删除。在使用字典时，通常都是按照一个给定的关键字查找数对。偶尔也会插入一个新的数对。数据结构专业字典是多重字典，不同的数对可以有相同的关键字，相关的操作有查找、插入和删除。虽然在正式印刷的字典中数对是按照关键字的字典顺序排列的，但是在一个电子字典中不必这样组织。计算机可以按照任何你喜欢的方式组织字典。 ∎

一个电话簿也是一个多重字典。

在一个多重字典中进行查找和删除操作时，需要消除歧义。就查找而言，有两种可能：1）查找任何一个具备给定关键字的数对；2）查找所有具备给定关键字的数对。就删除操作而言，我们要求给用户提供与给定关键字对应的所有数对，由用户选择删除哪些数对。此外，可以任意删除与给定关键字对应的一个数对或所有数对。

无论是字典还是多重字典，有时还需要另一种形式的删除操作，即删除在某一时间之后插入的所有数对。

例 10-3   编译器使用的**符号表**（symbol table）是一个用户定义的多重字典。当一个描述符被定义了，与之对应的一个数对（关键字，值）就产生了，并插入符号表中。描述符是关键字，描述符的类型（整型、浮点型等）、描述符的值所需要的相对存储空间地址就构成了相应的值。因为在不同的程序块中，可以定义同样的描述符，所以符号表很可能有多个关键字相同的记录。搜索结果应是最新插入的数对。只有在一个程序模块结束时才能执行删除操作，所有在该模块开始以后插入的数对都要删除。 ∎

查找操作可以按照你给定的关键字，**随机**地存取字典中的数对。有些字典的应用还有另一种存取模式——**顺序存取**（sequential access）。在这种存取模式中，利用迭代器，按关键字的升值顺序逐个查找字典数对。本章设计的所有字典实现代码（哈希表除外）既可以随机存取，也可以顺序存取。

练习

1. 在一本字典中查找有多个词条的词（不是 date）。试着查找多于三个词条的词。
2. 给出字典和多重字典的三个实际应用。不能与本节的应用相同。解释一下，哪一种字典操作在每一个应用中都需要。
3. 给出字典或多重字典的一个应用，它需要顺序存取。

10.2 抽象数据类型

ADT 10-1 是抽象数据类型 Dictionary。其中 p.first 和 p.second 分别表示数对 p 的关键字

和值。当字典没有与关键字 p.first 对应的数对时，插入操作 insert(p) 把数对 p 插入字典；当字典已经具有与关键字 p.first 对应的数对时，用新的值取代旧的值。这种操作方式与 STL 容器类 hash_map 的方法 insert 一致。

抽象数据类型 *Dictionary*
{
    实例
        关键字各不相同的一组数据对
    操作
      empty(): 返回 true，当且仅当字典为空
       size(): 返回字典的数对个数
      find(k): 返回关键字为 k 的数对
    insert(p): 插入数对 p
    erase(k): 删除关键字为 k 的数对
}

ADT 10-1　字典的抽象数据类型

程序 10-1 是与 ADT 10-1 对应的 C++ 抽象类。查找函数的返回值是指针，指向与给定的关键字相匹配的数对。这与 STL 的容器类 hash_map 的函数 find 一致。

本章没有明确讨论对多重字典的描述方法。然而，对非多重字典的描述方法也适用于它。STL 中的类 hash_multimap 就是多重字典的描述方法。

程序 10-1　　抽象类 dictionary

```
template<class K, class E>
class dictionary
{
   public:
      virtual ~dictionary() {}
      virtual bool empty() const = 0;
               // 返回 true，当且仅当字典为空
      virtual int size() const = 0;
               // 返回字典中数对的数目
      virtual pair<const K, E>* find(const K&) const = 0;
               // 返回匹配数对的指针
      virtual void erase(const K&) = 0;
               // 删除匹配的数对
      virtual void insert(const pair<const K, E>&) = 0;
               // 往字典中插入一个数对
   };
```

练习

4. 列举出 STL 类 hash_map 所具有而抽象类 dictionary 不具有的方法。每一个新方法的功能是什么？

10.3　线性表描述

字典可以保存在线性表 $(p_0, p_1, \cdots)$ 中，其中 p_is 是字典中按关键字递增次序排列的数对。为了适应这种表示方式，可以定义两个类 sortedArrayList 和 sortedChain。前者用数组描

述线性表（见 5.3 节），而后者用链表描述（见 6.1 节）。

练习 5 要求设计 sortedArrayList 类。它可以折半查找。在 n 个记录的字典中，查找操作的时间为 $O(\log n)$。在插入时，首先要通过查找操作来确定字典中没有数对与要插入的数对具有相同关键字；然后移动数对，腾出插入空间。需要移动的数对个数是 $O(n)$，为此需要的时间是 $O(n)$。在删除时，首先找到要删除的数对，然后删除。删除需要移动 $O(n)$ 个记录以填补删除后的空间，为此需要的时间为 $O(n)$。

程序 10-2、程序 10-3 和程序 10-4 是类 sortedChain 的方法 find、insert 和 erase。sortedChain 的节点是 pairNode 的实例。和 chainNode（见程序 6-1）的实例一样，pairNode 的实例有两个域——element 和 next，它们的类型分别是 pair<const K,E> 和 pairNode<K,E>*。

使用类 sortedArrayList 或 sortedChain，借助相应的迭代器，可以实现对字典的顺序存取。按照关键字的递增顺序考察每一个数对的时间是 $\Theta(1)$。

程序 10-2 方法 sortedChain<K,E>::find

```
template<class K, class E>
pair<const K,E>* sortedChain<K,E>::find(const K& theKey) const
{// 返回匹配的数对的指针
 // 如果不存在匹配的数对，则返回 NULL
   pairNode<K,E>* currentNode = firstNode;

   // 搜索关键字为 theKey 的数对
   while (currentNode != NULL &&
          currentNode->element.first != theKey)
      currentNode = currentNode->next;

   // 判断是否匹配
   if (currentNode != NULL && currentNode->element.first == theKey)
      // 找到匹配数对
      return &currentNode->element;

   // 无匹配的数对
   return NULL;
}
```

程序 10-3 方法 sortedChain<K,E>::insert

```
template<class K, class E>
void sortedChain<K,E>::insert(const pair<const K, E>& thePair)
{// 往字典中插入 thePair，覆盖已经存在的匹配的数对
   pairNode<K,E> *p = firstNode,
                 *tp = NULL;                    // tp trails p

   // 移动指针 tp，使 thePair 可以插在 tp 的后面
   while (p != NULL && p->element.first < thePair.first)
   {
      tp = p;
      p = p->next;
   }

   // 检查是否有匹配的数对
   if (p != NULL && p->element.first == thePair.first)
   {// 替换旧值
      p->element.second = thePair.second;
```

```
        return;
    }

    // 无匹配的数对，为 thePair 建立新节点
    pairNode<K,E> *newNode = new pairNode<K,E>(thePair, p);

    // 在 tp 之后插入新节点
    if (tp == NULL) firstNode = newNode;
    else tp->next = newNode;

    dSize++;
    return;
}
```

程序 10-4　方法 sortedChain<K,E>::erase

```
template<class K, class E>
void sortedChain<K,E>::erase(const K& theKey)
{// 删除关键字为 theKey 的数对
    pairNode<K,E> *p = firstNode,
                  *tp = NULL;                        // tp trails p

    // 搜索关键字为 theKey 的数对
    while (p != NULL && p->element.first < theKey)
    {
        tp = p;
        p = p->next;
    }

    // 确定是否匹配
    if (p != NULL && p->element.first == theKey)
    {// 找到一个匹配的数对
        // 从链表中删除 p
        if (tp == NULL) firstNode = p->next;        // p是第一个节点
        else tp->next = p->next;

        delete p;
        dSize--;
    }
}
```

练习

5. 用数组定义 C++ 类 sortedArrayList，它与 sortedChain 具有相同的成员方法。编写和测试所有函数代码。

6. 用一个具有头节点和尾节点的链表来修改类 sortedChain。把查找、插入或删除中的关键字在开始处存入尾节点，以简化代码。

10.4　跳表表示（可选）

10.4.1　理想情况

在一个用有序链表描述的 n 个数对的字典中进行查找，至多需要 n 次关键字比较。如果

在链表的中部节点加一个指针，则比较次数可以减少到 $n/2+1$。这时，为了查找一个数对，首先与中间的数对比较。如果查找的数对关键字比较小，则仅在链表的左半部分继续查找，否则，在链表右半部分继续查找。

例 10-4 图 10-1a 的有序链表有 7 个数对。该链表增加了一个头节点和一个尾节点。节点中的数是关键字。对该链表的搜索可能最多要进行 7 次关键字比较。如果像图 10-1b 所示的那样，在中间的节点中加入一个指针，那么可以把最坏情况下的比较次数减少为 4 次。为了查找一个关键字，首先将它与中间数对的关键字比较，然后根据比较结果决定，是继续在链表的左半部查找，还是继续在右半部查找。例如，假定查找关键字为 26 的数对。首先和中间的关键字 40 比较，因为 26<40，所以下面需要查找 40 左边的记录。如果要查找关键字 75 的记录，那么在与 40 比较之后，要继续查找 40 以后的记录。∎

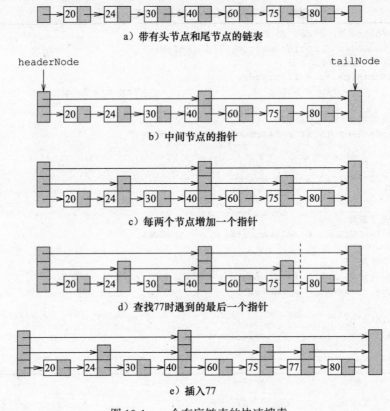

a）带有头节点和尾节点的链表

b）中间节点的指针

c）每两个节点增加一个指针

d）查找77时遇到的最后一个指针

e）插入77

图 10-1 一个有序链表的快速搜索

也可以像图 10-1c 一样，分别在链表左半部分和右半部分的中间节点中增加一个指针，以进一步减少最坏情况下的比较次数。该图有三级链表。0 级链表是图 10-1a 的初始链表，包括了所有 7 个数对。1 级链表包括字典的第二、四、六个数对，而 2 级链表只包括第四个数对。为了查找关键字为 30 的记录，首先用 2 级链表查找，所需要时间为 $\Theta(1)$。因为 30<40，所以要在链表左半部用 1 级链表查找，所需时间为 $\Theta(1)$。又因为 30>24，所以要用 0 级链表与 24 的下一个数对比较。

来看另一个例子。查找关键字为 77 的数对。首先与 40 比较，因为 77>40，所以在 1 级链表中与 75 比较。因为 77>75，所以在 0 级链表中与 75 后面的 80 比较。这时可以得知 77 不在字典中。采用图 10-1c 的 3 级链表结构，所有查找至多需 3 次比较。3 级链表结构允许在有序链表中进行折半查找。

对 n 个数对而言，0 级链表包括所有数对，1 级链表每 2 个数对取一个，2 级链表每 4 个数对取一个，i 级链表每 2^i 个数对取一个。一个数对属于 i 级链表，当且仅当它属于 0 ~ i 级链表，但不属于 $i+1$ 级（若该链表存在）链表。在图 10-1c 中，关键字为 40 的数对是 2 级链表唯一的数对，而关键字为 24 和 75 的数对属于 1 级链表元素。关键字分别为 20、30、60、80 的数对属于 0 级链表。

我们把诸如图 10-1c 的结构称为**跳表**。在该结构中有一组等级链表。0 级链表包含所有数对，1 级链表的数对是 0 级链表数对的一个子集。i 级链表的数对是 $i-1$ 级链表数对的子集。图 10-1c 是跳表的一个规则结构，i 级链表所有的数对均属于 $i-1$ 级链表。

10.4.2 插入和删除

在插入和删除时，要保持图 10-1c 跳表的规则结构，需要耗时 $O(n)$。在规则的跳表结构中，i 级链表有 $n/2^i$ 个记录，在插入时要尽量逼近这种结构。插入的新数对属于 i 级链表的概率为 $1/2^i$。在实际确定新数对所属的链表级别时，应考虑各种可能的情况。把新数对插入 i 级链表的可能性为 p^i，在图 10-1c 中，$p=0.5$。对一般的 p，链表的级数为 $\lfloor \log_{1/p} n \rfloor + 1$。在一个规则的跳表中，$i$ 级链表包含 $1/p$ 个 $i-1$ 级链表的节点。

假定插入关键字为 77 的数对。首先通过搜索来确定链表没有这个数对。在搜索中，我们用到了关键字为 40 的节点中一个 2 级链表指针、关键字为 75 的节点中一个 1 级链表的指针和一个 0 级链表的指针。在图 10-1d 中，这几个指针被一条虚线切割。新数对插入位置在 75 和 80 之间，如图 10-1d 的虚线所示。

在插入时，要为新数对分配一个级（即确定它属于哪一级链表），分配过程由后面将要介绍的随机数生成器来完成。若新数对属于 i 级链表，则插入结果仅影响由虚线切割的 0 ~ i 级链表指针。图 10-1e 是插入 77 的结果。

对删除操作，我们无法控制结构。要删除图 10-1e 的节点 77，首先要找到 77。然后所遇到的链表指针是节点 40 中的 2 级链表指针、节点 75 中的 1 级链表指针和 0 级链表指针。因为 77 为 1 级链表中数对的关键字，所以只需改变 0 级和 1 级链表指针即可。当使这些指针指向 77 后面的节点时，就得到图 10-1d 的结构。

10.4.3 级的分配

在规则的跳表结构中，$i-1$ 级链表的数对个数与 i 级链表的数对个数之比是一个分数 p。因此，属于 $i-1$ 级链表的数对同时属于 i 级链表的概率为 p。假设用一个统一的随机数生成器产生 0 和 1 间的实数，产生的随机数 $\leq p$ 的概率为 p。若下一个随机数 $\leq p$，则新数对应在 1 级链表上。要确定该数对是否在 2 级链表上，要由下一个随机数来决定。若新的随机数 $\leq p$，则该元素也属于 2 级链表。重复这个过程，直到一随机数 $>p$ 为止。

这种方法有潜在的缺点，某些数对被分配的级数可能特别大，远远超过 $\log 1/_p N$，其中 N 为字典数对的最大预期数目。为避免这种情况，可以设定一个级数的上限 maxLevel，最大值为

$$\lceil \log_{1/p} N \rceil - 1 \tag{10-1}$$

这种方法还有一个缺点，即使采用了级数的上限 maxLevel，还可能出现这样的情况：在

插入一个新数对之前有 3 个链表，而在插入之后就有了 10 个链表。也就是说，尽管 3 ~ 8 级链表没有数对，新数对却被分配到 9 级链表。换句话说，在插入前后，没有 3 ~ 8 级链表。因为这些空级链表并没有什么好处，我们可以把新记录的链表等级调整为 3。

例 10-5　用跳表描述一个最多有 1024 个数对的字典。设 p=0.5，则 maxLevel 为 $\log_2 1024 - 1 = 9$。假定从一个空字典开始，用一个具有头节点和尾节点的跳表结构描述，头节点有 10 个指针，每个指针对应一条链表，且从头节点指向尾节点。

当插入第一个数对时，为其在 0 ~ 9 之间分配一个等级。若分配的等级为 9，则因为跳表还没有 0 ~ 8 级的记录，所以可以把等级改为 0，这时只需修改一个指针即可。　　　■

还有另一种等级分配方法，把随机数生成器产生的数分为几段。第一段是 1 ~ $1/p$，第二段是 $1/p$ ~ $1/p^2$，等等。若产生的随机数出现在第 i 段，则把数对插入 $i-1$ 级链表。

10.4.4　结构 skipNode

跳表结构的头节点需有足够的指针域，以满足最大链表级数的构建需要，而尾节点不需要指针域。每个存有数对的节点都有一个存储数对的 element 域和个数大于自身级数的指针域。程序 10-5 的结构 skipNode 可以满足所有类型的节点需要。

程序 10-5　结构 skipNode

```
template <class K, class E>
struct skipNode
{
    typedef pair<const K, E> pairType;

    pairType element;
    skipNode<K,E> **next;                    // 指针数组

    skipNode(const pairType& thePair, int size)
            :element(thePair){next = new skipNode<K,E>* [size];}
};
```

指针域由数组 next 表示，其中 next[i] 表示 i 级链表指针。构造函数把字典数对存入 element 域，为指针数组分配空间。对一个 lev 级链表数对，其 size 值应为 lev+1。

10.4.5　类 skipList

1. 类 skipList 的数据成员

程序 10-6 是类 skipList 的数据成员。每一个数据成员的意义由它的名称和附加的解释来说明。

程序 10-6　类 skipList 的数据成员

```
float cutOff;                            // 用来确定层数
int levels;                              // 当前最大的非空链表
int dSize;                               // 字典的数对个数
int maxLevel;                            // 允许的最大链表层数
K tailKey;                               // 最大关键字
skipNode<K,E>* headerNode;               // 头节点指针
skipNode<K,E>* tailNode;                 // 尾节点指针
skipNode<K,E>** last;                    // last[i] 表示 i 层的最后节点
```

2. 类 skipList 的构造函数

程序 10-7 是类 skipList 的构造函数。参数 largeKey 的值大于字典的任何数对的关键字，它存储在尾节点。参数 maxPairs 的值是字典数对个数的最大数。虽然代码允许字典数对个数大于 maxPairs，但是如果不超过 maxPairs，程序的性能会更好，因为链表级数是由 maxPairs 替代了公式（10-1）中的 N 之后决定的。参数 prob 的值是 $i-1$ 级链表数对同时也是 i 级链表数对的概率。构造函数初始化类 skipList 的数据成员，也为头节点、尾节点和数组 last 分配空间。在插入和删除之前的搜索时所遇到的每级链表的最后一个数对指针都存储在数组 last 中。跳表初始布局为空，头节点有 maxLevel+1 个指向尾节点的指针。构造函数的时间复杂度为 $O(\text{maxLevel})$。

程序 10-7　构造函数

```
template<class K, class E>
skipList<K,E>::skipList(K largeKey, int maxPairs, float prob)
{// 构造函数，关键字小于 largeKey 且数对个数 size 最多为 maxPairs。0 < prob < 1
   cutOff = prob * RAND_MAX;
   maxLevel = (int) ceil(logf((float) maxPairs) / logf(1/prob)) - 1;
   levels = 0;                        // 初始化级数
   dSize = 0;
   tailKey = largeKey;

   // 生成头节点、尾节点和数组 last
   pair<K,E> tailPair;
   tailPair.first = tailKey;
   headerNode = new skipNode<K,E> (tailPair, maxLevel + 1);
   tailNode = new skipNode<K,E> (tailPair, 0);
   last = new skipNode<K,E> *[maxLevel+1];

   // 链表为空时，任意级链表中的头节点都指向尾节点
   for (int i = 0; i <= maxLevel; i++)
       headerNode->next[i] = tailNode;
}
```

3. 方法 skipList<K,E>::find

程序 10-8 是方法 find 的代码。如果关键字为 theKey 的数对不存在，则返回值是 NULL，否则，返回值是该数对的指针。

find 从最高级链表（即 levels 级链表，它只有一个数对）开始查找，直到 0 级链表。在每一级链表中，从左边尽可能逼近要查找的记录。虽然在找到关键字等于 thekey 的数对时，可能在 i 级就终止搜索，但是用来检验是否相等的额外比较操作是不必要的，因为大部分这样的数对都只出现在 0 级链表。当从 for 循环退出时，指针正好处在要查找的数对左边。与 0 级链表的下一个数对比较，即可确定要查找的数对是否在跳表中。

程序 10-8　skipList<K,E>::find 方法

```
template<class K, class E>
pair<const K,E>* skipList<K,E>::find(const K& theKey) const
{// 返回匹配的数对的指针
 // 如果没有匹配的数对，返回 NULL
   if (theKey >= tailKey)
       return NULL;                   // 没有可能的匹配的数对
```

```
// 位置 beforeNode 是关键字为 theKey 的节点之前最右边的位置
skipNode<K,E>* beforeNode = headerNode;
for (int i = levels; i >= 0; i--)                    // 从上级链表到下级链表
    // 跟踪 i 级链表指针
    while (beforeNode->next[i]->element.first < theKey)
        beforeNode = beforeNode->next[i];

// 检查下一个节点的关键字是否是 theKey
if (beforeNode->next[0]->element.first == theKey)
    return &beforeNode->next[0]->element;

return NULL;  // 无匹配的数对
}
```

4. 方法 skipList<K,E>::insert

在编写插入代码之前，不仅要编写级的分配函数，为新数对指定它所属的级链表，而且要编写搜索函数 search，以存储在每一级链表搜索时所遇到的最后一个节点的指针。程序 10-9 和程序 10-10 分别是它们的代码。

程序 10-9   级的分配方法

```
template<class K, class E>
int skipList<K,E>::level() const
{// 返回一个表示链表级的随机数，这个数不大于maxLevel
    int lev = 0;
    while (rand() <= cutOff)
        lev++;
    return (lev <= maxLevel) ? lev : maxLevel;
}
```

程序 10-10 ⊖   搜索并把在每一级链表搜索时所遇到的最后一个节点指针存储起来

```
template<class K, class E>
skipNode<K,E>* skipList<K,E>::search(const K& theKey) const
{// 搜索关键字 theKey，把每一级链表中要查看的最后一个节点存储在数组 last 中
 // 返回包含关键字 theKey 的节点
    // 位置 beforeNode 是关键字为 theKey 的节点之前最右边的位置
    skipNode<K,E>* beforeNode = headerNode;
    for (int i = levels; i >= 0; i--)
    {
        while (beforeNode->next[i]->element.first < theKey)
            beforeNode = beforeNode->next[i];
        last[i] = beforeNode;                        // 最后一级链表 i 的节点
    }
    return beforeNode->next[0];
}
```

程序 10-11 是跳表的插入代码。当最大的关键字 largeKey 不大于新数对 thePair 的关键字 thePair.first 时（largeKey ≤ thePair.first），不执行插入。如果跳表存在一个数对其关键字等于 thePair.first，则把这个数对的值修改为 thePair.second。

⊖ 程序 10-10 原书有误，这里修改了该程序。——译者注

程序 10-11 跳表插入

```
template<class K, class E>
void skipList<K,E>::insert(const pair<const K, E>& thePair)
{// 把数对 thePair 插入字典 . 覆盖其关键字相同的已存在的数对
   if (thePair.first >= tailKey)                    // 关键字太大
   {ostringstream s;
    s << "Key = " << thePair.first << " Must be < " << tailKey;
    throw illegalParameterValue(s.str());
   }

   // 查看关键字为 theKey 的数对是否已经存在
   skipNode<K,E>* theNode = search(thePair.first);
   if (theNode->element.first == thePair.first)
   {// 若存在 , 则更新该数对的值
      theNode->element.second = thePair.second;
      return;
   }

   // 若不存在 , 则确定新节点所在的级链表
   int theLevel = level();                          // 新节点的级
   // 使级 theLevel 为 <= levels + 1
   if (theLevel > levels)
   {
      theLevel = ++levels;
      last[theLevel] = headerNode;
   }

   // 在节点 theNode 之后插入新节点
   skipNode<K,E>* newNode = new skipNode<K,E>(thePair, theLevel + 1);
   for (int i = 0; i <= theLevel; i++)
   {// 插入 i 级链表
      newNode->next[i] = last[i]->next[i];
      last[i]->next[i] = newNode;
   }

   dSize++;
   return;
}
```

5. skipList<K,E>::erase

程序 10-12 的代码是删除关键字为 theKey 的数对。while 循环用来修改 levels 的值，除非跳表为空，否则 levels 不会成为 0。

程序 10-12 删除跳表的记录

```
template<class K, class E>
void skipList<K,E>::erase(const K& theKey)
{// 删除关键字等于 theKey 的数对
   if (theKey >= tailKey)                           // 关键字太大
      return;

   // 查看是否有匹配的数对
   skipNode<K,E>* theNode = search(theKey);
   if (theNode->element.first != theKey)            // 不存在
      return;
```

```
// 从跳表中删除节点
for (int i = 0; i <= levels &&
                last[i]->next[i] == theNode; i++)
    last[i]->next[i] = theNode->next[i];

// 更新链表级
while (levels > 0 && headerNode->next[levels] == tailNode)
    levels--;

delete theNode;
dSize--;
}
```

6. 其他方法

关于 size 和 empty 方法，还有迭代器方法，它们的代码与链表 chain 中相应的方法的代码相似。记住，每一级链表的节点（不包含头节点，因为它没有关键字）都是按照关键字递增顺序排列的。因此，skipList 的迭代器可以提供顺序访问方法，访问每一节点的时间是 $\Theta(1)$。

10.4.6　skipList 方法的复杂度

当字典有 n 个数对时，查找（find）、插入（insert）、删除（erase）操作的时间复杂度均为 $O(n+maxLevel)$。在最坏情况下，可能只有一个 maxLevel 级数对，余下所有数对均在 0 级链表上。$i > 0$ 时，在 i 级链表上花费的时间为 $O(maxLevel)$，在 0 级链表上花费的时间为 $O(n)$。尽管最坏情况下的性能较差，但跳表仍不失为一种有价值的数据描述方法，因为查找、插入、删除的平均复杂度均为 $O(\log n)$，不过其证明超出了本书的范围。

至于空间复杂度，在最坏情况下每一个记录都可能是 maxLevel 级，都需要 maxLevel+1 个指针。因此，除了需要存储 n 个数对的空间，还需要存储 $O(n*maxLevel)$ 个指针的空间。不过，一般情况下，1 级链表有 $n*p$ 个数对，2 级链有 $n*p^2$ 个记录，i 级链有 $n*p^i$ 个记录。因此指针域的平均值（不包括头、尾节点的指针）是 $n\sum_i p^i = n/(1-p)$。看来，虽然最坏情况下的空间需求比较大，但平均的空间需求并不大。当 $p=0.5$ 时，平均空间需求（加上 n 个数对指针）大约是 $2n$ 个指针空间。

练习

7. 编写一个级的分配程序，采用本文所介绍的策略，把随机数的取值范围划分为若干段，然后根据随机数所属的段来分配链表的级。

8. 修改类 skipList，允许不同的数对具有相同的关键字。每个级链表的节点按从左到右按关键字非递减次序排列。测试你的代码。

9. 扩充类 skipList，增加删除方法，删除关键字最小的节点，删除关键字最大的节点。计算每个方法的复杂度？

10.5　散列表描述

10.5.1　理想散列

字典的另一种表示方法是**散列**（hashing）。它用一个**散列函数**（也称哈希函数）把字典的数对映射到一个**散列表**（也称哈希表）的具体位置。如果数对 p 的关键字是 k，散列函数为 f，那么在理想情况下，p 在散列表中的位置是 $f(k)$。暂时假定散列表的每一个位置最多能够存储一个记录。为了搜索关键字为 k 的数对，先要计算 $f(k)$，然后查看在散列表的 $f(k)$ 处是否已有一个数对。如果有，便找到了该数对。如果没有，字典就不包含该数对。在前一种情况下，可以删除该数对，为此只需使散列表的 $f(k)$ 位置为空。在后一种情况下，可以把该数对插在 $f(k)$ 的位置。

例 10-6 考察例 10-1 的学生记录字典。假设不用学生名，而是用 6 位整数的学生 ID 号作为关键字。在一个班中，假设最多有 100 个学生，他们的 ID 号在 951 000 和 952 000 之间。函数 $f(k)=k-951\,000$ 把学生 ID 号映射到散列表的位置 0 到 1000 之间。可以用数组 table[1001] 来存储字典记录的指针。数组 table 的初始化是 table[i] 为 NULL，$0 \leqslant i \leqslant 1000$。为了查找关键字为 k 的记录，我们计算 $f(k)=k-951\,000$。如果 table[$f(k)$] 不等于 NULL，那么该记录就在 table[$f(k)$] 中。如果 table[$f(k)$] 等于 NULL，那么字典没有该记录。在后一种情况下，可以把该记录插入相应位置。在前一种情况下，可以令 table[$f(k)$] 为 NULL，从而删除该记录。 ■

在刚刚描述的理想情况下，初始化一个空字典需要的时间为 $O(b)$（b 为散列表拥有的位置数），查找、插入、删除操作的时间均为 $\Theta(1)$。

尽管理想的散列方法用在许多字典的应用中，但是还有许多应用，因为关键字变化范围太大，使散列表没有意义或不切实际。

例 10-7 假设在例 10-1 的学生记录字典中学生 ID 号的范围是 [100 000,999 999]，散列函数是 $f(k)=k-100\,000$。因为 f 的值域是 [0,899 999]，所以散列表要具有 900 000 个位置。对一个仅有 100 名学生的学生清单，使用如此长的散列表是不明智的。不仅浪费存储空间，而且要把 900 000 个数组元素初始化为 NULL，也需要很长的时间。 ■

例 10-8[把字符串转换为唯一的数值] 设想一本字典的关键字是三个字符。例如每个关键字用名字的起始字母表示，则 Mohandas Karamchand Gandhi 的关键字是 MKG。

因为每个字符在 C++ 中占 1 字节的存储空间，所以用程序 10-13 可以把一个长度为 3 的字符串转换为一个长整型数。

程序 10-13 把一个长度为 3 的字符串转换为一个长整型数

```
long threeToLong(string s)
{// 假设 s.length() >= 3
   // 最左边的字符
   long answer = s.at(0);

   // 左移 8 位, 加入下一个字符
   answer = (answer << 8) + s.at(1);

   // 左移 8 位, 加入下一个字符
   return (answer << 8) + s.at(2);
}
```

当 s=abc，s.charAt(0)=a，s.charAt(1)=b，s.charAt(2)=c 时，如果把 a、b 和 c 的每一个字符都转换为一个整数，那么结果分别是 97、98 和 99。在程序 10-13 的左移 8 位的操作中，一个字符的位值不会影响另一个字符的位值。因此，3 字符构成的串不同，转换的长整型数也不同，这就可以用 threeToLong(s) 的值重建字符串（见练习 12）。

因为一个左移 8 位的操作等价于乘以 2^8=256，所以程序 10-13 的计算等价于 $((97*256+98)*256)+99$=6 382 179。

虽然程序 10-13 把每一个长度为 3 的字符串转换成唯一的长整型数，但是长整型数的范围是 $[0,2^{24}-1]$。 ■

10.5.2　散列函数和散列表

1. 桶和起始桶

当关键字的范围太大，不能用理想方法表示时，可以采用并不理想的散列表和散列函数：散列表位置的数量比关键字的个数少，散列函数把若干个不同的关键字映射到散列表的同一个位置。散列表的每一个位置叫一个桶（bucket）；对关键字为 k 的数对，$f(k)$ 是**起始桶**（home bucket）；桶的数量等于散列表的长度或大小。因为散列函数可以把若干个关键字映射到同一个桶，所以桶要能够容纳多个数对。本章我们考虑两种极端情况。第一种情况是每一个桶只能存储一个数对。第二种情况是每一个桶都是一个可以容纳全部数对的线性表。

2. 除法散列函数

在多种散列函数中，最常用的是除法散列函数，它的形式如下：

$$f(k)=k\%D \qquad\qquad (10\text{-}2)$$

其中 k 是关键字，D 是散列表的长度（即桶的数量），% 为求模操作符。散列表的位置索引从 0 到 D–1。当 D=11 时，与关键字 3、22、27、40、80 和 96 分别对应的起始桶是 $f(3)$=3，$f(22)$=0，$f(27)$=5，$f(40)$=7，$f(80)$=3 和 $f(96)$=8。

其他的散列函数在本书网站上给出。

3. 冲突和溢出

图 10-2a 的散列表有 11 个桶，序号从 0 到 10，而且每一个桶可以存储一个数对。图中只显示了关键字。除数 D 为 11。因为 80%11=3，则 80 的位置为 3，40 的位置为 40%11=7，65 的位置为 65%11=10。每个数对都在相应的起始桶中。散列表余下的桶为空。

现在假设要插入 58。58 的起始桶为 $f(58)$=58%11=3。这个桶已被另一个关键字占用。这时就发生了冲突。当两个不同的关键字所对应的起始桶相同时，就是**冲突**（collision）发生了。因为一个桶可以存储多个数对，因此发生碰撞也没什么了不起。只要起始桶足够大，所有对应同一个起始桶的数对都可存储在一起。如果存储桶没有空间存储一个新数对，就是**溢出**（overflow）发生了。

在我们的例子中，每个桶只能存储一个数对，因此碰撞和溢出同时发生。如果 58 不能放在起始桶，那么放到哪里呢？这个问题由溢出处理方法来解决。最常用的方法是线性探查法（见 10.5.3 节）。其他方法，例如平法探查法和双重散列法，都在本书网站上给出。

4. 我需要一个好的散列函数

单就冲突而言并不可怕，可怕的是它会带来溢出，除非一个桶可以容纳无限多个数对，否则插入时的溢出就不是

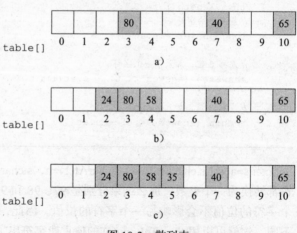

图 10-2　散列表

那么容易解决的问题了。当映射到散列表中任何一个桶里的关键字数量大致相等时，冲突和溢出的平均数最少。**均匀散列函数**（uniform hash function）便是这样的函数。

例 10-9[均匀散列函数] 假定散列有 b 个桶，且 $b>1$，桶的序号从 0 到 $b-1$。如果对所有的 k，散列函数 $f(k)=0$，那么 $f(k)$ 就不是一个均匀散列函数，因为它把所有的关键字都映射到一个 0 号桶里。这样的散列函数使冲突和溢出的数量最大。假设 $b=11$，关键字范围为 $[0,98]$。一个均匀散列函数应该把大约每 9 个关键字映射到一个桶里。如果关键字范围为 $[0,999]$，那么它应该把大约每 91 个关键字映射到一个桶里。

函数 $f(k)=k\%b$ 对范围 $[0,r]$ 内的关键字是均匀散列函数，其中 r 是正整数。例如，当 $r=20$ 和 $b=11$ 时，一些桶有 2 个关键字，另一些桶有 1 个关键字。当 $r=50$ 和 $b=11$ 时，一些桶有 5 个关键字，另一些桶有 4 个关键字。一般来说，只要 r 和 b 大于 1，那么一些桶有 $\lceil r/b \rceil$ 个关键字，另一些桶有 $\lfloor r/b \rfloor$ 个关键字。除法产生均匀散列函数。 ■

如果要从关键字范围内均匀地选择一组关键字，那就要用均匀散列函数。遗憾的是，我们没有说明如何使用这种方法。在应用中，字典关键字都有某种程度的关联性。例如，当关键字是整数时，可能是奇数占优或偶数占优，不会是奇数和偶数均等。当关键字是字母数字形式的时候，前缀或后缀相同的关键字可能会扎堆儿。在实际应用中，关键字不是从关键字范围内均匀选择的，因此有的均匀散列函数表现好一点，有一些就差一些。那些在实际应用中性能表现好的均匀散列函数被称为**良好散列函数**（good hash function）。

例 10-10[选择散列函数的除数 D] 当散列函数 $f(k)=k\%D$（$D=b$）时，对于 D 的选择，有些会产生良好散列函数，有些会产生不良散列函数。但是只要 $D>1$，对 D 的所有选择，都会产生均匀散列函数。

假设 D 是偶数。当 k 是偶数时，$f(k)$ 是偶数；当 k 是奇数时，$f(k)$ 是奇数。例如 $k\%20$，当 k 是偶数时为偶数，当 k 是奇数时为奇数。如果你的应用以偶数关键字为主，那么大部分关键字都被映射到序号为偶数的起始桶里。如果你的应用以奇数关键字为主，那么大部分关键字都被映射到序号为奇数的起始桶里。因此，选择 D 为偶数，得到的是不良散列函数。

当 D 可以被诸如 3、5 和 7 这样的小奇数整除时，不会产生良好散列函数。因此，要使除法散列函数成为良好散列函数，你要选择的除数 D 应该既不是偶数又不能被小的奇数整除。理想的 D 是一个素数。当你不能用心算找到一个接近散列表长度的素数时，你应该选择不能被 2 和 19 之间的数整除的 D。选择 D 时的其他考量在 10.5.3 节和 10.5.4 节中讨论。 ■

因为在实际应用的字典中，关键字是相互关联的，所以你所选择的均匀散列函数，其值应该依赖关键字的所有位（而不是仅仅取决于前几位，或后几位，或中间几位）。本书网站上的散列函数具有这样的性质，因此它们都是良好散列函数。当使用除法散列函数时，选择除数 D 为奇数，可以使散列值依赖关键字的所有位。当 D 既是素数又不能被小于 20 的数整除，就能得到良好散列函数。

5. 除法和非整型关键字

为使用除法散列函数，在计算 $f(k)$ 之前，需要把关键字转换为非负整数。因为所有散列函数都把若干个关键字散列到相同的起始桶，所以没有必要把关键字转换为统一的非负整数。只要把串数据、结构和算法转换为相同的整数就可以了。

例 10-11[把字符串转换为整数] 程序 10-13 不能扩展到把任意长度的字符串关键字转换为数值，因为长整型仅有 32 位。现在没有必要把字符串转换为唯一的非负整数，因此可以把每一个字符串，不论多长，转换为一个 16 位整数。程序 10-14 是这样做的一种方法。

程序 10-14　把一个字符串转换为一个不唯一的整数

```
int stringToInt(string s)
{// 把 s 转换为一个非负整数，这种转换依赖 s 的所有字符
   int length = (int) s.length();              // s 中的字符个数
   int answer = 0;
   if (length % 2 == 1)
   {// 长度为奇数
      answer = s.at(length - 1);
      length--;
   }

   // 长度是偶数
   for (int i = 0; i < length; i += 2)
   {// 同时转换两个字符
      answer += s.at(i);
      answer += ((int) s.at(i + 1)) << 8;
   }

   return (answer < 0) ? -answer : answer;
}
```

程序 10-14 使用程序 10-13 的技术，逐对儿地把字符转换为一个唯一整数，并累计求和。本来可以简单地把所有字符加起来（不用每隔一个字符做一次左移 8 位的操作），得到的整数不会超过 8 位，即使长度为 8 的字符串转换为整数也最多占 11 位。而现在的移位操作覆盖了整数的所有位，即使是长度为 2 的字符串。　■

C++ 的 STL 中的模板类 hash<T> 是实现散列的一个专业版，它把类型为 T 的实例转换为类型为 size_t 的非负整数。程序 10-15 是 hash<T> 的一个专业版，其中 T 是 STL 串。这个特化版与 SGI STL 的 hash<char*> 是一致的。

程序 10-15　专业版 hash<string>

```
template<>
class hash<string>
{
   public:
      size_t operator()(const string theKey) const
      {// 把关键字 theKey 转换为一个非负整数
         unsigned long hashValue = 0;
         int length = (int) theKey.length();
         for (int i = 0; i < length; i++)
            hashValue = 5 * hashValue + theKey.at(i);

         return size_t(hashValue);
      }
};
```

10.5.3　线性探查

1. 方法

要在图 10-2a 的散列表中把 58 放进去，最简单方法是找到下一个可用的桶。这种解决溢出的方法叫作**线性探查**（Linear Probing）。

58 因此被存储在 4 号桶。假设下一个要插入的数对关键字为 24，24%11=2，2 号桶为空，于是把 24 放入 2 号桶。这时的散列表如图 10-2b 所示。现在要插入 35。35 的起始桶 2 已满。用线性探查，结果如图 10-2c 所示。最后一例，插入 98。它的起始桶 10 已满，而下一个可用桶是 0 号桶，于是 98 被插入在此。由此看来，在寻找下一个可用桶时，散列表被视为环形表。

明白了怎样用线性探查法进行插入的过程，就可以设计散列表的搜索方法。假设要查找关键字为 k 的数对，首先搜索起始桶 $f(k)$，然后把散列表当做环表继续搜索下一个桶，直到以下情况之一发生为止：1）存有关键字 k 的桶已找到，即找到了要查找的数对；2）到达一个空桶；3）又回到起始桶 $f(k)$。后两种情况说明关键字为 k 的数对不存在。

删除一个记录要保证上述的搜索过程可以正常进行。若在图 10-2c 中删除了关键字 58，不能仅仅把 4 号桶置为空，否则就无法找到关键字为 35 的数对。删除需要移动若干个数对。从删除位置的下一个桶开始，逐个检查每个桶，以确定要移动的元素，直至到达一个空桶或回到删除位置为止。在做删除移动时，一定要注意，不要把一个数对移到它的起始桶之前，否则，对这个数对的查找就可能失败。

实现删除的另一个策略是为每个桶增加一个域 neverUsed。在散列表初始化时，这个域被置为 true。当一个数对存入一个桶中时，neverUsed 域被置为 false。现在，搜索的结束条件 2）变成：桶的 neverUsed 域为 true。不过在删除时，只是把表的相应位置置为空。一个新元素被插入在其对应的起始桶之后所找到的第一个空桶中。注意，在这种方案中，neverUsed 不会重新置为 true。用不了多长时间，所有（或几乎所有）桶的 neverUsed 域都等于 false，这时搜索是否失败，只有检查所有的桶之后才可以确定。为了提高性能，当很多空桶的 neverUsed 域等于 false 时，必须重新组织这个散列表。例如，可把所有余下的数对都插到一个空的散列表中。

2. 线性探查的 C++ 实现

程序 10-16 是散列表类 hashTable 的数据成员和构造函数，这个类使用了线性探查法。注意，散列表用一维数组 table[] 表示，类型为 pair<const K,E>*。

程序 10-16 hashTable 的数据成员和构造函数

```cpp
// 散列表的数据成员
pair<const K, E>** table;        // 散列表
hash<K> hash;                    // 把类型 K 映射到一个非整数
int dSize;                       // 字典中数对个数
int divisor;                     // 散列函数除数
// 构造函数

template<class K, class E>
hashTable<K,E>::hashTable(int theDivisor)
{
    divisor = theDivisor;
    dSize = 0;

    // 分配和初始化散列表数组
    table = new pair<const K, E>* [divisor];
    for (int i = 0; i < divisor; i++)
        table[i] = NULL;
}
```

程序 10-17 给出了 hashTable 的搜索函数 search。函数的返回值是一个桶的序号 b，它满足如下三种情形之一，1）table[b] 是一个指针，指向关键字为 theKey 的数对；2）散列表没有关键字为 theKey 的数对，table[b]=NULL，需要时，可以把关键字为 theKey 的数对插到 b 号桶；3）散列表没有关键字为 theKey 的数对，但是 table[b] 不是 NULL，table[b] 的关键字不是 theKey，而且表已满。

程序 10-17   hashTable<K,E>::search

```
template<class K, class E>
int hashTable<K,E>::search(const K& theKey) const
{// 搜索一个公开地址散列表，查找关键字为 theKey 的数对
 // 如果匹配的数对存在，返回它的位置，否则，如果散列表不满，
 // 则返回关键字为 theKey 的数对可以插入的位置

   int i = (int) hash(theKey) % divisor;              // 起始桶
   int j = i;                                          // 从起始桶开始
   do
   {
      if (table[j] == NULL || table[j]->first == theKey)
         return j;
      j = (j + 1) % divisor;                           // 下一个桶
   } while (j != i);                                   // 是否返回到起始桶？

   return j;                                           // 表满
}
```

程序 10-18 实现了查找函数 hashTable<K,E>::find。

程序 10-18   hashTable<K,E>::find

```
template<class K, class E>
pair<const K,E>* hashTable<K,E>::find(const K& theKey) const
{// 返回匹配数对的指针
 // 如果匹配数对不存在，返回 NULL
   // 搜索散列表
   int b = search(theKey);

   // 判断 table[b] 是否是匹配数对
   if (table[b] == NULL || table[b]->first != theKey)
      return NULL;                                     // 没有找到

   return table[b];                                    // 找到匹配数对
}
```

程序 10-19 是 insert 函数的实现代码。它首先调用搜索函数 search。根据 search 函数的说明，如果返回的 b 号桶是空的，则表中没有关键字为 thePair.first 的数对，该数对 thePair 可以插到该桶中。若返回的桶非空，则要么在表中已存在关键字为 thePair.first 的数对，要么表已满。在前一种情况下，把该桶中的数对值改为 thePair.second。在后一种情况下，抛出一个异常。练习 26 要求编写 erase 函数的代码。

程序 10-19   hashTable<K,E>::insert

```
template<class K, class E>
void hashTable<K,E>::insert(const pair<const K, E>& thePair)
```

```
{// 把数对thePair插入字典. 若存在关键字相同的数对, 则覆盖
// 若表满, 则抛出异常
  // 搜索散列表, 查找匹配的数对
  int b = search(thePair.first);

  // 检查匹配的数对是否存在
  if (table[b] == NULL)
  {
     // 没有匹配的数对, 而且表不满
     table[b] = new pair<const K,E> (thePair);
     dSize++;
  }
  else
  {// 检查是否有重复的关键字数对或是否表满
     if (table[b]->first == thePair.first)
     {// 有重复的关键字数对, 修改table[b]->second
        table[b]->second = thePair.second;
     }
     else                                         // 表满
        throw hashTableFull();
  }
}
```

3. 性能分析

我们只分析时间复杂度。设 b 为散列表的桶数，D 为散列函数的除数，且 $b=D$。散列表初始化的时间为 $O(b)$。当表中有 n 个记录时，最坏情况下的插入和查找时间均为 $\Theta(n)$。当所有关键字都对应同一个起始桶时，便是最坏情况。把字典的散列在最坏情况下的复杂度与线性表在最坏情况下的复杂度相比较，二者完全相同。

然而，就平均性能而言，散列远远优于线性表。令 U_n 和 S_n 分别表示在一次成功搜索和不成功搜索中平均搜索的桶数，其中 n 是很大的值。这个平均值是由插入的 n 个关键字计算得来的。对于线性探查，有如下近似公式：

$$U_n \approx \frac{1}{2}\left(1+\frac{1}{(1-\alpha)^2}\right) \tag{10-3}$$

$$S_n \approx \frac{1}{2}\left(1+\frac{1}{(1-\alpha)}\right) \tag{10-4}$$

其中 $\alpha=n/b$ 为**负载因子**（loading factor）。公式（10-3）得来不易，但是公式（10-4）可以从公式（10-3）比较容易地推导出来。

从公式（10-3）和公式（10-4）可以证明，当 $\alpha=0.5$ 时，一次不成功的搜索将平均查找 2.5 个桶，一次成功的搜索将平均查找 1.5 个桶。当 $\alpha=0.9$ 时，这些数字分别为 50.5 和 5.5。当然，这时假定 n 比 51 大得多。当负载因子比较小时，使用线性探查，散列的平均性能比线性表的平均性能要优越许多。一般情况下都是 $\alpha \leqslant 0.75$。

4. 随机探查分析

为了知道在确定 U_n 和 S_n 的时候都用到哪些知识，我们从随机探查法处理溢出的过程中来推导 U_n 和 S_n 的公式。在随机探查中，当溢出发生时，以随机的方式为新数对寻找插入位置（在实际应用中，用随机数生成器产生一个桶的搜索序列，然后用这个序列去确定插入位置）。

U_n 公式的导出使用了下面概率论定理的结果。

定理 10-1 设 p 是某一事件发生的概率。为了该事件发生，独立试验的期望次数是 $1/p$。

为理解定理 10-1 的意义，假定掷一枚硬币，硬币正面落地的概率是 $p=1/2$，为此你希望投掷的次数是 $1/p=2$。一个骰子有 6 面，从 1 到 6。当你投骰子时，出现奇数的概率是 $p=1/2$，为此你希望投掷的次数是 $1/p=2$。出现 6 的概率是 $p=1/6$，为此你希望投掷的次数是 $1/p=6$。

U_n 公式按如下方式导出：当装载因子是 α 时，一个桶有数对的概率是 α，没有数对的概率为 $p=1-\alpha$。在随机探查中，使用一个独立试验序列进行搜索，一次失败的搜索是找到一个空桶，为此，我们期望搜索的桶数是

$$U_n \approx \frac{1}{p} = \frac{1}{1-\alpha} \tag{10-5}$$

S_n 公式可以从 U_n 公式推导出来。按照插入顺序，给散列表的 n 个记录编号为 1，2，…，n。当插入第 i 个数对时，首先通过一次不成功的搜索找到一个空桶，然后把该数对插到这个空桶里。在插入第 i 个数对时，装载因子是 $(i-1)/b$，其中 b 是桶数。从公式（10-5）得出，在搜索第 i 个桶时，查看的期望桶数是

$$\frac{1}{1-\dfrac{i-1}{b}}$$

假设每一个数对搜索的概率是相等的，由此得到

$$S_n \approx \frac{1}{n}\sum_{i=1}^{n}\frac{1}{1-\dfrac{i-1}{b}} = \frac{1}{n}\sum_{i=0}^{n-1}\frac{1}{1-\dfrac{i}{b}} \approx \frac{1}{n}\int_{i=0}^{n-1}\frac{1}{1-\dfrac{i}{b}}\,\mathrm{d}i \approx \frac{1}{n}\int_{i=0}^{n}\frac{1}{1-\dfrac{i}{b}}\,\mathrm{d}i$$

$$= -\frac{b}{n}\log_e(1-i/b)\Big]_0^n = -\frac{1}{\alpha}\log_e(1-\alpha) \tag{10-6}$$

就需要查看的桶数而言，线性探查的性能不如随机探查。例如，当 $\alpha=0.9$ 时，使用线性探查进行一次不成功的搜索而期望查看的桶数是 50.5，而用随机探查时，这个数降到 10。那么我们为什么不使用随机探查呢？有下面两个原因：

- 真正影响运行时间的不是要查看的桶数。计算一个随机数比查看若干个桶更需要时间。
- 随机探查是用随机方式搜索散列表，高速缓存使运行时间增大。因此，尽管随机探查需要查看的桶数要比线性探查少，但是它实际使用的时间很多，除非装载因子接近 1。

5. 选择一个除数 D

为了确定 D 的值，我们首先要确定，对成功的搜索和不成功的搜索而言，什么样的性能是可以接受的。使用 U_n 和 S_n 的公式，可以确定 α 的最大值。根据 n 的值（或是一个估计值）和 α 的计算值，可以确定 b 的最小许可值。下面我们来寻找一个至少和值 b 一样大的整数，它或是一个素数，或是一个不能被小于 20 的数整除的数。这个整数可以用作 D 和 b 的值。

例 10-12 设计一个可容纳近 1000 个数对的散列表。要求成功搜索时的平均搜索桶数不得超过 4，不成功搜索时的平均搜索桶数不得超过 50.5。由 U_n 的公式，得到 $\alpha \leqslant 0.9$，由 S_n 的公式，得到 $4 \geqslant 0.5+1/(2(1-\alpha))$ 或 $\alpha \leqslant 6/7$。因此，$\alpha \leqslant \min\{0.9, 6/7\}=6/7$。因此 b 最小为 $\lceil 7n/6\rceil = 1167$。$b=D=1171$ 是一个合适的值。 ∎

另一种计算 D 的方法是，根据散列表可用空间的最大值来确定 b 的最大可能值，然后取 D 为不大于 b 的最大整数，而且要么是素数，要么不能被小于 20 的数整除。例如，如果散列表最多有 530 个桶，则 23*23=529 是 D 和 b 的最佳选择。

10.5.4 链式散列

1. 方法

如果散列表的每一个桶可以容纳无限多个记录，那么溢出问题就不存在了。实现这个目标的一个方法是给散列表的每一个位置配置一个线性表。这时，每一个数对可以存储在它的起始桶线性表中。现在我们来考察每一个桶都是有序链表的情况。图 10-3 是这种散列表的一个例子，散列函数的除数是 11。

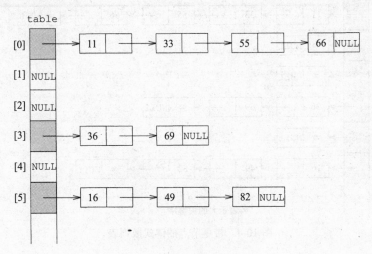

图 10-3 链式散列表

为搜索关键字值为 k 的记录，首先计算其起始桶，$k\%D$，然后搜索该桶所对应的链表。为插入一个记录，首先要保证散列表没有一个记录与该记录的关键字相同，为此而进行的搜索仅限于该记录的起始桶所对应的链表。要删除一个关键字为 k 的记录，我们要搜索它所对应的起始桶链表，找到该记录，然后删除。

2. 链式散列表的 C++ 实现

类 hashChains 用一组 table[0:divisor−1] 实现字典，数组元素类型是 sortedChain<K,E>（见 10.3 节）。程序 10-20 是类 hashChains 的一些重要方法。

程序 10-20 hashChains 的一些方法

```
template<class K, class E>
pair<const K, E>* find(const K& theKey) const
   {return table[hash(theKey) % divisor].find(theKey);}

void insert(const pair<const K, E>& thePair)
{
   int homeBucket = (int) hash(thePair.first) % divisor;
   int homeSize = table[homeBucket].size();
   table[homeBucket].insert(thePair);
   if (table[homeBucket].size() > homeSize)
      dSize++;
}

void erase(const K& theKey)
   {table[hash(theKey) % divisor].erase(theKey);}
```

3. 一种改进的实现方法

在图 10-4 的每个链表上增加一个尾节点，可以改进一些程序的性能。尾节点的关键字值最起码要比插入的所有数对的关键字都大。在图 10-4 中，尾节点的关键字用 ∞ 来表示。在实际应用中，当关键字为整数时，可以用 limits.h 文件中定义的 INT_MAX 常量来替代 ∞。有了尾节点，就可以省去在 sortedChain 的方法中出现的大部分对空指针的检验操作。注意，在图 10-4 中，每个链表都有不同的尾节点，而实际上，所有链表可共用一个尾节点。

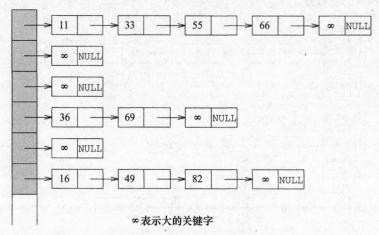

∞表示大的关键字

图 10-4　带尾节点的链式散列表

4. 与线性探查比较

把线性探查与不带尾节点的链式散列做明确比较。首先考察空间需求。假设一个指针需要 2 字节，一个字典数对需要 s 字节。在线性探查的实现中，b 个桶的散列需要 $2b$ 字节空间，n 个数对需要 sn 字节空间。当使用有序链表时，我们需要 b 个 firstNode 指针空间、b 个 dSize 变量空间、n 个数对空间和 n 个 next 指针空间。假设一个整型占 2 字节，总空间是 $4b+(s+2)n$ 字节。两个分析都忽略了数据成员 hashTable 和 hashChains 的空间，这些空间的大小独立于 b 和 n。线性探查需要的空间是 $2b+sn$ 字节，小于有序链式散列需要的空间。

在最坏情况下，用两种方法进行搜索时，都要考察所有 n 个关键字。使用链式散列时一次搜索不成功和成功的平均性能分别用 U_n 和 S_n 表示。它们也可以在线性探查中使用，只要把桶数记成节点数。U_n 和 S_n 可用如下方法计算。对一条有 i 个节点的有序链表，一次不成功搜索可能要检查 1，2，3，…，或 i 个节点，其中 $i \geq 1$。考虑图 10-3 的链表 table[3]。搜索一个小于 36 的关键字需要检查一个节点；搜索一个大于 36 小于 69 的关键字要检查两个节点。对于 i 个节点的链表，有 $i+1$ 种可能的范围使搜索关键字失败。若每种可能的概率相同，则一次不成功搜索需要检查的节点数为：

$$\frac{1}{i+1}\left(i+\sum_{j=1}^{i} j\right) = \frac{1}{i+1}\left(i+\frac{i(i+1)}{2}\right) = \frac{i(i+3)}{2(i+1)}$$

其中 $i \geq 1$。当 $i=0$ 时，平均检查的节点数为 0。对于链式散列，假定链表的平均长度为 $n/b=\alpha$。当 $\alpha \geq 1$ 时，可用 α 代替上面公式中的 i，从而得到：

$$U_n \approx \frac{\alpha(\alpha+3)}{2(\alpha+1)} \qquad \alpha \geq 1 \tag{10-7}$$

当 $\alpha<1$ 时，由于链表的平均长度为 α，搜索次数不可能比节点数多，因此 $U_n \leq \alpha$。

计算 S_n 时，需要知道 n 个标志符距其链表头节点的平均距离。为了计算距离，假设各标志符是按升序插入的。这个假设并不影响标志符在各自链表中的位置。当插入第 i 个标志符时，其所在链表的平均长度为 $(i-1)/b$。由于标志符按升序插入，所以第 i 个标志符被插入相应链表的尾部。因此对该标志符的搜索需检查 $1+(i-1)/b$ 个节点。还要注意，当标志符按升序插入时，它距链表头节点的距离并不随着以后的插入操作而改变。假定 n 个标志符中每一个被搜索的概率都相同，则有

$$S_n = \frac{1}{n}\sum_{i=1}^{n}\{1+(i-1)/b\} = 1 + \frac{n-1}{2b} \approx 1 + \frac{\alpha}{2} \tag{10-8}$$

把采用链表时的性能公式与采用线性和随机探查时的性能公式比较，可以看到，从平均数上看，使用链表时要检查的节点数比使用线性和随机探查时要检查的桶数少。例如，当 $\alpha=0.9$ 时，在链式散列中，一次不成功搜索平均要检查 0.9 个节点，而一次成功搜索平均要检查 1.45 个节点。另一方面，在线性探查中，不成功搜索时需要检查 50.5 个桶，成功搜索时需要检查 5.5 个桶。

5. 与跳表比较

跳表和散列均使用了随机过程来提高字典操作的性能。在使用跳表时，插入操作用随机过程来决定一个数对的级。级的分配对于要插入的数对不考虑其关键字。在使用散列时，散列函数给不同数对分配的桶是随机分布的。散列函数利用待插入数对的关键字。

通过使用随机过程，跳表和散列操作的平均复杂度分别是对数级和常数级。跳表方法的最坏时间复杂度为 $\Theta(n+maxLevel)$，而散列的最坏时间复杂度为 $\Theta(n)$。跳表中指针平均占用的空间约为 $maxLevel+n/(1-p)$；最坏情况需要 $maxLevel*(n+1)$ 个指针空间。就最坏情况下的空间需求而言，跳表远远大于链式散列。链式散列需要的指针空间为 $D+n$。

不过，跳表比散列更灵活。例如，只需简单地沿着 0 级链就可以在线性时间内按关键字升序输出所有的元素。使用链式散列时，需要 $\Theta(D)$ 时间去收集最多 D 个非空链表，另外需要 $O(n\log D)$ 时间把有序链表按关键字升序合并。合并过程如下：1）把链表放到一个队列中；2）从队列中提取一对链表，把它们合并为一个有序链表，然后放入队列；3）重复步骤 2），直至队列中仅剩一个链表。其他的操作，如查找或删除其关键字最大或最小的数对，使用散列也要花费更多的时间（仅考虑平均复杂度）。

练习

10. 用理想散列来实现字典的 C++ 类。假设关键字是介于 0 ~ maxKey 之间的整数，maxKey 是在创建字典时由用户指定的。测试你的代码。

11. 令 u 和 v 是两个不同的字符串，长度为 3。证明，程序 10-13 把它们转换为不同的数字。

12. 编写一个函数，它把程序 10-13 的返回值转变为原来的字符串。

13. 在下列说明的散列函数中，哪一个是均匀散列函数（b 为散列表中桶的数量）？并说明原因。

　1）关键字是 [0,999] 内的整数，$b=50$，$f(k)=k\%47$。

　2）关键字是 [0,999] 内的偶数，$b=70$，$f(k)=k\%70$。

　3）关键字是 [0,999] 内的奇数，$b=70$，$f(k)=k\%70$。

　4）关键字是取自英语字母表的三个小写字母，$b=70$，$f(k)=$ 关键字 k 的第一个字母。

14. 一个散列表有 b 个桶，散列函数是 $f(k)=k\%b$。下列一组 b 值哪一个符合例 10-10 中对除数的要求？即哪一个可以给我们带来良好散列函数？

1）b=93

2）b=37

3）b=1024

4）b=529

15. 按照例 10-11 后面提出的建议，编写一个函数，把一个字符串转换为一个整数。即使大多数字符是 ASCII 码，且字符串并不长，该函数也应该覆盖正整数范围。

16. 编写一个函数，把一个双浮点数转换为一个可以用作除法散列函数的整数。

17. 使用线性探查，散列表的桶数 b=13，散列函数 $f(k)$=k%b。从空表开始插入，关键字依次为 7、42、25、70、14、38、8、21、34、11。请按关键字顺序插入。

1）每插入一个关键字，画一张图。

2）插入最后一个关键字之后，装载因子是多少？

3）在一次失败的搜索中，最多和平均查找的桶数各是多少？

4）在一次成功的搜索中，最多和平均查找的桶数各是多少？

5）使用你的装载因子和线性探查公式（10-3）和公式（10-4），计算 U_n 和 S_n。如何把它们的值与 3）和 4）的值比较？解释它们的差别。

18. 在 b=17 的条件下做练习 17。

19. 在 b=27 的条件下做练习 17。

20. 设计一个实验，确定 U_n 公式和 S_n 公式对线性探查的精确度。进行实验后把实验结果呈现在一个表中，包含测量值和计算值。

21. 1）由公式（10-3）推导出公式（10-4）。用相同的方法由公式（10-5）推导出公式（10-6）。

2）可以用这种方法从公式（10-7）推导出公式（10-8）吗？为什么？

22. 为线性探查和随机探查设计一个表，记录 α=0.1, 0.2, 0.3, $\cdots$, 0.9 条件下的 U_n 和 S_n 的值。

23. 采用线性探查，分别在下列每一种情况下，为散列函数的除数 D 确定合适的值。

1）n=50，$S_n \le 3$，$U_n \le 20$。

2）n=500，$S_n \le 5$，$U_n \le 60$。

3）n=10，$S_n \le 2$，$U_n \le 10$。

24. 分别在下列每一种条件下，为散列函数的除数 D 确定合适的值。对这样的 D 值，确定 S_n 和 U_n 为 n 的函数。假设采用线性探查。

1）MaxElements $\le$ 530。

2）MaxElements $\le$ 130。

3）MaxElements $\le$ 150。

25. 为程序 10-19 的方法 hashTable<K,E>::insert 编写另一个版本。每当装载因子超过用户指定的值时，表长就近似地加倍。这个装载因子是在散列表初始化时和初始容量一起指定的。明确地讲，表的长度是奇数（除数也是奇数）；每当装载因子超值时，新的表长为 2*(oldtablesize)+1。虽然这种方法不是按照我们指定的规则选择除数的，但是这种方法避免了用偶数做除数，而且容易实现。

26. 编写方法 hashTable<K,E>::erase 的代码。不要改变 hashTable 的任何成员。计算代码的最坏情况下的复杂度。用合适的数据测试代码的正确性。

27. 开发一个基于线性探查的散列表类，要求用 neverUsed 思想进行删除操作。为每个方法编写 C++ 代码。其中有一个方法，它在 60% 的空桶的 neverUsed 域的值为 false 时，重新

组织散列表。重新组织散列表的过程要在必要时移动记录，重新组织之后，每个空桶的
neverUsed 域的值为 true。测试代码的正确性。

28. 1）实现一个基于二次探查（quadratic probing）的散列表类。不用实现删除方法。从本书
网站上去查看二次探查的描述。

   2）把你的类和 10.5.3 节的 hashTable 类做性能比较。用实验方法测量成功搜索和失败搜索
   的关键字平均比较次数，以及实际运行时间。

29. 用双重散列法（double hashing）而非二次探查法来做练习 28。从本书网站查看双重散列
的描述。

30. 在分别用线性探查和链式散列表生成访问序列时，都各有什么困难？

31. 在链式散列表条件下做练习 17。

32. 在链式散列表条件下做练习 20。

33. 开发新类 sortedChainWithTail，其中有序链表有一个尾节点。在操作开始时，把要搜索、
插入或删除的数对或关键字放入尾节点中以简化代码。对有尾节点和没有尾节点的类做时
间性能比较。

34. 从头开发 chainedHashTable 类，实现 dictionary 的所有方法。不使用任何链表类的方法实
现插入和删除。测试代码。

35. 设计一个链式散列表类 hashChainsWithTails，其中的链表是类 sortedChainWithTail（见练
习 33）的实例。比较 hashChains 类和 hashChainsWithTails 类的时间性能。

36. 设计一个类 hashChainsWithTail，其中每个散列链表都是一个有尾节点的有序链表，而且
所有链表在物理上都共享一个尾节点。不使用任何链表类的方法实现插入和删除。和类
hashChains（见程序 10-20）比较时间性能。

37. 为了简化链式散列的插入和删除操作，可以在每个链表中加一个头节点。现在，所有的插
入和删除都在头尾节点之间进行。以前在链表的头部进行插入和删除的情形不存在了。

   1）所有的链表是否能使用同一个头节点？为什么？

   2）是否需要在头节点的关键字域设置一个特定的值？为什么？

   3）从头开发和测试一个类 hashChainsWithHeadersAndTail，其中每一个链表都有一个头节
   点和一个尾节点。编写所有函数的代码。不使用任何链表类的方法实现插入和删除。
   包含类 hashChains 的所有方法。

   4）指出下列三种链式散列的优缺点：有头节点和尾节点的；只有尾节点的；既没有头节
   点也没有尾节点的。你会推荐哪一种？为什么？

38. 1）实现一个散列表类，它把迭代器向量应用到数对线性表。数对线性表是 STL 类 list 的
   实例。所有起始桶为 0 的数对是线性表的首元素。在迭代器向量中的第 i 个迭代器指
   向第 i 个起始桶链表的第一个数对。测试你的代码。

   2）与 10.5.4 节的类 hashChains 比较性能，用实验方法测量成功搜索和失败搜索的关键字
   平均比较次数，以及实际运行时间。

39. 对 hashChains<K,E>::inert 做练习 25。

40. 1）设计一个实验，用来比较 sortedChain、skipList、hashTable、hashChains 和 hash_map
   的时间性能。因为本书没有实现 hashTable<K,E>::erase，所以只需对 find 和 insert 方
   法进行实验。

   2）实施 1）的实验，测量运行时间。用表和条形图显示实验结果。

3）你建议用哪一个类实现字典算法？

41. 为链式散列表推导出 U_n 和 S_n 公式，其中链表无序。插入的节点总是附加在链表的右端。

10.6 一个应用——文本压缩

为了减少一个文本文件的磁盘空间，常常需要把该文本文件压缩编码后存储。例如，一个文本文件包含两个字符串，一个是由 1000 个 x 组成的字符串，另一个是由 2000 个 y 组成的字符串，如果不压缩存储，则需要 3002 字节（x 和 y 各占 1 字节，两个串结束符占 2 字节）。如果用游程长度编码（run-length coding），把它存储为字符串 1000x2000y，则仅为 10 个字母长，占用 12 字节。如果用二进制表示游程长度（1000 和 2000），还可以进一步节约空间。每个游程长度占用 2 字节，最大游程长度为 2^{16}。这样一来，例子中的字符串只需用 8 字节的存储空间。当要读取编码文件时，需要将其解码为原始文件。对文件进行编码的是**压缩器**（compressor），解码的**解压器**（decompressor）。

本节采用由 Lempel、Ziv 和 Welch 所开发的技术，设计对文本文件进行压缩和解压缩的 C++ 代码。这种技术称为 LZW 方法。

10.6.1 LZW 压缩

LZW 压缩方法把文本字符串映射为数字编码。首先，该文本串中所有可能出现的字母都被分配一个代码。例如，要压缩的文本串是 $S=$aaabbbbbbaabaaba，它由字符 a 和 b 组成，a 的代码是 0，b 的代码是 1。

字符串和编码的映射关系存储在一个数对字典中，每个数对形如（key, value），其中 key 是字符串，value 是该字符串的代码。本例的初始字典如图 10-5a 所示。

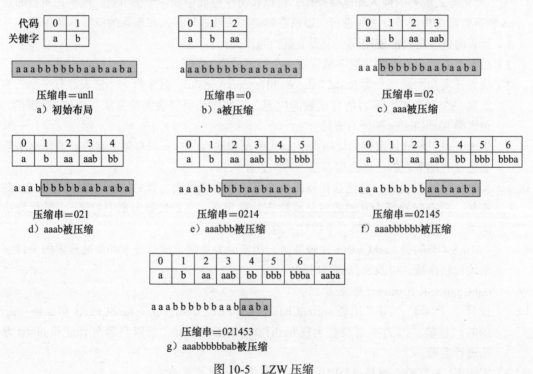

图 10-5 LZW 压缩

从图 10-5a 的初始布局开始，LZW 压缩器不断在文本串 S 的未编码部分（阴影部分）中寻找与字典中一个字符串相匹配的最长的字符串，并输出它的代码。这个字符串称前缀，用 p 表示。所谓 p 是最长的字符串，是指如果在 S 中存在下一个字符 c，则需要为 pc（pc 是前缀 p 加字符 c）分配一个代码，并将其插入字典。这种策略称为 LZW 规则（LZW rule）。

现在我们用 LZW 方法来压缩文本串 S。在文本串 S（图 10-5a 的阴影部分）中出现的起始字典中最长的前缀为 a，输出其编码 0。然后为字符串 aa（即 pc，p 是 a，c 是 a）分配代码 2，并插入字典中。图 10-5b 是现在的字典和 S 的布局。在 S 余下的字符串（阴影部分）中出现的字典中最长的前缀为 aa，输出它对应的代码 2，同时为字符串 aab 分配代码 3，并插入字典中，结果如图 10-5c 所示。注意，虽然为 aab 分配了代码 3，但仅输出了 aa 的代码 2，这是因为在读到字符串 aa 时，字符串 aab 还不是字典中的字符串，只是在 aa 按代码输出后，字符串 aab 才有了代码，并被插入字典中。后缀 b 将作为下一个代码的组成部分。编码表不是压缩文件的组成部分。相反，在解压时，只要严格遵循 LZW 规则，就可以使用压缩文件重建编码表。

输出代码 2 之后，输出 b 的代码，为 bb 分配代码 4，并插入字典中（见图 10-5d）。然后输出 bb 的代码，为 bbb 分配代码 5，并插入字典中（见图 10-5e）。输出 5，并为 bbba 分配代码 6，然后插入字典中（见图 10-5f）。接下来输出 aab 的代码 3，同时为 aaba 分配代码 7，并插入字典中（见图 10-5g）。结果文本串 S 的编码为 0214537。

10.6.2　LZW 压缩的实现

LZW 压缩程序包括的函数有：打开输入和输出文件（setFiles）、输出压缩文件（output）、按位读取输入文件和确定输出代码（compress）、主函数（main）。

1. 建立输入和输出流

给压缩器的输入是文本文件，从压缩器的输出是二进制文件。如果输入文件名为 inputFile，则输出文件名为 inputFile.zzz。进一步假定，用户在命令行中输入要压缩的文件名。若压缩程序为 compress，则命令行为

```
compress foo
```

就可以得到文件 foo 的压缩版本 foo.zzz。若用户没有输入文件名就应提醒用户输入。

函数 setFiles（见程序 10-21）创建输入输出流 in 和 out，它们分别是 ifstream 和 ostream 类型的全局变量。假定函数 main 的原型为：

```
void main (int argc , char*argv[])
```

argc 的值是命令行的参数个数，argv[i] 为指向第 i 个参数的指针。若命令行为

```
compress foo
```

则 argc 为 2，argv[0] 指向字符串 compress，argv[1] 指向 foo。

程序 10-21　建立输入和输出流

```
void setFiles(int argc, char* argv[])
{// 建立输入和输出流
   char outputFile[50], inputFile[54];
   // 检查是否有文件名
   if (argc >= 2)
```

```
        strcpy(inputFile, argv[1]);
    else
    {// 没有文件名，要求提供文件名
        cout << "Enter name of file to compress" << endl;
        cin >> inputFile;
    }

    // 打开二进制文件
    in.open(inputFile, ios::binary);
    if (in.fail())
    {
        cerr << "Cannot open " << inputFile << endl;
        exit(1);
    }
    strcpy(outputFile, inputFile);
    strcat(outputFile, ".zzz");
    out.open(outputFile, ios::binary);
}
```

2. 字典组织

字典的每个数对都形如（key,value），其中 key 是一个字符串，value 是该字符串对应的一个整数代码。虽然 key 可以是很长的字符串，但是我们可以把它压缩为固定长度的串。注意，每一个长度为 $l>1$ 的字符串 key 都有这样的性质，它前面的 $l-1$ 个字符（称为 key 的前缀）是字典中另一个 key，而每一个字典数对的代码是唯一的（字符串也是唯一的），因此可以用代码代替前缀。在图 10-5 的例子中，关键字 aa 可以表示为 0a，aaba 可以表示为 3a。现在的字典形式如图 10-6 所示。

代码	0	1	2	3	4	5	6	7
关键字	a	b	0a	2b	1b	4b	5a	3a

图 10-6　aaabbbbbbaabaaba 修改后的 LZW 压缩字典

为了简化压缩文件的解码，每个代码的位数一样，而且假定都是 12 位长。因此最多分配 $2^{12}=4096$ 个代码。基于这个假定，文本串 S 的编码 0214537 需要 12*7=84 位，大约 11 字节。

因为每个字符占 8 位（假定每个字符都属于 256 个 ASCII 字符），所以一个关键字 key 是 20 位长（12 位用来表示前缀，8 位用来表示最后一个字符），而且可以用长整数（32 位）来表示。字典本身可以表示为链式散列表。若素数 DIVISOR=4099 用作散列函数的除数，则装载密度就会小于 1，因为字典最多有 4096 个记录。声明

```
hashChains<long, int>h(DIVISOR)
```

足以用来建立字典表。

3. 代码输出

因为每个代码是 12 位，每个字节是 8 位，所以输出的只能是代码的一部分，即一个字节。先输出代码的前 8 位，余下的 4 位留待其后输出。当要输出下一个代码时，加上前面余下的 4 位，共 16 位，可以作为 2 字节输出。程序 10-22 是输出函数的 C++ 代码。MASK1 为 255，MASK2 为 15，EXCESS 为 4，BYTE_SIZE 为 8。当且仅当有余位待输出时，bitsLeftOver 是 true。此时，余下的 4 位放在变量 leftOver 中。

程序 10-22　代码输出

```
void output(long pcode)
{// 输出 8 位，把剩余位保存
   int c, d;
   if (bitsLeftOver)
   {// 前面剩余的位
      d = int(pcode & MASK1);              // 右 ByteSize 位
      c = int((leftOver << EXCESS) | (pcode >> BYTE_SIZE));
      out.put(c);
      out.put(d);
      bitsLeftOver = false;
   }
   else
   {// 前面没有剩余的位
      leftOver = pcode & MASK2;            // 右 EXCESS 位
      c = int(pcode >> EXCESS);
      out.put(c);
      bitsLeftOver = true;
   }
}
```

4. 压缩

程序 10-23 是 LZW 压缩算法的代码。首先用 256 个（ALPHA=256）8 位 ASCII 字符和它们的代码对字典初始化。变量 codeUsed 记录目前已用的代码个数。因为每个代码为 12 位，则最多可分配 MAX_CODES=4096 个代码。为了在字典中寻找最长的前缀，我们按前缀的长度 1,2,3…的顺序查找，直到发现一个前缀在字典中不存在为止。这时就输出一个代码，并生成一个新代码（除非 4096 个代码全部用完）。

程序 10-23　LZW 压缩器

```
void compress()
{// L-Z-W 压缩器
   // 定义和初始化代码字典
   hashChains<long, int> h(DIVISOR);
   for (int i = 0; i < ALPHA; i++)
      h.insert(pairType(i, i));
   int codesUsed = ALPHA;

   // 输入和压缩
   int c = in.get();                       // 输入文件的第一个字符
   if (c != EOF)
   {// 输入文件不空
      long pcode = c; // 前缀代码
      while ((c = in.get()) != EOF)
      {// 处理字符 c
         long theKey = (pcode << BYTE_SIZE) + c;
         // 检查关键字 theKey 的代码是否在字典中
         pairType* thePair = h.find(theKey);
         if (thePair == NULL)
         {// 关键字 theKey 不在表中
            output(pcode);
            if (codesUsed < MAX_CODES)     // 建立新代码
               h.insert(pairType((pcode << BYTE_SIZE) | c, codesUsed++));
```

```
                 pcode = c;
               }
             else pcode = thePair->second;   // 关键字 theKey 在表中
         }

         // 输出最后的代码
         output(pcode);
         if (bitsLeftOver)
            out.put(leftOver << EXCESS);
      }

      out.close();
      in.close();
   }
```

5. 常量、全局变量和 main 函数

程序 10-24 给出了常量、全局变量和 main 函数。

程序 10-24　常量、全局变量和 main 函数

```
// 常量
const DIVISOR = 4099,                    // 散列函数的除数
      MAX_CODES = 4096,                  // 2^12
      BYTE_SIZE = 8,
      EXCESS = 4,                        // 12 - BYTE_SIZE
      ALPHA = 256,                       // 2^BYTE_SIZE
      MASK1 = 255,                       // ALPHA - 1
      MASK2 = 15;                        // 2^EXCESS - 1

typedef pair<const long, int> pairType ;
   // pair.first = key, pair.second = code

// 全局变量
int leftOver;                            // 待输出的代码位
bool bitsLeftOver = false;               // false 表示没有余下的位
ifstream in;                             // 输入文件
ofstream out;                            // 输出文件

void main(int argc, char* argv[])
{
   setFiles(argc, argv);
   compress();
}
```

10.6.3　LZW 解压缩

解压时，每次输入一个代码，然后把代码替换为相应的文本。从代码到文本的映射可按下面的方法重新构造。把分配给单一字符文本的代码插入字典中。像前面一样，字典记录的形式为代码 – 文本。然而此时是根据给定的代码去查找字典记录（而不是根据文本）。因此，在形如（key，value）的字典记录中，key 是代码，value 是代码表示的文本。压缩文件中的第一个代码对应于一个单一的字母，然后可以替换为该字母。对于压缩文件中的其他代码 p，要考虑到两种情况：1）代码 p 在字典中；2）代码 p 不在字典中。

1. 代码 p 在字典中的情形

当 p 在字典中时，找到与 p 对应的文本 text(p) 输出。由压缩器原理可知，如在压缩文件中，代码 q 出现在 p 之前，且 text(q) 是 q 对应的文本，则压缩器会为文本 text(q) 和文本 text(p) 的第一个字符 fc(p) 所连接构成的文本 text(q)fc(p) 分配一个新代码。于是在字典中插入数对（下一个代码，text(q)fc(p)）。

2. 代码 p 不在字典中的情形

只有在文本段中的形式为 text(q)text(q)fc(q) 和 text(p)=text(q)fc(q)，且相应的压缩文件段为 qp（其中 q 是文本 text(q) 的代码，p 是文本 text(q)fc(q) 的代码）的时候，在 qp 的解压缩过程中，当 q 被 text(q) 代替之后，代码 p 在字典中才不会有对应的文本，而这个文本应该是 text(q)fc(q)，其中 q 是在 p 前的代码。

3. 一个例子

让我们用这个解码策略来解压前面的字符串

aaabbbbbbaabaaba

这个串被压缩为代码 0214537。首先用 (0,a) 和 (1,b) 来初始化字典，使字典具有了前两个数对，如图 10-5 所示。压缩文件的第一个代码为 0，则用文本 a 代替。下一个代码 2 未定义，它前面的代码为 0，且 text(0)=a，fc(0)=a，因此 text(2)=text(0)fc(0)=aa。用 aa 代替 2，并把 (2,aa) 插入字典。下一个代码 1 由 text(1)=b 来代替，并把 (3,text(2)fc(1))=(3,aab) 插入字典。下一代码 4 不在字典中，它前面的代码为 1，因此 text(4)=text(1)fc(1)=bb。把 (4,bb) 插入字典，且将 bb 输出到解压文件。下一个代码是 5，(5,bbb) 被插入字典，同时把 bbb 输出到解压文件。下一代码为 3，text(3)=aab，于是把 aab 输出到解压文件，并将数对 (6,text(5)fc(3))=(6,bbba) 插入字典。最后遇到代码 7，把 (7,text(3)fc(3))=(7,aaba) 插入字典中，并输出 aaba。

10.6.4 LZW 解压缩的实现

与压缩算法的实现一样，解压缩的实现也要分几个子任务，每一个子任务都由一个函数来实现。因为解压缩函数 setFiles 与相应的压缩函数相比，功能非常相似，因此就不讨论了。

1. 字典组织

因为在解压缩过程中，我们是根据代码来查询字典，而且代码总数为 4096，所以我们可以用数组 ht[4096]，把 text(p) 储存在 ht[p] 中。使用数组 ht 的方式就像理想散列，散列函数 $f(k)=k$。同时像图 10-6 那样，把 text(p) 压缩存储为其前缀代码和最后一个字符（后缀）。在解压缩过程中，用两个域来分别存储前缀代码和后缀是很方便的。前缀代码存储的第一个域，后缀存储在第二个域。声明为

```
typedef pair<int, char>pairType;
pairType ht[MAX_CODES];
```

可以用来定义字典。于是，如果 text(p)=text(q)c，那么 ht[p].second 为字符 c，ht[p].first 等于 q。

采用这种字典组织方式，可从最后一个字符 ht[p].second 开始，按从右到左的次序，建构 text(q)，如程序 10-25 所示。当代码 ≥ ALPHA 时，从表 ht 中得到后缀；当代码 < ALPHA 时，代码就是相应字符的整数表示。text(p) 被收集到字符数组 s[ ] 中，然后输出。因为 text(p) 是从右到左收集储存的，所以 text(p) 的第一个字符存储在 s[size] 中。

程序 10-25   计算 text(code)

```
void output(int code)
{// 输出与代码 code 对应的串
    size = -1;
    while (code >= ALPHA)
    {// 字典中的后缀
        s[++size] = ht[code].second;
        code = ht[code].first;
    }
    s[++size] = code;                // code < ALPHA

    // 解压的串是 s[size] … s[0]
    for (int i = size; i >= 0; i--)
        out.put(s[i]);
}
```

2. 代码输入

由于 12 位代码在压缩文件中是按 8 位字节顺序表示的，所以要把 LZW 压缩器的函数 output（见程序 10-22）的处理过程颠倒过来。这个颠倒过程由 getCode 函数（见程序 10-26）来完成。此处唯一的新常量是 MASK，其值为 15，它可以帮助我们提取一个字节的低 4 位。

程序 10-26   从压缩文件中提取代码

```
bool getCode(int& code)
{// 把压缩文件中的下一个代码存入 code
 // 如果不再有代码, 返回 false
    int c, d;
    if ((c = in.get()) == EOF)
        return false;                // 不再有代码

    // 检查前面是否有剩余的位
    // 如果有，与其连接
    if (bitsLeftOver)
        code = (leftOver << BYTE_SIZE) | c;
    else
    {// 没有剩余的位，需要再加 4 位以凑足代码
     d = in.get();  // 另外 8 位
     code = (c << EXCESS) | (d >> EXCESS);
     leftOver = d & MASK;            // 存储 4 位
    }
    bitsLeftOver = !bitsLeftOver;
    return true;
}
```

3. 解压缩

程序 10-27 是 LZW 解压器。压缩文件的第一个代码在 while 循环体外解码，方法是用一个类型转换，而其他代码则在循环体内解码。在 while 循环的每一次迭代开始时，在 s[size]中存有上次输出的解码文本的第一个字符。为了使第一个循环也满足此条件，可以把 size 置为 0 且把 s[0] 置为压缩文件中第一个代码所对应的唯一的一个字符。

程序 10-27   LZW 解码器

```
void decompress()
{// 解压一个压缩文件
```

```
    int codesUsed = ALPHA;              // 当前代码 codeUsed

// 输入和解压缩
int pcode,                              // 前面的代码
    ccode;                              // 当前的代码
if (getCode(pcode))
{// 文件不空
    s[0] = pcode;                       // 取 pcode 的代码
    out.put(s[0]);                      // 输出 pcode 的串
    size = 0;                           // s[size] 是最后一个输出串的第一个字符

    while(getCode(ccode))
    {// 又一个代码
        if (ccode < codesUsed)
        {// 确定 ccode
            output(ccode);
            if (codesUsed < MAX_CODES)
            {// 建立新代码
                ht[codesUsed].first = pcode;
             ht[codesUsed++].second = s[size];
            }
        }
        else
        {// 特殊情况, 没有定义的代码
            ht[codesUsed].first = pcode;
            ht[codesUsed++].second = s[size];
            output(ccode);
        }
        pcode = ccode;
    }
}

    out.close();
    in.close();
}
```

while 循环体不停地从压缩文件中取得代码 ccode 并对其解码。代码 ccode 可能有以下两种情况: 1) 在字典中; 2) 不在字典中。当且仅当 ccode<codesUsed 时, ccode 在字典中, 其中 ht[0: codesUsed–1] 是 ht 表中已定义部分。在这种情况下, 用解压缩函数 output 和 LZW 规则来解码, 产生一个新代码, 其后缀是刚输出的与 ccode 相对应的文本的第一个字母。当 ccode 没有定义时, 即本节开始所讨论的情况, ccode 对应的文本是 text(pcode)s[size]。可根据此信息为 code 创建一个新码表, 然后输出与其相对应的解码后的文本。

4. 常量、全局变量和 main 函数

程序 10-28 是 LZW 解压缩程序所包含的常量、全局变量和 main 函数。

程序 10-28　解压缩程序所包含的常量、全局变量和 main 函数

```
// 常量
const MAX_CODES = 4096,                 // 2^12
      BYTE_SIZE = 8,
      EXCESS = 4,                       // 12 - BYTE_SIZE
      ALPHA = 256,                      // 2^BYTE_SIZE
      MASK = 15;                        // 2^EXCESS - 1
```

```
typedef pair<int, char> pairType;

// 全局变量
pairType ht[MAX_CODES];              // 字典
char s[MAX_CODES];                   // 用来重建文本
int size;                            // 重建文本的大小
int leftOver;                        // 待输出的代码位
bool bitsLeftOver = false;           // false 表示没有剩余位
ifstream in;                         // 输入文件
ofstream out;                        // 输出文件

void main(int argc, char* argv[])
{
    setFiles(argc, argv);
    decompress();
}
```

10.6.5 性能评价

与常用的压缩程序 zip 相比，我们的压缩器有什么优点呢？压缩程序把 33 772 字节的 ASCII 文件压缩为 18 765 字节，压缩率为 33 772/18 765=1.8；而 zip 做得更好，它把同样的文件压缩为 11 041 字节，压缩率为 3.1。但是我们不在乎与 zip 的性能差距，毕竟像 zip 这样的压缩程序是商业化的，它把 LZW 的压缩技术和霍夫曼编码技术（见 12.6.3 节）联系起来，提高了压缩率，而我们是 LZW 压缩器的源码，不能在性能方面与一个商业压缩器比较。

练习

42. 假设一个 LZW 压缩字典有两个记录 (a,0) 和 (b,1)。

    1）对字符串 babababbabba，模仿图 10-5，画出每一个字符处理后的 LZW 压缩字典。

    2）对字符串 babababbbabba 的压缩形式给出代码序列。

    3）对 2）的代码序列进行解压缩。对每一个代码，说明如何解码。画出每一个代码解码后的解码表。

43. 对长度为 10 的字符串 A(10)=aaaaaaaaaa，做练习 42。开始时字典只有一个数对 (a,0)。对长度为 100 且全部由 a 组成的字符串 A(100)，你能预测代码序列吗？

44. LZW 压缩器代码使用的是类 hashChains。如果把它改为类 sortedChain、hashTable 和 hash_map，效果如何？对同一个输入文件 comtress.input 进行压缩时，测量它们的运行时间，该文件可以在本书网站上得到。基于实验结果，你建议使用哪一个散列表类？为什么？

45. 用 LZW 压缩器产生的压缩文件是否可能比原文件长呢？如果可能，长多少？

46. 一个文件只包含字符 {a,b,…,z,0,1,…,9, '.', ',', ';', ':'} 和换行符，为这样的文件编写一个 LZW 压缩器和解压器。每个代码 8 位。试测试程序的正确性。压缩文件是否可能比原文件长？

47. 重新修改 LZW 压缩和解压缩程序，每当压缩/解压缩 1024x 个字节后，重新初始化代码表。用修改后的压缩程序做实验，使用的文本文件长为 100K ～ 200K，x=10,20,30,40 和 50。x 取什么值，压缩效果最好？

48. 一个**索引表**（concordance）是一个按字母顺序排列的文本的单词表。它的每一项都是一个数对，形如（单词，按序排列的含有该单词的行号）。注意，索引表和书的目录类似，但不完全一样。一本书的索引列出的是书的一部分内容所在的页码。而一个索引包含每一个单词，而且列出的是行号而不是页码。练习的目的是编写一个程序，它用散列表创建索引表。散列表的每一项是一个数对（key, list）=（词汇，含有该词汇的行号有序表）。

1) 为散列表的对数开发一个 C++ 类。为 key 和 list 选择合适的类型。在为 list 选择数据类型时，可以考虑类型 vector、arrayList、chain、arrayQueue、linkedQueue 和任何可用的用户类型。

2) 编写两个 C++ 程序，输入文本和输出它的索引表。第一个程序应该使用 STL 的类 hash_map 去构建索引项，然后是一个排序方法按关键字给索引项排序。第二个程序应该使用类 hashChains 去构建索引项，然后合并散列链表，以获得索引项的有序表。

3) 比较两个程序的时间性能。

10.7 参考及推荐读物

跳表是由 William Pugh 提出的。其平均复杂度的分析见论文 W. Pugh. *Skip lists: A Probabilistic Alternative to Balanced Trees*. Communications of the ACM, 33, 6, 1990, 668~676。

访问本书网站，了解更多的关于散列函数和溢出处理的机制。要详细了解散列的知识，可以看书 D. Knuth. *The Art of Computer Programming: Sorting and Searching*, Volume 3. 2nd ed. Addison-Wesley, Menlo Park, CA, 1998.

关于 LZW 压缩办法的描述基于 T.Welch 的论文，T. Welch. *A Technique for High-Performance Data Compression*. IEEE Computer, 1994, 8-19. 要想得到更多的有关压缩数据的知识，参见 D. Lelewer, D. Hirschberg. *Data Compression*. ACM computing Surveys, 19, 3, 1987, 261~296.

Data Structures, Algorithms, and Applications in C++, Second Edition

二叉树和其他树

概述

是的，那是一片丛林。丛林中有各种各样的树、植物和动物。数据结构的世界也有许多"树"，不过本书不可能全部介绍。本章将研究两种基本的树：一般树（简单树）和二叉树。第 12 ~ 15 章将研究更多的大家熟悉的树——堆（heap）、左高树（leftist tree）、锦标赛树（tournament tree）、二叉搜索树（binary tree）、AVL 树、红黑树（red-black tree）、伸展树（splay tree）和 B 树。第 12 ~ 14 章比较独立，可以按任意顺序阅读。而第 15 章只有在消化了第 14 章之后才能阅读。如果学完这几章之后，你还渴望学习另外一些树结构——配对堆（pairing heap）、区间堆（interval heap）、双端优先级队列的树结构（tree structures for double-ended priority queue）、字典树（tries，也称前缀树、单词查找树、键树）、后缀树（suffix tree），你可以从本书网站上得到相关的内容。

本章的应用部分有两个树的应用。第一个应用是关于在一个树形分布的网络中设置信号调节器。第二个应用是再讨论 6.5.4 节的在线等价类问题。这个问题在本章中又被称为合并 / 搜索问题。利用树来解决等价类问题要比 6.5.4 节的链表解决方案高效得多。

另外，本章中还涵盖了以下内容：

- 树和二叉树的术语，如高度、深度、层、根、叶子、孩子、双亲和兄弟。
- 二叉树的数组和链表表示。
- 4 种常用的二叉树遍历方法：前序遍历、中序遍历、后序遍历和层次遍历。

11.1 树

到目前为止，我们已经介绍了线性数据结构和表数据结构。这些数据结构一般都不适合于表示具有层次结构的数据。在层次化的数据元素之间有祖先 – 后代、上级 – 下属、整体 – 部分以及其他类似的关系。

例 11-1[Joe 的后代]　图 11-1 是按层次组织起来的 Joe 和他的后代，其中 Joe 处在最顶层。Joe 的孩子（Ann、Mary 和 John）列在下一层，有一条边把 Joe 和他的孩子连在一起。Ann 没有孩子，而 Mary 有两个孩子，John 有一个孩子。Mary 的孩子列在 Mary 的下面，John 的孩子列在 John 的下面。在父母和孩子之间有一条边。从层次结构的表示中，很容易找到 Ann 的兄弟姐妹、Joe 的后代、Chris 的祖先，等等。　■

图 11-1　Joe 的后代

例 11-2[公司组织机构]　图 11-2 是一个公司的管理机构，这是一个层次结构的例子。在机构中地位最高的人（此处为总裁）处在图的顶层。地位次之的人（即副总裁）处在总裁之下，等等。副总裁是总裁的下级，总裁是他们的上级。接下去，每个副总裁都有他自己的下级，这些下级可能也有他们自己的下级。在图中，每个人与其直接下级或上级之间都有一条边。

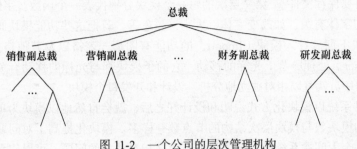

图 11-2　一个公司的层次管理机构　　　　　　　■

例 11-3[政府机构]　图 11-3 是联邦政府各分支机构的层次图。在最顶层的是整个联邦政府。第二层是主要的部门，例如各个部。每个部可进一步细分。例如，国防部分为陆军、海军、空军和海军陆战队。在每个机构及其分支机构间都有一条边。图 11-3 的数据是整体 – 部分关系的例子。

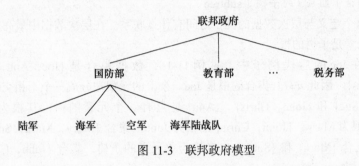

图 11-3　联邦政府模型　　　　　　　■

例 11-4[软件工程]　考察另一种层次数据——软件工程的模块化技术。模块化的思想是把大而复杂的项目分成一组小而简单的任务。模块化的目标是把软件系统分成很多功能独立的部分或**模块**，使每个模块可以相对独立地开发。因为解决若干个小问题比解决一个大问题更容易，所以模块化方法可以缩短整个软件开发的时间。另外，不同的程序员可以同时开发不同的模块。如果有必要，每个模块可以再细分，于是我们得到图 11-4 用树表示的模块层次结构。它是一个文本处理器的模块分解图。

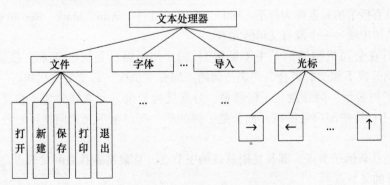

图 11-4　文本处理器的模块层次结构

在最顶层的文本处理器被划分为若干个模块，在图 11-4 中只有 4 个。文件模块（Files）要完成的功能与文本文件操作有关，如打开一个已存在文件（Open），打开一个新文件（New），保存一个文件（Save），打印一个文件（Print），从文本处理器中退出（Quit）（如果需要，在退出时要保存文件）。第三层次的每一个模块分别代表一个函数。字体模块（Fonts）要实现的功能与字体有关，如改变字体、大小、颜色等，若把这些功能模块画在图上，它们一定在字体模块下面。导入模块（Import）的功能有图形、表格以及其他格式的文本输入。光标模块（Cursor）处理屏幕上光标的移动，它的子模块都与光标的移动有关。在接口完全设计好之后，程序员就可以相对独立地分析、设计和开发每个模块。

当一个软件系统以模块化方式说明和设计好之后，就会自然地以模块为单位来开发。这时，软件系统的模块数与模块层次结构的节点数一样多。模块化提高了对问题处理的智能化管理水平。把一个大问题系统地分解成规模小而又相对独立的问题，可以使大问题的处理更省力。这些独立的小问题可以分配给不同的人同时解决。而对一个单一模块上的大问题就不容易分工处理了。开发模块化软件的另一好处是，分开测试一些小而独立的模块比测试一个大的模块要容易得多。层次结构清晰地给出了模块间的关系。■

定义 11-1　一棵树 t 是一个非空的有限元素的集合，其中一个元素为**根**（root），其余的元素（如果有的话）组成 t 的**子树**（subtree）。

现在来看这个定义与层次数据的例子之间有什么联系。在层次数据中最高层的元素是根。其直接下一级元素是子树的根。

例 11-5　在 Joe 的后代例子中（见例 11-1），数据集合是 {Joe，Ann，Mary，Mark，Sue，John，Chris}。因此 $n=7$。集合的根是 Joe。余下的元素被分成三个不相交的集合 {Ann}，{Mary，Mark，Sue} 和 {John，Chris}。{Ann} 是只有一个元素的树，其根为 Ann。{Mary，Mark，Sue} 的根为 Mary，{John，Chris} 的根为 John。集合 {Mary，Mark，Sue} 的剩余元素分成不相交的集合 {Mark} 和 {Sue}，二者均为单元素的子树，集合 {John，Chris} 的剩余元素也为单元素子树。■

在画一棵树时，每个元素都代表一个节点。树根画在上面，其子树画在下面。在根与子树的根（如果有子树）之间有一条边。同样的，每一棵子树也是根在上，其子树在下。在一棵树中，一个元素节点及其孩子节点之间用边连接。例如在图 11-1 中，Ann、Mary、John 是 Joe 的**孩子**（children），Joe 是他们的**父母**（parent）。有相同父母的孩子为**兄弟**（sibling）。在图 11-1 中，Ann、Mary、John 是兄弟，而 Mark 和 Chris 不是兄弟。此外还有其他术语：**孙子**（grandchild）、**祖父**（grandparent）、**祖先**（ancestor）、**后代**（descendent），等等，关系直截了当。在树中没有孩子的元素称为**叶子**（leaf）。在图 11-1 中，Ann、Mark、Sue 和 Chris 是树的叶子。树根是树中唯一一个没有父母的元素。

例 11-6　在公司机构的例子中（见例 11-2），公司雇员是树的元素。总裁是树的根，余下的雇员划分成不相交的集合，代表公司的不同分支机构。每个分支机构有一个副总裁；分支机构用子树表示，副总裁是子树的根。分支机构的余下元素划分为不相交的集合，代表不同的部门；这些部门是子树，部长是子树的根。部门余下元素同样可划分为不同的科室等。

副总裁是总裁的子节点，部长是副总裁的子节点。总裁是副总裁的父节点，每个副总裁是其部门主管的父节点。

在图 11-3 中，根是联邦政府。其子树的根为国防部、教育部……税务部等，它们是联邦政府的子节点。联邦政府是这些子节点的父节点。国防部的子节点是陆军、海军、空军、海军陆战队，它们是兄弟节点，同时也是叶子。 ■

树的另一常用术语为**级**（level）。树根是 1 级，其孩子（如果有）是 2 级，孩子的孩子是 3 级，等等。◯在图 11-3 中，联邦政府是 1 级，国防部、教育部、税务部是 2 级，陆军、海军、空军和海军陆战队是 3 级。

一棵树的**高度**（height）或**深度**（depth）是树中级的个数。在图 11-1、图 11-3 和图 11-4 中，树的高度都是 3。

一个**元素的度**（degree of an element）是指其孩子的个数。叶节点的度为 0，在图 11-4 中，文件模块的度为 5。**一棵树的度**（degree of a tree）是其元素的度的最大值。

练习

1. 解释为什么图 11-1 是一棵树。标出根节点，标出每个节点的级和度。树的深度是多少？
2. 对图 1-3 完成练习 1。
3. 用一棵树来表示本书的主要元素（整本书、章、节、小节）。
   1）共有多少个元素？
   2）标出叶节点。
   3）标出第 3 级元素。
   4）给出每个元素的度。
4. 在万维网上访问你所在部门的主页（或者访问 http://www.cise.ufl.edu）。
   1）通过链接，深入访问下一级的网页，绘出网页间的层次结构。用节点表示网页，用边连接网页节点。
   2）此结构一定是一棵树吗？为什么？
   3）若此结构是一棵树，指出其根节点和叶节点。

11.2 二叉树

定义 11-2 一棵**二叉树**（binary tree）t 是有限个元素的集合（可以为空）。当二叉树非空时，其中有一个元素称为**根**，余下的元素（如果有的话）被划分成两棵二叉树，分别称为 t 的左子树和右子树。

二叉树和树的根本区别是：

- 二叉树的每个元素都恰好有两棵子树（其中一个或两个可能为空）。而树的每个元素可有任意数量的子树。
- 在二叉树中，每个元素的子树都是有序的，也就是说，有左子树和右子树之分。而树的子树是无序的。

树和二叉树的另一个区别大概与定义有关，二叉树可以为空，但树不能为空。有的作者放宽了对树的定义，允许树为空。

和树一样，二叉树也是根节点在顶部。二叉树左（右）子树中的元素画在根的左（右）下方。每个元素节点和其子节点之间用一条边相连。

图 11-5 是用二叉树表示的算术表达式。每个操作符（+、-、*、/）有一个或两个操作数。

◯ 有些作者为树的级编号是从 0 开始的，而不是 1。这时，树的根是 0 级。

左操作数是操作符的左子树，右操作数是操作符的右子树。树的叶节点为常量或变量。注意，算术表达式树没有括号。

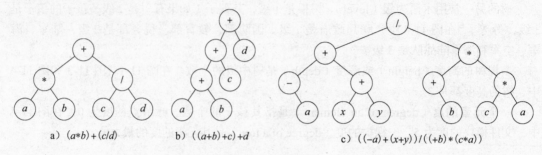

图 11-5 表达式树

算术表达式树的一个应用是生成优化的计算机代码以计算表达式的值。不过，我们并不研究优化代码的生成算法，我们只是用算术表达式树来说明一些通常可以用二叉树来表示的操作。

练习

5. 1）标出图 11-5 中二叉树的叶子。

2）标出图 11-5b 的所有第 3 级节点。

3）图 11-5c 的第 4 级有多少个节点？

6. 画出如下每个表达式的二叉树：

1）$(a+b)/(c-d)+e+g*h/a$。

2）$-x-y*z+(a+b+c/d*e)$。

3）$((a+b)>(c-e))||a<b\&\&(x<y||y>z)$。

11.3 二叉树的特性

特性 11-1 一棵二叉树有 n 个元素，$n>0$，它有 $n-1$ 条边。

证明 二叉树的每个元素（除了根节点）有且只有一个父节点。在子节点与父节点间有且只有一条边，因此边数为 $n-1$。 ■

特性 11-2 一棵二叉树的高度为 h，$h \geq 0$，它最少有 h 个元素，最多有 2^h-1 个元素。

证明 因为每一级最少有 1 个元素，因此元素的个数最少为 h。每个元素最多有 2 个子节点，则第 i 层节点元素最多为 2^{i-1} 个，$i>0$。当 $h=0$ 时，元素的总数为 0，也就是 2^0-1。当 $h>0$ 时，元素的总数不会超过 $\sum_{i=1}^{h} 2^{i-1} = 2^h - 1$。 ■

特性 11-3 一棵二叉树有 n 个元素，$n>0$，它的高度最大为 n，最小高度为 $\lceil \log_2(n+1) \rceil$。

证明 因为每层至少有一个元素，因此高度不会超过 n。由特性 11-2 可以得知，高度为 h 的二叉树最多有 2^h-1 个元素。因为 $n \leq 2^h-1$，所以 $h \geq \log_2(n+1)$。由于 h 是整数，所以 $h \geq \lceil \log_2(n+1) \rceil$。 ■

当高度为 h 的二叉树恰好有 2^h-1 个元素时，称其为**满二叉树**（full binary tree）。图 11-5a 是一个高度为 3 的满二叉树。图 11-5b 和图 11-5c 不是满二叉树。图 11-6 是高度为 4 的满二叉树。

对高度为 h 的满二叉树的元素，从第
一层到最后一层，在每一次中从左至右，
顺序编号，从 1 到 2^h-1（如图 11-6 所示）。
假设从满二叉树中删除 k 个其编号为 2^h-i
元素，$1 \leq i \leq k < 2^h$，所得到的二叉树
被称为**完全二叉树**（complete binary tree）。
图 11-7 是三棵完全二叉树。满二叉树是完

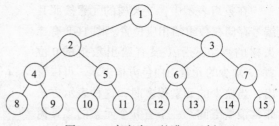

图 11-6 高度为 4 的满二叉树

全二叉树的一个特例。有 n 个元素的完全二叉树，其高度为 $\lceil \log_2(n+1) \rceil$。

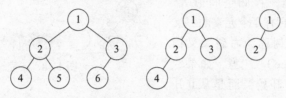

图 11-7 完全二叉树

在完全二叉树中，一个元素与其孩子的编号有非常好的对应关系，特性 11-4 便是这种
关系。

特性 11-4 设完全二叉树的一元素其编号为 i，$1 \leq i \leq n$。有以下关系成立：

1）如果 $i=1$，则该元素为二叉树的根。若 $i>1$，则其父节点的编号为 $\lfloor i/2 \rfloor$。

2）如果 $2i>n$，则该元素无左孩子。否则，其左孩子的编号为 $2i$。

3）如果 $2i+1>n$，则该元素无右孩子。否则，其右孩子的编号为 $2i+1$。

证明 对 i 进行归纳即可得证。 ■

练习

7. 证明特性 11-4。

8. 在一棵 k 叉树（$k>1$）中，每个节点最多有 k 个孩子，这些子节点分别称为该节点的第一
   个、第二个……，第 k 个孩子。

   1）对 k 叉树，确定类似特性 11-1 的性质。

   2）对 k 叉树，确定类似特性 11-2 的性质

   3）对 k 叉树，确定类似特性 11-3 的性质

   4）对 k 叉树，确定类似特性 11-4 的性质

9. 有 m 个叶子的二叉树最多有多少个节点？

11.4 二叉树的描述

11.4.1 数组描述

二叉树的数组表示利用了特性 11-4，把二叉树看做是缺少了部分元素的完全二叉树，如
图 11-8 的两棵二叉树所示。第一棵二叉树有三个元素（A、B 和 C），第二棵二叉树有五个元
素（A、B、C、D 和 E）。没有阴影的圈表示缺少的元素。所有的元素（包括缺少的元素）按

前面介绍的方法编号。

在数组表示中，二叉树的元素按照其编号存储在数组的相应位置。图 11-8 有二叉树的数组表示（没有给出数组的 0 位置）。缺少的元素用白色方格表示。可以看出，当缺少的元素很多时，这种表示方法非常浪费空间。一个有 n 个元素的二叉树可能最多需要 2^n 个空间来存储（包括数组的 0 位置）。当根节点以外的每个节点都是其父节点的右孩子时，存储空间最大，图 11-9 便是这样一棵具有 4 个元素的二叉树。这种类型的二叉树称为**右斜二叉树**（right-skewed binary tree）。注意，如果二叉树的编号不是从 1 开始，而是从 0 开始，那么最坏情况的空间需求是 2^n-1。

只有当缺少的元素数目比较少时，这种描述方法才是有用的。

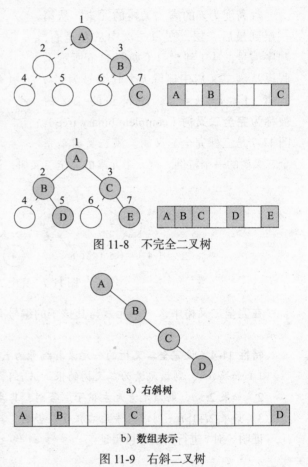

图 11-8   不完全二叉树

a）右斜树

b）数组表示

图 11-9   右斜二叉树

11.4.2 链表描述

二叉树最常用的表示方法是用指针。每个元素用一个节点表示，节点有两个指针域，分别称为 leftChild 和 rightChild。除两个指针域之外，每个节点还有一个 element 域。这种节点结构用程序 11-1 的 C++ 结构 binaryTreeNode 来实现。其中有三个构造函数的实现代码。第一个无参数，两个指针域被置为 NULL；第二个有一个参数，可用来初始化 element，而指针域被置为 NULL；第三个有 3 个参数，可用来初始化 3 个域。

程序 11-1   链表二叉树的节点结构

```cpp
template <class T>
struct binaryTreeNode
{
    T element;
    binaryTreeNode<T> *leftChild,        //左子树
                      *rightChild;       //右子树

    binaryTreeNode() {leftChild = rightChild = NULL;}
    binaryTreeNode(const T& theElement)
    {
        element(theElement)
        leftChild = rightChild = NULL;
    }
    binaryTreeNode(const T& theElement,
                   binaryTreeNode *theLeftChild,
                   binaryTreeNode *theRightChild)
```

```
    {
        element(theElement)
        leftChild = theLeftChild;
        rightChild = theRightChild;
    }
};
```

父节点的每一个指向孩子的指针表示一条边。因为 n 个元素的二叉树仅有 $n-1$ 条边，所以有 $2n-(n-1)=n+1$ 个指针域没有值，它们被置为 NULL。图 11-10 是图 11-8 的链表表示。

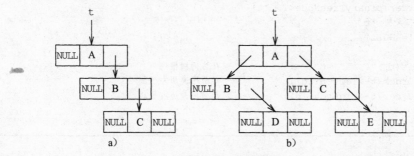

图 11-10 链式表示

从根节点开始，沿着 leftChild 和 rightChild 指针域，可以访问二叉树的所有节点。二叉树的链式表示没有指向父节点的指针，但一般不会有什么问题，因为二叉树的大部分函数并不需要这种指针。若某些应用需要这种指针，可在每个节点增加一个指针域。

练习

10. 对练习 6 的表达式，画出二叉树的数组表示。

11. 对图 11-5 的二叉树，做练习 10。

11.5 二叉树常用操作

二叉树的常用操作有：

- 确定高度。
- 确定元素数目。
- 复制。
- 显示或打印二叉树。
- 确定两棵二叉树是否一样。
- 删除整棵树。

这些操作可以通过有步骤地遍历二叉树来完成。在二叉树的**遍历**（traversal）中，每个元素仅被访问一次。访问一个元素，意味着可以对该元素实施任何操作。这些操作可以是：显示或打印该元素；计算以该元素为根的子树所表示的数学表达式；对二叉树的元素个数加 1。

11.6 二叉树遍历

有 4 种遍历二叉树的常用方法：

- 前序遍历。

● 中序遍历。
● 后序遍历。
● 层次遍历。

前三种遍历方法在程序 11-2、程序 11-3 和程序 11-4 中给出。假设要遍历的二叉树采用前一节所介绍的链表方法来描述。

程序 11-2 前序遍历

```
template <class T>
void preOrder(binaryTreeNode<T> *t)
{// 前序遍历二叉树 *t
   if (t != NULL)
   {
      visit(t);                      // 访问树根
      preOrder(t->leftChild);        // 前序遍历左子树
      preOrder(t->rightChild);       // 前序遍历右子树
   }
}
```

程序 11-3 中序遍历

```
template <class T>
void inOrder(binaryTreeNode<T> *t)
{// 中序遍历二叉树 *t
   if (t != NULL)
   {
      inOrder(t->leftChild);         // 中序遍历左子树
      visit(t);                      // 访问树根
      inOrder(t->rightChild);        // 中序遍历右子树
   }
}
```

程序 11-4 后序遍历

```
template <class T>
void postOrder(binaryTreeNode<T> *t)
{// 后序遍历二叉树 *t
   if (t != NULL)
   {
      postOrder(t->leftChild);       // 后序遍历左子树
      postOrder(t->rightChild);      // 后序遍历右子树
      visit(t);                      // 访问树根
   }
}
```

在前三种方法中，每个节点的左子树在其右子树之前遍历。这三种遍历的区别在于对每个节点的访问时间不同。在前序遍历中，先访问一个节点，再访问该节点的左右子树；在中序遍历中，先访问一个节点的左子树，然后访问该节点，最后访问右子树。在后序遍历中，先访问一个节点的左右子树，再访问该节点。

图 11-11 是程序 11-2 ~ 程序 11-4 的输出结果，其中 visit(t) 如程序 11-5 所示，输入的二叉树是图 11-5。

程序 11-5　visit 函数

```
template <class T>
void visit(binaryTreeNode<T> *x)
{// 访问节点 *x, 仅输出 element 域
    cout << x->element << ' ';
}
```

前序	+*ab/cd	+++abcd	/+-a+xy*+b*ca
中序	a*b+c/d	a+b+c+d	-a+x+y/+b*c*a
后序	ab*cd/+	ab+c+d+	a-xy++b+ca**/
	a)	b)	c)

图 11-11　二叉树按前序、中序、后序遍历所列出的元素

对一棵数学表达式树分别进行中序、前序和后序遍历，结果便是表达式的中缀、前缀和后缀形式。**中缀**（infix）形式是我们通常的书写形式。在这种形式中，每个二元操作符（即有两个操作数的操作符）出现在左操作数之后，右操作数之前。一个表达式用二叉树来表示时不能有歧义，即操作数和操作符之间的关系是由表达式唯一确定的。但是用中缀形式表示可能会产生一些歧义。例如，$x+y*z$ 是解释为 $(x+y)*z$ 还是 $x+(y*z)$ 呢？为了避免这种歧义，可对操作符加上优先级，然后用优先级规则来分析中缀表达式。必要时，还可以用如括号来代替优先级。在完全括号化的中缀表达式中，每个操作符和相应的操作数都用一对括号括起来。更甚者把操作符的每个操作数也都用一对括号括起来。如 $((x)+(y))$、$((x)+((y)*(z)))$ 和 $(((((x)+(y))*((y)+(z)))*(w))$。通过修改程序 11-6 的中序遍历算法可以得到这种表达形式。

程序 11-6　输出完全括号化的中缀表达式

```
template <class T>
void infix(binaryTreeNode<T> *t)
{// 输出中缀表达式
    if (t != NULL)
    {
        cout << '(';
        infix(t->leftChild);        // 左操作数
        cout << t->element;         // 操作符
        infix(t->rightChild);       // 右操作数
        cout << ')';
    }
}
```

在**后缀**（postfix）表达式中，每个操作符跟在操作数之后，操作数从左到右顺序出现。在**前缀**（prefix）表达式中，操作符位于操作数之前，操作数从左到右顺序出现。前缀和后缀表达式不会存在歧义。因此，在前缀和后缀表达式中都不必采用括号或优先级。利用操作数栈，从左到右或从右到左扫描表达式，很容易确定操作数和操作符的关系。在扫描中，若遇到一个操作数，则把它压入堆栈。若遇到一个操作符，则将其与栈顶的操作数相匹配。把这些操作数弹出栈，由操作符执行相应的计算，然后将计算结果压入操作数栈。

在层次遍历中，从顶层到底层，在同一层中，从左到右，依次访问树的元素。因为层次遍历需要队列而不是栈，所以编写递归程序很困难。程序 11-7 是一个层次遍历程序。

程序 11-7   层次遍历

```
template <class T>
void levelOrder(binaryTreeNode<T> *t)
{// 层次遍历二叉树 *t
   arrayQueue<binaryTreeNode<T>*> q;
   while (t != NULL)
   {
      visit(t);                        // 访问 t

      // 将 t 的孩子插入队列
      if (t->leftChild != NULL)
         q.push(t->leftChild);
      if (t->rightChild != NULL)
         q.push(t->rightChild);

      // 提取下一个要访问的节点
      try {t = q.front();}
      catch (queueEmpty) {return;}
      q.pop();
   }
}
```

在程序 11-7 中，仅当树非空时，才进入 while 循环。进入 while 循环之后，首先访问根节点，再把其子节点（如果有）加到队列中，然后访问队首元素。若队列为空，则 front() 抛出一个类型为 queueEmpty 的异常；若队列不空，则 front() 的返回值指向队首元素指针，下一次循环将访问这个元素。

设一棵二叉树有 n 个元素。这四种遍历算法的空间和时间复杂性均为 $O(n)$。先看空间需求，当树的高度为 n 时（如图 11-9 的右斜二叉树），前序、中序和后序遍历所使用的递归栈空间是 $\Theta(n)$；当树为满二叉树时，层次遍历所需要的队列空间为 $\Theta(n)$。再看时间需求，假设访问一个节点的时间为 $\Theta(1)$，每个遍历算法花在一个节点上的时间为 $\Theta(1)$。

练习

12. 分别按前序、中序、后序和层次顺序，列出图 11-10 的节点。

13. 对图 11-6 的满二叉树完成练习 12。

14. 对练习 6 的表达式，分别按前序、中序、后序和层次顺序，列出二叉树节点。

15. 一棵二叉树的节点编号从 a 到 h，前序序列是 abcdefgh，中序序列是 cdbagfeh。画出这棵二叉树。列出后序和层次序列。

16. 一棵二叉树的节点编号从 a 到 l，前序序列是 abcdefghijkl，中序序列是 aefdcgihjklb。画出这棵二叉树。列出后序和层次序列。

17. 一棵二叉树的节点编号从 a 到 h，后序序列是 abcdefgh，中序序列是 aedbchgf。画出这棵二叉树。列出前序和层次序列。

18. 一棵二叉树的节点编号从 a 到 l，后序序列是 abcdefghijkl，中序序列是 backdejifghl。画出这棵二叉树。列出前序和层次序列。

19. 画出两棵二叉树，它们的前序序列是 abcdefgh，后序序列是 dcbgfhea。列出中序和层次序列。

20. 对一棵用数组描述的二叉树，编写前序遍历程序。假设二叉树的元素存储在数组 a 中，其中 last 是树中最后一个元素的位置。数组元素类型是 pair<bool,T>，其中 a[i].first 为 true，当且仅当在位置 i 有一个元素（a[i].second）给出该程序的时间复杂度。

21. 按中序遍历方法完成练习 20。

22. 按后序遍历方法完成练习 20。

23. 按层次遍历方法完成练习 20。

24. 编写一个 C++ 函数，复制一个数组表示的二叉树。

25. 编写两个 C++ 函数，复制用 binaryTreeNode 节点结构表示的二叉树。第一个函数按后序遍历，第二个按前序遍历。两个函数所需要的递归栈空间有什么不同？

26. 编写一个函数，计算用 binaryTreeNode 节点结构表示的表达式树的值。为树的元素假设一个合适的数据类型。

27. 编写一个函数，计算一棵链式二叉树的高度。确定其时间复杂性。

28. 编写一个函数，计算一棵链式二叉树的节点个数。确定其时间复杂性。

29. 编写一个函数，确定一棵链式二叉树在哪一层具有最多的节点（提示：用层次遍历）。确定其时间复杂性。

30. 写一个迭代函数，中序遍历链表二叉树。可以用数组作为栈。函数尽可能简练。需要多少栈空间？给出栈空间大小与二叉树高度的函数关系。

31. 按前序遍历方法完成练习 30。

32. 按后序遍历方法完成练习 30。

33. 设有一棵二叉树，每个节点的数据都不相同。数据域的前序和中序序列是否可以唯一地确定这棵二叉树？如果可以，编写一个函数，用前序和中序序列来构造这棵二叉树。计算函数的时间复杂性。

34. 按前序和后序遍历方法完成练习 33。

35. 按后序和中序遍历方法完成练习 33。

36. 编写一个 C++ 函数，输入后缀表达式，构造其二叉树表示。假设每个操作符有一个或两个操作数。

37. 用前缀表达式完成练习 36。

38. 编写一个 C++ 函数，把后缀表达式转换为完全括号化的中缀表达式。

39. 用前缀表达式完成练习 38。

40. 编写一个函数，把一个中缀形式表达式（不一定是完全括号化的）转换成后缀表达式。假定操作符可以是二元操作符 +、–、*、/，分界符可以是左括号（）和右括号（）。因为操作数的顺序在中缀、前缀、后缀表达式中都是一样的，所以在从中缀向前缀或后缀转换时，仅需要从左到右扫描中缀表达式。把扫描到的操作数直接输出，而遇到的操作符保留在栈中，根据操作符和左括号的优先级来确定输出。假定 + 和 – 的优先级为 1，* 和 / 的优先级为 2。栈外的左括号优先级为 3，栈内的左括号优先级为 0。

41. 完成练习 40，但是生成前缀表达式。

42. 完成练习 40，但是生成二叉树形式。

43. 编写一个函数，计算后缀表达式的值。假设表达式以数组方式表示。

11.7 抽象数据类型 BinaryTree

既然我们对二叉树已经有了一些了解，现在可以用抽象数据类型来说明二叉树（见 ADT 11-1）。我们希望对二叉树的操作可能很多，但这里只列出了几个常用的操作。

抽象数据类型 *binaryTree*
{
实例
   元素集合；如果非空，则集合划分为一个根、一棵左子树和一棵右子树；每一棵子树也是二叉树
操作
   empty()：若树为空，则返回 true，否则返回 false
   size()：返回二叉树的节点 / 元素个数
   preOrder(*visit*)：前序遍历二叉树；*visit* 是访问函数
   inOrder(*visit*)：中序遍历二叉树
   postOrder(*visit*)：后序遍历二叉树
   levelOrder(*visit*)：层次遍历二叉树
}

ADT 11-1   二叉树的抽象数据类型

程序 11-8 是表述抽象数据类型 binaryTree 的 C++ 抽象类 binaryTree。类 T 是二叉树节点的数据类型。其中，二叉树遍历方法的参数类型

```
void (*) (T*)
```

是一种函数类型，这种函数的返回值类型是 void，它的参数类型是 T*。

程序 11-8   二叉树抽象类

```
template<class T>
class binaryTree
{
   public:
      virtual ~binaryTree() {}
      virtual bool empty() const = 0;
      virtual int size() const = 0;
      virtual void preOrder(void (*) (T *)) = 0;
      virtual void inOrder(void (*) (T *)) = 0;
      virtual void postOrder(void (*) (T *)) = 0;
      virtual void levelOrder(void (*) (T *)) = 0;
};
```

11.8   类 linkedBinaryTree

类 linkedBinaryTree 是抽象类 binaryTree 的派生类，节点的类型是 binaryTreeNode（见程序 11-1）。程序 11-9 是类 linkedBinaryTree 的数据成员和一部分私有和公有方法。

类 linkedBinaryTree 有两个数据成员实例 root 和 treeSize。root 是指向二叉树节点的指针，treeSize 是二叉树节点个数。类 linkedBinaryTree 有一个静态数据程序成员 visit，它是一个函数指针，这个函数返回值类型是 void，参数是 binaryTreeNode 类型的指针。静态方法 dispose 删除一个节点，方法 erase 利用静态方法 dispose 作为函数指针 visit 方法，在后序遍历过程中删除二叉树所有节点。

程序 11-9   类 linkedBinaryTree 的数据成员和访问方法

```
template<class E>
class linkedBinaryTree : public binaryTree<binaryTreeNode<E> >
{
```

```
public:
    linkedBinaryTree() {root = NULL; treeSize = 0;}
    ~linkedBinaryTree(){erase();};
    bool empty() const {return treeSize == 0;}
    int size() const {return treeSize;}
    void preOrder(void(*theVisit)(binaryTreeNode<E>*))
        {visit = theVisit; preOrder(root);}
    void inOrder(void(*theVisit)(binaryTreeNode<E>*))
        {visit = theVisit; inOrder(root);}
    void postOrder(void(*theVisit)(binaryTreeNode<E>*))
        {visit = theVisit; postOrder(root);}
    void levelOrder(void(*)(binaryTreeNode<E> *));
    void erase()
        {
            postOrder(dispose);
            root = NULL;
            treeSize = 0;
        }
private:
    binaryTreeNode<E> *root;                          // 指向根的指针
    int treeSize;                                     // 树的节点个数
    static void (*visit)(binaryTreeNode<E>*);         // 访问函数
    static void preOrder(binaryTreeNode<E> *t);
    static void inOrder(binaryTreeNode<E> *t);
    static void postOrder(binaryTreeNode<E> *t);
    static void dispose(binaryTreeNode<E> *t) {delete t;}
};
```

程序 11-10 是前序遍历方法。公有遍历方法 preOrder 先给静态数据成员 visit 赋值，得到访问节点的函数，然后调用私有递归方法 preOrder，它是实际上执行前序遍历的函数。相应的中序和后序方法类似。

程序 11-10　类 linkedBinaryTree 的私有前序遍历方法

```
template<class E>
void linkedBinaryTree<E>::preOrder(binaryTreeNode<E> *t)
{// 前序遍历
    if (t != NULL)
    {
        linkedBinaryTree<E>::visit(t);
        preOrder(t->leftChild);
        preOrder(t->rightChild);
    }
}
```

层次遍历代码与程序 11-7 非常相似。我们可以增加一个方法，按前序顺序输出二叉树节点，只需把代码

```
void preOrderOutput(){preorder(output);cout<<endl;}
```

加到程序 11-9 的公有部分。把代码

```
static void output(binaryTreeNode<E> *t)
            {cout<<t->element<<' ';}
```

加到私有部分。中序、后序和层次遍历的代码与此类似。

程序 11-11 是给类 linkedBinaryTree 增加的一个成员函数和一个相应的私有静态递归方法。它利用后序遍历方法计算二叉树的高度。它首先取得左子树的高度，然后取得右子树的高度，最后把左右子树高度的最大者加上 1，取得树的高度。

程序 11-11 确定二叉树高度

```
int height() const {return height(root);}

template <class E>
int linkedBinaryTree<E>::height(binaryTreeNode<E> *t)
{// 返回根为 *t 的树的高度
   if (t == NULL)
      return 0;                          // 空树
   int hl = height(t->leftChild);       // 左树高
   int hr = height(t->rightChild);      // 右树高
   if (hl > hr)
      return ++hl;
   else
      return ++hr;
}
```

练习

44. 编写类 linkedBinaryTree 的一个复制构造函数。测试代码。计算时间复杂性。

45. 编写方法 linkedBinaryTree<E>::compare(x)，比较二叉树 *this 与二叉树 x。当且仅当它们相同时，返回 true。测试你的代码。计算时间复杂性。

46. 编写方法 linkedBinaryTree<E>::swapTrees()，它交换每一个节点的左右子树。测试你的代码。计算时间复杂性。

47. 令 heightDifference(x) 是节点 x 的左右子树高度的差值。令 maxHeightDifference(t)=max-{heightDifference(x)|x 是二叉树 t 的节点 }。编写方法 linkedBinaryTree<E>::maxHeightDifference()，计算二叉树的最大高度差。测试你的代码。计算时间复杂性。

48. 设计类 linkedBinaryTree 的中序迭代器（可以借助练习 30 的解）。对 n 个元素的二叉树，计数节点数的时间应该是 $O(n)$。每个方法的时间复杂性都不应超过 $O(h)$，其中 h 是树高。空间需求应该是 $O(h)$。测试代码。

49. 设计类 linkedBinaryTree 的前序迭代器。不考虑把栈空间加倍所需要的时间（当用栈 arrayStack 时），每个方法的时间复杂性应是 $O(1)$。空间需求是 $O(h)$。测试代码。

50. 设计类 linkedBinaryTree 的后序迭代器（可以借助练习 32 的解）。对 n 个元素的二叉树，计数节点数的时间应该是 $O(n)$。每个方法的时间复杂性都不应超过 $O(h)$，其中 h 是树高。空间需求应是 $O(h)$。测试代码。

51. 设计类 linkedBinaryTree 的层次迭代器。不考虑把队列大小加倍所需要的时间（当用队列 arrayQueue 时），每个方法的时间复杂性应是 $O(1)$。测试代码。

52. 设计类 linkedBinaryTree 的派生类 expression。该类包括以下操作：

1）输出完全括号化的中缀表达式。

2）输出前缀和后缀表达式。

3）把前缀形式转换成表达式树。

4）把后缀形式转换成表达式树。

5）把中缀形式转换成表达式树。

6）计算表达式树的值。

测试代码。

11.9 应用

11.9.1 设置信号放大器

1. 问题描述

在一个分布式网络中，资源从生产地送往其他地方。例如，汽油或天然气经过管道网络，从生产基地送到消费地。同样的，电力也是通过电网从发电厂输送到各消费点。可以用术语**信号**（signal）来指称输送的资源（汽油、天然气、电力等）。当信号在网络中传输时，它在某一方面或某几个方面的性能可能会损失或衰减。例如，天然气管道中的气压会减少，电网上的电压会降低。另一方面，在信号传输中，噪声会增加。在信号从信号源到消费点传输的过程中，仅能容忍一定范围内的信号衰减。为了保证信号衰减不超过容忍值（tolerance），应在网络中至关重要的位置上放置**信号放大器**（signal booster）。信号放大器可以增加信号的压强或电压使它与源点相同；可以增强信号，使信号与噪声之比与源点的相同。本节将设计一个算法，以计算信号放大器的放置地点。目标是，放大器的数目最少，同时保证信号衰减（与源点信号相关）不超过给定的容忍值。

为简化问题，假设分布网络是一树形结构，源点是树的根。树的每一个非根节点表示一个可以放置放大器的地点，某些节点同时也表示消费点。信号从一个节点流向其子节点。图 11-12 是一树形分布网络。每条边上的数字是信号从父节点流到其子节点的信号衰减量。衰减量的单位假设可以附加。在图 11-12 中，信号从节点 p 流到节点 v 的衰减量是 5。从节点 q 到节点 x 的衰减量是 3。如果把一个信号放大器放在节点 r，那么虽然当信号从节点 p 到达节点 r 时，它的强度比在节点 p 时衰减了 3 个单位，但是，当它从节点 r 流出时，又恢复了它在源点 p 的强度。因此，信号到达节点 v 时，强度比在源点 p 时衰减了 2 个单位，到达节点 z 时，强度比在源点 p

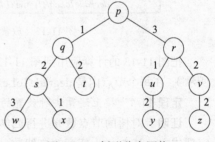

图 11-12 树形分布网络

时衰减了 4 个单位。如果在节点 r 没有信号放大器，那么在节点 z 的信号将衰减 7 个单位。

2. 求解策略

设 degradeFromParent(i) 表示节点 i 与其父节点间的衰减量。因此，在图 11-12 中，degradeFromParent(s)=2，degradeFromParent(p)=0，degradeFromParent(r)=3。因为信号放大器只能放在树形分布网的节点上，所以节点 i 的 degradeFromParent(i) 如果大于容忍值，那么即使在节点 i 放置了信号放大器，信号的衰减量依然要超过容忍值。例如，若容忍值为 2，则在图 11-12 的节点 r 上即使有信号放大器，信号的衰减量也不会小于或等于 2。

在以节点 i 为根的子树中，从节点 i 到子树的每个叶子都有一个衰减量，我们把这些衰减量的最大者记为 degradeToLeaf(i)。若 i 是叶节点，则 degradeToLeaf(i)=0。在图 11-12 中，当 $i \in \{w,x,t,y,z\}$ 时，degradeToLeaf(i)=0。对于其他节点，degradeToLeaf(i) 可以用下面的方程

式来计算:

$$degradeToLeaf(i)= \max_{j\text{是}i\text{的一个孩子}}\{degradeToLeaf(j)+degradeFromParent(j)\}$$

因此, degradeToLeaf(s)=3。在此公式中, 要计算节点的 degradeToLeaf 值, 就要先计算其子节点的 degradeToLeaf 值, 因此必须对树进行遍历。先访问子节点再访问父节点。在访问一个节点时, 同时计算它的 degradeToLeaf 值。这种遍历方法是对后序遍历的一种自然扩充, 其树的度大于 2。

按照上述方法, 在计算 degradeToLeaf 过程中, 遇到一节点 i, 它有一子节点 j 满足

$$degradeToLeaf(j)+degradeFromParent(j)> \text{容忍值}$$

如果不在 j 节点放置放大器, 那么从 i 节点到叶节点的信号衰减量将超过容忍值, 即使在 i 节点处放置了放大器也是如此。例如在图 11-12 中, 当计算 degradeToLeaf(q) 时, 有

$$degradeToLeaf(s)+degradeFromParent(s)=5$$

如果容忍值为 3, 那么在 q 点或其祖先的任意一点放置放大器, 都不能减少 q 与其后代间的衰减量。我们需要在 s 点放一个放大器, 这时 degradeToLeaf(q)=3。

图 11-13 是放置放大器和计算 degradeToLeaf 的伪码。

```
degradeToLeaf(i)=0;
for(each child j of i)
    if(degradeToLeaf(j)+degradeFromParent(j))> 容忍值 )
    {
        在j处放一个放大器;
        degradeToLeaf(i)=max{degradeToLeaf(i)}, degradeFromParent(j)};
    }
    else
        degradeToLeaf(i)=max{degradeToLeaf(i)}, degradeToLeaf(j)+degradeFromParent(j);
```

图 11-13   放置放大器和计算 degradeToLeaf 的伪码

把图 11-13 的计算应用到图 11-12 中, 结果是在节点 r、s 和 v 处放置放大器 (如图 11-14 所示)。在每个节点内是 degradeToLeaf 值。

定理 11-1   按上述算法所放置的放大器最少。

证明   对树的节点数 n 进行归纳来证明。当 $n=1$ 时, 定理显然成立。假设当 $n \leqslant m$ 时, 定理成立, 其中 m 为任意的自然数。令 t 是有 $n+1$ 个节点的树。令 X 是按上述算法放置放大器的节点集合, 令 W 是不超过容忍值且拥有放大器最少的节点集合。需证 $|X|=|W|$。

若 $|X|=0$, 则 $|X|=|W|$。若 $|X|>0$, 则令 z 是按上述算法给出的第一个放置放大器的节点, 令 t_z 是在树 t 中以 z 为根的子树。因为 degradeToLeaf(z)+degradeFromParent(z)> 容忍值, 所以 W 至少需包含 t_z 的某个节点 u。如果 W 还包含了 u 以外的元素, 则 W 一定不是最好的方案, 因为在集合 $W-\{$ 所有的像 u 这样的节点 $\}+\{z\}$ 中放置放大器也能满足容忍值。因此 W 只包含节点 u。令 $W'=W-\{u\}$, t' 是从树 t 中除去子树 t_z (但保留 z) 之后的树。对 t' 而言, W' 是满足容忍值且放大器数目最少的方案。而 $X'=X-\{z\}$ 对树 t' 也满

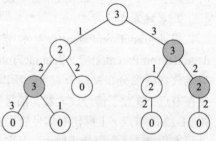

信号放大器放置在阴影节点处
节点中的数字是degradeToLeaf的值

图 11-14   带有放大器的分布式网络

足容忍值，而且是按图 11-13 算法得到的。因为 t' 的节点数小于 $m+1$，所以 $|X'|=|W'|$。因此 $|X|=|X'|+1=|W'|+1=|W|$。 ■

3. C++ 实现

当分布树没有节点超过两个孩子时，可用程序 11-9 的类 linkedBinaryTree 表示为二叉树，二叉树节点的数据域 element 的类型是程序 11-12 的结构 booster。在结构 booster 中，域 boosterHere 用来区分具有放大器的节点和没有放大器的节点。

程序 11-12 结构 booster

```cpp
struct booster
{
    int degradeToLeaf,                  // 到达叶子时的衰减量
        degradeFromParent;              // 从父节点出发的衰减量
    bool boosterHere;                   // 当且仅当放置了放大器时，值为真

    void output(ostream& out) const
    {out << boosterHere << ' ' << degradeToLeaf << ' '
        << degradeFromParent << ' ';}
};

// 重载操作符 <<
ostream& operator<<(ostream& out, booster x)
    {x.output(out); return out;}
```

通过对二叉分布树的后序遍历，可以计算节点的 degradeToLeaf 值，确定最少的用来放置放大器的节点。程序 11-13 的函数 placeBoosters 用于访问节点，其中 tolerance 是表示容忍值的全局变量。

程序 11-13 在二叉树中放置放大器并计算 degradeToLeaf 值

```cpp
void placeBoosters(binaryTreeNode<booster> *x)
{// 计算 *x 的衰减量，若小于容忍值，则在 x 的子节点放置一个放大器

    x->element.degradeToLeaf = 0;        // 初始化 x 处的衰减

    // 计算 x 的左子树的衰减量。若大于容忍值，则在 x 的左孩子处放置一个放大器
    binaryTreeNode<booster> *y = x->leftChild;
    if (y != NULL)
    {// x 有一棵非空左子树
        int degradation = y->element.degradeToLeaf +
                          y->element.degradeFromParent;
        if (degradation > tolerance)
        {// 在 y 处放置一个放大器
            y->element.boosterHere = true;
            x->element.degradeToLeaf = y->element.degradeFromParent;
        }
        else    // 不需要在 y 处放置放大器
            x->element.degradeToLeaf = degradation;
    }

    // 计算 x 的右子树的衰减量，若大于容忍值，则在 x 右孩子处放置一个放大器
    y = x->rightChild;
    if (y != NULL)
```

```
{// x有一棵非空右子树
    int degradation = y->element.degradeToLeaf +
                       y->element.degradeFromParent;
    if (degradation > tolerance)
    {// 在 y 处放置一个放大器
        y->element.boosterHere = true;
        degradation = y->element.degradeFromParent;
    }
    if (x->element.degradeToLeaf < degradation)
        x->element.degradeToLeaf = degradation;
}
}
```

如果 t 是类 linkedBinaryTree 的对象，而且它的 degradeFromParent 域存储衰减值，boosterHere 域为 false，那么调用 t.postOrder(placeBoosters) 可重新为 degradeToLeaf 和 boosterHere 赋值。因为 placeBoosters 的时间复杂性为 $\Theta(1)$，所以调用 t.postOrder(placeBoosters) 所花费的时间为 $O(n)$，其中 n 为树的节点数。

4. 树的二叉树描述

当分布树 t 有节点超过两个孩子时，依然用二叉树来表示。此时，对每个节点 x，可用其孩子节点的 rightChild 指针把 x 的所有孩子链成一条链表。x 节点的 leftChild 指针指向该链表的第一个节点。x 节点的 rightChild 指针来指向 x 的兄弟。图 11-15 是一棵树和其二叉树，其中实线表示指向左孩子的指针，虚线表示指向右孩子的指针。

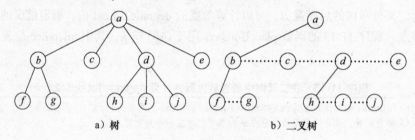

a）树   b）二叉树

图 11-15 树及其二叉树

当一棵树用二叉树表示时，调用 t.postOrder(placeBoosters) 不会产生预期的结果。练习 57 要求设计函数，计算 degradeToLeaf 和 boosterHere。

11.9.2 并查集

1. 问题描述

在 6.5.4 节中讨论了并查集问题。有 n 个元素从 1 到 n 编号。开始时，每一个元素在自己的类中，然后执行一系列 find 和 combine 操作。操作 find(theElement) 返回元素 theElement 所在类的唯一特征，而 combine(a,b) 把包含 a 和 b 的两个类合并。在 6.5.4 节，combine(a,b) 是用合并操作 unite(classA,classB) 来完成的，其中 classA=find(a), classB=find(b), classA ≠ classB。6.5.4 节的解决方案使用了链表，其复杂性为 $O(n+u\log u+f)$，其中 u 是合并操作的次数，f 是查找操作的次数。本节将采用另一种方案来解决并查集问题，其中每个集合（类）被表示为一棵树。

2. 集合的树形描述

任何一个集合 S 都可以描述为一棵具有 |S| 个节点的树，一个节点代表一个元素。任何一

个元素可以作为根元素；剩余元素的任何子集可以作为根元素的孩子；再剩余元素的任何子集可以作为根元素的孙子，等等。

图 11-16 是用树表示的一些集合，其中每个非根节点都有一个指针指向其父节点。指向父节点的指针之所以需要，是因为查找操作需要向上搜索一棵树。查找与合并操作都需要向下移动。

我们说，元素 1、2、20、30 等属于以 20 为根的集合；元素 11、16、25、28 属于以 16 为根的集合；元素 15 属于以 15 为根的集合；元素 26 和 32 属于以 26 为根的集合（或简单说集合 26）。

3. 求解策略

并查集问题的求解策略是，把每一个集合表示为一棵树。在查找时，我们把根元素作为集合标志符。因此，find(3) 的返回值是 20（见图 11-16）；find(1) 的返回值是 20；find(26) 的返回值是 26。因为每一个集合都有唯一的根，所以当且仅当 i 和 j 属于同一个集合时，有 find(i)=find(j)。为了确定元素 theElement 属于哪一个集合，我们从元素 theElement 的节点开始，沿着节点到其父节点向上移动，直到根节点为止。

在合并时，我们假设在调用语句 unite(classA，classB) 中，classA 和 classB 分别是两个不同树集合的根（即 classA ≠ classB）。为了把两个集合合并，我们让一棵树成为另一棵树的子树。例如，假设 classA=16 而 classB=26（见图 11-16），如果让 classA 成为 classB 的子树，那么结果如图 11-17a 所示；如果让 classB 成为 classA 的子树，那么结果如图 11-17b 所示。

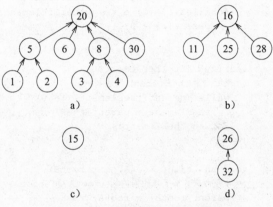

图 11-16　用树表示的分离的集合

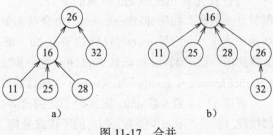

图 11-17　合并

4. C++ 实现

并查集问题的求解策略是模拟指针的一个极好的应用。这里需要树的链表描述，其中每个节点必须有一个 parent 域，但不必有孩子域。还需要直接访问节点。为找到含有元素 10 的集合，先要找到元素 10 的节点，然后沿着节点的 parent 指针找到根节点。如果 n 个节点的索引号从 1 到 n（n 是元素个数），且节点 e 表示元素 e，那么很容易实现直接访问。每个 parent 域给出父节点的索引，因此 parent 域为整数类型。

图 11-18 就是采用这种方法来表示

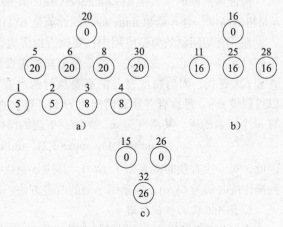

图 11-18　图 11-16 的树表示

图 11-16 的。节点内的数字是其 parent 域的值，节点外的数字是该节点的索引。索引同时也是该节点所表示的元素。根节点的 parent 域被置为 0。因为没有索引是 0 的节点，所以 parent为 0 表示不指向任何节点（即为空链）。

开始时，每个元素独自构成一个集合，为了创建这个初始布局，需要为数组 parent 分配空间，并置数组 parent[1:numberOfElements] 为 0。这由程序 11-14 的 initialize 函数来完成。

程序 11-14 基于树结构的并查集问题解决方案

```
void initialize(int numberOfElements)
{// 初始化 numberOfElements 棵树，每棵树一个元素
    parent = new int[numberOfElements + 1];
    for (int e = 1; e <= numberOfElements; e++)
        parent[e] = 0;
}

int find(int theElement)
{// 返回元素 theElement 所在树的根
    while (parent[theElement] != 0)
        theElement = parent[theElement];            // 向上移动一层
    return theElement;
}

void unite(int rootA, int rootB)
{// 合并两棵其根节点不同的树 (rootA 和 rootB)
    parent[rootB] = rootA;
}
```

为查找元素 theElement 所属的集合，从节点 theElement 出发，沿着 parent 指针搜索至根节点。例如，如果 theElement=4，集合状态如图 11-16a 所示，从 4 开始。由指针 parent[4]到达节点 8，由指针 parent[8] 到达节点 20，而节点 parent[20]=0，则 20 就是元素 4 所属二叉树的根。程序 11-14 的函数 find 便是这个算法，而且假设对 theElement 取值的合法性检验 $1 \leqslant$ theElement $\leqslant$ numberOfElements 在函数外部执行。

程序 11-14 的函数 unite 实现两个类的合并。假设对条件 rootA $\neq$ rootB 的检验在函数外部执行。总是把 rootB 作为 rootA 的子树来处理。

5. 性能分析

构造函数的时间性能是 O(numberOfElements)；查找函数 find 的时间性能是 $O(h)$，其中h 是树的高度。合并函数 unite 的时间性能是 $\Theta(1)$。

在并查集问题的典型应用中，要执行很多次合并和查找操作。而一个操作需要多少时间，我们对此并不关心，我们关心的是整个操作需要多少时间。假设一个系列操作要执行 u 次合并和 f 次查找，因为每次合并前都要执行两次查找（这些查找决定了要合并的树的根），所以可假设 $f > u$。每次合并所需时间为 $\Theta(1)$。每次查找所需时间取决于树的高度。最坏情况是，有 m 个元素的树，其高度为 m。例如，下面的操作序列可导致最坏情况：

$$\text{unite}(2,1), \ \text{unite}(3,2), \ \text{unite}(4,3), \ \text{unite}(5,4), \ \cdots$$

因此，每一次查找时间多则为 $\Theta(q)$，其中 q 是执行查找之前的合并操作次数。于是，一个系列操作的时间为 $O(fu)$。但是用下面的改进方法，这个时间可以降到 $O(f+u)=O(f)$。

6. 合并函数的性能改进

在对根为 i 和根为 j 的树进行合并操作时，利用**重量**规则或**高度**规则，可以提高并查集算

法的性能。

定义 11-3[重量规则] 若根为 i 的树的节点数少于根为 j 的树的节点数,则将 j 作为 i 的父节点。否则,将 i 作为 j 的父节点。

定义 11-4[高度规则] 若根为 i 的树的高度小于根为 j 的树的高度,则将 j 作为 i 的父节点,否则,将 i 作为 j 的父节点。

对图 11-16a 和图 11-16b 的两棵树进行合并时,无论采用重量规则还是高度规则,都会把以 16 为根的树作为子树,并入到以 20 为根的树中。但是对图 11-19a 和图 11-19b 的两棵树进行合并时,采用重量规则,将把根为 16 的树作为子树,并入根为 20 的树中,而采用高度规则,正好相反。

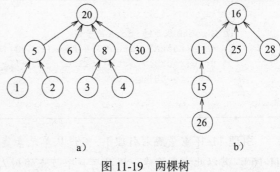

图 11-19 两棵树

为了把重量规则应用到合并算法中,在每个节点增加一个布尔域 root。当且仅当一个节点是当前根节点时,它的 root 域为 true。每个根节点的 parent 域用来记录该树的节点总数。对于图 11-16 的树,当且仅当 $i=20$、16、15 或 26 时,node[i].root=true ;当 $i=20$、16、15 和 26 时,node[i]. parent 分别为 9、4、1 和 2。余下节点的 parent 域不变。

为了实现重量规则,我们定义了结构 unionFindNode,它是树节点的数据类型。程序 11-15 是这个结构的代码。

程序 11-15 实现重量规则时使用的结构

```
struct unionFindNode
{
    int parent;      // 若为真, 则表示树的重量, 否则是父节点的指针
    bool root;       // 当且仅当是根时, 值为真

    unionFindNode()
        {parent = 1; root = true;}
};
```

初始化、查找和合并函数采用程序 11-16 的形式。

虽然合并操作的时间有所增加,但仍在一个常数范围,即 $\Theta(1)$。引理 11-1 给出了进行查找所需时间的最大值。

程序 11-16 用重量规则进行合并

```
void initialize(int numberOfElements)
{// 初始化 numberOfElements 棵树 , 每棵树包含一个元素
    node = new unionFindNode[numberOfElements+1];
}

int find(int theElement)
{// 返回元素所在树的根
    while (!node[theElement].root)
        theElement = node[theElement].parent;     // 向上移动一层
    return theElement;
```

```
    }

    void unite(int rootA, int rootB)
    {// 使用重量规则，合并其根不同的树 (rootA 和 rootB)
        if (node[rootA].parent < node[rootB].parent)
        {// 树 rootA 成为树 rootB 的子树
            node[rootB].parent += node[rootA].parent;
            node[rootA].root = false;
            node[rootA].parent = rootB;
        }
        else
        {// 树 rootB 成为树 rootA 的子树
            node[rootA].parent += node[rootB].parent;
            node[rootB].root = false;
            node[rootB].parent = rootA;
        }
    }
```

引理 11-1[重量规则引理]　假设从单元素集合出发，用重量规则进行合并操作（如程序 11-16）。若以此方式构建一棵具有 p 个节点的树 t，则 t 的高度最多为 $\lfloor \log_2 p \rfloor + 1$。

证明　当 $p=1$ 时引理显然成立。假设当 $i \leqslant p-1$ 时，对所有具有 i 个节点的树，引理均成立。下面将证明 $i=p$ 时引理也成立。考虑创建树 t 的最后一次合并操作 unite(k,j)。设树 j 的节点数为 m，树 k 的节点数为 $p-m$。不失一般性，可假设 $1 \leqslant m \leqslant p/2$。于是，树 j 成为树 k 的子树。树 t 的高度要么与 k 的高度相同，要么比 j 的高度大 1。若为前者，则 t 的高度 $\leqslant \lfloor \log_2(p-m) \rfloor + 1 \leqslant \lfloor \log_2 p \rfloor + 1$。若后者为真，则 t 的高度 $\leqslant \lfloor \log_2 m \rfloor + 2 \leqslant \lfloor \log_2 p/2 \rfloor + 2 \leqslant \lfloor \log_2 p \rfloor + 1$。∎

若从单元素集合出发，混合执行 u 次合并和 f 次查找序列，则每个集合不会超过 $u+1$ 个元素。由引理 11-1 可知，若使用重量规则，合并和查找序列的代价（不包括初始化时间）为 $O(u+f\log u)=O(f\log u)$（因为我们假定 $f>u$）。

若在程序 11-16 中采用高度规则而非重量规则，则引理 11-1 的结论依然成立。练习 60、练习 61 和练习 62 给出了高度规则的具体应用。

7. 查找函数的性能改进

通过修改程序 11-14，可以进一步改进查找函数在最坏情况下的性能，方法是缩短从元素 e 到根的查找路径。这个方法利用了**路径压缩**（path compression）过程，这个过程的实现至少有 3 种不同的途径——路径紧缩（path compaction）、路径分割（path splitting）和路径对折（path halving）

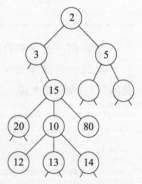

图 11-20　简单树

在路径紧缩中，从待查节点到根节点的路径上，所有节点的 parent 指针都被改为指向根节点。以图 11-20 为例，当执行查找操作 find(10) 时，从 10 到根的路径有节点 10、15 和 3。把这些节点的 parent 域改为 2，就得到图 11-21（节点 3 的指针本来就指向 2，因此其 parent 域不必修改。但是为简化起见，程序还是对路径上的每个节点都进行了修改）。

虽然路径紧缩增加了单个查找操作的时间，但它减少了此后查找操作的时间。例如，在图 11-21 的紧缩路径中查找元素 10 和 15 会更快。程序 11-17 给出紧缩规则的实现。

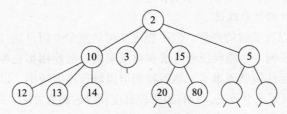

图 11-21 路径紧缩

程序 11-17 利用路径紧缩来查找一个元素

```
int find(int theElement)
{// 返回元素 theElement 所在树的根
 // 紧缩从元素 theElement 到根的路径

   // theRoot 最终是树的根
   int theRoot = theElement;
   while (!node[theRoot].root)
      theRoot = node[theRoot].parent;

   // 紧缩从 theElement 到 theRoot 的路径
   int currentNode = theElement;          // 从 theElement 开始
   while (currentNode != theRoot)
   {
      int parentNode = node[currentNode].parent;
      node[currentNode].parent = theRoot;   // 移到第 2 层
      currentNode = parentNode;             // 移到原来的父节点
   }

   return theRoot;
}
```

在路径分割中，从 e 节点到根节点的路径上，除根节点和其子节点之外，每个节点的 parent 指针都被改为指向各自的祖父。在图 11-20 中，路径分割从节点 13 开始，结果得到图 11-22 的树。在路径分割时，只考虑从 e 到根节点的一条路径就够了。

在路径对折中，从 e 节点到根节点的路径上，除根节点和其子节点之外，每隔一个节点，其 parent 指针都被改为指向各自的祖父。在路径对折中，指针改变的个数仅为路径分割中的一半。同样，在路径对折中只考虑从 e 到根的一条路径就够了。在图 11-20 中，路径对折从节点 13 开始，结果得到图 11-23 的树。

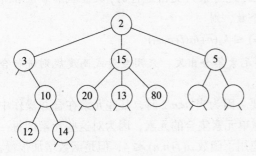

图 11-22 路径分割

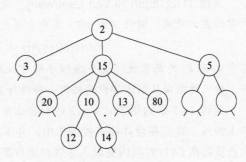

图 11-23 路径对折

8.合并和查找函数的性能改进

路径压缩过程可以改变树的高度，但不能改变树的重量。但是通过路径压缩来确定新树的高度是很麻烦的。任何一个路径压缩方法和重量规则一起使用都是相对容易的，而路径压缩方法和高度规则一起使用就困难了。然而我们可以修改高度规则，以便在不进行路径压缩的前提下使用树高。有了这个改进，只有当两棵高度相等的树合并时，树的高度才会改变。

9.改进的并查集算法在最坏情况下的性能

当用重量规则或高度规则进行合并操作和用任何一个路径压缩方法进行查找时，执行系列交错的合并和查找操作所需的时间与合并和查找的次数呈线性关系。不仅复杂性很难分析，结果也不易说明。

首先要定义爆炸式增长的 Ackermann 函数 $A(i,j)$ 和其倒数 $\alpha(p,q)$（增长很慢）：

$$A(i,j)=\begin{cases} 2^j & i=1且j\geqslant 1 \\ A(i-1,2) & i\geqslant 2且j=1 \\ A(i-1,A(i,j-1)) & i,j\geqslant 2 \end{cases}$$

$$\alpha(p,q)=\min\{z\geqslant 1\,|\,A(z,\lfloor p/q\rfloor)>\log_2 q\},p\geqslant q\geqslant 1$$

练习 67 证明，函数 $A(i,j)$ 是 i 和 j 的增长函数；即 $A(i,j)>A(i-1,j)$，$A(i,j)>A(i,j-1)$。实际上，函数 $A(i,j)$ 增长很快。结果，它的反函数 α 随着 p 和 q 的增长而缓慢地增长。

例 11-7   为了感受一下 Ackermann 函数的增长有多快，我们用一组 i 和 j 的值来计算 $A(i,j)$。根据定义，$A(2,1)=A(1,2)=2^2=4$。对 $j\geqslant 2$，$A(2,j)=A(1,A(2,j-1))=2^{A(2,j-1)}$。因此，$A(2,2)=2^{A(2,1)}=2^4=16$；$A(2,3)=2^{A(2,2)}=2^{16}=65\ 536$；$A(2,4)=2^{A(2,3)}=2^{65\ 536}$（数值太大，写不下了）；和

$$A(2,j)=2^{2^{2^{2^{-}}}}$$

其中，在等式右边堆上去的 2 有 $j+1$ 个。当 $j>3$ 时，$A(2,j)$ 的值是惊人的。

$A(3,1)=A(2,2)=16$ 不是一个惊人的数字。但是，$A(4,1)=A(3,2)=A(2,A(3,1))=A(2,16)$。如果 $A(2,4)$ 都太大了，那么 $A(4,1)=A(2,16)$ 呢？

本例的意图不是要你牢记 $A(i,j)$ 的增长有多快，而是要你牢记 $\alpha(p,q)$ 的增长有多慢。当 $q=65\ 535=2^{16}-1$ 时，$\log q<16$。因为 $A(3,1)=16$，所以 $\alpha(65\ 535,65\ 535)=3$，而且对 $p\geqslant 65\ 535$，有 $\alpha(p,65\ 535)\leqslant 3$。$\alpha(65\ 536,65\ 536)=4$，而且对 $p\geqslant 65\ 536$，有 $\alpha(p,65\ 536)\leqslant 4$。$\alpha(q,q)$ 直到 $q=2^{A(4,1)}$ 才等于 5，而 $2^{A(4,1)}$ 是一个惊人的数字。因此，对 $p\geqslant q$，$\alpha(p,q)$ 直到 $q=2^{A(4,1)}$ 才等于 5。

在改进的并查集算法的复杂性分析中，q 是集合的元素个数，p 是查找次数和元素个数的和。因此，在所有实际应用而言，可以假设 $\alpha(p,q)\leqslant 4$。 ■

定理 11-2[Tarjan 和 Van Leeuwen]   设 $T(f,u)$ 是一系列交错进行的 f 次查找和 u 次合并所需的最大时间。假设 $u\geqslant n/2$，其中 n 是元素个数，则

$$k_1(n+f\alpha(f+n,n))\leqslant T(f,u)\leqslant k_2(n+f\alpha(f+n,n))$$

其中 k_1 和 k_2 为正常数。这个操作序列可以从单元素集合出发，采用重量或高度规则进行合并，按三种路径压缩方法中的任何一种进行查找。

定理 11-2 中的要求 $u\geqslant n/2$ 并不是非常重要。因为当 $u<n/2$ 时，某些元素在合并操作中并未涉及。我们在合并和查找操作中，并不考虑单元素集合的元素，因为对这些元素的每一次查找可在 $O(1)$ 时间内完成。尽管对所有实际应用，函数 $\alpha(f+n,n)\leqslant 4$，但是函数增加很慢，而且合并和查找序列的复杂性与元素数量和查找次数不是线性关系。

我们有 2 种方法来改进合并操作的性能，有 3 种方法改进查找操作的性能。为了在定理 11-2 所证明的时间范围内实现一个解决并查集问题的程序，我们有 6 种选择。哪一种选择最好，我们通过实验来确定。

练习

53. 有一个分布网络是一棵完全二叉树，高度为 4，节点序号 1 ~ 15，如图 11-6 所示，而且 degradeFromParent(2:15)=[4,3,6,2,5,2,2,4,6,4,5,3,6,2]。

    1）画一个分布网络，每一条边用相应的 degradeFromParent 值来标志（见图 11-12 ）。

    2）在分布树中，每个节点用它的 degradeToLeaf 值来标志。

    3）用 11.9.1 节的方法来确定，当容忍值 tolerance=8 时，最少需要多少信号放大器。用图 11-14 的方法标志每一个节点和每一条边。

54. 在 degradeFromParent(2:15)=[2,4,5,6,3,4,2,6,3,1,3,2,6,3] 和容忍值 tolerance=11 的条件下做练习 53。

55. 1）画出图 11-16a 和图 11-16b，图 11-17a 和图 11-17b，图 11-19a 和图 11-19b 的二叉树表示。

    2）画出图 11-12 的二叉树表示。（注意这类树的二叉树描述方法与用左孩子指针指向一个节点，右孩子指针指向另一个节点的表示方法不同。）

56. **森林**（forest）是 0 棵或多棵树的集合。在树的二叉树表示中，根没有右孩子。由此可以用二叉树来表示具有 *m* 棵树的森林。首先把森林的每棵树表示为二叉树，然后，把第 *i* 棵作为第 *i*–1 棵树的右子树，其中 2 ≤ *i* ≤ *m*。画出图 11-16 森林的二叉树表示，还有图 11-17 和图 11-19 的二棵树表示。

57. 设 t 为类 linkedBinaryTree 的一个实例。假设 t 为分布树（如图 11-15 所示）的二叉树表示。编写一个程序，对于计算 t 的每个节点，计算其 degradeToLeaf 和 boosterHere 的值。程序应调用 t.postOrderOutput() 来输出结果。用适当的分布树来检查程序的正确性。

58. 设有 *n* 个集合，每个集合的元素各不相同：

    1）证明若执行 *u* 次合并操作，则所有集合的元素数不大于 *u*+1。

    2）证明在集合数目变成 1 之前，最多执行了 *n*–1 次合并操作。

    3）证明若执行的合并次数小于 ⌈*n*/2⌉，则至少有一个单元素集合。

    4）证明若执行了 *u* 次合并操作，则单元素集合至少有 max{*n*–2*u*, 0} 个。

59. 给出一个例子，从单元素集合开始，执行一系列合并操作，使生成树的高度等于引理 11-1 给出的上限。假设每次合并都遵循重量规则。

60. 给出程序 11-14 关于合并函数的另一个版本，采用高度规则而不是重量规则。

61. 当采用高度规则而非重量规则时证明引理 11-1。

62. 给出一个例子，由单元素集合开始执行一系列合并操作，使生成树的高度等于引理 11-1 给出的上限。假设每次合并都遵循高度规则。

63. 一个是程序 11-14 的简单合并 / 查找算法，另一个是使用重量规则和路径压缩的合并 / 查找（程序 11-16 和程序 11-17），比较这两个方法的平均性能。取 *n* 的不同值来进行这种比较。对每个 *n* 值，生成一随机序偶 (*i*, *j*)。用两个查找操作替换这个序偶（其中一个查找 *i*，另一个查找 *j*）。若这两个元素在不同集合中，则执行一次合并操作。使用多个不同的随机序偶重复进行实验。测试所有操作所需的总时间。自己描述基本实验内容，设计一个有意义的实验，比较两组程序的平均性能。写出关于实验过程和结果的报告，其中包括程序、平均时间表和图。

64. 编写 find 函数，采用路径分割而不是程序 11-17 所使用的路径紧缩方法。

65. 编写 find 函数，采用路径对折而不是程序 11-17 所使用的路径紧缩方法。

66. 设计 6 个方法，每个方法都可以得到定理 11-2 给出的性能。用实验来评价这 6 个方法，确定哪一个最好。

67. 证明

1）对 $i>1$ 和 $j \geq 1$，有 $A(i,j)>A(i-1,j)$

2）对 $i \geq 1$ 和 $j>1$，有 $A(i,j)>A(i,j-1)$

3）对 $r>p \geq q \geq 1$，$\alpha(r,q) \geq \alpha(p,q)$。

11.10 参考及推荐读物

关于二叉树问题，有一本好的参考书：D Knuth. *The Art of Computer Programming*: *Fundamental Algorithms*, Volume1, 3rd ed. Addison-Wesley.Reading, MA, 1997. 关于放大器放置问题，在下面的论文中有深入研究：D. Paik, S. Reddy, S. Sahni. *Deleting Vertices in Dags to Bound Path Lengths*. IEEE Transactions on Computers, 43, 9, 1994, 1091~1096. 还有 D. Paik, S. Reddy, S. Sahni. *Heuristics for the Placement of Flip-Flops in Partial Scan Designs and for the Placement of Signal Boosters in Lossy Circuits*. Sixth International Conference On VLSI Design,1993，45~50.

关于在线等价类问题的树形描述，在下面论文中有完整的分析：R. Tarjan, J. Leeuwen. *Worst Case Analysis of Set Union Algorithms*. Journal of the ACM, 31, 2, 1984, 245~281.

本书网站还有一些本教材没有包含的树结构：配对堆（pairing heap）、区间堆（interval heap）、双端优先级队列的树结构（tree structures for double-ended priority queue）、字典树（tries，也称前缀树、单词查找树、键树）、后缀树（suffix tree）。应该在学习了第 12 ~ 15 章之后阅读这些内容。

优先级队列

概述

与第 9 章的 FIFO 结构的队列不同，在优先级队列中，元素出队列的顺序由元素的优先级决定。可以按优先级的递增顺序，也可以按优先级的递减顺序，但不是元素进入队列的顺序。

堆是实现优先级队列效率很高的数据结构。堆是一棵完全二叉树，用 11.4.1 节的数组表示最有效率。在链表结构中，在高度和重量上的左高树也适合于表示优先级队列。本章的内容涵盖了堆和左高树。另外的优先级队列数据结构——配对堆——在本书的网站上。在本书的网站上还有双端优先级队列结构，它既可以按照优先级的递增顺序删除，也可以按照优先级的递减顺序删除。C++ 的 STL 类 priority-queue 是用堆实现的优先级队列。

在本章后面的应用部分，我们利用堆开发了一种复杂性为 $O(n\log n)$ 的排序算法，称为堆排序。第 2 章中介绍的 n 个元素的排序算法，其时间复杂性均为 $O(n^2)$。尽管在第 6 章所介绍的箱子排序和基数排序算法使时间复杂性降到 $\Theta(n)$，但是算法要求元素的取值必须在合适的范围内。迄今为止，堆排序是第一种通用排序算法，且时间复杂性优于 $O(n^2)$。第 18 章将讨论另一种与堆排序具有相同复杂性的排序算法。从渐近复杂性的观点来看，堆排序是一种优化的排序算法，因为可以证明，任何依赖成对元素比较的通用排序算法都具备 $\Omega(n\log n)$ 时间复杂性（见 18.4.2 节）。

本节所考察的另外两个应用是机器调度和霍夫曼编码。机器调度问题属于 NP- 复杂类问题，对于这类问题，不存在具有多项式时间复杂性的算法。而如第 3 章所述，对于大量的算法，只有具备多项式时间复杂性才是可行的。因此，对 NP- 复杂问题，经常利用近似算法或启发式算法来解决，这些算法能在合理的时间内完成，但不能保证有最佳的结果。而堆数据结构用来实现一个成熟的机器调度问题的近似算法是很有效的。

12.1　定义和应用

优先级队列（priority queue）是 0 个或多个元素的集合，每个元素都有一个优先权或值，对优先级队列执行的操作有 1）查找一个元素；2）插入一个新元素；3）删除一个元素。与这些操作分别对应的函数是 top、push 和 pop。在**最小优先级队列**（min priority queue）中，查找和删除的元素都是优先级最小的元素；在**最大优先级队列**（max priority queue）中，查找和删除的元素都是优先级最大的元素。优先级队列的元素可以有相同的优先级，对这样的元素，查找与删除可以按任意顺序处理。

例 12-1　假设我们对一台机器所提供的服务按固定时间收费（如，按天或按月）。每个用户的付费是相同的，但每个用户每次使用机器的时间是不同的。假设机器在任何时候都可以服务，为了取得最大的收益，我们把等待机器服务的用户组成一个最小优先级队列。优先

程序 12-1　抽象类 maxPriorityQueue

```
template<class T>
class maxPriorityQueue
{
    public:
        virtual ~maxPriorityQueue() {}
        virtual bool empty() const = 0;
                // 返回 true, 当且仅当队列为空
        virtual int size() const = 0;
                // 返回队列的元素个数
        virtual const T& top() = 0;
                // 返回优先级最大的元素的引用
        virtual void pop() = 0;
                // 删除队首元素
        virtual void push(const T& theElement) = 0;
                // 插入元素 theElement
};
```

12.3　线性表

描述最大优先级队列最简单的方法是无序线性表。假定一个优先级队列具有 n 个元素。利用公式（5-1）把一个新元素插入表的右端很容易，而且插入所需时间为 $\Theta(1)$。但在执行删除操作时，必须先在未排序的 n 个元素中查找优先级最大的元素，然后执行删除。因此删除操作所需时间为 $\Theta(n)$。如果利用链表，插入操作在链头执行，时间为 $\Theta(1)$，而删除操作所需时间为 $\Theta(n)$。

另一种表示方法是有序线性表，当使用公式（5-1）时，元素按非递减顺序排列，当使用链表时，则按非递增次序排列。这两种描述方法的删除时间均为 $\Theta(1)$，插入操作所需时间均为 $\Theta(n)$。

练习

1. 利用数组线性表（见 5.3 节）设计 C++ 类，实现抽象数据类型 maxPriorityQueue。push 的时间应为 $\Theta(1)$，top 和 pop 的时间应为 $O(n)$，其中 n 是元素个数。
2. 利用 6.1 节的链表类 chain 重做练习 1。
3. 利用有序数组线性表重做练习 1，函数 push 的时间应为 $O(n)$，top 和 pop 的时间应为 $\Theta(1)$。
4. 利用有序链表重做练习 1。函数 push 的时间应为 $O(n)$，而 top 和 pop 的时间应为 $\Theta(1)$。
5. 假设优先级是一个整数，范围从 1 到 maxPriority，其中 maxPriority 是一个比较小的常数，例如 3 或 4。设计一个 C++ 类，用 FIFO 队列数组 priority[] 实现最大优先级队列；priority[i] 存储所有优先级为 i 的元素。假设一个元素的优先级可以通过强制转换，把元素转换为整型而确定。类的构造函数要求指定 maxPriority 的值，每一个操作的时间复杂性应该是 $\Theta(1)$（不包括数组空间扩充所需要的时间）。测试你的代码。

12.4　堆

12.4.1　定义

定义 12-1　一棵大根树（小根树）　是这样一棵树，其中每个节点的值都大于（小于

或等于其子节点（如果有子节点的话）的值。

图 12-1 是一些**大根树**（max tree），图 12-2 是一些**小根树**（min tree）。虽然这些树都是二叉树，但不是必要的。在大根树或小根树中，节点的子节点个数可以任意。

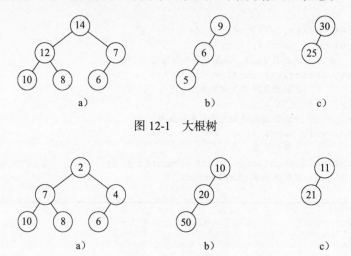

图 12-1　大根树

图 12-2　小根树

定义 12-2　一个**大根堆（小根堆）**既是大根树（小根树）也是完全二叉树。

图 12-1b 的大根树并不是大根堆，因为它不是完全二叉树，图 12-1 的另外两棵大根树是完全二叉树，因此是大根堆。图 12-2b 的小根树不是小根堆，因为它不是完全二叉树。图 12-2 另外两棵小根树是完全二叉树，因此是小根堆。

因为堆是完全二叉树，所以用 11.4.1 节的一维数组有效地描述。利用二叉树的特性 11-4，可以将堆中节点移到它的父节点或它的一个子节点处。在后面的讨论中，我们将用节点在数组描述中的位置来表示它在堆中的位置，如根的位置为 1，其左孩子为 2，右孩子为 3，等等。另外，堆是完全二叉树，具有 n 个元素的堆的高度为 $\lceil \log_2(n+1) \rceil$。因此，如果能够在 $O(\text{height})$ 时间内完成插入和删除操作，那么这些操作的复杂性为 $O(\log n)$。

12.4.2　大根堆的插入

图 12-3a 是一棵 5 元素的大根堆。因为堆是完全二叉树，所以当加入一个元素形成 6 元素堆时，其结构必然如图 12-3b 所示。插入过程是这样的，把新元素插入新节点，然后沿着从新节点到根节点的路径，执行一趟起泡操作，将新元素与其父节点的元素比较交换，直到后者大于或等于前者为止。

如果插入的元素是 1，则插入后该元素成为 2 的左孩子。如果插入的新元素不是 1，而是 5，则该元素不能成为 2 的左孩子，否则将改变大根树的特性。这时应把元素 2 下移到其左孩子节点（如图 12-3c 所示），或者说，把元素 5 上升到父节点，即元素 2 原来的位置，然后确定这时的二叉树是否是大根堆。由于父节点的元素 20 不小于新元素 5，所以可以把新元素 5 插到如图 12-3c 所示的位置上。如果插入的新元素不是 5，而是 21，这时，元素 2 下移到其左子节点，如图 12-3c 所示。但是 21 不能插入原来 2 所在的位置，因为这个位置上的父节点元素 20 小于新元素 21。因此把 20 移到它的右子节点，把 21 插入堆的根节点（如图 12-3d 所示）。

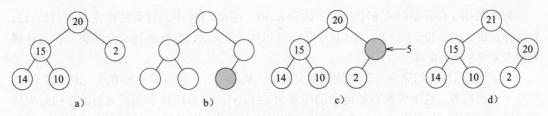

图 12-3　大根堆的插入

上述的插入策略是从一个叶子到根的一趟起泡过程。每一层的操作需耗时 $\Theta(1)$，因此，实现这种插入策略的时间复杂性为 $O(\text{height})=O(\log n)$。

12.4.3　大根堆的删除

在大根堆中删除一个元素，就是删除根节点的元素。例如，在图 12-3d 的大根堆中进行一次删除操作，就是删除元素 21。删除之后，大根堆只剩下 5 个元素。此时的二叉树需要重新组织，以便仍是大根堆（既重构，以对应一棵完全二叉树，它是 5 个元素的最小树）。为此，把位置 6 的元素 2 取出，然后删除原来 2 所在的节点，这样就得到了一个完全二叉树结构（如图 12-4a 所示）。但此时的根节点为空，而元素 2 还不在堆结构中。如果把 2 直接插入根节点，那么结果不是大根树。现在需要把根节点的左右孩子元素的大者，即 20，移到根节点，结果位置 3 成为一个空位。因为 3 这个位置没有孩子节点，所以可以把 2 插入这个位置。结果形成大根堆，如图 12-3a 所示。

现在假设要删除 20。删除之后，堆的二叉树结构如图 12-4b 所示。为得到这个结构，把元素 10 从位置 5 移出，删除位置 5。如果将 10 放在根节点，结果并不是大根堆。现在需要把根节点的两个孩子元素（15 和 2）的大者，即 15，移到根节点。这时位置 2 是一个空位，但是还不能将 10 插到这个位置，因为结果不是大根堆。再将这个位置的左右孩子元素的大者，即 14，移到这个位置，腾空位置 4。然后把 10 插入位置 4。最后结果是大根堆，如图 12-4c 所示。

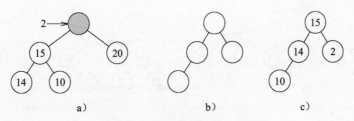

图 12-4　从大根堆删除最大元素

删除策略形成一条从根节点到一个叶节点的路径。每一层的操作需耗时 $\Theta(1)$，因此，实现这种删除策略的时间复杂性为 $O(\text{height})=O(\log n)$。

12.4.4　大根堆的初始化

在大根堆的若干种应用中，包括例 12-2 的工厂仿真问题的事件表，开始时，堆已经含有 $n(n>0)$ 个元素。为了构建这个初始的非空堆，我们需要在空堆中执行 n 次插入操作。插入操作所需的总时间为 $O(n\log n)$。也可以用不同的策略在 $\Theta(n)$ 时间内完成堆的初始化。

假设数组 a 在开始时有 n 个元素。假设 n=10，在 a[1:10] 中，元素的优先级为 [20，12，35，15，10，80，30，17，2，1]。这个数组可以用来表示图 12-5a 的完全二叉树。但是这棵完全二叉树不是大根堆。

为了将图 12-5a 的完全二叉树转化为大根堆，从最后一个具有孩子的节点（即元素 10 的节点）开始检查。这个元素在数组中的位置为 $i = \lfloor n/2 \rfloor$。如果以这个元素为根的子树是大根堆，则不做操作。如果以这个元素为根的子树不是大根堆，则必须把这个子树调整为大根堆。然后继续检查以 i-1、i-2 等节点为根的子树，直至检查到以 1 为根的树为止。

下面对图 12-5a 的二叉树实施这一过程。最初，i=5。以位置 5 为根的子树已是大根堆，因为 10>1。下一步 i=4，检查以位置 4 为根的子树。由于 15<17，所以它不是大根堆。为将其调整为大根堆，将 15 与 17 交换，得到如图 12-5b 所示的大根堆。然后 i=3，检查以位置 3 为根的子树。它不是大根堆。为使其变为大根堆，将 80 与 35 交换。接下来 i=2，检查以位置 2 为根的子树，它不是大根堆。将该子树重构为大根堆需要确定较大的孩子，即 17。因为 12<17，所以 12 与 17 交换，17 成为重构子树的根。下一步将 12 与位置 4 的两个孩子的较大一个进行比较，由于 12<15，所以 15 被移到位置 4。这时位置 8 没有孩子，将 12 插入这个位置，形成图 12-5c。最后，i=1，检查以位置 1 为根的树。这时以位置 2 或位置 3 为根的子树已是大根堆了，然而 20<max{17，80}，因此 20 与 80 交换，80 成为大根堆的根。这时位置 3 空出。因为 20<max{35,30}，把 35 移到位置 3。最后 20 占据位置 6。图 12-5d 显示了最终形成的大根堆。

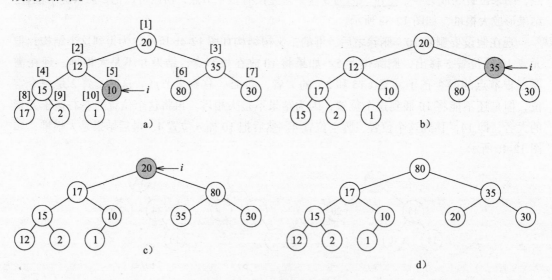

图 12-5 大根堆的初始化

12.4.5 类 maxHeap

类 maxHeap 用来实现一个最大优先级队列。类的数据成员是 heap（一个类型为 T 的一维数组）、arrayLength（数组 heap 的容量）和 heapSize（堆的元素个数）。top 方法在堆为空时，抛出一个异常 queueEmpty，在堆不为空时，返回一个值 heap[1]。相应的代码被省略。程序 12-2 是 push 函数的代码，程序 12-3 是 pop 函数的代码，它们分别实现了 12.4.2 节和 12.4.3 节的算法描述。

程序 12-2　大根堆的插入

```
template<class T>
void maxHeap<T>::push(const T& theElement)
{// 把元素 theElement 加入堆

   // 必要时增加数组长度
   if (heapSize == arrayLength - 1)
   {// 数组长度加倍
      changeLength1D(heap, arrayLength, 2 * arrayLength);
      arrayLength *= 2;
   }

   // 为元素 theElement 寻找插入位置
   // currentNode 从新叶子向上移动
   int currentNode = ++heapSize;
   while (currentNode != 1 && heap[currentNode / 2] < theElement)
   {
      // 不能把元素 theElement 插入在 heap[currentNode]
      heap[currentNode] = heap[currentNode / 2];      // 把元素向下移动
      currentNode /= 2;                               // currentNode 移向双亲
   }

   heap[currentNode] = theElement;
}
```

程序 12-3　从大根堆删除最大元素

```
template<class T>
void maxHeap<T>::pop()
{// 删除最大元素
   // 如果堆为空, 抛出异常
   if (heapSize == 0)                          // 堆为空
      throw queueEmpty();

   // 删除最大元素
   heap[1].~T();

   // 删除最后一个元素, 然后重新建堆
   T lastElement = heap[heapSize--];

   // 从根开始, 为最后一个元素寻找位置
   int currentNode = 1,
       child = 2;                                  // currentNode 的孩子
   while (child <= heapSize)
   {
      // heap[child] 应该是 currentNode 的更大的孩子
      if (child < heapSize && heap[child] < heap[child + 1])
         child++;

      // 可以把 lastElement 放在 heap[currentNode] 吗 ?
      if (lastElement >= heap[child])
         break;                                 // 可以

      // 不可以
```

```
        heap[currentNode] = heap[child];              // 把孩子 child 向上移动
        currentNode = child;                          // 向下移动一层寻找位置
        child *= 2;
    }
    heap[currentNode] = lastElement;
}
```

在插入函数 push 的代码中，首先确定数组 heap 是否有空间容纳新元素。若没有，则数组空间容量加倍。然后令变量 currentNode 指向新叶子节点的位置，heapSize。接下来，沿着从新叶子节点到根的路径进行遍历。实际上，是把新元素 theElement 沿着这条路径起泡上浮，直至达到合适的位置。在每一次确定上移位置 currentNode 的值时，我们都要判断，是否到达根（即 currentNode=1），或者是否在 currentNode 位置插入新元素之后符合大根树的特性（即 theElement ≤ heap[currentNode/2]）。如果有一个条件成立，就把新元素 theElement 插到位置 currentNode。否则，就进入 while 循环体，把位置 currentNode/2 的元素移到位置 currentNode，然后令 currentNode=currentNode/2。对 n 个元素的大根堆（即 heapSize=n），while 循环的迭代次数是 $O(height)=O(\log n)$，每次迭代的时间是 $\Theta(1)$。因此，push 所需的时间（不包括数组容量加倍的时间）是 $O(\log n)$。

pop 操作要删除的是堆中最大元素，它存储在根 heap[1] 中。删除过程是，把堆的最后一个元素 heap[heapSize] 保存到变量 lastElement，然后堆的元素个数 heapSize 减 1。在 while 循环中，我们把数组 heap 重建为大根堆。重建堆的过程是为存储在 lastElement 中的元素寻找合适的插入位置。寻找过程从根开始沿堆向下进行。对 n 个元素的堆，while 循环的执行次数为 $O(\log n)$，而且每次循环所需时间为 $\Theta(1)$，因此，pop 操作的时间复杂性为 $O(\log n)$。

方法 initialize（见程序 12-4）在数组 theHeap 中建堆。函数一开始，令 heap 指向数组 theHeap，heapSize 等于数组中元素个数 theSize。在 for 循环中，我们从最后一个具有孩子的节点开始到根节点进行扫描，并用 root 表示正在处理的节点。对于每一个 root 值，嵌入的 while 循环把以 root 为根的子树调整为大根堆。注意，for 循环与程序 12-3 的 pop 函数是相似的。

程序 12-4　初始化一个非空大根堆

```
template<class T>
void maxHeap<T>::initialize(T *theHeap, int theSize)
{// 在数组 theHeap[1:theSize] 中建大根堆
    delete [] heap;
    heap = theHeap;
    heapSize = theSize;

    // 堆化
    for (int root = heapSize / 2; root >= 1; root--)
    {
        T rootElement = heap[root];

        // 为元素 rootElement 寻找位置
        int child = 2 * root;            // 孩子 child 的双亲是元素 rootElement 的位置
        while (child <= heapSize)
        {
            // heap[child] 应该是兄弟中较大者
            if (child < heapSize && heap[child] < heap[child + 1])
```

```
        child++;

     // 可以把元素 rootElement 放在 heap[child/2] 吗
     if (rootElement >= heap[child])
        break;  // 可以

     // 不可以
     heap[child / 2] = heap[child];        // 把孩子向上移
     child *= 2;                            // 移到下一层
   }
   heap[child / 2] = rootElement;
  }
}
```

函数 initialize 的复杂性

在程序 12-4 的 initialize 函数中，如果元素个数为 n（即 theSize=n），那么 for 循环的每次迭代所需时间为 $O(\log n)$，迭代次数为 $n/2$，因此 initialize 函数的复杂性为 $O(n\log n)$。注意，O 表示法提供算法复杂性的上限。实际应用中，initialize 的复杂性要比上限 $O(n\log n)$ 好一些。经过更仔细的分析，我们得出真正的复杂性为 $\Theta(n)$。

在 initialize 函数中，while 循环的每一次迭代所需时间为 $O(h_i)$，其中 h_i 是以位置 i 为根节点的子树的高度。完全二叉树 heap[1:n] 的高度为 $h = \lceil \log_2(n+1) \rceil$。在树的第 j 层，最多有 2^{j-1} 个节点。因此最多有 2^{j-1} 个节点具有相同的高度 $h_i = h-j+1$。于是大根堆的初始化时间为

$$O\left(\sum_{j=1}^{h-1} 2^{j-1}(h-j+1)\right) = O\left(\sum_{k=2}^{h} k2^{h-k}\right) = O\left(2^h \sum_{k=2}^{h}(k/2^k)\right) = O(2^k) = O(n)$$

这个公式的推导与练习 10 一致。

$$\sum_{k=1}^{m} \frac{k}{2^k} = 2 - \frac{m+2}{2^m} \tag{12-1}$$

因为 for 循环执行 $n/2$ 次迭代，所以复杂性为 $\Omega(n)$。将两者综合考虑，得到 initialize 的复杂性为 $\Theta(n)$。

12.4.6 堆和 STL

STL 的类 priority_queue 利用了基于向量的堆来实现大根堆，它允许用户自己制定优先级的比较函数，因此，这个类也可以用于实现小根堆。

练习

6. 考虑数组 theHeap=[–,3,5,6,7,20,8,2,9,12,15,30,17]。
   1）画出相应的完全二叉树。
   2）用程序 12-4 的方法在数组中建堆。分别用数组和树的形式显示结果。
   3）使用程序 12-2 的方法，顺序插入 15、20 和 45。显示每一次插入之后的大根堆。
   4）使用程序 12-3 的方法，对 3）的结果执行 4 次最大元素删除。显示每一次删除后的大根堆。
7. 以初始数组 [–,10,2,7,6,5,9,12,35,22,15,1,3,4] 为对象，做练习 6。
8. 以初始数组 [–,1,2,3,4,5,6,7,8,9,10,12,15,22,35] 为对象，做练习 6。

9. 以初始数组 [-,30,17,20,15,10,12,5,7,8,5,2,9] 为对象，做练习 6。不过与 2）不同的是建立的是小根堆，与 3）不同的是，插入元素为 1、10、6 和 4。与 4）不同的是，执行 3 次最小元素删除。

10. 对 m 用归纳法证明公式（12-1）。

11. 编写类 mapHeap 的复制构造函数。测试代码。

12. 在 maxHeap 类中加入一个公有成员函数 changeMax（newElement），它用元素 newElement 替代最大元素，newElement 的优先级可以大于或小于当前最大元素 heap[1] 的优先级。和 pop 方法一样，代码应该从根开始，沿着一条向下的路径遍历。代码的复杂性应为 $O(\log n)$，其中 n 是大根堆的元素个数。证明这个结论。测试代码的正确性。

13. 在 maxHeap 类中加入一个公有成员函数 remove(i)，它删除并返回 heap[i] 的元素。代码的复杂性应为 $O(\log n)$，其中 n 是大根堆的元素个数。证明这个结论。测试代码的正确性。

14. 为类 maxHeap 设计一个迭代器。可以按任意顺序计数元素个数。对 n 元素大根堆进行计数所需时间应为 $O(n)$。证明这个结论。测试代码的正确性。

15. 在程序 12-3 的函数 pop 中，lastElement 从堆的底部取出，重新插入大根堆的，但仍插到接近大根堆底部的地方。请重新写一个 pop 函数，让根节点的空位置先移到叶节点，然后从这个叶节点往上，为 lastElement 寻找合适的位置。通过实验来比较新代码是否比旧代码执行速度快。

16. 根据下面的假设，重新编写类 maxHeap 的方法。

   1）在创建堆时，创建者应该提供两个元素 maxElement 和 minElement。堆中没有元素比 maxElement 大，也没有元素比 minElement 小。

   2）一个 n 元素的堆需要一个数组 heap[0:2n+1]。

   3）n 个元素按本节所描述的方法存储在 heap[1:n] 中。

   4）maxElement 存储在 heap[0] 中。

   5）minElement 存储在 heap[n+1:2n+l] 中。

   这些假设应该使 push 和 pop 的代码简化。通过实验将本练习的实现与本节的实现做比较。

17. 一个 d 堆是一棵度为 d 的完全树。设计一个具体的类 maxDHeap，用 d 堆来扩展抽象类 maxPriorityQueue。当 d=2,3,4 时，比较 maxDHeap 和 maxHeap 的性能。

18. 以练习 17 的类 maxDHeap 为对象，做练习 12。

12.5　左高树

12.5.1　高度优先与宽度优先的最大及最小左高树

　　12.4 节的堆结构是一种**隐式数据结构**（implicit data structure）。用完全二叉树表示的堆在数组中是隐式存储的（即没有明确的指针或其他数据能够用来重塑这种结构）。由于没有存储结构信息，这种表示方法的空间利用率很高，它实际上没有浪费空间。而且它的时间效率也很高。尽管如此，它并不适合于所有优先级队列的应用，尤其是当两个优先级队列或多个长度不同的队列需要合并的时候，这时我们就需要其他数据结构了。左高树就能满足这种需要。

　　考察一棵二叉树，它有一类特殊的节点叫做**外部节点**（external node），它代替树中的空子树。其余节点叫做**内部节点**（internal node）。增加了外部节点的二叉树被称为**扩充二叉树**（extended binary tree），图 12-6a 是一棵二叉树，其相应的扩充二叉树如图 12-6b 所示。外部节点用阴影框表示。为了方便起见，这些节点用 a~f 标注。

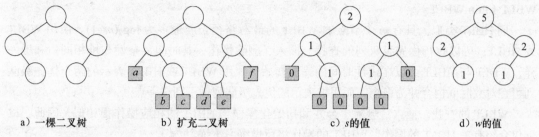

a）一棵二叉树　　　　b）扩充二叉树　　　　c）s 的值　　　　d）w 的值

图 12-6　　s 和 w 的值

令 $s(x)$ 是从节点 x 到其子树的外部节点的所有路径中最短的一条。根据 $s(x)$ 的定义，若 x 是外部节点，则 s 的值为 0；若 x 为内部节点，则 s 的值为：

$$\min\{s(L), s(R)\} + 1$$

其中 L 与 R 分别为 x 的左右孩子。扩充二叉树（如图 12-6b 所示）中各节点的 s 值如图 12-6c 所示。

定义 12-3　一棵二叉树称为**高度优先左高树**（height-biased leftist tree，HBLT），当且仅当其任何一个内部节点的左孩子的 s 值都大于或等于右孩子的 s 值。

图 12-6a 不是 HBLT。考察外部节点 a 的父节点，它的左孩子的 s 值为 0，而右孩子的值为 1，尽管其他内部节点均满足 HBLT 的定义。若将节点 a 的父节点的左右子树交换，图 12-6a 就成为 HBLT。

定理 12-1　令 x 为 HBLT 的一个内部节点，则

1）以 x 为根的子树的节点数目至少为 $2^{s(x)} - 1$。

2）若以 x 为根的子树有 m 个节点，那么 $s(x)$ 最多为 $\log_2(m+1)$。

3）从 x 到一外部节点的最右路径（即从 x 开始沿右孩子移动的路径）的长度为 $s(x)$。

证明　根据 $s(x)$ 的定义，从 x 节点往下第 $s(x)-1$ 层没有外部节点（否则 x 的 s 值将更小）。以 x 为根的子树在当前层只有 1 个节点 x，下一层有 2 个节点，再下一层有 4 个节点……从 x 层往下第 $s(x)-1$ 层有 $2^{s(x)-1}$ 个节点，在 $s(x)-1$ 层以下可能还有其他节点，因此此子树 x 的节点数目至少为 $\sum_{i=0}^{s(x)-1} 2^i = 2^{s(x)} - 1$。从 1）可以推出 2）。根据 s 的定义以及 HBLT 的一个节点的左孩子的 s 值总是大于或等于其右孩子，可以推出 3）。■

定义 12-4　若一棵 HBLT 同时还是大根树，则称为**最大 HBLT**（max HBLT）。若一棵 HBLT 同时还是小根树，则称为**最小 HBLT**（min HBLT）。

图 12-1 的大根树及图 12-2 的小根树都是 HBLT，因此，图 12-1 的树是最大 HBLT，图 12-2 中的树是最小 HBLT。最大优先级队列可以用最大 HBLT 表示，最小优先级队列可用最小 HBLT 表示。

如果我们考虑的不是路径长度，而是节点数目，那么我们可以得到另一种左高树。定义重量 $w(x)$ 是以节点 x 为根的子树的内部节点数目。若 x 是外部节点，则它的重量是 0；若 x 是内部节点，则它的重量是其孩子节点的重量之和加 1，在图 12-6a 的二叉树中，各节点的重量如图 12-6d 所示。

定义 12-5　一棵二叉树称为**重量优先左高树**（weight-biased leftist tree，WBLT），当且仅当其任何一个内部节点的左孩子的 w 值都大于或等于右孩子的 w 值。若一棵 WBLT 同时

还是大根树，则称为最大 WBLT（max WBLT）。若一棵 WBLT 同时还是小根树，则称为最小 WBLT（min WBLT）。

同 HBLT 类似，具有 m 个节点的 WBLT 的最右路径长度最多为 $\log_2(m+1)$。使用 WBLT 或 HBLT，可以执行优先级队列的查找、插入、删除操作，其时间复杂性与堆相同。和堆一样，WBLT 与 HBLT 可以在线性时间内完成初始化。用 WBLT 或 HBLT 表示的两个优先级队列可在对数时间内合并为一个，而用堆表示的优先级队列做不到这一点。

WBLT 的查找、插入、删除、合并和初始化操作与 HBLT 的相应操作很相似，因此，以下仅介绍有关 HBLT 的操作。WBLT 的操作将留做练习（练习 24）。

12.5.2　最大 HBLT 的插入

最大 HBLT 的插入操作可利用最大 HBLT 的合并操作来实现。假定将元素 x 插入名为 H 的最大 HBLT 中。如果构建一棵仅有一个元素 x 的最大 HBLT，然后将它与 H 进行合并，那么合并后的最大 HBLT 将包括 H 的全部元素和元素 x。因此，要插入一个元素，可以先建立一棵新的只包含这个元素的 HBLT，然后将这棵新的 HBLT 与原来的 HBLT 合并。

12.5.3　最大 HBLT 的删除

最大元素在根中。若根被删除，则分别以左右孩子为根的子树是两棵最大 HBLT。将这两棵最大 HBLT 合并，便是删除后的结果。因此，删除操作可以通过删除根元素之后的两棵子树的合并来实现。

12.5.4　两棵最大 HBLT 的合并

具有 n 个元素的 HBLT，其最右路径的长度为 $O(\log n)$。一个算法要合并两棵 HBLT，只能在遍历其最右路径中进行。由于在每个节点上实施合并所需时间为 $O(1)$，所以合并算法的时间复杂性是合并后节点数的对数。因此算法从两棵 HBLT 的根开始仅沿右孩子移动。

合并策略最好用递归来实现。令 A、B 为需要合并的两棵最大 HBLT。若一个为空，则另一个便是合并的结果。假设两者均不为空。为实现合并，先比较两个根元素，较大者作为合并后的根。假定 A 的根较大，且左子树为 L。令 C 是 A 的右子树与 B 合并而成的 HBLT。A 与 B 合并的结果是以 A 为根，以 L 和 C 为子树的最大 HBLT。如果 L 的 s 值小于 C 的 s 值，则 C 为左子树，否则 L 为左子树。

例 12-3　考察图 12-7a 所示的两棵最大 HBLT，每个节点的 s 值都标在节点的外面，元素的值都标在节点的里面。如果是两棵将要合并的最大 HBLT，那么根较大的树在左边。根据这种约定，左边 HBLT 的根总是合并后的 HBLT 的根。右边 HBLT 的节点用阴影表示。

因为 9 的右子树为空，因此 9 的右子树与根为 7 的树合并后是根为 7 的树，把这棵树暂时作为 9 的右子树，结果如图 12-7b 所示。此时 9 的左子树的 s 值为 0，而右子树的 s 值为 1，将其左右子树交换，结果如图 12-7c 所示。

下面来合并图 12-7d 的两棵最大 HBLT。左边树的根将作为合并后的根。当 10 的右子树与根为 7 的 HBLT 合并时，结果仍为后者。把这棵树作为 10 的右子树，结果如图 12-7e 所示。比较 10 的左右孩子的 s 值，得知不必交换。

现在合并图 12-7f 的两棵最大 HBLT。左边树的根将作为合并后的根。首先把 18 的右子树与根为 10 的树合并，其过程与图 12-7d 的情形完全一致，合并的结果如图 12-7e 所示。把这棵树作为 18 的右子树，结果如图 12-7g 所示。比较 18 的左右子树的 s 值，可知这两棵子树必须交换，交换后如图 12-7h 所示。

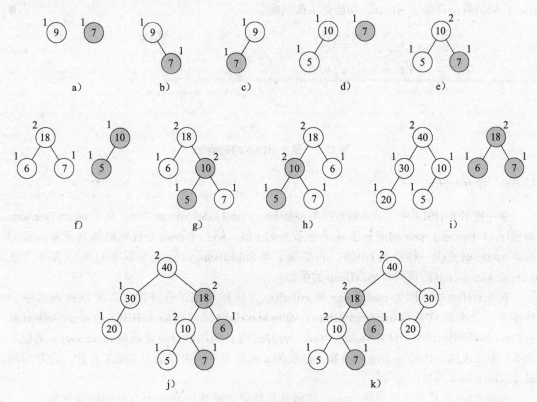

图 12-7　最大 HBLT 的合并

作为最后一个例子，我们来合并图 12-7i 的两棵最大 HBLT。同前面的例子一样，左边树的根将成为合并后的根。首先把 40 的右子树与根为 18 的树合并，这个过程与图 12-7f 的合并过程完全一致，合并的结果为图 12-7h 所示。把图 12-7h 作为 40 的右子树，结果如图 12-7j 所示。由于 40 的左子树的 s 值比其右子树的 s 值小，因此将这两棵子树交换，最后得到图 12-7k 所示的结果。注意，在合并图 12-7i 的最大 HBLT 时，首先移动到 40 的右孩子，再移动到 18 的右孩子，最后移动到 10 的右孩子，所有的移动都是按照当前最大 HBLT 的最右路径进行的。

12.5.5　初始化

初始化过程是将 n 个元素逐个插入最初为空的最大 HBLT，所需时间为 $O(n\log n)$。为得到具有线性时间的初始化算法，我们首先创建 n 个仅含一个元素的最大 HBLT，这 n 棵树组成一个 FIFO 队列，然后从队列中依次成对删除 HBLT，然后将其合并后再插入队列末尾，直到队列只有一棵 HBLT 为止。

例 12-4　我们希望构造一棵最大 HBLT，它具有 5 个元素：7、1、9、11 和 2。首先构造 5 个单元素的最大 HBLT，并形成一个 FIFO 队列。把最前面的两棵最大 HBLT（7 和 1）从队列中删除并合并，结果如图 12-8a 所示，然后将其加入队列。下一步，从队列中删除两棵最大 HBLT（9 和 11）并合并，结果如图 12-8b 所示，然后将其加入队列。现在，从队列中删除的两棵最大 HBLT 是 2 和图 12-8a，合并后如图 12-8c 所示，然后将其插入队列。最后要从队列中删除的一对 HBLT 是图 12-8b 和图 12-8c，合并后如图 12-8d 所示，然后插入队列。至此，队列只有一棵最大 HBLT，初始化工作完成。 ■

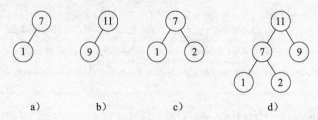

a)   b)   c)   d)

图 12-8　最大 HBLT 的初始化

12.5.6　类 maxHblt

在一棵最大 HBLT 中，节点的数据类型是 binaryTreeNode<pair<int,T>>，其中 binaryTreeNode 如程序 11-1 所示；pair 的第一个成员是节点的 s 值，第二个成员是优先级队列元素。我们用类 maxHblt 实现一棵最大 HBLT，它扩展了类 linkedBinaryTree（见程序 11-9）。基本方法 empty、size 和 top 的代码与 maxHeap 的类似。

在 maxHblt 中，因为 push、pop 和 initialize 方法都利用了合并操作，所以首先考察合并操作。公有成员函数 meld(maxHblt<T>&theMaxHblt) 把两棵最大 HBLT 合并，合并对象是 *this 和 theMaxHblt，合并结果是 *this。合并过程是调用私有成员函数 meld(x,y)（见程序 12-5）来完成的，这是一个递归函数，把根为 x 和根为 y 的两棵最大 HBLT 合并，合并后的最大 HBLT 以 x 为根。

程序 12-5 是私有成员函数 meld。该函数首先处理特殊情况：要合并的两棵树至少有一棵为空。当两棵树都不空时，要确保 x 的根元素大于 y 的根元素，否则 x 与 y 交换。接下来，通过递归，把 x 的右子树与 y 合并。合并后，为保证结果是最大 HBLT，x 的左右孩子可能需要交换，这需要计算它们的 s 值才能确定。

程序 12-5　合并两棵左高树

```
template<class T>
void maxHblt<T>::meld(binaryTreeNode<pair<int, T> >* &x,
                      binaryTreeNode<pair<int, T> >* &y)
{// 合并分别以 *x 和 *y 为根的两棵左高树
 // 合并后的左高树以 x 为根，返回 x 的指针
  if (y == NULL)                            // y 为空
     return;
  if (x == NULL)                            // x 为空
     {x = y; return;}

  // x 和 y 都不空，必要时交换 x 和 y
  if (x->element.second < y->element.second)
     swap(x, y);

  // x->element.second >= y->element.second

  meld(x->rightChild,y);
```

```
// 如果需要，交换 x 的子树，然后设置 x->element.first 的值
if (x->leftChild == NULL)
{// 左子树为空，交换子树
        x->leftChild = x->rightChild;
        x->rightChild = NULL;
        x->element.first = 1;
}
else
{// 只有左子树的 s 值较小时才交换
    if (x->leftChild->element.first < x->rightChild->element.first)
        swap(x->leftChild, x->rightChild);
    // 更新 x 的 s 值
    x->element.first = x->rightChild->element.first + 1;
}
}
```

为了将元素 theElement 插入一棵最大 HBLT，程序 12-6 首先创建一棵只含元素 theElement 的最大 HBLT，然后通过私有成员函数 meld 将此树与要插入的最大 HBLT 合并。

在程序 12-6 的 pop 代码中，若最大 HBLT 为空，则抛出一个 queueEmpty 异常；若不为空，则删除根，然后调用私有方法 meld 将其左右子树合并。

程序 12-6　公有方法 meld、push 和 pop

```
Template<class T>
void maxHblt<T>::meld(maxHblt<T>& theHblt)
{// 把左高树 *this 和 theHblt 合并
    meld(root, theHblt.root);
    treeSize += theHblt.treeSize;
    theHblt.root = NULL;
    theHblt.treeSize = 0;
}
template<class T>
void maxHblt<T>::push(const T& theElement)
{// 把元素 theElement 插入左高树
 // 建立只有一个节点的左高树
    binaryTreeNode<pair<int,T> > *q =
        new binaryTreeNode<pair<int,T> > (pair<int,T>(1, theElement));

    // 将左高树 q 和原树合并
    meld(root,q);
    treeSize++;
}

template<class T>
void maxHblt<T>::pop()
{// 删除最大元素
    if (root == NULL)
        throw queueEmpty();

    // 树不空
    binaryTreeNode<pair<int,T> > *left = root->leftChild,
                    *right = root->rightChild;
    delete root;
    root = left;
```

```
        meld(root, right);
        treeSize--;
}
```

程序 12-7 是最大 HBLT 的初始化。代码用一个基于数组的 FIFO 队列保存在初始化过程中产生的最大 HBLT。在第一个 for 循环中，产生了 n 个只含一个元素的最大 HBLT，并将此插入初始为空的队列中。在第二个 for 循环中，每次从队列中删除两个最大 HBLT 进行合并，然后把结果加入队列中。当 for 循环结束时，队列仅有一棵最大 HBLT。

程序 12-7　最大 HBLT 的初始化

```
template<class T>
void maxHblt<T>::initialize(T* theElements, int theSize)
{// 用数组 theElements[1:theSize] 建立左高树
    arrayQueue<binaryTreeNode<pair<int,T> >*> q(theSize);
    erase();                          // 使 *this 为空

    // 初始化树的队列
    for (int i = 1; i <= theSize; i++)
        // 建立只有一个节点的树
        q.push(new binaryTreeNode<pair<int,T> >
                (pair<int,T>(1, theElements[i])));

    // 从队列中重复取出两棵树合并
    for (i = 1; i <= theSize - 1; i++)
    {// 从队列中删除两棵树合并
        binaryTreeNode<pair<int,T> > *b = q.front();
        q.pop();
        binaryTreeNode<pair<int,T> > *c = q.front();
        q.pop();
        meld(b,c);
        // 把合并后的树插入队列
        q.push(b);
    }

    if (theSize > 0)
        root = q.front();
    treeSize = theSize;
}
```

复杂性分析

top 的时间复杂性是 $\Theta(1)$。Push、pop 和公有方法 meld 的时间复杂性与私有方法 meld 的时间复杂性相同。而私有方法 meld 仅沿着 x 和 y 的右子树移动，因此该函数的复杂性为 $O(s(x)+s(y))$。因为 $s(x)$ 和 $s(y)$ 的最大值分别为 $\log_2(m+1)$ 和 $\log_2(n+1)$，其中 m 与 n 分别是 x 和 y 的元素个数，所以私有方法 meld 的时间复杂性为 $O(\log m+\log n)=O(\log(mn))$。

在分析 initialize 的复杂性时，为了简单起见，假设 n 是 2 的幂次方。首先合并 $n/2$ 对最大 HBLT，每棵最大 HBLT 含有 1 个元素；然后合并 $n/4$ 对最大 HBLT，每棵含有 2 个元素；继而合并 $n/8$ 对最大 HBLT，每棵含有 4 个元素；如此下去。如果每棵含有 2^i 个元素，那么合并两棵最大 HBLT 需耗时 $O(i+1)$。因此 initialize 所花费的总时间为：

$$O(n/2 + 2*(n/4) + 3*(n/8) + \cdots) = O(n\sum \frac{i}{2^i}) = O(n)$$

练习

19. 令数组 theElements=[–,3,5,6,7,20,8,2,9,12,15,30,17]。

　1）画出程序 12-7 所创建的最大左高树。

　2）用程序 12-6 的插入方法，依次插入 10、18、11 和 4。显示每次插入后的最大左高树。

　3）使用程序 12-6 的方法，对 2）的最大左高树实施 3 次删除最大元素的操作。显示每次
　　　删除后的左高树。

20. 令数组元素为 [–,10,2,7,6,5,9,12,35,22,15,1,3,4]，重做练习 19。

21. 编写 minHblt 类。它与 maxHblt 类的差别仅在于，现在的类成员是最小 HBLT，而不是最
　　大 HBLT。

22. 为 maxHblt 类开发一个迭代器。可以用来按任意顺序统计元素个数。每一次迭代的时间复
　　杂性应为 $O(1)$。证明这个结果。测试代码的正确性。

23. 开发一个类 maxHbltWithRemoveNode，它包含 maxHblt 类的所有方法，而且还有公有方
　　法 pushAndReturnNode 和 removeElementInNode。 方法 pushAndReturnNode(theElement)
　　把元素 theElement 插入左高树，返回值是插入的元素所在的节点。方法
　　removeElementInNode(theNode) 删除并返回节点 theNode 中的元素，节点 theNode 也
　　从树中删除。提示：每个节点增加一个父亲域。在类 maxHbltWithRemoveNode 中与类
　　maxHblt 相同的方法，其时间复杂性也应该相同；新增方法的时间复杂性应该是 $O(\log n)$，
　　其中 n 是左高树的元素个数。证明这个结果。测试代码的正确性。

24. [最大 WBLT]

　1）在图 12-1 中，哪些（如果有）二叉树是 WBLT？

　2）令 x 是 WBLT 的一个节点。对 $w(x)$ 进行归纳证明，从 x 出发到达一个外部节点的最右
　　　路径的最大长度为 $\log_2(w(x)+1)$。

　3）设计类 maxWblt，其对象为最大 WBLT。它应该包括类 maxHblt 的所有方法，而且这
　　　些方法的代码应该与类 maxHblt 的相应方法的代码具有相同的渐近时间复杂性。用非
　　　递归的代码实现私有成员函数 meld。因为一个节点的 w 值可在向下移动的过程中计算
　　　出来，所以程序 12-5 的自底向上的递归扩展过程，虽然在 HBLT 中是必要的，但是在
　　　WBLT 中是多余的。

　4）最大 WBLT、最大 HBLT 和大根堆都可以实现最大优先级队列，比较各自的优缺点。

25. 在表示一棵最大 HBLT 时，可用一个指向元素值为 minElement 的节点的指针（见练习
　　16）来代替 null 指针。根据这一变化来修改最大 HBLT 的代码。新代码是否比原代码执行
　　得更快？

12.6 应用

12.6.1 堆排序

　　你或许已经注意到，堆可以用来实现 n 个元素的排序，所需时间为 $O(n\log n)$。先用 n
个待排序的元素来初始化一个大根堆，然后从堆中逐个提取（即删除）元素。结果，这些
元素按非递增顺序排列。初始化的时间为 $O(n)$，每次删除的时间为 $O(\log n)$，因此总时间为
$O(n\log n)$。这个时间比第 2 章的排序方法所需要的时间 $O(n^2)$ 要快。

上述排序策略称为**堆排序**（heap sort），程序 12-8 是它的代码。在代码中，使用了大根堆的方法 deactiveArray，将 maxHeap<T>::heap 置为 NULL。这一步是必要的，因为 maxHeap<T>::initialize 置 maxHeap<T>::heap 为数组 a，当堆排序函数退出时，大根堆析构函数将删除 maxHeap<T>::heap。因此，为防止数组 a 被删除，需要调用 deactiveArray。

程序 12-8   用堆排序给数组 a[1:n] 排序

```
template <class T>
void heapSort(T a[], int n)
{// 使用堆排序方法给数组 a[1:n] 排序
    // 在数组上建立大根堆
    maxHeap<T> heap(1);
    heap.initialize(a, n);

    // 逐个从大根堆中提取元素
    for (int i = n - 1; i >= 1; i--)
    {
        T x = heap.top();
        heap.pop();
        a[i+1] = x;
    }

    // 从堆的析构函数中保存数组 a
    heap.deactivateArray();
}
```

图 12-9 显示了程序 12-8 的 for 循环对 i 的最初几次取值的迭代过程。循环开始时的大根堆如图 12-5d 所示。圆圈表示在数组中属于大根堆的部分，方框表示在数组中已经排好序的部分。

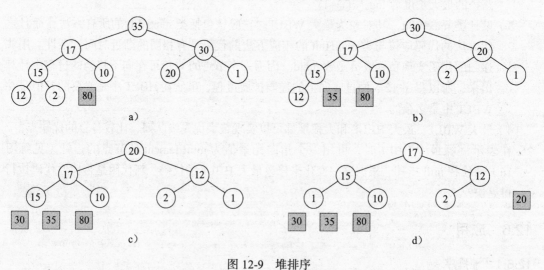

图 12-9   堆排序

12.6.2   机器调度

一个工厂具有 m 台一模一样的机器。我们有 n 个任务需要处理。设作业 i 的处理时间为 t_i，这个时间包括把作业放入机器和从机器上取下的时间。所谓调度（schedule）是指按作业在机器上的运行时间分配作业，使得：

- 一台机器在同一时间内只能处理一个作业。
- 一个作业不能同时在两台机器上处理。
- 一个作业 i 的处理时间是 t_i 个时间单位。

假如每台机器在 0 时刻都是可用的，**完成时间**（finish time）或**调度长度**（length of a schedule）是指完成所有作业的时间。在一个非抢先调度中，一项作业 i 在一台机器上处理，从时刻 s_i 开始，到时刻 s_i+t_i 结束。

图 12-10 是在 3 台机器处理 7 个作业时所进行的调度，7 个作业的处理时间分别为（2,14,4,16,6,5,3）。3 台机器的编号分别为 M1、M2 和 M3。每个阴影区代表一个作业的处理时间段，阴影区的数字是作业的编号。根据调度安排，机器 1（M1）在 0 ~ 16 时间内完成作业 4。机器 2 先在 0 ~ 14 时间内完成作业 2，然后在 14 ~ 17 时间内完成作业 7。机器 3 先在 0 ~ 6 时间内完成作业 5，然后在 6 ~ 11 时间内完成作业 6，接下来在 11 ~ 15 时间内完成作业 3，最后在 15 ~ 17 时间内完成作业 1。注意，每个作业只能在一个机器上完成，时间从 s_i 到 s_i+t_i，且任何机器在任何时间仅处理一个作业。完成全部作业所需时间为 17，因此完成时间或调度长度为 17。

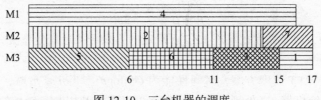

图 12-10　三台机器的调度

图 12-10 的调度是一个在给定处理时间前提下最小完成时间的调度。为了认识到这一点，注意，处理时间的总和是 50。因此，每一个三台机器调度都最少需要 $\lceil 50/3 \rceil = 17$ 个时间单位才能完成作业。

我们的任务是写一个程序，实现在 m 台机器上执行 n 个作业的最小完成时间的调度。设计这种调度程序非常难。实际上，没有人能够设计一个具有多项式时间复杂性的算法（即一个复杂性为 $O(n^k m^l)$ 的算法，k 和 l 为常数）来解决最小调度时间问题。

调度问题是一类臭名昭著的 **NP- 复杂问题**（NP 表示 nondeterministic polynornial）中的一个。NP- 复杂及 NP- 完全问题是指尚未找到具有多项式时间复杂性算法的问题。NP- 完全问题是一类判定问题，也就是说，对这类问题的每一个实例，答案为是或否。机器调度问题不是一个判定问题，因为对每一个问题实例，都是按照某种方案把作业分配给机器，以使完成时间最少。我们可以设计一个**相关机器调度问题**，除了给定任务和机器外，还给定了时间 TMin，要求确定是否存在一种调度，它的完成时间为 TMin 或更少。对于这类问题，答案为是或否。因此相关机器调度问题是 NP- 完全问题。而 NP- 复杂问题可以是判定问题，也可以不是判定问题。

成千上万个具有实际意义的问题都是 NP- 复杂或 NP- 完全问题，如果有人能对一个 NP- 复杂或 NP- 完全问题找到一个多项式时间算法，那么他同时也找到了能在多项式时间内解决所有 NP- 复杂或 NP- 完全问题的方法。虽然不能证明 NP- 完全问题不能在多项式时间内解决，但大家都认为这已是一个事实。因此，NP- 复杂问题的优化问题经常用**近似算法**（approximation aigorithm）解决，虽然近似算法不能保证得到最优解，但是能保证得到近似最优解。

在我们的调度问题中，采用了一个简单调度策略，称为**最长处理时间**（longest processing time，LPT），它的调度长度是最优调度长度的 $4/3-1/(3m)$。在 LPT 算法中，作业按处理时间的递减顺序排列。当一个作业需要分配时，总是分配给最先变为空闲的机器。没有固定的分配方案。

对图 12-10 的例子而言，为了建立 LPT 调度，将作业按处理时间的递减次序排列，结果为（4,2,5,6,3,7,1）。首先为作业 4 分配机器，因为三台机器均是从 0 时开始空闲，所以作业 4 可分配给任何一台机器。假设分配给机器 1，于是机器 1 直到 16 时才是可用的。下一个作业 2 需要分配机器，可以将其分配给机器 2 或机器 3，假设分配给机器 2，于是机器 2 直到 14 时才是可用的。然后将作业 5 分配给机器 3，在 0～6 时处理。对下一个待分配的作业 6，最先可用的是机器 3，它在 6 时变为空闲，因此将作业 6 在 6～11 时间段分配给机器 3。机器 3 的下一次空闲时刻变为 11，因此，最先变为空闲的是机器 3，空闲时刻为 11，于是在 11 时将作业 3 分配给机器 3。继续这种分配方法，即得到图 12-10 的调度方案。

定理 12-2[Graham]　令 $F^*(I)$ 为在 m 台机器上执行作业集合 I 的最佳调度完成时间，$F(I)$ 为采用 LPT 调度策略所得到的调度完成时间，则

$$\frac{F(I)}{F^*(I)} \leqslant \frac{4}{3} - \frac{1}{3m}$$

在实际应用中，LPT 调度比定理 12-2 所给定的界限更接近最佳算法。实际上，图 12-10 的 LPT 就是最优方案。

可用堆来建立 LPT 调度方案，时间性能为 $O(n\log n)$。当 $n \leqslant m$ 时，只需要将作业 i 在 $0～t_i$ 时间内分配给机器 i 来处理。当 $n>m$ 时，可以首先利用 heapSort（见程序 12-8）将作业按处理时间递增顺序排列。为了建立 LPT 调度方案，作业按相反次序进行分配。为了决定将一个作业分配给哪一台机器，必须知道哪台机器最先空闲。为此，维持一个 m 台机器的小根堆，元素类型为 machineNode，它有数据成员 avail（表示何时空闲）和 id（机器编号）。数据类型 machineNode 定义了成员转换函数如下：

```
operator int() const{return avail;}
```

这个成员转换函数使 machineNode 对象所比较的是它们的 avail 值。

pop 函数用来获取最先可用的机器。当机器的可用时间增加后（因分配了作业），需要再次插入小根堆。小根堆的初始化是为每一台机器插入一个节点。因为所有机器的最初可用时间都为 0 时刻，所以它们的 avail 值都为 0。

用类 jobNode 表示作业，它有数据成员 id（作业的唯一标识符）和 time（作业需要的处理时间）。因为是用堆排序方法给作业排序，而且堆排序使用的是大根堆，所以类 jobNode 定义了成员转换函数，返回值是 time 的值。

程序 12-9 根据作业所需的处理时间 a[1:n] 给 n 个作业排序，然后用 LPT 方法，在 m 台机器上实现任务调度。

程序 12-9　基于 a[1:n] 的 m 台机器的 LPT 调度

```
void makeSchedule(jobNode a[], int n, int m)
{// 输出一个基于 n 个作业 a[1:n] 的 m 台机器的 LPT 调度
   if (n <= m)
   {
```

```
        cout << "Schedule each job on a different machine." << endl;
        return;
    }

    heapSort(a, n);                    //按递增顺序排序

    //初始化 m 台机器, 建立小根堆
    minHeap<machineNode> machineHeap(m);
    for (int i = 1; i <= m; i++)
        machineHeap.push(machineNode(i, 0));

    //生成调度计划
    for (int i = n; i >= 1; i--)
    {//把作业 i 安排在第一台空闲的机器
        machineNode x =  machineHeap.top();
        machineHeap.pop();
        cout << "Schedule job " << a[i].id
            << " on machine " << x.id << " from " << x.avail
            << " to " << (x.avail + a[i].time) << endl;
        x.avail += a[i].time;          //这台机器新的空闲空间
        machineHeap.push(x);
    }
}
```

函数 makeSchedule 的复杂性分析

当 $n \le m$ 时, makeSchedule 函数所需时间为 $\Theta(1)$。当 $n>m$ 时, 堆排序时间为 $O(n\log n)$。堆的初始化时间是 $O(m)$, 因为尽管执行了 m 次插入, 但所有元素的值相同, 因此每次插入的时间都为 $\Theta(1)$。在第二个 for 循环中, 执行了 n 次 top、n 次 pop 和 n 次 push 操作, 每次 top 的时间是 $O(1)$, 每次 pop 和 push 的时间是 $O(\log m)$。因此第二个 for 循环时间为 $O(n\log m)$。于是, 对 $n>m$, makeSchedule 函数的总时间为 $O(n\log n+n\log m)=O(n\log n)$。

12.6.3　霍夫曼编码

在 10.6 节中介绍了一种基于 LZW 算法的文本压缩器, 这种算法依据的是子串在文本中的重复出现。而**霍夫曼编码**（Huffman code）是另外一种文本压缩算法, 这种算法依据的是不同符号在一段文本中相对出现的频率。假设一个文本是由字符 a、u、x 和 z 组成的字符串, 它的长度为 1000, 每个字符用 1 字节来存储, 共需 1000 字节（即 8000 位）。如果每个字符用 2 位二进制来编码（00=a, 01=x, 10=u, 11=z）, 那么用 2000 位空间即可表示 1000 个字符。此外, 我们还需要一定的空间来存放编码表, 它可以采用如下的存储格式：

符号个数, 代码 1, 符号 1, 代码 2, 符号 2, …

符号个数及每个符号分别占 8 位, 每个代码占 $\lceil \log_2 (符号个数) \rceil$ 位。因此, 在本例中, 编码表需占用 5*8+4*2=48 位。压缩比为 8000/2048=3.9。

利用上述编码方法, 字符串 aaxuaxz 的编码为 00000110000111。因为每个字符的代码都占 2 位, 所以, 从左到右, 每次从编码中提取 2 位数字通过编码表翻译, 便可获得原字符串。

在字符串 aaxuaxz 中, a 出现 3 次。一个符号出现的次数称为**频率**（frequency）。符号 a、x、u、z 在这个字符串中出现的频率分别是 3、2、1、1。当不同字符出现的频率有很大差别时, 我们可以通过可变长编码来缩短编码串的长度。如果使用编码（0=a, 10=x, 110=u, 111=z）

则 aaxuaxz 的编码为 0010110010111，编码串长度是 13 位，比原来的 14 位要稍短一些。当不同字符的出现频率相差更大时，编码串的长度差别就会更明显。如果 4 个字符的频率分别为（996，2，1，1），则每个字符用 2 位编码所得到编码串长度为 2000 位，而用可变长编码所得到编码串长度仅为 1006 位。

但是怎样对编码串进行解码呢？若每个代码为 2 位，则解码很容易——只需每次提取 2 位代码，然后通过编码表来确定它所对应的符号。若使用可变长编码，则不知道每次应取出多少位。字符串 aaxuaxz 的编码为 001011001011，当从左至右解码时，我们需要知道第一个字符的代码是 0、00，还是 001。因为没有一个字符的代码以 00 开头，所以第一个字符的代码必是 0。根据编码表，该字符是 a。下一个代码为 0、01 或 010。同理，因为不存在以 01 打头的代码，因此代码必为 0。继续使用这种方法，就可以解码。

上述方法为什么可以解码呢？在使用的 4 种代码（0，10，110，111）中，没有任何一个代码是另一代码的前缀。因此，当从左到右检查编码位串时，可以得到与一个确切的代码相匹配的字符。

可以利用扩展二叉树（见 12.5.1 节定义）来派生一个特殊的类，对具有上述前缀性质的代码，实现可变长编码。这个用于编码的类称为霍夫曼编码。

在一棵扩展二叉树中，从根到外部节点的路径可用来编码，方法是用 0 表示向左子树移动一步，用 1 表示向右子树移动一步。在图 12-6b 中，从根到外部节点 b 的路径代码是 010，从根到节点（a，b，c，d，e，f）的路径代码分别为（00，010，011，100，101，11）。因为每一条路径正好是另一条路径的前半程，所以没有一个路径代码是另一个路径代码的前缀。因此，这些代码可以分别用来对字符 a，b，…，f 编码。令 S 是由这些字符组成的字符串，$F(x)$ 是字符 x 的出现频率，其中 x 属于集合 $\{a, s, c, d, e, f\}$。若利用这些代码对 S 进行编码，则编码位串的长度：

$$2*F(a)+3*F(b)+3*F(c)+3*F(d)+3*F(e)+2*F(f)$$

对于一棵具有 n 个外部节点的扩展二叉树，且外部节点标记为 1，…，n，其对应的编码位串的长度为：

$$WEP = \sum_{i=1}^{n} L(i) * F(i)$$

其中 $L(i)$ 从根到外部节点 i 的路径长度（即路径的边数）；WEP 是二叉树的**加权外部路径长度**（weighted external path length）。为了缩短编码串的长度，必须使用二叉树代码，二叉树的外部节点与要编码的字符串的字符对应，且 WEP 最小。一棵二叉树，如果对一组给定的频率，其 WEP 最小，那么这棵二叉树称为**霍夫曼树**（Huffman tree）。

用霍夫曼编码对一个字符串（或一段文本）进行编码，需要做的是：

1）确定字符串的符号和它们出现的频率。

2）建立霍夫曼树，其中外部节点用字符串中的符号表示，外部节点的权用相应符号的频率表示。

3）沿着从根到外部节点的路径遍历，取得每个符号的代码。

4）用代码替代字符串中的符号。

为了便于解码，需要保存从符号到代码的映射表或每个符号的频率表。如果保存的是符号的频率表，那么采用方法 2）可以重构霍夫曼树。后面我们将详细讨论方法 2）。

构造霍夫曼树的过程是，首先建立一组二叉树集合，每棵二叉树仅含一个外部节点，每个外部节点代表字符串的一个符号，其权等于该符号的频率。然后，不断从集合中选择两棵权最小的二叉树，把它们合并成一棵新的二叉树，合并方法是增加一个根节点，把这两棵二叉树分别作为左右子树。新二叉树的权是两棵子树的权之和。这个过程一直持续到仅剩下一棵树为止。

让我们把这个构造方法运用到一个实例：6 个符号为（*a*，*b*，*c*，*d*，*e*，*f*），字符的频率分别为（6, 2, 3, 3, 4, 9）。初始的二叉树集合如图 12-11a 所示，方框外部的数字为树的权重。权最小的树是 b，可以和一个权次小的树合并。假设选择树 *c*。将 *b* 与 *c* 合并，所得结果如图 12-11b 所示。根节点用权 5 表示。从图 12-11b 的 5 棵树中选出两棵权最小的树 *d* 和 *e*，合并后得到权为 7 的树，如图 12-11c 所示。从图 12-11c 的 4 棵树中，选择树 *a* 和权为 5 的树合并，得到一棵权为 11 的树。从图 12-11d 的 3 棵树中，选择权为 7 的树和树 *f* 合并，结果为如图 12-11e 所示的两棵树。将这两棵树合并后即得到图 12-6b 所示的二叉树，其权重为 27。

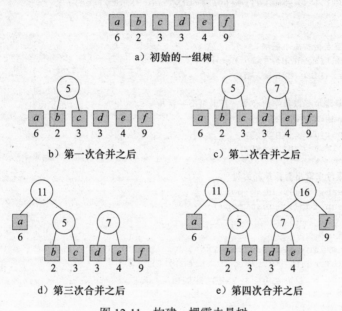

a）初始的一组树

b）第一次合并之后　　　　　　　c）第二次合并之后

d）第三次合并之后　　　　　　　e）第四次合并之后

图 12-11　构建一棵霍夫曼树

定理 12-3　上述过程所建立的二叉树是霍夫曼树。

证明　留作练习（练习 41）。　　　　　　　　　　　　　　　　　　　　　　■

构建霍夫曼树的过程可以利用小根堆来实现，用小根堆存储二叉树集合。小根堆的每个元素包括一棵二叉树和它的权，二叉树是在 11.8 节所定义的类 linkedBinaryTree<int> 的一个实例。为了方便，我们假设符号是整型，用 1 到 n 表示。对于外部节点，element 域的值是它所表示的符号，对于内部节点，element 域的值是 0。在程序 12-10 的 huffmanTree 函数中，假定模板结构 huffmanNode<T> 具有类型为 linkedBinaryTree<int>* 的数据成员 tree 和类型为 T 的数据成员 weight。我们还假定，huffmanNode<T> 定义了一个向类型 T 的成员转换的函数，它的返回值就是 weight 域的值。

huffmanTree 函数的输入是存储在数组 w[1:n] 中的 n 个频率（即权），返回值是一棵霍夫曼树。它首先构造 n 棵二叉树，每棵树仅由一个外部节点构成。这些二叉树是用 linkedBinaryTree 的方法 makeTree 构造的。这个方法用指定的根和左右子树来构造一棵二叉树。n 棵二叉树存储在数组 hNode 中，然后被初始化为一个小根堆。第二个 for 循环的每一次迭代，都从小根堆中取出权最小的两棵二叉树，并将它们合并成一棵二叉树，然后将这棵二叉树插入小根堆。

程序 12-10　构造一棵霍夫曼树

```
template <class T>
linkedBinaryTree<int>* huffmanTree(T weight[], int n)
{// 用权 weight[1:n] 生成霍夫曼树，n >= 1
    // 创建一组单节点树
    huffmanNode<T> *hNode = new huffmanNode<T> [n + 1];
    linkedBinaryTree<int> emptyTree;
    for (int i = 1; i <= n; i++)
    {
        hNode[i].weight = weight[i];
        hNode[i].tree = new linkedBinaryTree<int>;
        hNode[i].tree->makeTree(i, emptyTree, emptyTree);
    }

    // 使一组单节点树构成小根堆
    minHeap<huffmanNode<T> > heap(1);
    heap.initialize(hNode, n);

    // 不断从小根堆中提取两个树合并，直到剩下一棵树
    huffmanNode<T> w, x, y;
    linkedBinaryTree<int> *z;
    for (i = 1; i < n; i++)
    {
        // 从小根堆中取出两棵最轻的树
        x = heap.top(); heap.pop();
        y = heap.top(); heap.pop();

        // 合并成一棵树
        z = new linkedBinaryTree<int>;
        z->makeTree(0, *x.tree, *y.tree);
        w.weight = x.weight + y.weight;
        w.tree = z;
        heap.push(w);
        delete x.tree;
        delete y.tree;
    }

    return heap.top().tree;
}
```

huffmanTree 函数的复杂性

创建数组 hNode 的时间是 $O(n)$。第一个 for 循环和堆的初始化的时间也是 $O(n)$。在第二个 for 循环中，共有 $2(n-1)$ 次的 top 操作、$2(n-1)$ 次的 pop 操作和 $n-1$ 次的 push 操作，时间为 $O(n\log n)$。其余部分的时间为 $\Theta(n)$。因此 huffmanTree 函数的总时间 $O(n\log n)$。

练习

26. 对数组 [-,5,7,2,9,3,8,6,1] 实施堆排序。首先画出相应的完全二叉树，然后画出堆化的树，接下来，画出与图 12-9 类似的图，显示每一次从大根堆删除后的情况。

27. 对数组 [-,11,10,9,8,7,6,5,4,3,2,1] 重做练习 26。

28. 编写一个用 d 堆（见练习 17）排序的方法，对 d 的不同值，比较排序算法在最坏情况下的运行时间。d 取什么值时，排序算法的性能最好？

29. 利用练习 15 与练习 16 的思想，实现一种比程序 12-8 更快的堆程序。用随机数据做实验，比较两种实现代码的执行时间。

30. 一种排序算法称为**稳定的**（stable），是指关键字相同的记录在排序前后的顺序相同。假设记录 3 和记录 10 的关键字相同，在用一个稳定排序方法排序之后，记录 3 仍在记录 10 的前面。请问堆排序是稳定的吗？插入排序是稳定的吗？

31. 对处理时间 [6,5,3,2,9,7,1,4,8]，画出三台机器的 LPT 调度。调度完成时间是多少？你能找到一个调度完成时间更短的调度吗？你的调度是最优算法吗？

32. 对处理时间 [20,15,10,8,8,8]，重做练习 31。

33. 在程序 12-9 的第二个 for 循环中，每一次迭代都执行一次 pop 和一次 push 操作。这两个操作使最小关键字增加了，所增加的量是刚被调度的作业所需要的处理时间。利用一个扩充的最小优先级队列，可以使程序 12-9 的速度提高一个常量因子。这个扩充的类不仅包括最小优先级队列通常具有的函数，而且包括函数 changeMin(x)，后者把最小元素改为 x。changeMin 沿堆向下移动（如同最小元素的删除操作），并将元素上移直到为改变的元素找到一个合适的位置。

   1）设计一个新类 extendedMinHeap，它包括 minHeap 类的所有成员函数和 changeMin 函数。extendedMinHeap 应该从类 minHeap 中派生。类 minHeap 可从本书网站上得到。

   2）使用函数 changeMin 重写程序 12-9。

   3）设计实验来确定，新代码与程序 12-9 相比，时间性能改进了。

34. 构建一个机器调度实例，使两台机器的 LPT 调度达到了程序 12-2 所给定的上界。

35. 对三台机器的 LPT 调度，重做练习 34。

36. 将 n 件物品装入容器。第 i 件物品需要的空间为 s_i，每个容器的容量为 c。装入过程采用**最不合适法则**（worst-fit rule），每次给容器分配一件物品。当一件物品需要分配容器时，我们寻找剩余容量最大的容器。若该容器可以装下这件物品，则将物品装入该容器，否则，就启用一个新容器。

   1）编写一个程序，输入为 n、s_i 和 c，输出为物品在容器中的分配方案。利用大根堆来记录容器的可用空间。

   2）程序的复杂性是多少（复杂性应为物件个数 n 及容器个数 m 的函数）？

37. 对一组权值 [3,7,9,12,15,20,25]，画出霍夫曼树。

38. 对一组权值 [2,4,5,7,9,10,14,17,18,50]，重做练习 37。

39. 一个**归并段**（run）是一组元素的有序序列。假定两个归并段合并为一个归并段的时间为 $O(r+s)$，其中 r 和 s 分别是这两个归并段的长度。长度不同的 n 个归并段要合并为一个归并段，需要两个两个地合并，直到剩下一个归并段为止。解释一下，如何用霍夫曼树来确定一个 n 个归并段合并的用时最少的方案。

40. 假设为一段含有 n 个符号的文本编码。要设计一组具有前缀特性的代码，一个简单的方法是，从一个具有 n 个外部节点的右偏扩展二叉树开始，按频率 $F()$ 的递减顺序给 n 个符号排序，把符号赋给外部节点，使得外部节点的中序排列是符号按频率递减顺序的排列。排序步骤用时 $O(n\log n)$，其余步骤用时 $O(n)$。因此，这个方法与 12.6.3 节的优化方法具有相同的渐近复杂性。

1）假设 $n=5$，符号为 a ~ e，频率是 [4,6,7,9,10]，画出霍夫曼树和右偏树。每个外部节点用它表示的符号来标识，列出符号的代码，给出每棵树的 WEP。

2）假设 n 个符号具有相同的频率。霍夫曼树的 WEP 和右偏树的比率是多少？假定 n 是 2 的幂。

3）编写一个方法，创建一棵如上所描述的右偏扩展二叉树。

4）把 3）的方法和程序 12-10 的方法做实际运行时间的比较。

5）随机生成一个实例，用来对两种方法产生的树比较 WEP 的差别。

6）基于 2）、4）和 5）的结果，你能建议使用本练习的方法要优于程序 12-10 的方法吗？为什么？

41. 利用外部节点的数目对定理 12-3 进行归纳证明。在归纳步中可以假定存在一棵二叉树，该树拥有最小 WEP，且存在一棵子树，子树中有一个内部节点和两个外部节点，外部节点分别对应两个最小频率。

42. 写一个程序，其输入为 huffmanTree（见程序 12-10）所建立的霍夫曼树，输出为编码表。程序的复杂性是多少？

43. 设计一个完整的基于霍夫曼编码的压缩 – 解压缩软件包。测试你的代码。

44. 欲存储 0 ~ 511 之间的 n 个整数，利用霍夫曼编码编写一个压缩 – 解压缩软件包来实现。

12.7 参考及推荐读物

要更详细地研究优先级队列及其各种变化，可参考 E. Horowitz, S. Sahni, D. Mehta. *Fundamentals of Data Structures in* C++. W. H. Freeman, New York, NY, 1994.

高度优先左高树可参考专题论文 R. Tarjan. *Data structures and Network Algorithms*. SIAM, Philadephia, PA, 1983. 而权重优先左高树可参考论文 S. Cho, S. Sahni. *Weight Biased Leftist Trees and Modified Skip Lists*. ACM Jr. on Experimental Algorithmics, Article 2, 1998.

可以从以下书中找到更多的 NP- 复杂问题，如：M. Garey, D. Johnson. *Computer and Intractability*：A *Guide to the Theory of NP-Completeness*. W.H.Freeman, New York, NY, 1979 和 E. Horowitz, S. Sahni, S. Rajasekeran. *Computer Algorithms*. Computer Science Press, New York, NY, 1998. 关于定理 12-2 的证明可参考 *Computer Algorithms* 一书第 12 章.

竞 赛 树

概述

穿越森林的旅程已经过半。现在我们在本章遇到的是新的树种——竞赛树（tournament tree）。像 12.4 节的堆一样，竞赛树也是完全二叉树，它可用 11.4.1 节的数组二叉树来表示，而且存储效率最高。竞赛树的基本操作是替换最大（或最小）元素。如果有 n 个元素，这个基本操作的用时为 $\Theta(\log n)$。虽然用堆和左高树来表示也能用近似的时间（$O(\log n)$）完成这个操作，但是用来实现可预见的断接操作都不容易。当我们需要按指定的方式断开连接时，比如选择最先插入的元素，或选择左端元素（假定每个元素都有一个从左到右的名次），这时，竞赛树就成为我们要选择的数据结构。

本章将研究两种竞赛树：赢者树和输者树。尽管赢者树更直观，而且模拟的是现实的竞赛树，但输者树的实现更高效。本章最后一节的应用部分将考察另一种 NP- 复杂问题：箱子装载。对箱子装载问题的两个近似算法，都利用竞赛树来实现，很有效率。试一试，能否用本书迄今为止所介绍的其他数据结构以相同的时间复杂性来实现这两个算法，这是很有益的尝试。

13.1 赢者树和应用

假定有 n 个选手参加一次网球比赛。比赛规则是"突然死亡法"（sudden-death mode）：一名选手只要输掉一场球，就被淘汰。一对一对选手比赛，最终只剩下一个选手保持不败。这个"幸存者"就是比赛赢者。图 13-1 显示了一次网球比赛，有 8 名选手参加，从 a 到 h。这个比赛用二叉树来描述，每个外部节点表示一名选手，每个内部节点表示一场比赛，该节点的孩子表示比赛的选手。在同一层的内部节点代表一轮比赛，可以同时进行。在第一轮比赛中，对阵的选手有 4 对：a 与 b、c 与 d、e 与 f、g 与 h。每场比赛的赢者被记录在代表该场比赛的内部节点中。在图 13-1a 中，第一轮比赛的 4 个赢者为 b、d、e 和 h，其余 4 个选手被淘汰；下一轮比赛的对阵是 b 与 d、e 与 h，胜者为 b 和 e，并且进入决赛；最后赢者为 e。图 13-1b 给出 5 名选手参加的比赛，从 a 到 e，最后的赢者是 c。

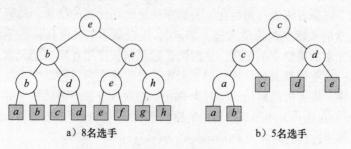

a）8 名选手   b）5 名选手

图 13-1   竞赛树

图 13-1 的两棵竞赛树都是完全二叉树（实际上，树 a）还是满二叉树），而现实的竞赛所对应的树不一定都是完全二叉树。但是，用完全二叉树可以使比赛的场次最少。对于 n 个选手的比赛，最少的比赛场次为 $\lceil \log_2 n \rceil$。图 13-1 的竞赛树称为**赢者树**（winner tree），因为每一个内部节点所记录的都是比赛的赢者。13.4 节将介绍另一种类型的竞赛树——**输者树**（loser tree），每一个内部节点所记录的都是比赛的输者。竞赛树也称为**选择树**（selection tree）。

为了便于计算机的实现，我们把赢者树限制为完全二叉树。

定义 13-1[赢者树] 有 n 个选手的一棵赢者树是一棵完全二叉树，它有 n 个外部节点和 $n-1$ 个内部节点，每个内部节点记录的是在该节点比赛的赢者。

为了确定一场比赛的赢者树，我们假设每个选手都有一个分数，而且有一个规则用来比较两个选手的分数以确定赢者。在**最小赢者树**（min winner tree）中，分数小的选手获胜。在**最大赢者树**（max winner tree）中，分数大的选手获胜。在分数相等，即平局的时候，左孩子表示的选手获胜。图 13-2a 是一棵有 8 名选手的最小赢者树，而图 l3-2b 是一棵有 5 名选手的最大赢者树。每个外部节点下面的数字表示选手的分数。

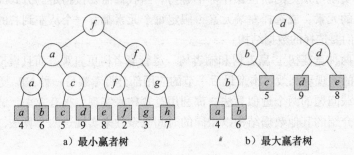

a）最小赢者树　　　　　　b）最大赢者树

图 13-2　赢者树

赢者树的一个优点在于，当一名选手的分数改变时，修改竞赛树比较容易。例如，当选手 d 的分数由 9 改为 1 时，只有从 d 到根的路径上的节点所表示的比赛可能需要重赛，而其他比赛的结果不受影响。有时，甚至连这种路径上的一些比赛也不需要重赛。例如，在图 13-2a 中，当 b 的分数从 6 改为 5 时，在其父节点的比赛中，b 仍为输家，因此 b 的祖父及曾祖父节点所表示的比赛都不必重赛。

在一棵 n 个选手的赢者树中，当一个选手的分数发生变化时，需要修改的比赛场次介于 1 ~ $\lceil \log_2 n \rceil$ 之间，因此，赢者树的重构需耗时 $O(\log n)$。此外，n 个选手的赢者树可以在 $\Theta(n)$ 时间内初始化，方法是沿着从叶子到根的方向，在内部节点进行 $n-1$ 场比赛。也可以采用后序遍历来初始化，每访问一个节点，就进行一场比赛。

例 13-1[排序] 可以用一棵最小赢者树，用时 $\Theta(n\log n)$ 对 n 个元素排序。首先，用 n 个元素代表 n 名选手对赢者树进行初始化。关键字决定每场比赛的结果，总冠军是关键字最小的元素。将该元素的关键字改为最大值（如 ∞），使它赢不了其他任何选手。然后重构赢者树，以反映出该元素的关键字的变化。这时的总冠军是按序排在第二的元素。将该元素的关键字改为 ∞，再一次重构赢者树。这时的总冠军是按序排在第三的元素。以此类推，可以完成 n 个元素的排序。赢者树初始化的用时为 $\Theta(n)$。每次改变赢者的关键字并重构赢者树的用时为 $\Theta(\log n)$，因为在从一个外部节点到根的路径上，所有的比赛需要重赛。赢者树的重构共需 $n-1$ 次。整个排序过程的时间为 $\Theta(n+n\log n)=\Theta(n\log n)$。∎

例 13-2[初始归并段的生成] 到目前为止，本书所讨论的排序方法（插入排序、堆排序等）都是**内部排序法**（internal sorting method）。这些方法要求待排序的元素全部放入计算机内存。但是，当待排序的元素所需要的空间超出内存的容量时，内部排序法就需要频繁地访问外部存储介质（如磁盘），那里存储着部分或全部待排的元素。这使得排序效率大打折扣。于是我们需要引入外部排序法（external sorting method）。外部排序一般包括两个步骤：1）生成一些初始归并段（run），每一个初始归并段都是有序集；2）将这些初始归并段合并为一个归并段。

假设待排序的记录有 16 000 个，使用内部排序一次最多可排序 1000 个记录。在步骤 1）中，重复以下操作 16 次，可得到 16 个初始归并段：

输入 1000 个记录

用内部排序法对这 1000 个记录排序

输出排序结果，即归并段

生成初始归并段之后，我们开始合并归并段，即步骤 2）。在这个步骤中，我们进行若干次归并。每一次归并，都是将最多 k 个归并段合并成一个归并段，归并段的个数也因此降到归并前的 $1/k$。这个过程持续到归并段的个数等于 1 为止。

本例有 16 个初始归并段（如图 13-3 所示）。它们的编号分别为 R1，R2，…，R16。在第一次归并过程中，先将 R1~R4 合并为 S1，其长度为 4000 个记录。然后将 R5~R8 合并，以此类推。在第二次归并过程中，将 S1~S4 合并为 T1，它是外部排序的最终结果。

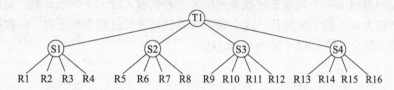

图 13-3　16 个初始归并段的 4 路合并

合并 k 个归并段的简单方法是：从 k 个归并段的前面，不断把关键字最小的元素移到正在生成的输出归并段。当所有元素从 k 个输入归并段移至输出归并段时，合并过程就完成了。注意，在选择输出归并段的下一元素时，在内存中只需要知道每个输入归并段的首元素的关键字即可。因此，只要有足够的内存来保存 k 个关键字，就可以合并 k 个任意长度的归并段。但是在实际应用上，我们要求每一次能输入 / 输出很多元素，以减少输入 / 输出的次数。

在上列待排的 16 000 个记录中，每个归并段有 1000 个记录，而内存容量也是 1000 个记录。为了合并前 4 个归并段，可将内存分为 5 个缓冲区，每个缓冲区的容量为 200 个记录。前 4 个为输入缓冲区，第 5 个为输出缓冲区。从前 4 个输入归并段各取 200 个记录放入 4 个输入缓冲区。把合并的记录放入输出缓冲区。不断把输入缓冲区的记录合并后放入输出缓冲区，直到以下的一个条件满足为止：

1）输出缓冲区已满。

2）某一输入缓冲区变空。

当第一个条件满足时，将输出缓冲区的记录写入磁盘，写完之后继续合并。当前两个条件满足时，从空缓冲区所对应的输入归并段继续读取记录，读取过程结束之后，继续合并。当 4000 个记录都写入一个归并段 S1 时，前 4 个归并段的合并过程结束（更详细的描述参见 E. Horowitz, S. Sahni, D. Mehta. *Fundamentals of Data Structures in C++*. Computer Science Press, New York, NY,1995。）

在归并段合并中，决定时间的因素之一是在步骤1）中生成的初始归并段的个数。使用赢者树可以减少初始归并段的个数。假设一棵赢者树有 p 名选手，其中每个选手是输入集合的一个元素，它有一个关键字和一个归并段号。前 p 个元素的归并段号均为1。当两个选手进行比赛时，归并段号小的选手获胜。在归并段号相同时，关键字小的选手获胜。为生成初始归并段，重复地将总冠军 W 移到它的归并号所对应的归并段，并用下一个输入元素 N 取代 W。如果 N 的关键字大于等于 W 的关键字，则令元素 N 的归并段号与 W 的相同，因为在 W 之后把 N 输出到同一个归并段不会影响归并段的次序。如果 N 的关键字小于 W 的关键字，则令元素 N 的归并段号为 W 的归并段号加1，因为在 W 之后把 N 输出同一个归并段将破坏归并段的排序。

当采用上述方法生成初始归并段时，初始归并段的平均长度约为 $2p$。当 $2p$ 大于内存容量时，我们希望能得到更少的初始归并段（与上述方法相比）。事实上，倘若输入集合已经有序（或几乎有序），则只需生成最后的归并段，这样可以跳过归并段的合并，即步骤2）。 ■

例 13-3[k 路合并] 在 k 路合并（见例 13-2）中，k 个归并段合并成一个归并段。按照例 13-2 所述的方法，每一个元素合并到输出归并段所需时间为 $O(k)$，因为每一次迭代都需要在 k 个关键字中找到最小值。因此，产生一个大小为 n 的归并段所需要的总时间为 $O(kn)$。而使用赢者树可将这个时间缩短为 $\Theta(k+n\log k)$。首先用 $\Theta(k)$ 的时间初始化一棵有 k 个选手的赢者树，这 k 个选手分别是 k 个归并段的头元素。然后将赢者移入输出归并段，并从相应的输入归并段中取出下一个元素替代赢者的位置。若该输入段无下一个元素，则用一个关键字值很大（不妨为 ∞）的元素替代。这个提取和替代赢家的过程需要 n 次，一次需要时间为 $\Theta(\log k)$。一次 k 路合并的总时间为 $\Theta(k+n\log k)$。 ■

练习

1. 设选手为 [3,5,6,7,20,8,2,9]，画出最大和最小赢者树。当把 20 改为 1 时，画出相应的结果。如果从 1 到根的比赛进行重赛，画出相应的结果。

2. 设选手为 [20,10,12,18,30,16,35,33,45,7,15,19,33,11,17,25]，画出最大和最小赢者树。当把 17 改为 42 时，画出相应的结果。如果从 42 到根的比赛进行重赛，画出相应的结果。

3. 设选手为 [3,5,6,7,20,8,2,9,12,15,30,17]，画出最大和最小赢者树。当把 2 改为 11 时，画出相应的结果。如果从 11 到根的比赛进行重赛，画出相应的结果。

4. 设选手为 [10,2,7,6,5,9,12,35,22,15,1,3,4]，画出最大和最小赢者树。当把 9 改为 0 时，画出相应的结果。如果从 0 到根的比赛重赛，画出相应的结果。

5. 1）如何用小根堆来替代最小赢者树以生成最初归并段（见例 13-2）？产生归并段的每一个元素需要多长时间？

   2）在此应用中，最小赢者树与堆相比，有哪些优点和缺点？

6. 1）在进行 k 路合并时（见例 13-3），如何用小根堆替代最小赢者树？

   2）在此应用中，最小赢者树与堆相比，有哪些优点和缺点？

13.2 抽象数据类型 WinnerTree

在定义抽象数据类型 WinnerTree 时，我们假设选手的个数是固定的。也就是说，如果初始化时的选手个数为 n，那么初始化之后不能再增减选手。选手本身并不是赢者树的组成部分。组成赢者树的成分是图 13-1 所示的内部节点。因此，赢者树需要支持的操作有：初始化

一棵具有 *n* 名选手的赢者树、返回赢者、重新组织从选手 *i* 到根的路径上的比赛。ADT 13-1 是对这些操作的描述。

```
抽象数据类型 WinnerTree
{
    实例
        完全二叉树，每一个节点指向比赛胜者；外部节点表示参赛者
    操作
    initialize(a): 为数组 a 的参赛者初始化胜者树
        winner(): 返回锦标赛胜者
    rePlay(i): 在参赛者 i 改变之后重赛
}
```

ADT 13-1　赢者树的抽象数据类型说明

程序 13-1 是抽象类 winnerTree。虽然它没有具体说明如何确定一场比赛的赢者，但是我们假定，通过操作符 <= 可以做到这一点。即 x<=y，当且仅当在比赛中选手 x 赢了选手 y。通过重载操作符 <=，我们可以构建最小赢者树、最大赢者树，等等。

程序 13-1　抽象类 winnerTree

```cpp
template<class T>
class winnerTree
{
    public:
        virtual ~winnerTree() {}
        virtual void initialize(T *thePlayer, int theNumberOfPlayers) = 0;
            //用数组 thePlayer[1:numberOfPlayers] 生成赢者树
        virtual int winner() const = 0;
            //返回赢者的索引
        virtual void rePlay(int thePLayer) = 0;
            //在参赛者 thePLayer 的分数变化后重赛
};
```

13.3　赢者树的实现

13.3.1　表示

假设用完全二叉树的数组表示来表示赢者树。一棵赢者树有 *n* 名选手，需要 *n*−1 个内部节点 tree[1:*n*−1]。选手（或外部节点）用数组 player[1:*n*] 表示，因此 tree[*i*] 是数组 player 的一个索引，类型为 int。在赢者树的节点 *i* 对应比赛中，tree[*i*] 代表赢者。图 13-4 给出了在有 5 选手的赢者树中，各节点与数组 tree 和 player 之间的对应关系。

为实现这种对应关系，我们必须能够确定外部节点 player[*i*] 的父节点 tree[*p*]。当外部节点的个数为 *n* 时，内部节点的个数为 *n*−1。最底层最左端的内部节点，其编号为 *s*，且 $s = 2^{\lfloor \log_2(n-1) \rfloor}$。因

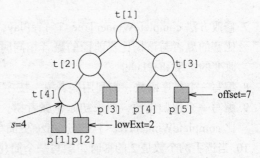

p[] = tree[] and p[] = player[]

图 13-4　树与数组的对应

此，最底层内部节点的个数是 $n-s$，最底层外部节点个数 lowExt 是这个数的 2 倍。例如，在图 13-4 中，$n=5$，$s=4$，最底层最左端的内部节点是 tree[4]，这一层的内部节点个数是 $n-4=1$ 个。最底层外部节点个数 lowExt=2，倒数第 2 层最左端的外部节点号为 lowExt+1。令 offset $=2*s-1$。对于任何一个外部节点 player[i]，其父节点 tree[p] 由以下公式给出：

$$p = \begin{cases} (i + \text{offset})/2 & i \leqslant \text{lowExt} \\ (i - \text{lowExt} + n - 1)/2 & i > \text{lowExt} \end{cases} \tag{13-1}$$

13.3.2　赢者树的初始化

为了初始化一棵赢者树，我们从右孩子选手开始，进行他所参加的比赛，而且逐层往上，只要是从右孩子上升到比赛节点，就可以进行在该节点的比赛。为此，要从左往右地考察右孩子选手。在图 13-4 的树中，我们首先进行选手 player[2] 参加的比赛，然后进行选手 player[3] 参加的比赛，最后进行选手 player[5] 参加的比赛。首先，我们进行选手 player[2] 参加的在节点 tree[4] 的比赛。但是接下来，我们不能进行在上一层节点 tree[2] 的比赛，因为 tree[4] 是它的左孩子。然后我们进行选手 player[3] 参加的在节点 tree[2] 的比赛，但是接下来不能进行在节点 tree[1] 的比赛，因为 tree[2] 是它的左孩子。最后我们进行选手 player[5] 参加的在节点 tree[3] 的比赛和在节点 tree[1] 的比赛。注意，当在节点 tree[i] 进行比赛时，参加该比赛的选手已经确定，而且选手的记录已经存储在节点 tree[i] 的子节点中。

13.3.3　重新组织比赛

当选手 thePlayer 的值改变时，在从外部节点 player[thePlayer] 到根 tree[1] 的路径上，一部分或全部比赛都需要重赛。为简单起见，我们将该路径上的全部比赛进行重赛。实际上，在例 13-1、例 13-2 和例 13-3 中，改变的只是赢者的值。一个赢者的值改变了，必然会导致从赢者对应的外部节点到根的路径上的所有比赛要重赛。

13.3.4　类 completeWinnerTree

实现赢者树的数据结构是类 completeWinnerTree（它的代码可以从本书网站上得到）。方法 winner 的时间复杂性是 $O(1)$，initialize 的时间复杂性是 $O(n)$，rePlay 的时间复杂性是 $O(\log n)$，其中 n 是选手个数。类的构造函数利用存储在数组中的选手进行赢者树的初始化。它的复杂性是 $O(n)$。

练习

7. 修改方法 completeWinnerTree<T>::rePlay，使得所进行的比赛都是必要的。特别是，当一场比赛的赢者与该场比赛前面的赢者相同时，就不用进行这场比赛，前提是前面的赢者不是改变的选手 thePlayer。

8. 编写一个排序函数，它利用赢者树，按序重复提取元素（见例 13-1）。

9. 编写一个递归函数，用来初始化赢者树，并且测试你的代码。它的时间复杂性是多少？它比 completeWinnerTree<T>::initialize 更简单吗？

10. 当选手的个数是 2 的幂时，编写一个简化版的 completeWinnerTree，并测试代码。

11. 令 n 是选手个数，m 是 2 的幂且大于等于 n 的最小整数。例如，如果 $n=14$，那么 $m=16$。如果建立一棵赢者树，它的选手个数不是 n，而是 m，以此来简化 WinnerTree 的实现代码。外部节点 player[thePlayer] 的父节点是 tree[*m*+thePlayer−1]/2。注意，player[*n*+1:*m*] 没有定义。

1）本方案与原方案相比，额外需要的空间最大是多少？

2）利用这个方案，实现赢者树类。

3）测试你的代码。

4）关于运行时间，你认为你的实现代码和教材中的实现代码相比，相差很大吗？

12. 教材的赢者树代码是复杂的，因为在 tree 中，寻找在叶子节点比赛的选手和寻找在其余节点比赛的选手，寻找的方法是不同的。我们可以去掉这个不同点，以此简化代码，方法是，把 tree 的元素个数增加 *n*，并把增加的节点置于外部节点（即选手节点）和比赛节点之间。这样一来，当 *i* ≤ lowExt 时，player[*i*] 的父节点是 tree[*i*+offset]，当 *i*>lowExt 时，player[*i*] 的父节点是 tree[*i*−lowExt+*n*−1]。player[*i*] 的父节点用索引 *i* 初始化。做了这样的修改之后，在节点 tree[*i*] 的比赛总是在选手 player[tree[2*i*]] 和 player[tree[2*i*+1]] 之间进行，1 ≤ *i* < *n*。

1）用这个方案实现一棵赢者树类。

2）测试你的代码。

3）关于运行时间，你认为改进的实现代码和教材中的实现代码相比，相差很大吗？

13. 在实现 completeWinnerTree 的代码中，*n* 是奇数的情况可以去除，方法是，当 *n* 是偶数时，我们可以建立一棵其选手个数为 *m*=*n* 的树，当 *n* 是奇数时，可以建立一棵其选手个数为 *m*=*n*+1 的树。与教材中的实现代码相比，这个方法需要 *O*(1) 个额外空间。当 *n* 是奇数时，player[*m*] 没有定义。

1）用这个方法，实现一棵赢者树类。

2）测试你的代码。

3）对教材、练习 11 和本练习的胜者树实现代码，比较相对的优缺点。

13.4 输者树

考察在赢者树中的 rePlay 操作。在许多应用中（见例 13-1、例 13-2 和例 13-3），只有在一个新选手替代了前一个赢者之后，才执行这个操作。这时，在从赢者的外部节点到根节点的路径上，所有比赛都要重新进行。考察图 13-2a 的最小赢者树，假设赢者 *f* 被关键字为 5 的选手 *f*' 取代，重新进行的第一场比赛是在 *e* 和 *f*' 之间进行，并且 *f*' 获胜，*e* 在以前与 *f* 的比赛中是输者。赢者 *f*' 在内部节点 tree[3] 的比赛中与 *g* 对阵，注意 *g* 在 tree[3] 处与 *f* 的前一场比赛中是输者，现在 *g* 与 tree[3] 处 *f*' 对阵是赢者。接下来，*g* 在根节点的比赛中与 *a* 对阵，而 *a* 在根节点处的上一场比赛中是输者。

如果每个内部节点记录的是在该节点比赛的输者而不是赢者，那么当赢者 player[*i*] 改变后，在从该节点到根的路径上，重新确定每一场比赛的选手所需的操作量就可以减少。最终的赢者可记录在 tree[0] 中。图 13-5a 是与图 13-2a 相对应的输者树，它有 8 名选手。当赢者 *f* 的关键字变成 5 时，我们移动到它的父节点 tree[6] 进行比赛，比赛的选手是 player[tree[6]] 和 player[6]。也就是说，为确定选手 *f*'=player[6] 的对手，只需简单地查看 tree[6] 即可，而在赢者树中，还需要查看 tree[6] 的其他子节点。在 tree[6] 的比赛完成后，输者 *e* 被记录在此节点，*f*' 继续在 tree[3] 比赛，对手是前一场的输者 *g*，而 *g* 就记录在 tree[3] 中。这次的输者是 *f*'，它被记录于 tree[3]。赢者 *g* 则继续在 tree[1] 比赛，对手是上一场比

赛的输者 a，而 a 就记录在 tree[1]。这次的输者是 g，它被记录在 tree[1]。新的输者树如图 l3-5b 所示。

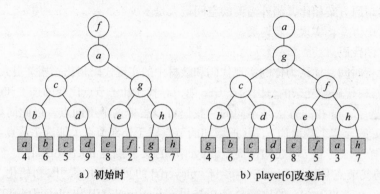

a）初始时   b）player[6]改变后

图 13-5   8 个选手的最小输者树

当一个赢者发生变化时，使用输者树可以简化重赛的过程，但是，当其他选手发生改变时，就不是那么回事了。例如，当选手 d 的关键字由 9 变为 3 时，在 tree[5]、tree[2] 和 tree[1] 上的比赛将重新进行。在 tree[5] 的比赛中，d 的对手是 c，但 c 不是上一场比赛的输者，因此它没有记录在 tree[5] 中。在 tree[2] 的比赛中，d 的对手是 a，但 a 也不是上一场比赛的输者。在 tree[1] 的比赛中，d 的对手是 f，但 f 同样不是上一场比赛的输者。为了重新进行这些比赛，还得用到赢者树。因此，仅当 player[i] 为前次比赛的赢家时，对于函数 rePlay(i)，采用输者树比采用赢者树执行效率更高。

练习

14. 设选手为 [3,5,6,7,20,8,2,9]，画出最大和最小输者树。当最大输者树的 20 改为 10，最小输者树的 2 改为 4 时，画出改变后的树。在从改变的元素到根的路径上，所有的比赛重新进行，画出新的树。

15. 设选手为 [20,10,12,18,30,16,35,33,45,7,15,19,33,11,17,25]，画出最大和最小输者树。当最大输者树的 45 改为 34，最小输者树的 7 改为 12 时，画出改变后的树。在从改变的元素到根的路径上，所有的比赛重新进行，画出新的树。

16. 设选手为 [20,10,12,14,9,11,30,33,25,7,15]，画出最大和最小输者树。当最大输者树的 33 改为 5，最小输者树的 7 改为 16 时，画出改变后的树。在从改变的元素到根的路径上，所有的比赛重新进行，画出新的树。

17. 设选手为 [3,5,6,7,20,8,2,9,12,15,30,17]，画出最大和最小输者树。当最大输者树的 30 改为 19，最小输者树的 2 改为 14 时，画出改变后的树。在从改变的元素到根的路径上，所有的比赛重新进行，画出新的树。

18. 设选手为 [10,2,7,6,5,9,12,35,22,15,1,3,4]，画出最大和最小输者树。当最大输者树的 35 改为 8，最小输者树的 1 改为 11 时，画出改变后的树。在从改变的元素到根的路径上，所有比赛重新进行，画出新的树。

19. 1）设计一个 C++ 类 completeLoserTree，表示方法与 13.3 节赢者树类似。比赛赢者记录在 tree[0] 中。定义公有方法 rePlay() 代替原来的公有方法 rePlay(i)，该函数从上一次比赛的赢者开始重新组织比赛。

2）输者树的初始化有一个简单方法，先构造一棵赢者树，然后从上到下按层次遍历，把每个内部节点的赢者替换为输者。从 tree[i] 的孩子可以知道在 tree[i] 处比赛的选手，由此信息确定谁是输者。采用上述策略编写一个初始化函数 initialize。证明代码能在 $O(n)$ 的时间内对 n 个选手的输者树进行初始化。

3）编写一个递归的初始化函数 initialize。时间复杂性应为 $O(n)$。

4）编写一个初始化函数 initialize，编写的策略是：从最左边的比赛节点开始，它的左右孩子都是选手；尽可能地举行从此节点到根的所有比赛，并记录下输者；当某一场比赛因为某一选手未知而无法进行时，记录下唯一的选手。重复这个过程，直到所有比赛完成。证明你的代码初始化一棵 n 个选手的输者树用时为 $O(n)$。

20. 设计一个 C++ 类 fullLoserTree，以实现输者树，而且如练习 11 所描述的一样，是一棵满二叉树。参看练习 19 的初始化策略。测试你的代码。

21. 使用练习 12 的策略，设计一个 C++ 类 completeLoserTree2，以实现输者树。参看练习 19 的初始化策略。测试你的代码。

22. 编写一个排序程序，利用输者树不断地将元素按序提取出来。指出程序的复杂性。

13.5 应用

13.5.1 用最先适配法求解箱子装载问题

1. 问题描述

在箱子装载问题中，箱子的数量不限，每个箱子的容量为 binCapacity，待装箱的物品有 n 个。物品 i 需要占用的箱子容量为 objectSize[i]，$0 \leqslant$ objectSize[i] $\leqslant$ binCapacity。所谓**可行装载**（feasible packing），是指所有物品都装入箱子而不溢出。所谓**最优装载**（optimal packing）是指使用箱子最少的可行装载。

例 13-4[卡车装载]　某一运输公司需把包裹装入卡车中，每个包裹都有一定的重量，每辆卡车都有载重限制（假设每辆卡车的载重都一样）。如何用最少的卡车装载包裹，这是卡车装载问题。这个问题可以转化为箱子装载问题，卡车对应箱子，包裹对应物品。　■

例 13-5[集成片分布]　把一组电路集成片按行布设在宽度一定的电路板上。集成片高度一致但宽度各不相同。要使电路板的高度最小，因而面积最小，占用的行数就要最少。集成片分布问题也可转化为箱子装载问题，即电路板的每一行对应一个箱子，每个集成片对应一件物品。电路板的宽度对应箱子容量，而集成片的宽度相当于物品的容量。　■

2. 近似算法

箱子装载问题和机器调度问题（见 12.6.2 节）一样，是 NP- 复杂问题，因此常用近似算法求解。求解所得的箱子数不是最少，但接近最少。有 4 种流行的近似算法：

1）最先适配法（First Fit, FF）。物品按 1，2，…，n 的顺序装入箱子。假设箱子从左至右排列。每一物品 i 放入可装载它的最左面的箱子。

2）最优适配法（Best Fit, BF）。令 bin[j].unusedCapacity 为箱子 j 的可用容量。初始时，所有箱子的可用容量为 binCapacity。物品 i 放入可用容量 unusedCapacity 最小但不小于 objectSize[i] 的箱子。

3）最先适配递减法（First Fit Decreasing, FFD）。此方法与 FF 类似，区别在于，所有物品首先按所需容量的递减次序排列，即对于 $1 \leqslant i < n$，有 objectSize[i] $\geqslant$ objectSize[i+1]。

4）最优适配递减法（Best Fit Decreasing，BFD）。此法与 BF 相似，区别在于，所有物品首先按所需容量的递减的次序排列，即对于 $1 \le i < n$，有 objectSize[i] $\ge$ objectSize[i+1]。

你可以证明，在以上 4 种方法中，没有一种是最优装载。但这 4 种方法都很直观实用。在第 12 章练习 36 中，我们研究了最差适配法（worst-fit）。我们还可以研究最后适配法（last-fit）、最后适配递减法（last-fit decreasing）和最差适配递减法（worst-fit decreasing）。

定理 13-1 设 I 为箱子装载问题的任一实例，$b(I)$ 为最优装载所用的箱子数。FF 和 BF 所用的箱子数不会超过 $(17/10)b(I)+2$，而 FFD 和 BFD 所用的箱子数不会超过 $(11/9)b(I)+4$。

例 13-6 有 4 件物品，所需容量分别为 objectSize[1:4]=[3,5,2,4]，把它们放入容量为 7 的一组箱子中。当使用 FF 法时，物品 1 放入箱子 1；物品 2 放入箱子 2。因为箱子 1 是可容纳物品 3 的最左面的箱子，所以物品 3 放入箱子 1。物品 4 无法再放入前面用过的两个箱子，因此使用了一个新箱子。最后共用了三个箱子：物品 1 和 3 放入箱子 1；物品 2 放入箱子 2；物品 4 放入箱子 3。

当使用 BF 法时，物品 1 和 2 分别放入箱子 1 和箱子 2。物品 3 放入箱子 2，这比放入箱子 1 更能充分利用空间。物品 4 放入箱子 1 正好用完了空间。这种装载方案只用了两个箱子：物品 1 和 4 放入箱子 1；物品 2 和 3 放入箱子 2。

如果使用 FFD 和 BFD 方法，物品按 2、4、1、3 排序。最后结果一样：物品 2 和 3 放入箱子 1；物品 1 和 4 放入箱子 2。　　　　　　　　　　　　　　　　■

3. 最先适配法和赢者树

赢者树可用来实现 FF 和 FFD 算法，所需时间为 $O(n\log n)$。因为最多用到 n 个箱子，所以从 n 个空箱子开始。初始化时，对于所有 n 个箱子，bin[j].unusedCapacity=binCapacity。接下来，用 bin[j] 作为选手，对最大赢者树进行初始化。图 13-6a 给出了在 $n=8$ 和 binCapacity=10 条件下的最大赢者树。外部节点从左到右分别对应箱子 1 至 8。在外部节点下面的数字为箱子的装载容量。假定物品 1 的大小为 objectSize[1]=8。为找到可以装载物品 1 的最左面的箱子，我们从根 tree[1] 开始搜索。根据一开始的问题描述可知，bin[tree[1]].unusedCapacity $\ge$ objectSize[1]，也就是说，至少有一个箱子可以装载物品 1。为找到最左面的这个箱子，我们先要在箱子 1~4 中搜索。这个箱子在箱子 1~4 中存在，当且仅当 bin[tree[2]].unusedCapacity $\ge$ objectSize[1]。在本例中此条件满足，于是我们从根为 tree[2] 的子树开始继续搜索。先搜索 tree[2] 的左子树，即根为 tree[4] 的子树，确定是否存在这个箱子。若存在，则不必考虑 tree[2] 的右子树。在本例中，bin[tree[4]].unusedCapacity $\ge$ objectSize[1]，因此移到左子树。因为 tree[4] 的左子树是一个外部节点，所以可以将物品 1 放入节点 tree[4] 的任一个孩子之中。而且，若左孩子有足够的空间，就将物品 1 放入左孩子。当物品 1 放入箱子 1 之后，bin[1].unusedCapacity 减为 2，然后从 bin[1] 开始重新比赛。新的赢者树如图 13-6b 所示。现假设物品 2 的大小 objectSize[2]=6。由 bin[tree[2]].unusedCapacity $\ge$ 6，可知在 tree[1] 的左子树中有一个箱子可以装载物品 2，因此我们移到节点 tree[2]，然后再移到 tree[2] 的左子树 tree[4]，并将物品 2 放入箱子 2。新的赢者树如图 13-6c 所示。

当物品 3 的大小 objectSize[3]=5 时，搜寻进入根为 tree[2] 的子树。对其左子树，bin[tree[4]].unusedCapacity<objectSize[3]，故左子树 tree[4] 中不存在能够容纳物品 3 的箱子。然后我们移到右子树 tree[5]，并将物品 3 放入箱子 3。调整后的赢者树如图 13-6d 所示。接下来，假设物品 4 的大小 objectSize[4]=3。搜索进入根为 tree[4] 的子树，因为 bin[tree[4]].

unusedCapacity ≥ objectSize[4]，所以将物品 4 加入箱子 2。

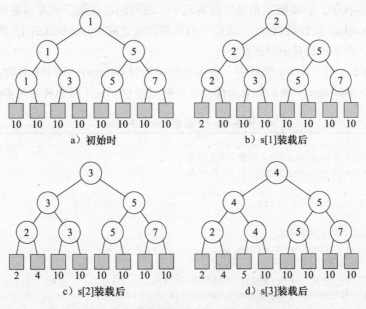

a）初始时　　　　　　　　　　　　b）s[1]装载后

c）s[2]装载后　　　　　　　　　　d）s[3]装载后

图 13-6　用于最先适配法的最大赢者树

4. 最先适配法的 C++ 实现

首先我们给类 completeWinnerTree 增加一个公有方法：

```
int winner(int i)const
    {return (i<numberOfPlayer)?tree[i]:0;}
```

这个方法的返回值是在内部节点 i 的比赛中获胜者。

程序 13-2 的函数 firstFitPack 实现最先适配策略。它假定物品的个数至少是 2，而且每一件物品的大小 ≤ binCapacity。这个条件由主函数来保证，它输入箱子容量和物品大小，然后调用 firstFitPack。

函数 firstFitPack 利用了数据类型 binType，这个类型只有一个数据成员 unusedCapacity。这个类型重载了操作符 <=，使得表达式 x<=y 的值为真，当且仅当 x. unusedCapacity ≥ y. unusedCapacity。

函数 firstFitPack 首先对 n 名选手的最大赢者树进行初始化，其中 n 是箱子个数。选手 i 代表箱子 i 当前的容量。所有箱子的初始容量为 binCapacity。该函数假定，除非右边选手大于左边选手，否则左边选手是赢者。

在第二个 for 循环中，物品被依次放置到各箱子中。在放置物品 i 的过程中，我们从根节点开始，沿着一条路径去寻找能够装载该物品的最左面的箱子。我们从当前节点来判断，它的左子树（它的根是 child）是否包含这个箱子，如果没有，则右子树（它的根是 child+1）一定包含了这个箱子。为找到这个箱子，我们要优先考虑左子树。若当前节点的左子树是一外部节点（即 child ≥ n），则 while 循环结束。注意，我们的代码不能显式地记录当前节点位置，而是在退出 while 循环时，用 child 除以 2 来计算当前节点位置。当 n 为奇数时，当前节点可能是一个外部节点，这时 child 等于 n。在其他情况下，child 均为内部节点。当 child 为外部节点时，该节点对应的箱子便是在其父节点的比赛中获胜者，也就是说。它是箱子

tree[child/2]。当 child 为内部节点时，可以确信 tree[child] 有足够容量。然而，倘若该箱子不是其父节点的左孩子，它可能不是最左面的箱子，故我们从该箱子的左边进行检查。一旦确定了用箱子 binToUse 来装载物品 i，该箱子的可用容量应减少 objectSize[i]，然后沿着从该箱子到根的路径，重新进行其中的比赛。

在程序 13-2 的第二个 for 循环中，每次迭代需耗时 $\Theta(\log n)$，其中 n 是物品数量。因此，该循环共需耗时 $\Theta(n\log n)$。该函数其余部分所需时间为 $O(n)$，于是总耗时为 $O(n\log n)$。

程序 13-2　函数 firstFitPack

```
void firstFitPack(int *objectSize, int numberOfObjects, int binCapacity)
{// 输出箱子容量为 binCapacity 的最先适配装载
 // objectSize[1:numberOfObjects] 是物品大小

   int n = numberOfObjects;                      // 物品数量

   // 初始化 n 个箱子和赢者树
   binType *bin = new binType [n + 1];           // 箱子
   for (int i = 1; i <= n; i++)
      bin[i].unusedCapacity = binCapacity;
   completeWinnerTree<binType> winTree(bin, n);

   // 将物品装到箱子里
   for (int i = 1; i <= n; i++)
   {// 把物品 i 装入一个箱子
      // 找到第一个有足够容量的箱子
      int child = 2;    // 从根的左孩子开始搜索
      while (child < n)
      {
         int winner = winTree.winner(child);
         if (bin[winner].unusedCapacity < objectSize[i])
            child++ ;                             // 第一个箱子在右子树
         child *= 2;                              // 移到左孩子
      }

      int binToUse;                               // 设置为要使用的箱子
      child /= 2;                                 // 撤销向最后的左孩子的移动
      if (child < n)
      {// 在一个树节点
         binToUse = winTree.winner(child);
         // 若 binToUse 是右孩子，则要检查箱子 binToUse-1
         // 即使 binToUse 是左孩子，检查箱子 binToUse-1 也不会有问题
         if (binToUse > 1 && bin[binToUse - 1].unusedCapacity >= objectSize[i])
            binToUse--;
      }
      else // 当 n 是奇数
         binToUse = winTree.winner(child / 2);

      cout << "Pack object " << i << " in bin "
           << binToUse << endl;
      bin[binToUse].unusedCapacity -= objectSize[i];
      winTree.rePlay(binToUse);
   }
}
```

5. 评价

函数 firstFitPack 直接使用了赢者树实现方法的技术细节。例如，赢者树是用数组表示的完全二叉树，它能够按照数组下标乘 2 或加 1 的方式从上向下移动。这种向下移动方式没有实现类的一个目标——信息隐藏。我们希望类的实现细节对用户是不可见的，这样的话，我们就可以在不改变类的公有成员的情况下修改类的具体实现细节，而且修改后的结果不会影响应用代码的正确性。利用信息隐藏的好处，我们可以在类 completeWinnerTree 中增加方法，使得用户可以从一个内部节点移动到它的左孩子和右孩子，然后在函数 firstFitPack 中应用这些方法。

13.5.2 用相邻适配法求解箱子装载问题

1. 何谓相邻适配法

相邻适配法是一种箱子装载策略：为装载一件物品，首先在非空的箱子中循环搜索能够装载该物品的箱子，如果找不到这样的箱子，就启用一个空箱子。开始时，没有非空的箱子，因此，为装载物品 1，启用箱子 1。假设箱子 1~ 箱子 b 已经装有物品，我们把这些箱子想象成一个环：当 $i \neq b$ 时，i 的下一个箱子为 $i+1$；当 $i=b$ 时，i 的下一个箱子为箱子 1。要装载当前的一件物品，假设上一件物品已装入箱子。我们从箱子开始循环查找非空的箱子，如果找到合适的箱子，就把物品放进这个箱子，如果回到箱子 j 还没有找到合适的箱子，则启用一空箱子，并将物品放入这个空箱子。

例 13-7 有 6 件物品 objectSize[1:6]=[3,5,3,4,2,1] 要放入容量为 7 的箱子中。用相邻适配装载法，首先将物品 1 放入箱子 1。对物品 2，无合适的非空箱子，故启用一个空箱子——箱子 2。对于物品 3，从下一个箱子开始搜寻非空的合适箱子。上一次使用的箱子为箱子 2，故下一个箱子为箱子 1。箱子 1 有足够的空间，因此将物品 3 放入箱子 1。对于物品 4，因为箱子 1 是上一次使用的箱子，所以从箱子 2 开始查找。箱子 2 无足够的空间，而箱子 2 的下一个箱子（箱子 1）也无足够的空间，因此启动新箱子——箱子 3。装载物品 5 的过程是从查寻箱子 3 的下一个箱子开始的，箱子 3 的下一个箱子为箱子 1，按上述步骤，可查知箱子 2 是合适的，因此将物品 5 放入箱子 2。对于最后一个物品 6，从箱子 3 开始检查，因该箱子有足够空间，可将物品 6 放入其中。■

相邻适配策略与另一种同名的动态存储分配策略很类似，如果和箱子装载联系起来，这是另一种相邻适配策略：每次装载一个物品，若一个物品不能装入当前箱子，则将当前箱子关闭并启用一个新的箱子。本节不考虑这种适配策略。

2. 相邻适配法和赢者树

可用最大赢者树来高效地实现相邻适配策略。与最先适配法一样，外部节点代表箱子，在比赛中比较的是箱子的可用容量大小。对于 n 件物品的装载问题，从 n 个箱子（外部节点）开始。观察图 13-7 的最大赢者树，其中有 6/8 的箱子已被使用，其中的标号或数字约定和图 13-6 的一样。虽然当 n=8 时，图 13-7 所示的情况不会出现，但可以用来说明实现相邻适配策略的过程。若上一件物品被放入箱子 lastBinUsed 中且当前已使用了 b 个箱子，则按如下两个步骤来搜索下一个可用的箱子：

1）在编号大于 lastBinUsed 的箱子中，找到第一个合适的箱子 j。当箱子总数为 n 时，这样的 j 总存在。若该箱子非空（即 $j \leq b$），则将物品放入该箱子。

2）若步骤 1 未找到一个非空的箱子，则在树中搜索适合该物品的最左面的箱子，然后将物品放入该箱子。

现在来考察图 13-7 的情形，而且假设下一个物品的大小为 7。若 lastBinUsed=3，则在步骤 1 中确定箱子 5 有足够的空间。因为箱子 5 是非空箱子，所以可将物品放入其中。若 lastBinUsed=5，则由步骤 1 获知箱子 7 有足够空间。因为箱子 7 是空箱子，所以移到步骤 2，找到合适的最左面的箱子 1，将物品放入其中。

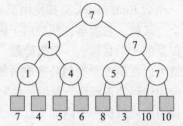

图 13-7　用于相邻适配法的最大赢者树

为了实现步骤 1，我们从箱子 j=lastBinUsed+1 开始。若 lastBinUsed=n，则所有 n 个物品都已装箱，并且用了 n 个箱子，每件物品一个箱子。因此 j ≤ n。图 13-8 的伪码描述了从箱子 j 开始查找合适的箱子的过程。沿着从箱子 j 到根的路径进行遍历，依次查看右子树，直至找到第一棵包含这种箱子的右子树为止。这时，在该子树中，能够容纳物品的最左面的箱子就是所要查找的箱子。

```
// 寻找离 lastBinUsed 右面最近的适合物品 i 的箱子
j = lastBinUsed+1;
if(bin[j].unusedCapacity>=objectSize[i])
    return j;
if(bin[j+1].unusedCapacity>=objectSize[i])
    return j+1;

p=bin[i] 的双亲
if(p==n-1)
{// 特殊情况
    令 q 等于 tree[p] 右端的外部节点
    if(bin[q].unusedCapacity>=objectSize[i])
        return q;
}

// 向根方向移动，寻找第一个右子树，它有一个容量足够的箱子。p 右面的子树是 p+1
p/=2; // 移动到父节点
while(bin[tree[p+1]].unusedCapacity<objectSize[i])
    p/=2;

return 在子树 p+1 中适合物品 i 的第一个箱子
```

图 13-8　步骤 1 的伪码

考察图 13-7 的赢者树。假设 lastBinUsed=1 且 objectSize[i]=7。从 j=2 开始，首先可以确定箱子 2 无足够的容量。接着，查询箱子 j+1=3，它也没有足够的容量。因此移到 j 的父节点并取 p 等于 4。因 p ≠ n-1，我们到达 while 循环并得知根为 5 的子树不含合适的箱子。接下来，移到节点 2 并得知根为 3 的子树包含合适的箱子。合适的箱子应是该子树中容量大于或等于 7 的最左箱子。按程序 13-2 的策略可找到这个箱子——箱子 5。若初始假设为 lastBinUsed=3 且 objectSize[i]=9，则从箱子 4 开始查询。箱子 4 和箱子 5 都无足够的容量，故取 p 等于 5 并到达 while 循环。在第一次迭代中检查 bin[tree[6]].unusedCapacity，并得知根为 6 的子树不含合适的箱子。然后，p 移到节点 2，并得知根为 3 的子树包含合适的箱子。用程序 13-2 的策略可找到这个合适的箱子——箱子 7 是空的，故移到步骤 2，确定使用箱子 7。

步骤 1 要求我们按树的某条路径向上遍历，然后向下查找最左面合适的箱子，所需的时耗为 $O(\log n)$。利用程序 13-2 的策略，步骤 2 所需的时耗为 $\Theta(\log n)$。因此相邻适配策略总的时间复杂性为 $O(n\log n)$。

练习

23. 假设 binCapacity=10，n=5，objectSize[0:4]=[6,1,4,4,5]。

1）确定一个最优装载。

2）分别使用 FF、BF、FFD 和 BFD，给出相应的物件分配方案。

3）对装载练习 2），确定比率（所用箱子的数量／所需箱子的最少数量）。

24. 假设 binCapacity=11，n=30，objectSize[0:9]=2，objectSize[10:19]=3，objectSize[20:29] =6，重做练习 23。

25. 函数 firstFitPack（见程序 13-2）将一个物品分配给一个箱子的时耗为 $\Theta(\log n)$，即使当前所使用的箱子数目远远少于 n。如果从包含箱子 1 和箱子 b（b 为当前已经使用的最右箱子）的最小子树的根开始搜索，可以减少这个时间，也就是说，从箱子 1 和箱子 b 的最近祖先开始搜索。例如，当 b 为 3 时，从节点 2 开始搜索。如果在箱子 1 到箱子 b 中没有一个箱子的容量符合条件，则将 b 增 1。另外，在组织比赛时，只需重赛位于箱子 1 和箱子 b 的最近公共祖先之前的比赛。按照上述思想重写程序 13-2，并使用随机生成的实例，在 n=1000、5000、50 000 和 100 000 的情况下，比较前后两个程序版本的时间消耗。

26. 1）给类 completeWinnerTree 增加公有方法：root()、leftChild(i) 和 rightChild(i)。它们的返回值分别是赢者树的根和内部节点 i 的左右孩子。对后两个方法，当相应的孩子是外部节点时，返回值均为 0。

2）重写 firstFitPack（见程序 13-2），使之符合 13.5.1 节所述的信息隐藏原理。

27. 虽然证明最先适配法和最优适配法的箱子数不会超过 $\lfloor (17/10)b(I) \rfloor$ 很困难（其中 $b(I)$ 为实例 I 所需的最少箱子数），但证明箱子数不会超过 $2b(I)$ 是比较容易的，请证明。

28. 使用随机生成的实例，在 n=500、1000、2000 和 5000 的情况下，比较最差适配法（见第 12 章的练习 36）、最先适配法、最先适配递减法和相邻适配方法各自所用的箱子数。

29. 1）利用 13.5.2 节所述的两个步骤，基于图 13-8 的伪码，编写一个 C++ 程序，采用相邻适配策略实现箱子装载。

2）利用随机产生的箱子装载实例，比较相邻适配策略和最先适配策略所需要的箱子数。

30. 最后适配策略是把每一件物品装到已用过的最右合适的箱子，如果没有这样的箱子，就启用一个新箱子。编写一个 C++ 程序，实现这个策略。测试你的代码。计算时间复杂性。

13.6 参考及推荐读物

要学习关于竞赛树的更多的知识，可参考 D. Knuth. *The Art of Computer Programming*: *Sorting and Searching,* Volume3. 2nd ed. Addison-Wesley, Reading, MA, 1998.

关于定理 13-1 的证明，可参看 M. Garey, R.Graham, D. Johnson, et al. *Resource Constrained Scheduling as Generalized Bin-Packing*. Journal of Combinatorial Theory, Series A, 1976, 257-298. 以及 D. Johnson, A. Demers, J. Ullman, et al. *Worst-Case Performance Bounds for Simple One-Dimensional Packing Algorithms*. SIAM Journal on Computing, 1974, 299-325.

搜 索 树

概述

在本章和下一章所开发的树形结构适合于字典描述。虽然我们已经学过跳表和散列，它们都可以用于字典描述，但是，本章的二叉搜索树和下一章的平衡搜索树使用更灵活，在最坏情况下的性能更有保证。

本章考察二叉搜索树和索引二叉搜索树。二叉搜索树的渐近性能可以和跳表媲美：查找、插入或者删除操作所需要的平均时间为 $\Theta(\log n)$，而最坏情况下的时间为 $\Theta(n)$；元素按升序输出时所需时间为 $\Theta(n)$。虽然在最坏情况下的查找、插入和删除操作，散列表和二叉搜索树的时间性能相同，但是散列表在最好的情况下具有超级性能 $\Theta(1)$。不过，对于一个指定的关键字，使用二叉搜索树，你可以在 $\Theta(n)$ 时间内，找到最接近它的关键字。例如，给定关键字是 k，你可以在 $\Theta(n)$ 时间内，找到最接近 k 的关键字（即小于等于 k 的最大关键字，或大于等于 k 的最小关键字）。而对散列表来说，这种操作的时间是 $\Theta(n+D)$，其中 D 是散列表除数；对跳表来说，这种操作的时间是 $\Theta(\log n)$。

使用索引二叉搜索树，你可以按关键字和按名次进行字典操作，例如读取关键字从小到大排名第 10 的元素，删除关键字从小到大排名第 100 的元素。按名次的操作和按关键字的操作，其时间性能一样。索引二叉搜索树可以用来表示线性表（见第 5 章）；其中的元素具有名次（即索引），没有关键字。在这种线性表的表示中，get、erase 和 insert 操作的时间性能为 $O(\log n)$。回忆第 5 章和第 6 章分别用数组和链表表示的线性表，它们实施这些操作的时间为 $\Theta(n)$。不过，在用数组表示的线性表中，get 操作是一个例外，它的时间性能是 $\Theta(1)$。散列表无法通过扩展，使按名次的操作更快。而跳表可以通过扩展，使按名次的操作可以在 $\Theta(\log n)$ 时间内完成。

虽然上述操作对二叉搜索树和跳表来说，在最坏和最好情况下的渐近时间复杂性是相同的，但是，我们可以对二叉搜索树加以平衡限制，使上述的每一个操作耗时都是 $\Theta(\log n)$。这是第 15 章的主题。

本章有三个二叉搜索树的应用。第一个是直方图的计算。第二个是 13.5.1 节的 NP- 复杂问题——箱子装载的最优适配法的实现。最后一个是关于在电子布线中所出现的交叉分布问题。在直方图的应用中，使用散列函数来取代搜索树，可以提高性能。在最优适配箱子装载应用中，由于搜索不是按精确匹配完成的，所以不能使用散列函数。在交叉分布问题中，操作是按名次完成的，因此也不能使用散列函数。如果用第 15 章的平衡二叉搜索树替代不平衡二叉搜索树，每一个应用在最坏情况下的时间性能都会得到改进。

14.1 定义

14.1.1 二叉搜索树

在 10.1 节我们引入了抽象数据类型 dictionary，在 10.5 节我们用散列来描述字典，字典操作（查找、插入和删除）所需要的平均时间为 $\Theta(1)$。而这些操作在最坏情况下的时间与字典的元素个数 n 呈线性关系。如果给 dictionary 增加以下操作，那么散列不再具有较好的平均性能：

1）按关键字的升序输出字典元素。

2）按升序找到第 k 个元素。

3）删除第 k 个元素。

为了执行操作 1），需要从表中收集数据，排序，然后输出。如果使用除数为 D 的链表，那么能用 $O(D+n)$ 时间收集元素，用 $O(n\log n)$ 时间排序，用 $O(n)$ 时间输出，因此总时间为 $O(D+n\log n)$。如果使用线性开放寻址，则收集元素所需时间为 $O(b)$，其中 b 是桶的个数。这时操作 1）的总时间为 $O(b+n\log n)$。如果使用链表，操作 2）和 3）可以在 $O(D+n)$ 的时间内完成；如果使用线性开放寻址，那么它们可在 $O(b)$ 时间内完成。为了使操作 2）和 3）具有这样的时间性能，必须采用一个线性时间算法来确定 n 元素集合中的第 k 个元素（参考18.2.4 节）。

如果使用平衡搜索树，那么对字典的基本操作（查找、插入和删除）能够在 $O(\log n)$ 的时间内完成，操作 1）能在 $\Theta(n)$ 的时间内完成。使用索引平衡搜索树，我们也能够在 $O(\log n)$ 的时间内完成操作 2）和 3）。14.6 节将考察其他一些应用，对它们使用散列无法达到而使用平衡树可以达到较好的性能。

与其直接学习平衡树，不如首先学习简单一些的二叉搜索树。

定义 14-1 **二叉搜索树**（binary search tree）是一棵二叉树，可能为空；一棵非空的二叉搜索树满足以下特征：

1）每个元素有一个关键字，并且任意两个元素的关键字都不同；因此，所有的关键字都是唯一的。

2）在根节点的左子树中，元素的关键字（如果有的话）都小于根节点的关键字。

3）在根节点的右子树中，元素的关键字（如果有的话）都大于根节点的关键字。

4）根节点的左、右子树也都是二叉搜索树。

此定义有一点冗余。特征 2）、3）和 4）在一起已经说明了关键字是唯一的。因此，特征 1）可以替换为：根节点有关键字。然而，前一种定义更清楚明了。

图 14-1 给出了一些二叉树，节点中的数字是元素的关键字。其中图 14-1a 尽管满足特征 1）、2）和 3），但仍然不是二叉搜索树，因为它的右子树不满足特征 4）。在这棵子树中，右子树的关键字（22）小于该子树根节点的关键字（25）。而图 14-1b 和图 14-1c 都是二叉搜索树。

二叉搜索树的所有元素都有一个唯一的关键字，这个要求可以去除，然后再用小于等于代替特征 2）中的小于，用大于等于代替特征 3）中的大于，这样的二叉树称为**有重复值的二叉搜索树**（binary search tree with duplicates）。

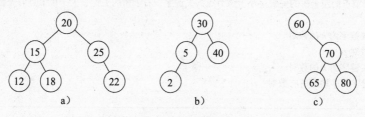

图 14-1 二叉树

14.1.2　索引二叉搜索树

　　索引二叉搜索树（indexed binary search tree）源于普通二叉搜索树，只是在每个节点中添加一个 leftSize 域。这个域的值是该节点左子树的元素个数。图 14-2 是两棵索引二叉搜索树。节点内的数字是元素的关键字，节点外的数字是 leftSize 的值。注意，leftSize 同时给出了一个元素的索引（该元素的左子树的元素排在该元素之前）。例如，在图 14-2a 的根为 20 的子树中，元素按顺序分别为 12，15，18，20，25 和 30。依照线性表的形式（e_0, e_1,…, e_4），根的索引是 3，它等于根元素的 leftSize 域的值。在根为 25 的子树中，元素按顺序排序为 25 和 30，根元素 25 的索引是 0，而 leftSize 的值也是 0。

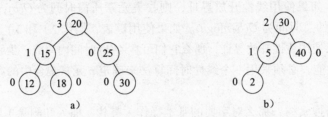

图 14-2　索引二叉搜索树

练习

1. 具有 10 个节点的完全二叉树，关键字为 [1,2,3,4,5,6,7,8,9,10]，使其成为二叉搜索树。标出每个节点的 leftSize 域的值。
2. 具有 13 个节点的完全二叉树，关键字为 [1,2,3,4,5,6,7,8,9,10,11,12,13]，使其成为二叉搜索树。标出每个节点的 leftSize 域的值。

14.2　抽象数据类型

　　ADT 14-1 是二叉搜索树的抽象数据类型描述。索引二叉搜索树支持二叉搜索树的所有操作。另外，它还支持按名次进行的查找和删除操作。ADT 14-2 是索引二叉搜索树的抽象数据类型描述。抽象数据类型 dBSTree（有重复值的二叉搜索树）和 dIndexedBSTree 可以用相同的方法描述。

　　程序 14-1 和程序 14-2 是 C++ 抽象类，它们分别与抽象数据类型 bsTree 和 indexedBSTree 对应。

抽象数据类型 *bsTree*
{
　　实例
　　　　二叉树，每一个节点都有一个数对，其中一个成员是关键字，另一个成员是数值；所有关键字都不相同；
　　　　任何一个节点的左子树的关键字小于该节点的关键字；右子树的关键字大于该节点的关键字
　　操作
　　find(k): 返回关键字为 *k* 的数对
　　insert(p): 插入数对 *p*
　　erase(k): 删除关键字为 *k* 的数对
　　ascend(): 按关键字升序输出所有数对
}

ADT 14-1　二叉搜索树的抽象数据类型描述

抽象数据类型 *IndexedBSTree*
{
    实例
        与 bsTree 的实例相同, 只是每一个节点还有一个 leftSize 域
    操作
        find(k): 返回关键字为 *k* 的数对
    get(index): 返回第 *index* 个数对
     insert(p): 插入数对 *p*
      erase(k): 删除关键字为 *k* 的数对
      ascend(): 按关键字升序输出所有数对
}

ADT 14-2 索引二叉搜索树的抽象数据类型说明

程序 14-1 C++ 抽象类 bsTree

```
template<class K, class E>
class bsTree : public dictionary<K,E>
{
   public:
      virtual void ascend() = 0;
                     // 按关键字升序输出
};
```

程序 14-2 C++ 抽象类 indexedBSTree

```
template<class K, class E>
class indexedBSTree : public bsTree<K,E>
{
   public:
      virtual pair<const K, E>* get(int) const = 0;
                  // 根据给定的索引, 返回其数对的指针
      virtual void delete(int) = 0;
                  // 根据给定的索引, 删除其数对
};
```

练习

3. 使用跳表实现 ADT14-1 的 bsTree 的操作, 其平均时间为多少?
4. 给出抽象数据类型 dBSTree (有重复值的二叉搜索树) 的描述。定义相应的 C++ 抽象类。
5. 给出抽象数据类型 dIndexedBSTree (有重复值的索引二叉搜索树) 的描述。定义相应的 C++ 抽象类。

14.3 二叉搜索树的操作和实现

14.3.1 类 binarySearchTree

因为二叉搜索树的元素数量和形状随着操作而改变, 所以二叉搜索树要用 11.4.2 节的链表来描述。如果从类 linkedBinaryTree (见 11.8 节) 派生, 类 binarySearchTree 的设计可以大大简化。元素类型是一个偶对 pair<const K,E>, 其中 K 是关键字类型, E 是相应的元素的数据类型。
因为 binarySearchTree 是从 linkedBinaryTree 派生而来的, 所以抽象类 bsTree 的方法

ascend 可以按如下所示的方式调用类 linkedBinaryTree 的方法 inOrderOutput：

```
void ascend(){inOrderOutput();}
```

方法 inOrderOutput 首先输出左子树的元素（关键字较小的元素），然后输出根元素，最后输出右子树的元素（关键字较大的元素）。输出 n 个元素的时间复杂性是 $O(n)$。

程序 14-3　binarySearchTree<K,E>::ascend

```
void ascend() {inOrderOutput();}
```

14.3.2　搜索

假设要查找关键字为 theKey 的元素。先从根开始查找。如果根为空，那么搜索树不包含任何元素，即查找失败。如果不空，则将 theKey 与根的关键字相比较。如果 theKey 小，那么就不必在右子树中查找，只要查找左子树。如果 theKey 大，则正好相反，只需查找右子树。如果 theKey 等于根的关键字，则查找成功。在子树的查找与此类似。程序 14-4 给出了相应的代码。该过程的时间复杂性为 $O(h)$，其中 h 是树的高度。

程序 14-4　二叉搜索树的查找

```
template<class K, class E>
pair<const K, E>* binarySearchTree<K,E>::find(const K& theKey) const
{// 返回值是匹配数对的指针
 // 如果没有匹配的数对，返回值为 NULL
    //P 从根节点开始搜索，寻找关键字等于 theKey 的一个元素
  binaryTreeNode<pair<const K, E> > *p = root;
  while (p != NULL)
    //检查元素 p->element
   if (theKey < p->element.first)
     p = p->leftChild;
   else
     if (theKey > p->element.first)
        p = p->rightChild;
     else                        //找到匹配的元素
        return &p->element;

  // 无匹配的数对
  return NULL;
}
```

14.3.3　插入

假设要在二叉搜索树中插入一个新元素 thePair，首先要通过查找来确定，在树中是否存在某个元素，其关键字与 thePair.first 相同。如果搜索成功，那么就用 thePair.second 替代该元素的值。如果搜索不成功，那么就将新元素作为搜索中断节点的孩子插入二叉搜索树。例如，要在图 14-1b 中插入关键字为 80 的元素，首先搜索关键字为 80 的元素。搜索不成功，中断节点是关键字为 40 的

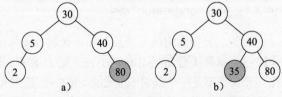

图 14-3　将一个元素插入二叉搜索树

元素，新元素作为该节点的右孩子插入进去。插入后的结果如图 14-3a 所示。在图 14-3a 中插入关键字为 35 的元素，结果如图 14-3b 所示。程序 14-5 实现了上述插入策略。

程序 14-5 将一个元素插入二叉搜索树

```
template<class K, class E>
void binarySearchTree<K,E>::insert(const pair<const K, E>& thePair)
{// 插入 thePatr。如果存在与其关键字相同的数对，则覆盖
   // 寻找插入位置
   binaryTreeNode<pair<const K, E> > *p = root,
                                    *pp = NULL;
   while (p != NULL)
   {// 检查元素 p->element
      pp = p;
      // P 移到它的一个孩子节点
      if (thePair.first < p->element.first)
         p = p->leftChild;
      else
         if (thePair.first > p->element.first)
            p = p->rightChild;
         else
         {// 覆盖旧的值
            p->element.second = thePair.second;
            return;
         }
   }

   // 为 thePair 建立一个节点，然后与 pp 链接
   binaryTreeNode<pair<const K, E> > *newNode
               = new binaryTreeNode<pair<const K, E> > (thePair);
   if (root != NULL)                        // 树不空
      if (thePair.first < pp->element.first)
         pp->leftChild = newNode;
      else
         pp->rightChild = newNode;
   else
      root = newNode;                       // 插入空树
   treeSize++;
}
```

14.3.4 删除

假设要删除的节点是 p，我们需要考虑三种情况：1）p 是树叶；2）p 只有一棵非空子树；3）p 有两棵非空子树。

首先考察情况 1），要删除的节点是叶节点。处理的方法是释放该叶节点空间，若是根节点，则令根为 NULL。例如，要删除在图 14-3b 中关键字为 35 的节点，只要把其父节点的左孩子域置为 NULL，然后释放该节点即可，结果如图 14-3a 所示。要删除在图 14-3b 中关键字为 80 的节点，只要把关键字为 40 的节点的右孩子域置为 NULL，并释放关键字为 80 的节点即可，结果如图 14-1b 所示。

接下来考察情况 2），要删除的节点 p 只有一棵子树。如果 p 没有父节点（即 p 是根节点），则 p 的唯一子树的根节点成为新的搜索树的根节点。如果 p 有父节点 pp，则修改 pp 的

指针域，使得它指向 p 的唯一孩子，然后释放节点 p。例如，如果要删除在图 14-3b 中关键字为 5 的节点，则修改其父节点（关键字为 30 的节点）的左孩子域，使其指向关键字为 2 的节点。

最后考察情况 3），要删除的节点 p 具有两棵非空子树。我们先将该节点的元素替换为它的左子树的最大元素或右子树的最小元素，然后把替换元素的节点删除。假设要删除图 14-4a 的关键字为 40 的元素，那么既可以用它左子树中的最大元素（35），也可以用它右子树的最小元素（60）来替换它。如果选择用右子树的最小元素来替换，那么把关键字为 60 的元素移到 40 的位置，关键字为 40 的元素便被删除了；然后把原来关键字 60 所在的叶节点删除。结果如图 14-4b 所示。

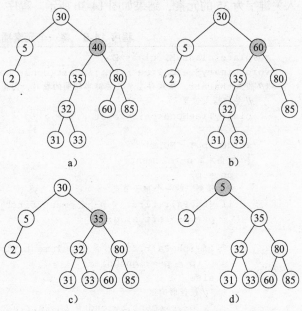

图 14-4　二叉搜索树的删除

假设在删除图 14-4a 的关键字为 40 的元素时，用其左子树的最大元素来代替。左子树的最大元素为 35，且只有一个孩子。把关键字为 35 的元素移到 40 的节点，并使该节点的左孩子指针指向原来 35 所在节点的唯一孩子，结果如图 14-4c 所示。

再来看另一个例子，删除图 14-4c 的节点 30。30 这个节点既可以用 5，也可以用 31 来替换。如果用 5 来替换，而 5 是只有一个孩子，那么只要令 5 的父节点的左孩子指针指向原来节点 5 的唯一孩子即可，结果如图 14-4d 所示。如果用 31 替换 30，而 31 是叶节点，那么只需删除该叶节点即可。

注意，右子树的最小关键字节点（左子树的最大关键字节点）要么没有子树，要么只有一棵子树。要在一个节点的左子树中查找关键字最大的元素，先移动到左子树的根，然后沿着右孩子指针移动，直到右孩子指针为 NULL 的节点为止。类似地，要在一个节点的右子树中查找关键字最小的元素，先移动到右子树的根，然后沿着左孩子指针移动，直到左孩子指针为 NULL 的节点为止。注意，要删除一个左右子树都不为空的元素节点，我们的算法是：先替换，然后删除一个叶子或一个仅有单子树的节点。

程序 14-6 实现了上述删除算法。在删除一个具有两个非空子树的元素时，该程序总是用其左子树的最大元素进行替换。当元素的数据类型是 pair<const K,E> 时，这种删除操作是复杂的，而且改变关键字也是不可能的。该算法的复杂性为 $O(h)$。

程序 14-6　二叉搜索树的删除

```
template<class K, class E>
void binarySearchTree<K,E>::erase(const K& theKey)
{// 删除其关键字等于 theKey 的数对

   // 查找关键字为 theKey 的节点
   binaryTreeNode<pair<const K, E> > *p = root,
                                     *pp = NULL;
```

```
while (p != NULL && p->element.first != theKey)
{// P 移到它的一个孩子节点
    pp = p;
    if (theKey < p->element.first)
        p = p->leftChild;
    else
        p = p->rightChild;
}
if (p == NULL)
    return; // 不存在与关键字 theKey 匹配的数对

// 重新组织树结构
// 当 P 有两个孩子时的处理
if (p->leftChild != NULL && p->rightChild != NULL)
{// 两个孩子
    // 转化为空或只有一个孩子
    // 在 P 的左子树中寻找最大元素
    binaryTreeNode<pair<const K, E> > *s = p->leftChild,
                                      *ps = p;        // s 的双亲
    while (s->rightChild != NULL)
    {// 移到最大的元素
        ps = s;
        s = s->rightChild;
    }

    // 将最大元素 s 移到 p, 但不是简单的移动
    //p->element = s->element , 因为 key 是常量
    binaryTreeNode<pair<const K, E> > *q =
        new binaryTreeNode<pair<const K, E> >
            (s->element, p->leftChild, p->rightChild);
    if (pp == NULL)
        root = q;
    else if (p == pp->leftChild)
            pp->leftChild = q;
        else
            pp->rightChild = q;
    if (ps == p) pp = q;
    else pp = ps;
    delete p;
    p = s;
}

// p 最多有一个孩子
// 把孩子指针存放在 c
binaryTreeNode<pair<const K, E> > *c;
if (p->leftChild != NULL)
    c = p->leftChild;
else
    c = p->rightChild;

// 删除 p
if (p == root)
    root = c;
else
{// p 是 pp 的左孩子还是右孩子?
    if (p == pp->leftChild)
        pp->leftChild = c;
```

```
        else pp->rightChild = c;
    }
    treeSize--;
    delete p;
}
```

14.3.5 二叉搜索树的高度

一棵 n 个元素的二叉搜索树，其高度可以是 n。例如，用程序 14-5，在一棵初始为空的二叉搜索树中，按顺序插入一组关键字为 $[1,2,3,\cdots,n]$ 的元素，树的高度便是 n。这时的搜索、插入和删除操作所需要的时间均为 $O(n)$。这个性能比无序链表的相应操作好不了多少。然而我们可以证明，当用程序 14-5 和程序 14-6 进行随机插入和删除时，二叉搜索树的平均高度是 $O(\log n)$。这时，每一个搜索树操作的平均时间是 $O(\log n)$。

练习

6. 假设一棵二叉搜索树为空。

  1）使用本节的插入方法，按序插入一组关键字 4,12,8,16,6,18,24,2,14,3。画出每次插入之后的结果。

  2）使用本节的删除方法，对 1）的搜索树依次删除关键字 6,14,16 和 4。画出每次删除的结果。

7. 对插入的关键字序列 10,5,20,14,30,8,6,35,25,3,12,17 和删除的关键字序列 35,30,20 和 10，重做练习 6。

8. 扩展类 binarySearchTree：增加一个公有方法 outputInRange(theLow, theHigh)，它按升序输出关键字在 theLow 和 theHigh 范围内的元素。使用递归方法，不要进入空子树。测试你的代码。

9. 创建程序 14-4 的另一个版本，其中 while 循环的第一个比较表达式为 theKey==p->element.first。与程序 14-4 比较在搜索所有元素时所需要的时间。

10. 二叉搜索树可用来对 n 个元素排序。编写一个排序过程，首先将 n 个元素 a[0:n−1] 插入一棵空的二叉搜索树，然后中序遍历搜索树，并将元素按序放入数组 a 中。为简单起见，假设数组 a 的数据是互不相同的。将此过程的平均运行时间与插入排序和堆排序进行比较。

11. 在 12.5 节，我们知道了如何用线性时间初始化一棵 n 元素左高树，如何用对数时间合并两棵左高树。本练习要证明，关于初始化和合并操作，二叉搜索树的时间复杂性比左高树的要大。为此，我们需要排序算法的时间复杂性的下界。在 18.4.2 节，我们将证明：每一个 n 元素排序算法的时间复杂性至少是 $O(n\log n)$。

  1）利用这个结果可以证明：初始化和创建一棵 n 元素的二叉搜索树，其耗时不会少于 $O(n\log n)$。

  2）利用排序算法的时间复杂性的下界证明：合并两个二叉搜索树的时间不会少于 $O(n+m)$，其中 n 和 m 分别是要合并的二叉搜索树的元素个数。

12. 扩展类 binarySearchTree：增加一个函数 split（theKey, lessThan, greaterThan）。该函数把二叉搜索树 *this 分解为两棵二叉搜索树：一棵是 lessThan，它包含 *this 中所有关键字小于 theKey 的元素；另一棵是 greaterThan，它包含 *this 中所有关键字大于 theKey 的元素。如果二叉搜索树 *this 含一个关键字为 theKey 的元素，那么函数 split 的返回值便是指向这个元素的指针，否则，返回值为 NULL。在函数 split 执行之后，*this 是一棵空树。该函数的时间复杂性是 $O(h)$，其中 h 是分解前的树高。测试你的代码。

13. 产生一个从 1 到 n 的随机排列，并作为一组关键字，按随机排列顺序插入一棵空的二叉树搜索树。测量二叉树的高度。对若干个随机排列，重复以上实验。计算二叉树高度的平均值，并与 $2\lceil\log_2(n+1)\rceil$ 比较。n 的值分别为 100、500、1000、10 000、20 000、50 000。

14. 扩展类 binarySearchTree：增加一个迭代器，可以按关键字的升序顺序查看元素。遍历 n 个元素搜索树的时间应该是 $O(n)$，所有方法的时间复杂性不会超过 $O(h)$，空间需求应为 $O(h)$，其中 h 是树高。测试你的代码。

15. 编写一个函数，从二叉搜索树中删除关键字最大的元素。函数的时间复杂性必须而且可以证明是 $O(h)$，其中 h 是树高。

1）用合理的测试数据测试代码的正确性。

2）随机产生一个 n 元素的线性表和一个长度为 m 的插入和最大删除操作序列。在操作序列中，插入操作的概率应近似为 0.5（同样，最大删除操作的概率也近似为 0.5）。使用第一个随机线性表的 n 个元素初始化一个大根堆和一棵二叉搜索树。分别测量用大根堆和二叉搜索树执行 m 个操作的时间。用该时间除以 m 得到每一操作的平均时间。分别对 $n=100$，500，1000，2000，& …，5000 和 $m=5000$，重复进行这个实验。将实验结果用表格形式给出。

3）通过实验，对比这两种优先级队列的优点。

14.4 带有相同关键字元素的二叉搜索树

当一棵二叉搜索树可以具有两个或多个关键字相同的元素时，相应的类称为 dBinarySearchTree。要实现这个类，只需修改程序 14-5 的函数 binarySearchTree<K, E>::insert，即将 while 循环中的语句

```
if(thePair.first<p->element.first)
```

改为

```
if(thePair.first<=p->element.first)
```

如程序 14-7 所示。

程序 14-7 修改程序 14-5 的 while 循环以允许相同关键字

```
while (p != NULL)
{// 检查元素 p->element
   pp = p;
   //p 移到它的一个孩子节点
   if (thePair.first < p->element.first)
      p = p->leftChild;
   else
      p = p->rightChild;
}
```

如果把 n 个元素插入一个初始为空的二叉搜索树中，而且 n 个元素的关键字都相同，那么结果是一棵高度为 n 的左偏树。解决这个问题的一个方法请看练习 17。

练习

16. 利用本节的插入方法，把关键字 2,2,2 和 2 插入初始为空的带有相同关键字的二叉搜索树。画出每次插入的结果。如果插入 n 个 2，那么树高是多少？

17. 为 C++ 类 dBinarySearchTree 的插入函数设计一个新的实现方法：遇到关键字等于 thePair.first 的节点，不是像程序 14-7 那样移向它的左子树，而是通过随机数生成器，以相同的概率移向左子树或右子树。测试你的代码。

14.5　索引二叉搜索树

类 indexedBinarySearchTree 可以定义为类 linkedBinaryTree（见练习 19）的派生类。对于类 indexedBinarySearchTree，一个节点的数值域是三元的：leftSize、key、value。

我们实施带有索引的搜索方法与搜索偶对（一个偶对被定义为关键字域 key 和值域 value）的方法是类似的。考虑图 14-2a 的树。假设我们要查找索引为 2 的元素。根的 leftSize 域的值是 3，因此，我们要查找的元素在根的左子树。再进一步说，我们要查找的元素在左子树的索引为 2。因为左子树的根（即 15）的 leftSize 值是 1，所以我们要查找的元素在 15 的右子树。然而，在 15 的右子树中，待查元素的索引不再是 2，因为 15 的右子树元素都排在 15 的左子树元素和 15 之后。为了确定待查元素在 15 的右子树中的索引，我们要用 2 减去 leftSize+1，其中 leftSize 是 15 的 leftSize 值（1）。结果是 2-(1+1)=0。15 的右子树的根是 18，它的 leftSize 值是 0，因此待查元素便是 18。

把一个元素插入索引二叉搜索树中，使用的过程类似程序 14-5。不过要在根至新插入节点的路径上修改 leftSize 域的值。

通过索引实施删除的过程是：首先按索引进行搜索，确定要删除的元素的位置；然后按照 14.3.4 节的概述进行删除；接下来，如果需要，在从根节点到删除节点的路径上更新 leftSize 域。

查找、插入和删除所需要的时间是 $O(h)$，其中 h 是索引搜索树的高。

练习

18. 假设有一棵空的索引二叉搜索树。

　　1）使用本节的插入方法，依次插入关键字 4,12,8,16,6,18,24,2,14,3。画出每次插入后的图。显示 leftSize 的值。

　　2）使用本节的方法，查找关键字 3,6 和 8。描述每一次查找过程。

　　3）从 1）的树开始，使用本节的方法，依次删除索引为 7,5 和 0 的关键字。画出每一次删除后的搜索树。

19. 设计 C++ 类 indexedBinarySearchTree，并从抽象类 indexedBSTree 派生。测试你的代码。用元素数量和树高来表示每一个成员函数的时间性能。

20. 对带有重复关键字的索引二叉搜索树类 dIndexedBinarySearchTree，重做练习 19。

21. 把一个线性表描述为一棵索引二叉树，它像一棵索引二叉搜索树，只是节点没有关键字。每一个节点只包含线性表的一个元素。当中序遍历索引二叉树时，从左到右访问线性表的元素。

　　1）一棵完全二叉树有 11 个节点。每一个节点用它的 leftSize 值编号。把线性表 A=[a,b,c,d,e,f,g,h,i,j,k] 的元素插入索引二叉树。注意，当中序遍历这棵二叉树时，访问元素的顺序是在线性表中的元素顺序。

2）对1）中的树，使用类似二叉搜索树的插入方法，依次实施下列线性表的插入操作：insert(4,m)，insert(9,n)，insert(0,p)，insert(14,q)。使用 leftSize 域的值寻找新节点的插入位置。

3）对2）中的树，使用类似索引二叉搜索树的删除方法，依次实施下列线性表的删除操作：erase(0)，erase(3)，erase(8)，erase(7)。

22. 设计一个类 linearListAsBinaryTree，它把线性表描述为一个索引二叉树（见练习21）。它的实现可以支持程序 5-1 所定义的所有线性表的操作。

   实现插入操作 insert(index,theElement) 的一个简单方法是：首先找到索引为 index−1 的节点 p，然后使新元素为 p 的右孩子，最后使节点 p 原来的右子树成为新插入元素的右子树。然而，由于这种插入方法从来不会使一个新元素成为另一个元素的左孩子，所以所得到的树是右偏斜的（即所有左孩子域为0），高度等于元素个数。

   要建立一棵二叉树，高度为元素个数的对数，我们要既能创建左子树，又能创建右子树。当找到索引为 index−1 的节点 p 时，我们可以做的是：1）是新元素成为节点 p 的右孩子，然后是 p 的原右子树成为新元素的右子树；或2）使新元素成为节点 p 的父节点的左孩子或右孩子（取决于 p 是其父节点的左孩子还是右孩子），使 p 成为新元素的左孩子，使 p 的原右子树成为新元素的右子树；或3）使新元素成为 p 的右子树的最左边的节点。到底做哪一项操作应该是随机的，这样就可以得到比较平衡的树。你的插入代码应该随机选择。

   除了方法 indexOf，所有方法的运行时间应该是对数级的或更少。证明确实如此。你可以假设二叉树的平均高度是元素个数的对数。

14.6 应用

14.6.1 直方图

1. 何为直方图

在直方图问题中，输入由 n 个关键字所构成的集合，然后输出一个列表，它包含不同关键字及其每个关键字在集合中出现的次数（频率）。图 14-5 是一个含有 10 个关键字的例子。图 14-5a 是直方图的输入，图 14-5b 是直方图的输出表格，图 14-5c 是直方图的条形图。直方图一般用来确定数据的分布。例如，一次考试的分数、一个图像的灰度值、盖恩斯维尔注册的汽车和洛杉矶居民的最高学位，都可以用直方图表示。

$n=10$; 关键字=[2, 4, 2, 2, 3, 4, 2, 6, 4, 2]
a）输入

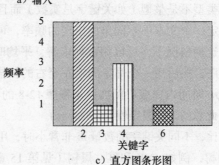

关键字	频率
2	5
3	1
4	3
6	1

b）输出直方图表格

c）直方图条形图

图 14-5 直方图举例

2. 简单直方图程序

当关键字的值是 0 到 r 范围内的整数，且 r 的值足够小时，直方图可以在线性时间里，用一个很简单的过程（见程序14-8）来计算，它用数组元素 $h[i]$ 代表关键字 i 的频率。其他整型关键字可以首先映射到这个范围，以便应用程序14-8来计算直方图。例如，如果关键字是小写字母，则可以用映射 $[a,b,\cdots,z]=[0,1,\cdots,25]$。

程序 14-8　简单的直方图程序

```
void main(void)
{// 非负整型值的直方图
    int n,                              // 元素个数
        r;                             // 0 至 r 之间的值
    cout << "Enter number of elements and range"
        << endl;
    cin >> n >> r;

    // 生成直方图数组 h
    int *h = new int[r+1];

    // 将数组 h 初始化为 0
    for (int i = 0; i <= r; i++)
        h[i] = 0;

    // 输入数据，然后计算直方图
    for (i = 1; i <= n; i++)
    {// 假设输入的值在 0 至 r 之间
        int key;                        // 输入值
        cout << "Enter element " << i << endl;
        cin >> key;
        h[key]++;
    }

    // 输出直方图
    cout << "Distinct elements and frequencies are"
        << endl;
    for (i = 0; i <= r; i++)
        if (h[i] != 0)
            cout << i << "   "  << h[i] << endl;
}
```

3. 直方图与二叉搜索树

当关键字类型不是整型（如关键字是实数）而且关键字范围很大时，程序14-8就不适用了。假定要确定一个文本中不同单词出现的频率，可能出现的不同单词的数量比实际的数量要大得多。在这种情况下，可以用散列求解，平均时间性能为 $O(n)$（见练习24）。或者，可以将关键字排序，然后用一个简单的自左至右的扫描方法确定每一个不同关键字的数量。排序可在 $O(n\log n)$ 时间内完成（例如，用程序12-8的 heapSort 堆排序），随后的从左至右扫描需要 $\Theta(n)$，因此总的时间复杂性是 $O(n\log n)$。

当与 n 相比，不同关键字的数量 m 非常小时，用排序求解直方图的方法可以进一步改进。使用平衡搜索树，例如 AVL 和红-黑树（见第15章），可以在 $O(n\log m)$ 时间内解决直方图问题。另外，用平衡搜索树求解，只需在内存中对不同关键字排序即可。即使 n 的值非常大，

内存不能容纳所有的关键字，但只要内存足够容纳不同的关键字，这种方法都是适用的。

本节方法使用的是二叉搜索树，而不是平衡搜索树，因此，平均复杂性为 $O(n\log m)$。

4. 类 binarySearchTreeWithVisit

为了求解实施直方图问题的二叉搜索树方法，我们首先定义类 binarySearchTreeWithVisit，它是类 binarySearchTree 的扩展，其中增加了以下公有成员函数：

```
void insert(const pair<const K,E>& thePair, void(*visit)(E&))
```

该函数将元素 thePair 插入搜索树，前提是，在树中不存在关键字等于 thePair.first 的元素。若存在一个关键字等于 thePair.first 的元素 p，则调用函数 visit(p.second)。

5. 重新考虑直方图与二叉搜索树

程序 14-9 是用二叉搜索树求解直方图问题的代码。它把输入数据插入类型为 binarySearchTreeWithVisit 的对象，然后调用函数 ascend 输出直方图。二叉搜索树的每一个元素都有两个成员，第一个成员是关键字，第二个成员是关键字的频率。在访问一个元素时，该元素的频率增 1。

程序 14-9　使用搜索树的直方图

```
int main(void)
{// 使用搜索树的直方图
    int n;                                    // 元素个数
    cout << "Enter number of elements" << endl;
    cin >> n;

    // 输入元素，然后插入树
    binarySearchTreeWithVisit<int, int> theTree;
    for (int i = 1; i <= n; i++)
    {
        pair<int, int> thePair;               // 输入元素
        cout << "Enter element " << i << endl;
        cin >> thePair.first;                 // 关键字
        thePair.second = 1;                   // 频率
        // 将 thePair 插入树，除非存在与之匹配的元素
        // 在后一种情况下，count 值增 1
        theTree.insert(thePair, add1);
    }

    // 输出不同的关键字和它们的频率
    cout << "Distinct elements and frequencies are"
         << endl;
    theTree.ascend();
}
```

14.6.2　箱子装载问题的最优匹配法

1. 使用带有重复关键字的二叉搜索树

将 n 个物品装到容量为 c 的箱子中，其最优匹配方法已在 13.5.1 节中介绍过。使用带有重复关键字的二叉搜索树，我们能够在 $O(n\log n)$ 时间内实现最优匹配法。使用平衡搜索树，在最坏情况下的时间复杂性是 $\Theta(n\log n)$。

在实现最优匹配法时，搜索树的每个元素代表一个正在使用且剩余容量不为 0 的箱子。

假设要装载物品 i，已使用的箱子有9个（a~i），它们都有剩余容量。这些剩余容量分别是 1,3,12,6,8,1,20,6 和 5。注意，箱子不同，但剩余容量可能相同。可以用一棵带有重复关键字的二叉搜索树（即 dBinarySearchTree 的实例）来描述这9个箱子，每个箱子的剩余容量作为节点的关键字。

图 14-6 是这样一棵二叉搜索树，它有9个箱子。节点内部值是箱子的剩余容量，节点外部字母是箱子的名称。如果要装载的物品 i 需要 objectSize[i]=4 个单位的空间，那么从根节点开始搜索，可以找到最优匹配的箱子。由根节点可知，箱子 h 的剩余容量是6。因为箱子 h 可以装载物品 i，所以它成为一个候选者。而且因为在右子树中，所有箱子的剩余容量至少是6，所以只需要在左子树中寻找最匹配的箱子。因为箱子 b 的剩余容量不足以容纳物品 i，所以要到 b 的右子树寻找。右子树的根节点是箱子 i，它的剩余容量可以容纳物品 i，因此箱子 i 成为新的候选者。然后进入箱子 i 的左子树寻找。因为箱子 i 的左子树为空，不可能再有更好的候选者，所以箱子 i 即是我们要找的箱子。

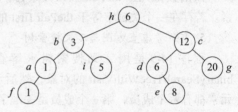

图 14-6 带有重复关键字的二叉搜索树

再看另一个例子，假设 objectSize[i]=7。从根节点开始搜寻。根节点的箱子 h 不能装载物品 i，因此转移到右子树中寻找。箱子 c 可以容纳物品 i，因此成为候选箱子。然后到 c 的左子树中寻找，箱子 d 不能装载物品 i，因此进入 d 的右子树寻找。箱子 e 可以容纳物品 i，因此成为新的候选者。然后进入 e 的左子树寻找。因为左子树为空，所以寻找停止。

当我们为物品 i 找到最匹配的箱子后，可以将它从搜索树中删除，将其剩余容量减去 objectSize[i]，再将它重新插入树中（除非它的剩余容量为零）。若没有找到最匹配的箱子，则启用一个新箱子。

2. C++ 实现

为了实现上述算法，我们既可以采用类 dBinarySearchTree，可以得到平均性能 $O(\log n)$，也可以采用类 davlTree（见 15.1 节），它在各种情况中都能得到平均性能 $O(\log n)$。无论哪一种方法，都需要扩充类的定义，增加公有成员函数 findGE(theKey)，它的返回值是剩余容量既大于等于 thKey 又是最小的箱子。findGE 的代码如程序 14-10 所示。它的复杂性是 $O(height)$。如果类 davlTree 是扩展的，而不是 dBinarySearchTree，那么代码不用修改。

程序 14-10 查找大于等于 theKey 的最小关键字

```
template<class K, class E>
pair<const K, E>* dBinarySearchTreeWithGE<K,E>::findGE(const K& theKey) const
{//返回一个元素的指针，这个元素的关键字是不小于 theKey 的最小关键字
 //如果这样的元素不存在，返回 NULL
   binaryTreeNode<pair<const K, E> > *currentNode = root;
   pair<const K, E> *bestElement = NULL;          //目前找到的元素，其关键字是不小于
                                                  //theKey 的最小关键字
   //对树搜索
   while (currentNode != NULL)
      //currentNode->element 是一个候选者吗
      if (currentNode->element.first >= theKey)
         {//是，currentNode->element 是比 bestElement 更好的候选者
            bestElement = &currentNode->element;
            //左子树中唯一较小的关键字
```

```
            currentNode = currentNode->leftChild;
        }
        else
            // 不是，currentNode->element.first 太小
            // 检查右子树
            currentNode = currentNode->rightChild;

    return bestElement;
}
```

程序 14-11 的函数 bestFitPack 实现最优匹配方法，其中的元素有两个成员，第 2 个成员是箱子标识符（箱子号），第 1 个成员是箱子剩余容量。

程序 14-11 箱子装载问题的最优匹配法

```
void bestFitPack(int *objectSize, int numberOfObjects, int binCapacity)
{// 输出容量为 binCapacity 的最优箱子匹配.
 // objectSize[1:numberOfObjects] 是物品大小
    int n = numberOfObjects;
    int binsUsed = 0;
    dBinarySearchTreeWithGE<int,int> theTree;          // 箱子容量树
    pair<int, int> theBin;

    // 将物品逐个装箱
    for (int i = 1; i <= n; i++)
    {// 将物品 i 装箱
        // 寻找最匹配的箱子
        pair<const int, int> *bestBin = theTree.findGE(objectSize[i]);
        if (bestBin == NULL)
        {// 没有足够大的箱子，启用一个新箱子
            theBin.first = binCapacity;
            theBin.second = ++binsUsed;
        }
        else
        {// 从树 theTree 中删除最匹配的箱子
            theBin = *bestBin;
            theTree.erase(bestBin->first);
        }

        cout << "Pack object " << i << " in bin "
             << theBin.second << endl;

        // 将箱子插到树中，除非箱子已满
        theBin.first -= objectSize[i];
        if (theBin.first > 0)
            theTree.insert(theBin);
    }
}
```

14.6.3 交叉分布

1. 通道布线与交叉

在交叉分布问题中，从一个布线通道开始，在通道的顶部和底部各有 n 个针脚。图 14-7 是一个 $n=10$ 的实例。布线区域是带阴影的长方形区域。在通道的顶部和底部，针脚从左至

右，从 1 到 n 编号。另外，对 $[1,2,3,\cdots,n]$ 的一个排列 C，用一条线路将顶部的针脚 i 与底部的针脚 C_i 连接起来。在图 14-7 的实例中：$C=[8,7,4,2,5,1,9,3,10,6]$。实现这些连接的 n 条线路从 1 到 n 编号。线路 i 连接顶部的针脚 i 和底部的针脚 C_i。当且仅当 $i<j$ 时，线路 i 在线路 j 的左边。

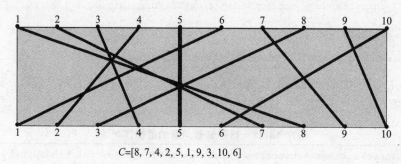

$C=[8, 7, 4, 2, 5, 1, 9, 3, 10, 6]$

图 14-7　布线实例

在图 14-7 的布线区域中，无论线路 9 和 10 如何布设，它们一定会在某一点交叉。理想的情况是没有交叉，否则要对交叉做特别处理，以免出现短路。例如，在交叉点放置绝缘物，或加层。所以，要使交叉数目最少。可以证明，按图 14-7 的直线布设，交叉数目是最少的。

每个交叉用一个数对 (i,j) 表示，其中 i 和 j 是两条交叉的线路。为了避免一个交叉提及两次，我们要求 $i<j$（注意，交叉 $(10,9)$ 和 $(9,10)$ 是一样的）。注意，线路 i 和 j 交叉（$i<j$），当且仅当 $C_i>C_j$。令 k_i 表示这种数对 (i,j) 的数量。在图 14-7 中，$k_9=1$，$k_{10}=0$。图 14-8 列出了图 14-7 的所有交叉及 k_i 的值。表的第 i 行首先是 k_i 的值，然后是 j 的值，其中 $i<j$，线路 i 与 j 相交。交叉的总数 K 是所有 k_i 的和。在本例中，$K=22$。因为 k_i 计数的是路线 i 和其右侧线路的交叉（即 $i<j$），所以 k_i 给出的线路右侧的线路交叉数。

i	k_i	交叉							
1	7	2	3	4	5	6	8	10	
2	6	3	4	5	6	8	10		
3	3	4	6	8					
4	1	6							
5	2	6	7						
6	0								
7	2	8	10						
8	0								
9	1	10							
10	0								

图 14-8　交叉列表

2. 分布交叉

为了使通道的上半部和下半部的布线平衡，我们要求每一部分含有数量大致相同的交叉（上半部应该有 $\lceil k/2 \rceil$ 次交叉，下半部应该有 $\lfloor k/2 \rfloor$ 次交叉）。图 14-9 是图 14-7 的一种布线，每一部分大约有 11 个交叉。

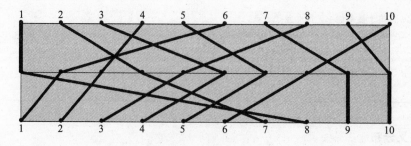

图 14-9　划分交叉

上半部分的连接由排列 $A=[1,4,6,3,7,2,9,5,10,8]$ 给出，即顶部的针脚 i 与中间的针脚 A_i 连接。下半部分的连接由排列 $B=[8,1,2,7,3,4,5,6,9,10]$ 给出，中间的针脚 i 与底部的针脚 B_i 连接。可以看出 $C_i=B_{A_i}$, $1 \leqslant i \leqslant n$。要完成 C 给出的连接，满足这个等式是必要的。

本节我们要设计一个算法，计算排列 A 和 B，使上半部的交叉有 $\lfloor K/2 \rfloor$，其中 K 是交叉总数。

3. 使用线性表实现的分布交叉

通过考察线路 (i,j)，在 $\Theta(n^2)$ 时间内可以计算出 k_i 和 K。程序 14-12 用线性表 arrayList 将 C 划分为 A 和 B。

程序 14-12　使用线性表的交叉分布程序

```
void main(void)
{
   // 定义要解决的问题实例
   // 在通道底部的连接点 theC[1:10]
   int theC[] = {0, 8, 7, 4, 2, 5, 1, 9, 3, 10, 6};
   // 交叉数量，k[1:10]
   int k[] = {0, 7, 6, 3, 1, 2, 0, 2, 0, 1, 0};
   int n = 10;                        // 在通道每一边的针脚数量
   int theK = 22;                     // 交叉总数量

   // 生成数据结构
   arrayList<int> theList(n);
   int *theA = new int[n + 1],        // 顶端的排列
       *theB = new int[n + 1],        // 底端的排列
       *theX = new int[n + 1];        // 中间的排列

   int crossingsNeeded = theK / 2;    // 需要在上半部分保留的交叉数

   // 从右到左扫描线路
   int currentWire = n;
   while (crossingsNeeded > 0)
   {// 在上半部需要更多的交叉
      if (k[currentWire] < crossingsNeeded)
      {// 使用来自 currentWire 的所有交叉
         theList.insert(k[currentWire], currentWire);
         crossingsNeeded -= k[currentWire];
      }
      else
      {// 仅使用来自 currentWire 的 crossingsNeeded
         theList.insert(crossingsNeeded, currentWire);
         crossingsNeeded = 0;
      }
      currentWire--;
   }

   // 确定中间的线路排列
   // 第一个线路 currentWire 次数相同
   for (int i = 1; i <= currentWire; i++)
      theX[i] = i;

   // 剩余线路的次序来自表
   for (int i = currentWire + 1; i <= n; i++)
      theX[i] = theList.get(i - currentWire - 1);

   // 计算上半部的排列
```

```
for (int i = 1; i <= n; i++)
    theA[theX[i]] = i;

// 计算下半部的排列
for (int i = 1; i <= n; i++)
    theB[i] = theC[theX[i]];

cout << "A is ";
for (int i = 1; i <= n; i++)
    cout << theA[i] << " ";
cout << endl;

cout << "B is ";
for (int i = 1; i <= n; i++)
    cout << theB[i] << " ";
cout << endl;
}
```

在 while 循环中，从右到左扫描线路，以确定它们在布线通道中间的相对顺序，目的是在通道中间产生一个布线，使得在布线通道的上部分正好有 crossingsNeeded=theK/2 个交叉。

用线性表 theList 记录线路在通道中间的当前次序。当考察线路 currentWire 时，可以把其与右侧线路中最多 k[currentWire] 个交叉累计分配到上半部分。第一个交叉是与 theList 中第 0 条线路相交产生的，第二个交叉是与 theList 的下一条线路相交产生的，如此下去。如果将与 currentWire 相交的 k[currentWire] 条线路中的 c 条分配到上半部分，那么这条线路必定与 theList 中的前 c 条线路相交。另外，从 currentWire 到 n 的次序也通过将 currentWire 插入 theList 中的第 c 条线之后得到。注意，当在程序 14-12 的 while 循环中考察 currentWire 时，线路 currentWire+1 到 n 已经在 theList 中。而且，由于 k[currentWire] 不会超过线路 currentWire 右边的线路数量，因此在考察 currentWire 时，theList 中至少已有 k[w] 条线路。

在程序 14-12 的 while 循环中，当考察线路 currentWire 时，它右侧的交叉数量 k[currentWire] 只要小于 crossingsNeeded，都分配到上半部区域，然后，剩余的 crossingsNeeded 个交叉也分配到上半部区域。

当 while 循环终止时，布线通道中间的线路次序 theX 就建立好了，线路 1 到 currentWire 在上半部分没有交叉。因此在这部分中不必改变它们的相对次序。因此 theX[1:currentWire]=[1, 2, …, currentWire]。余下的线路排序由线性表 theList 给出。程序 14-12 的前两个 for 循环便是构造 theX。

4. 一个例子

下面根据图 14-7 的列子来建立 theX。先将线路 10 插入 theList，得到 theList=(10)。没有产生交叉。接下来把线路 9 插入 theList，得到 theList=(10，9)。这时在上半部分产生了 1 个交叉。然后将 8 插入第 k_8 个元素后边，得到 theList=(8，10，9)。此时在上部分的右边交叉总数仍然是 1。将 7 插入第二个元素之后，上半部分有 2 个交叉，theList 变为（8,10,7,9)，所需的相交次数 r 下降到 8。当 6 插入后，得到 theList=(6，8，10，7，9)，r=8。线路 5 插入后产生 2 个交叉，theList=(6，8，5，10，7，9)，r=6。线路 4 插入首元素之后产生一个交叉，theList=(6，4，8，5，10，7，9)，r=5。线路 3 插入后，得到 theList=(6，4，8，3，5，10，7，9)，r=2。最后考虑线路 2。虽然它能产生 k_2=6 个交叉，但只能将其中 2 个分配到通道的上半部分，因此它被插入 theList 第二个元素的右边，得到 theList=(6，4，2，8，3，5，10，7，9)。

剩下的路线保持它们的相对次序。

在完成上半部分的布线之后，计算线路的排列，通过在序列 (1，2，…，w) 上附加 theList 得到 theX=[1，6，4，2，8，3，5，10，7，9]。

排列 theA=A 与 theX 关系密切。theA[j] 表明线路 j 应该连接到中间的哪个针脚上，而 theX[i] 表明哪一条线路连接到中间的针脚上。程序 14-12 中的第三个 for 循环就是用这种信息来计算 theA 的。如同在第四个 for 循环中一样，利用 theX 和 theC 计算出 theB=B。

5. 复杂性分析

将一个元素插入大小为 s 的线性表中所需要的时间是 $O(s)$，因此程序 14-12 的 while 循环需要时间 $O(n^2)$。其他代码需要时间 $O(n)$，因此整个程序 14-12 的复杂性是 $O(n^2)$。将程序 14-12 需要的时间与计算 theK 和 k[i] 所需要的时间联系在一起可知，使用线性表解决交叉问题所需要的全部时间是 $O(n^2)$。

使用平衡搜索树来代替线性表，可以把解决方案的复杂性降低到 $O(n\log n)$，为了得到平均复杂性 $O(n\log n)$，可以使用索引二叉搜索树，而非索引平衡搜索树。这两情况在技术上是相同的，下面将用索引二叉搜索树来说明此技术。

6. 使用索引二叉搜索树

首先来看如何计算交叉数 k_i，$1 \leq i \leq n$。假定按照次序 n，$n-1$，…，1 来检查线路，并且当检查线路 i 时，将 C_i 插入索引二叉搜索树中。以图 14-7 为例，开始时索引二叉搜索树为空。检查线路 10，并将 $C_{10}=6$ 插入空树中，得到图 14-10a。节点外侧的数字是其 leftSize 值，节点内测的数字是其关键字（或 C 的值）。注意，k_n 总是零，因此令 $k_n=0$。下一个检查线路 9，并将 $C_9=10$ 插入树中，得到图 14-10b。因为是插入根的右子树，而由根的 leftSize 值可知，线路 9 的底部针脚正好在一个针脚的右边，所以 $k_9=1$。下一个检查线路 8，将 $C_8=3$ 插入树中，得到图 14-10c。由于 C_8 是树中最小元素，因此没有线路交叉，于是 $k_8=0$。对于线路 7，$C_7=9$ 被插入后得到图 14-10d。对进入其右子树的各节点的 leftSize 值累计求和，可以确定 C_7 是树中第三小的元素。由此得知，它的底部针脚位于树中其他 2 个针脚的右边，因此，$k_7=2$。按此方法进行下去，当检查线路 6 至 2 时，结果分别如图 14-10e 至图 14-10i 所示。最后，检查线路 1，将 $C_1=8$ 插入树中，作为关键字为 7 的节点的右孩子，进入右子树的各节点的 leftSize 值之和是 6+1=7，线路 1 的底部针脚在树中 7 条针脚的右边，因此 $k_1=7$。

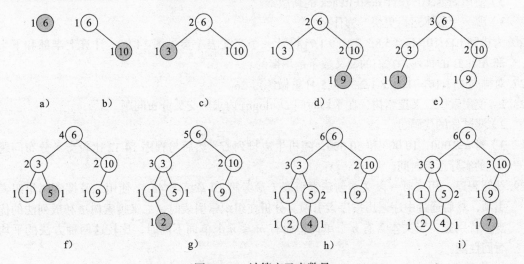

图 14-10 计算交叉点数量

检查线路 i 和计算 k_i 所需要的时间是 $O(h)$，其中 h 是当前索引搜索树的高度。因此，用索引二叉搜索树可用平均时间 $O(nlogn)$ 计算出所有的 k_i。或用索引平衡搜索树在时间 $O(nlogn)$ 之内计算出所有的 k_i。

为计算 A，可以用一个线性表的索引二叉搜索树描述来实现程序 14-12 的代码。为了按次序排列元素，可以进行中序遍历。使用练习 22 的线性表，程序 14-12 所需要的时间为 $O(nlogn)$；使用第 15 章练习 20 的索引平衡树，最坏情况下的时间是 $O(nlogn)$。

计算排列 A 的另一种方法是，首先计算 $r=\sum_{i=1}^{n}k_i/2$ 和 $s=$ 最小 i，使得 $\sum_{l=i}^{n}k_l \leqslant r$。对于上面的例子有 $r=11$ 和 $s=3$。程序 14-12 实现了线路 n，$n-1$，$\cdots$，s 的所有交叉，其中上半部分包含线路 $s-1$ 的 $r-\sum_{l=s}^{n}k_l$ 个相交。剩余的交叉在下半部分。为了得到上半部分的交叉，对插入 C_s 后的树进行检查。在本例中，检查图 14-10h 中的树。对树的中序遍历可产生序列（1，2，3，4，5，6，9，10）。用相应的线路编号来替换这些底部针脚，可得到序列（6，4，8，3，5，10，7，9），它给出了在图 14-10h 中描述的 9 个相交线路的排列。对于另外两个相交，将线路 $s=2$ 插入该序列第二条线路之后，得到新的线路序列（6，4，2，8，3，5，10，7，9）。剩下的线路 1 到 $s-1$ 加到序列前部可得（1，6，4，2，8，3，5，10，7，9），它就是程序 14-12 所计算出的排列 theX。为了用这种方法得到 theX，需要重新运行计算 k_i 的部分代码、执行中序遍历、插入线路 s，并在序列之前增加少量线路。所有步骤所需要的时间是 $O(n \log n)$。程序 14-12 的最后两个 for 循环可在线性时间内从 theX 中得到 theA 和 theB。

练习

23. 编写一个直方图程序：首先把 n 个关键字输入到一个数组，然后排序，最后从左到右扫描数组并输出不同的关键字及其出现的次数。

24. 编写一个直方图程序：使用链式散列存储不同关键字和它们的频率。与程序 14-9 比较运行时间。

25. 1）扩展类 dBinarySearchTree：增加公有方法 eraseGE(theKey)，把关键字 $\geqslant$ theKey 的关键字最小的元素删除，然后把删除的元素返回。

　　2）使用 eraseGE 设计 bestFitPack 的新版本。

　　3）哪一个版本运行更快？为什么？

26. 为排列 C[1:10]=[6,4,5,8,3,2,10,9,1,7] 设计一个交叉表（参见图 14-8）。计算上半部和下半部 A 和 B 的排列，它们的交叉数量是均衡的。

27. 对排列 C[1:10]=[10,9,8,1,2,3,7,6,5,4] 重做练习 26。

28. 1）使用索引二叉搜索树，在平均时间 $O(nlogn)$ 内求解交叉分布问题。

　　2）测试你的代码。

　　3）对 $n=1000$，10 000 和 50 000，随机生成排列 C，然后与程序 14-12 比较交叉分布问题的实际运行时间。

29. 编写程序，用来对一段文本创建索引表（参考第 10 章练习 48）。使用二叉搜索树组织索引项，然后通过中序遍历按序索引项。分析在组织索引表时，二叉搜索树法和散列法的优点。特别是，当文本含有 n 个单词，而有 $m \leqslant n$ 个单词不同时，比较这两种方法的平均时间性能。

平衡搜索树

概述

本章是关于树的最后一章，它包括平衡树结构，树的高度是 $O(\log n)$。其中有两种平衡二叉树结构——AVL 和红－黑树，一个树结构——B- 树，它的度大于 2。AVL 和红－黑树适合内部存储的应用，B- 树适合外部存储的应用（例如，存储在磁盘上的大型词典）。这些平衡树结构可以在最坏情况下用时 $O(\log n)$ 实现字典操作和按名次的操作。当用索引平衡树表示线性表时，操作 get、insert 和 erase 的用时为 $O(\log n)$。

分裂树是本章包含的另一个数据结构。虽然分裂树的高度是 $O(n)$，而且在分裂树上的单个字典操作用时为 $O(n)$，但是每一个含有 u 个操作的序列，其用时仅为 $O(u \log u)$。不论使用分裂树、AVL 或红－黑树，这种操作序列的渐近时间复杂性是一样的。

下面的表总结了在本章中各种字典结构的渐近时间性能，其中的函数都是 Θ 的。

方法	最坏情况			平均情况		
	搜索	插入	删除	搜索	插入	删除
有序数组	$\log n$	n	n	$\log n$	n	n
有序链表	n	n	n	n	n	n
跳表	n	n	n	$\log n$	$\log n$	$\log n$
哈希表	n	n	n	1	1	1
二叉搜索树	n	n	n	$\log n$	$\log n$	$\log n$
AVL 树	$\log n$	$\log n$	$\log n$	$\log n$	$\log n$	$\log n$
红－黑树	$\log n$	$\log n$	$\log n$	$\log n$	$\log n$	$\log n$
分裂树	n	n	n	$\log n$	$\log n$	$\log n$
B- 树	$\log n$	$\log n$	$\log n$	$\log n$	$\log n$	$\log n$

STL 类 map 和 multimap 使用的是红－黑树结构，以保证查找、插入和删除操作具有对数级的时间性能。

在实际应用中，当我们要实施的操作都是按关键字进行查找、插入和删除时，我们认为散列技术在性能方面超过了平衡搜索树，因此，我们优先选择散列技术。如果我们是按关键字实施字典操作，而且操作时间不能超过指定的范围，这时我们提倡使用平衡搜索树。对于那些按名次实施的查找和删除操作，还有那些不按精确的关键字匹配所进行的字典操作（例如寻找关键字大于 k 的最小元素），我们建议使用平衡搜索树。

关于实际的运行时间性能，AVL 和红－黑树是相似的；相比之下，分裂树在实施一个含有 u 个操作的序列时，用时比较少。另外，分裂树的实现方法比较简单。

AVL 树和红－黑树都使用"旋转"来保持平衡。AVL 树对每个插入操作最多需要一次旋转，对每个删除操作最多需要 $O(\log n)$ 次旋转。而红－黑树对每个插入和删除操作，都只需要一次旋转。这种差别在大多数应用中无关紧要，因为一次旋转仅需用时 $\Theta(1)$。但是对那些需要平衡的应用，一次旋转不能在常量时间内完成，这种差别就非常重要了。例如，平衡优先搜索树 McCreight 就是这样一种应用。平衡优先搜索树用于描述具有二维关键字的元素，此时，每个关键字是一数对 (x, y)。它是关于 y 的优先队列，同时又是关于 x 的搜索树。在这样的树中，每一次旋转都需耗时 $O(\log n)$。如果用红 - 黑树来描述平衡优先搜索树，则因为每一次插入或删除仅需要执行一次旋转，所以插入或删除操作的总时间仍保持为 $O(\log n)$。当使用 AVL 树时，则删除操作的时间将变为 $O(\log^2 n)$。

虽然对比较小的可以在内存中处理的字典，AVL 树、红 - 黑树和分裂树均能提供比较高的性能，但是对大型字典，它们就不适用了。当字典存储在磁盘上时，需要使用度数更大、高度更小的搜索树，例如本章将介绍的 B- 树。

对本章的数据结构没有给出 C++ 代码。不过，若干代码和练习答案可以在本书网站上得到。而且本书网站还包括其他搜索树的材料，例如，单词查找树（tries）和后缀树（suffix tree）。

因为平衡搜索树和第 14 章的二叉搜索树的应用是一样的，所以本章没有应用一节。对 14 章的应用，使用平衡搜索树在最坏情况下的渐近时间性能，与使用非平衡二叉搜索树的平均时间性能是一样的。

15.1　AVL 树

15.1.1　定义

如果搜索树的高度总是 $O(\log n)$，我们就能保证查找、插入和删除的时间为 $O(\log n)$。最坏情况下的高度为 $O(\log n)$ 的树称为**平衡树**（balanced tree）。比较流行的一种平衡树是 **AVL 树**（AVL tree），它是 Adelson-Velskii 和 Landis 在 1962 年提出的。

定义 15-1　一棵空的二叉树是 AVL 树；如果 T 是一棵非空的二叉树，T_L 和 T_R 分别是其左子树和右子树，那么当 T 满足以下条件时，T 是一棵 AVL 树：1）T_L 和 T_R 是 AVL 树；2）$|h_L - h_R| \leq 1$，其中 h_L 和 h_R 分别是 T_L 和 T_R 的高。

一棵 **AVL 搜索树**既是二叉搜索树，也是 AVL 树。图 14-1a 和图 14-1b 是 AVL 树，而图 14-1c 不是。图 14-1a 不是 AVL 搜索树，因为它不是二叉搜索树。图 14-1b 是 AVL 搜索树，图 14-3 是 AVL 搜索树。

一棵**索引 AVL 搜索树**既是索引二叉搜索树，也是 AVL 树。图 14-2 的搜索树都是索引 AVL 搜索树。本节将不再明确地介绍索引 AVL 搜索树。但是，我们讨论的方法可以直接应用到索引 AVL 搜索树。对术语 insert 和 put 与 remove 和 delete，我们交互使用。

如果用 AVL 搜索树来描述字典，并在对数级时间内完成每一种字典操作，那么，我们必须确定 AVL 树的下述特征：

1）一棵 n 个元素的 AVL 树，其高度是 $O(\log n)$。

2）对于每一个 n，$n \geq 0$，都存在一棵 AVL 树。

3）对一棵 n 元素的 AVL 搜索树，在 $O($ 高度 $)=O(\log n)$ 的时间内可以实现查找。

4）将一个新元素插入一棵 n 元素的 AVL 搜索树中，可以得到一棵 $n+1$ 个元素的 AVL 树，而且插入用时为 $O(\log n)$。

5）一个元素从一棵 n 元素的 AVL 搜索树中删除，可以得到一棵 $n-1$ 个元素的 AVL 树，而且删除用时为 $O(\log n)$。

特征 2）可以从特征 4）推出，因此可以省略。特征 1）、3）、4）和 5）将在下面证实。

15.1.2 AVL 树的高度

对一棵高度为 h 的 AVL 树，令 N_h 是其最少的节点数。在最坏情况下，根的一棵子树的高度是 $h-1$，另一棵子树的高度是 $h-2$，而且两棵子树都是 AVL 树。因此有：

$$N_h=N_{h-1}+N_{h-2}+1, \quad N_0=0 \text{ 且 } N_1=1$$

注意，N_h 的定义与斐波那契数列的定义是相似的：

$$F_n=F_{n-1}+F_{n-2}, \quad F_0=0 \text{ 且 } F_1=1$$

也可以这样来表示：$N_h=F_{h+2}-1$，$h \geqslant 0$（见练习 9）。由斐波那契定理可知，$F_h \approx \phi^h/\sqrt{5}$，其中 $\phi = (1+\sqrt{5})/2$。因此 $N_h \approx \phi^{h+2}/\sqrt{5}-1$。如果树中有 n 个节点，那么树的最大高度为：$\log_\phi (\sqrt{5}(n+1))-2 \approx 1.44\log_2(n+2) = O(\log n)$。

15.1.3 AVL 树的描述

AVL 树一般用链表描述。但是，为简化插入和删除操作，我们为每个节点增加一个平衡因子 bf。节点 x 的平衡因子 $bf(x)$ 定义为：

x 的左子树高度 $-x$ 的右子树高度

从 AVL 树的定义可以知道，平衡因子的可能取值为 -1、0 和 1。图 15-1 是两棵带有平衡因子的 AVL 搜索树。

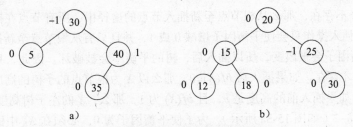

每个节点外侧的数字是该节点的平衡因子

图 15-1 AVL 搜索树

15.1.4 AVL 搜索树的搜索

程序 14-4 不做任何修改就可用于 AVL 搜索树的搜索。因为 n 元素 AVL 树的高度是 $O(\log n)$，所以搜索时间为 $O(\log n)$。

15.1.5 AVL 搜索树的插入

如果用程序 14-5 的方法将元素插入 AVL 搜索树中，结果可能不再是 AVL 树。例如，把一个关键字为 32 的元素插入图 15-1a 的 AVL 树中，结果如图 15-2a 所示，其中节点的平衡因子不是 -1、0 和 1，因此它不是 AVL 树。使用程序 14-5 的策略在一个 AVL 树中插入一个节点所生成一棵搜索树，如果它有一个或更多的节点其平衡因子不再是 -1、0 和 1 那么这样的搜索树就是**不平衡**的。通过移动不平衡树的子树可以恢复平衡，如图 15-2b 所示。

为了恢复平衡，在移动子树之前，我们先观察一下由插入操作导致的不平衡的几种情形：

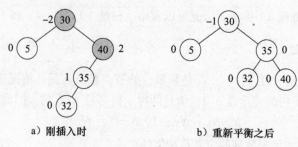

a）刚插入时　　　　　b）重新平衡之后

图 15-2　向 AVL 搜索树中插入元素

I1：在不平衡树中，平衡因子的值限于 –2，–1，0，1 和 2。

I2：平衡因子为 2 的节点在插入前的平衡因子为 1。类似的，平衡因子为 –2 的节点在插入前的平衡因子为 –1。

I3：只有从根到新插入节点的路径上的节点，其平衡因子在插入后会改变。

I4：假设 A 是离新插入节点最近的祖先，且平衡因子是 –2 或 2（在图 15-2a 中，A 是关键字为 40 的节点），在插入前，从 A 到新插入节点的路径上，所有节点的平衡因子都是 0。

当我们从根节点往下移动寻找插入新元素的位置时，能够确定 I4）中的 A。从 I2 知，$bf(A)$ 在插入前的值既可以是 –1，也可以是 1。设 X 是最后一个具有这种平衡因子的节点。当把 32 插入图 15-1a 的 AVL 树中时，X 是关键字为 40 的节点；当把 22、28 或 50 插入图 15-1b 的 AVL 树中时，X 是关键字为 25 的节点；当把 10、14、16 或 19 插入图 15-1b 的 AVL 树中时，这样的节点 X 不存在。

如果节点 X 不存在，那么从根节点至新插入节点的途径中，所有节点在插入前的平衡因子都是 0。由于插入操作只会使平衡因子增减 0 或 1，并且只有从根节点至新插入节点的途径中的节点的平衡因子会被改变，所以插入后，树的平衡不会被破坏。因此，只有插入后的树是不平衡的，X 才存在。如果插入后 $bf(X)=0$，那么以 X 为根节点的子树的高度在插入前后是相同的。例如，如果插入前的高度是 h，且 $bf(X)$ 为 1，那么，X 的左子树高度 X_L 是 $h-1$，右子树高度 X_R 是 $h-2$（如图 15-3a 所示）。为了使平衡因子为 0，必须在 X_R 中做插入，得到高度为 $h-1$ 的新子树 X'_R（如图 15-3b 所示）。由于从 X 到新插入节点的路径中的所有节点在插入前的平衡因子均为 0，所以 X'_R 的高度必须增加到 $h-1$。X 的高度仍保持为 h，X 的祖先的平衡因子在插入前后保持相同，这样，树的平衡被保持住了。

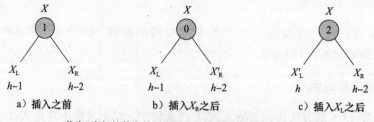

a）插入之前　　　　　b）插入 X_R 之后　　　　　c）插入 X_L 之后

节点 X 内部的数字是平衡因子，子树名称下面的是子树高度

图 15-3　AVL 搜索树的插入

一棵树从平衡变为不平衡的唯一过程是：在插入操作之后，平衡因子 $bf(X)$ 的值由 –1 变为 –2，或者由 1 变为 2。后一种情况只有在 X 的左子树 X_L 中进行插入时才会出现（如图 15-3c 所示）。这时，X'_L 的高度一定变为 h（因为在插入前，从 X 到新插入节点的途径中的

所有节点的平衡因子都为 0）。因此，I4 中 *A* 就是节点 *X*。

节点 *A* 的不平衡情况有两类：*L* 型不平衡（新插入节点在 *A* 的左子树中）和 *R* 型不平衡。在从根到新插入节点的路径上，根据 *A* 的孙节点情况，*A* 的不平衡情况还可以细分。注意，包含新节点的 *A* 的子树高度至少是 2，*A* 的平衡因子是 –2 或 2，*A* 才存在这样的孙节点。*A* 的不平衡类型的细分是：LL（新插入节点在 *A* 节点的左子树的左子树中），LR（新插入节点在 *A* 节点的左子树的右子树中），RR 和 RL。

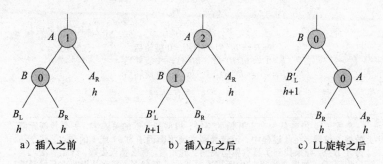

节点内的数字是平衡因子，子树名称下面的是子树高度

图 15-4　LL 旋转

图 15-4 是一种普通的 LL 型不平衡。图 15-4a 是插入前的条件，图 15-4b 是在节点 *B* 的左子树 B_L 中插入一个元素后的情形。恢复平衡所进行的子树移动如图 15-4c 所示。原来以 *A* 为根节点的子树，现在以 *B* 为根节点，B'_L 仍然是 B 的左子树，*A* 变成 *B* 的右子树的根，B_R 变成 *A* 的左子树，*A* 的右子树不变。随着 *A* 的平衡因子的改变，在从 *B* 到新插入节点的路径上，B'_L 的所有节点的平衡因子都要改变。其他节点的平衡因子与旋转前的一致。因为图 15-4a 和图 15-4c 的子树的高度是一样的，所以它们的祖父节点如果存在的话，其平衡因子与插入前是一样的。因此所有节点的平衡因子都是 –1、0 或 1。仅仅一个 LL 旋转就使整个树重新获得平衡吗！你可以证明重新平衡后的树确实是一棵二叉搜索树。

图 15-5 给出了一种普通的 LR 型不平衡。因为插入操作发生在 *B* 的右子树，所以这棵子树在插入后不可能为空，因此节点 *C* 是存在的。但是，*C* 的子树 C_L 和 C_R 有可能为空。为了恢复平衡，需要对子树进行重新整理，如图 15-5c 所示。重新整理后，$bf(B)$ 和 $bf(A)$ 的值取决于 $bf(C)$ 在插入之后、重新整理之前的值 b。重新整理后的子树仍是二叉搜索树。另外，因为图 15-5a 和图 15-5c 的子树的高度是相同的，所以它们的祖先如果存在，其平衡因子在插入前与在插入后也是相同的。因此，在节点 *A* 的一个 LR 旋转即可完成整个树的重新平衡。

RR 和 RL 与上面所讨论的情形是对称的。我们把矫正 LL 和 RR 型不平衡所做的转换称为**单旋转**（single rotation），把矫正 LR 和 RL 型不平衡所做的转换称为**双旋转**（double rotation）。对 LR 型不平衡所做的双旋转可以看做 RR 旋转加 LL 旋转，而对 RL 型不平衡所做的双旋转可以看做 LL 旋转加 RR 旋转（练习 13）。

根据上述讨论，对 AVL 搜索树实施插入操作的步骤如图 15-6 所示。这些步骤可以细化为 C++ 代码，其复杂性为 $O(高度)=O(\log n)$。注意，如果插入导致不平衡，那么一次单步旋转（LL,LR,RR 和 RL）便可以恢复平衡。

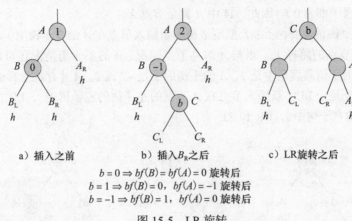

$$b = 0 \Rightarrow bf(B) = bf(A) = 0 \text{ 旋转后}$$
$$b = 1 \Rightarrow bf(B) = 0, \ bf(A) = -1 \text{ 旋转后}$$
$$b = -1 \Rightarrow bf(B) = 1, \ bf(A) = 0 \text{ 旋转后}$$

图 15-5 LR 旋转

> 步骤 1）：沿着从根节点开始的路径，根据新元素的关键字，去寻找新元素的插入位置。在此过程中，记录最新发现平衡因子为 -1 或 1 的节点，并令其为 A 节点。如果找到了具有相同关键字的元素，那么插入失败，终止算法。
>
> 步骤 2）：如果在步骤 1）中所描述的节点 A 不存在，那么从根节点开始沿着原路径修改平衡因子，然后终止算法。
>
> 步骤 3）：如果 $bf(A) = 1$ 并且新节点插入 A 的右子树中，或者 $bf(A) = -1$ 并且新节点插入到左子树，那么 A 的平衡因子是 0。在这种情况下，修改从 A 到新节点途中的平衡因子，然后终止算法。
>
> 步骤 4）：确定 A 的不平衡类型并执行相应的旋转，并对新子树根节点至新插入节点的路径上的节点的其平衡因子做相应的修改。

图 15-6 AVL 搜索树的插入步骤

15.1.6 AVL 搜索树的删除

执行程序 14-6，可从 AVL 搜索树中删除一个元素。设 q 是被删除节点的父节点。例如，如果要删除图 15-1b 中关键字为 25 的元素，那么该元素的节点被删除，并且根节点的右孩子指针指向被删除节点的唯一孩子。因为根节点是被删除节点的父节点，所以 q 就是根节点。如果要删除的是关键字 15 的元素，那么该元素的节点将被关键字为 12 的元素所占用，而 12 的原节点被删除。这时的 q 是原 15 的节点（根的左孩子）。因为一个节点删除之后，从根到 q 的路径上的一些节点或全部节点的平衡因子都改变了，所以要从 q 沿原路折回。

如果删除发生在 q 的左子树，那么 $bf(q)$ 减 1。如果删除发生在 q 的右子树，那么 $bf(q)$ 加 1。下面是删除的几种情形：

D1: 如果 q 的新平衡因子是 0，那么它的高度减少了 1，这时需要改变它的父节点（如果有的话）的平衡因子，而且可能需要改变其他祖先节点的平衡因子。

D2: 如果 q 的新平衡因子是 -1 或 1，那么它的高度与删除前相同，而且无需改变其祖先的平衡因子值。

D3: 如果 q 的新平衡因子是 -2 或 2，那么树在 q 处是不平衡的。

从 q 到根节点的路径上，节点的平衡因子可能发生很大变化（见 D1），有的节点的平衡因子有可能变为 -2 或 2。令 A 是第一个这样的节点。要恢复 A 节点的平衡，需要根据不平衡的类型而定。如果删除发生在 A 的左子树，那么不平衡类型是 L 型；否则，不平衡类型就是 R 型。如果在删除后，$bf(A) = 2$，那么在删除前，$bf(A)$ 的值一定为 1。因此，A 有一棵以 B 为根的左子树。根据 $bf(B)$ 的值，可以把一个 R 型不平衡细分为 R0，R1 和 R-1。例如，R-1 型不平衡指的是这种情况：删除操作发生在 A 的右子树并且 $bf(B) = -1$。类似的，L 型不平衡也可以细分为 L0、L1 和 L–1。

在节点 A 的 R0 型不平衡通过图 15-7 的旋转来矫正。注意，子树的高度在删除前和删除后都是 $h+2$，因此，到根节点途径上的剩余节点没有改变平衡因子，整棵树在一次旋转后获得平衡。

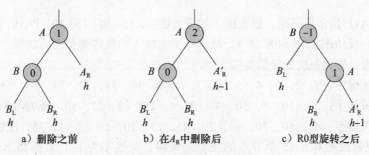

a）删除之前　　　b）在 A_R 中删除后　　　c）R0 型旋转之后

图 15-7　R0 型旋转（单旋转）

图 15-8 显示了对 R1 型不平衡的处理。当指针的变化与 R0 型不平衡的变化相同时，A 和 B 的新平衡因子是不同的，并且旋转后子树的高度是 $h+1$，比删除前减少了 1。因此，如果 A 不是根节点，它的某些祖先的平衡因子将产生变化，可能需要进行旋转以保持平衡。R1 旋转后，必须继续检查至根节点路径上的节点。与插入情况不同，在一次删除操作之后，仅用一次旋转可能还无法恢复平衡。所需要的旋转次数为 $O(\log n)$。

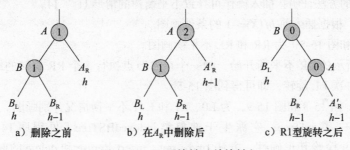

a）删除之前　　　b）在 A_R 中删除后　　　c）R1 型旋转之后

图 15-8　R1 型旋转（单旋转）

R–1 型不平衡所需要的转换如图 15-9 所示。节点 A 和 B 在旋转后的平衡因子取决于 B 的右孩子的平衡因子 b。这次旋转得到了一棵高度为 $h+1$ 的子树，而删除前的子树高度是 $h+2$，因此，在至根节点的路径上需要继续旋转。

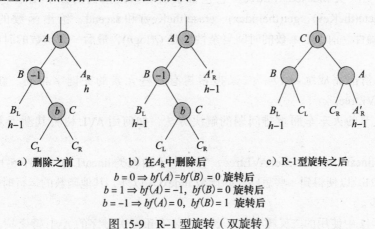

a）删除之前　　　b）在 A_R 中删除后　　　c）R–1 型旋转之后

$b = 0 \Rightarrow bf(A) = bf(B) = 0$ 旋转后
$b = 1 \Rightarrow bf(A) = -1,\ bf(B) = 0$ 旋转后
$b = -1 \Rightarrow bf(A) = 0,\ bf(B) = 1$ 旋转后

图 15-9　R–1 型旋转（双旋转）

LL 与 R1 类型的旋转相同；LL 与 R0 型旋转的区别仅在于 A 和 B 最后的平衡因子；LR 与 R–1 旋转相同。

练习

1. 从一棵空的 AVL 搜索树开始，依次插入如下关键字：15，14，13，12，11，10，9，8，7，6，5，4，3，2，1。模仿图 15-2 和图 15-3，画出每一次插入和旋转调整之后的图。用平衡因子标注每一个节点，指明每次旋转的类型。

2. 使用如下的关键字：1，2，3，4，5，6，7，8，9，10，11，12，13，14，15，做练习 1。

3. 使用如下的关键字：20，10，5，30，40，3，4，25，23，27，50，做练习 1。

4. 使用如下的关键字：40，50，70，30，20，45，25，10，5，22，1，35，做练习 1。

5. 一棵 AVL 搜索树是具有 15 个节点的完全二叉树，关键字为 1–15。按如下顺序删除关键字：15，14，13，…，1。画出每一次删除和旋转之后的图。用平衡因子来做节点标识，指明每次旋转的类型。

6. 再做练习 5，不过删除关键字的顺序是：1，2，3，…，15。

7. 再做练习 5，不过删除关键字的顺序是：6，7，5，10，9，11，15，12，13，1，2，3。

8. 再做练习 5，不过删除关键字的顺序是：11，14，13，15，9，2，3，1，6，5，7。

9. 用数学归纳证明：在一棵高度为 h 的 AVL 树中，最少的节点数是 $N_h = F_{h+2} - 1$，$h \geq 0$。

10. 用程序 14-5 的方法证明：插入操作可导致不平衡树的情形 I1 ~ I4。

11. 模仿图 15-3，根据插入前 $bf(X) = -1$ 的条件画图。

12. 模仿图 15-4 和图 15-5，为 RR 和 RL 不平衡画图。

13. 从图 15-5b 所示的 LR 不平衡开始，画一个在 B 节点执行一个 RR 旋转的结果示意图。注意，再执行一次 LL 旋转，即可得到图 15-5b。

14. 模仿图 15-7、图 15-8 和图 15-9，为 L0、L1 和 L–1 不平衡情况分别画图。

15. 设计一个 C++ 类 avlTree，它派生于抽象类 indexedBSTree（见程序 14-2）。编写所有方法的代码并检验其正确性。方法 find、get、insert、erase 和 delete 的时间复杂性应为 $O(\log n)$。方法 ascend 的时间复杂性应为 $\Theta(n)$。

16. 针对如下情况完成练习 15：二叉搜索树有若干个元素的关键字相同。新类的名称为 davlTree。

17. 设计一个 C++ 类 indexedAVLtree，它包含索引二叉搜索树的如下函数：find(theKey)、insert、delete(theKey)、get(theIndex)、erase(theKey) 和 ascend。给出函数的全部代码并检验其正确性。前 5 个函数的时间复杂性应是 $O(\log n)$，最后一个函数的时间复杂性应为 $\Theta(n)$。

18. 针对如下情况完成练习 17：二叉搜索树有一些元素的关键字相同。新类的名称为 dIndexedAVLtree。

19. 关于 8.5.3 节的火车车厢重排问题的解决方法，如何用 AVL 树将其渐近复杂性减少到 $O(n \log k)$。

20. 设计一个 linearListAsIndexedAVLtree，它派生于抽象类 linearList（程序 5-1），参考第 14 章的练习 21，以便得到一些思路。除函数 indexOf 以外，其他函数的运行时间都应该是对数级或更少。

21. 把程序 14-11 中使用的二叉搜索树，替换为带有重复关键字的 AVL 搜索树。在箱子装载问题的最优匹配法中，测量它们性能。

22. 1）对交叉分布问题（14.6.3 节），使用索引 AVL 搜索树得到一个性能为 $O(n\log n)$ 的解。

　　2）测试你的代码。

　　3）把你的代码的实际运行时间与 14.6.3 节的程序 14-12 比较，后者的时间性能是 $\Theta(n^2)$。在比较中，使用随机组合 C，而且 $n=1000$，10 000 和 50 000。

15.2　红 – 黑树

15.2.1　基本概念

红 – 黑树（red-black tree）是这样的一棵二叉搜索树：树中每一个节点的颜色或者是黑色或者是红色。红 – 黑树的其他特征可以用相应的扩充二叉树来说明。回忆一下 12.5.1 节，在一棵规则二叉树中，每一个空指针用一个外部节点来替代，由此得到一棵扩展二叉树。其他的性质还有：

RB1：根节点和所有外部节点都是黑色。

RB2：在根至外部节点路径上，没有连续两个节点是红色。

RB3：在所有根至外部节点的路径上，黑色节点的数目都相同。

红 – 黑树还有另一种等价，它取决于父子节点间的指针颜色。从父节点指向黑色孩子的指针是黑色的，从父节点指向红色孩子的指针是红色的。另外还有：

RB1′：从内部节点指向外部节点的指针是黑色的。

RB2′：在根至外部节点路径上，没有两个连续的红色指针。

RB3′：在所有根至外部节点路径上，黑色指针的数目都相同。

注意，如果知道指针的颜色，就能推断节点的颜色，反之亦然。在图 15-10 的红 – 黑树中，阴影的方块是外部节点，阴影的圆圈是黑色节点，白色圆圈是红色节点，粗线是黑色指针，细线是红色指针。注意，在每一条根至外部节点的路径上，都有两个黑色指针和三个黑色节点（包括根节点和外部节点），且不存在两个连续的红色节点或指针。

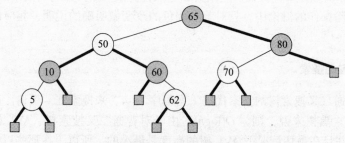

图 15-10　红 – 黑树

令红 – 黑树的一个节点的**阶**（rank），是从该节点到一外部节点的路径上黑色指针的数量。因此，一个外部节点的阶是零，在图 15-10 中，根节点的阶是 2，其左孩子的阶是 2，右孩子的阶是 1。

定理 15-1　设从根到外部节点的路径长度（length）是该路径上的指针数量。如果 P 和 Q 是红 – 黑树中的两条从根至外部节点的路径，那么 $\text{length}(P) \leqslant 2\text{length}(Q)$。

证明　考察任意一棵红 – 黑树。假设根节点的阶是 r。由 RB1′ 可知，在每条从根至外部节点的路径上，最后一个指针为黑色。从 RB2′ 可知，在这样的路径上，没有两个连续红色的指针，每个红色指针的后面都会跟着一个黑色指针。因此，这样的路径都有 $r \sim 2r$ 个指针，故有 $length(P) \le 2length(Q)$。为了验证上限的可能性，可参考图 15-10 的红 – 黑树。从根至 5 的左孩子的路径长度是 4，而到 80 的右孩子的路径长度是 2。∎

定理 15-2 令 h 是一棵红 – 黑树的高度（不包括外部节点），n 是树的内部节点数量，而 r 是根节点的阶，则

1）$h \le 2r$。

2）$n \ge 2^r - 1$。

3）$h \le 2\log_2(n+1)$。

证明 由定理 15-1 我们知道，从根至外部节点的路径的长度不会超过 $2r$，因此 $h \le 2r$（在图 15-10 中，除去外部节点的红 – 黑树高度是 $2r=4$）。

因为根节点的阶是 r，所以从第 1 层至第 r 层没有外部节点，因而在这些层中有 2^r-1 个内部节点。即内部节点的总数至少应为 2^r-1（在图 15-10 的红 – 黑树中，第 1 和 2 层的内部节点数共有 $2^2-1=3$ 个，而第 3 和 4 层还有其他内部节点）。

由 2）可以得到 $r \le \log_2(n+1)$。这个不等式与 1）合起来即可得到 3）。∎

由于红 – 黑树的高度最多是 $2\log_2(n+1)$，所以，在 $O(h)$ 时间内可以完成的搜索、插入和删除操作，其复杂性为 $O(\log n)$。

注意，对同样多的内部节点，在最坏情况下，红 – 黑树高度大于 AVL 树的高度，后者的高度近似于 $1.44\log_2(n+2)$。

15.2.2 红 – 黑树的描述

在红 – 黑树的定义中包括了外部节点，但在执行过程中，我们对外部节点仍然用空指针来描述，而不是用物理节点来描述。进一步说，因为指针颜色与节点颜色是紧密联系的，所以对于每个节点，需要储存的只是该节点的颜色或指向它的两个孩子的指针颜色。存储每个节点的颜色只需要附加一位，而存储每个指针的颜色则需要两位。既然两种存储方案需要的空间几乎相同，那么选择哪种方案，应该由红 – 黑树算法的实际运行时间来决定。

在插入和删除操作的讨论中，只对节点颜色的改变做明确的说明，相应的指针颜色的变化可由推断得到。

15.2.3 红 – 黑树的搜索

可以使用普通二叉搜索树的搜索代码（见程序 14-4）来搜索红 – 黑树。原代码的复杂性为 $O(h)$，而对红 – 黑树来说，则为 $O(\log n)$。由于对普通二叉搜索树、AVL 树和红 – 黑树都用相同的代码，并且在最坏情况下 AVL 树的高度是最小的，所以，在那些以搜索操作为主的应用中，在最坏情况下 AVL 树的时间复杂性是最优的。

15.2.4 红 – 黑树的插入

红 – 黑树的插入操作使用的是程序 14-5 所示的普通二叉树的插入算法。对插入的新元素，需要上色。如果插入前的树是空的，那么新节点是根节点，颜色应是黑色（参看特征 RB1）。假设插入前的树是非空的。如果新节点的颜色是黑色，那么在从根到外部节点的路径上，将有一个特殊的黑色节点作为新节点的孩子。如果新节点是红色，那么可能出现两个连

续的红色节点。把新节点赋为黑色将肯定不符合 RB3，而把新节点赋为红色则可能违反，也可能符合 RB2，因此，应将新节点赋为红色。

如果将新节点赋为红色而引起特征 RB2 的破坏，我们就说树的平衡被破坏了。不平衡的类型可以通过检查新节点 u、其父节点 pu 及祖父节点 gu 来确定。RB2 被破坏后的情况便是有两个连续的红色节点：一个是 u，另一个一定是它的父节点，因此 pu 存在。因为 pu 是红色的，它不可能是根（根据特征 RB1），所以 u 必定有一个祖父节点 gu，并且是黑色的（根据特征 RB2）。当 pu 是 gu 的左孩子，u 是 pu 的左孩子且 gu 的另一个孩子是黑色时（这另一个孩子可以是外部节点），我们称该不平衡是 LLb 类型。其他的不平衡类型是 LLr（pu 是 gu 的左孩子，u 是 pu 的左孩子，且 gu 的另一个孩子是红色的），LRb（pu 是 gu 的左孩子，u 是 pu 的右孩子且 gu 的另一个孩子是黑的），LRr、RRb、RRr、RLb 和 RLr。

XYr（X 和 Y 既可以是 L，也可以是 R）类型的不平衡可以通过改变颜色来处理，而 XYb 类型则需要旋转。当节点 gu 被改变颜色时，它和上一层的节点可能破坏了 RB2 特性。这时的不平衡需要重新分类，而且 u 变为 gu，然后再次进行转换。旋转结束后，不再违反 RB2 特性，因此不需要再进行其他操作。

图 15-11 显示的是 LLr 和 LRr 型不平衡的颜色变化，这些变化是一致的。黑色节点用阴影表示，红色节点没有阴影。例如，在图 15-11a 中，gu 是黑色，而 pu 和 u 是红色。gu 的两个指针是红色。gu_R 是 gu 的右子树，pu_R 是 pu 的右子树。LLr 和 LRr 颜色调整需要将 pu 和 gu 的右孩子由红色改为黑色。另外，如果 gu 不是根，还要将 gu 的颜色由黑色改为红色。如果 gu 是根节点，那么颜色不变，这时，所有从根至外部节点路径上的黑色节点数量都增 1。

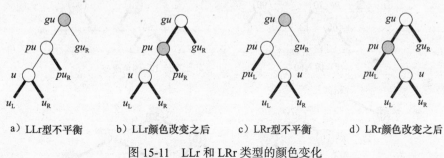

a）LLr 型不平衡　　b）LLr 颜色改变之后　　c）LRr 型不平衡　　d）LRr 颜色改变之后

图 15-11　LLr 和 LRr 类型的颜色变化

如果将 gu 的颜色改为红色而引起了不平衡，那么 gu 就变成了新的 u 节点，它的双亲就变成了新的 pu，它的祖父节点就变成了新的 gu，这时需要继续恢复平衡。如果 gu 是根节点或者 gu 节点的颜色改变没有违反规则 RB2，那么工作就完成了。

图 15-12 是处理 LLb 和 LRb 不平衡时所做的旋转。在图 15-12a 和图 15-12b 中，pu 是 pu_L 的根。注意，这些旋转与 AVL 树的插入操作所需要的 LL（见图 15-4）和 LR（见图 15-5 所示）旋转有相似之处。指针的改变是相同的，例如，在 LLb 旋转中，不仅要改变指针，还要将 gu 的颜色由黑色改为红色，将 pu 的颜色由红色改为黑色。

检查图 15-12 在旋转之后的节点（或指针）颜色，可以看到，在所有从根至外部节点的路径上，黑色节点（指针）的数量是不变的，进一步说，相关子树的根（旋转前是 gu，旋转后是 pu 或 u）在旋转后是黑色的，因此，在从根节点至新 pu 的路径上，不存在连续两个红色节点，不需要再作平衡。插入后，一次旋转（在旋转之前可能有 $O(\log n)$ 次的颜色改变）足以保持平衡。

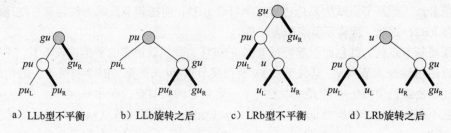

a) LLb型不平衡   b) LLb旋转之后   c) LRb型不平衡   d) LRb旋转之后

图 15-12 红 – 黑树插入操作后的 LLb 和 LRb 旋转

例 15-1 考察图 15-13a 的红 – 黑树。为了便于理解，我们给出了外部节点。实际上，指向外部节点的黑色指针只是空指针，外部节点不必专门描述。注意，在所有从根至外部节点的路径上都有三个黑色节点（包括外部节点）和两个黑色指针。

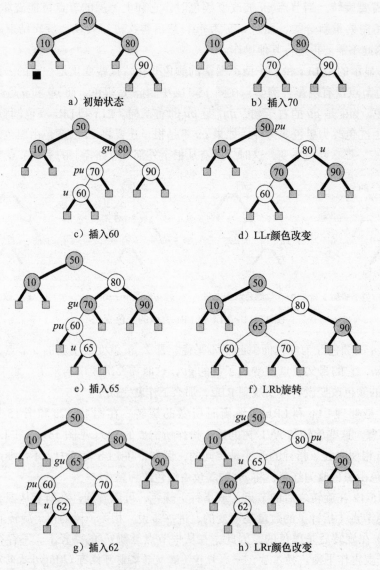

a) 初始状态

b) 插入 70

c) 插入 60

d) LLr 颜色改变

e) 插入 65

f) LRb 旋转

g) 插入 62

h) LRr 颜色改变

图 15-13 红 – 黑树的插入

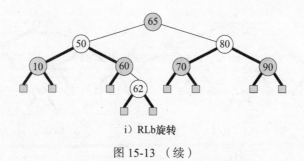

i）RLb旋转

图 15-13 （续）

现在用程序 14-5 的算法，将 70 插入红 - 黑树中，成为 80 的左孩子。因为是插入一棵非空的树，所以新节点被赋予红色，指向它的指针也是红色。这次插入结果没有违反 RB2，因此不需要矫正。注意，在从根至外部节点的所有路径上，黑色指针的数量在插入前后没有变化。

接下来把 60 插入图 15-13b 的红 - 黑树中，作为 70 的左孩子，如图 15-13c 所示。新节点为红色，指向它的指针也为红色。新节点（60）是 u，其父节点（70）是 pu，祖父节点（80）是 gu。由于 pu 和 u 是红色，所以出现了一个不平衡，而且是 LLr 型不平衡（pu 是 gu 的左孩子，u 是 pu 的左孩子，gu 的另一个孩子是红色）。按照图 15-11a 和图 15-11b 所示的方法改变节点颜色，得到图 15-13d。现在，节点 u、pu 和 gu 都上升了两层，节点 80 变为新的 u，根节点变为 pu，gu 变成空。因为没有 gu 节点，所以没有出现破坏 RB2 的情况，插入完成。在从根到外部节点的所有路径上，黑色指针数量都是 2。

现在将 65 插入图 15-13d 的树中，结果如图 15-13e 所示。新节点（65）是 u，它的父节点（60）和祖父节点（70）分别是 pu 和 gu。这里产生了一个 LRb 类型的不平衡，需要执行图 15-12c 和图 15-12d 所示的旋转，结果如图 15-13f 所示。

最后插入 62，得到图 15-13g。产生了 LRr 型不平衡，需要改变颜色。改变颜色后，新的 u、pu 和 gu 节点如图 15-13h 所示。颜色的改变引起一个 RLb 型的不平衡，必须执行 RLb 旋转。旋转结果如图 15-13i 所示。到此完成。 ■

15.2.5 红 - 黑树的删除

对于删除操作，首先使用普通二叉搜索树的删除算法（程序 14-6），然后进行颜色变动，如果需要的话，还要作一次单旋转。考察图 15-14a 的红 - 黑树。如果用程序 14-6 来删除元素 70，那么相应的节点将被物理性删除，得到图 15-14b 所示的树（如果使用了指针颜色，那么还要改变 90 的左指针颜色）。如果从图 15-14a 中删除元素 90，则相应的节点被物理性删除，其父节点 65 的右孩子指针指向被删除节点的左子树，得到图 15-14c。从图 15-14a 中删除元素 65 的过程是，把元素 62 移到根节点，然后物理性删除原 62 的节点，得到图 15-14d。令 y 是替代被删除节点的节点，如图 15-14b 所示，90 的左孩子被删除了，它新的左孩子是外部节点 y。

在图 15-14b 中，被删除节点（在图 15-14a 中包含 70 的节点）是红色的，删除它不会影响从根至外部节点的路径上黑色节点的数量，因此不需要作任何恢复平衡的工作。在图 15-14c 中，被删除节点（在图 15-14a 中包含 90 的节点）是黑色，在从根至外部节点 y 的路径上，黑色节点（和指针）的数量比删除前少了一个。由于 y 不是新的根，所以违反了 RB3。在图 15-14d 中，被删除节点是红色，因此不违反 RB3。仅当被删除节点是黑色且 y 不是树根的时候，才会出现违反 RB3 的情况。使用程序 14-6 执行删除操作，不可能出现违反其他红 - 黑树特征的情况。

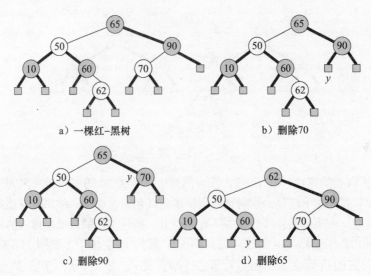

a）一棵红–黑树　　　　　　　　　b）删除70

c）删除90　　　　　　　　　　　d）删除65

图 15-14　红–黑树的删除

当违反 RB3 的情况出现时，以 y 为根的子树缺少一个黑色节点（或一个黑色指针），因此，从根至 y 子树的外部节点的路径与从根至其他外部节点的路径相比，前者所包含的黑色节点数量比后者的要少一个，这时的树是不平衡的。不平衡的类型可以根据 y 的父节点 py 和同胞节点 v 的特点来划分。当 y 是 py 的右孩子时，不平衡是 R 型的，否则是 L 型的。通过观察可以得知，如果 y 缺少一个黑色节点，那么 v 就肯定不是外部节点。如果 v 是一个黑色节点，那么不平衡是 Lb 或 Rb 型的；而当 v 是红色节点时，不平衡是 Lr 或 Rr 型的。

首先考察 Rb 型的不平衡。Lb 型不平衡的处理与之相似。根据 v 的红色孩子的数量，把 Rb型不平衡细分为三种情况：Rb0、Rb1 和 Rb2。

当不平衡类型是 Rb0 时，需要颜色改变（如图 15-15 所示）。图 15-15 给出了 py 颜色的两种可能改变。如果 py 在改变前是黑色的，那么颜色的改变将导致以 py 为根的子树缺少一个黑色节点。在图 15-15b 中，从根至 v 的外部节点路径上，黑色节点数量也减少了一个。因此，

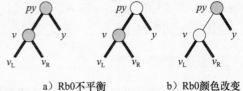

a）Rb0不平衡　　　b）Rb0颜色改变

图 15-15　红–黑树删除操作的 Rb0 颜色改变

颜色改变后，无论是从根到 v 的外部节点的路径，还是从根到 y 的外部节点的路径，都会缺少一个黑色节点。如果 py 是整棵红–黑树的根，那么就不需要再做其他工作，否则，py 就成新的 y，y 的不平衡需要重新划分，并且在新的 y 点需要再进行调整。

若改变颜色前 py 是红色，则从根到 y 的外部节点的路径上，黑色节点数量增加了一个，而从根到 v 的外部节点的路径上，黑色节点数量没有改变。整棵树达到平衡。

当不平衡类型是 Rb1 和 Rb2 时，需要进行旋转，如图 15-16 所示。在图中，带阴影的节点既可能是红色，也可能是黑色。这种节点的颜色在旋转后不会发生变化。因此，图 15-16b中，子树的根在旋转前和旋转后，颜色保持不变——图 15-16b 中 v 的颜色与图 15-16a 中 py的颜色是一样的。可以证明，在旋转后，从根至 y 的外部节点的路径上，黑色节点（黑色指针）数量增加一个，而从根至其他外部节点路径上，黑色节点的数量没有变化。旋转使树恢复了平衡。

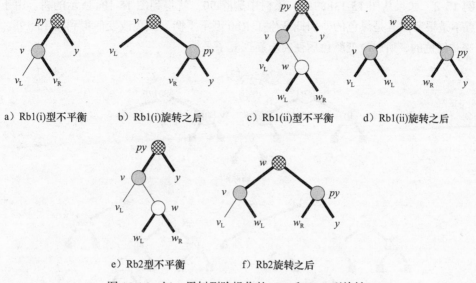

a）Rb1(i)型不平衡　　b）Rb1旋转之后　　c）Rb1(ii)型不平衡　　d）Rb1(ii)旋转之后

e）Rb2型不平衡　　　　f）Rb2旋转之后

图 15-16　红 – 黑树删除操作的 Rb1 和 Rb2 型旋转

接下来考察 Rr 型的不平衡。Lr 型不平衡与它是对称的。由于 y 中缺少一个黑色节点并且 v 节点是红色，所以 v_L 和 v_R 都至少有一个黑色节点不是外部节点，因此，v 的孩子都是内部节点。根据 v 的右孩子中红色孩子的数量（0，1 或 2），可以把 Rr 型不平衡划分为三种情况。这三种情况都可以通过一次旋转来获得平衡。这次旋转如图 15-17 和图 15-18 所示。你可以再一次验证使整棵树恢复平衡的过程。

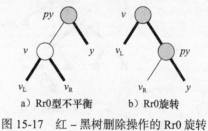

a）Rr0型不平衡　　　b）Rr0旋转

图 15-17　红 – 黑树删除操作的 Rr0 旋转

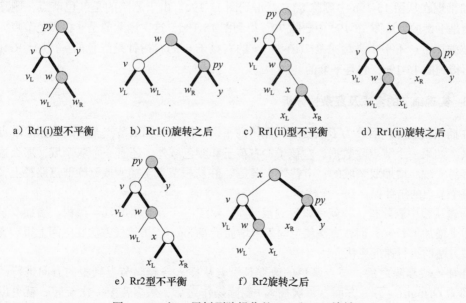

a）Rr1(i)型不平衡　　b）Rr1(i)旋转之后　　c）Rr1(ii)型不平衡　　d）Rr1(ii)旋转之后

e）Rr2型不平衡　　　　f）Rr2旋转之后

图 15-18　红 – 黑树删除操作的 Rr1 和 Rr2 旋转

例 15-2 如果从图 15-13i 的红 - 黑树中删除 90，就得到图 15-19a 所示的树。由于被删除节点不是根节点且是黑色的，因此产生了 Rb0 型不平衡。颜色改变后得到图 15-19b。由于 *py* 原来是红色的，所以改变颜色后使树重新恢复了平衡。

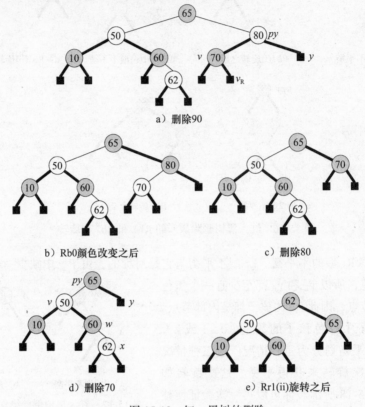

a）删除90

b）Rb0颜色改变之后   c）删除80

d）删除70   e）Rr1(ii)旋转之后

图 15-19   红 - 黑树的删除

如果现在从图 15-19b 中删除 80，就得到图 15-19c。由于删除的是红色节点，删除后的树仍然是平衡的。从图 15-19c 中删除 70，得到图 15-19d，这次删除的是非根黑色节点，树的平衡被破坏了。不平衡类型是 Rr1(ii) 型（*v* 的右孩子 *w* 的右指针是红色的）。执行 Rr1(ii) 型旋转后得到图 15-19e，它是平衡的。

15.2.6   实现细节的考虑及复杂性分析

在插入或删除之后，为了恢复红 - 黑树的平衡，需要回到根节点至插入或删除节点的路径上来。如果一个节点除数据、左孩子、右孩子和颜色域外，还有一个双亲域，那么这种回溯很容易实现。增加双亲域的一个替代方案是：在从根节点至插入或删除节点路径上，把遇到的每个节点的指针保存到一个栈里。

通过从栈中删除指针，就可以返回到根节点。对于一个 *n* 元素的红 - 黑树，增加双亲域使空间需求增加了 $\Theta(n)$，而栈方法使空间需求增加了 $\Theta(\log n)$。虽然栈方法在空间上很节省，但双亲域方法的运行速度更快。

在插入或删除之后，节点颜色的改变是沿着从插入或删除节点到根的方向进行的，因此时间为 $O(\log n)$。另一方面，每次插入 / 删除操作之后，最多需要一次旋转，就可以恢复树的平衡。每次颜色改变或旋转操作需要的时间是 $\Theta(1)$，因此插入 / 删除操作需要的总时

间是 $O(\log n)$。

最后要注意的是，在 C++ 的 STL 中，实现字典所使用的结构是红 – 黑树。

练习

23. 从一棵空的红 – 黑树开始，依次插入关键字：15，14，13，12，11，10，9，8，7，6，5，4，3，2，1。模仿图 15-13 画图，画出每次插入之后和旋转或颜色改变之后的树。用颜色标识所有的节点，注明旋转的类型。

24. 以下列一组关键字为条件，重做练习 23：1，2，3，4，5，6，7，8，9，10，11，12，13，14，15。

25. 以下列一组关键字为条件，重做练习 23：20，10，5，30，40，57，3，2，4，35，25，18，22，21。

26. 以下列一组关键字为条件，重做练习 23：40，50，70，30，42，15，20，25，27，26，60，55。

27. 一棵红 – 黑树初始时有 15 个节点，而且是完全二叉树；关键字是 1 ~ 15。所有节点都是黑色。依次删除关键字 15，14，13，…，1。每一次删除和每一次旋转或颜色改变之后，画出相应的树。用颜色标识所有的节点，注明旋转的类型。

28. 重做练习 27，前提是删除关键字的顺序为 1，2，3，…，15。

29. 重做练习 27，前提是删除关键字的顺序为 6，7，5，10，9，11，15，12，13，2。

30. 重做练习 27，前提是删除关键字的顺序为 11，14，13，15，9，12，2，3，1。

31. 画出与图 15-11 的 LLr 和 LRr 型对应的 RRr 和 RLr 型的颜色改变。

32. 画出与图 15-12 的 LLb 和 LRb 型对应的 RRb 和 RLb 型的旋转。

33. 画出与图 15-15 的 Rb0 型对应的 Lb0 型的颜色改变。

34. 画出与图 15-16 的 Rb1 和 Rb2 型旋转对应的 Lb1 和 Lb2 型旋转。

35. 画出与图 15-17 和图 15-18 的 Rr0、Rr1 和 Rr2 型旋转相对应的 Lr0、Lr1 和 Lr2 型的旋转。

36. 设计一个 C++ 类 redBlackTree，它派生于抽象类 bSTree（程序 14-1）。编写所有函数的代码并检验其正确性。函数 find、insert 和 delete 的时间复杂性必须是 $O(\log n)$，函数 ascend 的时间复杂性应该是 $O(n)$。证明它们的时间复杂性。insert 和 delete 函数的实现必须采用本节的方法。

37. 设计一个 C++ 类 dRedBlackTree，它派生于抽象类 dBSTree（参看练习 4）。编写所有函数的代码并检验其正确性。函数 find、insert 和 delete 必须具有复杂性 $O(\log n)$，函数 ascend 的时间复杂性应该是 $O(n)$。证明它们的时间复杂性。

38. 设计一个 C++ 类 indexedRedBlackTree，它派生于抽象类 indexedBSTree（程序 14-2）。编写所有函数的代码并检验其正确性。函数 find、get、insert、erase 和 delete 的时间复杂性必须是 $O(\log n)$，函数 ascend 的时间复杂性应该是 $O(n)$。证明它们的时间复杂性。

39. 设计一个 C++ 类 dIndexedRedBlackTree，它派生于抽象类 dIndexedBSTree（见练习 5）。编写所有函数的代码并检验其正确性。函数 find、get、insert、delete 和 erase 的时间复杂性必须是 $O(\log n)$，函数 ascend 的时间复杂性应该是 $O(n)$。证明它们的时间复杂性。

40. 设计一个 C++ 类 linearListAsRedBlackTree，它派生于抽象类 linearList。编写所有函数的代码并检验其正确性。

15.3 分裂树

15.3.1 介绍

当使用 AVL 树或红－黑树来实现字典时，最坏情况下，每一个字典操作的时间复杂性是字典大小的对数。在已知的数据结构中，没有一个会提供更好的性能。然而，在字典的很多实际应用中，令我们更感兴趣的不是一个操作而是一个操作序列所需要的时间。例如，在第 14 章的末尾所考虑的应用。在这些应用中，每一个应用的时间复杂性都取决于一个字典操作序列，而不是任意一个操作。

分裂树是二叉搜索树，而且对一个单独的字典操作，其时间复杂性是 $O(n)$，而对 f 个查找 find、i 个插入 insert 和 d 个删除所组成的操作序列，其时间复杂性是 $O((f+i+d)\log i)$，与使用 AVL 树或红－黑树时的渐近时间复杂性相同。实验研究表明，对任意的字典操作序列，分裂树比 AVL 树和红－黑树的实际运行速度要快。不仅如此，分裂树的编码还更容易。

15.3.2 分裂树的操作

用分裂树实施字典的操作与类 binarySearchTree（见 14.3 节）完全相同。但是，按照分裂树操作方法，get、put 和 remove 操作是从分裂节点开始的。在分裂操作的最后，分裂节点是二叉搜索树的根。**分裂节点**（slay node）是在字典操作中所检查的最深层的节点（即终止比较关键字的节点、生成的节点、删除的节点，或者是该节点的左孩子或右孩子）。

例 15-3 考虑图 14-4a 的二叉搜索树。当实施操作 find(80) 时，检查最深的节点是关键字为 80 的节点，这个节点是分裂节点。当实施操作 find(31) 时，检查最深的节点是关键字为 31 的节点，这个节点成为分裂节点。操作 find(55) 的搜索路径是从 30 到 60，检查最深的节点是关键字为 60 的节点，因此该节点成为分裂节点。

一次插入可能生成一个新节点，或覆盖一个已经存在的节点中的元素。当生成一个新节点时，这个新节点就是检查最深的节点。因为这个新节点成为分裂节点。当存在的一个元素被覆盖时，包含这个元素的节点便是被检查的最深的节点。于是这个节点成为分裂节点。在图 14-4a 中，对插入操作 insert(5,e) 来说，分裂节点是根的左孩子。对插入操作 insert(65,e) 来说，分裂节点是新节点，它成为 60 的右孩子。

当二叉搜索树有一个关键字为 k 的元素时，对操作 delete(k) 而言，最深检查的节点是要删除的节点。这个节点不会成为分裂节点，因为它不在删除后的树中。被删除节点的父亲节点成为分裂节点，因为它是在检查的节点中所留下的最深的节点。在图 14-4a 中，与操作 delete(33) 对应的分裂节点是关键字为 32 的节点，与操作 delete(35) 对应的分裂节点是关键字为 40 的节点，与操作 delete(40) 对应的分裂节点是关键字为 32 的节点，与 delete(30) 对应的分裂节点是关键字为 5 的节点。 ■

分裂操作由一个**分裂步骤**序列所构成。当分裂节点是二叉搜索树的根时，这个序列为空。当分裂节点不是根节点时，每一个分裂步骤都将分裂节点往上移动一层或两层。当分裂节点在二叉搜索树的二层时，移动一层。

在移动一层的分裂步骤中，有两种类型。一种是 L 型，分裂节点 q 是其父节点的左孩子；另一种是 R 型，分裂节点 q 是其父节点的右孩子。图 15-20 显示的是 L

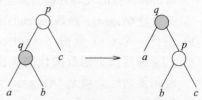

a、*b*和*c*为子树
阴影节点为分裂节点

图 15-20 L 型分裂步骤

型分裂步骤。注意，按照分裂步骤，分裂节点成为二叉搜索树的根。R 型分裂步骤与之类似。

只要分裂节点的层数大于 2，就要实施两层分裂步骤。这时，分裂节点 *q* 有一个父节点 *p* 和一个祖父节点 *gp*。两层分裂步骤分四种类型：LL、LR、RR 和 RL。以 LR 分裂步骤为例：*p* 是 *gp* 的左孩子，*q* 是 *p* 的右孩子。图 15-21 显示的是 LL 型和 LR 型分裂步骤。在每一种分裂步骤中，分裂节点都向上移动两层。RR 型和 LR 型分裂步骤类似。注意，分裂步骤与 AVL 树旋转（图 15-4 和图 15-5）的相似性。

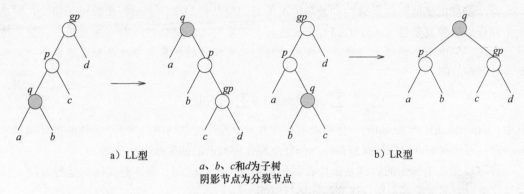

a）LL型　　　　　　　　　　　　　　　b）LR型

a、*b*、*c*和*d*为子树
阴影节点为分裂节点

图 15-21　LL 型和 LR 型分裂步骤

例 15-4　考虑图 15-22a 所示的二叉搜索树。假设实施操作 find(2)。带阴影的节点成为分裂节点，分裂步骤从此开始。这个分裂步骤首先用 LL 型分裂步骤把分裂节点从第 6 层上移到第 4 层（见图 15-22b）；接下来，LR 型分裂步骤把分裂节点上移到第 2 层（见图 15-22c）；最后，L 型分裂步骤把分裂节点上移到第 1 层。

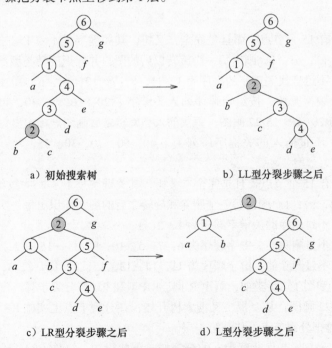

a）初始搜索树　　　　　　　　　　　b）LL型分裂步骤之后

c）LR型分裂步骤之后　　　　　　　　d）L型分裂步骤之后

a ~ *g*为子树
阴影节点为分裂节点

图 15-22　分裂操作示例

其实，仅仅使用一层分裂步骤（即 L 型和 R 型），也可以把分裂节点从二叉搜索树的任意层上移到第一层，但是这样做不能保证任一个由 *f* 个查找、*i* 个插入和 *d* 个删除所组成的操作序列可以用 $O((f+i+d)\log i)$ 时间来完成。为保证这个时间，需要两层分裂步骤组成的序列，至多在最后加上一个一层分裂步骤。

15.3.3 折算复杂性

一个操作的实际时间复杂性和最坏情况的时间复杂性与操作的执行步数密切相关。但是一个操作的**折算复杂性**（amortized Complexity）常常与实际复杂性没有直接关系，它是一种计算技法。它唯一的要求是，对一个操作序列，所有操作的折算复杂性之和大于或等于实际复杂性之和。即

$$\sum_{i=1}^{n}\text{amortized}(i) \geqslant \sum_{i=1}^{n}\text{actual}(i) \tag{15-1}$$

其中，amortized(*i*) 和 actual(*i*)，分别表示在含有 *n* 个操作的序列中，第 *i* 个操作的折算和实际复杂性。因此我们可以把折算复杂性当作任意操作序列的时间复杂型的上限。

你可以把一个操作的折算复杂性看做是你要求的运行时间，而不是实际的运行时间。只要这个运行时间至少等于操作序列实际运行时间。

定理 15-1 在一棵具有 *n* 个元素的分裂树中，查找、插入或删除操作的折算复杂性是 $O(\log n)$。

根据定理 15-1 和公式（15-1），由 *f* 次查找、*i* 次插入和 *d* 次删除所构成的操作序列，其实际的时间复杂性为 $O((f+i+d)\log i)$。

练习

41. 一棵分裂树具有 15 个节点，而且是完全二叉树，其关键字是 1 ~ 15。按给定顺序查找关键字 15，14，13，…，1。画出每一次旋转以后的图，并标识旋转类型。

42. 重做练习 41，不过查找关键字的次序为 1，15，8，7，12，10，6，2，14。

43. 从一棵空的分裂树开始，按给定顺序插入关键字：20，10，5，30，40，25，8，35，7，23。模仿图 15-20 至图 15-22 画图，每次插入和旋转之后画图。标识出每次旋转的类型。

44. 重做练习 43，不过插入的关键字序列为：40，50，70，30，35，75，25，10，15，22，16，23。

45. 一棵分裂树具有 15 个节点，且是完全二叉树，其关键字是 1 ~ 15。按给定顺序删除关键字 15，14，13，…，1。画出每一个删除和旋转之后的图。标识出每一次旋转的类型。

46. 重做练习 45，不过删除的关键字顺序为 1，2，3，…，15。

47. 重做练习 45，不过删除的关键字顺序为 6，7，5，10，9，11，15，12，13，14。

48. 重做练习 45，不过删除的关键字顺序为 11，14，13，15，9，12，2，3，1。

49. 1）与图 15-20 和图 15-21 类似，画出 R 型、RR 型和 RL 型分裂步骤。

    2）根据图 15-22 画图，从一棵二叉搜索树开始，在分裂节点上实施 RR、RL 和 R 型分裂步骤，同时把分裂节点上移到第 1 层。

50. 给出一棵具有 *n* 个节点且高度为 *n* 的分裂树。由此得知，操作 find、insert 和 delete 的时间复杂性是 $O(n)$。

51. 为什么一个分裂操作可以用来实现练习 12 的分裂方法。

52. 设计类 splayTree，它用分裂树实现抽象类 bsTree 的所有方法。测试你的代码的正确性。

53. 设计类 dSplayTree，它用分裂树实现抽象类 dBSTree（见练习 4）的所有方法。测试你的代码的正确性。

54. 设计类 indexedSplayTree，它用分裂树实现抽象类 indexedBSTree 的所有方法。测试你的代码的正确性。

55. 设计类 dIndexedSplayTree，它用分裂树实现抽象类 dIndexedBSTree（见练习 5）的所有方法。测试你的代码的正确性。

56. 设计类 linearListAsSplayTree，它用分裂树实现抽象类 linearList。测试你的代码的正确性。

15.4 B-树

15.4.1 索引顺序访问方法

当字典足够小，可以整个驻留在内存中时，AVL 树和红 – 黑树都能够保证良好的时间性能。对于那些必须存储在磁盘上的大型字典（外部字典或文件），需要度数更高的搜索树来改善字典操作的性能。在研究这样的搜索树之前，先看一下外部字典的**索引顺序访问方法**（indexed sequential access method, ISAM）。这种方法对顺序和随机访问都具有良好的时间性能。

在 ISAM 方法中，可用的磁盘空间被划分为很多块。块是在磁盘空间中用来输入或输出的最小单位。块一般具有和磁道一样的长度，而且可以在一次搜索和延迟中完成输入或输出。字典元素以升序存储在块中。而且这些块按照一种顺序来组织，使得从一块到另一块的延时最短。

在顺序访问时，块按序输入，每一个块中的元素按升序搜索。如果每个块包含 m 个元素，则搜索每个元素所需要的磁盘访问次数为 $1/m$。

要支持随机访问，就要维持一个索引。索引包括每个块的最大关键字。这样一来，索引中的关键字数量与块的数量相同，并且每个块都能存储很多元素（即 m 值通常较大），因此索引足以整个驻留在内存中。为了随机访问关键字为 k 的元素，首先要查找索引表，确定该元素所属的块，然后把相应的块从磁盘中取出进行内部搜索，以确定该元素。结果，一次磁盘访问就足以完成一次随机访问。

这种技术可以扩充到更大的字典，这种字典存储在若干个磁盘。这时的元素按升序被分配到不同的磁盘中，在一个磁盘中的元素又按升序被分配到不同块中。每个磁盘都有一个块索引，它保存着在该磁盘中每个块的最大关键字。另外，还有一个磁盘索引，它保存着每个磁盘的最大关键字。磁盘索引一般驻留在内存中。

为了随机访问一个元素，首先要搜索驻留在内存中的磁盘索引，以确定该元素所属的磁盘；然后从该磁盘中取出块索引进行搜索，以确定该元素所属的块；最后从磁盘中取出块进行内部搜索，以确定该元素。这样一来，一次随机访问需要两次磁盘访问（一次是取出块索引，另一次是取出块）。

ISAM 方法本质上是一种数组描述方法，因此，当执行插入和删除时，会面临很大问题。为了部分地缓解问题的压力，可以在每个块中预留一些空间，使得在插入少量元素时，不需要在块与块之间移动元素。类似的，在执行删除操作之后，可以把闲置的空间保留下来，不必为了节省空间而在块与块之间移动元素。

使用 ISAM 方法可以解决这些难题，但是顺序访问的代价提高了。以任意顺序存储的元素，每一个关键字的索引都要检查，所有元素都通过这个索引来访问。对存储在磁盘上的数据，B-树是一种适合于索引方法的数据结构。

15.4.2 m叉搜索树

定义 15-2 *m*叉搜索树（*m*-way search tree）可以是一棵空树。如果非空，它必须满足以下特征：

1）在相应的扩充搜索树中（即用外部节点替换空指针之后所得到的搜索树），每个内部节点最多可以有*m*个孩子以及 1～*m*–1 个元素（外部节点不含元素和孩子）。

2）每一个含有*p*个元素的节点都有*p*+1 个孩子。

3）对任意一个含有*p*个元素的节点，设 k_1，…，k_p 分别是这些元素的关键字。这些元素顺序排列，即 $k_1 < k_2 < \cdots < k_p$。设 c_0，c_1，…，c_p 是该节点的 $p+1$ 个孩子。在以 c_0 为根的子树中，元素的关键字小于 k_1；在以 C_p 为根的子树中，元素的关键字大于 k_p；在以 c_i 为根的子树中，元素的关键字大于 k_i 而小于 k_{i+1}，其中 $1 \leqslant i < p$。

在定义 *m* 叉搜索树时，把外部节点包括进来是有用的，不过在实际的代码中，不需要专门描述外部节点，只要用空指针来表示它就可以了。

图 15-23 是一棵七叉搜索树，其中黑色方块代表外部节点，其他都是内部节点。根节点包含两个元素（关键字是 10 和 80）和三个孩子，中间的孩子有 6 个元素和 7 个孩子，这 7 个孩子中有 6 个孩子是外部节点。

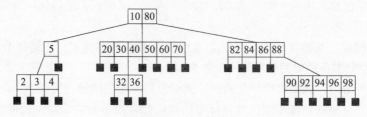

图 15-23　七叉搜索树

1. m叉搜索树的搜索

在图 15-23 的七叉搜索树中，要查找关键字为 31 的元素，先从根节点开始。31 位于 10 和 80 之间，沿中间的指针往下找。（根据定义，在第一棵子树中所有元素的关键字 <10，在第三棵子树中，所有元素的关键字 >80）。搜索中间子树的根。因为 $k_2 < 31 < k_3$，所以要移动到该节点的第三棵子树中。这时 $31 < k_1$，因此要继续移动到第一棵子树中。这次的移动使我们从树中"掉"了下来，即到达了外部节点。由此得知，在搜索树中，不包含关键字为 31 的元素。

2. m叉搜索树的插入

如果要插入关键字为 31 的元素，则先要按以上步骤查找该元素，然后在节点 [32,36] 处查找失败。由于该节点可以容纳 6 个元素（七叉树搜索树的每个节点最多可以容纳 6 个元素），所以新元素被插入该节点的第一个位置。

如果要插入关键字为 65 的元素，则先查找该元素，然后在节点 [20,30,40,50,60,70] 处查找失败。因为该节点已满，所以必须生成一个新节点来容纳该元素，而且成为节点 [20,30,40,50,60,70] 的第六个孩子。

3. m叉搜索树的删除

要在图 15-23 中删除关键字为 20 的元素，首先要查找该元素，它在根节点的中间孩子中是第一个元素。因为 $k_1=20$ 并且 $c_0=c_1=0$，所以该元素可以直接从节点中删除。这时的节点变成 [30,40,50,60,70]。类似的，如果要删除关键字为 84 的元素，首先确定该元素的位置，它在根节点的第三个孩子中是第二个元素。因为 $c_1=c_2=0$，所以该元素可以直接从节点中删除，这时的节点变为 [82,86,88]。

删除关键字为 5 的元素要复杂一点，因为不仅该元素是节点的第一个元素，而且与它相邻子女（这里指的是 c_0 和 c_1）至少有 1 个是非空的。这时需要用相邻的非空子树（例如 c_0）中关键字最大的元素（即关键字为 4 的元素）来替换被删除的元素。

要在根节点中删除关键字为 10 的元素，既可以用 c_0 中的最大元素，也可以用 c_1 中的最小元素来替换。如果用 c_0 中的最大元素来替换，那么将关键字为 5 的元素移上来之后，还要做一次替换，用关键字为 4 的元素占据它原来的位置。

4. m 叉搜索树的高

一棵高度为 h 的 m 叉搜索树（不含外部节点）最少有 h 个元素（每层一个节点，每个节点包含一个元素），最多有 m^h-1 个元素。上限是这样计算的：从 1 到 $h-1$ 层，每个节点都含有 m 个孩子，第 h 层的节点没有孩子，这时的节点个数为 $\sum_{i=0}^{h-1} m^i = (m^h-1)/(m-1)$，而每个节点最多有 $m-1$ 元素，因此元素个数为 m^h-1。

因为在高度为 h 的 m 叉搜索树中，元素个数在 h 到 m^h-1 之间，所以一棵 n 元素的 m 叉搜索树的高度在 $\log_m(n+1)$ 到 n 之间。

例如，一棵高度为 5 的 200 叉搜索树能够容纳的元素最多是 $32*10^{10}-1$，最少是 5。同样，一棵含有 $32*10^{10}-1$ 个元素的 200 叉搜索树，其高度在 5 到 $32*10^{10}-1$ 之间。当搜索树储存在磁盘上时，搜索、插入和删除的时间取决于磁盘的访问次数（假设每一个节点的大小不大于一个磁盘块）。当 h 是树的高度时，这个次数为 $O(h)$，因此，要减少磁盘访问次数，就要确保树的高度接近于 $\log_m(n+1)$，为此就要利用 m 叉平衡搜索树。

15.4.3 m 阶 B-树

定义 15-3 m 阶 B-树（B-Tree of order m）是一棵 m 叉搜索树。如果 B-树非空，那么相应的扩展树满足下列特征：

1）根节点至少有 2 个孩子。

2）除根节点以外，所有内部节点至少有 $\lceil m/2 \rceil$ 个孩子。

3）所有外部节点在同一层。

图 15-23 的七叉搜索树不是一棵七阶 B-树，因为它的外部节点不在同一层。其实不仅如此，非根内部节点 [5] 和 [32,36] 分别有 2 个孩子和 3 个孩子，而七阶 B-树的非根内部节点应该至少有 $\lceil 7/2 \rceil = 4$ 个孩子。图 15-24 的七叉搜索树是七阶 B-树，因为外部节点均在第 3 层，根节点有 3 个孩子，且其余内部节点至少有 4 个孩子。

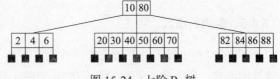

图 15-24　七阶 B-树

在二阶 B-树中，每个内部节点都不会有 2 个以上的孩子，而每个内部节点又至少有 2 个孩子，因此二阶 B-树的所有内部节点都恰好有 2 个孩子。又因为所有外部节点都在同一层上，所以二阶 B-树是满二叉树。因此，对某个整数 h，仅当元素个数为 2^h-1 时，这样的树才存在。

　　一棵三阶 B- 树，因为其内部节点必须有 2 个孩子或 3 个孩子，所以也称 2-3 树。一棵四阶 B- 树，因为其内部节点必须有 2 个、3 个或 4 个孩子，所以叫做 2-3-4 树（或简称 2, 4 树）。图 15-25 是一棵 2-3 树。不过，要把关键字为 14 和 16 的元素加入 20 的左孩子中，这棵树就成为 2-3-4 树了。

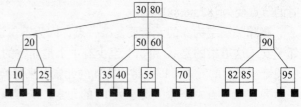

图 15-25　2-3 树或三阶 B- 树

15.4.4　B-树的高度

　　定理 15-3　设 T 是一棵高度为 h 的 m 阶 B- 树。令 $d = \lceil m/2 \rceil$，n 是 T 的元素个数，则

1）$2d^{h-1} - 1 \leqslant n \leqslant m^h - 1$

2）$\log_m(n+1) \leqslant h \leqslant \log_d\left(\dfrac{n+1}{2}\right) + 1$

　　证明　n 的上限源于 T 是一棵 m 叉搜索树这个事实。对于 n 的下限，注意在相应的扩展 B- 树中，外部节点都在 $h+1$ 层，而 1，2，3，4，…，$h+1$ 层的节点最少个数分别是 1，2，$2d$，$2d^2$，…，$2d^{h-1}$，因此，外部节点的最少个数是 $2d^{h-1}$。因为外部节点个数比元素个数多 1，所以

$$n \geqslant 2d^{h-1} - 1$$

从 1）可直接得到 2）。　　　　　　　　　　　　　　　　　　　　　　　　　　■

　　由定理 15-3 可知，一棵高度为 3 的 200 阶 B- 树至少有 19 999 个元素，而高度为 5 的 200 阶 B- 树至少有 $2*10^8 - 1$ 个元素。因此，如果使用 200 阶或更高阶 B- 树，即使元素数量再多，树的高度也可以很小。实际上，B- 树的阶取决于磁盘块的大小和元素的大小。节点的元素个数少于磁盘块的元素个数并无好处，这是因为每次磁盘访问都是读或写一个块。而节点大于磁盘块也不可取，因为这会带来多重磁盘访问，而每次磁盘访问都伴随一次搜索和时间延迟。

　　虽然在实际应用中，B- 树的阶很大，但在我们的例子中，m 值都很小，这是因为当 m 的值为 200，d 为 100 时，一棵两层的 200 阶 B- 树至少有 199 个元素（一棵两层的 m 阶 B- 树至少有 $2d-1$ 个元素），处理这样一棵多元素的树是很麻烦的。我们的实例包含 2-3 树和 7 阶 B 树。

15.4.5　B-树的搜索

　　B- 树的搜索算法与 m 叉搜索树的搜索算法相同。在搜索过程中，从根至外部节点路径上的所有内部节点都有可能被搜索到，因此，磁盘访问次数最多是 h（h 是 B- 树的高度）。

15.4.6　B-树的插入

　　要在 B- 树中插入一个新元素，首先要在 B- 树中搜索关键字与之相同的元素。如果存在这样的元素，那么插入失败，因为在 B- 树的元素中不允许有重复的关键字。如果不存在这样的元素，便可以将元素插入在搜索路径中所遇到的最后一个内部节点中。例如，将关键字为 3 的元素插入图 15-24 的 B- 树，首先检查根节点及其左孩子，然后在左孩子的第二个外部节点处查找失败。这个左孩子目前具有 3 个元素，而实际上可以容纳 6 个元素，因此新元素可

以直接插入这个节点中。结果如图 15-26a 所示。对根节点及左孩子有两次磁盘读操作，对左孩子另有一次磁盘写操作。

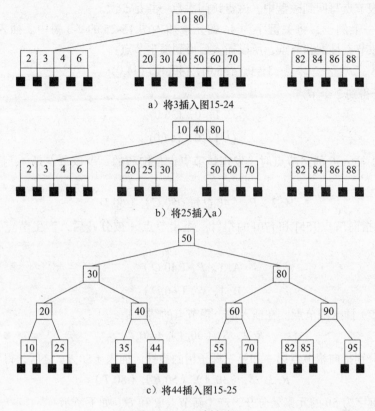

a）将3插入图15-24

b）将25插入a）

c）将44插入图15-25

图 15-26　B- 树的插入

下面将关键字为 25 的元素插入图 15-26a 的 B- 树中。插入位置是节点 [20,30,40,50,60,70] 中，但是该节点已经饱和了。当在一个饱和节点中插入一个新元素时，需要分裂该节点。令 P 是饱和节点，现在将带有空指针的新元素 e 插入 P，得到一个有 m 个元素和 $m+1$ 个孩子的溢出节点。我们用下面的序列来表示这个溢出节点：

$$m,\ c_0,\ (e_1,c_1),\ \cdots,\ (e_m,c_m)$$

其中 e_i 是元素，c_i 是孩子指针。该节点从元素 e_d 处分裂，其中 $d=\lceil m/2\rceil$。左边的元素保留在 P 中，右边的元素移到新节点 Q 中。数对（$e_d,\ Q$）被插入 P 的父节点，新节点 P 和 Q 的格式为：

$$P:d-1,\ c_0,\ (e_1,c_1),\ \cdots,\ (e_{d-1},c_{d-1})$$

$$Q:m-d,\ c_d,\ (e_{d+1},c_{d+1}),\ \cdots,\ (e_m,c_m)$$

注意，P 和 Q 的孩子个数至少是 d。

在本例中，溢出节点是

$$7,\ 0,\ (20,0),\ (25,0),\ (30,0),\ (40,0),\ (50,0),\ (60,0),\ (70,0)$$

且 $d=4$。在 e_4 处分开后的两个节点分别是：

$$P:3,\ 0,\ (20,0),\ (25,0),\ (30,0)$$

$$Q:3,\ 0,\ (50,0),\ (60,0),\ (70,0)$$

当把（40，Q）插入 P 的父节点中时，得到图 15-26b。

　　为了将 25 插入图 15-26a，需要从磁盘中读取根节点及其中间孩子，然后将分开的两个节点和修改后的根节点写回到磁盘中。磁盘访问次数一共是 5 次。

　　考察最后一个例子，将关键字为 44 的元素插入图 15-25 的 2-3 树中。插入位置是节点 [35,40]。因为该节点是饱和节点，所以插入后得到溢出节点：

$$3，0，(35,0)，(40,0)，(44,0)$$

从 $e_d=e_2$ 处分开得到 2 个节点：

$$P：1，0，(35,0)$$

$$Q：1，0，(44,0)$$

把数对（40,Q）插入 P 的父节点时，发现该节点也是饱和的。令该节点是 A，插入后是一个溢出节点：

$$A：3，P，(40,Q)，(50,C)，(60,D)$$

其中 C 和 D 是指向节点 [55] 和 [70] 的指针。溢出节点 A 被分开后，产生节点 B。新节点 A 和 B 如下：

$$A：1，P，(40,Q)$$

$$B：1，C，(60,D)$$

现在要将（50,B）插入根节点。在插入前，根节点的结构是：

$$R：2，S，(30,A)，(80,T)$$

其中 S 和 T 是分别指向根节点第一和第三棵子树的指针。插入（50,B）之后，得到溢出节点：

$$R：3，S，(30,A)，(50,B)，(80,T)$$

将此节点从关键字为 50 的元素处分开，产生新节点 R 和 U，如下所示：

$$R：1，S，(30,A)$$

$$U：1，B，(80,T)$$

(50,U) 一般插入 R 的父节点，但是 R 没有父节点。因此，产生一个新的根节点如下：

$$1，R，(50,U)$$

得到图 15-26c 所示的 2-3 树。

　　读取节点 [30,80]、[50,60] 和 [35,40]，需要三次访问磁盘。每次节点分裂之后，要将修改的节点和新节点写回磁盘，需要两次访问磁盘。因为有 3 个节点被分裂，所以执行了 6 次磁盘写操作。最后产生一个新的根节点并写回磁盘，又需要用 1 次额外的磁盘访问。因为磁盘访问的总次数为 10。

　　当插入操作引起了 s 个节点分裂时，磁盘访问的次数为 h（读取搜索路径上的节点）+$2s$（回写分裂出的两个新节点）+1（回写新的根节点或插入后没有导致分裂的节点）。因此，所需要的磁盘访问次数是 $h+2s+1$，最多可达到 $3h+1$。

15.4.7　B-树的删除

　　删除一个元素分为两种情况：1）该元素位于叶节点，即该节点的所有孩子都是外部节点；2）该元素位于非叶节点。情况 2）可以转变为情况 1），过程是用一个元素来替换被删除元素，这个元素既可以是被删除元素的左相邻子树的最大元素，也可以是被删除元素的右相邻子树的最小元素。替换元素必在叶节点。

考察从图 15-26a 中删除关键字为 80 的元素。因为该元素不在叶节点中，所以要找一个合适的替换元素。关键字为 70（左相邻子树的最大元素）和 82（右相邻子树的最小元素）的元素成为候选对象。如果选择了前者，那么下一步便是从节点 [20,30,40,50,60,70] 中删除 70 这个元素。

如果要从图 15-26c 的 2-3 树中删除关键字为 80 的元素，那么既可以选择关键字为 70 的元素，也可以选择关键字为 82 的元素作为替换元素。如果选择后者，那么下一步便是从叶节点 [82，85] 中删除 82 这个元素。

由情况 2）转化为情况 1）很容易，因此我们只讨论情况 1）。如果要删除的元素所在的叶节点其元素个数大于最少数（一个叶节点，如果同时还是根节点，那么最少元素个数是 1，否则，最少元素个数是 $\lceil m/2 \rceil - 1$）那么直接删除，然后将修改后的节点写回磁盘即可。从图 15-26a 的 B- 树中删除 50，只需将修改后的节点 [20，30，40，60，70] 写回磁盘即可。从图 15-26c 的 2-3 树中删除 85，只需将节点 [82] 写回磁盘即可。在这两种情况下，在沿搜索路径到叶节点的过程中需要 h 次磁盘访问，将修改后的叶节点写回磁盘还需要一次额外的磁盘访问。

当要删除的元素在一个非根节点中且该节点的元素个数最少时，可用其最邻近的左兄弟或右兄弟中的元素来替换它。注意，除了根节点以外，每个节点都会有一个最邻近的左兄弟或一个最邻近的右兄弟，或二者都有。例如，从图 15-26b 中删除元素 25，删除后的节点是 [20，30]，元素个数是 2。但七阶 B- 树的非根节点至少要有 3 个元素。它最邻近的左兄弟 [2，3，4，6] 有一个额外的元素，因此可把该节点的最大元素移至其父节点，然后把关键字为 10 的元素移下来，结果如图 15-27a 所示。磁盘访问次数是 2（从根到 25 所在的叶节点）+1（读取该叶节点的最邻近的左兄弟）+3（写回修改后的叶节点、兄弟节点和父节点）=6。

假如对删除后的节点 [20，30]，我们首先检查的是最邻近的右兄弟 [50，60，70]，而该节点只有 3 个元素，不能从中删除元素。（如果这个节点有 4 个元素或更多，就把其最小元素移到父节点，把父节点中位于两个兄弟元素之间的元素移到叶节点，它只含一个元素）然后检查最邻近的左兄弟，碰巧它有一个额外的元素。这样一来就需要一次额外的磁盘访问，而且不能肯定一定有一个额外元素。为了降低在最坏情况下的磁盘访问次数，在删除一个元素后的节点缺少一个元素时，我们只考察它的一个最邻近的兄弟。

当最邻近的一个兄弟不包含额外元素时，我们就将两个兄弟与父节点中介于两个兄弟之间的元素合并成一个节点。由于这两个兄弟分别有 d-2 和 d-1 个元素，合并后的节点共有 2d-2 个元素。当 m 是奇数时，2d-2 等于 m-1；而当 m 是偶数时，2d-2 等于 m-2。节点有足够的空间来容纳这么多元素。

在本例中，两兄弟 [20，30] 和 [50，60，70] 以及关键字为 40 的元素被合并成一个节点 [20，30，40，50，60，70]。得到如图 15-26a 所示的 B- 树。在删除过程中，得到节点 [20，25，30] 需要 2 次磁盘访问。读取最邻近的右兄弟需要 1 次磁盘访问，将两个修改后的节点写回磁盘还需要 2 次磁盘访问。因此磁盘访问次数一共是 5 次。

合并操作必减少父节点的元素个数，父节点可能会缺少一个元素。如果是这样，那么需要选择父节点的最邻近的一个兄弟，要么从中取一个元素，要么与它合并。如果从最邻近的右（左）兄弟中取一个元素，那么此兄弟节点的最左（最右）子树也将被读取。如果进行合并，那么祖父节点也可能会缺少一个元素，然后在祖父节点重复相同的过程。最坏情况下，这种过程会一直回溯到根节点。当根节点缺少一个元素时，它在合并之后变成空节点，然后被删除，树的高度减1。

假设从图15-25的2-3树中删除10。删除后的节点不含任何元素。它的最相邻右兄弟[25] 没有额外的元素，因此，两个兄弟及父节点（20）的元素被合并到一个节点，结果如图15-27b所示。现在第二层有一个节点缺少一个元素，它的最邻近的右兄弟有一个额外的元素。把该兄弟中最左边的元素（关键字为50的元素）移到父节点中，并将关键字为30的元素移下来，结果如图15-27c所示。注意，节点 [50, 60] 的左子树也要移动。到达被删除元素所在的叶节点需要3次读访问，取得第二和三层的最邻近右兄弟节点需要2次读访问，将第一、二和三层的4个修改后的节点写回磁盘需要4次写访问。因此总的磁盘访问次数是9次。

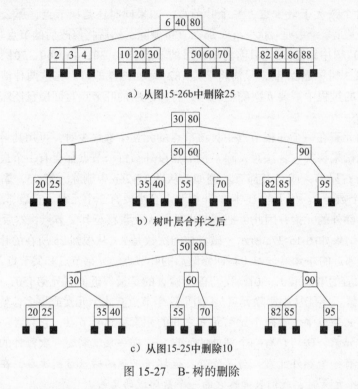

a）从图15-26b中删除25

b）树叶层合并之后

c）从图15-25中删除10

图 15-27　B- 树的删除

最后一个例子是从图15-26c的2-3树中删除关键字为44的元素。删除后，该元素所在的叶节点缺少一个元素。它的最相邻左兄弟没有额外的元素，因此两兄弟与父节点中的元素合并，结果如图15-28a所示。现在第三层有一个节点缺少一个元素，它最邻近的左兄弟没有额外的元素，因此两兄弟与父节点的元素合并，结果如图15-28b所示。现在第二层有一个节点缺少一个元素，它最邻近的右兄弟不含额外的元素，执行合并后得到图15-28c。现在的根节点缺少一个元素，即为空节点，因此根节点被删除。最后的2-3树如图15-28d所示。树的高度就减少了一层。

找到被删除元素所在的叶节点需要4次磁盘访问，最邻近的兄弟需要3次读取磁盘和3次写磁盘。因此总的访问量是10次。

对高度为 h 的 B- 树实施删除操作，最坏情况是，合并操作发生在 h，$h-1$，…，3层进行合并，从最邻近的兄弟中获取一个元素的操作发生在第2层。在最坏情况下磁盘访问次数是 $3h$；（找到被删除元素所在的节点需要 h 次读访问）＋（得到第2至 h 层的最邻近兄弟需要 $h-1$

次读访问）+（在第 3 至 n 层的合并需要 $h-2$ 次写访问）+（对修改过的根节点和第 2 层的 2 个节点进行 3 次写访问）。

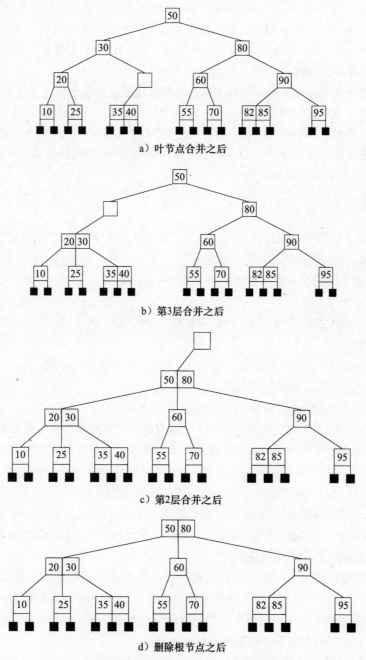

图 15-28 从图 15-26c 的 2-3 树中删除 44

15.4.8 节点结构

在以上讨论中，我们假定节点的结构如下：

$$s, \ c_0, \ (e_1,c_1), \ (e_2,c_2), \ \cdots, \ (e_s,c_s)$$

其中 s 是节点的元素个数，e_i 是按关键字升序排列的元素，c_i 是孩子指针。当元素比关键字更大时，可以采用以下的节点结构：

$$s, c_0, (k_1, c_1, p_1), (k_2, c_2, p_2), \cdots, (k_s, c_s, p_s)$$

其中 k_i 是元素的关键字，p_i 是相应元素在磁盘中的位置。利用这种结构，我们可以使用更高阶的 B- 树。如果非叶节点不含有 p_i 指针，并且在叶节点中用 p_i 指针替换空孩子指针，就可能产生更高阶的 B- 树，称作 B′- 树。

　　另一种可能是用平衡二叉搜索树描述每一个节点内容。利用平衡二叉搜索树可以减少 B- 树的阶，因为对于每个元素都需要一个左 – 右孩子指针以及一个平衡因子或颜色域。但是将元素插到节点或从节点中删除一个元素所花费的 CPU 时间减少了。这种方法能否导致性能提高取决于具体的应用。在某些情况中，较小的 m 可能能增加 B- 树的高度，导致每一次搜索 / 插入 / 删除操作需要更多的磁盘访问。

练习

57. 从一棵空的 2-3 树开始，依次插入关键字 20，40，30，10，25，28，27，32，36，34，35，8，6，2，3。画出每一次插入之后的 2-3 树。

58. 从一棵空的 2-3 树开始，依次插入关键字 2，1，5，6，7，4，3，8，9，10，11。画出每一次插入之后的 2-3 树。

59. 从图 15-25 中依次删除关键字 55，40，70，35，60，95，90，82，80。模仿图 15-28，画出每一删除的步骤。

60. 1）从图 15-26c 的 2-3 树中删除 10。模仿图 15-28，画出删除的步骤。

　　2）重做 1），不过从图 15-26c 中删除的是 70。

　　3）重做 1），不过从图 15-26c 中依次删除的是 95 和 85。

61. 如果每个节点占用 2 个磁盘块并且需要 2 次磁盘访问才能搜索出来，那么在一棵 $2m$ 阶 B- 树的搜索过程中需要的最大磁盘访问量是多少？将该次数与节点大小占用 1 个磁盘块的 m 阶 B- 树的磁盘访问次数相比较，并论述节点大小大于磁盘块大小时的优点。

62. 从一个 m 阶 B- 树的非叶节点中删除一个元素需要磁盘访问的最大次数是多少？

63. 假如按以下方法修改从 B- 树中删除元素的方式：如果一个元素既有最邻近的左兄弟也有最邻近的右兄弟，那么在合并前对两个兄弟都要做检查。从一棵高度为 h 的 B- 树中删除元素需要磁盘访问的最多次数是多少？

64. 一棵 2-3-4 树可以描述为一棵二叉树，其中每个节点要么是红色的，要么是黑色的。在 2-3-4 树中只含有一个元素的节点被描述为黑色节点；含有两个元素的节点被描述为有一个红色孩子的黑色节点（红色孩子可以是黑色节点的左孩子，也可以是右孩子）；含有三个元素的节点被描述为有两个红色孩子的黑色节点。

　　1）画一棵 2-3-4 树，其中至少包含一个 2 元素节点和一个 3 元素节点，用上述方法将其画成带颜色节点的二叉树。

　　2）验证该二叉树是一棵红 – 黑树。

　　3）证明当用上述方法把任意二叉树描述成一棵带颜色的二叉树时，所得到的树是一棵红 – 黑树。

　　4）证明可以用相反的映射方式把任意一棵红 – 黑树描述成一棵 2-3-4 树。

5）验证下列事实：对于红 – 黑树的插入操作，15.2.4 节给出改变颜色和旋转的方法，也可以从采用 4）中映射模式的 B- 树插入方法中得到。

6）对从红 – 黑树中删除元素的情况重做 5）。

65. 使用 2-3 树设计一个类 twoThree，它派生于抽象类 dictionary（程序 10-1）。测试代码是否正确。

66. 使用 2-3-4 树设计一个类 twoThreeFour，它派生于抽象类 dictionary（程序 10-1）。测试代码是否正确。

15.5 参考及推荐读物

AVL 树是由 G. Adelson-Velskii 和 E. Landis 在 1962 年发明的。关于这些树和其他搜索树的更多资料可以参考 D. Knuth. *The Art Of Computer programming*: *Sorting and searching*, Volume3. 2nd ed. Addision-Wesley, Reading MA, 1998.

红 – 黑树是由 R. Bayer 在 1972 年发明，不过 Bayer 将这种树叫做"对称的平衡 B- 树"，红 – 黑树这一术语是 Guibas 和 Sedgewick 在更详细地研究了这种树之后于 1978 年提出的。这方面的先期论文有 R. Bayer. *Symmetric Binary B-Trees*: *Data Structures and Maintenance Algorithms*. Acta Informatica, 1, 1972, 290~306, 以及 L. Guibas, R. S. edgewick. *A Dichromatic Framework for Balanced Trees*. Proceedings of the 10th IEEE Symposium on Foundations of Computer Science, 1978, 8~21.

关于应用红 – 黑树实现优先搜索树方面的资料可参考 E. McCreight. *Priority Search Trees*. SIAM Journal on Computing, 14, 2, 1985, 257~276.

具有相同渐近复杂性的各种不同搜索树结构可参考 E. Horowitz, S. Sahni, D. Mehta. *Fundamentals of Data Structures in C++*. W. H. Freeman, New York, NY, 1994. 这本书还介绍了 B′- 树和其他各种变化的 B*- 树。

在本书的网站上，你可以找到有关折算复杂性的更详尽的资料。不要忘记，通过本书网站，你还要了解诸如单词查找树和后缀树等其他搜索结构的知识。

图

概述

恭喜你！已经成功穿越了"树"的深林，你接下来要学习图。图可以描述的实际问题成千上万，数量之多，令人惊叹，不过在本书中我们仅研究其中的一小部分。本章包括如下内容：

- 图的术语：顶点、边、邻接、关联、度、回路、路径、连通构件、生成树。
- 图的类型：无向图、有向图和加权图。
- 图的常用描述方法：邻接矩阵、矩阵邻接表和邻接链表。
- 图的标准搜索方法：广度优先搜索和深度优先搜索。
- 图的算法：寻找图的路径、寻找无向图的连通构件、寻找连通无向图的生成树。

还有一些算法包含在后续章节中，这些算法有：拓扑排序、二分覆盖、最短路径、最小生成树、最大团、旅行推销员。

16.1 基本概念

简单地说，图（graph）是一个用线或边连接在一起的顶点或节点的集合。严格地说，**图**是有限集 V 和 E 的有序对，即 $G=(V,E)$，其中 V 的元素称为**顶点**（也称**节点**或**点**），E 的元素称为**边**（也称**弧**或**线**）。每一条边连接两个不同的顶点，而且用元组 (i, j) 来表示，其中 i 和 j 是边所连接的两个顶点。

如果用图示来表示一个图，那么一般用圆圈表示顶点，用线段表示边。例如，图 16-1 所示的图。在该图中，有些边是带方向的（带箭头），而有些边是不带方向的。带方向的边叫**有向边**（directed edge），而不带方向的边叫**无向边**（undirected edge）。对无向边来说，(i, j) 和 (j, i) 是一样的；而对有向边来说，它们是不同的，前者的方向是从 i 到 j，后者是从 j 到 i。⊖

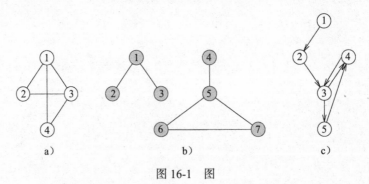

a) b) c)

图 16-1 图

⊖ 有些书用 i,j 表示无向边，用 (i,j) 表示有向边。有些书用 (i,j) 表示无向边，用 $<i,j>$ 表示有向边。本书用同一形式 (i,j) 表示两种边。一条边是否为有向边，上下文可以清楚地表明。

当且仅当（*i,j*）是图的边，称顶点 *i* 和 *j* 是**邻接的**（adjacent）。边（*i,j*）**关联**（incident）于顶点 *i* 和 *j*。图 16-1a 中顶点 1 和 2 是邻接的，顶点 1 和 3，1 和 4，2 和 3，3 和 4 也邻接的。除此之外，这个图没有其他邻接的顶点。边（1,2）关联于顶点 1 和 2，（2,3）关联于顶点 2 和 3。

对有向图的邻接和关联的概念做更精确的定义有时非常有用。有向边（*i,j*）是**关联至**（incident to）顶点 *j* 而**关联于**（incident from）顶点 *i*。顶点 *i* **邻接至**（adjacent to）顶点 *j*，顶点 *j* **邻接于**（adjacent from）顶点 *i*。在图 16-1c 中，顶点 2 邻接于顶点 1，而顶点 1 邻接至顶点 2。边 (1,2) 关联于顶点 1，而关联至顶点 2。顶点 4 不仅邻接至顶点 3 且邻接于顶点 3。边（3,4）关联于顶点 3，而关联至顶点 4。对于无向图来说，"至"和"于"的含义相同。

如果使用集合表示方法，图 16-1 的几个图可以用如下方法表示：$G_1=（V_1,E_1）$，$G_2=(V_2,E_2)$ 和 $G_3=(V_3,E_3)$，其中：

$$V_1=\{1,2,3,4\}; \qquad E_1=\{(1,2),\ (1,3),\ (2,3),\ (1,4),\ (3,4)\}$$
$$V_2=\{1,2,3,4,5,6,7\}; \qquad E_2=\{(1,2),\ (1,3),\ (4,5),\ (5,6),\ (5,7),\ (6,7)\}$$
$$V_3=\{1,2,3,4,5\}; \qquad E_3=\{(1,2),\ (2,3),\ (3,4),\ (4,3),\ (3,5),\ (5,4)\}$$

如果图的所有边都是无向边，那么该图叫做**无向图**（undirected graph），图 16-1a 和图 16-1b 都是无向图。如果图的所有边都是有向边，那么该图叫做**有向图**（directed graph 或 digraph），图 16-1c 是一个有向图。

根据定义，一个图不能有重复的边。在无向图的任意两个顶点之间，最多只能有一条边。在有向图的任意两个顶点 *i* 和 *j* 之间，从顶点 *i* 到顶点 *j* 最多有一条边，从顶点 *j* 到顶点 *i* 也最多有一条边。一个图不可能包含**自连边**（self-edge），即（*i,i*）形式的边。自连边也叫做**环**（loop）。

在图的一些应用中，我们可能要为每条边赋予一个表示成本的值，我们称之为权。这时的图称为**加权有向图**（weighted digraph）和**加权无向图**（weighted undirected graph）。一个**网络**（network）经常指一个加权有向图或加权无向图。实际上，所有的图都可以看做是特殊的网络——一个无向（有向）图可以看做是一个所有边上的权都相同的无向（有向）网络。

16.2 应用和更多的概念

无向图、有向图和网络常常用于电子网络的分析、化合物（特别是碳氢化合物）的分子结构研究、空中航线和通信网络的描述、项目策划、遗传研究、统计、社会科学等很多种领域。这一节将用图来确切地描述一些实际问题。

例 16-1[路径问题] 城市有许多街道，每一个路口都可以看做有向图的一个顶点，邻接的两个路口之间的街道，如果是双行线，就可以看做两条有向边，如果是单行线，就可以看做一条有向边。图 16-2 是假想的街道地图和相应的有向图。它有三条街道：街道 1，街道 2，和街道 3。有两条大街：大街 1 和大街 2。路口用数字 1 到 6 编号。相应的有向图如图 16-2b 所示，其顶点标号与图 16-2a 的路口标号相同。

一个顶点序列 $P=i_1, i_2, \cdots, i_k$ 是图或有向图 $G=(V,E)$ 的一条从 i_1 到 i_k 的路径，当且仅当对于每个 $j(1 \leqslant j<k)$，边 (i_j,i_{j+1}) 都在 E 中。从路口 *i* 到 *j* 存在一条路径，当且仅当在相应的有向图中，从顶点 *i* 到 *j* 有一条路径。在图 16-2b 的有向图中，5，2，1 是从 5 到 1 的一条路径。在这个有向图中，从 5 到 4 之间没有路径。

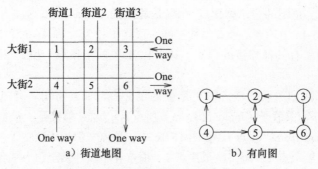

图 16-2　街道地图及其相应的有向图

一条路径，如果除第一个和最后一个顶点之外，其余所有顶点均不同，那么该路径称为一条**简单路径**（simple path）。路径 5，2，1 是简单路径，而 2，5，2，1 不是。

图或有向图的每一条边都可以有**长度**。一条路径的长度是该路径的所有边长度之和。从路口 i 到路口 j 的最短道路是在相应的网络（即加权有向图）中从顶点 i 到顶点 j 的最短路径。

例 16-2[生成树]　设 $G=(V,E)$ 是一个无向图。G 是**连通的**（connected），当且仅当 G 的每一对顶点之间都有一条路径。图 16-1a 的无向图是连通的，而图 16-1b 的无向图不是。假定 G 是一个通信网络，V 表示城市的集合，E 表示通信链路的集合。V 的每一对城市之间可以通信，当且仅当 G 是连通的。在图 16-1a 的通信网络中，城市 2 和 4 可以通过路径 2，3，4 进行通信，而在图 16-1b 的网络中，城市 2 和 4 不能通信。

假设 G 是连通的，但是 G 的有些边对连通性来说是不必要的，去掉这些边依然连通。在图 16-1a 中，即使去掉边（2，3）和（1，4），整个图仍然连通。

如果 H 的顶点和边的集合分别是 G 的顶点和边的集合的子集，那么称图 H 是图 G 的**子图**（subgraph）。一条始点和终点相同的简单路径称为**环路**（cycle）。例如，1，2，3，1 是图 16-1a 的一条环路。没有环路的连通无向图是一棵树。一个 G 的子图，如果包含 G 的所有顶点，且是一棵树，则称为 G 的**生成树**（spanning tree）。图 16-1a 的生成树如图 16-3 所示。

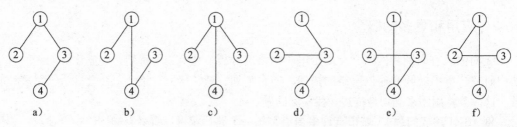

图 16-3　图 16-1a 的一些生成树

一个具有 n 个顶点的连通无向图至少有 $n–1$ 条边。因此，当连通网络的每条链路的建造成本都相同时，任意一棵生成树的建设成本都可以将网络建设成本减至最小，并保证网络的连通。如果不同的链路具有不同的建造成本，那么需要在一棵成本最小的生成树（生成树的成本是所有链路的成本之和）上建设链路。图 16-4 是一个图和它的两棵生成树。

例 16-3[翻译人员]　假设你正在策划一次国际会议。所有发言人都只会说英语，而每一个与会人员所懂得的语言是 L1，L2，…，Ln 中的一种。翻译小组可以在英语和其他语言之间互译。现在的任务是如何使翻译小组的人数最少。

我们可以把这个任务准确地表示为一个图的问题。在这个图中有两组顶点：一组与翻译人员对应，另一组与语言对应（见图 16-5）。在翻译人员 i 与语言 L_j 之间存在一条边，当且仅当翻译人员 i 能够将英语和语言 L_j 互译。翻译人员 i 覆盖语言 L_i，当且仅当有一条边连接翻译人员 i 和语言 L_i。我们需要找到能够覆盖所有语言顶点的最小翻译人员顶点集。

图 16-5 的顶点被分为两个子集：A（翻译人员顶点）和 B（语言顶点）。每条边都有一个顶点在 A 中，另一个顶点在 B 中。具有这种特征的图叫**二分图**（bipartite graph）。 ■

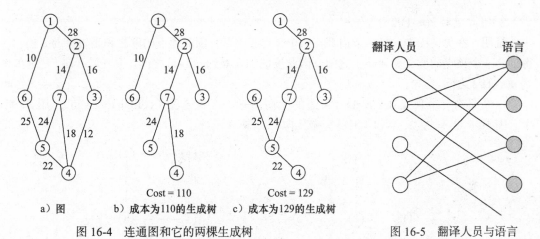

a）图　　　　b）成本为110的生成树　　　c）成本为129的生成树

图 16-4　连通图和它的两棵生成树

图 16-5　翻译人员与语言

练习

1. 考虑图 16-4b。下面哪一条是简单路径？为什么？

　　1）6，1，2，7，4

　　2）1，2，3，4

　　3）7，2，3，2，1，6

　　4）4，5，7，2

2. 1）列举出在图 16-1a 的顶点 1 和 4 之间的所有简单路径。

　　2）列举出在图 16-4a 的顶点 1 和 7 之间的所有简单路径。

　　3）列举出在图 16-4a 的顶点 3 和 6 之间的所有简单路径。

　　4）列举出在图 16-1c 中，从顶点 4 到 1 的所有简单路径。

　　5）列举出在图 16-2b 中，从顶点 4 到 1 的所有简单路径。

3. 画出图 16-1a 的所有子图。

4. 列举出图 16-4a 的所有环路。

5. 列举出图 16-2b 的所有环路。

6. 画出图 16-4a 的两个以上的生成树。给出每一棵生成树的成本。

7. Anita、Beth、Jack 和 Roger 申请书店的一份工作。Anita 可以在周一、周三和周五上班；Beth 可以在周一、周二和周四上班；Jack 可以在周日、周一和周六上班；Roger 可以在周四和周五上班。画一张二分图，其中顶点表示求职者和一周的每一天，边连接求职者和他的工作日。选择可以覆盖每一天的最小求职者数。

8. 举出另外两个可以用二分图来描述的实际问题。

16.3 特性

在一个无向图中，与一个顶点 i 相关联的边数称为该顶点的**度**（degree）d_i。在图 16-1a 中，$d_1=3$，$d_2=2$，$d_3=3$，$d_4=2$。

特性 16-1 设 $G=(V, E)$ 是一个无向图。令 $n=|V|$，$e=|E|$，则

1）$\sum_{i=1}^{n} d_i = 2e$

2）$0 \leqslant e \leqslant n(n-1)/2$

证明 在无向图中，每一条边都与两个顶点相关联，因此顶点的度之和是边数的 2 倍。1）得证。一个顶点的度在 0 到 $n-1$ 之间，因此度的和在 0 到 $n(n-1)$ 之间。从 1）可知，e 是在 0 到 $n(n-1)/2$ 之间。　■

一个具有 n 个顶点和 $n(n-1)/2$ 条边的无向图是一个**完全图**（complete graph），用 K_n 表示。图 16-6 是 $n=1$，2，3 和 4 时的完全无向图。

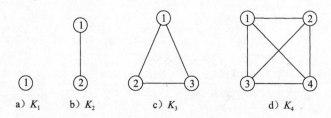

图 16-6　完全无向图

设 G 是一个有向图。顶点 i 的**入度**（in-degree）d_i^{in} 是指关联至该顶点的边数。顶点 i 的出**度**（out-degree）d_i^{out} 是指关联于该顶点的边数。对于图 16-1c，$d_1^{in}=0$，$d_1^{out}=1$，$d_2^{in}=1$，$d_2^{out}=1$，$d_3^{in}=2$，$d_3^{out}=2$。

特性 16-2 设 $G=(V,E)$ 是一个有向图。令 $n=|V|$，$e=|E|$，则

1）$0 \leqslant e \leqslant n(n-1)$

2）$\sum_{i=1}^{n} d_i^{in} = \sum_{i=1}^{n} d_i^{out} = e$

证明 作为练习 10。　■

一个具有 n 个顶点的完全有向图（complete graph）恰好包含 $n(n-1)$ 条有向边。图 16-7 给出了 $n=1$，2，3 和 4 时的完全有向图。

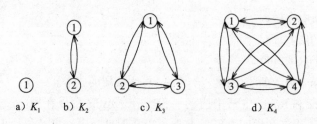

图 16-7　完全有向图

在无向图中，入度和出度可以看做是度的同义词。本节提供的定义可以直接扩充到网络中。

练习

9. 对于图 16-8 的每一个图，确定下列的值：

1）每个顶点的入度。

2）每个顶点的出度。

3）邻接于顶点 2 的顶点集合。

4）邻接至顶点 1 的顶点集合。

5）关联于顶点 3 的边的集合。

6）关联至顶点 4 的边的集合。

7）所有的有向环路和它们的长度。

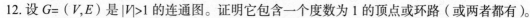

图 16-8 有向图

10. 证明特性 16-2。

11. 设 G 是任意无向图。证明有偶数个度数为奇数的顶点。

12. 设 $G=(V,E)$ 是 $|V|>1$ 的连通图。证明它包含一个度数为 1 的顶点或环路（或两者都有）。

13. 设 $G=(V,E)$ 是至少包含一个环路的无向连通图，边 $(i,j) \in E$ 至少出现在一个环路中。证明图 $H=(V, E-\{(i,j)\})$ 也是连通的。

14. 证明：

1）对于每一个 $n(n \geq 1)$，都存在一个恰有 $n-1$ 条边的无向连通图。

2）每一个具有 n 个顶点的无向连通图至少有 $n-1$ 条边。可以使用前面两个练习的结论。

15. 一个有向图是**强连通**（strongly connected）的，当且仅当对于每一对不同顶点 i 和 j，从 i 到 j 和从 j 到 i 都有一条有向路径。

1）证明对于每一个 n（$n \geq 2$），都存在一个恰有 n 条边的强连通有向图。

2）证明每一个具有 $n(n \geq 2)$ 个顶点的强连通有向图至少包含 n 条边，$n \geq 2$。

16.4 抽象数据类型 graph

抽象数据类型 graph 适用于各种图：有向图、无向图、加权图和无权图。ADT 16-1 只列出了图操作的一小部分。随着学习的深入，我们还会加入一些操作。

抽象数据类型 *graph*

{

  实例

    顶点集合 V 和边集合 E

  操作

numberOfVertices(): 返回图的顶点数

  numberOfEdge(i,j): 返回图的边数

    existsEdge(i,j): 如果边 (i,j) 存在，返回 true，否则返回 false

insertEdge(theEdge): 删除边 (i,j)

eyaseEdge(i,j): 删除边

    degree(i): 返回顶点 i 的度。只用于无向图

  inDegree(i): 返回顶点 i 的入度

outDegree(i) 返回顶点 i 的出度

};

ADT 16-1 图的抽象数据类型描述

与我们前几章看到的抽象类不同，与 ADT graph 对应的抽象类包含一些纯虚方法，以及

一些在本类中实现的方法。后者将利用迭代器从一个给定的顶点开始，根据相邻的关系，依次访问所有的顶点。一些方法还需要知道它所操作的图是否有向及是否加权。因此我们增加图 graph 的抽象数据类型（ADT 16-1），它具有完成这些任务的方法。程序 16-1 是据此产生的 C++ 抽象类。对加权图，T 是边上的权的数据类型。对无权图，T 是布尔类型。

程序 16-1　抽象类 graph

```
template<class T>
class graph
{
    public:
        virtual ~graph() {}

        // ADT 方法
        virtual int numberOfVertices() const = 0;
        virtual int numberOfEdges() const = 0;
        virtual bool existsEdge(int, int) const = 0;
        virtual void insertEdge(edge<T>*) = 0;
        virtual void eraseEdge(int, int) = 0;
        virtual int degree(int) const = 0;
        virtual int inDegree(int) const = 0;
        virtual int outDegree(int) const = 0;

        // 其他方法
        virtual bool directed() const = 0;            // 当且仅当是有向图时，返回值是 true
        virtual bool weighted() const = 0;            // 当且仅当是加权图时，返回值是 true
        virtual vertexIterator<T>* iterator(int) = 0;   // 访问指定顶点的相邻顶点
};
```

方法 insertEdge 的输入数据的类型是模板类 edge。模板类 edge 是一个抽象类，它具有方法 vertex1、vertex2 和 weight，这些方法的返回值分别是一个边的第一个顶点，第二个顶点和权。程序 16-1 还用到了模板类 vertexIterator，这是一个抽象类，它只包含虚析构函数和纯虚方法。

```
virtual int next()=0;
virtual int next(T&)=0;
```

令 g 是指向一个图的一个指针。我们可以用下面的语句创建顶点 5 的一个迭代器：

```
vertexIterator<T> *vertex5Iterator=iterator(5);
```

接下来的调用语句 vertex5Iterator->next() 将返回一个与顶点 5 相邻的顶点，假设是 j，这时（5，j）是图的一条边。如果没有相邻的顶点，返回值是 0。当 g 指向的是一个加权图时，假设调用语句 vertex5Iterator->next(w) 的返回值是 j，这时 w 成为边（5，j）的权。

16.5　无权图的描述

对无向图最常用的描述方法都是基于邻接的方式：邻接矩阵邻接链表和邻接数组。

16.5.1　邻接矩阵

一个 n 顶点图 $G=(V,E)$ 的**邻接矩阵**（adjacent matrix）是一个 $n \times n$ 的矩阵（假设是 A），其中每个元素是 0 或 1。假设 $V=\{1,2,3,\cdots,n\}$。如果 G 是一个无向图，那么其中的元素定义如下：

$$A(i,j)=\begin{cases}1 & \text{如果 } (i,j)\in E \text{ 或 } (j,i)\in E \\ 0 & \text{其他}\end{cases} \qquad (16\text{-}1)$$

如果 G 是有向图，那么其中的元素定义如下：

$$A(i,j)=\begin{cases}1 & \text{如果 } (i,j)\in E \\ 0 & \text{其他}\end{cases} \qquad (16\text{-}2)$$

图 16-1 的邻接矩阵如图 16-9 所示。

从公式（16-1）和公式（16-2）可以立即得到以下结论：

1）对于 n 顶点的无向图，有 $A(i,i)=0$，$1\le i\le n$。

2）无向图的邻接矩阵是对称的，即 $A(i,j)=A(j,i)$，$1\le i\le n$，$1\le j\le n$。

3）对于 n 顶点的无向图，有 $\sum_{j=1}^{n}A(i,j)=\sum_{j=1}^{n}A(j,i)=d_i$（$d_i$ 是顶点的度）。

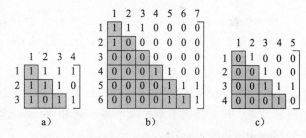

图 16-9　图 16-1 的邻接矩阵

4）对于 n 顶点的有向图，有 $\sum_{j=1}^{n}A(i,j)=d_i^{\text{out}}$ 和 $\sum_{j=1}^{n}A(j,i)=d_i^{\text{in}}$，$1\le i\le n$。

将邻接矩阵映射到数组

利用映射 $A(i,j)=1$，当且仅当 $a[i][j]$ 是 true，$1\le i\le n$，$1\le j\le n$，可以把 $n\times n$ 邻接矩阵 A 映射到一个 $(n+1)\times(n+1)$ 的布尔型数组，它需要 $(n+1)^2$ 字节。另一种方法是，利用映射 $A(i,j)=1$，当且仅当 $a[i-1][j-1]$ 是 true，$1\le i\le n$，$1\le j\le n$，可以把 $n\times n$ 邻接矩阵 A 映射到一个 $n\times n$ 的布尔型数组，它需要 n^2 字节，比前一种减少 $2n+1$ 字节。

因为所有对角线元素都是零而不需要储存，所以还可以进一步减少 n 字节的存储空间。把对角线元素去掉，可得到一个上（或下）三角矩阵（见 7.3.4 节）。这些三角矩阵可以压缩到一个 $(n-1)\times n$ 的矩阵中，如图 16-10 所示。图的阴影部分是原邻接矩阵的下三角形部分。

图 16-10　图 16-9 去掉对角线元素后的邻接矩阵

上述的方法减少的存储空间并不大，但是代价不小，因为顶点的外部索引和在图中的内部描述不匹配。这样一来，不仅代码容易出错，而且访问边的时间也会增加。因此我们还将使用 $(n+1)\times(n+1)$ 的数组映射。

无向图邻接矩阵是对称的（见 7.3.5 节），因此只需要存储上三角（或下三角）的元素，所需空间仅为 $(n^2-n)/2$ 字节。使用 7.3.5 节的方法，可以减少 50% 的存储空间，这对大型图来说是很有意义的。

使用邻接矩阵时，要确定邻接至或邻接于一个给定节点的集合需要用时 $\Theta(n)$。然而，增加或删除一条边仅需要用时 $\Theta(1)$。

16.5.2　邻接链表

一个顶点 i 的**邻接表**（adjacency list）是一个线性表，它包含所有邻接于顶点 i 的顶点。

在一个图的邻接表描述中，图的每一个顶点都有一个邻接表。当邻接表用链表表示时，就是邻接链表（linked-adjacency-list）。

我们可以使用类型为链表的数组 aList 来描述所有邻接表。aList[i].firstNode 指向顶点 i 的邻接表的第一个顶点。如果 x 指向链表 aList[i] 的一个顶点，那么（i, x→element）是图的一条边，其中 element 的数据类型是整型 int。图 16-11 是图 16-1 的邻接链表描述。

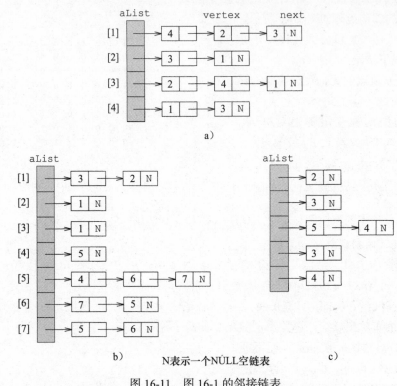

N表示一个NULL空链表

图 16-11　图 16-1 的邻接链表

一个指针和一个整数各需要 4 字节的存储空间，因此用邻接链表描述一个 n 顶点图需要 $8(n+1)$ 字节存储 $n+1$ 个 firstNode 指针和 aList 链表的 listSize 域，需要 $4*2*m$ 字节存储 m 个链表节点，每个链表节点的两个域 next 和 element 各需 4 字节，其中对无向图，$m=2e$，对有向图 $m=e$，其中 e 是边数。

当 e 远远小于 n^2 时，邻接链表比邻接矩阵需要更少的空间。例如，一个 $e=n$ 的有向图，用邻接链表描述需要 $16n+8$ 字节，用压缩的邻接矩阵描述需要 n^2 字节。因此，当 $e=n \geq 17$ 时，邻接链表描述所需空间更少。

在邻接链表描述中，确定邻接于顶点 i 的顶点需用时 Θ（邻接于顶点 i 的顶点数）。插入或删除一条边 (i,j) 的用时，对无向图是 $O(d_i+d_j)$，对有向图是 $O(d_i^{out})$。

16.5.3　邻接数组

在邻接数组中，每一个邻接表用一个数组线性表而非链表来描述。例如，邻接链表的数组 aList 的数据类型现在可以是 arrayList（见程序 5-3）。另一个选择是用二维不规则数组（见 7.1.6 节）aList[][]，其中 aList[i] 容量等于顶点 i 的邻接表长度。图 16-12 是图 16-1 的邻接数组描述。你可以把 aList[i] 看做是一个一维数组或一个 arrayList 实例。

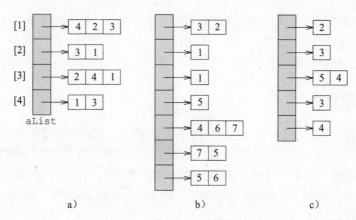

图 16-12 图 16-1 对应的邻接链表

邻接数组比邻接链表少用 4m 字节，因为不需要 next 指针域（这样的指针域有 m 个）。而大部分的图操作，无论是用邻接链表，还是用邻接数组，其渐近时间复杂性是相同的。但是，根据 6.1.6 节和 8.4.3 节的实验，我们认为，对大部分的图操作，邻接数组的用时要少于邻接链表。

注意，对邻接矩阵和邻接表所做的空间需求分析是渐近分析，而实际的实现所需空间可能要多一些，因为实际的代码可能要存储诸如顶点和边的个数，这些量在我们的分析中没有考虑。

练习

16. 为图 16-2b 画出下列描述图：
    1）邻接矩阵。
    2）邻接链表。
    3）邻接数组。

17. 对图 16-4a 完成练习 16。

18. 对图 16-5 完成练习 16。

19. 对图 16-8a 完成练习 16。

20. 对图 16-8b 完成练习 16。

21. 假设用一个布尔型数组来表述邻接矩阵，如图 16-10 所示。对角线不存储。编写方法 set 和 get 分别存储和搜索 $A(i,j)$ 的值，每一个方法的复杂性应为 $\Theta(1)$。

22. 用无向图完成练习 21，用一维布尔型数组 a 仅存下三角矩阵。

23. 假设用一个 $n \times n$ 的布尔型数组 a 来描述一个有向图的 $n \times n$ 邻接矩阵。编写一个方法，确定边的数量。时间复杂性应为 $O(n^2)$。并给出证明。

24. 假设用邻接数组来描述一个无向图（见图 16-12）。
    1）编写一个方法删除边 (i,j)。代码的复杂性是多少？
    2）编写一个方法增加边 (i,j)。代码的复杂性是多少？

25. 用邻接链表（见图 16-11）完成练习 23。

26. 用邻接链表完成练习 24。

27. 对有向图完成练习 24。

28. G 是用一个 n 个顶点、e 条边的无向图。e 至少是多少时，G 的邻接矩阵才会比邻接数组占用较少的空间？

29. 对有向图 G 完成练习 28。

16.6 加权图的描述

将无权图的描述进行简单扩充就可得到加权图的描述。用**成本邻接矩阵**（cost-adjacency-matrix）C 描述加权图。如果 $C(i,j)$ 表示边 (i,j) 的权，那么它的使用方法和邻接矩阵的使用方法一样。在这种描述方法中，需要给不存在的边指定一个值，一般是一个很大的值。在实现代码中，我们要求用户用 noEdge 表示这个值。图 16-13 是图 16-1 的一种成本邻接矩阵。破折号表示不存在的边。

如果链表的元素有两个域 vertex 和 weight，就可以从相应的无权图的邻接链表得到加权图的邻接链表。图 16-14 的邻接链表描述了图 16-13a 的成本邻接矩阵。元素第一个域是 vertex，第二个域是 weight。

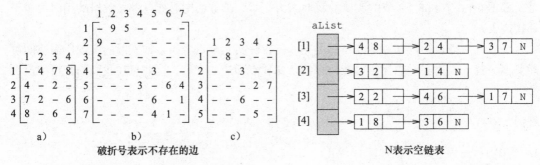

图 16-13　图 16-1 对应的可能的成本邻接矩阵　　　　图 16-14　加权图 16-13a 的邻接链表

如果每一个元素用数对（vertex，weight）表示，就可以从相应的无权图的数组邻接矩阵得到加权图的数组邻接矩阵。这种描述方法与图 16-14 的描述方法仅有一点区别：没有 next 指针。注意，邻接表对不存在的边不需要赋值。

练习

30. 对图 16-13a 和图 16-13b 的成本邻接矩阵，画出该加权图的邻接数组。

31. 对图 16-13b 和 16-13c 的成本邻接矩阵，画出该加权图的邻接链表。

16.7 类实现

16.7.1 不同的类

一共有 4 种图：无权无向图、加权无向图、无权有向图和加权有向图，在 16.5 节和 16.6 节中，对每一个图，我们都考虑三种描述方法：邻接矩阵、邻接链表和邻接数组。对每一种图的每一种描述，都有一个 C++ 类与之对应，一共 12 个类。本书只考虑 8 个类。与邻接数组对应的 4 个类留作练习 37 至练习 40。

本节要讨论的 8 个类是：adjacencyGraph（用矩阵描述的无权无向图）、adjacencyWGraph、adjacencyDigraph、adjacencyWDigraph、linkedGraph、linkedWGraph、linkedDigraph 和

linkedWDigraph。

在 4 种图中，有若干对之间存在 IsA 关系。例如，无向图可以看作"若边 (*j,i*) 存在，则边 (*i,j*) 也存在"的有向图；也可以看做所有边的权均为 1 的加权无向图；也可以看做所有边的权为 1，而且"若边 (*i,j*) 存在，则边 (*j,i*) 也存在"的加权有向图。类似的，有向图也可以看做所有边的权均为 1 的加权有向图。

利用这些关系可以很容易地设计这 8 个类，因为可以从一个类派生出另一个类。虽然存在很多 IsA 关系，但我们只能利用少数的几个关系。图 16-15 显示了我们使用的派生层次。例如，类 adjacencyGraph 从类 adjacencyWGraph 派生，类 adjacencyWGraph 从类 adjacencyWDigraph 派生。抽象类 graph 是所有类的超类。这个类包含了独立实现的方法。这些独立实现的方法被所有图类继承。

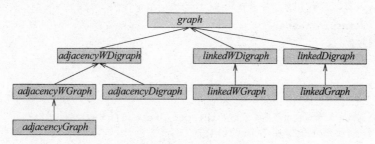

图 16-15　类的派生层次

16.7.2　邻接矩阵类

加权边的邻接矩阵类与无权边的邻接矩阵类是相似的。主要的区别是，加权边的类使用的是一个类型为 T 的二维数组，其中 T 是权的类型，而无权边的类使用的是一个类型为 bool 的二维数组。我们只描述加权图类 adjacencyWDigraph 和 adjacencyWGrahp。虽然本书只有类 adjacencyWDigraph 的代码，但是你可以从本书网站上得到所有邻接矩阵类的代码。

1. 类 adjacencyWDigraph

程序 16-2 是类 adjacencyWDigraph 的代码。

程序 16-2　加权有向图的成本邻接矩阵

```
template <class T>
class adjacencyWDigraph : public graph<T>
{
   protected:
       int n;            // 顶点个数
       int e;            // 边的个数
       T **a;            // 邻接数组
       T noEdge;         // 表示不存的边

   public:
       adjacencyWDigraph(int numberOfVertices = 0, T theNoEdge = 0)
       {// 构造函数
          // 确认顶点数的合法性
          if (numberOfVertices < 0)
          throw illegalParameterValue("number of vertices must be >= 0");
          n = numberOfVertices;
          e = 0;
```

```
      noEdge = theNoEdge;
      make2dArray(a, n + 1, n + 1);
      for (int i = 1; i <= n; i++)
         // 初始化邻接矩阵
         fill(a[i], a[i] + n + 1, noEdge);
   }


   ~adjacencyWDigraph() {delete2dArray(a, n + 1);}
   int numberOfVertices() const {return n;}
   int numberOfEdges() const {return e;}
   bool directed() const {return true;}
   bool weighted() const {return true;}
   bool existsEdge(int i, int j) const
   {// 返回值是真, 当且仅当 (i,j) 是图的一条边
      if (i < 1 || j < 1 || i > n || j > n || a[i][j] == noEdge)
         return false;
      else
         return true;
   }


   void insertEdge(edge<T> *theEdge)
   {// 插入边; 如果该边已经存在, 则用 theEdge->weight() 修改边的权
      int v1 = theEdge->vertex1();
      int v2 = theEdge->vertex2();
      if (v1 < 1 || v2 < 1 || v1 > n || v2 > n || v1 == v2)
      {
         ostringstream s;
         s << "(" << v1 << "," << v2
           << ") is not a permissible edge";
         throw illegalParameterValue(s.str());
      }

      if (a[v1][v2] == noEdge)   // 新的边
         e++;
      a[v1][v2] = theEdge->weight();
   }


   void eraseEdge(int i, int j)
   {// 删除边 (i,j)
      if (i >= 1 && j >= 1 && i <= n && j <= n && a[i][j] != noEdge)
      {
         a[i][j] = noEdge;
         e--;
      }
   }


   void checkVertex(int theVertex) const
   {// 确认是有效顶点
      if (theVertex < 1 || theVertex > n)
      {
         ostringstream s;
         s << "no vertex " << theVertex;
         throw illegalParameterValue(s.str());
      }
   }
```

```
int degree(int theVertex) const
   {throw undefinedMethod("degree() undefined");}

int outDegree(int theVertex) const
{// 返回顶点 theVertex 的出度
   checkVertex(theVertex);

   // 计数关联于顶点 theVertex 的边数
   int sum = 0;
   for (int j = 1; j <= n; j++)
      if (a[theVertex][j] != noEdge)
         sum++;

   return sum;
}

int inDegree(int theVertex) const
{// 返回顶点 theVertex 的入度
   checkVertex(theVertex);

   // 计数关联至顶点 theVertex 的边数
   int sum = 0;
   for (int j = 1; j <= n; j++)
      if (a[j][theVertex] != noEdge)
         sum++;

   return sum;
}

class myIterator : public vertexIterator<T>
{
   public:
      myIterator(T* theRow, T theNoEdge, int numberOfVertices)
      {
         row = theRow;
         noEdge = theNoEdge;
         n = numberOfVertices;
         currentVertex = 1;
      }

      ~myIterator() {}

      int next(T& theWeight)
      {// 返回下一个顶点。若不存在, 则返回 0
       // 赋权值 theWeight = 边的权值
       // 寻找下一个邻接的顶点
         for (int j = currentVertex; j <= n; j++)
            if (row[j] != noEdge)
            {
               currentVertex = j + 1;
               theWeight = row[j];
               return j;
            }
```

```
                        // 不存在下一个邻接的顶点
                        currentVertex = n + 1;
                        return 0;
                    }
                // next() 的代码与上面类似
            protected:
                T* row;              // 邻接矩阵的行
                T noEdge;            // theRow[i] == noEdge, 当且仅当没有关联于顶点 i 的边
                int n;               // 顶点数
                int currentVertex;
        };

        myIterator* iterator(int theVertex)
        {// 返回顶点 theVertex 的迭代器
            checkVertex(theVertex);
            return new myIterator(a[theVertex], noEdge, n);
        }
    };
```

构造函数创建了一个加权有向图的成本邻接矩阵，节点数 n=numberOfVertices，边数为 e。二维数组 a 的所有元素初始化为 noEdge，e 的初始值为 0。因此，构造函数的时间复杂性为 $O(n^2)$。

方法 insertEdge 首先要确证输入边 theEdge 的端点属于 [1,n]，而且不同，即边的端点对应的是加权有向图的顶点，边不是自连边。如果边 theEdge 没有通过这种检验，就抛出一个类型为 illegalParameterValue 的异常。如果通过检验，还必须检验该边是否在图中存在。如果已经存在，就要更新该边的权，而且边数不增加。如果不存在，就要把该边的权赋值在 a 中，然后边数增 1。

方法 eraseEdge 首先确认要删除的边在图中存在。如果该边存在，那么 a 的相应元素就被赋值 noEdge，而且边数减 1。

方法 degree 仅仅抛出一个类型为 undefinedMethod 的异常，因为 degree 仅是对无向图（不管是否加权）定义的。顶点 theVertex 的出度通过计算在 a[theVertex][*] 中不等于 noEdge 的元素数量来得到。顶点 theVertex 的入度是在 a[*][theVertex] 中不等于 noEdge 的元素数量。

对迭代器，我们定义了类 myIterator，它是 adjacencyWDigraph 的成员类。在抽象类 graph（16.4 节）中我们讨论过，迭代器一个一个地返回邻接于正在被访问的顶点的顶点。代码 next 在当前被访问的顶点所在的行，从当前位置 currentVertex 开始扫描，寻找第一个不等于 noEdge 的项。如果这一项存在，它返回一对数值：列的索引（即相邻的顶点）和边的权（前者是以函数返回值返回，后者以函数引用参数返回——译者注）。如果这一项不存在，则返回 0。

方法 existsEdge、numberOfVertices、numberOfEdges、directed、weighted、insertEdge、eraseEdge、degree 和 iterator 的时间复杂性是 $\Theta(1)$。方法 outDegree、inDegree 和 next 的时间复杂性是 $O(n)$。如果用一个数组来记录出度和入度的值，那么 outDegree 和 inDegree 的时间复杂性可以降到 $\Theta(1)$

2. 类 adjacencyWGraph

这个类派生于类 adjacencyWDigraph，它继承了超类的所有数据成员方法。我们需要重载那些内容不同的方法。方法 insertEdge 必须把边 theEdge 的权赋给 a[v1][v2] 和 a[v2][v1]。方

法 eraseEdge 必须把边 noEdge 赋给 a[i][j] 和 a[j][i]。方法 degree 必须定义，而且返回值是在 a[theVertex][*] 中不等于 noEdge 的元素数量方法 directed 的返回值应为 false。重载方法的代码与 adjacencyWDigraph 的相应代码很相似。本书没有包含这些代码，不过可以从本书网站上得到。

16.7.3 扩充 chain 类

在一个图的链表描述中，我们使用了一个链表数组。为了应用，我们在类 chain（见 6.1 节）的方法中增加了 eraseElement(theVertex)。这个方法搜索链表，查找顶点等于 theVertex 的元素。如果找到，则删除这个元素，并返回这个元素的指针。扩展后的链表为 graphChain。

16.7.4 链表类

程序 16-3 给出了类 linkedDigraph 的数据成员和一些方法。构造函数的时间复杂性是 $O(n)$，其中 $n=$numberOfVertices。方法 existsEdge(i, j) 的时间复杂性是 $O(d^{out}_i)$。

程序 16-3 类 linkedDigraph

```cpp
class linkedDigraph : public graph<bool>
{
    protected:
        int n;                       // 顶点数
        int e;                       // 边数
        graphChain<int> *aList;      // 邻接表

    public:
        linkedDigraph(int numberOfVertices = 0)
        {// 构造函数
            if (numberOfVertices < 0)
                throw illegalParameterValue
                    ("number of vertices must be >= 0");
            n = numberOfVertices;
            e = 0;
            aList = new graphChain<int> [n + 1];
        }

        ~linkedDigraph() {delete [] aList;}
        // 关于 numberOfVertics,numberOfEdges,directed 和 weighted 的代码
        // 与 adjacencyDiagraphino 相同
        bool existsEdge(int i, int j) const
        {// 返回 true, 当且仅当 (i,j) 是一条边
            if (i < 1 || j < 1 || i > n || j > n
                || aList[i].indexOf(j) == -1)
                return false;
            else
                return true;
        }

        void insertEdge(edge<bool> *theEdge)
        {// 插入一条边
            // 设置 V1 和 V2，并检验其合法性，此处代码与 adjacencyDiagraphino 相同

            if (aList[v1].indexOf(v2) == -1)
            {// 新边
```

```
                    aList[v1].insert(0, v2);
                    e++;
                }
            }

            void eraseEdge(int i, int j)
            {
                if (i >= 1 && j >= 1 && i <= n && j <= n)
                {
                    int *v = aList[i].eraseElement(j);
                    if (v != NULL)    // 边 (i,j) 存在
                        e--;
                }
            }

            void checkVertex(int theVertex) const
            {// 检验 theVertex 是否是有效顶点
                // 此处代码与 adjacecyDigraphino 相同
            }

            int degree(int theVertex) const
                {throw undefinedMethod("degree() undefined");}

            int outDegree(int theVertex) const
            {// 返回顶点 theVertex 的出度
                checkVertex(theVertex);
                return aList[theVertex].size();
            }

            int inDegree(int theVertex) const
            {
                checkVertex(theVertex);

                // 计数顶点 theVertex 的入边
                int sum = 0;
                for (int j = 1; j <= n; j++)
                    if (aList[j].indexOf(theVertex) != -1)
                        sum++;

                return sum;
            }

            // 迭代器代码省略
    };
```

要在有向图中插入一个边 (v1,v2)，首先要确定这个边在图中不存在，然后把 v2 插到链表 aList[v1] 之前。要删除边 (i,j)，我们用方法 graphChain::eraseElement 从链表 aList[i] 中删除 j。方法 insertEdge 的时间复杂性是 $O(d_{v1}^{out})$，方法 eraseEdge 的时间复杂性是 $O(d_i^{out})$。

方法 degree 对有向图没有定义。顶点 theVertex 的出度正是 aList[theVertex].listSize()。因为 chain::listSize() 的时间复杂性是 $\Theta(1)$，所以一个顶点的出度可以在时间 $\Theta(1)$ 内确

定。计算一个顶点的入度要用时多得多。为了计算顶点 theVertex 的入度，必须搜索所有邻接表，记录包含顶点 theVertex 的表的数量（程序 16-3）。方法 inDegree 的时间复杂性是 $O(n+e)$，其中 n 和 e 分别是顶点数和边数。如果用一个数组来记录入度，那么时间复杂性可以降到 $\Theta(1)$。

其他链表类

其他链表类的代码不难编写，也可以从本书网站得到。

练习

32. 编写方法 adjacencyWDigraph::input，它输入一个加权有向图。假设输入数据由顶点个数、边的个数和边的列表构成。每一条边都是一对顶点和边上的权。注意，输入方法是从邻接矩阵类继承的。你的输入方法对邻接矩阵类是否正确？如果不正确，编写新方法来覆盖它。

33. 编写和测试类 adjacencyWDigraph 的复制构造函数。

34. 编写方法 linkedDigraph::input，它输入一个有向图。时间复杂性应该是顶点数和边数的线性函数。证明是这样一个结果。

35. 编写方法 linkedWDigraph::input，它输入一个加权有向图。时间复杂性应该是顶点数和边数的线性函数。证明是这样一个结果。

36. 如果在类 graphChain 中包含方法 indexOf 的一个新版本，我们就能提高类 linkedWGraph 和 linkedWDigraph 的时间性能。这个新版本用来更新已经存在的元素。开发这样的 indexOf 方法，而且利用它修改邻接链表类的 insertEdge 方法。

37. 开发 C++ 类 arrayDigraph，用邻接数组描述有向图。

38. 开发 C++ 类 arrayGraph，用邻接数组描述无向图。

39. 开发 C++ 类 arrayWDigraph，用邻接数组描述加权有向图。

40. 开发 C++ 类 arrayWGraph，用邻接数组描述加权无向图。

16.8 图的遍历

图的算法很多，难以尽数。在 16.2 节，已经介绍了一些算法（例如，寻找路径、寻找生成树，判断一个向图是否是连通的），下面我们介绍其他算法。很多算法需要从一个已知的顶点开始，搜索所有可以到达的顶点。所谓顶点 u 是从顶点 v 可到达的，是指有一条从顶点 v 到顶点 u 的路径。这种搜索有两种常用的方法：广度优先搜索（breadth first search，BFS）和深度优先搜索（depth first search，DFS）。不过，要获得效率更高的图的算法，深度优先搜索方法使用得更多。

16.8.1 广度优先搜索

考察图 16-16a 的有向图。要搜索从顶点 1 开始可到达的所有顶点，一种方法是，首先确定邻接于顶点 1 的顶点集合，这个集合是 {2,3,4}。然后确定邻接于 {2,3,4} 的新的顶点集合（即还没有到达过的），这个集合是 {5,6,7}。邻接于 {5,6,7} 的新的顶点集合为 {8,9}。而不存在邻接于 {8,9} 的顶点。因此，从顶点 1 开始搜索，可以到达的顶点集合为 {1,2,3,4,5,6,7,8,9}。

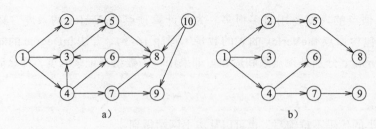

图 16-16　广度优先搜索

这种从一个顶点开始，搜索所有可到达顶点的方法叫做**广度优先搜索**。这种搜索方法可使用队列实现，图 16-17 给出了一种实现的伪代码。注意，图的 BFS 和二叉树的层次遍历是相似的。

如果用图 16-17 的伪代码广度优先搜索图 16-16a，且起始顶点 $v=1$，则在外层 while 循环的第一次迭代中，顶点 2,3,4 被依次加入队列中。在第二次迭代中，从队列中删除顶点 2，加入顶点 5；然后从队列中删除顶点 3，但是没有加入新顶点；从队列中删除顶点 4，加入顶点 6 和 7；从队列中删除顶点 5，加入顶点 8；从队列中删除顶点 6，但是没有加入新顶点；从队列中删除顶点 7，加入顶点 9，最后从队列中删除顶点 8 和 9，队列成空。过程终止时，顶点 1 到 9 被加上已到达标记。图 16-16b 给出了在广度搜索过程中所经历的边。

定理 16-1　设 G 是一个任意类型的图，v 是 G 的任一顶点。图 16-17 的伪代码能够标记从 v 出发可以到达的所有顶点（包括顶点 v）。　■

证明　这个定理的证明留做练习 43 第 1）题。

```
breadthFirstSearch(v)
{
    Label vertex v as reached.
    Initialize Q to be a queue with only v in it.
    while(Q is no empty)
    {
        Delete a vertex w from the queue.
        Let u be a vertex (if any) adjacent from w.
        while(u!=NULL)
        {
            if(u has not been labeled)
            {
                Add u to the queue.
                Label u as reached.
            }
            u=next vertex that is adjacent from w.
        }
    }
}
```

图 16-17　BFS 的伪代码

16.8.2　广度优先搜索的实现

如图 16-17 伪代码所示，BFS 方法要具有恰当的高度，就应该独立于图的类型和图的描述方法。然后，要实现下面的语句

$$u= 邻接于 w 的下一个顶点$$

我们需要知道实现的代码。使 BFS 方法成为超类 graph 的成员，使用 graph 的迭代器来实现邻接顶点的搜索，这样可以使我们不必为每一个图的实现单独地编写 BFS 代码。

独立实现的 BFS 代码（见程序 16-4）与图 16-17 的伪代码联系非常紧密。程序 16-4 在初始时，对于所有顶点都有 reach[i]=0 并且 lable ≠ 0。在算法终止时，所有可到达顶点都把对应的 reach[i] 设置成 label。

程序 16-4　BFS 代码

```
virtual void bfs(int v, int reach[], int label)
{//广度优先搜索。reach[i] 用来标记从顶点 v 可到达的所有顶点
    arrayQueue<int> q(10);
    reach[v] = label;
```

```
    q.push(v);
    while (!q.empty())
    {
        // 从队列中删除一个标记过的顶点
        int w = q.front();
        q.pop();

        // 标记所有没有到达的邻接于顶点 w 的顶点
        vertexIterator<T> *iw = iterator(w);
        int u;
        while ((u = iw->next()) != 0)
        // 访问顶点 w 的一个相邻顶点
            if (reach[u] == 0)
            {// u 是一个没有到达过的顶点
                q.push(u);
                reach[u] = label;  // 做到达标记
            }
        delete iw;
    }
}
```

16.8.3　方法 graph::bfs 的复杂性分析

每一个从起始顶点 v 出发可到达的顶点都被加上标记，加入队列只一次，从队列中删除只一次，而且它所在的邻接矩阵或邻接链表的行也只遍历一次。如果有 s 个顶点被标记，那么当使用邻接矩阵时，这些操作所需要的时间为 $O(sn)$，而使用邻接链表时，所需时间为 $O\left(\sum_i d_i^{out}\right)$，其中 i 表示被标记的顶点 i。对于无向图，顶点的出度就等于它的度。

现在我们想知道，与每一种描述都定制一个 BFS 代码相比，统一的 BFS 代码的复杂性是多少？我们需要三种定制的代码：一个是 adjacencyWDigraph 的成员，第二个是 linkedWDigraph 的成员，第三个是 linkedDigraph 的成员。其余的方法从超类中继承这些定制的代码。程序 16-5 和程序 16-6 分别 adjacencyWDigraph 和 linkedDigraph 定制的代码。

程序 16-5　为 adjacencyWDigraph 直接定制的 BFS 代码

```
void bfs(int v, int reach[], int label)
{// 广度优先搜索。reach[i] 用来标记所有邻接于顶点 v 的可到达的顶点
    arrayQueue<int> q(10);
    reach[v] = label;
    q.push(v);
    while (!q.empty())
    {
        // 从队列中删除一个有标记的顶点
        int w = q.front();
        q.pop();

        // 标记所有邻接于顶点 w 的还没有到达的顶点
        for (int u = 1; u <= n; u++)
            // 访问顶点 w 的一个关联的顶点
            if (a[w][u] != noEdge && reach[u] == 0)
            {// u 是一个没有到达的顶点
                q.push(u);
```

```
                    reach[u] = label; // 做到达标记
                }
        }
    }
```

<hr>

程序 16-6 为 linkedDigraph 直接定制的 BFS 代码

```
void bfs(int v, int reach[], int label)
{// 广度优先搜索。reach[i] 用来标记所有邻接于顶点 v 的可到达的顶点
    arrayQueue<int> q(10);
    reach[v] = label;
    q.push(v);
    while (!q.empty())
    {
        // 从队列中删除一个有标记的顶点
        int w = q.front();
        q.pop();

        // 标记所有邻接于顶点 w 的还没有到达的顶点
        for (chainNode<int>* u = aList[w].firstNode;
                        u != NULL; u = u->next)
            // 访问顶点 w 的一个关联的顶点
            if (reach[u->element] == 0)
            {// u->element 是一个没有到达的顶点
                q.push(u->element);
                reach[u->element] = label; // 做到达标记
            }
    }
}
```

<hr>

在 1.7GHz 的奔腾 4 PC 上，对 100 个顶点的无权完全无向图，用邻接矩阵描述时，graph::bfs 用时 0.18 毫秒。adjacencyWDigraph::bfs 用时 0.06 毫秒。在时间性能上，统一实现的代码 graph::bfs 是定制代码的 3 倍。对邻接链表的描述来说，独立的统一代码的执行时间为 1.0 毫秒，定制的代码是 0.9 毫秒。前者比后者多了 11%。

我们看到，使用独立 BFS 代码，而不是定制的代码，是有性能损失的。在邻接矩阵描述中，这种损失会很大，主要是因为使用迭代器。然而要记住，使用独立的代码有若干优点。例如，一份代码即可满足所有的图类描述，而定制代码需要若干个。因此，如果我们引进新的描述方法（例如邻接数组表），就可以不加修改地使用独立的代码。当我们要开发一个新的图应用程序，我们可以首先开发独立的代码。这个方法使所有应用实现使用这个代码。然后，如果时间和资源允许，我们就可以定制更有效率的代码。

16.8.4 深度优先搜索

深度优先搜索是另一种搜索方法。在 8.5.6 节的老鼠钻迷宫问题中已经使用了这种方法，而且它与二叉树的前序遍历很相似。

图 16-18 是 DFS 的伪码。从一个顶点 *v* 出发，DFS 按如下过程进行：首先将 *v* 标记为已到达的顶点，然后选择一个邻接于 *v* 的尚未到达的顶点

```
depthFirstSearch(v)
{
    Label vertex v as reached.
    for(each unreached vertex u adjacent from v)
        depthFirstSearch(u);
}
```

图 16-18 DFS 的伪代码

u。如果这样的 *u* 不存在，则搜索终止。假设这样的 *u* 存在，那么从 *u* 又开始一个新的 DFS。

当这种搜索结束时，再选择另外一个邻接于 v 的尚未到达的顶点。如果这样的顶点不存在，那么搜索终止。如果这样的顶点存在，又从这个顶点开始进行 DFS，如此继续下去。

让我们对图 16-16a 的有向图来应用 depthFirstSearch。如果 $v=1$，那么顶点 2、3 和 4 成为 u 的候选。假设选择顶点 2，那么从顶点 2 开始 DFS。将顶点 2 标记为已到达顶点。这时 u 的候选只有顶点 5，然后从 5 开始 DFS。将顶点 5 标记为已到达顶点，然后从顶点 8 开始 DFS。将顶点 8 加上标记。而从顶点 8 开始没有不可到达的邻接顶点，因此返回到顶点 5。顶点 5 也没有新的可到达的邻接顶点，再返回到顶点 2，然后返回到顶点 1。

在顶点 1，还有两个候选顶点：3 和 4。假设选中顶点。从顶点 4 开始 DFS，将顶点 4 标记为已到达顶点。现在，顶点 3、6 和 7 都成为候选顶点。假设选中顶点 6，这时顶点 3 是唯一的候选。从顶点 3 开始 DFS，并将它标记为已到达顶点。因为没有邻接于 3 的新顶点，所以返回到顶点 6。因为没有邻接于 6 的新顶点，所以返回顶点 4，这时顶点 7 成为新的候选。从 7 开始 DFS。然后到达顶点 9，而没有邻接于 9 的顶点。这一次，我们最终反回到顶点 1，而没有邻接于 1 的新顶点，因此算法终止。

对于算法 depthFirstSearch，我们可以证明一个定理，它与定理 16-1 类似。算法 depthFirstSearch 可以标记顶点 v 和所有从 v 可以到达的顶点（见练习 43 第 2）题）。

定理 16-2 设 G 是一个任意类型的图，v 是 G 的任意一个顶点。depthFirstSearch 可以标记所有从 v 可以到达的顶点（包括 v）。

证明 这个定理的证明留做练习 43 第 2）题。 ∎

16.8.5 深度优先搜索的实现

程序 16-7 是公有方法 graph::dfs 以及保护方法 graph::rDfs 的代码。它假设 graph<T>::reach 和 graph<T>::label 是类 graph 的静态数据成员。在实现 DFS 中，令 u 遍历所有邻接于 v 的顶点比仅仅遍历不邻接于 v 的顶点，其代码更容易。

程序 16-7 深度优先搜索

```
void dfs(int v, int reach [], int label)
{// 深度优先搜索。reach[i] 用来标记所有邻接于顶点 v 的可到达的顶点
   graph<T>::reach = reach;
   graph<T>::label = label;
   rDfs(v);
}

void rDfs(int v)
{// 深度优先搜索递归方法
   reach[v] = label;
   vertexIterator<T> *iv = iterator(v);
   int u;
   while ((u = iv->next()) != 0)
        // 访问与 v 相邻的顶点
        if (reach[u] == 0)
             rDfs(u);  // u 是一个没有到达的顶点
   delete iv;
}
```

16.8.6 方法 graph::dfs 的复杂性分析

可以验证 dfs 和 bfs 有相同的时间和空间复杂性。不过，使 dfs 占用空间最大（递归栈空间）的实例却是使 bfs 占用空间最小（队列空间）的实例，而使 bfs 占用空间最大的实例却是使 dfs 占用空间最小的实例。图 16-19 给出了 dfs 和 bfs 的性能在最好和最坏情况下的实例。

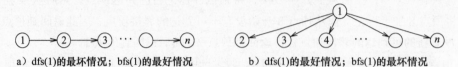

a）dfs(1)的最坏情况；bfs(1)的最好情况   b）dfs(1)的最好情况；bfs(1)的最坏情况

图 16-19　产生最好和最坏空间复杂性的图例

练习

41. 考虑图 16-4a 的图。

1）画出邻接链表和邻接数组的描述。

2）按序标记从顶点 4 开始的 BFS 中的顶点。使用 1）的描述和程序 16-4 的代码。

3）画出在 2）中由通向新顶点的边所构成的子图。

4）重做 2）和 3），不过是用程序 16-7 的代码进行 DFS。

42. 用顶点 7 作为搜索的起始顶点，完成练习 41。

43. 1）证明定理 16-1。

2）证明定理 16-2。

44. 为类 adjacencyWDigraph 和 linkedDigraph 编写定制的 DFS。

1）测试你的代码。

2）对 100 个顶点的完全有向图，定制的代码比程序 16-7 的独立实现代码提高了多少时间性能？

16.9　应用

16.9.1　寻找一条路径

用广度优先搜索或深度优先搜索，寻找一条从源点 theSource 到终点 theDestination 的路径（见例 16-1），搜索从顶点 theSource 开始，到达顶点 theDestination 结束。要实际地得到这条路径，需要记住从一个顶点到下一个顶点的边。在深度优先搜索中，路径的边集已隐含在递归过程中，因此利用深度优先策略设计一个寻找路径的程序是比较容易的。在完成顶点 theDestination 的标记之后，把递归过程扩展，可以反向建立起从 theDestination 到 theSource 的路径。程序 16-8 是方法 graph::findPath 的代码。程序 16-9 是方法 graph::rFindPath 的代码。

如果从顶点 theSource 到顶点 theDestination 不存在路径，那么 findPath 的返回值是 NULL；否则，返回值是一个数组 path，其中 path[0] 是路径的边数；path[1]=theSource…path[path[0]+1]=theDestination 是路径。

程序 16-8　在图中寻找一条路径的前序方法

```
int* findPath(int theSource, int theDestination)
{// 寻找一条从顶点 theSource 到顶点 theDestination 的路径
 // 返回一个数组 path，从索引 1 开始表示路径。path[0] 表示路径长度
```

```
// 如果路径不存在，返回 NULL
// 为寻找路径的递归算法初始化
   int n = numberOfVertices();
   path = new int [n + 1];
   path[1] = theSource;          // 第一个顶点总是
   length = 1;                    // 当前路径长度 + 1
   destination = theDestination;
   reach = new int [n + 1];
   for (int i = 1; i <= n; i++)
      reach[i] = 0;

   // 搜索路径
   if (theSource == theDestination || rFindPath(theSource))
      // 找到一条路径
      path[0] = length - 1;
   else
   {
      delete [] path;
      path = NULL;
   }

   delete [] reach;
   return path;
}
```

程序 16-9 在图中寻找一条路径的递归方法

```
bool rFindPath(int s)
{// 寻找路径的实际算法。从顶点 s 开始实施深度优先搜索
 // 顶点 s 不应该等于终点
 // 当且仅当一条路径找到了，返回 true
   reach[s] = 1;
   vertexIterator<T>* is = iterator(s);
   int u;
   while ((u = is->next()) != 0)
   {// 访问 s 的一个邻接顶点
      if (reach[u] == 0)      // u 是一个没有到达的顶点
      {// 移到顶点 u
         path[++length] = u;  // 路径中加入 u
         if (u == destination || rFindPath(u))
            return true;
         // 从顶点 u 到终点没有路径
         length--;            // 从路径中删除 u
      }
   }
   delete is;
   return false;
}
```

findPath 首先初始化 graph 的静态数据成员：destination, path, length 和 reach。算法实际上调用了保护性方法 graph::rFindPath，这个方法在路径不存在时，返回 false。方法 graph::rFindPath 对 DFS 做了两点修改：1）一到达路径终点，rFindPath 就停止。2）rFindPath 把从源点 theSource 到当前顶点 u 的路径上的顶点都记录在数组 path 中。注意，rFindPath 仅

当 theSource ≠ theDestination 时被调用。还要注意，rFindPath 寻找的不必是最短路径（即边数最少的路径）。当用 BFS 替代 DFS 时，寻找的是最短路径（见练习 45）。

findPath 与 dfs 具有相同的复杂性。

16.9.2 连通图及其构成

从任意一个顶点开始执行 DFS 或 BFS，然后检验是否所有顶点都被标记为已到达顶点，由此可以判断一个无向图 G 是否是连通的（见例 16-2）。虽然这个算法直接检验的是，从开始顶点到其他每一个顶点之间是否存在一条路径，但是对于判断每一对顶点之间是否存在一条路径来说，这种检验已经足够了。假设 i 是搜索的开始顶点并且到达了图的所有顶点，利用 i 到 u 的反向路径及 i 到 v 的路径，可以构成任意两个顶点 u 和 v 之间的路径。如果图不连通，则方法 connected（见程序 16-10）返回 false，否则返回 true。连通的概念仅是对无向图定义的，要检验图 *this 是否是无向图，可以调用方法 directed，当图 *this 是有向图时，这个方法的返回值是 true。

程序 16-10   确定一个无向图是否连通

```
bool connected()
{// 当且仅当图连通时，返回 true
   // 确定这是一个无向图
   if (directed())
      throw undefinedMethod
      ("graph::connected() not defined for directed graphs");

   int n = numberOfVertices();

   reach = new int [n + 1];   // 默认 reach[i] = 0

   // 给邻接于顶点 1 的可到达顶点做标记
   dfs(1, reach, 1);

   // 检查是否所有顶点都已标记
   for (int i = 1; i <= n; i++)
      if (reach[i] == 0)
         return false;
   return true;
}
```

在一个无向图中，从一个顶点 i 可到达的顶点集合 C 与连接 C 的任意两个顶点的边称为**连通构件**（connected component）。图 16-1b 有两个连通构件，一个由顶点 {1,2,3} 和边 {(1,2), (1,3)} 组成，另一个由剩余的顶点和边组成。所谓**构件标记问题**（component-labeling problem）是指对无向图的顶点进行标记，使得 2 个顶点具有相同的标记，当且仅当它们属于同一构件。在图 16-1b 的例子中，顶点 1、2 和 3 可以标记为 1，而剩下的顶点标记为 2。

可以反复调用 DFS 或 BFS 算法来给连通构件做标记。从每一个尚未标记的顶点开始进行搜索，并用新的标号标记新到达的顶点。因此，不同构件中的顶点具有不同的标记。方法 graph::labelComponents（见程序 16-11）解决了构件标记问题。该方法的返回值是无向图的构件数目。构件标记通过数组 c[1:n] 返回，其中 n 是图的顶点数。在程序 16-11 中，用 dfs 来取代 bfs，也能得到相同结果。当用邻接矩阵描述图时，程序 16-11 的复杂性是 $O(n^2)$；而用邻接链表描述图时，复杂性为 $O(n+e)$。

程序 16-11　构件标记

```
int labelComponents(int c[])
{// 给无向图的构件做标记
 // 返回构件的个数
 // 令 c[i] 是顶点 i 的构件号
 // 确定是一个无向图
   if (directed())
      throw undefinedMethod
       ("graph::labelComponents() not defined for directed graphs");

   int n = numberOfVertices();

 // 令所有顶点是非构件
   for (int i = 1; i <= n; i++)
      c[i] = 0;

   label = 0;   // 最后一个构件的编号
 // 确定构件
   for (int i = 1; i <= n; i++)
      if (c[i] == 0)   // 顶点 i 未到达
      {// 顶点 i 是一个新构件
         label++;
         bfs(i, c, label); // 给新构件做标记
      }

   return label;
}
```

16.9.3　生成树

在一个具有 n 个顶点的连通无向图或网中，如果从任一个顶点开始进行 BFS，那么从定理 16-1 可知，所有顶点都将被加上标记。在 graph::bfs（见程序 16-4）的内层 while 循环中，正好有 $n-1$ 个顶点到达。在该循环中，当到达一个新顶点 u 时，到达 u 的边是 (w,u)。这样得到的边集有 $n-1$ 条边，且它包含一条从 v 到其他每个顶点的路径，这条路径构成了一个连通子图，该子图即为 G 的生成树。

考察图 16-20a。如果从顶点 1 开始进行 BFS，那么边集 {(1,2)，(1,3)，(1,4)，(2,5)，(4,6)，(4,7)，(5,8)} 是到达以前未到达的顶点的边，这个边集合与图 16-20b 的生成树对应。

广度优先生成树（breadth-first spanning tree）是按 BFS 所得到的生成树。可以验证图 16-20b、图 16-20c 和图 16-20d 的生成树都是图 16-20a 的广度优先生成树。每一次 BFS 的起始顶点用阴影表示。

当在一个无向连通图或网络中执行 DFS 时，到达新顶点的边正好有 $n-1$ 条。这些边组成的子图也是一棵生成树。用 DFS 方法得到的生成树叫做**深度优先生成树**（depth-first spanning tree）。图 16-21 给出了图 16-20a 的一些深度优先生成树，起始顶点是 1。

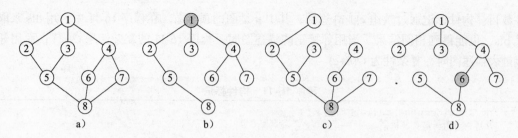

图 16-20　图及其一些广度优先生成树

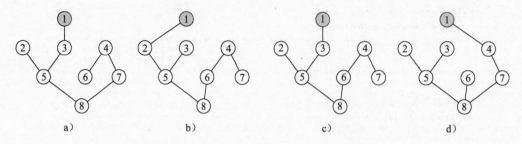

图 16-21　图 16-20a 的一些深度优先生成树

练习

45. 使用 BFS 而不是 DFS，编写程序 16-8 的另一个版本。证明由这个版本所得到的从 theSource 到 theDestination 的路径是最短路径。

46. 根据图 16-20a，完成以下练习：

　1）画出从顶点 3 开始的一个广度优先生成树。

　2）画出从顶点 7 开始的一个广度优先生成树。

　3）画出从顶点 3 开始的一个深度优先生成树。

　4）画出从顶点 7 开始的一个深度优先生成树。

47. 使用图 16-4a，完成练习 46。

48. 编写方法 graph::bfSpanningTree(theVertex)，用于从顶点 theVertex 开始实施 BFS，在一个连通无向图中寻找广度优先生成树。如果没有找到，返回值是 NULL。如果找到，返回值应该是一个边数组，它构成了生成树。边数组的数据类型是 pair<int,int>。

49. 编写方法 graph::dfSpanningTree(theVertex)，完成练习 48。从顶点 theVertex 开始，寻找一棵深度优先生成树。

50. 编写公有方法 graph::cycle()，用于确定一个无向图是否有一个环路。即可用 DFS 也可用 BFS 来实现。

1）证明代码的正确性。

2）确定程序的时间和空间复杂性。

51. 设 G 是一个无向图。编写方法 graph::bipartite()，当 G 不是一个二分图（见例 16-3）时，返回 NULL，当 G 是二分图时，返回一个整型数组 label，这个数组给顶点做了标记：对一个子集的顶点，lable[i]=1，对另一个子集的顶点，lable[i]=2。如果 G 有 n 个顶点且用矩阵描述，那么代码的复杂性应为 $O(n^2)$。如果用链表描述，则复杂性应为 $O(n+e)$。证明这个结果。（提示：执行若干次 BFS，每次均从目前未到达的顶点开始。将这个顶点分配到集合 1；把邻接于该顶点的顶点分配到集合 2；把邻接至集合 2 的顶点的顶点分配到集合 1，如此进行下去。还要检查分配是否有冲突，即一个顶点的分配是否发生变化）。

52. 设 G 是一个无向图。它的**传递闭包**（tansitive closure）是一个 0/1 数组 tc，当且仅当 G 存在一条边数大于 1 的从 i 到 j 的路径时，tc[i][j]=1。编写一个方法 graph::undirectedTC()，计算且返回 G 的传递闭包。方法的复杂性应为 $O(n^2)$，其中 n 是 G 的顶点数。（提示：采用构件标记策略。）

53. 对有向图 G，编写方法 graph:: directedTC()，完成练习 52。确定方法的复杂性。

第 17 章

Data Structures, Algorithms, and Applications in C++, Second Edition

贪婪算法

概述

走出数据结构的世界，进入算法设计的天地。从本章开始，我们来研究一些好的算法设计方法。对给定的问题，有些好算法的设计方法更像是艺术，不像是科学。但是这些设计方法在解决实际问题时是行之有效的。而且你可以把这些算法应用到需要用计算机求解的问题上，同时实际地检验这些算法的性能。一般情况下，你必须对算法进行细致的调整，才能获得所需的性能。然而在有些情况下，即使对算法进行调整也无法达到应有的要求，这时就必须寻求另外的设计方法。

本书的第 17 ~ 21 章提供了 5 种基本的算法设计方法：贪婪算法、分而治之算法、动态规划、回溯和分支定界。还有一些更高级的而且常用的方法，如线性规划、整数规划、中心网络、遗传算法、模拟退火。这些方法在本书中没有涉及，不过一般在相关的课程和书籍中有详尽的描述。

本章首先引入最优化的概念，然后介绍贪婪算法。贪婪算法一种非常直观的求解方法。虽然设计一个问题的贪婪算法通常是很容易的，但是设计出来的方法未必能产生最优的解。因此，我们实质上要显示一个贪婪算法是如何进行的。即使贪婪算法不能保证最优解，但是它们依然是有用的，因为它们常常使我们得到近似最优的解。应用贪婪算法可以求解货箱装载问题、背包问题、拓扑排序问题、二分覆盖问题、最短路径问题和最小代价生成树问题。

17.1 最优化问题

在本章及后续章节中有许多例子都是**最优化问题**（optimization problem）。每个最优化问题都包含一组**限制条件**（constraint）和一个**优化函数**（optimization function）。符合限制条件的问题求解方案称为**可行解**（feasible solution）。使优化函数可能取得最佳值的可行解称为**最优解**（optimal solution）。

例 17-1[渴婴问题]　一个口渴而聪明的婴儿想要解渴。她可以得到的饮料包括一杯水、一盒牛奶、多种灌装的果汁、许多瓶装或罐装的苏打水。总之，婴儿可得到 n 种不同的饮料。根据以往的经验，她知道有些饮料可口，有些并不好喝。因此，她要为每一种饮料赋予一个满意度值（satisfaction value）：饮用第 i 种饮料 1 盎司，可以给该饮料一个数值 s_i 作为满意度值。

通常，这个婴儿会饮用满意度值最大的饮料。但遗憾的是，这种饮料的量不多，不足以解渴。设第 i 种饮料的总量为 a_i 盎司，而解渴需要的总量是 t 盎司，那么，每种饮料需要多少才能最大限度地满足婴儿解渴的需求呢？

假设每一种饮料都有满意度值。令 x_i 为婴儿要饮用的第 i 种饮料的量。于是问题的求解变成寻找一组实数 x_i（$1 \leqslant i \leqslant n$），使 $\sum_{i=1}^{n} s_i x_i$ 最大，并满足 $\sum_{i=1}^{n} x_i = t$ 及 $0 \leqslant x_i \leqslant a_i$。

需要指出的是：如果 $\sum_{i=1}^{n} a_i < t$，则问题无解，因为婴儿即使喝光所有的饮料也不能解渴。

用数学语言来表述问题是精确的，它可以清楚地说明求解问题的程序。根据数学表述，我们可以对程序的输入/输出给出如下形式的说明：

输入：n，t，s_i，a_i（$1 \leq i \leq n$，n 为整数，其余为正实数）。

输出：实数 x_i（$1 \leq i \leq n$），使 $\sum_{i=1}^{n} s_i x_i$ 最大且 $\sum_{i=1}^{n} x_i = t$（$0 \leq x_i \leq a_i$）。如果 $\sum_{i=1}^{n} a_i < t$，则输出适当的信息。

在这个问题中，限制条件是 $\sum_{i=1}^{n} x_i = t$（$0 \leq x_i \leq a_i$）。而优化函数是 $\sum_{i=1}^{n} s_i x_i$。任何满足限制条件的一组实数 x_i 都是可行解，而使 $\sum_{i=1}^{n} s_i x_i$ 最大的可行解是最优解。　■

例 17-2[装载问题]　有一艘大船要装载货物。货物要装在货箱中，所有货箱的大小都一样，但货箱的重量各不相同。设第 i 个货箱的重量为 w_i（$1 \leq i \leq n$），货船的最大载重量为 c。我们的目的是在货船上装入最多的货物。

这个问题可以精确地描述为最优化问题：设存在一组变量 x_i，x_i 的值是 0 或 1。如 x_i 为 0，则货箱 i 不装船；如 x_i 为 1，则货箱 i 装船。我们要找到一组 x_i，使它满足限制条件 $\sum_{i=1}^{n} w_i x_i \leq c$ 且 $x_i \in \{0,1\}$，$1 \leq i \leq n$。优化函数是 $\sum_{i=1}^{n} x_i$。

每一组满足限制条件的 x_i 都是一个可行解。使 $\sum_{i=1}^{n} x_i$ 取得最大值的可行解是最优解。　■

例 17-3[最小成本通信网络]　这个问题曾在例 16-2 中介绍过。一组城市和它们之间的通信连接可被描述为一个无向图。顶点表示城市。边表示通信连接。每条边都有一个表示建设成本的值，称为权。每一个包含所有顶点的连通子图都是一个可行解。假设所有的权都是非负的，可行解的范围可以限定在生成树的范围内。一个最优解就是一棵成本最小的生成树。

在这个问题中，我们需要选择边的一个子集，这个子集必须满足下列条件：构成一棵生成树。优化函数是这个边集的权之和。　■

17.2　贪婪算法思想

在贪婪算法（greedy method）中，我们要逐步构造一个最优解。每一步，我们都在一定的标准下，作出一个最优决策。在每一步做出的决策，在以后的步骤中都不可更改。做出决策所依据的标准称为**贪婪准则**（greedy criterion）。

例 17-4[找零钱]　一个小孩用 1 美元来买价值不足 1 美元的糖果，售货员希望用数目最少的硬币找给小孩零钱。假设有面值为 25 美分、10 美分、5 美分及 1 美分的硬币，而且数目不限。售货员每次选择一枚硬币，凑成要找的零钱。选择时所依据的是贪婪准则：在不超过要找的零钱总数的条件下，每一次都选择面值尽可能最大的硬币。直到凑成的零钱总数等于要找的零钱总数。

假设要找给小孩 67 美分。前两步选择的是两个 25 美分的硬币（第三步就不能选择 25 美分的硬币，否则零钱总数就超过 67 美分），第三步选择 10 美分的硬币，然后是 5 美分的硬币，最后是两个 1 美分的硬币。

贪婪算法使我们有一种感性认识：这样凑出的零钱，硬币数目最少或接近最少。其实可以证明，的确最少（见练习1）。 ■

例 17-5[机器调度]　有任务 n 个，机器不限，任务在机器上处理。每个任务的开始时间为 s_i，完成时间为 f_i，$s_i<f_i$。$[s_i, f_i]$ 为任务 i 的**处理时段**（processing interval）。两个任务 i 和 j 重叠，当且仅当这两个任务的处理时段有重叠，但不含始点或终点。例如，时段 [1，4] 与时段 [2，4] 有重叠，而与时段 [4，7] 不重叠。一个任务分配方案是**可行**的，是指没有两个处理时段重叠的任务分配给同一台机器，即每台机器在任何时刻最多只处理一个任务。**最优分配**（optimal assignment）是指使用机器最少的可行分配方案。

假设有 $n=7$ 个任务，标号从 a 到 g。它们的处理时段如图 17-1a 所示。一个可行的任务分配方案是将任务 a 分给机器 $M1$，任务 b 分给机器 $M2$，…，任务 g 分给机器 $M7$，但不是最优分配，因为有其他的分配方案是用的机器更少。例如，把任务 a、b、d 分配给同一台机器，机器数降为 5 台。

一种获得最优分配方案的贪婪方法是逐步分配任务。每步分配一个任务，且按任务开始时间的非递减次序进行分配。一台机器，如果至少已经有了一个任务，则称为"旧"机器；否则称为"新"机器。在选择机器时，采用的贪婪准则是：根据任务的开始时间，若有"旧"机器可用，则将任务分配给它。否则，将任务分配给一台"新"机器。

根据图 17-1a 的数据，按照任务起始时间的非递减顺序，任务分配的顺序为 a、f、b、c、g、e、d。贪婪算法按这个顺序把任务分配给机器。算法有 7 步（$n=7$），一步分配一个任务。第一步考虑任务 a，因为没有"旧"机器，所以将 a 分配给一台"新"机器（例如，$M1$）。这台机器在 0 到 2 时刻处于工作状态（如图 17-1b 所示）。第二步考虑任务 f。因为在 f 的起始时刻，"旧"机器仍处于工作状态，所以将 f 分配给一台"新"机器（例如，$M2$）。第三步考虑

任务 b。任务 b 的起始时刻 $s_b=3$，这时"旧"机器 $M1$ 已处于空闲状态，因此将 b 分配给 $M1$。$M1$ 的可用时刻变成 $f_b=7$。$M2$ 的可用时刻变为 $f_f=5$。第四步考虑任务 c。它的起始时刻为 $s_c=4$。这时没有"旧"机器可用，因此将 c 分配给一台"新"机器（例如，$M3$）。这台机器的可用时间变为 $f_c=7$。第五步考虑任务 g，将其分配给机器 $M2$。第六步将任务 e 分配给机器 $M1$ 或 $M3$，假设是 $M1$。最后第七步将任务 d 分配给机器 $M2$ 或 $M3$，假设是 $M3$。

从上述贪婪算法可以得到最优分配。它的证明留作练习（练习7）。采用一个复杂性为 $O(n\log n)$ 的排序算法（如堆排序），按 s_i 的非递减次序排列排序，然后使用一个关于"旧"机器可用时刻的最小堆，便可实现一个复杂性为 $O(n\log n)$ 的贪婪算法。 ■

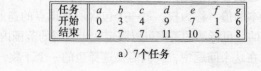

任务	a	b	c	d	e	f	g
开始	0	3	4	9	7	1	6
结束	2	7	7	11	10	5	8

a) 7个任务

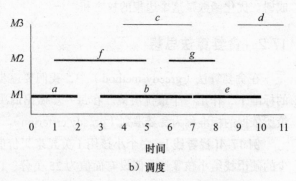

b) 调度

图 17-1　任务及一个三台机器的调度

例 17-6[最短路径]　一个有向网如图 17-2 所示。一条路径的长度是其所有边的成本之和。要求找一条从起始顶点 s

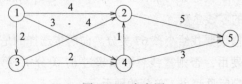

图 17-2　有向图

到达目的顶点 d 的最短路径。

用贪婪算法构造这样一条路径需要分步进行。每一步都向路径上加入一个顶点。假设当前的路径已到达顶点 q，但 q 并不是目的顶点 d。在下一步确定一个可以加入路径中去的顶点时所采用的贪婪准则为：选择一个关联于 q 最近的，且目前不在路径中的顶点。

这种贪婪算法并不一定能获得最短路径。例如，在图 17-2 中，要构造从顶点 1 到顶点 5 的最短路径。采用刚刚描述的贪婪准则，从顶点 1 开始，移动最近的但不在路径中的顶点，因此到达顶点 3，长度仅为 2。从顶点 3 可以到达的最近顶点为 4。从顶点 4 到达顶点 2，然后到达目的顶点 5。得到的路径为 1,3,4,2,5，其长度为 10。这条路径并不是从 1 到 5 的最短路径。事实上，有几条更短的路径。例如 1，4，5，其长度为 6。 ∎

既然在本节你已经看到了三个贪婪算法的实例，那么你可以重温在前几章所考察的应用，其中也有若干个贪婪算法。例如，12.6.3 节的霍夫曼树算法，利用 $n-1$ 步建立加权外部路径长最小的二叉树，每一步都将两棵二叉树合并为一棵。算法所使用的贪婪准则为：从可用的二叉树中把权最小的两棵树组合为一棵树。

12.6.2 节的 LPT 调度规则也是一种贪婪算法。它用 n 步来调度 n 个作业。首先将作业按时间长短排序。然后每一步为下一个任务分配一台机器。依据的贪婪准则为：使目前的调度时间最短。将新作业调度到最先完成的机器上（即最先空闲的机器）。

注意，在 12.6.2 节中的机器调度问题中，贪婪算法并不能保证最优解。但是给人的直觉是这样的，而且一般情况下它的解总是非常接近最优解。这是一种经验法则（a rule of thumb），它在实际的调度问题中，用机器来实现调度过程。不保证得到最优解，但所得的结果通常都接近最优解，这种算法称为**启发式方法**（heuristics）。因此 LPT 方法是一种启发式机器调度方法。定理 9-2 表达了 LPT 调度的完成时间与最佳调度的完成时间之间的限定关系，因此 LPT 启发式方法具有**限定性能**（bounded performance）。具有限定性能的启发式方法称为**近似算法**（approximation algorithm）。

13.5.1 节讲述了解决箱子装载问题的几种具有限定性能的启发式方法（即近似算法），每一种启发式方法都是贪婪启发法，12.6.2 节的 *LPT* 法也是一种贪婪启发式方法。所有这些启发式方法在直觉上对人都有一种吸引力，并在实际应用中也能得到接近最优解的结果。

本章的剩余部分将介绍几种贪婪算法的应用。在一些应用中的算法总能产生最优解决方案。对另外一些应用的算法只是一种启发式方法，它们可能是近似算法，也可能不是。

练习

1. 售货员只要有足够的硬币（包括 25 美分、10 美分、5 美分和 1 美分），使用找零钱问题（例 17-4）的贪婪算法，总能凑出硬币最少的零钱。请证明这个结论。
2. 考虑例 17-4 的找零钱问题。假设售货员只有有限的硬币（包括 25 美分、10 美分、5 美分和 1 美分），设计一个找零钱的贪婪算法。这种方法总能凑出硬币最少的零钱吗？证明你的结果。
3. 扩充例 17-4 的算法。假定售货员不仅有各种硬币（25 美分、10 美分、5 美分和 1 美分），而且有各种面额的纸币（50 美元、20 美元、10 美元、5 美元和 1 美元）。一位顾客购买了 x 美元和 y 美分的商品，付了 u 美元和 v 美分。使用你的算法总能凑出纸币和硬币最少的零钱吗？证明结论。
4. 编写一个 C++ 程序，实现例 17-4 的找零钱算法。假设售货员有面额为 100 美元、20 美元、

10美元、5美元和1美元的纸币和各种硬币。程序包括一个输入函数，输入顾客所购买的商品价格及所付的钱数。还包括一个输出函数，输出所找零钱数及各种面额的货币数。

5. 假设某个国家具有币值为14、12、5和1分的硬币。这时使用例17-4的贪婪算法总能凑出硬币最少的零钱吗？证明结论。

6. 1）证明例17-5的贪婪算法总能找到最优任务分配方案。

2）编程实现这种算法，其且复杂性为$O(n\log n)$，其中n是任务数。

7. 考察例17-5的机器调度问题。假定仅有一台机器可用，而且选择最大数量的任务在这台机器上执行。例如，所选择的最大任务集合为$\{a,b,e\}$。解决这种问题的贪婪算法是按步骤选择任务。每一步选择一个任务，所依据的贪婪准则如下：从剩下的任务中选择具有最少完成时间且不与现有任务重叠的任务。

1）证明上述贪婪算法能够获得最优选择。

2）实现该算法，其复杂性应为$O(n\log n)$。（提示：采用一个完成时间的最小堆。）

17.3 应用

17.3.1 货箱装载

1. 贪婪法求解

这个问题来自例17-2。把货箱分步装载到货船上，一步装载一个货箱。每一步决定装载哪一个货箱。做决定所依据的贪婪准则是：从剩下的货箱中，选择重量最小的货箱。这样可以保证所选的货箱总重量最小，从而使货船用最大的容量来装载更多的货箱。根据这种贪婪策略，首先选择最轻的货箱，然后选择次轻的货箱，如此下去，直到所有货箱均装上船，或船上不能再容纳一个货箱的空间。

例 17-7 假设$n=8$，$[w_1,\cdots,w_8]=[100,200,50,90,150,50,20,80]$，$c=400$。利用上述的贪婪算法，按序装载货箱为7,3,6,8,4,1,5,2。货箱7,3,6,8,4,1的总重量为390，把它们装载之后，货船可用的装载容量为10，已经装不下剩下的任何一个货箱。得到的解为$[x_1,\cdots,x_8]=[1,0,1,1,0,1,1,1]$且$\sum x_i=6$。 ■

2. 贪婪算法的正确性

定理 17-1 利用上述贪婪算法能产生最佳装载。

证明 令$x=[x_1,\cdots,x_n]$是用贪婪算法获得的解，$y=[y_1,\cdots,y_n]$是任意一个可行解。证明$\sum_{i=1}^{n}x_i \geqslant \sum_{i=1}^{n}y_i$。不失一般性，可以假设货箱都已排序：$w_i \leqslant w_{i+1}$（$1 \leqslant i<n$）。根据上述贪婪算法的做法可知，存在一个$k$（$0 \leqslant k \leqslant n$），使得$x_i=1$，$i \leqslant k$且$x_i=0$，$i>k$。

我们对$x_i \neq y_i$的i的数量p应用归纳法。对归纳基础部分，当$p=0$时，x和y相等。因此$\sum_{i=1}^{n}x_i \geqslant \sum_{i=1}^{n}y_i$。对归纳假设部分，令$m$是任意一个自然数，假设$p \leqslant m$时有$\sum_{i=1}^{n}x_i \geqslant \sum_{i=1}^{n}y_i$成立。

在归纳步骤阶段，证明当$p=m+1$时，$\sum_{i=1}^{n}x_i \geqslant \sum_{i=1}^{n}y_i$。寻找最小整数$j$，$1 \leqslant j \leqslant n$，使得$x_j \neq y_j$。因为$p \neq 0$，所以存在这样一个$j$。还有$j \leqslant k$，否则$y$不是一个可行解。因为

$x_j \neq y_j$，$x_j = 1$，所以 $y_j = 0$。令 $y_j = 1$。

如果得到的 y 是一个可行解，那么令 z 表示 y。这时在范围 $[k+1,n]$ 内必有一个 l，使得 $y_l = 1$。令 $y_l = 0$，z 表示 y。因为 $w_j \leq w_l$，所以 z 是一个可行的装载。

在任何一种情况下，$\sum_{i=1}^{n} z_i \geq \sum_{i=1}^{n} y_i$，而且最多在 $p-1=m$ 的位置上，z 与 x 不同。由归纳假设得知，$\sum_{i=1}^{n} x_i \geq \sum_{i=1}^{n} z_i \geq \sum_{i=1}^{n} y_i$。 ∎

3. C++ 实现

程序 17-1 是货箱装载贪婪算法的 C++ 代码。数据类型 container 含有整型数据成员 id 和 weight。id 表示货箱的范围，从 1 到货箱数量。weight 表示货箱重量。类型 container 还定义了一个向整型的类型转换，返回值是 weight 域的值。因此，当类型 container 的对象进行比较时，比较的是货箱的重量。

程序 17-1 首先使用堆排序法（程序 12-8）按重量对货箱排序。然后按重量递增顺序，把货箱装上船。排序用时 $O(n\log n)$，其中 n 是货箱数量。算法其余部分用时 $O(n)$，因此程序 17-1 的复杂性为 $O(n\log n)$。

程序 17-1 货箱装载

```
void containerLoading(container* c, int capacity, int numberOfContainers, int* x)
{// 货箱装载的贪婪算法
 // 令 x[i] = 1, 当且仅当货箱 i(i >= 1) 已装载
    // 按重量递增排列
    heapSort(c, numberOfContainers);

    int n = numberOfContainers;

    // 初始化 x
    for (int i = 1; i <= n; i++)
        x[i] = 0;

    // 按重量顺序选择货箱
    for (int i = 1; i <= n && c[i].weight <= capacity; i++)
    {// 对货箱 c[i].id 有足够的容量
        x[c[i].id] = 1;
        capacity -= c[i].weight;   // 剩余容量
    }
}
```

17.3.2 0/1 背包问题

1. 问题描述

有 n 个物品和一个容量为 c 的背包，从 n 个物品中选取装包的物品。物品 i 的重量为 w_i，价值为 p_i。一个可行的背包装载是指，装包的物品总重量不超过背包的容量。一个最佳背包装载是指，物品总价值最高的可行的背包装载。问题的公式描述是

$$\max \sum_{i=1}^{n} p_i x_i$$

约束条件是

$$\sum_{i=1}^{n} w_i x_i \leqslant c \text{ 且 } x_i \in \{0,1\} \qquad 1 \leqslant i \leqslant n$$

在这个公式中，我们要求出 x_i 的值。$x_i=1$ 表示物品 i 装入背包，$x_i=0$ 表示物品 i 没有装入背包。0/1 背包问题实际上是一个一般化的货箱装载问题，只是从每个货箱所获得的价值不同。在这里，船是背包，货箱是可装入背包的物品。

例 17-8 杂货店有一场比赛，第一名将获得一车免费的商品。杂货店有 n 种商品。比赛规则规定，从每种商品中只能取一件。手推车的容量为 c，商品 i 的体积为 w_i，价值为 p_i。你的目标是，装入手推车的商品的总价值最大。当然，商品不能超过手推车的容量，而且一种商品最多只能一件。这个问题可用 0/1 背包问题来建模。手推车对应背包，商品对应物品。 ■

2. 可能的贪婪策略

0/1 背包问题有若干种贪婪策略。每种都需要多步实现。每一步选择一个物品装入背包。一种价值贪婪准则是：从剩余的物品中选出可以装入背包的价值最大的物品。利用这种规则，首先是在可装入背包的物品中，选择一个价值最大的物品，然后在剩余的可装入背包的物品中，选择一个价值最大的物品，如此继续下去。使用这种策略，不一定得到最优解。例如，$n=3$，$w=[100,10,10]$，$p=[20,15,15]$，$c=105$。使用上述的价值贪婪准则，得到的解是 $x=[1,0,0]$，其总价值为 20。而最优解为 $[0,1,1]$，其总价值为 30。

另一种是重量贪婪准则：从剩余的物品中选出可装入背包的重量最小的物品。使用这种规则虽然对上面的实例可以产生最优解，但是在一般情况下不行。例如，$n=2$，$w=[10,20]$，$p=[5,100]$，$c=25$。利用重量贪婪准则的结果是 $x=[1,0]$，比最优解 $[0,1]$ 要差。

还有一种是价值密度 p_i/w_i 贪婪法则：从剩余物品中选出可装入包的 p_i/w_i 值最大的物品。这种策略也不能保证得到最优解。例如，对 $n=3$，$w=[20,15,15]$，$p=[40,25,25]$，$c=30$，使用这种策略，看一看是否能得到最优解。

3. 贪婪启发式方法

上面讨论的几个贪婪算法都不能保证得到最优解，但是我们不必沮丧。0/1 背包问题是一个 NP- 复杂问题（见 12.6.2 节）。虽然价值密度贪婪法则不能保证最优解，但是我们认为它是一个好的启发式算法，而且在更多的时候，它的解非常接近最优解。在一项实验中，对随机产生的 600 个背包问题，利用这种启发式贪婪算法求得的解有 239 个为最优解。有 583 个解与最优解相差 10%，因此，所有 600 个解与最优解之差全在 25% 以内。而且该算法能在 $O(n\log n)$ 时间内完成，这是非常好的性能。

我们也许会问，是否对一些 $x(x<100)$，贪婪启发式方法可以保证其结果与最优值相差在 $x\%$ 以内。答案是否定的。为说明这一点，考虑例子 $n=2$，$w=[1,y]$，$p=[10,9y]$ 和 $c=y$。贪婪算法的解为 $x=[1,0]$。它的值为 10。对于 $y \geqslant 10/9$，最优解的值为 $9y$。因此，贪婪算法的解与最优解的差对最优解的比例为 $((9y-10)/(9y)*100)\%$。当 y 很大时，这个值趋近于 100%。

我们可以修改贪婪启发式方法，使解的结果与最优解的值之差在最优值的 $x\%(x<100)$ 之内。首先将最多 k 件物品放入背包。如果这 k 件物品重量大于 c，则放弃它。否则，根据背包剩余的容量，考虑将剩余物品按 p_i/w_i 的递减顺序装入背包。考虑最多有 k 件物品的所有可能的子集而得到的最好的解就是启发式方法产生的解。

例 17-9 考虑一个背包问题实例：$n=4$，$w=[2,4,6,7]$，$p=[6,10,12,13]$，$c=11$。当 $k=0$ 时，将物品按其价值密度的非递增顺序装入背包。首先将物品 1 放入背包，然后是物品 2。这时，

背包剩下的容量为 5。剩下的物品没有一个可以装入背包，因此解为 $x=[1,1,0,0]$。此解的价值为 16。 ∎

现在考虑 $k=1$ 时的贪婪启发式方法。最初的子集为 $\{1\},\{2\},\{3\},\{4\}$。子集 $\{1\},\{2\}$ 产生与 $k=0$ 时相同的结果，考虑子集 $\{3\}$，置 $x_3=1$。这时的背包还剩 5 个单位的容量，按价值密度非递增顺序来考虑如何利用这 5 个单位的容量。首先考虑物品 1，它可以装入背包，因此取 $x_1=1$。这时的背包仅剩下 3 个单位容量，剩余物品都装不进去。通过子集 $\{3\}$ 开始求解，得到的结果为 $x=[1,0,1,0]$，获得的价值为 18。若从子集 $\{4\}$ 开始，得到的解为 $x=[1,0,0,1]$，获得的价值为 19。考虑了子集大小为 0 和 1 的情况后，获得了最好的解为 $[1,0,0,1]$。这个解是从 $k=1$ 时的贪婪启发式算法得到的。

若 $k=2$，除了考虑 $k<2$ 的子集，还要考虑子集 $\{1,2\},\{1,3\},\{1,4\},\{2,3\},\{2,4\}$ 和 $\{3,4\}$。首先从最后一个子集开始，它是不可行的，故将其抛弃。对剩下的子集求解分别得到如下结果：$[1,1,0,0],[1,0,1,0],[1,0,0,1],[0,1,1,0]$ 和 $[0,1,0,1]$。最后一个结果的价值为 23，它的价值比 $k=0$ 和 $k=1$ 时的结果要高。这个结果即为启发式方法产生的结果。

由修改后的贪婪启发式方法得到的解称为 **k 阶优化**（k-optimal）。也就是说，如果从解中取出 k 件物品，并放入另外 k 件物品，那么获得的结果不会比原来的好。而且用这种方式获得的值在最优值的 $(100/(k+1))$ % 以内。因此，我们把这种启发式方法称为**有界性能**（bounded performance）启发式。当 $k=1$ 时，保证最终结果在最佳值的 50% 以内；当 $k=2$ 时，则在 33.33% 以内，等等，有界性能启发式方法的执行时间随 k 的增大而增加，需要尝试的子集数目为 $O(n^k)$，每一个子集所需时间为 $O(n)$。还有，物品按价值比率排序所需时间为 $O(n\log n)$。因此当 $k>0$ 时，总时间为 $O(n^{k+1})$。

实际考察的性能要好得多，图 17-3 给出了 600 种随机测试的统计结果。

	偏差百分比				
k	0	1%	5%	10%	25%
0	239	390	528	583	600
1	360	527	598	600	
2	483	581	600		

图 17-3 600 个例子中差值在 x% 以内的数目

17.3.3 拓扑排序

1. 问题描述

一个复杂的工程，经常可以分解成一组简单一些的任务，这些任务完成了，整个工程也就完成了。例如，汽车装配工程可分解为以下任务：将底盘放到装配线上、安装车轴、安装车轮、将座位装在底盘上、喷漆、装刹车、装车门，等等。而且任务之间具有先后关系，例如在安装车轴之前必须先将底盘放到装配线上。这组任务和任务的先后顺序可用有向图表示——称为**顶点活动**（activity on vertex，AOV）**网络**。顶点代表任务，有向边 (i,j) 表示这样的先后关系：任务 j 开始前任务 i 必须完成。图 17-4 表示一个工程，它有 6 个任务。边（1,4）表示任务 1 要在任务 4 开始前完成。同样，边（4,6）表示任务 4 要在任务 6 开始前完成。边（1,4）与（4,6）合起来表示任务 1 要在任务 6 开始前完成，即前后关系是传递的。通过观察可知，边（1,4）是多余的，因为边（1,3）和（3,4）已含有这种关系。

在很多情况下，我们必须连续执行一组任务，例如，解决汽车装配问题，或组装带有"组装说明"的消费品（自行车、小孩的秋千装置、割草机，等等）。这时，我们会根据组装建议，按照一个顺序来执行装配任务。这样就形成一个任务序列，对任务有向图的任意一条边 (i,j)，在这个序列中，任务 i 一定出现在任务 j 的前面。具有这种性质的序列称为**拓扑序**

列（topological order 或 topological sequence）。根据任务有向图建立拓扑序列的过程称为**拓扑排序**（topological sorting）。

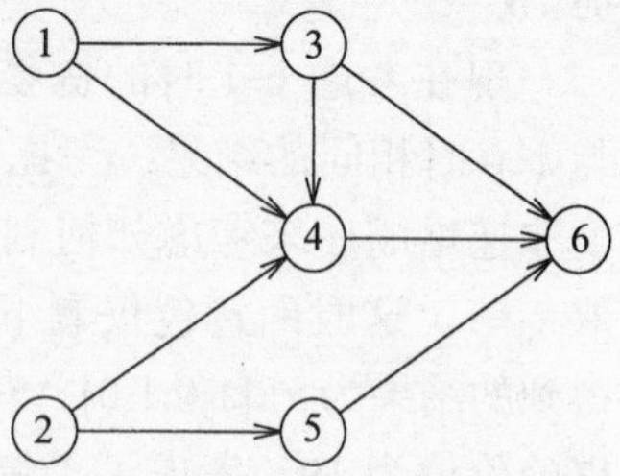

图 17-4 的任务有向图有若干个拓扑序列。其中的三个是 1 2 3 4 5 6，1 3 2 4 5 6 和 2 1 5 3 4 6。而序列 1 4 2 3 5 6 不是拓扑序列，因为在这个序列中，任务 4 在任务 3 的前面，而在任务有向图中存在边（3,4），这条边表示，在序列中，任务 4 应该出现在任务 3 的后面。序列的顺序与边所表示的顺序相矛盾。

2. 贪婪求解

我们可以制定一个贪婪算法，它按从左到右分步构造拓扑序列。每一步选择一个新顶点加入序列中。选择新顶点的依据是贪婪准则：从剩余的顶点中选择一个顶点 w，它没有这样的入边 (v,w)，其中顶点 v 不在序列中。注意，如果选择了一个顶点 w，它不满足上述的贪婪法则（即边 (v,w) 中的顶点 v 不在序列中），那么就构造不出拓扑序列，因为顶点 v 一定在顶点 w 之后。图 17-5 简化了这个算法，其中 while 语句的每一次循环都表示算法的一个步骤。

图 17-4 任务有向图

```
令 n 表示有向图的顶点数
令 theOrder 是空序列
while(true)
{
   令 w 是任意一个没有入边（v,w）的顶点，其中 v 不在 theOrder 中
   如果没有这样的顶点 w，程序终止
   把 w 加到 theOrder 的尾部
}
if(theOrder 的顶点数小于 n)
   算法失败
else
   theOrder 是一个拓扑序列
```

图 17-5 拓扑排序

我们针对图 17-4 的有向图来应用这个算法。从一个空序列 theOrder 开始。第一步选择插入序列 theOrder 的第一个顶点。为此，有两个候选者，顶点 1 和 2。若选择 2，则序列 theOrder=2，第一步完成。第二步选择插入序列 theOrder 的第二个顶点，由贪婪准则可知，这时的候选顶点为 1 和 5。若选择 5，则 theOrder=25，第二步完成。第三步，顶点 1 是唯一的候选者，因此 theOrder=251。第四步，顶点 3 是唯一的候选，加入顶点 3 之后，theOrder=2513。最后两步分别加入顶点 4 和 6，得到 theOrder=251346。

3. 贪婪算法的正确性

为保证贪婪算法的正确性，我们需要证明：1）当算法失败时，有向图没有拓扑序列；2）若算法没有失败，则 theOrder 是一个拓扑序列。2）使用贪婪准则选取下一个顶点的直接结果。对 1）的证明见引理 17-1。它证明，如果算法失败，那么有向图一定含有环路。假设一个环路为 $q_jq_j+1\cdots q_kq_j$，该有向图没有拓扑序列，因为该序列表明，任务 q_j 一定要在任务 q_j 开始前完成。

引理 17-1 如果图 17-5 的算法失败，则有向图含有环路。

证明 当算法失败时 |theOrder|<n，且没有候选顶点可以加入 theOrder 中。因此至少有一

个顶点 q_1 不在 theOrder 中。这时有向图至少包含一条边（q_2,q_1）且 q_2 不在 theOrder 中，否则，q_1 是可加入 theOrder 的候选顶点。同样，必有一条（q_3,q_2）使得 q_3 不在 theOrder 中。若 $q_3=q_1$，则 $q_1q_2q_3$ 是有向图的一个环路。若 $q_3 \neq q_1$，则必存在 q_4 使（q_4,q_3）是有向图的边且 q_4 不在 theOrder 中，否则，q_3 便是可加入 the Order 的一个候选顶点。若 q_4 为 q_1,q_2,q_3 中的任何一个，则有向图含有环。因为有向图的顶点数 n 是有限数，继续上述的论证，最后总能找到一个环路。　　　　　　　　　　　　　　　　　　　　　　　　　　　　　■

4. 数据结构的选择

为了将图 17-5 简单的算法细化到 C++ 代码，我们必须确定序列 theOrder 的表示方法，以及候选顶点的选择方法。如果用一个一维数组表示 theOrder，用一个栈来保存可加入 theOrder 的候选顶点，用一个一维数组 inDegree，其中 inDegree[j] 表示不在 theOrder 中但邻接至顶点 j 的顶点的数目。当 inDegree[j] 变为 0 时，表示顶点 j 成为一个候选顶点。初始时，序列 theOrder 为空，inDegree[j] 就是顶点 j 的入度。每次向序列 theOrder 加入一个顶点时，所有邻接于该顶点的顶点 j，其 inDegree[j] 减 1。

对于有向图 17-4，开始时 inDegree[1:6]=[0,0,1,3,1,3]。由于顶点 1 和 2 的 inDegree[0]=inDegree[1]=0，因此顶点 1 和 2 是可加入 theOrder 的候选顶点，首先入栈。每一步从栈中取出一个顶点加入 theOrder 中，同时对邻接于该顶点的顶点，将其 inDegree 减 1。如果第一步从栈中取出的是顶点 2，并将其加入 theOrder，则 theOrder[0]=2，inDegree[1:6]=[0,0,1,2,0,3]。因为这时 inDegree[5] 变为 0，所以将顶点 5 加入栈。

5. C++ 实现

程序 17-2 的函数 topologicalOrder 是相应的 C++ 代码。它是抽象类 graph（程序 16-1）的一个成员函数，对于加权有向图和无权有向图均适用。如果找到拓扑序列，则 topologicalOrder 方法返回 true，且将拓扑序列存储在 theOrder[0:n–1] 中返回，其中 n 是有向图的定点数。如果没有找到拓扑序列，则返回 false。

程序 17-2　拓扑排序

```
bool topologicalOrder(int *theOrder)
{// 返回 false，当且仅当有向图没有拓扑序列
 // 如果存在一个拓扑序列，将其赋给 theOrder[0:n-1]
 // 这里有一段确定有向图的代码

    int n = numberOfVertices();

    // 计算入度
    int *inDegree = new int [n + 1];
    fill(inDegree + 1, inDegree + n + 1, 0);
    for (int i = 1; i <= n; i++)
    {// 顶点 i 的出边
        vertexIterator<T> *ii = iterator(i);
        int u;
        while ((u = ii->next()) != 0)
          // 访问顶点 i 的一个邻接点
            inDegree[u]++;
    }
    // 把入边数为 0 的顶点加入栈
    arrayStack<int> stack;
    for (int i = 1; i <= n; i++)
```

```
        if (inDegree[i] == 0)
            stack.push(i);
    // 生成拓扑序列
    int j = 0;  // 数组 theOrder 的索引
    while (!stack.empty())
    {// 从栈中提取顶点
    int nextVertex = stack.top();
        stack.pop();
        theOrder[j++] = nextVertex;
        // 更新入边数
        vertexIterator<T> *iNextVertex = iterator(nextVertex);
        int u;
        while ((u = iNextVertex->next()) != 0)
        {// 访问顶点 nextVertex 的一个邻接顶点
            inDegree[u]--;
            if (inDegree[u] == 0)
                stack.push(u);
        }
    }
    return (j == n);
}
```

6. 复杂性分析

如果使用邻接矩阵描述，第一个 for 循环的时间开销为 $O(n^2)$；如果使用邻接链表描述，则用时为 $O(n+e)$。这里，n 表示有向图的顶点数，e 表示边数。第二个 for 循环用时 $O(n)$。在两个嵌套的 while 循环中，外层循环需执行 n 次。每次将顶点 nextVertex 加入 theOrder 中，并初始化内层 while 循环。使用邻接矩阵时，内层 while 循环对于每个顶点 nextVertex 需用时 $O(n)$；若利用邻接链表，则这个循环需用时 $d_{nextVertex}^{out}$，因此，内层 while 循环的时间开销为 $O(n^2)$ 或 $O(n+e)$。结果，若利用邻接矩阵，程序 17-2 的时间复杂性为 $O(n^2)$，若利用邻接链表，则为 $O(n+e)$。

17.3.4 二分覆盖

1. 问题描述

二分图（见例 16-3）是一个无向图，它的 n 个顶点可以划分为两个集合：集合 A 和集合 B，使任何一条边的两个顶点都不在同一个集合中（即任何一条边都是一个顶点在集合 A 中，另一个在集合 B 中）。A 的一个子集 A' **覆盖**集合 B（或简单地说，A' 是一个覆盖），当且仅当 B 的每个顶点至少与 A' 的一个顶点相连。覆盖 A' 的大小即为 A' 的顶点数目。A' 是最小覆盖，当且仅当 A 没有更小的子集覆盖 B。

例 17-10 考察如图 17-6 所示的具有 17 个顶点的二分图。$A=\{1,2,3,16,17\}$ 和 $B=\{4,5,6,7,8,9,10,11,12,13,14,15\}$，子集 $A'=\{1,2,3,17\}$ 覆盖 B，其大小为 4。子集 $A'=\{1,16,17\}$ 也覆盖 B，大小是 3。A 没有比 3 还小的子集覆盖 B。因此，$A'=\{1,16,17\}$ 是 B 的最小覆盖。∎

在二分图中寻找最小覆盖的问题称为**二分覆盖**（bipartite cover）问题。例 16-3 说明最小覆盖是很有用的，因为它能确定在会议中可以完成翻译任务的翻译人员的最少数量。二分覆盖问题类似于**集合覆盖**（set cover）问题。在集合覆盖问题中，给出 k 个集合 $S=\{S_1,S_2,\cdots,S_k\}$，每个集合 S_i 中的元素均是全集 U 中的成员。S 的一个子集 S' 覆盖 U，当且仅当 $U_{i\in S'}S_i=U$。S' 的集合数目即为覆盖的大小。S' 是最小覆盖，当且仅当 S 没有覆盖 U 的更小的集合。可以将集合覆盖问题转化为二分覆盖问题（反之亦然）：用 A 的顶点表示 S 的元素 $S_1, S_2, \cdots, S_k$，B 的顶点表示 U 的元素。一个边的顶点分别在 A 和 B 中，当且仅当与 U 对应的元素在与 S 对应的子集中。

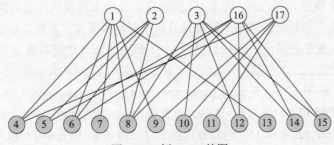

图 17-6　例 17-10 的图

例 17-11　令 $S=\{S_1, \cdots, S_5\}$，$U=\{4,5,\cdots,15\}$，$S_1=\{4,6,7,8,9,1\,3\}$，$S_2=\{4,5,6,8\}$，$S_3=\{8,10,12,14,15\}$，$S_4=\{5,6,8,12,14,15\}$，$S_5=\{4,9,10,11\}$。$S'=\{S_1,S_4,S_5\}$ 是一个大小为 3 的覆盖。没有更小的覆盖，因此 S' 即为最小覆盖。这个集合覆盖实例可映射为图 17-6 的二分图，用顶点 1，2，3，16 和 17 分别表示集合 S_1，S_2，S_3，S_4 和 S_5，顶点 j 表示全集中的元素 j，$4 \leqslant j \leqslant 15$。　■

2. 贪婪启发式方法

集合覆盖问题为 NP- 复杂问题。由于集合覆盖与二分覆盖是同一类问题，二分覆盖问题也是 NP- 复杂问题。因此很可能无法找到一个快速的算法来解决它，但是可以利用贪婪算法寻找一种快速启发式方法。一种可能的启发式方法是分步建立覆盖 A'。每一步选择 A 的一个顶点加入覆盖 A'。选择的贪婪准则：从 A 中选择一个顶点，它最大数量地覆盖了 B 中还未被覆盖的元素。

例 17-12　考察图 17-6 所示的二分图。初始化 $A' = \phi$ 且 B 中没有顶点被覆盖。顶点 1 和 16 均能覆盖 B 中 6 个未覆盖的顶点，顶点 3 覆盖 5 个，顶点 2 和 17 分别覆盖 4 个。因此，第一步往 A' 中加入顶点 1 或 16。若加入顶点 16，则它覆盖的顶点为 $\{5,6,8,12,14,15\}$。未覆盖的顶点为 $\{4,7,9,10,11,13\}$。顶点 1 能覆盖其中 4 个顶点（$\{4,7,9,13\}$），顶点 2 覆盖一个（$\{4\}$），顶点 3 覆盖一个（$\{10\}$），顶点 16 覆盖零个，顶点 17 覆盖 4 个。第一步可选择顶点 1 或 17 加入 A'。若选择顶点 1，则仍未覆盖的顶点为 $\{10,11\}$。对此顶点 1、2 和 16 都没有覆盖，顶点 3 覆盖一个，顶点 17 覆盖两个。因此选择顶点 17。至此，所有顶点都被覆盖，得到 $A'=\{1,16,17\}$。　■

图 17-7 简化了贪婪覆盖启发式方法。可以证明：1）算法找不到覆盖，当且仅当初始的二分图没有覆盖；2）二分图存在，但启发式方法可能找不到二分图的最小覆盖。

```
A' = φ
while（有更多的顶点可以被覆盖）
  把一个顶点加入 A'，这个顶点最大数量的覆盖未覆盖的顶点
if（有一些顶点为覆盖）失败
else 找到一个覆盖
```

图 17-7　贪婪覆盖启发式方法的简化

3. 数据结构的选取及复杂性分析

为实现图 17-7 的算法，需要选择 A' 的表示方法和 A 中每一个顶点所能覆盖 B 中未覆

盖的顶点的数目的跟踪记录方法。因为对集合 A' 仅有加法运算，所以可用一维整型数组 theCover 来描述 A'，用 coverSize 来跟踪记录 A' 的元素个数。用 theCover[0:coverSize−1] 记录 A' 的成员。

对于 A 的一个顶点 i，令 new_i 为顶点 i 所能覆盖 B 中未覆盖的顶点的数目。每一步选择 new_i 值最大的顶点，然后随着原来未被覆盖的顶点现在被覆盖，需要更新 new_i 的值。为此，检查 B 中新近被 v 覆盖的顶点，令 j 是这样的一个顶点，则 A 中所有覆盖 j 的顶点的 new_i 值均减 1。

例 17-13 考察图 17-6。初始时 $(new_1, new_2, new_3, new_{16}, new_{17}) = (6,4,5,6,4)$。假设第一步选择顶点 16，像在例 17-12 中一样。这时，为更新 new_i 的值，检查 B 中所有新近被覆盖的顶点，这些顶点为 5,6,8,12,14 和 15。当检查顶点 5 时，将 new_2 和 new_{15} 的值分别减 1，因为顶点 5 不再是被顶点 2 和 16 覆盖的未被覆盖节点。检查顶点 6 时，顶点 new_1, new_2 和 new_{16} 的值分别减 1。同样，检查顶点 8 时，顶点 new_1, new_2, new_3 和 new_{16} 的值分别减 1。当检查完所有新近被覆盖的顶点，得到的 new_i 值为（4，1，1，0，4）。下一步选择顶点 1，新近被覆盖的顶点为 4，7，9 和 13。检查顶点 4 时，new_1, new_2 和 new_{17} 的值减 1；检查顶点 7 时，只有 new_1 的值减 1，因为顶点 1 是覆盖 7 的唯一顶点。 ∎

为了实现顶点选取的过程，需要知道 new_i 的值和已被覆盖的顶点。为此可用两个一维数组。newVerticesCovered 是一个整型数组，newVerticesCovered[i] 等于 new_i；covered 是一个布尔型数组，若顶点 i 未被覆盖则 covered[i] 等于 false，否则 covered[i] 等于 true。现在可以把图 17-7 的简单的算法细化为图 17-8。

```
coverSize=0;  // 当前覆盖的大小
对于 A 的所有 i, newVerticesCovered[i]=degree[i]
对于 B 的所有 i, covered[i]=false
while ( 对于 A 的某些 i, newVerticesCovered[i]>0)
{
  设 v 是 newVerticesCovered[i] 值最大的顶点
  theCover[coverSize++]=v;
  for ( 所有邻接于 v 的顶点 j)
  {
    if(!covered[j])
    {
      covered[j]=true;
      对于所有邻接于 j 的顶点，使其 newVerticesCovered[k] 减 1
    }
  }
}
if ( 有些顶点未被覆盖)
  失败
else
  找到一个覆盖
```

图 17-8 图 17-7 的细化

更新 newVerticesCovered 的时间为 $O(e)$，其中 e 为二分图的边数。若使用邻接矩阵，则需花 $\Theta(n^2)$ 的时间来寻找图中的边，若用邻接链表，则需 $\Theta(n+e)$ 的时间。实际更新时间是 $O(n^2)$ 或 $O(n+e)$，具体是哪一个，要根据描述方法而定。

在每一步开始阶段，选择顶点 v 所需时间为 $\Theta(\text{SizeOfA})$，其中 SizeOfA=$|A|$。因为 A 的所有顶点都有被选择的可能，所以所需步骤数为 $O(\text{SizeOfA})$，而且覆盖算法总的复杂性为 $O(\text{SizeOfA}^2+n^2)=O(n^2)$ 或 $O(\text{SizeOfA}^2+n+e)$。

4. 降低复杂性

使用存储 new_i 值的有序数组、大根堆或最大选择树（max selection tree），可将每步开始阶段选取顶点 v 的复杂性降为 $\Theta(1)$。若使用有序数组，则在每步的最后阶段，都要对 new_i 值进行重新排序。若使用箱子排序（见 6.5.1 节），则排序时间为 $\Theta(\text{SizeOfB})$，其中 SizeOfB=$|B|$。一般 SizeOfB 比 SizeOfA 大得多，因此有序数组并不能提高总的性能。

若使用大根堆，则每一步都需要重新建堆来记录 newVerticesCovered 的值的变化。我们可以在每次 newVerticesCovered 值减 1 的时候重建堆。这样的话，被减的 newVerticesCovered 值最多在堆中向下移动一层，因此每次重建堆所需时间为 $\Theta(1)$。减操作的总数为 $O(e)$。因此在算法的所有步骤中，维持大根堆仅需时间为 $O(e)$。结果是利用大根堆实现覆盖算法的总复杂性为 $O(n^2)$ 或 $O(n+e)$。

若使用最大选择树，则每次更新 newVerticesCovered 的值之后需要重建选择树，所需时间为 $\Theta(\log \text{SizeOfA})$。重建的最好时机是在每步结束时，而不是在每次 newVerticesCovered 值减 1 时。需要重建的次数为 $O(e)$，因此总的重建时间为 $O(e \log \text{SizeOfA})$。这个时间比大根堆的重建时间要长。

然而，使用“装有”newVerticesCovered 的值相同的顶点的箱子，也可获得使用大根堆时的时间性能。因为 newVerticesCovered 的取值范围从 0 到 SizeOfB，所以需要 SizeOfB+1 个箱子。每个箱子 i 都是一个双向链表，链接所有 newVerticesCovered 值为 i 的顶点。在某一步结束时，例如，若 newVerticesCovered[6] 从 12 变到 4，则需要将它从第 12 个箱子移到第 4 个箱子。利用模拟指针和一个顶点数组 node（node[i] 代表顶点 i，node[i].left 和 node[i].right 为双向链表指针），为了将顶点 6 从第 12 个箱子移到第 4 个箱子，我们从第 12 个箱子中删除 node[6] 并将其插入第 4 个箱子。利用这种箱子模式，覆盖启发式算法的复杂性为 $O(n^2)$ 或 $O(n+e)$，具体是哪一个，取决于描述方法是邻接矩阵还是邻接表。

把图 17-8 细化可以得到 C++ 代码，它使用带有模拟指针的双向链表来表示箱子。这个代码，作为方法 graph::bipartiteCover，可以从本书网站上得到。

17.3.5 单源最短路径

1. 问题描述

给定一个加权有向图 G，它的每条边（i,j）都有一个非负的成本（或长度）a[i][j]。一条路径的长度是该路径所有边的成本之和。图 17-9a 是一个 5 个顶点的加权有向图。每一条边上的数值是它的成本。路径 1,2,5 的长度 9。路径 1,5 的长度是 8。路径 1,3,4,5 的长度是 6。

寻找一条从一个给定的源顶点出发到达其他任意一个顶点（称为目的顶点）的最短路径。图 17-9a 给出了一个 5 个顶点的有向图，图 17-9b 给出了从源顶点 1 出发的所有最短路径；这些路径按路径长度递增顺序排列，每条路径前面的数字表示路径的长度。

2. 贪婪法求解

利用 E.Dijkstra 发明的贪婪算法，可以分步生成最短路径。每一步产生一个到达新的目的顶点的最短路径。每一条最短路径的目的顶点的选择方法依据如下贪婪准则：从一条最短路径还没有到达的顶点中，选择一个可以产生最短路径的目的顶点。也就是说，Dijkstra 的方法按路径长度的递增顺序产生最短路径。

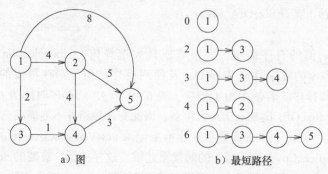

a）图　　　　b）最短路径

图 17-9　最短路径举例

我们在开始时的第一条路径是从源顶点到它自身的平凡路径，这条路径没有边，长度为 0。在贪婪算法的每一步，产生下一条最短路径。这条路径是在一条已产生的最短路径上加入一条可行的边而得到的（练习 31）。以图 17-9b 为例，第二条路径是在第一条路径上加一条边；第三条路径是在第二条路径上加一条边；第四条路径是在第一条路径上加一条边；第五条路径是在第三条路径上加一条边。

通过上述观察可以得到一种简便的方法来存储最短路径。使用数组 predecessor，令 predecessor[i] 是从源顶点到达顶点 i 的路径中顶点 i 前面的那个顶点。在本例中，predecessor[1:5]=[0,1,1,3,4]。从顶点 sourceVertex 到顶点 i 的路径可以从顶点 i 反向生成，沿着序列 predecessor[i], predecessor[predecessor[i]], predecessor[predecessor[predecessor[i]]]，…直至到达顶点 sourceVertex。在本例中，如果从 i=5 开始，则顶点序列为 predecessor[i]=4，predecessor[4]=3，predecessor[3]=1=sourceVertex。因此路径为 1，3，4，5。

为了便于按长度递增顺序产生最短路径，我们定义 distanceFromSource[i] 是在已生成的最短路径上扩展一条最短边从而到达顶点 i 时这条最短边的长度。最初，仅有一条从 sourceVertex 到 sourceVertex 的路径，长度为 0。这时对每个顶点 i，distanceFromSource[i] 等于 a[sourceVertex][i]（a 是有向图的成本邻接矩阵）。为产生下一条路径，需要选择一个还没有一条最短路径到达的顶点。在这些顶点中，使 distanceFromSource[] 的值最小的顶点是下一条路径的终点。当得到一条新的最短路径之后，有些顶点的 distanceFromSource[] 值可能会改变，因为由新的最短路径进行扩展可能产生更小的值。

3. Dijkstra 贪婪算法的伪码

综上所述，我们得到算法的简化，如图 17-10 所示。1）对所有邻接于顶点 sourceVertex 的顶点，将 predecessor 初始化为 sourceVertex。这个初始化记录了当前最有用的信息。这时从 sourceVertex 到 i 的最短路径是由 sourceVertex 到它自身的最短路径再扩充一条边得到的。当找到更短的路径时，predecessor[i] 的值将被更新。当找到下一条最短路径时，需要根据路径的扩充边来更新 distanceFromSource 的值（步骤 4））。表 newReachableVertices 包含所有从 sourceVertex 可以到达的顶点，也是要生成的最短路径所到达的顶点。

4. 数据结构的选择和复杂性分析

我们需要为表 newReachableVertices 选择一个数据结构。从这个表中，我们需要提取 distanceFromSource 值最小的顶点（步骤 3）。如果 distanceFromSource 用小根堆（见 12.4 节）来表示，那么这种提取算法可在对数时间内完成。由于步骤 3）的执行次数为 $O(n)$，所以该

步骤需要用时 $O(n \log n)$。然而在步骤 4），我们可能需要改变一些 distanceFromSource 的值，因为对为到达的顶点，新扩展的最短路径可能使相应的 distanceFromSource 值更小。虽然减操作并不是标准的小根堆操作，但它能在对数时间内完成。由于执行减操作的总次数为 O（有向图中的边数）=$O(n^2)$，所以执行减操作的总时间为 $O(n^2 \log n)$。

1）初始化 distanceFromSource[i]=a[sourceVertex][i]（$1 \leqslant i \leqslant n$）

对所有邻接于 sourceVertex 的顶点 i，令 predecessor[i]=sourceVertex

对所有其他顶点，predecessor[sourceVertex]=0 且 predecessor[i]=−1

创建一个表 newReachableVertices，存储所有 predecessor[i]>0 的顶点（即这个表包含所有邻接于 sourceVertex 的顶点）。

2）如果 newReachableVertices 为空，算法停止。否则，转至 3）。

3）从 newReachableVertices 中删除 distanceFromSource 值最小的顶点 i。

4）对所有邻接于顶点 i 的顶点 j，将 distanceFromSource[j] 更新为 min{distanceFromSource[j], distanceFromSource[i]+a[i][j]}。如果 distanceFromSource[j] 改变，令 predecessor[j]=i，而且，若 j 没有在表 newReachableVertices 中，则将其加入进去。

图 17-10　Dijkstra 的最短路径算法的简化

若用无序链表来表示 newReachableVertices，则步骤 3）与 4）的用时为 $O(n^2)$。现在，步骤 3）的每一次执行需用时 $O(|\text{newReachableVertices}|)=O(n)$，而每一次减操作需用时 $\Theta(1)$。（distanceFromSource[j] 的值需要减少，但链表不用改变。）

5. C++ 实现

将图 17-10 的伪代码细化为程序 17-3 的 C++ 方法 adjacencyWDigraph::shortestPaths。这个代码使用了类 graphChain（见 16.7.3 节）。

程序 17-3　最短路径程序

```cpp
void shortestPaths(int sourceVertex, T* distanceFromSource, int* predecessor)
{// 寻找从源 sourceVertex 开始的最短路径
 // 在数组 distanceFromSource 中返回最短路径
 // 在数组 predecessor 中返回顶点在路径上的前驱的 information
   if (sourceVertex < 1 || sourceVertex > n)
      throw illegalParameterValue("Invalid source vertex");
 // 这里确认 *this 是加权图的代码

   graphChain<int> newReachableVertices;
 // 初始化
   for (int i = 1; i <= n; i++)
   {
      distanceFromSource[i] = a[sourceVertex][i];
      if (distanceFromSource[i] == noEdge)
         predecessor[i] = -1;
      else
      {
         predecessor[i] = sourceVertex;
         newReachableVertices.insert(0, i);
      }
   }
   distanceFromSource[sourceVertex] = 0;
   predecessor[sourceVertex] = 0;  // 源顶点没有前驱

 // 更新 distanceFromSource 和 predecessor
   while (!newReachableVertices.empty())
```

```
{// 还存在更多的路径
 // 寻找 distanceFromSource 值最小的，还未到达的顶点 v
    chain<int>::iterator iNewReachableVertices= newReachableVertices.begin();
    chain<int>::iterator theEnd = newReachableVertices.end();
    int v = *iNewReachableVertices;
    iNewReachableVertices++;
    while (iNewReachableVertices != theEnd)
    {
        int w = *iNewReachableVertices;
        iNewReachableVertices++;
        if (distanceFromSource[w] < distanceFromSource[v])
            v = w;
    }

    // 下一条最短路径是到达顶点 v
    // 从 newReachableVertices 删除顶点 v，然后更新 distanceFromSource
    newReachableVertices.eraseElement(v);
    for (int j = 1; j <= n; j++)
    {
        if (a[v][j] != noEdge && (predecessor[j] == -1 ||
    distanceFromSource[j] > distanceFromSource[v] + a[v][j]))
        {
            // distanceFromSource[j] 减少
            distanceFromSource[j] = distanceFromSource[v] + a[v][j];
            // 把顶点 j 加到 newReachableVertices
            if (predecessor[j] == -1)
            // 以前未到达
                newReachableVertices.insert(0, j);
            predecessor[j]=v;
        }
    }
}
}
```

6. 复杂性评价

　　程序 17-3 的复杂性是 $O(n^2)$。任何一个最短路径算法对每一条边都至少检查一次，因为任何一条边都可能在最短路径中。因此这种算法的最小可能时间为 $O(e)$。既然使用成本邻接矩阵来描述图，那么仅仅决定哪些边属于有向图就需 $O(n^2)$ 的时间。因此，任何最短路径算法，只要用邻接矩阵来描述，都需要 $O(n^2)$ 的时间。不过程序 17-3 作了优化（常数因子级）。即使改用邻接表，也只会使最后一个 for 循环的总时间降为 $O(e)$（因为只有对邻接于 i 的顶点，distanceFromSource 值才会改变）。而从表 newReachableVertices 中选择和删除最小距离顶点所需时间仍然是 $O(n^2)$。

17.3.6　最小成本生成树

　　最小成本生成树问题在例 16-2 和例 17-3 中已考察过。因为在 n 个顶点的无向网络 G 中，每棵生成树都刚好有 $n-1$ 条边，所以现在的问题是如何选择 $n-1$ 条边使它们形成 G 的最小成本生成树。为此，我们可以精确地描述至少三种不同的贪婪策略。这些策略产生了最小成本生成树的三个算法：Kruskal 算法、Prim 算法和 Sollin 算法。

　　1. Kruskal 算法

　　（1）算法思想

　　Kruskal 算法分步骤选择 $n-1$ 条边，每步选择一条边，所依据的贪婪准则是：从剩下的边中选择一条成本最小且不会产生环路的边加入已选择的边集。注意，一个含有环路的边集不可能形成一棵生成树。Kruskal 算法分 e 步，其中 e 是网络中边的数目。它按成本递增顺序考察 e 条边，每步考察一条边。当考察一条边时，如果这条边加入已选的边集中会产生环路，则将其抛弃，否则，将它加入已选入的边集中。

考查图 17-11a 的网络。开始时没有选择任何边。图 17-11b 显示了当时的布局。第一步选择边（1,6），并将它加入正在构建的生成树中，得到图 17-11c。下一步选择边（3,4），并将它加入树中，得到图 17-11d。然后选择的是边（2,7），将它加入树中，得到图 17-11e。接下来考察边（2,3），并将其加入树中，如图 17-11f 所示。在其余还未考虑的边中，（7,4）的成本最小，但是加入树中会产生环路，因此丢弃。接下来将边（5,4）加入树中，得到如图 17-11g 所示的布局。然后考察边（7,5），因为它会产生环路，所以其丢弃。最后考察（6,5）并将其加入树中，产生了一棵生成树，如图 17-11h 所示，其成本为 99。

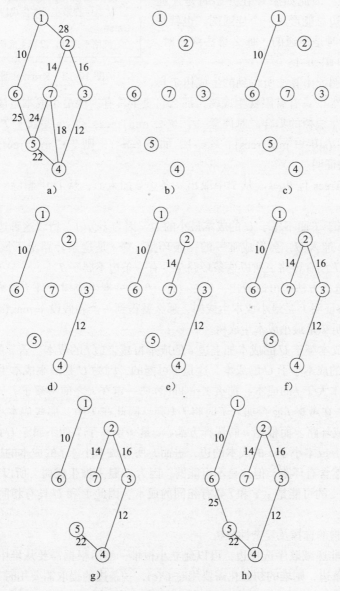

图 17-11　构造最小成本生成树

图 17-12 给出了 Kruskal 算法的伪代码。

（2）正确性证明

我们需要证明：1）只要存在生成树，Kruskal 算法总能产生一棵生成树；2）产生的生成树具有最小成本。

令 G 为任意一个加权无向图（即 G 是一个无向网络）。从 16.9.3 节可知，一个无向图有一棵生成树，当且仅当这个无向图是连通的。在 Kruskal 算法中被丢弃的边，仅仅是那些产生环路的边。而在连通图的一个环路上删除一条边，结果仍是连通图。因此如果 G 在开始时是连通的，则 T 和 E 的边总能形成一个连通图。也就是说，如果 G 开始时是连通的，那么算法终止时，不会出现 $E=\phi$ 和 $|T|<n-1$。

```
// 在 n 个顶点的网络中寻找一棵最小成本生成树
   令 T 是选定的边集。初始时 T= φ
   令 E 是网络的边集
   while(E ≠ φ )&&(|T| ≠ n-1)
   {
      令 (u,v) 是 E 中一条成本最小的边
      E=E-{(u,v)} // 从 E 中删除边 (u,v)
      if((u,v) 在 T 中不会产生环路 )
         把边 (u,v) 加入 T
   }
   if((|T|==n-1)
      T 是一棵最小成本生成树
   else
      网络不连通，没有生成树
```

图 17-12　Kruskal 算法的伪代码

现在我们证明，由算法所得到的生成树 T 具有最小成本。既然 G 具有有限棵生成树，那么它至少具有一棵最小成本生成树。令 minTrees 是 G 的最小成本生成树的集合。对任意一个 $W \in$ minTrees，令 d_W 是属于 T 且属于 W 的边的数量。令 $k=\max\{d_W|W \in$ minTrees$\}$，$k<n-1$。如果 $k=n-1$，则 $T \in$ minTrees。因此假设 $k<n-1$。现在用反证法证明。

令 $U \in$ minTrees 且 $d_U=k$。从 T 中取出一条边 e 加入 U，从 U 中删除一条边 f。e 和 f 按照如下方式选择：

1）令 e 是属于 T 而不属于 U 的成本最小的边。因为 $k<n-1$，所以这种边肯定存在。

2）如果把 e 加入 U，会形成唯一的一条环路。令 f 是这条环路上不属于 T 的任意一条边。注意，因为 T 没有环路，所以这条环路至少有一条边不属于 T。

从 e 与 f 的选择方法中可以看出，$V=U+\{e\}-\{f\}$ 是一棵生成树，且 T 中恰有 $k+1$ 条边属于 V。现在如果能够证明 V 是最小成本生成树，那么就得到一个和假设 $k=\max\{d_W|W \in$ minTrees$\}$ 的矛盾，由此证明 T 是最小成本生成树。

显然，V 的成本等于 U 的成本加上边 e 的成本再减去边 f 的成本。若 e 的成本小于 f 的成本，则生成树 V 的成本小于 U 的成本，这是不可能的，因为 U 是最小成本生成树。

如果 e 的成本大于 f 的成本，那么 Kruskal 算法一定在 e 之前考察了 f。既然 f 不在 T 中，那么 Kruskal 算法在考察 f 能否加入 T 时将 f 丢弃。因此在 T 中，那些成本小于或等于 f 的成本的边和边 f 形成环路。而根据 e 的选择方法，e 是一条属于 T 而不属于 U 的成本最小的边，因此在 T 中，所有成本小于 e 的成本的边，进而，所有成本小于 f 的成本的边，也都在 U 中。这样一来，U 必然含有环路，但这是不可能的，因为 U 是一棵生成树。所以假设不成立。

现在剩下唯一的可能是：e 和 f 具有相同的成本。因此 V 和 U 具有相同的成本，即 V 是一棵最小生成树。

（3）数据结构的选择及复杂性分析

为了按成本非递减顺序选择边，可以建立小根堆，然后根据需要从堆中一条边一条边地提取。若图有 e 条边，则堆的初始化需要用时 $O(e)$，一条边的提取需要用时 $O(\log e)$。

边的集合 T 与 G 的顶点一起定义了一个由至多 n 个连通子图构成的图。每个子图用该子

图的顶点集合来描述。这些顶点集合没有公共顶点。为了确定边 (u, v) 是否会产生环路，仅需检查 u、v 是否属于同一个顶点集（即处于同一子图）。如果是，则会产生一个环路；如果不是，则不会产生环路。因此，对顶点集使用两次 find 操作就可以了。当把一条边加到 T 中时，两个子图被合并成一个子图，即对两个集合执行 unite 操作。对集合的操作 find 和 unite，若用 11.9.2 节的树方法（以及加权规则和压缩路径）来实现，则效率很高。find 操作的次数最多为 $2e$，unite 操作的次数最多为 $n-1$（若加权无向图是连通的，则刚好是 $n-1$ 次）。还有树的初始化时间，其复杂性略大于 $O(n+e)$。

集合 T 的唯一操作是向 T 中加入新边。T 可用数组 spanningTreeEdges 来实现，把新边加入数组的一端。因为最多加入 $n-1$ 条边，所以 T 的操作总时间为 $O(n)$。

把上述各个部分的执行时间总计，得到图 17-12 算法的渐近复杂性 $O(n+e\log e)$。

（4）C++ 实现

利用刚刚描述的数据结构，可以把图 17-12 细化为 C++ 代码，如程序 17-4 所示。其中的方法是 graph 类的一个成员，而且可用于一个加权无向图的任何描述。类 weightedEdge<T> 定义了一个向数据类型 T 的类型转换。这个类型转换的返回值是边上的权。因此，边是按照权的递增顺序从小根堆中提取的。

如果不存在生成树，程序 17-4 代码的返回值是 false，否则返回 true。这时，一个最小成本生成树在数组 spanningTreeEdges 中返回。

程序 17-4　Kruskal 算法的 C++ 代码

```
bool kruskal(weightedEdge<T> *spanningTreeEdges)
{// 使用 Kruskal 方法寻找一棵最小成本生成树
 // 返回 false，当且仅当加权无向图是不连通的
 // 算法结束时，spanningTreeEdges[0:n-2] 存储的是最小成本生成树的边

   // 确定 *this 是否为无向加权图的代码在此省略

   int n = numberOfVertices();
   int e = numberOfEdges();
   // 建立一个数组，存储边
   weightedEdge<T> *edge = new weightedEdge<T> [e + 1];
   int k = 0;         // 数组 edge[] 的索引
   for (int i = 1; i <= n; i++)
   {// 取所有关联至 i 的边
      vertexIterator<T> *ii = iterator(i);
      int j;
      T w;
      while ((j = ii->next(w)) != 0)
         if (i < j)  // 向数组中加一条边
            edge[++k] = weightedEdge<int> (i, j, w);
   }
   // 把边插入小根堆
   minHeap<weightedEdge<T> > heap(1);
   heap.initialize(edge, e);

   fastUnionFind uf(n); // union/find 结构

   // 按照权的递增顺序提取边，然后决定选入或舍弃
   k = 0;  // 用于索引
   while (e > 0  && k < n - 1)
```

```
{//生成树没有完成且还有边存在
    weightedEdge<T> x =  heap.top();
    heap.pop();
    e--;
    int a = uf.find(x.vertex1());
    int b = uf.find(x.vertex2());
    if (a != b)
    {//选取边 x
        spanningTreeEdges[k++] = x;
        uf.unite(a,b);
    }
}
return (k == n - 1);
}
```

2. Prim 的算法

与 Kruskal 算法类似，Prim 算法通过分步选边来创建最小生成树，而且一步选择一条边。每步选边所依据的贪婪准则是：从剩余的边中，选择一条成本最小的边，并且把它加入已选的边集中形成一棵树。因此，每一步所得的入选边集都形成一棵树。相反，在 Kruskal 算法中，每一步所得入选的边集都是一个森林。

Prim 算法从一棵树 T 开始，它只有一个顶点。这个顶点可以是原图中任意一个顶点。然后把一条成本最小的边 (u, v) 加入 T 中，使 $T \cup \{(u, v)\}$ 也是一棵树。这种步骤反复执行，直到 T 有 $n-1$ 条边。注意，在选择边 (u,v) 时，顶点 u 和 v 只有一个顶点属于 T。Prim 算法的简化如图 17-13 所示。根据算法描述，输入的图不必是连通的。这时就没有生成树。图 17-14 显示了对图 17-11a 应用 Prim 算法的过程。把图 17-13 细化为 C++ 的程序及其正确性证明留作练习（练习 37）。

```
// 假设网络最少有一个顶点
  令 T 是入选的边集。初始化 T= φ
  令 TV 是已在树中的顶点集。置 TV={1}
  令 E 是网络的边集
while(E ≠ φ)&&(|T| ≠ n-1)
{
   令 (u,v) 是一条成本最小的边，且 u∈TV, v∉TV
   if( 没有这样的边 )
     终止循环
   E=E-{(u,v)} // 从 E 中删除边 (u,v)
   把边 (u,v) 加入 T
   把顶点 v 加入 TV
}
if((|T|==n-1)
   T 是一棵最小成本生成树
else
   网络不连通，没有生成树
```

图 17-13 Prim 最小生成树算法

如果根据每个不属于 TV 的顶点 v 选择一个顶点 near(v)，使得 near$(v) \in TV$ 且 cost$(v,$near$(v))$ 的值最小，那么实现 Prim 算法的时间复杂性为 $O(n^2)$，且下一条加入 T 的边是 $(v,$near$(v))$。

3. Sollin 算法

Sollin 算法的每一步都选择若干条边。在每一步的开始阶段，所选择的边和图的 n 个顶点一起构成一个生成树的森林。在每一步的中间，为森林的每棵树选择一条边，这条边成本最小，且仅有一个顶点在该树中。将这条边加入正在创建的生成树中。注意，可能为森林的两棵树选择了同一条边，这时必须去除重复的边。当若干条边具有相同的成本时，两棵树可以选择不同的边。在这种情况下，必须放弃一条选择的边。在第一步的开始阶段，所选择的边集为空。若在某一步结束时仅剩下一棵树，或已经没有剩余的边可供选择时，算法终止。

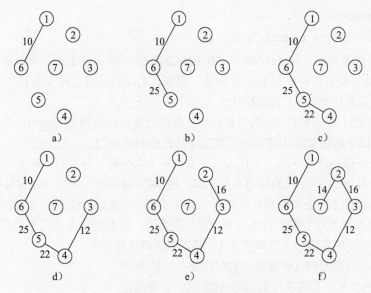

图 17-14 Prim 算法的步骤

图 17-15 是把 Sollin 算法应用于图 17-11a 时的步骤。初始时，入选边集为空，与图 17-11b 所示的格局一样。生成树森林的每棵树都只有一个顶点。根据顶点 1,2,…,7 所选择的边分别是 (1,6)，(2,7)，(3,4)，(4,3)，(5,4)，(6,1)，(7,2)。在所选的边集中不同的边是 (1,6)，(2,7)，(3,4) 和 (5,4)。将这些边加入入选边集后所得到的结果如图 17-15a 所示。下一步，具有顶点集 {1,6} 的树选择边 (6,5)，然后剩下的两棵树选择边 (2,3)。加入这两条边之后，已构成一棵生成树，如图 17-15b 所示。把 Sollin 算法细化为 C++ 程序，然后证明其正确性，这是留给读者的练习（练习 38 ）。

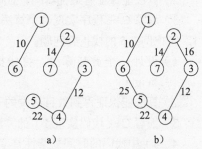

图 17-15 Sollin 算法的步骤

4. 应该使用哪一个算法

对最小成本生成树问题，已经有了三种贪婪算法，你应该根据性能标准来决定选择哪一种。因为三个算法对空间的需求都一样，所以这个决定依赖于它们的时间复杂性。Kruskal 算法的渐近时间复杂性是 $O(n+e\log e)$，Prim 算法的渐近时间复杂性是 $O(n^2)$（达到 $O(e+n\log n)$ 也是可能的，这是练习 37 的答案）。Sollin 算法的性能在本章中没有分析。实验结果显示，Prim 算法一般更快一些。因此，应该选用这个算法。

练习

8. 扩充贪婪算法，以解决两条船的装载问题。这样的算法总能产生最优解吗？

9. 已知 n 个任务的执行序列。假设任务 i 需要 t_i 个时间单位。如果任务完成的顺序为 $1,2,\cdots,n$，则任务 i 完成的时间为 $c_i = \sum_{j=1}^{i} t_j$。任务的平均完成时间（average completion time, ACT）为 $\frac{1}{n}\sum_{i=1}^{n} c_i$。

1）考虑有 4 个任务的情况，每个任务所需时间分别是 (4,2,8,1)。若任务的顺序为 1,2,3,4,

则 ACT 是多少？

2）若任务顺序为 2,1,4,3，则 ACT 是多少？

3）生成一个任务序列，使 ACT 最小，生成的方法是：分 n 步生成一个任务序列，每一步从剩下的任务里选择时间最少的任务。例如，对 1）应用这种方法获得的任务序列为 4,2,1,3。这种序列的 ACT 是多少？

4）编写一个 C++ 程序实现 3）的贪婪策略，程序的复杂性应为 $O(n\log n)$，试证明之。

5）证明利用 3）的贪婪算法获得的任务顺序具有最小的 ACT。

10. 若有两个工人执行练习 9 的 n 个任务，则要为每个人分配任务和指定任务执行的顺序。任务完成时间及 ACT 的定义与练习 9 的相同。使 ACT 最小的一种可行的贪婪算法是：两个工人轮流选择任务，每次从剩余的任务中选择一个时间最小的任务；每人按照自己的任务所选得的顺序来执行任务。以练习 9 第 1）题为例，如果第一人首先选择任务 4，则第二人选择任务 2，然后第一人选择任务 1，第二人选择任务 3。

1）编写 C++ 程序实现这种策略。其时间复杂性是多少？

2）上述的贪婪策略总能获得最小的 ACT 吗？证明结论。

11. 如题：

1）扩充练习 10 的贪婪算法，把两个人改为 m 个人。

2）算法能保证有最优解吗？证明结论。

3）编写 C++ 程序实现这个算法。其复杂性是多少？

12. 考虑例 7-5 的栈折叠问题。

1）设计一个贪婪算法，将栈折叠为最小数目的子栈，使得每个子栈的高度均不超过 height。

2）算法能保证得到数目最少的子栈吗？证明结论。

3）编写 C++ 代码实现 1）的算法。

4）3）中代码的时间复杂性是多少？

13. 编写 C++ 程序实现 0/1 背包问题，使用如下启发式方法：按价值密度非递减的顺序装包。

14. 使用 $k=1$ 的性能受限启发式方法，编写一个 C++ 程序来实现 0/1 背包问题。

15. 证明，在使用 $k=1$ 的性能受限启发式方法求解 0/1 背包问题时会发生边界错误。

16. 使用 $k=2$ 的性能受限启发式方法，编写一个 C++ 程序来实现 0/1 背包问题。

17. 考虑 $0 \leq x_i \leq 1$ 而不是 $x_i \in \{0,1\}$ 的**连续背包问题**。一种可行的贪婪策略是：按价值密度非递减的顺序检查物品。若剩余容量能容下正在考察的物品，将其装入；否则，往背包中装入此物品的一部分。

1）对于 $n=3$，$w=[100,10,10]$，$p=[20,15,15]$ 及 $c=105$，使用上述装包方法的结果是什么？

2）证明这种贪婪算法总能获得最优解。

3）编写 C++ 程序实现这个算法。

18. 例 17-1 的渴婴问题是练习 17 的连续背包问题的一般化。扩展练习 17 的贪婪算法，用于解决渴婴问题。算法能保证得到最优解吗？证明结论。

19. [AOE 网] 图 17-4 称为顶点活动网，因为图的顶点表示活动或任务。边活动网（AOE）是用图的边表示活动或任务，用顶点表示事件。AOE 网的一个顶点表示开始事件 s，另一个顶点表示结束事件 f。开始事件的入度和结束事件的出度都为 0。一个事件 i，如果不是开始事件，那么当它发生时，所有关联至顶点 i 的边 (j,i) 所表示的活动都已经结束，所有

关联于顶点 i 的边 (i,k) 所表示的活动都可以开始。在一个 AOE 网中，若干个活动可以同时进行。

图 17-16 是一个具有 8 个事件和 12 个活动的 AOE 网。边上的数字是完成活动所需要的时间。例如，活动 $(1,4)$ 需要 5 个时间单位完成。顶点 1 是开始事件，顶点 8 表示结束事件。

按照定义，开始事件发生时间为 0。

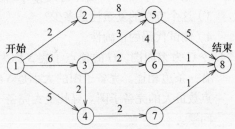

图 17-16　一个 AOE 网

1）用一个拓扑序列出图 17-16 的所有事件。

2）令 earliestEventTime(i) 表示事件 i 的**最早发生时间**。证明，若事件 i 不是开始事件，则

$$\text{earliestEventTime}(i)=\max_{(j,i)\in E}\{\text{earliestEventTime}(j)+\text{length}(j,i)\} \tag{17-1}$$

其中 E 表示 AOE 的边集，length(j,i) 表示活动 (j,i) 所需要的时间。

3）使用公式（17-1）和 1）的拓扑序列计算图 17-16 的所有事件的最早发生时间。

4）结束事件的最早发生时间称为**工程长度**（project length）。计算图 17-16 所表示的工程长度。

5）令 latestEventTime(i) 表示事件 i 的**最迟发生时间**，即必须发生的时间。如果事件 i 直到最迟时间还没有发生，那么工程就不能在工程长度固定的时间内完成。显然，结束事件的最迟发生时间和最早发生时间相同。假设 i 不是结束事件，证明：

$$\text{latestEventTime}(i)=\min_{(i,j)\in E}\{\text{latestEventTime}(j)-\text{length}(i,j)\} \tag{17-2}$$

6）使用公式（17-2）和 1）的逆向拓扑序列计算图 17-16 的所有事件的最迟发生时间。

7）从 AOE 网的定义可知，一个活动 (i,j) 的最早开始时间 earliestActivityTime(i,j) 是事件 i 的最早发生时间 earliestEventTime(i)；如果这个活动开始的时间晚于

$$\text{latestActivityTime}(i,j)=\text{latestEventTime}(j)-\text{length}(i,j)$$

那么工程就不会在工程长度时间内完成。计算图 17-16 的每个活动的最早开始时间和最迟开始时间。

8）活动 (i,j) 的**延迟时间**（slack,(i,j)）是

$$\text{latestActivityTime}(i,j)-\text{earliestActivityTime}(i,j)$$

计算所有活动的延迟时间。

9）一个活动，若它的延迟时间是 0，则称为**关键活动**（critical activity）。确定图 17-16 的关键活动。

20. 编写一个程序，输入一个 AOE 网（见练习 19），然后输出工程长度，最早和最迟事件时间和活动时间，延迟时间和关键活动。时间复杂性应为 $O(n+e)$，其中 n 是事件数量，e 是活动数量。测试你的程序。

21. 如题：

   1）证明图 17-7 的算法找不到覆盖，当且仅当二分图没有覆盖。

   2）给出一个具有覆盖的二分图，使得图 17-7 的算法找不到最小覆盖。

22. 对图 17-6，给出图 17-8 的工作过程。

23. 对于二分图覆盖问题设计另外一种贪婪启发式方法。这一次的贪婪准则是：*若 B 的一个顶点仅被 A 的一个顶点覆盖，则选择 A 的这个顶点；否则，从 A 中选择一个顶点，它所覆盖的未被覆盖的顶点数目最多。*

1）简化这种贪婪启发式方法。

2）编写一个 C++ 方法作为类 graph 的成员来实现上述方法。

3）这个方法的复杂性是多少?

4）测试代码的正确性。

24. 令 G 为无向图。G 的顶点子集 S 称为**完备子集**（clique），当且仅当 S 的任意两个顶点都有一条边相连。完备子图的大小是 S 的顶点数目。**最大完备子图**（maximum clique）是顶点数最大的完备子图。寻找最大完备子图的问题（即最大完备子图问题）是一个 NP- 复杂问题。

1）简化最大完备子图问题的一种可行的贪婪启发式方法。

2）给出一个能用 1）的启发式算法求解最大完备子图问题的图例，和一个不能用该算法求解的图例。

3）将 1）的启发式算法细化为一个公有方法：graph::maxClique(int *cliqueVertices)，它的返回值是最大完备子图的大小，而且把这个子图的顶点存储在数组 cliqueVertices 中返回。

4）代码的复杂性是多少?

25. 令 G 为一无向图。G 的顶点子集 S 称为**无关集**（independent set），当且仅当 S 的任意两个顶点都无边相连。最大无关集即是顶点数目最多的无关集。在一个图中寻找最大无关集是一个 NP- 复杂问题。按练习 24 的要求解决最大无关集问题。

26. 对无向图 G 着色（coloring）方法是为 G 的顶点编号 $\{1,2,\cdots\}$，使得有一条边相连的两个顶点具有不同的编号。所谓图的着色问题是指使用最少的颜色（即编号）给图着色。图的着色问题也是一个 NP- 复杂问题。按练习 24 的要求解决图的着色问题。

27. 对图 17-17 的加权有向图，列出所有从顶点 1 到顶点 3 的简单路径。每一条路径的长度是多少? 哪一条是最短路径?

28. 对图 17-17，按长度递增顺序，列出从顶点 1 到达每一个顶点的最短路径。观察除第一条路径之外的每条路径，每一条路径都是在前一条路径上扩充了一条边。

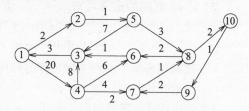

图 17-17   一个加权有向图

29. 1）对图 17-17，以顶点 1 为源点，显示 Dijkstra 方法（图 17-10）的初始时的数组 distanceFromSource 和 predecessor。

2）显示这两个数组在步骤 2）、3）和 4）每一次循环之后的值。

3）使用最后的数组 predecessor 确定从顶点 1 开始的最短路径。

30. 以顶点 5 为源点做练习 29。

31. 证明，当按照长度递增顺序生成最短路径时，下一条最短路径总是在上一条最短路径上扩展一条边得到的。

32. 证明，如果一个有向图存在成本为负的边，那么图 17-10 的贪婪算法在计算最短路径长度时可能不正确。

33. 编写一个函数 path(predecessor, sourceVertex, destinationVertex)，它利用方法 shortestPaths 计算 predecessor 的值，然后输出从顶点 sourceVertex 到顶点 destinationVertex 的一条最短路径。方法的时间复杂性是多少?

34. 把加权有向图作为 linkedWDigraph 类的一个成员，重写程序 17-3。该程序应作为该类的一个方法。这个方法的时间复杂性是多少？

35. 把加权有向图作为 linkedWDigraph 类的一个成员而且仅有 $O(n)$ 条边，重写程序 17-3。把 newReachableVertices 作为小根堆。用一个顶点的 distanceFromSource 值作为优先级。这个方法的时间复杂性是多少？

36. 重写程序 17-3，使其适用于加权无向图和加权有向图，而且不依赖于图的描述方法。这个程序是类 graph 的成员函数。

37. 1）证明 Prim 方法（图 17-13）的正确性。

   2）把图 17-13 细化为 C++ 方法 graph::prim，复杂性为 $O(n^2)$。（提示：使用类似程序 17-3 求最短路径的策略。）

   3）说明方法的时间复杂性确实为 $O(n^2)$。

38. 1）证明，对每一个联通无向图，Solin 算法都能找到最小成本生成树。

   2）Solin 算法的步骤最多是多少？用图的 n 个顶点的函数来表示这个数。

   3）编写 C++ 方法 graph::sollin，它使用 Sollin 算法寻找成本最小生成树。

   4）方法的时间复杂性是多少？

39. 令 T 是一棵树（不必是二叉树），它的长度与边有关。令 S 是 T 的顶点的子集，T/S 表示从 T 中去除 S 的顶点之后得到的森林。我们要寻找一个最小基数的子集 S，使得 T/S 没有一棵树具有从根到叶子的路径，其长度超过 d。

   1）设计一个贪婪算法寻找最小基数 S。（提示：从叶子开始移动到根。）

   2）证明算法的正确性。

   3）算法的时间复杂性是多少？它应该是顶点数的线性函数。

40. 假设 T/S 表示这样的森林，它来自 S 的每一个顶点的两份副本：来自父节点的指针指向一个副本，指向孩子的指针来自另一份副本。根据这种假设完成练习 39。

41. 一个顶点数 $n>2$ 的凸多边形（6.5.3 节）可以三角形化（即划分为或切割为三角形；三角形的每一个角是多边形的一个顶点）。切割从多边形的一个顶点 u 开始，到一个非邻接的顶点 v 结束。切割 (u,v) 的成本记做 $c(u,v)$。把该多边形三角形化需要 $n-2$ 次切割。

   1）设计一个贪婪策略，寻找成本最小的三角切割。

   2）你的贪婪策略总能找到成本最小的三角切割吗？证明你的答案。

   3）编写一个程序，实现你的策略。测试你的代码。

   4）时间复杂性是多少？

17.4 参考及推荐读物

V. Paschos. *A Survey of Approximately Optimal Solution to Some Covering and Packing Problems*. ACM Computing Surveys, 29, 2, 1997, 171~209. 它论述了若干个问题的近似贪婪算法。

B. Moret, H. Shapiro. *An Empirical Assessment of Algorithms for Constructing a Minimum Spanning Tree*. DIMACS Series in Discrete Mathematics, 15, 1994, 99~117. 它实验评价了最小成本生成树问题的贪婪算法。

分 而 治 之

概述

分而治之策略不仅被君主和殖民者成功地用来统治殖民地，也可以用来设计有效的计算机算法。本章首先说明如何把这一古老的分而治之策略应用于计算机算法设计。然后利用这一策略设计好的分而治之算法以解决如下问题：最小最大问题、矩阵乘法、一个娱乐数学——残缺棋盘问题、排序、选择和一个计算几何问题——在二维空间中寻找距离最近的两个点。

分而治之算法把一个问题实例分解为若干个小型而独立的实例，从而可以在并行计算机上执行；那些小型而独立的实例可以在并行计算机的不同处理器上完成。

本章设计了一些数学方法，用来分析常用的分而治之算法的复杂度，并且通过推导最小最大问题和排序问题的复杂度下限，来证明用分而治之算法能够得到这两个问题的最优解。推导出的下限和分而治之算法的复杂度是一致的。

18.1 算法思想

分而治之方法与软件设计的模块化方法非常相似。一个问题的小实例可以用直接方法求解。而要解决一个问题的大实例，可以 1）把它分成两个或多个更小的实例；2）分别解决每个小实例；3）把这些小实例的解组合成原始大实例的解。小实例通常是原问题的实例，可以使用分而治之策略递归求解。

例 18-1[找出假币] 一个袋子有 16 个硬币，其中可能有一个是假币，并且假币比真币要轻。现在要找出这个假币，而且有一台仪器可用来比较两组硬币的重量。

比较硬币 1 和硬币 2。如果硬币 1 比硬币 2 轻，则硬币 1 是假币。如果硬币 2 比硬币 1 轻，则硬币 2 是假币。假如两个硬币重量相等，则比较硬币 3 和硬币 4。同样，如果有一个硬币轻一些，则寻找假币的任务完成。假如两个硬币重量相等，则继续比较硬币 5 和硬币 6。以此方式，最多比较 8 次便可以确定是否存在假币，而且可以找到假币。

另一种方法是分而治之。假设 16 个硬币是一个问题的大实例。第一步，把这个大实例分成两个或更多的小实例。把 16 个硬币随机分成两组 A 和 B，每组有 8 个硬币。第二步，利用仪器确定哪一组有假币。如果两组重量相等，则无假币。如果不等，则可以确定假币存在，并且在较轻的那一组硬币中。最后，第三步，从第二步的结果中得到解。在这个算法中，第三步是容易的。16 枚硬币实例中只有一个伪币，当且仅当 A 或 B 有一个伪币。因此仅仅通过一次重量比较，就可以确定假币是否存在。

现在假设要找出假币。我们把两个或三个硬币视为不可再分的小实例。注意，只有一个硬币，不能确定它是否是假币。其他实例都是大实例。对于一个小实例，用其中的一个硬币和其他最多两个硬币比较，最多比较两次就可以找到假币。

16 个硬币是一个大实例。把它分成两个实例，A 组和 B 组，每组有 8 个硬币。比较这两组的重量，可以确定是否存在假币。如果没有假币，则算法终止。否则，继续划分。假设B组较轻。把B组再分成两组，B1和B2，每组有4个硬币。如果B1较轻，则假币在B1中。再将B1分成两组，B1a和B1b，每组有两个硬币。继续比较，可以得到较轻的一组。它只有两个硬币，是一个小实例，不需要再细分。最后一次比较，较轻者就是假币。■

例18-2[金块问题] 一个老板有一袋子金块。每个月有两名雇员会因其优异表现分别获得一个金块的奖励。按规矩，排名第一的雇员得到最重的金块，排名第二的雇员得到最轻的金块。因为有新的金块定期加入袋中，所以每个月都必须找出最轻和最重的金块。假设有一台比较重量的仪器，我们希望用最少的比较次数找出最重和最轻的金块。

假设有 n 个金块。可以用函数 max（程序1-37）通过 $n-1$ 次比较找到最重的金块。找到最重的金块后，可以从余下的 $n-1$ 个金块中，用类似的方法，通过 $n-2$ 次比较找出最轻的金块。这样，总的比较次数为 $2n-3$。程序2-24和程序2-25是另外两种方法，前者需要 $2n-2$ 次比较，后者最多需要 $2n-2$ 次比较。

下面用分而治之算法求解。当 n 很小时，比如说，$n \leq 2$，一次比较就足够了。当 n 较大时（$n>2$），第一步，把一袋金块平分成两个小袋金块 A 和 B。第二步，分别找出在 A 和 B 中最重和最轻的金块。设 A 的最重和最轻的金块分别为 H_A 与 L_A，B 的最重和最轻的金块分别为 H_B 和 L_B。第三步，比较 H_A 和 H_B，可以找到所有金块中最重的；比较 L_A 和 L_B，可以找到所有金块中最轻的。第二步可以递归地实现分而治之方法。

假设 $n=8$。把大袋子分为两个小袋子 A 和 B，各有4个金块（见图18-1a）。为了在 A 中找出最重和最轻的金块，把 A 的4个金块分成两组 $A1$ 和 $A2$。每组有两个金块。通过一次比较可以在 $A1$ 中找出较重的金块 H_{A1} 和较轻的金块 L_{A1}（见图18-1b）。再通过一次比较，可以找出 H_{A2} 和 L_{A2}。现在通过比较 H_{A1} 和 H_{A2}，能找出 H_A；通过 L_{A1} 和 L_{A2} 的比较可以找出 L_A。这样，通过4次比较便可以找到 H_A 和 L_A。同样，再通过4次比较可以确定 H_B 和 L_B。现在，通过比较 H_A 和 $H_B(L_A$ 和 $L_B)$ 就能找出所有金块中最重（最轻）的。因此，当 $n=8$ 时，分而治之方法需要10次比较。而程序1-37需要13次比较，程序2-24和程序2-25最多需要14次比较。

设 $c(n)$ 为分而治之方法所需要的比较次数。为了简便，假设 n 是2的幂。当 $n=2$ 时，$c(n)=1$。对于较大的 n，$c(n)=2c(n/2)+2$。当 n 是2的幂时，使用替代方法（见例2-20）可知 $c(n)=3n/2-2$。在本例中，使用分而治之方法比逐个比较的方法少用了25%的比较次数。

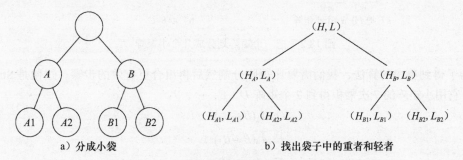

a）分成小袋　　　　　　　　b）找出袋子中的重者和轻者

图18-1 在8个金块中找出最重和最轻的金块 ■

例18-3[矩阵乘法] 两个 $n \times n$ 阶矩阵 A 和 B 的乘积是另一个 $n \times n$ 阶矩阵 C，其中 $C(i,j)$ 可表示为

$$C(i,j) = \sum_{k=1}^{n} A(i,k) * B(k,j), 1 \leq i \leq n, 1 \leq j \leq n \qquad (18-1)$$

如果使用这个公式计算，那么每一个 $C(i,j)$ 的计算都需要 n 次乘法和 $n-1$ 次加法。因此，整个 C 的计算要 $n^3m+n^2(n-1)a$ 次操作，其中 m 表示一次乘法，a 表示一次加法或减法。

为了设计分而治之算法以计算两个矩阵的乘法，我们需要做的是：定义什么是一个小实例；说明小实例是如何进行乘法运算；确定把一个大实例划分为小实例的方法；最后描述如何用小实例的计算结果得到大实例的计算结果。为了使讨论简便，假设 n 是 2 的幂（即 n 是 $1,2,4,8,16,\cdots$）。

首先，假设 $n=1$ 为小实例，$n>1$ 为大实例。以后如果需要，我们将修改这个假设。因为小实例就是 1×1 阶小矩阵，所以把每个矩阵的唯一元素直接相乘便得到两个矩阵相乘的结果。

考察一个 $n>1$ 的大实例。可以将这样的矩阵分成 4 个 $n/2\times n/2$ 阶的矩阵 A_1、A_2、A_3 和 A_4，如图 18-2a 所示。当 n 大于 1 且 n 是 2 的幂时，$n/2$ 也是 2 的幂。因此较小矩阵也满足前面对矩阵大小的假设。矩阵 B_i 和 C_i 的定义与此类似，$1\leqslant i\leqslant4$。矩阵乘积如图 18-2b 所示。可以利用公式（18-1）来证明以下公式有效：

$$C_1=A_1B_1+A_2B_3 \tag{18-2}$$

$$C_2=A_1B_2+A_2B_4 \tag{18-3}$$

$$C_3=A_3B_1+A_4B_3 \tag{18-4}$$

$$C_4=A_3B_2+A_4B_4 \tag{18-5}$$

根据上述公式，进行 $n/2\times n/2$ 阶矩阵的 8 次乘法和 4 次加法，就可以计算出 A 与 B 的乘积。因此，利用这些公式可以实现分而治之算法。在算法的第二步，递归地应用分而治之算法，计算 8 个小矩阵的乘积。在算法第三步，利用矩阵相加的算法（程序 2-21），将 8 个乘积结果综合在一起。算法的复杂度为 $\Theta(n^3)$，与程序 2-22 的复杂度相同，后者直接使用了公式（18-1）。实际上，矩阵分割和再组合需要额外开销，因此分而治之算法的运行速度要比程序 2-22 慢。

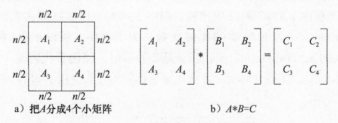

a）把 A 分成 4 个小矩阵　　　　　　b）$A*B=C$

图 18-2　把一个矩阵划分成几个小矩阵

为了得到更快的算法，我们需要比矩阵分割然后再组合更有效的步骤。这便是 Strassen 方法，它用小矩阵的 7 次乘积得到 7 个矩阵 D，E，$\cdots$，J：

$$D=A_1(B_2-B_4)$$

$$E=A_4(B_3-B_1)$$

$$F=(A_3+A_4)B_1$$

$$G=(A_1+A_2)B_4$$

$$H=(A_3-A_1)(B_1+B_2)$$

$$I=(A_2-A_4)(B_3+B_4)$$

$$J=(A_1+A_4)(B_1+B_4)$$

这 7 个矩阵 $D \sim J$ 通过 7 次矩阵乘法，6 次矩阵加法，4 次矩阵减法得到。矩阵 A 和 B 相乘的结果再需要 6 次矩阵加法和两次矩阵减法得到，计算方法如下：

$$C_1 = E + I + J - G$$

$$C_2 = D + G$$

$$C_3 = E + F$$

$$C_4 = D + H + J - F$$

把上述方法应用到 $n=2$ 的矩阵乘法。矩阵 A 和 B 以及相乘后的结果矩阵 C 如下所示：

$$\begin{bmatrix} 1 & 2 \\ 3 & 4 \end{bmatrix} * \begin{bmatrix} 5 & 6 \\ 7 & 8 \end{bmatrix} = \begin{bmatrix} 19 & 22 \\ 43 & 50 \end{bmatrix}$$

因为 $n>1$，所以将矩阵 A 和 B 分别划分为 4 个小矩阵，如图 18-2a 所示。每个矩阵为 1×1 阶，仅包含一个元素。1×1 阶矩阵的乘法是矩阵乘法的小实例，可以直接计算。利用 $D \sim J$ 的计算公式得到：

$$D = 1(6-8) = -2$$

$$E = 4(7-5) = 8$$

$$F = (3+4)5 = 35$$

$$G = (1+2)8 = 24$$

$$H = (3-1)(5+6) = 22$$

$$I = (2-4)(7+8) = -30$$

$$J = (1+4)(5+8) = 65$$

根据这些值，得到矩阵 C 的 4 个小矩阵的元素如下：

$$C_1 = 8 - 30 + 65 - 24 = 19$$

$$C_2 = -2 + 24 = 22$$

$$C_3 = 8 + 35 = 43$$

$$C_4 = -2 + 22 + 65 - 35 = 50$$

对于 2×2 的实例，使用分而治之算法需要 7 次乘法和 18 次加 / 减法运算。而直接使用公式（18-1），则需要 8 次乘法和 4 次加 / 减法。要使分而治之算法更快一些，则一次乘法所花费的时间必须比 14 次加 / 减法的时间要长。

如果对 $n \geq 8$ 的矩阵乘法使用 Strassen 实例分割，对 $n<8$ 的矩阵乘法直接使用公式（18-1），则当 $n=8$ 时，分而治之算法需要 7 次 4×4 矩阵乘法和 18 次 4×4 矩阵加 / 减法。每次矩阵乘法需要 $64m+48a$ 次操作，每次矩阵加法或减法需要 $16a$ 次操作。总操作次数为 $7(64m+48a)+18(16a)=448m+624a$。而使用直接计算方法，则需要 $512m+448a$ 次操作。要使 Strassen 方法比直接计算方法快，至少需要 512–448 次乘法比 624–448 次加 / 减法更费时间，或者说一次乘法比近似 2.75 次加 / 减法要更费时。

如果把 $n<16$ 的矩阵视为"小"实例，仅仅对 $n \geq 16$ 的矩阵乘法使用 Strassen 分解方案，对 $n<16$ 的矩阵乘法直接使用公式（18-1），那么当 $n=16$ 时，分而治之算法需要 $7(512m+448a)+18(64a)=3584m+4288a$ 次操作。而直接计算需要 $4096m+3840a$ 次操作。若一次乘法的用时与一次加 / 减法的用时相同，则 Strassen 方法需要 7872 次操作时间加上实例分解的时间，而直接计算方法需要 7936 次操作时间加上程序的 for 循环以及其他语句所花费的时

间。即使直接计算方法所需要的操作比 Strassen 方法少，但前者需要更多的额外时间，因此它也不见得会比 Strassen 方法快。

就操作次数而言，n 的值越大，Strassen 方法与直接计算方法的差异就越大。因此对于足够大的 n，Strassen 方法将更快。令 $t(n)$ 表示使用 Strassen 分而治之方法所需要的时间。因为大矩阵将被递归地分割成小矩阵直到每个矩阵的大小不大于 k（k 至少为 8，也许更大，具体大小由计算机的性能决定），所以 t 的递归表达式如下：

$$t(n) = \begin{cases} d, & n \leqslant k \\ 7t(n/2) + cn^2, & n > k \end{cases} \tag{18-6}$$

其中 cn^2 表示执行 18 次 $n/2 \times n/2$ 阶矩阵加 / 减法以及把大小为 n 的矩阵分割成小矩阵所需要的时间。用替代方法计算可得 $t(n)=\Theta(n^{\log_2 7})$。因为 $\log_2 7 \approx 2.81$，所以对矩阵乘法的分而治之算法，其渐近复杂度优于程序 2-22。■

算法实现的注意事项

使用分而治之方法可以自然得到递归算法。而且在许多实例中，我们可以用递归程序很好地实现递归算法。然而实际上，在许多情况下，我们都在努力建立非递归程序来实现递归算法，而且为了这个目的，一般都是用一个栈来模拟递归栈。不过在某些实例中，不用栈也可以用非递归程序实现分而治之方法，并且比自然递归程序更快。金块问题（例 18-2）和归并排序（18.2.2 节）的分而治之方法的实现程序便是这样的程序。

例 18-4[金块问题]　用例 18-2 的算法在 8 个金块中寻找最轻和最重的金块，这个过程可以用图 18-3 的二叉树来描述。树的叶子分别表示 8 个金块（a,b,…,h）。每一个带阴影的节点表示一个实例，它所包含的金块，就是以该节点为根的子树的所有叶子。因此，根节点 A 表示 8 金块实例，而节点 B 表示 4 金块（a，b，c 和 d）的实例。算法从根节点开始。由根节点表示的 8 金块实例被划分成两个 4 金块实例 B 和 C。由 B 节点所表示的 4 金块实例被划分成 2 金块实例 D 和 E。通过比较金块 a 和 b，解决了 D 表示的 2 金块实例。解决了 D 和 E 的金块实例之后，通过比较 D 和 E 的结果，解决了 B 表示的 4 金块实例。接着在 F、G 和 C 上重复这一过程，最后解决了 A 表示的 8 金块实例。

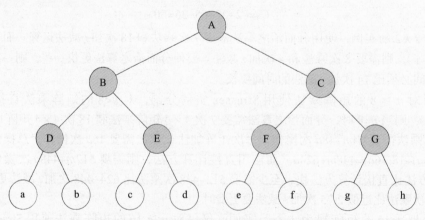

图 18-3　在 8 个金块中找出最轻和最重的金块

可以将递归的分而治之算法划分成以下步骤：

1）在图 18-3 的二叉树中，沿着根至叶子的路径，把一个大实例划分成若干个大小为 1 或 2 的小实例。

2）在每个大小为 2 的实例中，比较确定哪一个较重和哪一个较轻。在节点 D、E、F 和 G 上完成这种比较。大小为 1 的实例只有一个金块，它既是最轻的也是最重的。

3）对较轻的金块进行比较以确定哪一个最轻，对较重的金块进行比较以确定哪一个最重。对节点 A、B 和 C 执行这种比较。

根据上述划分，得出程序 18-1 的非递归代码，它在表示重量的数组 a[0:n-1] 中，寻找最小数和最大数，且分别用变量 indexOfMin 和 indexOfMax 返回它们的位置。

程序 18-1　在 a[0:n–1] 中找出最小值和最大值的非递归程序

```
template<class T>
bool minmax(T a[], int n, int& indexOfMin, int& indexOfMax)
{// 在 a[0:n-1] 中确定最轻和最重元素的位置如果少于一个元素，范围 false
   if (n < 1) return false;
   if (n == 1)
   {
      indexOfMin = indexOfMax = 0;
      return true;
   }
   // n > 1
   int s = 1;                    // 循环的起点
   if (n % 2 == 1)               // n 为奇数
      indexOfMin = indexOfMax = 0;
   else
   {// 当 n 是偶数时，首先比较的一对元素
      if (a[0] > a[1])
         {indexOfMin = 1; indexOfMax = 0;}
      else
         {indexOfMin = 0; indexOfMax = 1;}
      s = 2;
   }

   // 比较剩余元素对
   for (int i = s; i < n; i += 2)
   {
      // 比较 a[i] 和 a[i + 1]，然后将较重者和 a[indexOfMax] 比较，较轻者和 a[indexOfMin] 比较
      if (a[i] > a[i + 1])
      {
         if (a[i] > a[indexOfMax])
            indexOfMax = i;
         if (a[i + 1] < a[indexOfMin])
            indexOfMin = i + 1;
      }
      else
      {
         if (a[i + 1] > a[indexOfMax])
            indexOfMax = i + 1;
         if (a[i] < a[indexOfMin])
            indexOfMin = i;
      }
   }
   return true;
}
```

首先处理的是 n<1 和 n=1 的情况。如果 n>1 且为奇数，那么将数组元素 a[0] 作为最小和最大元素的候选者，剩余元素为 a[1:n-1]，个数为偶数，在 for 循环中处理。如果 n>1 且为偶数，那么头两个权在 for 循环之外比较，然后用 indexOfMin 和 indexOfMax 分别表示较小者和较大者的位置。然后，剩余元素 a[2:n-1]，个数为偶数，在 for 循环中处理。

在 for 循环中，外层 if 语句在 a[i] 和 a[i+1] 中确定较轻者和较重者。这组操作与上述分而治之算法的步骤 2）对应。内层 if 语句在当前较轻者中确定最轻者，在当前较重者中确定最重者，这组操作与步骤 3）对应。

总之，for 循环将每一对（a[i]，a[i+1]）的较轻者与当前的最轻者 a[indexOfMin] 比较，较重者与当前的最重者 a[indexOfMax] 比较，如果必要，则修改 indexOfMin 和 indexOfMax 的值。

下面分析算法的复杂度。当 n 为偶数时，在 for 循环外部有一次比较，内部有 $3(n/2-1)$ 次比较。总的比较次数为 $3n/2-2$。当 n 为奇数时，在 for 循环外部没有比较，内部有 $3(n-1)/2$ 次比较。因此，无论 n 为奇数或偶数，当 n>0 时，总的比较次数为 $\lceil 3n/2 \rceil - 2$。我们在 18.4.1 节将证明，这是在寻找最大最小值的算法中，比较次数最少的算法。

练习

1. 将例 18-1 的分而治之算法扩充到 n>1 个硬币。需要进行多少次重量的比较？

2. 考虑例 18-1 的假币问题。假设硬币还是 n 个，但是条件"假币的重量比真币的轻"变为"假币与真币的重量不同"。

   1）设计相应的分而治之算法。如果不存在假币，则输出信息"不存在假币"，否则，找出假币。用递归方法将大的问题实例划分成两个较小的问题实例。如果假币存在，那么找出假币需要多少次比较？

   2）重做 1），但是把大的问题实例划分为三个较小的问题实例。

3. 1）编写 C++ 程序，实现例 18-2 中寻找 n 个元素的最大值和最小值的两种方案。使用递归来实现分而治之方案。

   2）程序 2-24 和程序 2-25 是寻找 n 个元素的最大值和最小值的另外两个代码。计算每一个代码所需要的最少和最多的比较次数。

   3）假设 n 分别等于 100、1000 或 10 000，比较代码 1）和 2）以及程序 18-1 的运行时间。对于程序 2-25，使用平均时间和最坏情况下的时间。代码 1）和程序 2-24 应具有相同的平均时间和最坏情况下的时间。

   4）注意，除非比较操作的用时很多，分而治之算法在最坏情况下不会优于其他算法。为什么？它的平均时间优于程序 2-25 吗？为什么？

4. 证明，直接应用公式 (18-2) ~ 公式 (18-5) 设计的矩阵乘法的分而治之算法，其复杂度为 $\Theta(n^3)$。因此相应的程序比程序 2-22 要慢。

5. 用替代法来证明公式 (18-6) 的递归解为 $\Theta(n^{\log_2 7})$。

6. 编写程序，实现 Strassen 矩阵乘法的算法。利用不同的 k 值（见公式 (18-6)）进行实验，以确定 k 为何值时程序性能最佳。和程序 2-22 比较运行时间。可取 n 为 2 的幂。

7. 当 n 不是 2 的幂时，可以在矩阵中增加最少的行数和列数，使矩阵的阶数 m 为 2 的幂。

   1）求比率 m/n。

   2）用哪些矩阵项组成新的行和列，使得在新矩阵 A' 和 B' 的乘积矩阵 C' 中，原矩阵 A

和 B 的乘积位于左上角？

3）使用 Strassen 方法计算 $A' \times B'$ 所需要的时间为 $\Theta(m^{2.81})$。给出以 n 为变量的运行时间函数。

18.2 应用

18.2.1 残缺棋盘

1. 问题描述

残缺棋盘 (defective chessboard) 是一个有 $2^k \times 2^k$ 个方格的棋盘，其中恰有一个方格残缺。图 18-4 给出 $k \leqslant 2$ 时的一部分可能的残缺棋盘，其中残缺的方格用阴影表示。注意，当 $k=0$ 时，仅存在一种可能的残缺棋盘（如图 18-4a 所示）。事实上，对于任意 k，恰有 2^{2k} 种不同的残缺棋盘。

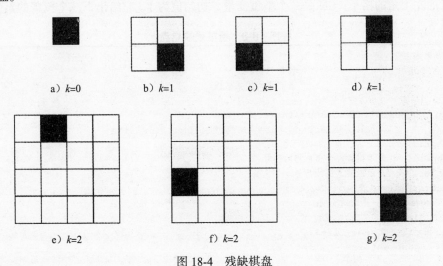

a) $k=0$ b) $k=1$ c) $k=1$ d) $k=1$

e) $k=2$ f) $k=2$ g) $k=2$

图 18-4　残缺棋盘

在残缺棋盘问题中，要求用三格板覆盖残缺棋盘（如图 18-5 所示）。在覆盖中，任意两个三格板不能重叠，任意一个三格板不能覆盖残缺方格，但三格板必须覆盖其他所有方格。在这种限制条件下，所需的三格板总数为 $(2^{2k}-1)/3$。可以证明 $(2^{2k}-1)/3$ 是一个整数。k 为 0 的残缺棋盘很容易被覆盖，因为它没有非残缺的方格，用于覆盖的三格板的数目为 0。当 $k=1$ 时，每个残缺棋盘正好有 3 个非残缺的方格，可用图 18-5 中某一方向的三格板来覆盖。

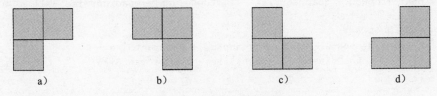

a)   b)   c)   d)

图 18-5　不同方向的三格板

2. 求解策略

使用分而治之法，可以很好地解决残缺棋盘问题。把 $2^k \times 2^k$ 的残缺棋盘实例划分为较小的残缺棋盘实例。一个自然的划分结果是 4 个 $2^{k-1} \times 2^{k-1}$ 棋盘，如图 18-6a 所示。注意，原来

的 $2^k \times 2^k$ 棋盘仅仅有一个残缺方格，因此划分之后，在 4 个小棋盘中仅仅有一个棋盘存在残缺方格。首先覆盖残缺方格的小棋盘。然后把剩下的 3 个小棋盘转变为残缺棋盘，为此，将一个三格板放置由这 3 个小棋盘形成的角上，如图 18-6b 所示，其中，原 $2^k \times 2^k$ 棋盘的残缺方格位于左上角的 $2^{k-1} \times 2^{k-1}$ 棋盘。递归地使用这种分割技术。当棋盘的大小减为 1×1 时，递归过程终止。此时的 1×1 棋盘仅仅包含一个方格且为残缺方格，无需覆盖三格板。

 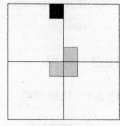

a）划分方法   b）放置的三格板

图 18-6　分割 $2^k \times 2^k$ 棋盘

3. C++ 实现

我们可以一个递归的 C++ 函数 tileBoard（见程序 18-2）来实现上述的分而治之算法。该函数利用了两个全局整数变量 board 和 tile。board 是一个二维整型数组，表示棋盘，board[0][0] 表示棋盘的左上角的格子；tile 是一个整型变量，初始值为 1，它给出下一个覆盖的索引。

程序 18-2　覆盖残缺棋盘

```
// 全局变量
int **board;           // 棋盘
int tile;              // 当前使用的三格板

void tileBoard(int topRow, int topColumn,
               int defectRow, int defectColumn, int size)
{// topRow 表示棋盘左上角方格的行号
 // topColumn 表示棋盘左上角方格的列号
 // defectRow 表示残缺方法的行号
 // defectColumn 表示残缺方法的列号
 // size 表示棋盘一个边的长度
   if(size == 1) return;
   int tileToUse = tile++,
       quadrantSize = size / 2;

   // 覆盖左上角象限
   if(defectRow < topRow + quadrantSize &&
      defectColumn < topColumn + quadrantSize)
      // 残缺方格属于这个象限
      tileBoard(topRow, topColumn, defectRow, defectColumn, quadrantSize);
   else
   {// 这个象限无残缺方格
      // 在右下角放置一个三格板
      board[topRow + quadrantSize - 1][topColumn + quadrantSize - 1]
           = tileToUse;
      // 覆盖其余的方格
      tileBoard(topRow, topColumn, topRow + quadrantSize - 1,
                topColumn + quadrantSize - 1, quadrantSize);
   }

   // 剩余三个象限的覆盖代码类似
}
```

初始函数调用为 tileBoard(0,0,dRow,dCol,size)，其中 size=2^k，dRow 和 dCol 是残缺方格的行列索引。覆盖残缺棋盘所需要的三格板数目为 $(size^2-1)/3$。函数 tileBoard 用整数 1 到

(size^2–1)/3 来表示这些三格板，并用三格板的标号来标记被该三格板覆盖的非残缺方格。

4. 时间复杂度分析

令 $t(k)$ 为函数 tileBoard 覆盖一个 $2^k \times 2^k$ 残缺棋盘所需要的时间。当 $k=0$ 时，size=1，所需时间为一个常数 d。当 $k>0$ 时，需要 4 次递归函数调用，所需时间为 $4t(k-1)$。除去这些时间以外，if 条件测试和 3 个非残缺方格的覆盖也需要时间。令常数 c 表示这些额外时间。可以得到 $t(k)$ 的递归表达式如下：

$$t(k) = \begin{cases} d, & k = 0 \\ 4t(k-1) + c, & k > 0 \end{cases} \qquad (18\text{-}7)$$

用替代方法（见例 2-20）来计算这个表达式，可得 $t(k)=\Theta(4^k)=\Theta($ 所需三格板的数目)。因为放置每一块三格板至少用时 $\Theta(1)$，所以不可能有一个比分而治之算法的渐近性能更好的算法。

18.2.2 归并排序

1. 排序方法

可以应用分而治之法来设计排序算法，把 n 个元素按非递减顺序排列。这种排序算法常用的结构是：若 n 为 1，则算法终止；否则，将序列划分为 k 个子序列（k 是不小于 2 的整数）。先对每一个子序列排序，然后将有序子序列归并为一个序列。

假设将 n 个元素的序列仅仅划分为两个子序列，称之为二路划分。一种二路划分是把前面 $n-1$ 个元素放到第一个子序列中（称为 A），最后一个元素放到第二个子序列中（称为 B）。按照这种划分方式对 A 递归地进行排序。由于 B 仅含一个元素，所以它已经有序。在 A 排序后，使用程序 2-10 的 insert 函数将 A 和 B 归并。把这种排序与插入排序 insertionSort（见程序 2-15）比较，可以发现它实际上是插入排序的递归形式。该算法的复杂度为 $O(n^2)$。

另一种二路划分是将关键字最大的元素放入 B，剩余元素放入 A。然后对 A 递归排序。为了将排序后的 A 和 B 归并，这时只需要将 B 附加到 A 的尾部。如果使用程序 1-37 的函数 Max 来寻找关键字最大的元素，那么这种排序算法实际上就是选择排序 selectionSort（见程序 2-7）的递归形式。如果使用程序 2-8 的冒泡函数来寻找关键字最大的元素并把它移到最右边的位置，那么这种排序算法就是冒泡排序 bubbleSort（见程序 2-9）的递归形式。这两种排序算法的复杂度均为 $\Theta(n^2)$。如果 A 一旦有序，就终止对 A 的递归划分，则算法的复杂度为 $O(n^2)$（见例 2-16 和例 2-17）。

上述划分方案将 n 个元素序列划分为两个极不平衡的子序列 A 和 B。A 有 $n-1$ 个元素，而 B 仅有一个元素。如果划分得平衡一点，情况会怎样呢？假设 A 包含 n/k 个元素，B 包含其余的元素。递归地应用分而治法对 A 和 B 进行排序，然后采用一个被称之为归并的过程，将有序子序列 A 和 B 归并成一个序列。

例 18-5 假设有 8 个元素，关键字分别为 [10,4,6,3,8,2,5,7]。如果选定 $k=2$，则子序列 [10,4,6,3] 和 [8,2,5,7] 需要分别独立排序，结果得到两个有序子序列 [3,4,6,10] 和 [2,5,7,8]。现在从头元素开始，将这两个有序子序列归并到一个子序列。元素 2 与 3 比较，2 被移到归并序列；3 与 5 比较，3 被移到归并序列；4 与 5 比较，4 被移到归并序列；5 和 6 比较，以此类推。

如果选定 $k=4$，则子序列 [10,4] 和 [6,3,8,2,5,7] 需要分别独立排序。结果得到两个有序子序列 [4,10] 和 [2,3,5,6,7,8]。将它们归并后便是所求的有序序列。   ∎

图 18-7 是对该分而治之排序算法的简单描述。当生成的较小的实例个数为 2，且 *A* 划分后的子序列具有 *n/k* 元素时，算法便可以得到最后结果。

```
void sort(E,n)
{// 对 E 中的 n 个元素排序，k 是全局变量
   if(n>=k)
   {
      i=n/k;
      j=n-i;
      令 A 由 E 的前 i 个元素组成
      令 B 由 E 剩余的 j 个元素组成
      sort(A,i);
      sort(B,j);
      merge(A,B,E,i,j);  // 把 A 和 B 合并到 E
   }
   else
      对 E 插入排序
}
```

图 18-7 分而治之排序算法的伪码

从归并过程的简明描述中可以明显地看出，归并 *n* 个元素所需要的时间为 $O(n)$。设 $t(n)$ 为分而治之排序算法（如图 18-7 所示）在最坏情况下的用时。我们有 $t(n)$ 的递推公式如下：

$$t(n) = \begin{cases} d, & n < k \\ t(n/k) + t(n-n/k) + cn, & n \geq k \end{cases} \tag{18-8}$$

其中 *c* 和 *d* 为常数。从公式（18-8）可知，当 $t(n/k)+t(n-n/k)$ 最小时，$t(n)$ 最小。

定理 18-1 令 $f(x)$ 满足

$$f(y+d)-f(y) \geq f(z+d)-f(z), \qquad y \geq z, d>0 \tag{18-9}$$

对每一个实数 *w*，当 *k*=2 时，$f(w/k)+f(w-w/k)$ 是最小的。

证明 将 $z=y-d$ 带入公式（18-9），得到

$$f(y+d)-f(y) \geq f(y)-f(y-d)$$

或者

$$2f(y) \leq f(y+d)+f(y-d) \tag{18-10}$$

当 $k \geq 2$ 时，将 $d=w/2-w/k$ 和 $y=w/2$ 带入公式（18-9），当 *k*<2 时，将 $d=w/k-w/2$ 和 $y=w/2$ 带入公式（18-9），都可以得到

$$2f(w/2) \leq f(w/k)+f(w-w/k)$$

证毕。 ∎

每一个排序算法都具有时间复杂度 $\Omega(n\log n)$（见 18.4.2 节）。因此，当 *k*=2 时，即两个较小的实例大小接近相等时，$f(n)=t(n)$ 满足公式（18-9），且图 18-7 算法的时间复杂度最小。实际上，复杂度 $\Omega(n)$ 足以满足公式（18-9）。当两个较小的实例所包含的元素个数近似相等时，分而治之算法通常具有最佳性能。

在 $t(n)$ 的递推公式中，取 *k*=2，可得到如下递推公式：

$$t(n) = \begin{cases} d, & n \leq 1 \\ t(\lfloor n/2 \rfloor) + t(\lceil n/2 \rceil) + cn, & n > 1 \end{cases}$$

因为上面的递推公式包含上下取整操作符，所以计算比较困难。如果仅假设 *n* 为 2 的幂，

那么递推公式具有如下简单形式：

$$t(n) = \begin{cases} d, & n \leqslant 1 \\ 2t(n/2) + cn, & n > 1 \end{cases}$$

可以用替代法来计算这一递推方式，结果为 $t(n)=\Theta(n\log n)$。这个结果虽然是在 n 为 2 的幂时得到的，但对于所有的 n 也是有效的，因为 $t(n)$ 是 n 的非递减函数。因为 $t(n)=\Theta(n\log n)$，所以 $\Theta(n\log n)$ 是归并排序的最好和最坏情况下的复杂度。因为最好和最坏情况下的复杂度一样，所以归并排序的平均复杂度也是 $\Theta(n\log n)$。

2. C++ 实现

图 18-7 在 $k=2$ 时的排序算法称为**归并排序**（merge sort），更准确地说，是**二路归并排序**（two-way merge sort）。下面将图 18-7 在 $k=2$ 时的归并排序细化为对 n 个元素排序的 C++ 函数。一种最简单的方法是用链表存储元素（见 6.1 节）。将链表在第（$n/2$）个节点处断开，分为两个大致相等的子链表。归并过程将两个排序后的子链表归并在一起。但是我们不使用链表，因为我们要与堆排序和插入排序做性能比较，而后两种排序方法都不使用链表。

归并排序函数用一个数组 a 来存储元素序列 E，并用 a 返回排序后的序列。当序列 E 被划分为两个子序列时，不必把它们分别复制到 A 和 B 中，只需简单地记录它们在序列 E 中的左右边界。然后将排序后的子序列归并到一个新数组 b 中，最后再将它们复制回 a 中。图 18-8 是图 18-7 的细化版。

```
void mergeSort(T *a,int left,int right)
{ //对数组元素 a[left:right] 排序
   if(left<right)
   { //至少有两个元素
      int middle=(left+right)/2;
      mergeSort(a,left,diddle);
      mergeSort(a,middle+1,right);
      merge(a,b,left,middle,right);        // 从 a 到 b 归并
      copy(b,a,left,right);                // 将排序结果复制到 a
   }
}
```

图 18-8　分而治之排序算法的改进

可以从很多方面改进图 18-8 的性能。例如，消除递归。如果仔细考察这个程序，就会发现，递归只是简单地对序列反复划分，直到序列的长度变为 1，这时再进行归并。这个过程用 n 为 2 的幂来描述会更好。长度为 1 的子序列被归并为长度为 2 的有序子序列；长度为 2 的子序列被归并为长度为 4 的有序子序列；这个过程不断地重复直到归并为一个长度为 n 的序列。图 18-9 是 $n=8$ 时的归并（和复制）过程，方括号表示一个有序序列左右边界。

初始段	[8]	[4]	[5]	[6]	[2]	[1]	[7]	[3]
归并到 b	[4	8]	[5	6]	[1	2]	[3	7]
复制到 a	[4	8]	[5	6]	[1	2]	[3	7]
归并到 b	[4	5	6	8]	[1	2	3	7]
复制到 a	[4	5	6	8]	[1	2	3	7]
归并到 b	[1	2	3	4	5	6	7	8]
复制到 a	[1	2	3	4	5	6	7	8]

图 18-9　归并排序的例子

二路归并排序的一种迭代算法是这样的：首先将每两个相邻的大小为1的子序列归并，然后将每两个相邻的大小为2的子序列归并，如此反复，直到只剩下一个有序序列。轮流地将元素从 a 归并到 b，从 b 归并到 a，实际上消除了从 b 到 a 的复制过程。这个算法见程序 18-3。

程序 18-3   用归并排序法对数组元素 a[0:n–1] 排序

```
template <class T>
void mergeSort(T a[], int n)
{// 使用归并排序方法对a[0 : n - 1]排序
   T *b = new T [n];
   int segmentSize = 1;
   while (segmentSize < n)
   {
      mergePass(a, b, n, segmentSize);        //从a到b的归并
      segmentSize += segmentSize;
      mergePass(b, a, n, segmentSize);        //从b到a的归并
      segmentSize += segmentSize;
   }
   delete[] b;
}
```

为了完成排序代码，需要函数 mergePass（见程序 18-4）。不过这个函数仅用来确定需要归并的子序列的左右边界。实际的归并是由函数 merge（见程序 18-5）完成的。

程序 18-4   把相邻的两个数据段从 x 到 y 归并

```
template <class T>
void mergePass(T x[], T y[], int n, int segmentSize)
{// 从x到y归并相邻的数据段
   int i = 0;                                 //下一个数据段的起点
   while (i <= n - 2 * segmentSize)
   {// 从x到y归并相邻的数据段
      merge(x, y, i, i + segmentSize - 1, i + 2 * segmentSize - 1);
      i = i + 2 * segmentSize;
   }

   // 少于两个满数据段
   if (i + segmentSize < n)
      // 剩有两个数据段
      merge(x, y, i, i + segmentSize - 1, n - 1);
   else
      // 只剩一个数据段，复制到y
      for (int j = i; j < n; j++)
         y[j] = x[j];
}
```

程序 18-5   把相邻的数据段从 c 到 d 归并

```
template <class T>
void merge(T c[], T d[], int startOfFirst, int endOfFirst,
                        int endOfSecond)
{// 把两个相邻数据段从c归并到d
   int first = startOfFirst,                  //第一个数据段的索引
```

```
        second = endOfFirst + 1,            // 第二个数据段的索引
        result = startOfFirst;              // 归并数据段的索引

    // 直到有一个数据段归并到归并段 d
    while ((first <= endOfFirst) && (second <= endOfSecond))
        if(c[first] <= c[second])
            d[result++] = c[first++];
        else
            d[result++] = c[second++];

    // 归并剩余元素
    if(first > endOfFirst)
        for (int q = second; q <= endOfSecond; q++)
            d[result++] = c[q];
    else
        for (int q = first; q <= endOfFirst; q++)
            d[result++] = c[q];
}
```

3. 自然归并排序

程序 18-3 归并排序函数也称**直接归并排序**（straight merge sort）。在自然归并排序中，首先认定在输入序列中已经存在的有序段。例如，在输入数列 [4,8,3,7,1,5,6,2] 中可以认定 4 个有序段：[4,8]，[3,7]，[1,5,6] 和 [2]。认定的方法是，从左至右扫描序列元素，若位置 i 的元素比位置 $i+1$ 的元素大，则位置 i 便是一个分割点。然后归并这些有序段，直到剩下一个有序段。

归并有序段 1 和 2 可得有序段 [3,4,7,8]，归并有序段 3 和 4 可得有序段 [1,2,5,6]，最后，归并这两个有序段得到 [1,2,3,4,5,6,7,8]。这样，只需要两次归并。程序 18-3 的初始归并段长度为 1，经过 3 次归并完成排序。

自然归并排序的最好情况是，输入序列已经有序。自然归并排序只认定了一个有序段，不需要归并，但程序 18-3 仍要进行 $\lceil \log_2 n \rceil$ 趟归并。因此自然归并排序需用时 $\Theta(n)$。而程序 18-3 需用时 $\Theta(n\log n)$。

自然归并排序的最坏情况是输入序列按递减顺序排列。最初认定的有序段有 n 个。这时的归并排序和自然归并排序需要相同的归并次数，但自然归并排序为记录有序段的边界需要更多的时间。因此，在最坏情况下的性能，自然归并排序不如直接归并排序。

在一般情况下，n 个元素序列有 $n/2$ 个有序段，因为第 i 个元素关键字大于第 $i+1$ 个元素关键字的概率是 0.5。如果开始的有序段仅有 $n/2$ 个，那么自然归并排序所需的归并比直接归并排序的要少。但是自然归并排序在认定初始有序段和记录有序段的边界时需要额外时间。因此，只有输入序列确实有很少的有序段时，才建议使用自然归并排序。

18.2.3 快速排序

1. 排序方法

用分而治之法可以实现另一种完全不同的排序——**快速排序**（quick sort）。把 n 个元素划分为三段：左段 left、中间段 middle 和右段 right。中段仅有一个元素。左段的元素都不大于中间段的元素，右段的元素都不小于中间段的元素。因此可以对 left 和 right 独立排序，并且排序后不用归并。middle 的元素称为**支点**（pivot）或**分割元素**（partitioning element）。图 18-10 描述了快速排序。

```
// 对 a[0:n-1] 快速排序
    从 a[0:n-1] 中选择一个元素作为支点，组成中间段。
    把剩余元素分为左段 left 和右段 right。使左段的元素关键字都不大于支点关键字，右段的元素关键字都
        不小于支点的关键字
    对左段递归快速排序
    对右段递归快速排序
    最终结果按左段、中间段和右段排列
```

图 18-10　快速排序的简单描述

考察元素序列 [4,8,3,7,1,5,6,2]。假设选择元素 6 作为支点。因此 6 属于 middle；4,3,1,5,2 属于 left；8 和 7 属于 right。left 排序结果为 1,2,3,4,5；right 排序结果为 7,8。把右段 right 的元素放在支点之后，左段 left 的元素放在支点之前，即可得到有序序列 [1,2,3,4,5,6,7,8]。在对数据段 [4,3,1,5,2] 递归快速排序时，如果选择 3 为支点，则左段包含 1 和 2，右段包含 4 和 5。左段和右段分别排序后，和支点组成有序段 [1,2,3,4,5]。

2. C++ 实现

程序 18-6 的快速排序函数 quickSort 把数组 a 的最大元素移动数组的最右端，然后调用程序 18-7 的递归函数 quickSort 执行排序。程序 18-7 要求每一个数据段，或者其最大元素位于右端，或者其后继元素大于数据段的所有元素，因此，把最大元素移到最右端；如果这个条件不满足，例如，当支点是最大元素时，第一个 do 循环语句的结果是左索引值大于 $n-1$。

程序 18-7 把数据段划分为左、中、右。支点总是待排序数段的左元素。其实还可以选择性能更好的排序算法。在本章后面，我们将讨论这样的算法。

程序 18-6　递归快速排序的驱动程序

```cpp
template <class T>
void quickSort(T a[], int n)
{// 对 a[0 : n - 1] 快速排序
   if (n <= 1) return;
   // 把最大的元素移到数组右端
   int max = indexOfMax(a,n);
   swap(a[n - 1], a[max]);
   quickSort(a, 0, n - 2);
}
```

在程序 18-7 的 do-while 语句的条件中，把关系操作符 < 和 > 分别改为 <= 和 >=，程序依然正确（这时，数据段最右边的元素比支点要大）。实验结果表明，程序 18-6 的平均性能比较好。要去除递归，就要引入栈。而最后一次递归调用在去除时不用引入栈。去除递归调用的算法这项工作留作练习 21。

程序 18-7　递归快速排序函数

```cpp
template <class T>
void quickSort(T a[], int leftEnd, int rightEnd)
{// 对 a[leftEnd:rightEnd] 排序，a[rightEnd+1] >= a[leftEnd:rightEnd]
   if (leftEnd >= rightEnd) return;

   int leftCursor = leftEnd,              // 从左到右移动的索引
       rightCursor = rightEnd + 1;        // 从右到左移动的索引
   T pivot = a[leftEnd];
```

```
// 将位于左侧不小于支点的元素和位于右侧不大于支点的元素交换
while (true)
{
   do
   {// 寻找左侧不小于支点的元素
      leftCursor++;
   } while (a[leftCursor] < pivot);

   do
   {// 寻找右侧不大于支点的元素
      rightCursor--;
   } while (a[rightCursor] > pivot);

   if(leftCursor >= rightCursor) break;     // 没有找到交换的元素对
   swap(a[leftCursor], a[rightCursor]);
}

// 放置支点
a[leftEnd] = a[rightCursor];
a[rightCursor] = pivot;

quickSort(a, leftEnd, rightCursor - 1);     // 对左侧的数段排序
quickSort(a, rightCursor + 1, rightEnd);    // 对右侧的数段排序
}
```

3. 复杂度分析

程序 18-6 所需要的递归栈空间为 $O(n)$。若使用栈来模拟递归，则需要的空间可以减少为 $O(\log n)$。在模拟过程中，首先对数据段 left 和 right 中较小者进行排序，把较大者的边界放入栈中。

在最坏情况下，例如，数据段 left 总是空，这时的快速排序用时为 $\Theta(n^2)$。在最好情况下，即数据段 left 和 right 的元素数目总是大致相同，这时的快速排序用时为 $\Theta(n\log n)$。而快速排序的平均复杂度也是 $\Theta(n\log n)$，这是令人惊奇的速度。

定理 18-2 快速排序的平均复杂度是 $\Theta(n\log n)$，其中 n 为排序元素的个数。

证明 令 $t(n)$ 表示对 n 元素数组排序的平均时间。当 $n \leqslant 1$ 时，$t(n) \leqslant d$, d 为常数。假设 $n>1$。用 s 表示左数据段的元素个数。因为中间段有一个元素，所有右数据段的元素个数为 $n-s-1$。因此，左段和右段的平均排序时间分别为 $t(s)$ 和 $t(n-s-1)$。分割数组元素所需要的时间为 cn，其中 c 是一个常数。因为 s 可以从 0 到 $n-1$ 取任何一个值，而且概率相等，所以得到下面的递归表达式：

$$t(n) \leqslant cn + \frac{1}{n}\sum_{s=0}^{n-1}[t(s) + t(n-s-1)]$$

可将上式化简为：

$$t(n) \leqslant cn + \frac{2}{n}\sum_{s=0}^{n-1}t(s) \leqslant cn + \frac{4d}{n} + \frac{2}{n}\sum_{s=2}^{n-1}t(s) \tag{18-11}$$

对 n 使用归纳法，可得到 $t(n) \leqslant kn\log_e n$，其中 $n>1$, $k=2(c+d)$。$e \approx 2.718$，是自然对数的基底。归纳基础部分包括 $n=2$。根据公式 (18-11)，可以得到 $t(2) \leqslant 2c+2d \leqslant kn\log_e 2$。在归纳假设部分，假定 $t(n) \leqslant kn \log_e n$（当 $2 \leqslant n<m$ 时，m 是任意一个大于 2 的整数）。在归纳步骤阶段，需要证明 $t(m) \leqslant km \log_e m$。根据公式 (18-11) 和归纳假设，可以得到：

$$t(m) \leqslant cm + \frac{4d}{m} + \frac{2}{m}\sum_{s=2}^{m-1}t(s) \leqslant cm + \frac{4d}{m} + \frac{2k}{m}\sum_{s=2}^{m-1}s\log_e s \qquad (18\text{-}12)$$

为了进一步证明的需要，我们需要以下事实：

- $s\log_e s$ 是 s 的一个递增函数。
- $\int_2^m s\log_e s\,ds < \frac{m^2\log_e m}{2} - \frac{m^2}{4}$。

根据这些事实和公式 (18-12)，可以得到：

$$t(m) < cm + \frac{4d}{m} + \frac{2k}{m}\int_2^m s\log_e s\,ds < cm + \frac{4d}{m} + \frac{2k}{m}\left[\frac{m^2\log_e m}{2} - \frac{m^2}{4}\right]$$

$$= cm + \frac{4d}{m} + km\log_e m - \frac{km}{2} < km\log_e m$$

因此，快速排序函数 quickSort 的平均性能是 $O(n\log n)$。在 18.4.2 节我们要证明，每一个比较排序算法（包括快速排序）的复杂度为 $\Omega(n\log n)$。因此，快速排序的平均复杂度为 $\Theta(n\log n)$。 ∎

在图 18-11 的表中，对本书设计的排序算法在平均情况下和最坏情况下的复杂度做了比较。

排序算法	最坏情况下的性能	平均性能
冒泡排序	n^2	n^2
计数排序	n^2	n^2
插入排序	n^2	n^2
选择排序	n^2	n^2
堆排序	$n\log n$	$n\log n$
归并排序	$n\log n$	$n\log n$
快速排序	n^2	$n\log n$

图 18-11   各种排序算法的比较

4. 三值取中快速排序

对有序的输入序列实施快速排序，却表现出最坏情况下的时间性能。也就是说，一个快速排序算法，它对有序表排序比对无序表排序要慢，这是让人痛苦的问题。不过，我们可以解决这个问题，同时提高快速排序的平均性能，方法是根据**三值取中规则**（median-of-three rule）选择支点元素。

三值取中快速排序 (median-of-three quick sort) 在三元素 a[leftEnd]、a[(leftEnd+rightEnd)/2] 和 a[rightEnd] 中选择大小居中的中值元素作为支点元素。例如，若三元素分别为 5,9,7，则取 7 为支点元素。为此，最简单的做法是将中值位置上的元素与元素 a[leftEnd] 交换，然后继续使用程序 18-6。在程序 18-7 中，如果 a[rightEnd] 是中值元素，则将 a[leftEnd] 和 a[rightEnd] 交换，然后再将 a[leftEnd] 选为支点元素，而其他代码不动。

使用三值取中规则对输入有序的表进行快速排序，用时为 $O(n\log n)$。而且不会出现一个数据段为空的情况，除非有关键字相同的元素。也就是说，使用三值取中规则可以保证左右两个数据段的长度更均衡。不过，这样的改进是否能够抵消中值元素的选择所花费的时间呢？只有用实验来回答这个问题。

5. 性能测量

图 18-12 中的表是根据实验所得到的快速排序的平均时间。快速排序依然取自程序 18-6，即中值元素选自数据段的首元素。这个表还包括了归并排序、堆排序和插入排序的平均时间。对每一个 n，都随机产生了至少 100 组整数实例用于排序。这些随机实例是反复调用 C++ 函

数 rand 来生成的。如果对这些实例的排序时间少于一秒（见 4.4 节），那么就再生成随机实例用以排序，直到排序时间不少于一秒。在图 18-12 的表中所显示的时间包含了随机实例的生成时间。对每一个 n，生成随机实例的时间以及其他额外用时，对所有排序法都是一样的。图 18-12 的数据对于各种排序算法的性能比较是很有用的。图 18-13 是这些数据构成的曲线图。

n	插入	堆	归并	快速
0	0.000	0.000	0.000	0.000
50	0.004	0.009	0.008	0.006
100	0.011	0.019	0.017	0.013
200	0.033	0.042	0.037	0.029
300	0.067	0.066	0.059	0.045
400	0.117	0.090	0.079	0.061
500	0.179	0.116	0.100	0.079
1000	0.662	0.245	0.213	0.169
2000	2.439	0.519	0.459	0.358
3000	5.390	0.809	0.721	0.560
4000	9.530	1.105	0.972	0.761
5000	15.935	1.410	1.271	0.970

时间单位为毫秒

图 18-12　各种排序算法的平均时间

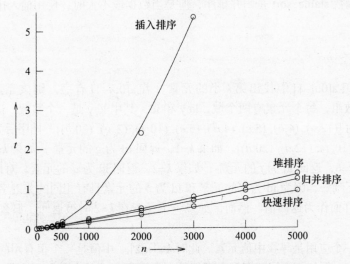

图 18-13　各种排序算法平均时间的曲线图（毫秒）

如图 18-13 所示，对于足够大的 n，快速排序算法要比其他算法效率更高。快速排序曲线与插入排序曲线的交点横坐标在 50 和 100 之间，精确值可以通过实验来确定。令精确值为 nBreak。当 $n \le$ nBreak 时，插入排序的平均性能最佳，而当 $n>$ nBreak 时，快速排序的性能最佳。当 $n>$ nBreak 时，把插入排序与快速排序综合为一个排序函数，可以提高快速排序的性能，综合的方法是把程序 18-6 的语句

```
if(leftEnd>=rightEnd) return;
```

替换为

```
if(rightEnd-leftEnd<nBreak)
{
    insertionSort(a,leftEnd,rightEnd);
    return;
}
```

这里 insertionSort(a,leftEnd,rightEnd) 是用插入排序法对 a[leftEnd: rightEnd] 排序。修改后的快速排序算法的性能测量留作练习 28。使 nBreak 取更小的值有可能使性能进一步提高（见练习 28）。

大多数实验表明，当 $n>c$ 时（c 为某一常数），在最坏的情况下，归并排序的性能最佳。而当 $n \leq c$ 时，在最坏的情况下，插入排序的性能最佳。将插入排序与归并排序合并，可以提高归并排序的性能（见练习 29）。

排序方法的实际运行时间表明，渐近复杂度分析是有局限性的。例如，对一些小型实例，复杂度为 $O(n^2)$ 的插入排序方法比所有复杂度为 $O(n\log n)$ 的排序方法具有更好的性能，对此，渐近复杂度分析并不能准确地预测。那些渐近复杂度相同的程序，实际运行时间常常是不同的。

6. C++ 排序方法

如果你要设计 STL 排序函数 sort，你应该怎样做呢？图 18-12 和图 18-13 可能会令你左右为难。有的方法在最坏情况下的性能最优，有的方法的平均性能最佳，还有的方法是稳定的（它使两个相等的元素在排序前后的次序不变），你应该选择哪一种呢？

C++ 排序函数的设计者选择了平均性能最优的设计，而且使用改变的快速排序，这种排序算法在子序列的数量超过对数 $\log n$ 的某个常数倍时，使用堆排序，在数据段不大时，使用插入排序。STL 函数 stable_sort 是归并排序，但是当数据段不大时，使用插入排序。

18.2.4　选择

1. 问题描述

从 n 元素数组 a[0:$n-1$] 中找出第 k 小的元素。若 a[0:$n-1$] 有序，则该元素便是 a[$k-1$]。考虑 $n=8$ 的一个数组，每个元素有两个域，key 和 id，其中 key 是一个整数，id 是一个字符。假设这 8 个元素为 [(12,a), (4,b), (5,c), (4,d), (5,e), (10,f), (2,g), (20,h)]，排序后为 [(2,g), (4,d), (4,b), (5,c), (5,e), (10,f), (12,a), (20,h)]。如果 $k=1$，返回 id 为 g 的元素；如果 $k=8$，返回 id 为 h 的元素；如果 $k=6$，返回 id 为 f 的元素；如果 $k=2$，返回 id 为 d 的元素。对最后一种情况，返回的元素可能不唯一，因为 id 为 d 的元素和 id 为 b 的元素具有相同的关键字，所以任何一个都可能排在 a[1] 而作为返回值。然而，如果一个元素在 $k=2$ 时被返回，那么另一个必定在 $k=3$ 时被返回。

选择问题的一个应用是寻找中值元素。此时 $k=\lceil n/2 \rceil$。中值是一个很有用的统计量，经常出现在媒体报道中，例如，中间工资、中间年龄、中间高度。k 为其他值时也是有用的。例如，寻找第 $n/4$、$n/2$、$3n/4$ 这三个元素，可以将人口划分为 4 部分。

2. 求解策略和实现

选择问题可在 $O(n\log n)$ 时间内解决，方法是，首先对 n 个元素的数组 a[0:$n-1$] 排序（堆排序或归并排序），然后取出 a[$k-1$] 中的元素。使用快速排序（如图 18-12 所示）可以获得更好的平均性能，尽管该算法在最坏情况下的渐近复杂度比较差，仅为 $O(n^2)$。

修改程序 18-6，可以得到选择问题的一个较快的求解方法。如果在两个 while 循环之后，将支点元素 a[leftEnd] 交换到 a[j]，那么 a[leftEnd] 便是 a[leftEnd:rightEnd] 中第 j-leftEnd+1 小的元素。如果要寻找的第 k 小的元素在 a[leftEnd:rightEnd] 中，并且 j-leftEnd+1 等于 k，那么答案就是 a[leftEnd]；如果 j–leftEnd+1<k，那么要寻找的元素是 right 中第 k–j+leftEnd–1 小的元素，否则是 left 中第 k 小的元素。因此，只需进行 0 次或 1 次递归调用。修改后的代码见程序 18-8 和程序 18-9。在 select 中的递归调用可用 for 或 while 循环来代替（练习 35）。

程序 18-8　寻找第 k 小的元素的预处理程序

```
template <class T>
T select(T a[], int n, int k)
{// 返回 a[0 : n - 1] 中第 k 小的元素
   if(k < 1 || k > n)
      throw illegalParameterValue("k must be between 1 and n");

   // 把最大元素移到最右端
   int max = indexOfMax(a, n);
   swap(a[n-1], a[max]);
   return select(a, 0, n - 1, k);
}
```

程序 18-9　寻找第 k 小的元素的递归函数

```
template <class T>
T select(T a[], int leftEnd, int rightEnd, int k)
{// 返回 a[leftEnd:rightEnd] 中第 k 小的元素
   if(leftEnd >= rightEnd)
      return a[leftEnd];
   int leftCursor = leftEnd,          // 从左到右的索引
      rightCursor = rightEnd + 1;      // 从右到左的索引
   T pivot = a[leftEnd];

   // 将左面不小于支点的元素和右面不大于支点的元素交换
   while (true)
   {
      do
      {// 寻找左面不小于支点的元素
         leftCursor++;
      } while (a[leftCursor] < pivot);

      do
      {// 寻找右面不大于支点的元素
         rightCursor--;
      } while (a[rightCursor] > pivot);

      if(leftCursor >= rightCursor) break;    // 交换的一对元素没有找到
      swap(a[leftCursor], a[rightCursor]);
   }

   if(rightCursor - leftEnd + 1 == k)
      return pivot;

   // 放置支点元素
   a[leftEnd] = a[rightCursor];
   a[rightCursor] = pivot;

   // 对一个数据段调用递归
   if(rightCursor - leftEnd + 1 < k)
```

```
          return select(a, rightCursor + 1, rightEnd,
                        k - rightCursor + leftEnd - 1);
     else return select(a, leftEnd, rightCursor - 1, k);
}
```

3. 复杂度分析

程序 18-8 在最坏情况下的复杂度是 $\Theta(n^2)$。所谓最坏情况就是 left 总是为空，第 k 小元素总是位于 right。如果 left 和 right 总是一样大小或大小相差不超过一个元素，那么对程序 18-8 使用时，可得到以下递归表达式：

$$t(n) \leqslant \begin{cases} d, & n \leqslant 1 \\ t(\lfloor n/2 \rfloor) + cn, & n > 1 \end{cases} \tag{18-13}$$

如果 n 是 2 的幂，那么可以取消公式（18-13）中的向下取整操作符，然后使用替代方法，可以得到 $t(n)=\Theta(n)$。如果选择支点元素的方法更细致一点，那么在最坏情况下的时间复杂度可以改进为 $\Theta(n)$。"中间的中间（median-of-median）"规则便是这样一种方法。它首先根据一个整数 r，将数组 a 的 n 个元素分成 $\lfloor n/r \rfloor$ 个组，每组都有 r 个元素。可能剩下不足 r 个元素，个数是 n 除以 r 的余数，它们不作为选择支点元素的候选。然后对每组的 r 个元素进行排序，寻找在中间位置上的元素。最后递归地使用选择算法，在所得的 $\lfloor n/r \rfloor$ 个中间元素中选择中间元素作为支点元素。

例 18-6[中间的中间] 假设 $r=5$，$n=27$，且 $a=[2, 6, 8, 1, 4, 9, 20, 6, 22, 11, 9, 8, 4, 3, 7, 8, 16, 11, 10, 8, 2, 14, 15, 1, 12, 5, 4]$。将数组 a 的元素划分为 5 组 [2, 6, 8, 1, 4], [9, 20, 6, 22, 11], [9, 8, 4, 3, 7], [8, 16, 11, 10, 8], [2,14,15,1,12]。剩余的元素是 5 和 4。由每组的中间元素组成 [4, 11, 7, 10, 12]，其中的中间元素为 10。10 被取为支点元素。由此支点元素可以得到 left=[2, 6, 8, 1, 4, 9, 6, 9, 8, 4, 3, 7, 8, 8, 2, 1, 5, 4]，middle=[10]，right=[20, 22, 11, 16, 11, 14, 15, 12]。如果要寻找第 k 小的元素且 $k<19$，则仅仅需要在 left 中寻找；如果 $k=19$，则要找的元素就是支点元素 10；如果 $k>19$，则需要在 right 中寻找第（$k-19$）个元素。￭

定理 18-3 当按"中间的中间"规则选取支点元素时，如下结论为真：

1）若 $r=9$，则对 $n \geqslant 90$，有 $\max\{|\text{left}|, |\text{right}|\} \leqslant 7n/8$。

2）若 $r=5$，且所有元素各不相同，则对 $n \geqslant 24$，有 $\max\{|\text{left}|, |\text{right}|\} \leqslant 3n/4$。

证明 这个定理的证明留作练习 33。￭

根据定理 18-3 和程序 18-8 可知，若在"中间的中间"规则中选用 $r=9$，则寻找第 k 小的元素的时间 $t(n)$ 可按如下递归公式来计算：

$$t(n) \leqslant \begin{cases} cn\log n, & n < 90 \\ t(\lfloor n/9 \rfloor) + t(\lfloor 7n/8 \rfloor) + cn, & n \geqslant 90 \end{cases} \tag{18-14}$$

其中 c 是一个常数。根据公式（18-14），当 $n<90$ 时，使用复杂度为 $n\log n$ 的算法，当 $n \geqslant 90$ 时，使用带有"中间的中间"规则的分而治之算法。利用归纳法可以证明（练习 34），当 $n \geqslant 1$ 时，有 $t(n) \leqslant 72cn$。当元素互不相同时，使用 $r=5$ 可以得到线性时间性能。

18.2.5 相距最近的点对

1. 问题描述

给定 n 个点（x_i, y_i）（$1 \leqslant i \leqslant n$），要求找出其中相距最近的两个点。两点 i 和 j 之间的距离公式如下：

$$\sqrt{(x_i - x_j)^2 + (y_i - y_j)^2}$$

例 18-7 假设在一块金属板上钻 n 个大小一样的孔。如果两孔相距太近，那么在钻孔时，金属板就可能断裂。若能够确定相距最近的两个孔之间的距离，那么就可以估算金属板发生断裂的概率。∎

2. 求解策略

考察所有 $n(n-1)/2$ 个点对，计算每一个点对之间的距离，然后确定相距最近的一个点对。这个过程所需时间为 $O(n^2)$。这种方法称为**直接法**（direct approach）。还有一种方法是分而治之法，图 18-14 是对这种方法的简单描述。

```
if (n 不大)
{
    用直接方法寻找相距最近的点对。
    return;
}
// n 很大
把点集分成大致相等的两部分 A 和 B。
分别确定 A 和 B 中相距最近的点对。
确定一点在 A 另一点在 B 的相距最近的点对。
在上面得到的相距最近的三个点对中，选择相距最近的一对。
```

图 18-14 寻找最近的点对

分而治之法对小实例用直接法求解，对大实例进行划分，划分为两个较小的实例。一个实例称为 A，其大小为 $\lceil n/2 \rceil$，另一个实例称为 B，其大小为 $\lfloor n/2 \rfloor$。于是，相距最近的点对来自如下三类点对之一：1）两点都在 A；2）两点都在 B；3）一点在 A，另一点在 B。首先在每一类中确定一个相距最近的点对，然后从得到的三个点对中确定相距最近的点对。对第一类和第二类点对，可以用递归方法来查找其中相距最近的点对。

对第三类点对中相距最近的点对，需要用一种不同的方法来查找。这种方法取决于小实例的划分方式。一个合理的划分方式是沿中值点 x_i 画一条垂线，把金属板划分为左右两部分，在垂线左边的点属于 A，在垂线右边的点属于 B。把垂线上的点在 A 和 B 之间分配，以平衡 A 和 B 的大小。

例 18-8 图 18-15a 有 14 个点，从 a 到 n，它们被标示在图 18-15b 中。中值点 $x_i=1$，垂线 $x=1$，如图 18-15b 中的虚线所示。在虚线左边的点有 b、c、h、n、i，它们属于 A，在虚线右边的点有 a、e、f、j、k、l，它们属于 B。在虚线上的点有 d、g、m；假设把 d、m 分配给 A，g 分配给 B，这样一来，A 和 B 各具 7 个点。∎

在 A 中相距最近的点对的间距和 B 中相距最近的点对的间距有一个较小者，我们设其为 δ。要在第三类点对中寻找一个点对，其间距比 δ 小，那么这个点对的每一个点距垂线的距离都要比 δ 小。因此，那些距垂线距离不小于 δ 的点都可以排除。图 18-16 的虚线是分割线。阴影区域以分割线为中线，宽度为 2δ。在阴影区域的边界线上和边界线以外的点均被排除，只有在阴影区域里的点被保留下来，在其中确定是否存在一个第三类的点对，其间距小于 δ。

令 R_A 和 R_B 分别表示在 A 和 B 中被保留下来的点。如果存在一个点对 (p,q)，满足 $p \in A$，$q \in B$ 且 p 和 q 间距小于 δ，则 $p \in R_A$，$q \in R_B$。为了寻找这种点对，每次考察 R_A 中的一个点。假设考察的是 R_A 中的点 p，p 的 y 坐标为 $p.y$。然后我们只需在 R_B 中查看那些其 y 坐标与 $p.y$ 的距离小于 δ 的点 q，即 $p.y-\delta < q.y < p.y+\delta$，因为只有这样的点 q，才可能与 p

构成其间距小于 δ 的点对。在 R_B 中包含这些点 q 的区域如图 18-17a 所示。最后，将 $\delta \times 2\delta$ 阴影区域内的点逐个与 p 配对，确定是否构成其间距小于 δ 的第三类点对。这个 $\delta \times 2\delta$ 区域称为 p 的**比较区**（comparing region）。

label	a	b	c	d	e	f	g
x_i	2	0.5	0.25	1	3	2	1
y_i	2	0.5	1	2	1	0.7	1
label	h	i	j	k	l	m	n
x_i	0.6	0.9	2	4	1.1	1	0.7
y_i	0.8	0.5	1	2	0.5	1.5	2

a）14 个点

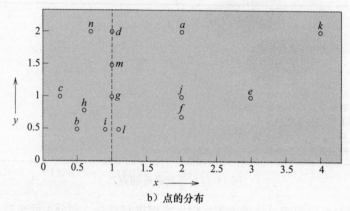

b）点的分布

图 18-15　具有 14 个点的实例

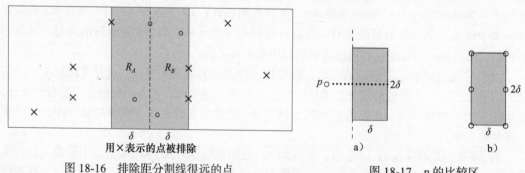

用 × 表示的点被排除

图 18-16　排除距分割线很远的点

图 18-17　p 的比较区

例 18-9　考察例 18-8 的 14 个点。A 中相距最近的点对为 (b,h)，其间距约为 0.316。B 中相距最近点对为 (f,j)，其间距为 0.3。因此 $\delta = 0.3$。接下来考察是否存在一个间距小于 δ 的第三类点对，这时，除 d、g、i、l、m 以外的点均被排除，因为它们距分割线 $x=1$ 的距离都 $\geqslant \delta$。于是有 $R_A = \{d, i, m\}$，$R_B = \{g, l\}$。由于 d 和 g 的比较区没有点，所以只需考察 i 的比较区即可。i 的比较区仅有一个点 l，且与 i 的距离小于 δ，因此 (i, l) 是相距最近的点对。■

因为在 $\delta \times 2\delta$ 比较区的边界或内部，所有点的间距至少为 δ，所以这些顶点数量不超过 6 个。图 18-17b 显示了唯一的方法，用来确定间距最小为 δ 的 6 个点。因此，在确定一个间距更短的第三类点对，只需将 R_A 的每个点和 R_B 中最多 6 个点比较。

3. 选择数据结构

为了实现图 18-14 的分而治之算法，需要明确什么是"小实例"以及如何表示其中的点。因为少于两个点的集合不存在点对，所以小实例要少于 4 个点。

用四个结构表示点。结构 point 有两个数据成员 x 和 y，分别存储点的 x 坐标和 y 坐标。第二个结构 point1 从结构 point 中派生，它增加了一个整型的数据成员 id，而且定义了一个向 double 型的类型转换，返回点的 x 坐标。利用这个类型转换，可以对点序列按照 x 坐标的递增顺序归并排序（程序 18-3）。第三个结构 point2 也从 point 派生，它增加了一个整型的数据成员 p，它的意义将在下面描述。结构 point2 定义了一个向 double 型的类型转换，返回点的 y 坐标。利用这个类型转换，我们可以对点序列按照 y 坐标的递增顺序归并排序。第四个结构也是最后一个结构是 pointPair，它有数据成员 a（点对的第一个点）、b（点对的第二个点）和 dist（点 a 和 b 的距离）。a 和 b 的类型是 point1，dist 的类型是 double。

输入的点序列存储在类型为 point1 的数组 x 中。假设数组 x 中的点已经按照 x 坐标有序。如果要划分 x[l:r]，那么由 $m=(l+r)/2$，得到 A 是 x[l:m]，B 是 [m+l:r]。

在分别计算出 A 和 B 中相距最近的点对之后，计算 R_A 和 R_B，然后确定是否存在相距更近的点对，其中一点在 R_A，另一点在 R_B。如果点序列按 y 坐标排序，那么实现图 18-17 的算法可以很简单。按 y 坐标排序的点序列存储在类型为 point2 的另一个数组中，在结构 point2 中定义的类型转换有助于对点序列按 y 坐标进行排序，数据成员 p 是点在数组 x 中的索引。

4. C++ 实现

确定了必要的数据结构之后，我们来编写代码。首先定义一个函数 dist（见程序 18-10），计算两点之间的距离。注意，虽然函数 dist 的参数类型是 point，但是对类型为 point1 或 point2 的两个点，这个函数也可以用来计算它们的距离，因为 point1 和 point2 都是 point 的派生类。

程序 18-10 计算两点距离

```
double dist(const point& u, const point& v)
{//返回点 u 和 v 的距离
    double dx=u.x-v.x;
    double dy=u.y-v.y;
    return sqrt(dx * dx+dy * dy);
}
```

考察程序 18-11 的函数 closestPair。如果点的数目少于 2，则函数抛出异常，否则返回相距最近的点对。在确定了至少有两个点之后，用归并排序 sergeSort（程序 18-3）对 x 中的点按 x 坐标排序。然后把这些点复制到类型为 point2 的数组 y 并且按 y 坐标排序。在数组 y 排序之后，y[i].y ≤ y[i+1].y，且对每一个 i，y[i].p 表示点 i 在数组 x 中的位置。在上述准备工作做完以后，调用函数程序 18-12 的递归函数 closestPair，实际确定相距最近的点对。

程序 18-11 递归函数 closestPair 的驱动程序

```
pointPair closestPair(point1 x[], int numberOfPoints)
{//返回 x[0:numberOfPoints-1] 中相距最近的点对
 //如果点的个数少于 2，则抛出异常
    int n = numberOfPoints;
    if(n < 2)
        throw illegalParameterValue("Number of points must be > 1");

    // 按 x 坐标排序
    mergeSort(x, n);

    // 创建一个类型为 point2 的数组 y，按 y 坐标排序
    point2 *y = new point2 [n];
```

```
    for (int i = 0; i < n; i++)
        // 把点 i 从 x 复制到 y, 且记录 i 在数组 x 中的索引
        y[i] = point2(x[i].x, x[i].y, i);
    mergeSort(y, n);                          // 按 y 坐标排序

    // 创建一个临时数组
    point2 *z = new point2 [n];

    // 寻找相距最近的点对
    return closestPair(x, y, z, 0, n - 1);
}
```

程序 18-12 确定相距最近的点对

```
pointPair closestPair(point1 x[], point2 y[], point2 z[], int l, int r)
{// 按 x 坐标对 x[l:r] 排序 , r > l
 // 按 y 坐标对 y[l:r] 排序
 // z[l:r] 用作临时空间
 // 返回在 x[l:r] 中相距最近的点对
    if (r - l == 1)                          // 仅有两个点
        return pointPair(x[l], x[r], dist(x[l], x[r]));

    if (r - l == 2)
    {// 有三个点。计算所有点对之间的距离
        double d1 = dist(x[l], x[l + 1]);
        double d2 = dist(x[l + 1], x[r]);
        double d3 = dist(x[l], x[r]);
        // 寻找相距最近的点对
        if (d1 <= d2 && d1 <= d3)
            return pointPair(x[l], x[l + 1], d1);
        if (d2 <= d3)
            return pointPair(x[l + 1], x[r], d2);
        else
            return pointPair(x[l], x[r], d3);
    }

    // 多于三个点, 划分为两组
    int m = (l + r) / 2;                      // 将 x[l:m] 归于 A, 其余归于 B

    // 将有序数组 y 分前后两部分复制到 z[l:m] 和 z[m+1:r]
    int f = l,                                // 用于 z[l:m] 的索引
        g = m + 1;                            // 用于 z[m+1:r] 的索引
    for (int i = l; i <= r; i++)
        if (y[i].p > m) z[g++] = y[i];
        else z[f++] = y[i];

    // 分别在两部分中求解相距最近的点对
    pointPair best = closestPair(x, z, y, l, m);
    pointPair right = closestPair(x, z, y, m + 1, r);

    // 确定相距更近的点对
    if(right.dist < best.dist)
        best = right;

    merge(z, y, l, m, r);                     // 把 z 归并到 y, 重建数组 y
```

```
// 把距中线更近的点放入数组 z
int k = l;                          // 数组 z 的下标
for (int i = l; i <= r; i++)
    if(fabs(x[m].x - y[i].x) < best.dist)
        z[k++] = y[i];

// 检查 z[l:k-1] 的所有点对，寻找相距更近的第三类点对
for (int i = l; i < k; i++)
{
    for (int j = i + 1; j < k && z[j].y - z[i].y < best.dist; j++)
    {
        double dp = dist(z[i],z[j]);
        if(dp < best.dist)              // 找到相距更近的点对
            best = pointPair(x[z[i].p], x[z[j].p], dp);
    }
}
return best;
}
```

递归函数 closestPair（见程序 18-12）从点序列 x[l:r] 中确定相距最近的点对。假定点序列在 x[l:r] 中已经按 x 坐标有序，在 y[l:r] 中按 y 坐标有序。z[l:r] 用来存放中间结果。一找到相距最近的点对，就将它作为结构 pointPair 的一个实例返回，然后将数组 y 恢复到输入状态。该函数不修改数组 x。

首先考察"小实例"，即少于四个点的点序列。因为划分过程不会产生少于两点的数组，因此只需要处理两个点和三个点的情形。对于这两种情形，可以计算所有点对的间距，然后确定相距最近的点对。当点数超过三个时，先计算 $m=(l+r)/2$，然后把实例划分为两个小实例 A 和 B，A 包含子序列 x[l:m]，B 包含子序列 x[m+1:r]。接下来需要创建分别与 A 和 B 对应，但是按 y 坐标排序的子序列 z[l:m] 和 z[m+1:r]，为此从左至右扫描数组 y 中的点，把属于 A 的点归入 z[l:m]，属于 B 的点归入 z[m+1:r]。y 和 z 的角色在递归调用中是互相交换的。依次执行两个递归调用，分别得到 A 和 B 中相距最近的点对。在两次递归调用返回后，z 肯定不会改变，但 y 可能改变。通过把 z[l:m] 和 z[m+1:r] 归并到 y[l:r]（见程序 18-5），可以重构 y[l:r]。

为实现图 18-17 的策略，首先扫描 y[l:r]，把其中距分割线小于 δ 的点（见图 18-16）收集到 z[l:k-1] 中。在 R_A 中的每一个点 p，与其比较区的所有点的配对可分为两部分：1）与 R_B 中 y 坐标 $\geq p.y$ 的点配对；2）与 y 坐标 $\leq p.y$ 的点配对。具体的做法是，将每个点 z[i]（$1 \leq i < k$，不管该点是在 R_A 还是在 R_B 中）与点 z[j]（$i < j$，$z[j].y - z[i].y < \delta$）配对。对每一个 z[i]，在 $2\delta \times \delta$ 区域内所检查的点如图 18-18 所示。因为在每一个 $\delta \times \delta$ 子区内的点，其间距至少为 δ，所以每一个子区点不会超过 4 个。因此与 z[i] 配对的点 z[j] 最多有 7 个。

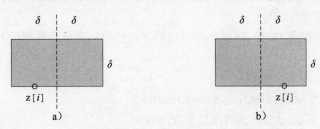

图 18-18　与 z[i] 配对的点的区域

5. 复杂度分析

令 $t(n)$ 表示递归函数 closestPair 在处理 n 个点时所需要的时间。当 $n<4$ 时，$t(n)$ 等于某个常数 d。当 $n \geqslant 4$ 时，需花费 $\Theta(n)$ 时间来完成以下工作：把大实例划分为两个小实例，两次递归调用后重构 y，把远离分割线的点排序，寻找相距更近的第三类点对。两次递归调用分别用时为 $t(\lceil n/2 \rceil)$ 和 $t(\lfloor n/2 \rfloor)$，因此得到如下递归式：

$$t(n) \leqslant \begin{cases} d, & n < 4 \\ t(\lfloor n/2 \rfloor) + t(\lceil n/2 \rceil) + cn, & n \geqslant 4 \end{cases}$$

这个递归式与归并排序的递归式完全一样，其结果为 $t(n)=\Theta(n\log n)$。另外，程序 18-11 的驱动程序 closestPair 还需用时 $\Theta(n\log n)$ 来完成如下预备工作：对 x 排序、创建 y 和 z、对 y 排序。因此，在无异常的情况下，用分而治之算法寻找相距最近的点对需要用时 $\Theta(n\log n)$。

练习

8. 编写一个完整的残缺棋盘问题的求解程序，提供以下模块：欢迎用户使用本程序、输入棋盘大小和残缺方格的位置、输出覆盖后的棋盘。输出棋盘时要着色，共享同一边界的覆盖应着不同的颜色。棋盘是平面图，因此最多只需 4 种颜色为覆盖着色。本练习要求设计贪婪着色启发式方法，以尽量使用较少的颜色。

9. 用替代方法求解递归式公式（18-7）。

10. $f(x) = \sqrt{x}$ 是否满足公式（18-9）？

11. 证明 $f(x) = x^a \log^b x$ 对 $a \geqslant 1$、整数 $b \geqslant 0$ 和 $x \geqslant 1$，满足公式（18-9）。

12. 从数组 [11,2,8,3,6,15,12,0,7,4,1,13,5,9,14,10] 开始，模仿图 18-9 画图，显示归并排序的步骤。

13. 基于数组 [11,3,8,7,5,10,0,9,4,2,6,1]，再做练习 12。

14. 编写一个对链表的归并排序函数。输出排序后的链表。使该函数成为类 chain 或其扩展类（6.1 节）的一个成员函数。

15. 从数组 [2,3,6,8,11,15,0,7,12,1,4,13,5,9,10,14] 开始，模仿图 18-9 画图，显示自然归并排序的步骤。

16. 基于数组 [11,3,8,5,7,10,0,9,2,4,6,1]，再做练习 15。

17. 编写函数 naturalMergerSort 实现自然归并排序。其中输入和输出的布局与程序 18-3 的相同。

18. 编写一个对链表的自然归并排序函数。使该函数成为类 chain 或其扩展类（6.1 节）的一个成员函数。

19. 从数据段 [5,3,8,4,7,1,0,9,2,10,6,11] 开始，画图显示在程序 18-7 中 while 循环的每一次交换之后的数据段布局。显示以 5 为支点元素的数据段。

20. 使用数组 [7,3,6,8,11,14,0,2,12,1,4,13,5,9,10,15] 做练习 19。以 7 为支点元素。

21. 用一个 while 循环来替换程序 18-7 的最后一个递归调用 quickSort。比较修改后的函数与程序 18-7 的平均运行时间。

22. 重写程序 18-6 和程序 18-7，用栈来模拟递归。在栈中只需保存数据段 left 和 right 的较大者的边界。

  1）证明所需栈空间大小为 $O(\log n)$。

  2）比较非递归程序和递归程序的平均运行时间。

23. 证明在最坏情况下 quickSort 的时间复杂度为 $\Theta(n^2)$。

24. 假设按如下方式进行 left、middle 和 right 的划分：若 n 为奇数，则 left 与 right 的大小相同；

若 n 为偶数，则 left 比 right 多一个元素。证明在这种假设条件下，程序 18-6 的时间复杂度为 $O(n\log n)$。

25. 证明 $\int s\log_e s\, ds = \dfrac{s^2\log_e s}{2} - \dfrac{s^2}{4}$ 并利用该结果证明 $\int_2^m s\log_e s\, ds < \dfrac{m^2\log_e m}{2} - \dfrac{m^2}{4}$。

26. 在"中间的中间"规则使用和不使用两种情况下，比较程序 18-7 的最坏复杂度和平均复杂度。取适当的测试数据，数据个数 $n=10,20,\cdots,100,200,300,400,500,1000$。

27. 采用随机产生的数作为支点元素，完成练习 26。

28. 在快速排序一节的结尾，我们建议将快速排序与插入排序相结合。结合后的算法实质上仍是快速排序，只是当排序部分小于等于 changeOver=nBreak 时执行插入排序。能否使用一个 changeOver 的不同值而得到更快的算法？为什么？使用"三值取中"规则修改程序 18-7；试用 changeOver 的不同值进行实验。确定可使平均性能最佳的 changeOver 的值。在优化快速排序代码之后，比较它和 C++ STL 函数 sort 的平均性能。

29. 设计一个在最差情况下性能最好的排序算法。

　　1）比较插入排序、冒泡排序、选择排序、堆排序、归并排序和快速排序在最坏情况下的运行时间。使插入排序、冒泡排序、选择排序和快速排序出现最坏复杂度的输入数据很容易产生。试编写一个程序，用来产生使归并排序出现最坏复杂度的输入数据。这个程序本质上是将 n 个有序元素"反归并"。对于堆排序，用随机排列数据来估算最坏情况下的时间复杂度。

　　2）利用 1）中的结果设计一个综合排序函数，它具有最坏情况下的最佳性能。这个函数很可能只包含归并排序和插入排序。

　　3）实验测试综合排序函数在最坏情况下的运行时间，并与原排序函数和 STL 函数 stable_sort 进行比较。

　　4）用一个图表标识出 8 种排序函数在最差情况下的运行时间。

30. 从数组 [4,3,8,5,7,10,0,9,2,11,6,1] 开始，画图说明程序 18-8 和程序 18-9 在起始 $k=7$ 时的处理过程。显示每一次划分之后的数据段，并且给出 k 的新值。

31. 基于数组 [7,3,6,8,11,15,0,2,12,1,4,13,5,9,10,14] 和 $k=5$，做练习 30。

32. 当 n 是 2 的幂时，用替代方法求解公式（18-13）。

33. 证明定理 18-3。

34. 用归纳法证明，公式（18-14）蕴含着不等式 $t(n) \leqslant 72cn$，$n \geqslant 1$。

35. 程序 18-8 和程序 18-9 所需递归栈空间为 $O(n)$，其中 n 是元素个数。如果用一个 while 或 for 循环代替递归调用，那么可以完全消除递归栈空间。根据这种思想重写程序。比较这两种选择排序函数的运行时间。

36. 1）重写程序 18-9，用随机数生成器选择支点元素。用实验比较这两种代码的平均性能。

　　2）重写程序 18-9，使用"中间的中间"规则，其中 $r=9$。

37. 为了提高程序 18-12 的执行速度，可以用距离的平方代替开方运算，结果是一样的。为此，程序 18-12 必须做哪些改变？通过实验来比较改进后的性能。

38. 当所有点都在一条直线上时，编写一个更快的算法来寻找相距最近的点对。例如，假设所有点都在一条水平线上。如果这些点按 x 坐标排序，则相距最近的两个点必相邻。虽然使用归并排序函数 mergerSort（见程序 18-3）来实现这种策略时的复杂度仍然是 $O(n\log n)$，但是这种算法的额外开销要比程序 18-11 小得多，因此运行也更快。

39. 考察相距最近点对问题。假设初始时不是根据 x 坐标来排序，而是使用函数 select（见程序 18-8）来寻找中点 x_i，然后将点集划分为子集 A 和 B。

1）间接描述这种算法。

2）算法的复杂度是多少？

3）新算法是否比程序 18-12 更快。

18.3 解递归方程

求解递归方程有若干个技术：替代法、归纳法、特征根法和生成函数法。在本书的网站上有这些方法的细节。本节描述了一个查表法，可以用来求解许多与分而治之算法有关的递归方程。

很多分而治之算法的时间复杂度是用一个递归方程式表示的：

$$t(n) = \begin{cases} t(1) & n = 1 \\ a * t(n/b) + g(n) & n > 1 \end{cases} \qquad （18-15）$$

其中 a、b 为已知常数。假设 $t(1)$ 已知，且 n 为 b 的幂（即 $n=b^k$）。利用迭代法（见本书网站）可以证明：

$$t(n)=n^{\log_b a}[t(1)+f(n)] \qquad （18-16）$$

其中 $f(n) = \sum_{j=1}^{k} h(b^j)$ 和 $h(n)=g(n)/n^{\log_b a}$。

在图 18-19 的列表中，对 $h(n)$ 的各种不同值给出了 $f(n)$ 的渐近值。根据这张表，在分析分而治之算法时，可以很容易得到许多递归方程式中 $t(n)$ 的渐近值。

考察一些递归方程式的例子。当 n 是 2 的幂时，二叉搜索的递归方程为：

$$t(n) = \begin{cases} t(1) & n = 1 \\ t(n/2) + c & n > 1 \end{cases}$$

将这个递归式与公式（18-14）比较，可知 $a=1$，$b=2$，$g(n)=c$。因而 $\log_b a=0$，$h(n)=g(n)/n^{\log_b a}=c=c(\log n)^0=\Theta((\log n)^0)$。根据图 18-19 可知，$f(n)=\Theta(\log n)$。因而 $t(n)=n^{\log_b a}(c+\Theta(\log n))=\Theta(\log n)$。

$h(n)$	$f(n)$
$O(n^r), r<0$	$O(1)$
$\Theta((\log n)^i), i \geq 0$	$\Theta(((\log n)^{i+1})/(i+1))$
$\Omega(n^r), r>0$	$\Theta(h(n))$

图 18-19　$f(n)$ 与 $h(n)$ 的对应值

对于归并排序，有 $a=2$，$b=2$，$g(n)=cn$。于是，$\log_b a=1$，$h(n)=g(n)/n=c=\Theta((\log n)^0)$。因此 $f(n)=\Theta(\log n)$ 且 $t(n)=n(t(1)+\Theta(\log n))=\Theta(n\log n)$。

考察另外一个例子，其递归式如下：

$$t(n)=7t(n/2)+18n^2, \quad n \geq 2 \text{ 且为 2 的幂}$$

该表达式与 $k=1$ 且 $c=18$ 时的 Strassen 矩阵乘法的递归表达式（公式（18-6））对应。因而得到 $a=7$，$b=2$，$g(n)=18n^2$。因此 $\log_b a=\log_2 7 \approx 2.81$，$h(n)=18n^2/n^{\log_2 7}=18n^{2-\log_2 7}=O(n^r)$，其中 $r=2-\log_2 7 < 0$。因而 $f(n)=O(1)$。$t(n)$ 的表达式为

$$t(n)=n^{\log_2 7}(t(1)+O(1))=\Theta(n^{\log_2 7})$$

假设 $t(1)$ 为常数。

最后一个例子，考虑下面的递归式：

$$t(n)=9t(n/3)+4n^6, \quad n \geqslant 3 \text{ 且为 3 的幂}$$

将这个递归式与公式（18-14）比较，可以得到 $a=9$，$b=3$，$g(n)=4n^6$。因此 $\log_b a=2$，$h(n)=4n^6/n^2=4n^4=\Omega(n^4)$。根据图 18-13 可知，$f(n)=\Theta(h(n))=\Theta(n^4)$。因而

$$t(n)=n^2(t(1)+\Theta(n^4))=\Theta(n^6)$$

其中 $t(1)$ 假设为常数。

练习

40. 用替代法证明公式（18-16）是递归公式（18-15）的解。

41. 根据图 18-19 的表求解以下递归式。假定在每种情况下都有 $t(1)=1$。

   1）$t(n)=10t(n/3)+11n$, $n \geqslant 3$ 且为 3 的幂。

   2）$t(n)=10t(n/3)+11n^5$, $n \geqslant 3$ 且为 3 的幂。

   3）$t(n)=27t(n/3)+11n^3$, $n \geqslant 3$ 且为 3 的幂。

   4）$t(n)=64t(n/4)+10n^3\log^2 n$, $n \geqslant 4$ 且为 4 的幂。

   5）$t(n)=9t(n/2)+n^2 2^n$, $n \geqslant 2$ 且为 2 的幂。

   6）$t(n)=3t(n/8)+n^2 2^n\log n$, $n \geqslant 8$ 且为 8 的幂。

   7）$t(n)=128t(n/2)+6n$, $n \geqslant 2$ 且为 2 的幂。

   8）$t(n)=128t(n/2)+6n^8$, $n \geqslant 2$ 且为 2 的幂。

   9）$t(n)=128t(n/2)+2^n/n$, $n \geqslant 2$ 且为 2 的幂。

   10）$t(n)=128t(n/2)+\log^3 n$, $n \geqslant 2$ 且为 2 的幂。

18.4　复杂度的下限

    $f(n)$ 是一个问题的复杂度**上限** (upper bound)，当且仅当对该问题至少有一个复杂度为 $O(f(n))$ 的算法。为使一个问题的复杂度上限 $f(n)$ 成立，一种方法是设计一个复杂度为 $O(f(n))$ 的算法。本书的每一个算法对它所解决的问题都给出了复杂度上限。例如，在提出 Strassen 矩阵乘法（例 18-3）之前，矩阵乘法的复杂度上限为 n^3，因为程序 2-22 的复杂度已知为 $\Theta(n^3)$。Strassen 算法使矩阵乘法的复杂度上限降为 $n^{2.81}$。

    $f(n)$ 是一个问题的复杂度**下限** (lower bound)，当且仅当对该问题的每一个算法，其复杂度均为 $\Omega(f(n))$。为使一个问题的复杂度下限 $g(n)$ 成立，必须证明对该问题的每一个算法，其复杂度均为 $\Omega(g(n))$。这不是一件容易的事情，因为要考察对该问题的所有可能的算法，而不仅是一个算法。

    对很多问题，可以基于输入和 / 或输出的数量，建立简单的复杂度下限。例如，对 n 个元素的每一个排序算法都具有复杂度 $\Omega(n)$，因为每一个排序算法对每一个元素都至少检查一次，否则，未检查的元素就可能出现在错误的位置上。类似的，计算两个 $n \times n$ 矩阵乘积的每一个算法都有复杂度 $\Omega(n^2)$，因为结果矩阵有 n^2 个元素，每个元素的生成所需要的时间为 $\Omega(1)$。只有非常有限的问题具有精确的复杂度下限。

    在本节中，我们将对本章所研究的两个分而治之问题建立精确的复杂度下限。这两个问题是 n 个元素的最小最大问题和排序问题。对这两个问题，我们仅限于考察**比较算法** (comparison algorithm)。所谓比较算法是指仅包含元素比较和移动的算法。第 2 章所介绍的

最小最大算法以及本章中所介绍的算法都属于比较算法。除箱子排序和基数排序（6.5.1 节和 6.5.2 节），本书所介绍的其他所有排序算法也都是比较算法。

18.4.1 最小最大问题的下限

程序 18-1 是用分而治之函数求解 n 个元素的最小最大问题的函数。该函数执行了 $\lceil 3n/2 \rceil - 2$ 次比较。我们将要证明对于该问题的每一个比较算法，都至少需要 $\lceil 3n/2 \rceil - 2$ 次比较。为了证明这个结论，我们假设 n 个元素互不相同。这个假设不影响证明的一般性，因为不同的元素构成输入空间的子集。另外，每一个最小最大算法，既要在输入元素有相同的时候正确，又要在输入元素不同的时候正确。

在证明过程中，我们使用**状态空间方法** (state space method)。使用这种方法首先要描述算法的起始状态、中间状态和完成状态，以及从一个状态到另一个状态的转变方式，然后确定从起始状态到完成状态所需的最少转换次数。这个最少转换次数就是问题复杂度的下限。一个算法的起始状态、中间状态和完成状态是抽象的概念，不要用这种状态明确地表示一个算法。

对于最小最大问题，我们可以用元组 (a,b,c,d) 来描述算法的状态，其中 a 表示最大和最小候选者的元素个数，b 表示不再作为最小候选者但仍可作为最大候选者的元素个数，c 是不再作为最大候选者但仍作为最小候选者的元素个数，d 是已被确定为既非最大也非最小候选者的元素个数。令 A、B、C、D 依次分别代表上述各种元素的集合。

在最小最大算法开始时，所有 n 个元素都是最大和最小候选者，因此起始状态为 $(n,0,0,0)$。当算法结束时，A 为空，B 和 C 各有 1 个元素，D 有 $n-2$ 个元素，因此完成状态为 $(0,1,1,n-2)$。在元素比较的过程中，算法从一个状态向另一个状态转变。当 A 的两个元素比较之后，较小的元素进入 C，较大的元素进入 B。这便是一种可能的状态转变：

$$(a,b,c,d) \rightarrow (a-2,b+1,c+1,d)$$

其他可能的状态转变如下。

- 当 B 的两个元素比较之后，可能的状态转变是：

$$(a,b,c,d) \rightarrow (a,b-1,c,d+1)$$

- 当 C 的两个元素比较之后，可能的状态转变换是：

$$(a,b,c,d) \rightarrow (a,b,c-1,d+1)$$

- 当 A 的一个元素与 B 的一个元素比较之后，可能的状态转变是：

$$(a,b,c,d) \rightarrow (a-1,b,c,d+1) \ (A \text{ 的元素大于 } B \text{ 的元素})$$
$$(a,b,c,d) \rightarrow (a-1,b,c+1,d) \ (A \text{ 的元素小于 } B \text{ 的元素})$$

- 当 A 的一个元素与 C 的一个元素比较之后，可能的状态转变是：

$$(a,b,c,d) \rightarrow (a-1,b,c,d+1) \ (A \text{ 的元素小于 } C \text{ 的元素})$$
$$(a,b,c,d) \rightarrow (a-1,b+1,c,d) \ (A \text{ 的元素大于 } C \text{ 的元素})$$

虽然还可能有其他比较操作，但不能确定会发生状态转变。考察上述可能的状态转变，可以发现，当 n 为偶数时，欲从起始状态 $(n,0,0,0)$ 到达完成状态 $(0,1,1,n-2)$，最快的途径是在 A 中比较次数为 $n/2$，在 B 中比较次数为 $n/2-1$，在 C 中比较次数为 $n/2-1$，总共比较次数为 $3n/2-2$；当 n 为奇数时，最快的方式是在 A 中比较次数为 $\lceil n/2 \rceil$，在 B 中比较次数为 $\lceil n/2 \rceil-1$，在 C 中比较次数为 $\lceil n/2 \rceil-1$，在 A 中剩余元素中最多还要比较两次，总共比较次数为 $\lceil 3n/2 \rceil-2$。

每一个最小最大问题的比较算法，从起始状态到完成状态的转变所需要的比较次数不会少于$\lceil 3n/2 \rceil - 2$，因此$\lceil 3n/2 \rceil - 2$是这类算法所需比较次数的下限。由此可知，程序18-1是解决最小最大问题的理想的比较算法。

18.4.2 排序算法的下限

使用状态空间方法可以确定，对n个元素排序的比较算法，在最坏情况下的复杂度下限为$n\log n$。这一次，我们把n个元素的所有排列组合的个数指定为算法的起始状态。当然，我们还是假设这n个元素互不相同。算法开始时，n个元素的每一个排列都可能是有序排列的候选者，因此候选者的个数为$n!$。算法结束时，只剩下一种排列。

当两个元素a_i与a_j比较时，当前候选的排列集合被分为两组：一组满足$a_i<a_j$；另一组满足$a_i>a_j$。因为已假设元素互不相同，所以不存在$a_i=a_j$的情况。例如，假设$n=3$，而且首先比较a_1与a_3。在比较前，所有6种排列都是有序排列的候选者。若$a_1<a_3$，则删除(a_3, a_1, a_2)、(a_3, a_2, a_1)和(a_2, a_3, a_1)，其余3种排列仍是候选者。

如果当前候选集有m种排列，那么一次比较之后分成两组，其中一组至少包含$\lceil m/2 \rceil$种排列。在最坏情况下，排序算法的候选集的大小初始时为$n!$，一次比较后降为至少$n!/2$，再一次比较后降为至少$n!/4$，如此继续，直到为1。比较次数最少为$\lceil \log n! \rceil$。

因为$n! \geq \lceil n/2 \rceil^{\lceil n/2 \rceil - 1}$，所以$\log n! \geq (n/2-1)\log(n/2)=\Omega(n\log n)$。因此每种排序算法（同时也是比较算法）在最坏情况下要进行$\Omega(n\log n)$次比较。

我们可以用**决策树**(decision-tree)来证明而得到同样的结果。我们用树来模拟算法的进程。在树的每个内部节点，算法执行一次比较，并根据比较结果移向它的某一孩子。算法在外部节点处终止。图18-20给出了对三元素序列a[0:2]使用函数insertionSort(见程序2-15)排序时的决策树。每个内部节点有一个形如i:j的标识，表示a[i]与a[j]进行比较。如果a[i]<a[j]，算法移向左孩子；如果a[i]>a[j]，算法移向右孩子。因为元素互不相同，所以不会发生a[i]=a[j]的情况。外部节点表示有序排列。在图18-20中，最左面的路径代表：a[1]<a[0]，a[2]<a[0]，a[2]<a[1]；因此最左外节点为（a[2],a[1],a[0]）。

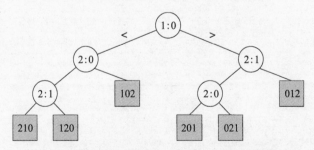

图18-20 函数insertionSort在$n=3$时的决策树

注意，在排序算法的决策树中，每一外部节点表示一种唯一的输出排列。对n个元素的一个正确的排序算法一定能产生$n!$种可能的排列，因此其决策树至少有$n!$个外部节点。因为一个高度为h的二叉树至多有2^h个叶节点，所以排序算法的决策树的高度至少为$\lceil \log_2 n! \rceil = \Omega(n\log n)$。因而，每一个排序算法在最坏情况下至少要进行$\Omega(n\log n)$次比较。另外，由于每一个具有$n!$个外部节点的二叉树的平均高度为$\Omega(n\log n)$（见练习47），所以每个排序算法的平均复杂度也是$\Omega(n\log n)$。

由前面的下限证明可知，堆排序和归并排序在最坏情况下的性能最优（就渐近复杂度而言），而堆排序、归并排序和快速排序在平均情况下的性能最优。

练习

42. 用状态空间方法证明，求 n 个元素的最大者，每一种比较算法都至少要比较 $n-1$ 次。

43. 证明 $n! \geqslant \lceil n/2 \rceil^{\lceil n/2 \rceil - 1}$。

44. 画出 insertionSort 在 $n=4$ 时的决策树。

45. 画出 mergeSort（程序 18-3）在 $n=4$ 时的决策树。

46. 令 $a_1, \cdots, a_n$ 为 n 个元素的一个序列。元素 a_i 和 a_j 是**颠倒的** (inverted)，当且仅当 $a_i > a_j (i<j)$。在元素序列中，具有颠倒关系的元素对 (a_i, a_j) 个数被称为**颠倒数**（inversion number）。

　　1）序列 6,2,3,1 的颠倒数是多少？

　　2）在一个 n 个元素的序列中，最大的颠倒数是多少？

　　3）假设一种排序算法只对相邻的元素进行比较并在需要时进行交换（实质上，冒泡排序、选择排序和插入排序就是这种算法）。证明这种排序算法在最坏情况下必须执行 $\Omega(n^2)$ 次比较。

47. 令 T 表示具有 n 个内部节点的扩展二叉树；令 I 表示 T 的内部路径长度——从根到每一个内部节点的路径长度之和；令 E 表示 T 的外部路径长度——从根到每一个外部节点的路径长度之和。

　　1）证明 $E=I+2n$。

　　2）证明，当 T 是完全二叉树时，I 值最小。

　　3）证明，当 T 是完全二叉树时，$I=(n+1)p-2^{p+1}+2$，其中 $p= \lfloor \log_2(n+1) \rfloor$。

　　4）使用 1）、2）和 3）的结果确定 E 的最小值。

　　5）由 4）的结果可以证明，具有 n 个内部节点的二叉树，其平均外部路径长度为 $\Omega(n \log n)$。

动 态 规 划

概述

在本书研究的 5 种设计方法中，可以说，动态规划是难度最大的一种。它的基础是最优原理。有很多问题，用贪婪法或分而治之法无法简洁而高效的解决，但是用动态规划法就可以。本章在介绍动态规划之后，分别考察它的应用问题：背包、矩阵乘法链、最短路径、无交叉子集。在本书网站上还另外介绍了一些动态规划的应用问题，如图像压缩和元件折叠。为了掌握动态规划法，应该研究这些应用问题，而且完成相应的练习。

19.1 算法思想

动态规划和贪婪法一样，对一个问题的解是一系列抉择的结果。在贪婪法中，我们依据贪婪准则做出的每一个抉择都是不可撤回的。而在动态规划中，我们要考察一系列抉择，以确定一个最优抉择序列是否包含最优抉择子序列。下面用一些例子来说明这一思想。

例 19-1[最短路径]　考察图 17-2 的有向图。假设要选择一条从源顶点 $s=1$ 到目的顶点 $d=5$ 的最短路径，我们需要选择该路径所经过的顶点。第一步可以选择的顶点为 2、3 或 4。也就是说，从顶点 1 可以移动到这三个顶点中的任何一个顶点。假设我们选择了顶点 3。然后我们要决定如何从顶点 3 移到顶点 5。如果我们选择了一条从顶点 3 到顶点 5 的路径，但不是最短的，那么即使前面我们选择的从 1 到 3 的路径是最短的，可是连起来所构成的从 1 到 5 的路径也不是最短的。例如，若选择的子路径是 3,2,5，其长度为 9，则连起来的路径为 1,3,2,5，其长度为 11。如果用最短子路径 3,4,5 代替 3,2,5，那么路径 1,3,4,5 的长度为 7（原书为 9，有误。——译者注）。

在上述最短路径中，如果第一次选择的是某个顶点 v，那么接下来所选择的从 v 到 d 的路径必须是最短的。　　　　　　　　　　　　　　　　　　　　　　　　　　■

例 19-2[0/1 背包问题]　考察 17.3.2 节的 0/1 背包问题。如前所述，在该问题中，我们需要选择 $x_1,\cdots,x_n$ 的值。假定我们按物品 $i=1,2,\cdots,n$ 的顺序选择 x_i 的值。如果选择 $x_1=0$，那么背包问题就转变为物品为 $2,3,\cdots,n$，背包容量仍为 c 的问题。如果选择 $x_1=1$，那么背包问题就转变为物品为 $2,3,\cdots,n$，背包容量为 $c-w_1$ 的问题。令 $r\in\{c,c-w_1\}$ 表示剩余的背包容量。

在第一次选择之后，我们要考虑的问题就是用剩余的物品装载容量为 r 的背包。剩余的物品（即 2 至 n）和容量 r 规定了在第一次选择之后的**问题状态**（problem state）。不管 x_1 是 0 还是 1，$[x_2,\cdots,x_n]$ 必须是这个问题状态的一个最优解。如果不是，那么必有一个更好的选择，假设为 $[y_2,\cdots,y_n]$。于是 $[x_1,y_2,\cdots,y_n]$ 便是初始问题的一个更好的解。

假设 $n=3$, $w=[100,14,10]$, $p=[20,18,15]$, $c=116$。如果选择 $x_1=1$，那么选择之后的剩余物品是 2 和 3，剩余容量 $r=116-100=16$。这个问题状态下的一个可行解为 $[x_2,x_3]=[0,1]$，价值为 15。而 $[x_2,x_3]=[1,0]$ 也是一个可行解，价值为 18。因此，$[x_2,x_3]=[0,1]$ 并非最优解。于是，

初始问题的解 $x=[1,0,1]$ 可改进为 $x=[1,1,0]$。如果选择 $x_1=0$，那么选择之后的剩余物品是 2 和 3，剩余容量 $r=116$。总之，如果在第一次选择之后的问题状态中，$[x_2,x_3]$ 不是最优解，那么 $[x_1,x_2,x_3]$ 也不是初始问题的最优解。■

例 19-3[航费]   某航线价格表为：从亚特兰大到纽约或芝加哥，或从洛杉矶到亚特兰大，票价为 \$100；从芝加哥到纽约，票价为 \$20。对于途径亚特兰大的旅客，从亚特兰大到芝加哥，票价仅为 \$20。要从洛杉矶到纽约，为了省钱，需要选择中转机场。如果用（起点，终点）表示问题状态，那么在选择从洛杉矶到亚特兰大后，问题状态变为（亚特兰大，纽约）。从亚特兰大直达纽约的票价为 \$100，所以从洛杉矶到纽约机票为 \$200。而从亚特兰大途径芝加哥再到纽约的票价为 \$40。因此洛杉矶—亚特兰大—芝加哥—纽约的总票价为 \$140。

如果用三元组（tag，起点，终点）表示问题状态，其中 tag 为 0 表示转飞，tag 为 1 表示其他情形，那么在到达亚特兰大后，问题状态变为（0，亚特兰大，纽约），它的最优路径是以芝加哥为中转机场。■

当最优抉择包含最优抉择子序列时，可建立**动态规划递归方程**（dynamic-programming recurrence equation），它可以帮助我们高效地解决问题。

例 19-4[0/1 背包]   在例 19-2 的 0/1 背包问题中，最优选择序列由最优选择子序列构成。假设 $f(i,y)$ 表示剩余容量为 y，剩余物品为 $i,i+1,\cdots,n$ 的背包问题的最优解的值，即

$$f(n,y) = \begin{cases} p_n & y \geq w_n \\ 0 & 0 \leq y < w_n \end{cases} \tag{19-1}$$

和

$$f(i,y) = \begin{cases} \max\{f(i+1,y),f(i+1,y-w_i)+p_i\} & y \geq w_i \\ f(i+1,y) & 0 \leq y < w_i \end{cases} \tag{19-2}$$

根据最优序列由最优子序列构成的结论，可得到 f 的递归式。$f(1,c)$ 是初始时背包问题最优解的值。可使用公式（19-2）通过递归或迭代来求解 $f(1,c)$。从 $f(n,*)$ 开始迭代，$f(n,*)$ 由公式（19-1）得出，然后由公式（19-2）递归计算 $f(i,*)(i=n-1,n-2,\cdots,2)$，最后由公式（19-2）得出 $f(1,c)$。

对于例 19-2，若 $0 \leq y<10$，则 $f(3,y)=0$；若 $y \geq 10$，$f(3,y)=15$。利用递归公式（19-2），可得 $f(2,y)=0(0 \leq y<10)$；$f(2,y)=15$（$10 \leq y<14$）；$f(2,y)=18$（$14 \leq y<24$）和 $f(2,y)=33$（$y \geq 24$）。因此最优解 $f(1,116)=\max\{f(2,116), f(2,116-w_1)+p_1\}=\max\{f(2,116), f(2,16)+20\}=\max\{33,38\}=38$。

现在计算 x_i 值，步骤如下：若 $f(1,c)=f(2,c)$，则 $x_1=0$，因为我们可以用容量 c 装载物品 $2,\cdots,n$，而得到 $f(1,c)$ 的值。如果 $f(1,c) \neq f(2,c)$，则 $x_1=1$。接下来需从剩余容量 $c-w_1$ 中寻求最优解，用 $f(2,c-w_1)$ 表示。依此类推，可得到所有的 $x_i(i=1,\cdots,n)$ 值。

在该例中，因为 $f(2,116)=33 \neq f(1,116)$，所以 $x_1=1$。接着利用返回值 $38-p_1=18$ 和最大容量 $116-w_1=16$ 来确定 x_2 及 x_3。注意，$f(2,16)=18$。因为 $f(3,16)=15 \neq f(2,16)$，所以 $x_2=1$，剩余容量为 $16-w_2=2$。因为 $f(3,2)=0$，所以 $x_3=0$。■

无论第一次的选择是什么，接下来的选择一定是当前状态下的最优选择，我们称此为**最优原则**（principle of optimality）。它意味着一个最优选择序列是由最优选择子序列构成的。但是，最优原则可能对某些问题的求解并不适用，这时就不能应用动态规划。

应用动态规划求解的步骤如下：

1）证实最优原则是适用的。

2）建立动态规划的递归方程式。

3）求解动态规划的递归方程式以获得最优解。

4）沿着最优解的生成过程进行**回溯**（traceback）。

编写一个简单的递归程序来求解动态规划递归方程是一件很诱人的事。然而，我们将在下文看到，如果不能避免重复计算，递归程序的复杂度将非常可观。如果避免了重复计算，复杂度将急剧下降。动态规划递归方程也可用迭代方式来求解，这时就自然避免了重复计算。其实，迭代程序与避免了重复计算的递归程序有相同的复杂度，但是迭代程序不需要附加的递归栈空间，因此将比后者运行更快。

19.2 应用

19.2.1 0/1 背包问题

1. 递归求解

在例 19-4 中已建立了背包问题的动态规划递归公式（19-2）。求解这个递归公式的一个很自然的方法便是程序 19-1 的递归函数，返回值是 $f(1,c)$ 的值。它利用了全局变量 profit、weight 和 numberOfObjects。物品的价值和重量分别用 profit[1: numberOfObjects] 和 weight[1: numberOfObjects] 来表示。

程序 19-1　背包问题的递归函数

```
int f(int i,int theCapacity)
{//返回 f(i, theCapacity) 的值
   if(i == numberOfObjects)
     return(theCapacity < weight[numberOfObjects]
           ? 0:profit[numberOfObjects]);
   if(theCapacity<weight[i])
     return f(i+1,theCapacity);
   return max(f(i+1,theCapacity),
             f(i+1,theCapacity-weight[i])+profit[i]);
}
```

令 $t(n)$ 是程序 19-1 解决 n 件物品背包问题时所需要的时间。$t(1)=a; t(n) \leq 2t(n-1)+b, (n>1)$，其中 a、b 为常数。通过递归求解得到 $t(n)=O(2^n)$。

例 19-5　假定 $n=5$，$p=[6,3,5,4,6]$，$w=[2,2,6,5,4]$ 且 $c=10$。为了求 $f(1,10)$ 的值，用 $f(1,10)$ 调用递归函数 f，其返回值便是 $f(1,10)$ 的值。递归调用的关系如图 19-1 的树形结构所示。其中每个节点用 y 值来标识。对第 j 层的节点有 $i=j$。因此根节点表示 $f(1,10)$，而它有左孩子和右孩子，分别表示 $f(2,10)$ 和 $f(2,8)$。总共执行 27 次递归调用。其中含有重复计算。例如，$f(3,8)$ 计算两次，相同情况的还有 $f(4,8)$、$f(4,2)$、$f(5,8)$、$f(5,3)$ 和 $f(5,2)$。如果保留以前的调用结果，那么就可以省去用阴影表示的节点，从而将调用次数减至 21。

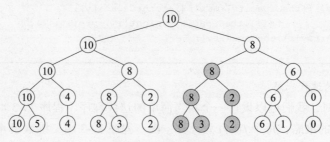

图 19-1　递归调用树 ∎

2. 无重复计算的递归求解

正如在例 19-5 中所看到的那样，程序 19-1 做了一些重复计算。为了避免对 $f(i, y)$ 的重复计算，可以建立一个列表，把计算过的 $f(i, y)$ 的值保留在这个列表中。该列表的元素是一个三元组 $(i, y, f(i, y))$。在调用 $f(i, y)$ 之前，检查该列表，如果已经存在一个三元组 $(i, y, *)$（其中 * 表示通配符），那就取出 $f(i, y)$ 的值，否则，调用 $f(i, y)$，然后把得到的三元组 $(i, y, f(i, y))$ 加入列表中。该列表既可以用散列表（见 10.5 节）来表示，也可用二叉搜索树（见 15 章）来表示。

如果权为整数，那么可以用整型数组 fArray[i][y] 表示上述的列表。fArray[i][y] 等于 -1，当且仅当 $f(i, y)$ 还没有计算。程序 19-2 是避免了重复计算的递归代码，它令 fArray 为 $(n+1) \times (c+1)$ 为全局整型数组，初始值为 -1。

为了确定程序 19-2 的时间复杂度，我们使用一种记账式算法，把总时间的不同构成部分都分别计算在 $f(i, y)$ 上，然后累加。当计算 $f(i, y)$ 时，如果 $f(i+1, z)$ 还没有计算，就把调用 $f(i+1, z)$ 的时间记在 $f(i+1, z)$ 上，否则就记在 $f(i, z)$ 上（$f(i+1, z)$ 反过来把计算新的 $f(*, *)$ 的时间记在个别要计算的 $f(*, *)$ 的时间上）。程序 19-2 剩余部分所需要的时间记在 $f(i, y)$ 上，复杂度为 $\Theta(1)$。$f(i, y)$ 的总值是一个常量，$f(i, y)$ 的个数是 $(c+1)(n+1)$。所以总时间为 $O(cn)$（c 表示背包容量，n 表示物品个数）。通过避免 $f(i, y)$ 的重复计算，可以把递归函数的运行时间从不切实际的 $O(n^2)$ 降为切实可行的 $O(cn)$。

程序 19-2　无重复计算的背包问题递归函数

```
int f(int i,int theCapacity)
{// 返回 f(i,theCapacity)。不重复计算 f 的值
   // 检查是否已经计算过
   if (fArray[i][theCapacity]>=0)
      return fArray[i][theCapacity];

   // 还没有计算过
   if (i==numberOfObjects)
   {// 使用公式（19-1）
      // 计算并存储 f(i,theCapacity)
      fArray[i][theCapacity]=(theCapacity<weight[numberOfObjects]
                   ? 0:profit[numberOfObjects]);
      return fArray[i][theCapacity];
   }
   // 使用公式（19-2）
   if (theCapacity<weight[i])
      // 物品 i 不适合
      fArray[i][theCapacity]=f(i+1,theCapacity);
   else
      // 物品 i 适合，尝试两种可能
      fArray[i][theCapacity]=max(f(i+1,theCapacity),
                 f(i+1,theCapacity-weight[i])+profit[i]);
   return fArray[i][theCapacity];
}
```

3. 权为整数的迭代求解

当权为整数时，我们可以设计一个相当简单的迭代程序（程序 19-3）来求解 $f(1, c)$。该算法基于例 19-4 的策略，每个 $f(i, y)$ 只计算一次。程序 19-3 用二维数组 f[][] 来保存 f 的值。程序 19-4 的函数 traceback 用回溯法确定最优解 x_i 的值。

程序 19-3 用迭代算法计算 f

```
void knapsack(int *profit, int *weight, int numberOfObjects,
              int knapsackCapacity, int **f)
{// 用迭代算法求解动态规划的递归方程
 // 计算 f[1][knapsackCapacity] 和 f[i][y]
 // 2 <= i <= numberOfObjects, 0 <= y <= knapsackCapacity
 // profit[1:numberOfObjects] 给出物品的价值
 // weight[1:numberOfObjects] 给出物品的重量

    // 初始化 f[numberOfObjects][]
    int yMax = min(weight[numberOfObjects] - 1, knapsackCapacity);
    for (int y = 0; y <= yMax; y++)
        f[numberOfObjects][y] = 0;
    for (int y = weight[numberOfObjects]; y <= knapsackCapacity; y++)
        f[numberOfObjects][y] = profit[numberOfObjects];

    // 计算 f[i][y], 1 < i < numberOfObjects
    for (int i = numberOfObjects - 1; i > 1; i--)
    {
        yMax = min(weight[i] - 1, knapsackCapacity);
        for (int y = 0; y <= yMax; y++)
            f[i][y] = f[i + 1][y];
        for (int y = weight[i]; y <= knapsackCapacity; y++)
            f[i][y] = max(f[i + 1][y], f[i + 1][y - weight[i]] + profit[i]);
    }

    // 计算 f[1][knapsackCapacity]
    f[1][knapsackCapacity] = f[2][knapsackCapacity];
    if (knapsackCapacity >= weight[1])
        f[1][knapsackCapacity] = max(f[1][knapsackCapacity],
                  f[2][knapsackCapacity-weight[1]] + profit[1]);
}
```

程序 19-4 用迭代算法计算 x

```
void traceback(int **f, int *weight, int numberOfObjects,
               int knapsackCapacity, int *x)
{// 计算解向量 x
    for (int i = 1; i < numberOfObjects; i++)
        if (f[i][knapsackCapacity] == f[i+1][knapsackCapacity])
            // 不包括物品 i
            x[i] = 0;
        else
        {// 包括物品 i
            x[i] = 1;
            knapsackCapacity -= weight[i];
        }
    x[numberOfObjects] = (f[numberOfObjects][knapsackCapacity] > 0)
                    ? 1 : 0;
}
```

例 19-6 使用例 19-5 的数据,由程序 19-3 计算出的数组 f 如图 19-2 所示。计算顺序按行从上到下,按列从左到右。没有显示 $f[i][10] = 15$。

我们从 x_1 开始来确定 x_i 的值。因为 $f(1,10) \neq f(2,10)$,所以一定有 $f(1,10)=f(2,10-w_1)+p_1=$

$f(2,8)+6$。因此 $x_1=1$。因为 $f(2,8) \neq f(3,8)$，所以一定有 $f(2,8)=f(3,8-w_2)+p_2=f(3,6)+3$。因此 $x_2=1$。因为 $f(3,6)=f(4,6)=f(5,6)$，所以 $x_3=x_4=0$。最后，因为 $f(5,4) \neq 0$，所以 $x_5=1$。

函数 knapsack 的复杂度为 $\Theta(nc)$，而 traceback 的复杂度为 $\Theta(n)$。

i	\multicolumn{11}{c}{y}
	0	1	2	3	4	5	6	7	8	9	10
5	0	0	0	0	6	6	6	6	6	6	6
4	0	0	0	0	6	6	6	6	6	10	10
3	0	0	0	0	6	6	6	6	6	10	11
2	0	0	3	3	6	6	9	9	9	10	11

图 19-2 例 19-6 的 f 函数 / 数组

4. 元组法（选读）

程序 19-3 有两个缺点：1）要求权为整数；2）当背包容量很大时，它的速度慢于程序 19-1。尤其是，若容量 $c>2^n$，则复杂度为 $\Omega(n2^n)$。使用元组法可以克服这两个缺点。在元组法中，对于每个 i，$f(i,y)$ 都以数对 $(y,f(i,y))$ 的形式按 y 的递增次序存储于表 $P(i)$ 中。另外，因为 $f(i,y)$ 是 y 的非递减函数，所以 $P(i)$ 中的数对 $(y,f(i,y))$ 也是按 $f(i,y)$ 的递增次序排列的。

例 19-7 考虑图 19-2 的函数 f。当 $i=5$ 时，$P(5)=[(0,0),(4,6)]$，函数 f 完全由此确定。当 $i=4,3,2$ 时，$P(i)$ 分别为 $[(0,0), (4,6), (9,10)]$，$[(0,0), (4,6), (9,10), (10,11)]$，$[(0,0), (2,3), (4,6), (6,9), (9,10), (10,11)]$。

为计算 $f(1,10)$，由公式（19-2）可得，$f(1,10)=\max\{f(2,10),f(2,8)+p_1\}$。由 $P(2)$ 可得，$f(2,10)=11$，$f(2,8)=9$。因此 $f(1,10)=\max\{11,15\}=15$。

为计算 x_i 的值，我们从计算 x_1 的值开始。因为 $f(1,10)=f(2,6)+p_1$，所以 $x_1=1$。因为 $f(2,6)=f(3,6-w_2)+p_2=f(3,4)+p_2$，所以 $x_2=1$。因为 $f(3,4)=f(4,4)=f(5,4)$，所以 $x_3=x_4=0$。最后，因为 $f(5,4) \neq 0$，所以 $x_5=1$。

检查每一个 $P(i)$ 可以发现，其中每一个数对 $(y,f(i,y))$ 都与变量 x_i，$\cdots$，x_n 的一次 0/1 赋值对应。设 (a,b) 和 (c,d) 分别与 x_i，$\cdots$，x_n 的两次 0/1 赋值对应。如果 $a \geqslant c$ 且 $b<d$，则称 (a,b) 受 (b,c) 支配。受支配者不加入 $P(i)$。若相同的数对对应两个或更多的赋值，则一个数对加入 $P(i)$。

假设 $w_n \leqslant c$，$P(n)=[(0,0),(w_n,p_n)]$。与 x_n 对应的两个数对分别等于 0 和 1。对每一个 i，可以从 $P(i+1)$ 得到 $P(i)$。首先计算数对的有序序列 Q，使得当且仅当 $w_i \leqslant s \leqslant c$，且 $(s-w_i,t-p_i)$ 是 $P(i+1)$ 的一个数对时，(s,t) 是 Q 的一个数对。现在 Q 包含 $x_i=1$ 的数对，$P(i+1)$ 包含 $x_i=0$ 的数对。下一步是合并 Q 和 $P(i+1)$，并删除受支配者和重复数对，以得到 $P(i)$。

例 19-8 考察例 19-7。$P(5)=[(0,0),(4,6)]$，因此 $Q=[(5,4),(9,10)]$。当 $P(5)$ 和 Q 合并得到 $P(4)$ 时。数对 $(5,4)$ 被删除，因为它受 $(4,6)$ 支配。结果 $P(4)=[(0,0),(4,6),(9,10)]$。接着计算 $P(3)$，首先由 $P(4)$ 得到 $Q=[(6,5),(10,11)]$。然后和 $P(4)$ 合并得到 $P(3)=[(0,0),(4,6),(9,10),(10,11)]$。最后计算 $P(2)$，由 $P(3)$ 得到 $Q=[(2,3), (6,9)]$。$P(3)$ 与 Q 合并得到 $P(2)=[(0,0), (2,3), (4,6), (6,9), (9,10), (10,11)]$。

因为每个 $P(i)$ 中的数对都表示 $x_i,\cdots,x_n$ 的一次不同的 0/1 赋值，因此 $P(i)$ 中的数对不会超过 $2^{n-i}+1$ 个。在计算 $P(i)$ 时，计算 Q 需用时 $\Theta(|P(i+1)|)$。合并 $P(i+1)$ 和 Q 也需用时 $\Theta(|P(i+1)|)$。因此，计算所有 $P(i)$ 所需要的时间为：$\Theta\left(\sum_{i=2}^{n}|P(i+1)|\right)=O(2^n)$。当权为整数时，$|P(i)| \leqslant c+1$，这时的复杂度为 $O(\min\{nc,2^n\})$。

19.2.2 矩阵乘法链

1. 问题描述

$m \times n$ 矩阵 A 与 $n \times p$ 矩阵 B 相乘需用时 $\Theta(mnp)$（见第 2 章练习 24）。我们把 mnp 作为两

个矩阵相乘所需时间的测量值。假定要计算三个矩阵 A、B 和 C 的乘积。为此有两种计算方式。第一种是 $(A*B)*C$。第二种是 $A*(B*C)$。虽然两种计算的结果相同，但时间性能会有很大差距。

例 19-9 假定 A 为 100×1 矩阵，B 为 1×100 矩阵，C 为 100×1 矩阵。计算 $A*B$ 的时间为 10 000 个时间单位，中间矩阵为 100×100，再与 C 相乘所需时间为 1 000 000 个时间单位。综合起来，计算 $(A*B)*C$ 的总时间为 1 010 000 个时间单位。计算 $B*C$ 时间为 10 000 个时间单位，中间矩阵为 1×1，再与 A 相乘的时间为 100 个时间单位，因而计算 $A*(B*C)$ 的时间只有 10 100 个时间单位！另外，计算 $(A*B)*C$ 需 10 000 个单元来存储 $A*B$，而计算 $A*(B*C)$ 只需用 1 个单元来存储 $B*C$。

两个三维图像的定位也遇到矩阵相乘的顺序问题。在定位中，我们要确定一个图像需要旋转、平移和缩放多少次才能逼近另一个图像。实现定位的一个计算方法是执行约 100 次迭代。每次迭代需要计算 12×1 个向量 T：

$$T = \sum A(x,y,z) * B(x,y,z) * C(x,y,z)$$

其中 A、B 和 C 分别为 12×3、3×3 和 3×1 矩阵。(x,y,z) 是三维像素的坐标。令 t 表示一个三维像素所需要计算的 $A(x,y,z)*B(x,y,z)*C(x,y,z)$ 的计算量。假设图像含有 $256 \times 256 \times 256$ 个三维像素。这时，100 次迭代所需的总计算量近似为 $100*256^3*t \approx 1.7*10^9 t$。若三个矩阵由左向右相乘，则 $t=12*3*3+12*3*1=144$；但若由右向左相乘，则 $t=3*3*1+12*3*1=45$。由左至右计算约需 $2.4*10^{11}$ 个操作，而由右至左计算大概只需 $7.5*10^{10}$ 个操作。使用一台每秒可执行 1 亿次操作的计算机，由左至右需 40 分钟，而由右至左只需 12.5 分钟。∎

在计算矩阵乘积 $A*B*C$ 时，仅有两种乘法顺序（由左至右或由右至左），因此我们可以算出每种顺序所需要的操作数，然后选择操作数比较少的那一种。而在更一般的情况下，我们要计算的矩阵乘积是 $M_1 \times M_2 \times \cdots \cdots \times M_q$，其中 M_i 是一个 $r_i \times r_{i+1}$ 矩阵 $(1 \leq i \leq q)$。考虑 $q=4$ 的情况，此时矩阵乘积 $A*B*C*D$ 有下列 5 种计算顺序：

$$A*((B*C)*D) \qquad A*(B*(C*D))$$

$$(A*B)*(C*D) \qquad ((A*B)*C)*D \qquad ((A*(B*C))*D$$

q 个矩阵相乘的方式随 q 的增加而以指数级增加。因此，q 很大时，考虑每一种乘法顺序并选择最优者已不切实际。

2. 动态规划公式

我们可以用动态规划来确定一个最优的矩阵乘法顺序。这种方法可将算法的用时降为 $O(q^3)$。令 M_{ij} 表示乘积链 $M_i \times \cdots \times M_j$ $(i \leq j)$ 的结果，$c(i,j)$ 表示用最优法计算 M_{ij} 时的时间消耗。令 $\mathrm{kay}(i,j)$ 为用最优法计算 M_{ij} 的最后一步 $M_{ik} \times M_{k+1,j}$ 的消耗。因此 M_{ij} 的最优算法包括如何用最优算法计算 M_{ik} 和 $M_{k+1,j}$ 以及计算 $M_{ik} \times M_{k+1,j}$。根据最优原理，可得到如下的动态规划递归公式：

$$c(i,i) = 0, \quad 1 \leq i \leq q$$

$$c(i,i+1) = r_i r_{i+1} r_{i+2}, \mathrm{kay}(i,i+1)=i, \quad 1 \leq i < q$$

$$c(i,i+s) = \min_{i \leq k < i+s} \{c(i,k) + c(k+1,i+s) + r_i r_{k+1} r_{i+s+1}\}, \quad 1 \leq i \leq q-s, 1 < s < q$$

$$\mathrm{kay}(i,i+s) = 获得上述最小的 k 值$$

以上求 c 的递归式可用递归或迭代的方法来求解。$c(1,q)$ 为用最优法计算矩阵乘法链的消耗，$\mathrm{kay}(1,q)$ 为最后一步的消耗。其余的乘积可由 kay 值来确定。

3. 递归求解

与求解 0/1 背包问题一样，本递归方法也须避免 $c(i,j)$ 和 kay(i,j) 的重复计算，否则算法的复杂度将会非常高。

例 19-10　设 $q=5$ 和 $r=(10,5,1,10,2,10)$，由动态规划的递归式得：

$$c(1,5)=\min\{c(1,1)+c(2,5)+500,c(1,2)+c(3,5)+100,c(1,3)+c(4,5)+1000,c(1,4)+c(5,5)+200\}　（19\text{-}3）$$

其中有 4 个 c 的 s 值等于 0 或等于 1，因此用动态规划公式可立即求得它们的值：$c(1,1)=c(5,5)=0$；$c(1,2)=50$；$c(4,5)=200$。$c(2,5)$ 的计算如下：

$$c(2,5)=\min\{c(2,2)+c(3,5)+50,c(2,3)+c(4,5)+500,c(2,4)+c(5,5)+100\}　　（19\text{-}4）$$

其中 $c(2,2)=c(5,5)=0$；$c(2,3)=50$；$c(4,5)=200$。再计算 $c(3,5)$ 及 $c(2,4)$：

$$c(3,5)=\min\{c(3,3)+c(4,5)+100,c(3,4)+c(5,5)+20\}=\min\{0+200+100,20+0+20\}=40$$

$$c(2,4)=\min\{c(2,2)+c(3,4)+10,c(2,3)+c(4,4)+100\}=\min\{0+20+10,50+0+20\}=30$$

由以上计算还可得到 kay$(3,5)=4$，kay$(2,4)=2$。现在，计算 $c(2,5)$ 所需要的所有中间值都已具备，将这些中间值代入公式 (19-4) 得到：

$$c(2,5)=\min\{0+40+50,50+200+500,30+0+100\}=90$$

且 kay$(2,5)=2$。为了用公式 (19-3) 计算 $c(1,5)$，我们还需要先计算 $c(3,5)$、$c(1,3)$ 和 $c(1,4)$。按照上述过程可计算出它们的值分别为 40、150 和 90。相应的 kay 值分别为 4、2 和 2。代入公式 (19-3) 得到：

$$c(1,5)=\min\{0+90+500,50+40+100,150+200+1000,90+0+200\}=190$$

且 kay$(1,5)=2$。

这个矩阵乘积的最优算法耗时 190 个时间单位。由 kay$(1,5)=2$ 可推出该算法的最后一步 M_{15} 是由 $M_{12}\times M_{35}$ 的计算得到的。因为 M_{12} 和 M_{35} 都是用最优法计算而来，所以用 kay 的值可以说明它们是如何计算的。由 kay$(1,2)=1$ 知，M_{12} 等于 $M_{11}\times M_{22}$。同理由 kay$(3,5)=4$ 得知，M_{35} 由 $M_{34}\times M_{55}$ 算出。依此类推，M_{34} 由 $M_{33}\times M_{44}$ 得出。于是，这个矩阵乘积的最优算法步骤为：

$$由\ M_{11}\times M_{22}\ 得到\ M_{12}$$
$$由\ M_{33}\times M_{44}\ 得到\ M_{34}$$
$$由\ M_{34}\times M_{55}\ 得到\ M_{35}$$
$$由\ M_{12}\times M_{35}\ 得到\ M_{15}$$

计算 $c(i,j)$ 和 kay(i,j) 的递归代码见程序 19-5。其中，一维整型数组 r 和二维整型数组 kay 都是全局变量。函数 c 计算 $c(i,j)$ 的值，并且计算 kay(a,b) 的值，同时赋给 kay$[a][b]$，即 kay$[a][b]=$kay(a,b)。函数 traceback 利用函数 c 算出的 kay 值来推导出最优乘法算法的步骤。

设 $t(q)$ 为函数 c 的复杂度，其中 $q=j-i+1$（即 M_{ij} 是 q 个矩阵运算的结果）。当 q 为 1 或 2 时，$t(q)=d$，其中 d 为一常数；而当 $q>2$ 时，$t(q)=2\sum\limits_{k=1}^{q-1}t(k)+eq$，其中 e 是一个常量。因此当 $q>2$ 时，$t(q)>2t(q-1)+e$。所以 $t(q)=\Omega(2^q)$。函数 traceback 的复杂度为 $O(q)$。

程序 19-5　递归计算 $c(i,j)$ 和 kay(i,j)

```
int c(int i, int j)
{// 返回 c(i,j) 的值，而且用 kay[i][j] 存储 kay(i,j) 的值
   if(i == j)
```

```
        return 0;                    // 一个矩阵
    if(i == j - 1)
    {// 两个矩阵
        kay[i][i + 1] = i;
        return r[i] * r[i + 1] * r[i + 2];
    }

    // 多于两个矩阵
    // 设置 u 为 k = i 的最小项
    int u = c(i,i) + c(i + 1,j) + r[i] * r[i + 1] * r[j + 1];
    kay[i][j] = i;

    // 计算其余的最小项，更新 u
    for (int k = i + 1; k < j; k++)
    {
        int t = c(i, k) + c(k + 1,j) + r[i] * r[k + 1] * r[j + 1];
        if(t < u)
        {// 找到较小项，更新 u 和 kay[i][j]
            u = t;
            kay[i][j] = k;
        }
    }

    return u;
}

void traceback(int i, int j)
{// 输出 Mij 的最佳计算顺序
    if(i == j)                       // 仅有一个矩阵
        return;
    traceback(i, kay[i][j]);
    traceback(kay[i][j] + 1,j);
    cout << "Multiply M " << i << ", " << kay[i][j] <<
            " and M " << (kay[i][j] + 1) << ", " << j << endl;
}
```

4. 无重复计算的递归方法

如果避免了 c 值的（因此也是 kay 值的）重复，就可将复杂度降低到 $O(q^3)$。为了避免重复计算，需要把 $c(i,j)$ 的值存储到一个全局二维数组变量 theC[][] 中，该数组的初始值为 0。程序 19-6 是函数 c 的新代码。

程序 19-6　无重复计算的 $c(i,j)$ 计算方法

```
int c(int i, int j)
{// 返回 c(i,j) 的值，而且用 kay[i][j] 存储 kay(i,j) 的值
    // 检查是否已经计算过
    if(theC[i][j] > 0)               // c(i,j) 已经计算过
        return theC[i][j];

    // c(i,j) 以前没有计算过，现在开始计算
    if(i == j)
        return 0;                    // 一个矩阵
    if(i == j - 1)
    {// 两个矩阵
```

```
        kay[i][i + 1] = i;
        theC[i][j] = r[i] * r[i + 1] * r[i + 2];
        return theC[i][j];
    }


    //多余两个矩阵
    //设置 u 为 k = i 的最小项
    int u = c(i,i) + c(i + 1,j) + r[i] * r[i + 1] * r[j + 1];
    kay[i][j] = i;

    //计算其余的最小项, 且更新 u
    for (int k = i + 1; k < j; k++)
    {
        int t = c(i, k) + c(k + 1,j) + r[i] * r[k + 1] * r[j + 1];
        if(t < u)
        {//找到较小项, 更新 u 和 kay[i][j]
            u = t;
            kay[i][j] = k;
        }
    }

    theC[i][j] = u;
    return theC[i][j];
}
```

为了分析改进后的函数 c（见程序 19-6）的复杂度，还需要使用分期计算方法。注意到调用 $c(1,q)$ 时每个 $c(i,j)$（$1 \leqslant i \leqslant j \leqslant q$）仅计算一次。对于 $s=j-i>1$，计算尚未计算过的 $c(a,b)$ 需要附加的工作量为 s。将 s 计入 $c(a,b)$ 第一次计算时的工作量中。在计算 $c(a,b)$ 时，s 将转计到每个 $c(a,b)$ 的第一次计算时间 c 中，因此每个 $c(i,j)$ 均需要 s 个工作量。对于每个 s，有 $q-s+1$ 个 $c(i,j)$ 需要计算，因此总的工作消耗为 $\sum_{s=0}^{q-1} s(q-s+1) = O(q^3)$。

5. 迭代求解

c 的动态规划递归式可用迭代的方法来求解。若按 $s=2,3,\cdots,q-1$ 的顺序计算 $c(i,i+s)$，每个 c 和 kay 仅需计算一次。

例 19-11　考察例 19-10 中 5 个矩阵的情况。先初始化 $c(i,j)$ 为 0($1 \leqslant i \leqslant 5$)。然后对于 $i=1,\cdots,4$ 分别计算 $c(i,i+1)$。$c(1,2)=r_1r_2r_3=50$，$c(2,3)=50$，$c(3,4)=20$ 和 $c(4,5)=200$。相应的 kay 值分别为 1,2,3 和 4。

当 $s=2$ 时，可得：

$c(1,3)=\min\{c(1,1)+c(2,3)+r_1r_2r_4,c(1,2)+c(3,3)+r_1r_3r_4\}=\min\{0+50+500,50+0+100\}=150$

且 kay(1,3)=2。用相同方法可求得 $c(2,4)$ 和 $c(3,5)$ 分别为 30 和 40，相应的 kay 值分别为 2 和 3。

当 $s=3$ 时，需要计算 $c(1,4)$ 和 $c(2,5)$。计算 $c(2,5)$ 所需要的所有中间值均已知（见公式（19-4））。把这些中间值代入公式后可得 $c(2,5)=90$，kay(2,5)=2。$c(1,4)$ 可用同样的公式计算。最后，当 $s=4$ 时，仅有 $c(1,5)$ 需要计算。使用的是公式（19-3）。这时该式右边的所有项都是已知的。　■

计算 c 和 kay 的迭代程序见函数 matrixChain（见程序 19-7）。该函数的复杂度为 $O(q^3)$。计算出 kay 之后，用回溯法可以推算出最优乘法计算过程。

程序 19-7　c 和 kay 的迭代计算

```
void matrixChain(int q)
{//用迭代法计算所有 Mij 的 c 值和 kay 值
 //r[] 表示维数的数组；q 是矩阵个数
 //c 是时间耗费矩阵；kay 是循环选择器

    //初始化 c[i][i], c[i][i+1] 和 kay[i][i+1]
    for (int i = 1; i < q; i++)
    {
        c[i][i] = 0;
        c[i][i + 1] = r[i] * r[i + 1] * r[i + 2];
        kay[i][i + 1] = i;
    }
    c[q][q] = 0;

    //计算余下的 c 和 kay
    for (int s = 2; s < q; s++)
        for (int i = 1; i <= q - s; i++)
        {//k = i 时的最小项
            c[i][i+s] = c[i][i] + c[i + 1][i + s]
                        + r[i] * r[i + 1] * r[i + s + 1];
            kay[i][i + s] = i;

            //余下的最小项
            for (int k = i + 1; k < i + s; k++)
            {
                int t = c[i][k] + c[k + 1][i + s]
                        + r[i] * r[k + 1] * r[i + s + 1];
                if(t < c[i][i + s])
                {//更小的最小项，更新 c 和 kay
                    c[i][i + s] = t;
                    kay[i][i + s] = k;
                }
            }
        }
}
```

19.2.3 所有顶点对之间的最短路径

1. 问题描述

所有顶点对之间的最短路径问题是指在有向图 G 中，寻找每一对顶点之间的最短路径。即对于每对顶点 (i,j)，要寻找从顶点 i 到顶点 j 以及从顶点 j 到顶点 i 的最短路径。在无向图中，这两条路径等于一条。

当边上的权都不是负值的时候，所有顶点对之间的最短路径可以用 17.3.5 节的 Dijkstra 单源算法 n 次来求解，每一次都选择 n 个顶点中的一个顶点作为源点。这个过程的时间复杂度为 $O(n^3)$。本节用动态规划算法来求解。该算法称为 Floy 算法，时间复杂度为 $\Theta(n^3)$。Floy 算法即使在边长为负值时也适用（不过环路的带权长度不能是负值）。与 Floy 算法相关的常数因子比 Dijkstra 算法的要小。因此，Floy 算法比最坏情况下的 Dijkstra 算法用时要少。

2. 动态规划公式

假定图可以有权值为负的边，但不能有带权长度为负值的环路。因此，每一对顶点 (i,j)

总有一条不含环路的最短路径。

假设图 G 有 n 个顶点，且从 1 到 n 编号。$c(i,j,k)$ 表示从顶点 i 到 j 的一条最短路径的长度，其中间顶点的编号不都大于 k。因此，如果边 (i,j) 存在，则 $c(i,j,0)$ 是该边的长度。若 $i=j$，则 $c(i,j,0)$ 为 0。如果边 (i,j) 不存在，则 $c(i,j,0)$ 等于 ∞。$c(i,j,n)$ 是从 i 到 j 的最短路径的长度。

例 19-12   考察图 17-17。若 $k=0,1,2,3$，则 $c(1,3,k)=\infty$；$c(1,3,4)=28$；若 $k=5,6,7$，则 $c(1,3,k)=10$；若 $k=8,9,10$，则 $c(1,3,k)=9$。因此从 1 到 3 的最短路径长度为 9。   ■

对于任意 $k>0$，如何确定 $c(i,j,k)$ 呢？从 i 到 j，中间顶点不超过 k 的最短路径有两种可能：该路径包含或不包含中间顶点 k。若不包含，则该路径长度应为 $c(i,j,k-1)$，否则长度为 $c(i,k,k-1)+c(k,j,k-1)$。$c(i,j,k)$ 可取两者中的较小值。因此可得到如下递归式：

$$c(i,j,k)=\min\{c(i,j,k-1),c(i,k,k-1)+c(k,j,k-1)\},\ k>0$$

以上的递归公式将一个 k 级运算转化为多个 $k-1$ 级运算，而多个 $k-1$ 级运算应比一个 k 级运算简单。

3. 递归求解

如果用递归方法求解上式，则计算过程的复杂度将无法估量。令 $t(k)$ 为递归求解 $c(i,j,k)$ 的时间。根据递归式可以看出 $t(k)=3t(k-1)+c$。利用替代方法可得 $t(n)=\Theta(3^n)$。因此所有 $c(i,j,n)$ 的计算用时为 $\Theta(n^2 3^n)$。

4. 迭代求解

通过多次计算 $c(i,j,k-1)$ 的值，可以得到 $c(i,j,n)$ 的值，这是一种非常高效的方法。如果 $c(i,j,k)$ 的值不用重复计算，那么 c 值的计算用时可以减少到 $\Theta(n^3)$。这种策略可以通过递归来实现，就像解决矩阵链问题一样（见程序 19-6），或通过迭代来实现。我们仅讨论迭代法。首先给出迭代法的伪代码，如图 19-3 所示。

```
// 寻找最短路径的长度
// 初始化 c(i,j,0)
for(int i=1;i<=n;i++)
    for(int j=1;j<=n;j++)
        c(i,j,0)=a(i,j);  // a 是邻接矩阵的耗时
// 计算 c(i,j,k),  0<k<=n
for(int k=1;k<=n;k++)
    for(int i=1;i<=n;i++)
        for(int j=1;j<=n;j++)
            if(c(i,k,k-1)+c(k,j,k-1)<c(i,j,k-1))
                c(i,j,k)=c(i,k,k-1)+c(k,j,k-1);
            else
                c(i,j,k)=c(i,j,k-1);
```

图 19-3   最短路径的初始算法

注意，对于任意 i，$c(i,k,k)=c(i,k,k-1)$ 且 $c(k,i,k)=c(k,i,k-1)$，因而，若用 $c(i,j)$ 代替图 19-3 的 $c(i,j,*)$，$c(i,j)$ 的最后值将等于 $c(i,j,n)$ 的值。

5. 用 C++ 实现

根据上面的观察结果，图 19-3 的伪码可以细化为程序 19-8 的 C++ 代码。细化的程序利用了程序 16-2 中定义的类 adjacencyWDigraph。函数 allPairs 在 c 中返回最短路径的长度。若从 i 到 j 无通路，则 c[i][j] 的值为 noEdge。函数 allPairs 还计算 kay[i][j]，它是从 i 到 j 的最

短路径中最大的 k 值。kay 值可以用来构建从一个顶点到另一个顶点的最短路径（见程序 19-9 中的函数 outputPath）。

程序 19-8 的时间复杂度为 $\Theta(n^3)$。程序 19-9 用时 $O(n)$ 来输出一条最短路径。

程序 19-8　c 和 kay 的计算

```cpp
template <class T>
void allPairs(T **c, int **kay)
{// 动态设计所有顶点对之间的最短路径算法
 // 对所有 i 和 j，计算 c[i][j] 和 kay[i][j]

    // 这里的代码用来检验 *this 是否为加权图

    // 初始化 c[i][j] = c(i,j,0)
    for (int i = 1; i <= n; i++)
       for (int j = 1; j <= n; j++)
       {
            c[i][j] = a[i][j];
            kay[i][j] = 0;
       }
    for (int i = 1; i <= n; i++)
       c[i][i] = 0;

    // 计算 c[i][j] = c(i,j,k)
    for (int k = 1; k <= n; k++)
       for (int i = 1; i <= n; i++)
          for (int j = 1; j <= n; j++)
             if(c[i][k] != noEdge && c[k][j] != noEdge &&
                (c[i][j] == noEdge || c[i][j] > c[i][k] + c[k][j]))
             {// 找到的 c[i][j] 的较小值
                  c[i][j] = c[i][k] + c[k][j];
                  kay[i][j] = k;
             }
}
```

程序 19-9　输出最短路径

```cpp
template <class T>
void outputPath(T **c, int **kay, T noEdge, int i, int j)
{// 输出从 i 到 j 的最短路径
   if(c[i][j] == noEdge)
      cout << "There is no path from " << i << " to " << j << endl;
   else
   {
      cout << "The path is " << i << " ";
      outputPath(kay, i,j);
      cout << endl;
   }
}

void outputPath(int **kay, int i, int j)
{// 输出路径的实际代码
   if(i == j)
       return;
   if(kay[i][j] == 0)                  // 路径上没有中间顶点
```

```
        cout << j << " ";
    else
    {// kay[i][j] 是路径上的一个中间顶点
        outputPath(kay, i, kay[i][j]);
        outputPath(kay, kay[i][j],j);
    }
}
```

例 19-13   图 19-4a 是一个耗费矩阵 a 的实例。图 19-4b 是由程序 19-8 计算出的 c 矩阵，图 19-4c 是 kay 值。从 kay 的值可知，从 1 到 5 的最短路径是从 1 到 kay[1][5]=4 的最短路径再加上从 4 到 5 的最短路径。因为 kay[4][5]=0，所以从 4 到 5 的最短路径无中间顶点。从 1 到 4 的最短路径经过 kay[1][4]=3。重复以上过程，最后可得从 1 到 5 的最短路径为：1,2,3,4,5。

```
    0 1 4 4 8        0 1 2 3 4        0 0 2 3 4
    3 0 1 5 9        3 0 1 2 3        0 0 0 3 4
    2 2 0 1 8        2 2 0 1 2        0 0 0 0 4
    8 8 9 0 1        5 5 3 0 1        5 5 5 0 0
    8 8 2 9 0        4 4 2 3 0        3 3 0 3 0
         a)               b)               c)
```

图 19-4   最短路径的例子   ∎

19.2.4   带有负值的单源最短路径

1. 问题描述

考虑一个图，它的顶点表示城市，边的成本表示从一个城市租一辆车，然后把车停在另一个城市所需的费用。然而，如果佛罗里达州的净移民是正数，那么它就会拥有多余的车辆，而净移民为负数的城市就会缺少车辆。为了矫正这种失衡，汽车租赁公司实际上要付钱请人把车从佛罗里达州的一个城市开到一个车辆不足的城市。因此，对租赁公司来说，相应边的成本就是负值。本书网站上给出了解决调度问题的方法，以及一个在带有负的边成本的图中寻找最短路径的差分方程系统。

当有向图带有其权小于 0 的边时，不能用 17.3.5 节的贪婪算法求其单源最短路径（见练习 32 的求解方案）。然而，只要一个图或有向图没有其带权长度小于 0 的环路，就可以用 19.2.3 节的动态规划算法求其所有顶点对之间最短路径。如 19.2.3 节所述，如果含有长度小于 0 的环路，最短路径无法明确的界定，因为有的最短路径可以含有无数小边。因此合理的假设是，我们所处理的图没有其长度小于 0 的环路。

假定我们要研究的图具有其权小于 0 的边，但是没有带权长度小于 0 的环路。由于 19.2.3 节中寻找最短路径的动态规划算法需要用时 $\Theta(n^3)$，所以设计一个用时较少的单元最短路径算法便是有用的了。这个算法在使用邻接矩阵描述时，复杂度是 $O(n^3)$，在使用邻接表描述时，复杂度为 $O(ne)$，其中 e 表示边数。因此，在寻找单源最短路径时，新算法比 19.2.3 节的算法具有性能优势。这个新算法是 Bellman 和 Ford 发明的，因此称为 Bellman-Ford 算法。

2. 动态规划公式

假设下面的图没有带权长度小于 0 的环路。我们假设，所有最短路径最多具有 $n-1$ 条边。注意，一条路径如果具有 n 条以上的边，那么一定有环路，而根据假设，环路的带权长度都不小于 0，因此去掉环路之后的路径会更短。所以，任何两个联通的顶点之间一定存在不含环路的最短路径，而且最多有 $n-1$ 条边。

如在 17.3.5 节和 19.2.3 节中那样，我们首先关注最短路径的长度。令 $d(v,k)$ 表示从源点到顶点 v 且最多有 k 条边的最短路径长度。于是，$d(v,n-1)$ 便是一个我们要寻找的路径长度。$d(v,0)$ 表示从源点到顶点 v 且边数为 0 的最短路径长度。显然 $v=s$ 时，$d(v,0)=0$，否则为无穷。对于 $k>0$，最短路径的边数在 0 和 k 之间。当最短路径上的边数至少是 1 时，有

$$d(v,k)=\min\{d(u,k-1)+\text{cost}(u,v)|(u,v) \text{ 是图的一条边}\}$$

其中 u 是最短路径上恰在 v 之前的顶点。于是我们有了下面的动态规划公式：

$$d(v,k)=\min\{d(v,0),\min\{d(u,k-1)+\text{cost}(u,v)|(u,v) \text{ 是图的一条边}\}\}$$

利用这个递归式可以通过按序计算 $d(*,1)$，$d(*,2)$，$\cdots$，$d(*,n-1)$ 而得到 $d(*,n-1)$。

3. 迭代求解

虽然我们可以用递归方法和无重复计算的递归方法求解 d 的动态规划方程，但是迭代法的用时更少。图 19-5 是迭代法的伪码。

```
initialize d(*,0);
// 计算其余的 d(*,k)
for(int k=1;k<n;k++)
{
    d(v,k)=d(v,0) 对所有 v;
    for( 每一条边 (u,v) )
        d(v,k)=min{d(v,k),d(u,k-1)+cost(u,v)};
}
```

图 19-5　Bellman-Ford 算法的伪码

图 19-6 是图 19-5 的细化，其中 d 的计算是同址进行的，即 d 只用一个索引。

```
initialize d(*)=d(*,0);
// 计算 d(*)=d(*,n-1)
for (int k=1;k<n;k++)
    for ( 每一条边 (u,v) )
        d(v)=min{d(v),d(u)+cost(u,v)};
```

图 19-6　细化的 Bellman-Ford 算法的伪码

注意，虽然外层循环的每一次迭代末端的同址计算中并没有 $d(*)=d(*,k)$，但是结束时 $d(*)$ 的值等于 $d(*,n-1)$。一般情况下，源代码在每一个顶点上执行 min 函数 $n-1$ 次，之后每一个顶点 v 都不能再通过 min 函数而减少 $d(v)$ 的值。修改后的同址代码也是如此。这种确定性的前提是图中没有带权长度为负的环路。实际上在循环结束时，我们可以检查 $d(v)$ 的值，看它是否可以通过伪码中的 min 操作而减少，如果是，那么原图一定有一个带权长度为负的环路。

为了减少计算时间，还可以进行另外两种观察：1) 如果对某个 k，$d(v)$ 的值对任意 k 都不会变化，那么我们可以中止外层循环；2）仅当 $d(u)$ 在外层循环的先前迭代中发生变化时，仅对边 (u,v) 的内层循环才是需要的。图 19-7 是基于这种观察而建立的 Bellman-Ford 算法的伪码。

```
initialize  d(*)=d(*,0);
把与源点相邻的顶点放入表 list1;

// 计算 d(*)=d(*,n-1)
把源点放入 list1;
for(int k=1;k<n;k++)
{
    // 查看是否有其值 d 发生变化的顶点
    if(list1 为空) 跳出循环;  // 没有这样的顶点
    while (list1 不空)
    {
        从 list1 中删除一个顶点 u;
        for (每一条边 (u,v))
        {
            d(v)=min{d(v),d(u)+cost(u,v)};
            if(d(v) 发生变化而且 v 不在 list2 中) 把 v 加到 list2;
        }
        list1=list2;
        使 list2 为空;
    }
}
```

图 19-7　Bellman-Ford 算法最后的伪码

4. 用 C++ 实现

在实现图 19-7 的伪码时，引入一个数组 inList2 是很有用的。当且仅当顶点 v 属于 list2 时，inList2[v] 为 true。在外层 for 循环的每一次迭代结束时，数组 inList2 要重新赋值为 false。这项操作，通过寻找数组 inListz 中的顶点，修改相应的数组值，可以很快地完成。

任何一个表结构，只要插入和删除时间是常量，就可以用在实现代码中，例如栈或队列。但是我们使用了 arrayList，因为我们为这个类定义了一个枚举器，而且因为这个类比其他线性表在最好情况下有更好的性能。使用枚举器，在外层 for 循环的每一次迭代结束时，可以很容易地重新设置 inList2 的值。

程序 19-10 是 Bellman-Ford 算法的实现代码。这个代码包含一个前驱数组 p，如程序 17-3 的最短路径代码中的一样。利用 p 的值，可以建构最短路径，如练习 33 的解答中所描述的那样。

程序 19-10　Bellman-Ford 算法

```
void bellmanFord(int s, T *d, int *p)
{// 寻找始于顶点 s 的最短路径的 Bellman-Ford 算法
 // 途中具有权值为负的边，但没有带权长度为负的环路
 // 始于 s 的最短距离在 d 中返回
 // 前驱信息在 p 中返回
  if (!weighted())
     throw undefinedMethod
     ("graph::bellmanFord() not defined for unweighted graphs");

  int n = numberOfVertices();
  if(s < 1 || s > n)
     throw illegalParameterValue("illegal source vertex");

  // 定义两个表，存储其 d 值发生改变的顶点
  arrayList<int> *list1 = new arrayList<int>;
```

```
arrayList<int> *list2 = new arrayList<int>;

// 定义一个数组，以记录表 list2 中的顶点
bool *inList2 = new bool [n+1];

// 初始化 p[1:n] = 0 和 inList2[1:n] = false
fill(p + 1, p + n + 1, 0);
fill(inList2 + 1, inList2 + n + 1, false);

// 设置 d[s] = d^0(s) = 0
d[s] = 0;
p[s] = s;            // p[i] != 0 意味着已经到达顶点 i
                     // 后面将重新设置 p[s] = 0

// 初始化表 list1
list1->insert(0, s);

// n - 1 次循环，更新 d 值
for (int k = 1; k < n; k++)
{
   if (list1->empty())
       break;  // 不再有改变
// 处理表 list1 中的顶点
for (arrayList<int>::iterator iList1 = list1->begin();
     iList1 != list1->end(); ++iList1)
{// 对顶点 u = *iList1 的邻接点 v，更新其 d 的值
   int u = *iList1;
   vertexIterator<T> *iu = iterator(u);
   int v;
   T w;
   while ((v = iu->next(w)) != 0)
   {
      if (p[v] == 0 || d[u] + w < d[v])
      {
         // 或是到达 v 的第一条路径，或是更短的一条路径
         d[v] = d[u] + w;
         p[v] = u;
         // 把 v 加入 list2，除非 v 已经存在
         if (!inList2[v])
         {// 加到表尾
            list2->insert(list2->size(), v);
            inList2[v] = true;
         }
      }
   }
}

// 为下一轮更新，重新设计表 list1 和 list2 的值
list1 = list2;
list2 = new arrayList<int>;

// 重新设置 inList2[1:n] 为 false
for (arrayList<int>::iterator iList1 = list1->begin();
     iList1 != list1->end(); ++iList1)
   inList2[*iList1] = false;
}
```

```
    p[s] = 0;        // s 没有前驱
}
```

5. 复杂度分析

在 for(int k…) 循环的每一迭代起始，表 list1 有 $O(n)$ 个顶点。所以，内层 while 循环对每一个 k 值要迭代 $O(e)$ 次（e 是边数）。因此，for(int k…) 循环的每一次迭代，在使用邻接矩阵描述时，其复杂度为 $O(n^2)$；当使用邻接表描述时，其复杂度为 $O(e)$。所以，总的时间复杂度，在使用邻接矩阵描述时为 $O(n^3)$，当使用邻接表描述时为 $O(ne)$。

19.2.5 网组的无交叉子集

1. 问题描述

在 14.6.3 节的交叉分布问题中，给定一个上下两边有 n 个针脚的布线通道和一个排列 C。顶部的针脚 i 与底部的针脚 C_i 相连，其中 $1 \leq i \leq n$。数对 (i, C_i) 称为**网组**。总共有 n 个网组需连接或连通。假定有两个或更多的布线层，其中有一个为优先层。与其他布线层相比，优先层的连线更细，电阻也要小得多。我们的任务是尽可能把更多的网组布设在优先层。把剩下的网组布设在其他层。当且仅当两个网组没有交叉时，它们可布设在同一层。因此我们的任务等价于寻找一个**最大无交叉子集**（maximum noncrossing subset，MNS）。在该集中，任意两个网组都不交叉。因为网组 (i, C_i) 完全由 i 决定，因此可用 i 来表示 (i, C_i)。

例 19-14 考察图 19-8 所示的图 14-7。网组 (1,8) 和 (2,7)（即 1 号网组和 2 号网组）交叉，因而不能布设在同一层。而网组 (1,8)、(7,9) 和 (9,10) 未交叉，因此可以布设在同一层。但这 3 个网组并不能构成一个 MNS，因为还有更大的不交叉子集。在图 19-8 给出的例子中，4 个网组构成的集合 {(4,2),(5,5),(7,9),(9,10)} 是一个 MNS。

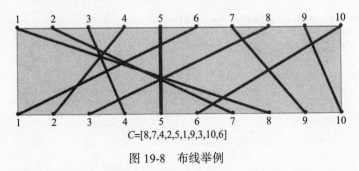

C=[8,7,4,2,5,1,9,3,10,6]

图 19-8 布线举例

2. 动态规划公式

令 MNS(i,j) 代表一个 MNS，其中所有的网组 (u, C_u) 满足 $u \leq i$，$C_u \leq j$。令 size(i,j) 表示 MNS(i,j) 的大小（即网组的数目）。显然 MNS(n,n) 是对应于输入实例的一个 MNS，而 size(n,n) 是它的大小。

例 19-15 对于图 19-8 中的例子，MNS(10,10) 是我们要找的最终结果。如例 19-14 中所指出的那样，size(10,10)=4。因为 (1,8)，(2,7)，(7,9)，(8,3)，(9,10) 和 (10,6) 中要么顶部针脚编号比 7 大，要么底部针脚编号比 6 大，所以它们都不属于 MNS(7,6)。于是，只需判定剩下的 4 个网组是否属于 MNS(7,6)，如图 19-9 所示。子集 {(3,4),(5,5)} 是大小为 2 的无交叉子集。没有大小为 3 的无交叉子集。因此 size(7,6)=2。

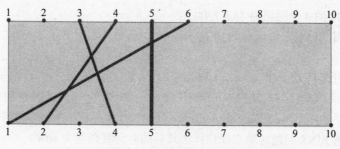

图 19-9 图 19-8 中可能属于 MNS(7,6) 的网组 ■

当 $i=1$ 时，$(1,C_1)$ 是 MNS(1,j) 的唯一候选。仅当 $j \geq C_1$ 时，这个网组才会是 MNS(1,j) 的成员，即

$$size(1,j) = \begin{cases} 0 & j < C_1 \\ 1 & j \geq C_1 \end{cases} \tag{19-5}$$

下一步考虑 $i>1$ 时的情况。若 $j<C_i$，则网组 (i,C_i) 不可能是 MNS(i,j) 的成员。所有属于 MNS(i,j) 的网组 (u,C_u) 都满足 $u<i$ 且 $C_u<j$，因此：

$$size(i,j)=size(i-1,j), \quad j<C_i \tag{19-6}$$

若 $j \geq C_i$，则网组 (i,C_i) 可能属于 MNS(i,j) 也可能不属于。若 (i,C_i) 属于 MNS(i,j)，则 MNS(i,j) 中不会有这样的网组 (u,C_u)：$u<i$ 且 $C_u>C_i$，因为这样的网组必与 (i,C_i) 相交。MNS(i,j) 中的其他所有网组都必须满足条件 $u<i$ 且 $C_u<C_i$。在 MNS(i,j) 中这样的网组必有 $M_{i-1,C_{i-1}}$ 个，否则，MNS(i,j) 就不会有最大数量的可能的网组。若 (i,C_i) 不在 MNS(i,j) 中，则 MNS(i,j) 中的所有网组 (u,C_u) 必须满足 $u<i$；因此 $size(i,j)=size(i-1,j)$。虽然不能确定 (i,C_i) 是否属于 MNS(i,j)，但是结果必须是使 MNS 更大。因此

$$size(i,j)=\max\{size(i-1,j),size(i-1,C_i-1)+1\}, \quad j \geq C_i \tag{19-7}$$

3. 迭代求解

虽然从公式 (19-5) 到公式 (19-7) 式可用递归法求解，但是从前面的例子可以看出，即使避免了重复计算，动态规划递归算法的效率也不够高。因此我们只考虑迭代方法。在迭代过程中先用公式 (19-5) 计算 $size(1,j)$。然后用公式 (19-6) 和公式 (19-7) 按 $i=2,3,\cdots,n$ 的顺序计算 $size(i,j)$。最后用 traceback 确定 MNS(n,n) 中的所有网组。

例 19-16 图 19-10 给出了图 19-8 中对应的 $size(i,j)$ 值。因 $size(10,10)=4$，可知 MNS 含 4 个网组。为找到这 4 个网组，我们从 $size(10,10)$ 入手，用公式 (19-7) 算出 $size(10,10)$。根据公式 (19-7) 的产生过程我们知道，$size(10,10)=size(9,10)$，因为一个具有 4 网组的 MNS 不可能具有 10 号网组。现在我们要寻找 MNS(9,10)。由于 $size(9,10) \neq size(8,10)$，所以 MNS(9,10) 必包含 9 号网组。MNS(9,10) 中剩下的网组构成 MNS(8,C_9-1)=MNS(8,9)。由 $size(8,9)=size(7,9)$ 可知，8 号网组可以被排除。接下来确定 MNS(7,9)。因为 $size(7,9) \neq size(6,9)$，所以 MNS(7,9) 必含 7 号网组。MNS(7,9) 中余下的网组构成 MNS(6,C_7-1)=MNS(6,8)。根据 $size(6,8)=size(5,8)$ 可排除 6 号网组。5 号网组加入 MNS 中，然后我们要确定 MNS(4,C_5-1)=MNS(4,4)。4 号网组被排除，然后 3 号网组加入 MNS 中。

i						j					
		1	2	3	4	5	6	7	8	9	10
1		0	0	0	0	0	0	0	1	1	1
2		0	0	0	0	0	0	1	1	1	1
3		0	0	0	1	1	1	1	1	1	1
4		0	1	1	1	1	1	1	1	1	1
5		0	1	1	1	2	2	2	2	2	2
6		1	1	1	1	2	2	2	2	2	2
7		1	1	1	2	2	2	3	3	3	3
8		1	1	2	2	2	2	3	3	3	3
9		1	1	2	2	2	2	3	3	3	4
10		1	1	2	2	2	3	3	3	3	4

图 19-10 图 19-8 对应的 $size(i,j)$

回溯过程得到 MNS 的 4 个网组为 {3,5,7,9}。

注意，在回溯过程中未用到 size$(10,j)(j \neq 10)$，因此不必计算这些值。

4. C++ 实现

程序 19-11 用迭代法计算 size(i,j) 和 MNS。函数 mns 利用二维数组 size 计算 size(i,j) 的值。size$[i][j]$ 表示 size(i,j)，其中 $i=j=n$ 或 $1 \leq i<n$, $0 \leq j \leq n$。计算过程的时间复杂度为 $\Theta(n^2)$。程序 19-12 的函数 traceback 在 net[0:sizeOfMNS] 中返回 MNS 的网组。其时间复杂度为 $\Theta(n)$。因此求解 MNS 问题的动态规划算法其总的时间复杂度为 $\Theta(n^2)$。

程序 19-11　计算 size(i,j)

```cpp
void mns(int *c, int numberOfNets, int **size)
{// 对所有 i 和 j，计算 size[i][j]
   // 初始化 [1][*]
   for (int j = 0; j < c[1]; j++)
      size[1][j] = 0;
   for (int j = c[1]; j <= numberOfNets; j++)
      size[1][j] = 1;

   // 计算 size[i][*], 1 < i < numberOfNets
   for (int i = 2; i < numberOfNets; i++)
   {
      for (int j = 0; j < c[i]; j++)
         size[i][j] = size[i - 1][j];
      for (int j = c[i]; j <= numberOfNets; j++)
         size[i][j] = max(size[i - 1][j], size[i - 1][c[i] - 1] + 1);
   }

   size[numberOfNets][numberOfNets] =
         max(size[numberOfNets - 1][numberOfNets],
             size[numberOfNets - 1][c[numberOfNets] - 1] + 1);
}
```

程序 19-12　查找网络中最大的无交叉子集

```cpp
int traceback(int *c, int numberOfNets, int **size, int *net)
{// 把最大的无交叉网组存入 net[0:sizeOfMNS-1]
   // 返回 MNS 的大小
   int maxAllowed = numberOfNets;          // 允许的最大底部管脚数目
   int sizeOfMNS = 0;
   for (int i = numberOfNets; i > 1; i--)
      // 网组 i 属于 MNS 吗
      if (size[i][maxAllowed] != size[i - 1][maxAllowed])
      {// 属于
         net[sizeOfMNS++] = i;
         maxAllowed = c[i] - 1;
      }

   // 1 号网组属于 MNS 吗
   if (maxAllowed >= c[1])
      net[sizeOfMNS++] = 1;                // 属于

   return sizeOfMNS;
}
```

练习

1. 令 $n=5$, $p=[7,3,5,2,4]$, $w=[3,1,2,1,2]$, $c=6$。模仿图 19-1 画图，显示程序 19-1 的递归函数。用 y 值标志节点，用阴影表示重复计算的节点。

2. 使用练习 1 的数据，建立一个类似图 19-2 的表。使用程序 19-3 的迭代函数。从 $f(1,c)$ 回溯，然后确定 x_i 值。

3. 修改程序 19-1，使它同时可以计算导致最优装载的 x_i 值。

4. 编写一个 C++ 代码以实现元组方法。你的代码应该确定最优装载的 x_i 值。

5. 定义 0/1/2 背包问题为：

$$\max \sum_{i=1}^{n} p_i x_i$$

限制条件为：

$$\sum_{i=1}^{n} w_i x_i \leqslant c \text{ 且 } x_i \in \{0,1,2\}, \quad 1 \leqslant i \leqslant n$$

设 f 的定义和 0/1 背包问题中的定义相同。

1）从 0/1/2 背包问题中推出类似于公式 (19-1) 和公式 (19-2) 的公式。

2）假设 ws 为整数。编写一个类似于程序 19-3 的函数来计算二维数组 f，然后确定最优分配的 x 值。

3）程序的复杂度是多少？

6. [二维背包] 二维 0/1 背包问题的定义为：

$$\max \sum_{i=1}^{n} p_i x_i$$

限制条件为：

$$\sum_{i=1}^{n} v_i x_i \leqslant c, \sum_{i=1}^{n} w_i x_i \leqslant d \text{ 且 } x_i \in \{0,1\}, \quad 1 \leqslant i \leqslant n$$

设 $f(i,y,z)$ 为二维背包问题最优解的值，其中物品为 i 到 n，$c=y$，$d=z$。

1）模仿公式 (19-1) 和公式 (19-2)，确定关于 $f(n,y,z)$ 和 $f(i,y,z)$ 的公式。

2）假设 vs 和 ws 为整数。编写一个类似于程序 19-3 的函数，计算三维数组 f，然后确定最优分配的 x 值。

3）程序的复杂度是多少？

7. 使用矩阵链问题的动态规划递归式计算 $c(i,j)$ 和 kay(i,j)，$1 \leqslant i \leqslant j \leqslant q$，$q=5$，$r=(100,10,100,2,50,4)$。$q$ 个矩阵相乘的最优顺序需要耗时多少？使用 kay 值来确定这个最优顺序。

8. 在 $q=6$ 和 $r=(2,100,4,100,2,200,3)$ 的条件下，做练习 7。

9. 证明：

$$\sum_{s=1}^{q-1} s(q-s+1) = O(q^3)$$

10. 矩阵乘法递归式的求解仅用到 c 和 kay 的上三角元素。重写程序 19-7 的代码，定义 c 和 kay 为类 upperTriangularMatrix 的成员（见 7.3.4 节）。分别评价二维数组描述和上三角矩阵描述的优点。

11. 使用所有顶点对之间最短路径问题求解的动态规划递归公式，确定图 17-9 中所有 $c(i,j,k)$ 的值。用矩阵 $c(*,*,k)$ 的序列显示结果，一个 k 对应一个矩阵。还要给出用 Floyd 算法得到最终的 kay 数组。

12. 生成一个与图 17-9 的有向图对应的无向图（即用无向边代替有向边）。以这个图为条件做练习 11。

13. 编写程序 19-8 的一个版本，它使用的是类 linkedWDigraph 的成员。这个版本的渐近复杂度应该与程序 19-8 的一样。

14. 设 G 为有 n 个顶点的加权有向无环图。顶点编号从 1 到 n，且当 (i,j) 为 G 中的一条边时有 $i<j$。设 $l(i,j)$ 为边 (i,j) 的长度：

   1）用动态规划方法计算图 G 中最长路径的长度。算法的时间复杂度应为 $O(n+e)$，其中 e 为 G 中的边数。

   2）编写一个函数，利用 1）的结果构造最长路径，其复杂度应为 $O(p)$，其中 p 为该路径中的顶点数。

15.［反身传递闭包］改写程序 19-8。从一个有向图的邻接矩阵开始，计算其反身传递闭包矩阵 rtc。若从顶点 i 到顶点 j 存在有向路径（可以包含零条边，这时 i=j），则 rtc[i][j]=1，否则 rtc[i][j]=0。代码的复杂度应为 $O(n^3)$，其中 n 为图中的顶点数。

16. 已知 $C=[4,2,6,8,9,3,1,10,7,5]$，用公式（19-5）到公式（19-7）计算 size 值。像图 19-10 那样显示你的计算结果。用这些结果确定 MNS。

17. 由 17.3.3 节可知，一个工程可分解为若干个任务，这些任务可按拓扑顺序来完成。设任务从 1 到 n 编号，首先完成任务 1，然后完成任务 2，以此类推。假定每个任务有两种方法来完成。令 $C_{i,1}$ 表示用第一种方法完成任务 i 时的耗时，$C_{i,2}$ 表示用第二种方法完成任务 i 时的耗时。令 $T_{i,1}$ 为第一种方法中任务 i 的用时，$T_{i,2}$ 为第二种方法中任务 i 的用时。并假设 T 为整数。设计一个动态规划算法，确定在时间 t 内完成所有任务的耗时最少的方法。假定工程的耗时为各任务耗时之和，总时间是各任务用时之和。（提示：可设 $c(i,j)$ 为在 j 时间内完成任务 i 到 n 的最小耗时）。算法的复杂度是多少？

18. 一台机器有 n 个零件。每个零件有三个供应商，来自供应商 j 的零件 i 的重量为 $W_{i,j}$，价格为 $C_{i,j}$（$1 \le j \le 3$）。机器的价格等于所有零件价格之和，重量也为各零件重量之和。假设所有价格都是正整数。设计一个动态规划算法，以决定在总价格不超过 c 的条件下，从哪些供应商购买零件能组成最轻的机器。（提示：可设 $w(i,j)$ 为价格不超过 j 时由零件 i 到 n 组成的最轻机器）。算法的复杂度是多少？

19. 设 $w(i,j)$ 为价格不超过 j 时由零件 1 到 i 组成的最轻机器。以此为前提，做练习 18。

20.［最长公共子串］串 s 是串 a 中去掉某些字符之后的子串。如串 "onion" 为串 "recognition" 的子串。串 s 是串 a 和串 b 的公共子串，当且仅当它既是 a 的子串又是 b 的子串。串 s 的长度是其中的字符个数。设计一个动态规划算法，寻找串 a 和串 b 的最长公共子串。（提示：设 $a=a_1a_2\cdots a_n$，$b=b_1b_2\cdots b_m$。定义 $l(i,j)$ 为串 $a_i\cdots a_n$ 和 $b_j\cdots b_m$ 的最长公共子串的长度）。算法的复杂度是多少？

21. 将 $l(i,j)$ 定义为串 $a_1a_2\cdots a_i$ 和 $b_1b_2\cdots b_j$ 的最长公共子串的长度，在此前提下，重做练习 20。

22.［最长有序子序列］编写一个算法，在一个整数序列中寻找一个最长有序子序列（见练习 20）。算法的复杂度是多少？

23. 令 $x_1,x_2,\cdots$ 是一个整数序列。令 $sum(i,j)=\sum_i^j x_k$，$i \le j$。编写一个算法，寻找使 $sum(i,j)$ 最

大的 i 和 j。给出算法的复杂度。

24. [串编辑] 在串编辑问题中，给定两个串 $a=a_1a_2\cdots a_n$ 和 $b=b_1b_2\cdots b_m$ 以及三个时间耗费函数 C、D 和 I。其中 $C(i,j)$ 为将 a_i 改为 b_j 的耗费，$D(i)$ 为从 a 中删除 a_i 的耗费，$I(i)$ 为将 b_i 插入 a 中的耗费。通过修改、删除和插入操作可把串 a 改为串 b。这样的操作序列称为**编辑序列**。如，删除所有 a_i，然后插入所有 b_i；或者当 $n \geq m$ 时，先把 a_i 变成 b_i（$1 \leq i \leq n$），然后删除其余的 a_i。一个操作序列的耗费为各个操作的耗费之和。设计一个动态规划算法，确定一个耗费最少的编辑操作。（提示：定义 $c(i,j)$ 为将 $a_1a_2\cdots a_i$ 转变为 $b_1b_2\cdots b_j$ 的最少耗费）。算法的复杂度是多少？

25. 使用动态规划做第 17 章的练习 41。

19.3 参考及推荐读物

用时为 $O(n\log n)$ 的矩阵乘法链问题的算法可参考论文：T. Hu, M. Shing. *Computation of Matrix Chain Products*, Part Ⅰ & Ⅱ. SIAM Journal on Computing, 11, 1982, 362-372 and 13, 1984, 228-251.

网组无交叉子集问题的动态规划算法参考了论文：K. Supowit. *Finding a Maximum Planar Subset of a Set of Nets in a Channel*. IEEE Transations on Computer-Aided Design of Integrated Circuits and Systems, 6, 1, 1987. 93-94.

回　溯　法

概述

要求解一个问题，最可靠的一种方法是：列出所有候选解，然后逐个检查，在检查所有或部分候选解之后，便可找到所需要的解。理论上，只要候选解的数量有限，而且在检查了所有或部分候选解之后可以确定所需解，这种方法就是可行的。不过在实际应用中，这种方法很少用，因为候选解的数量通常都非常大（比如是实例大小的指数级，甚至是阶乘）。而即使速度最快的计算机，也只能对实例规模相当小的问题在合理的时间内解决。

回溯法和分支定界法是对候选解进行系统检查的两种方法。这两种方法使最坏情况下和一般情况下的求解时间大大减少。事实上，这两种方法使我们省去了对很大一部分候选解的检查，同时还使我们能够找到所需要的解。因此，这两种方法经常可以用来求解实例规模很大的问题。

本章集中论述回溯法。用这种方法设计的算法有货箱装载、背包、最大完备子图、旅行商和电路板排列。其中每一个应用都是 NP-复杂问题。当我们需要 NP-复杂问题的最优解时，使用回溯法和分支定界法来系统检查候选解经常可以得到最好的算法。

20.1　算法思想

回溯法（backtracking）是搜索问题解的一种系统方法。8.5.6 节中迷宫老鼠问题的解法采用了这种技术。回溯法求解首先需要定义问题的一个**解空间**（solution space）。这个空间至少包含问题的一个（最优的）解。在迷宫老鼠问题中，我们可以把从入口到出口的所有路径定义为解空间。在 n 个对象的 0/1 背包问题中（见 17.3.2 节和 19.2.1 节），可以把 2^n 个长度为 n 的 0/1 向量的集合定义为解空间。这个集合代表着向量 x 取值 0 或 1 的所有可能。当 $n=3$ 时，解空间为 $\{(0,0,0),(0,1,0),(0,0,1),(1,0,0),(0,1,1),(1,0,1),(1,1,0),(1,1,1)\}$。

回溯法求解的下一步是组织解空间，使解空间便于搜索。典型的组织方法是图或树。图 20-1 用图形结构描述了一个 3×3 迷宫的解空间。从顶点 (1,1) 到顶点 (3,3) 的每一条路径都是解空间的一个元素。但考虑到障碍的设置，有些路径可能是不通的。

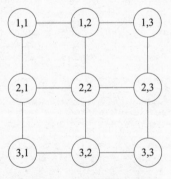

图 20-1　3×3 迷宫的解空间

图 20-2 用树形结构描述了三个对象的 0/1 背包问题的解空间。从 i 层节点到 $i+1$ 层节点的边上所标志的数字表示 x_i 的值。从根节点到叶节点的每一条路径都是解空间的一个元素。从根节点 A 到叶节点 H 的路径所表示的解为 $x=[1,1,1]$。根据 w 和 c 的值，从根节点到叶节点的路径中一部分或全部都可能不是解。

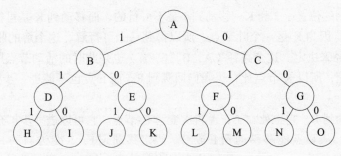

图 20-2 三个对象的背包问题的解空间

一旦确定了解空间的组织方法，这个空间即可按深度优先方式从开始节点进行搜索。在迷宫老鼠问题中，开始节点为入口节点 (1,1)；在 0/1 背包问题中，开始节点为根节点。开始节点既是一个**活动节点**（live node）又是一个 **E-节点**（expansion node）。从 E-节点我们试着移到一个新节点。如果从当前的 E-节点移到一个新节点，那么这个新节点就变成一个活动节点和新的 E-节点。而原来的 E-节点仍是一个活动节点。如果不能移到一个新节点，那么当前 E-节点"死掉"，即不再是活动节点。然后我们回到最近的活动节点。这个活动节点变成了新的 E-节点。当我们已经找到了答案或者不再有活动节点时，搜索过程结束。

例 20-1[迷宫老鼠]　图 20-3a 的矩阵是 3×3 的"迷宫老鼠"问题实例。我们用图 20-1 的解空间图形结构来搜索迷宫。

从迷宫入口到出口的每一条路径都与图 20-1 中从 (1,1) 到 (3,3) 的一条路径相对应。然而，图 20-1 中有些从 (1,1) 到 (3,3) 的路径却不是迷宫中从入口到出口的路径。

$$
\begin{array}{ccc}
000 & 110 & 111 \\
011 & 011 & 011 \\
000 & 000 & 000 \\
\text{a)} & \text{b)} & \text{c)}
\end{array}
$$

图 20-3　迷宫

搜索从点 (1,1) 开始，它是此时唯一的活动节点，它也是一个 E-节点。为避免重复走过这个位置，置 maze(1,1) 为 1。从这一点能移动到 (1,2) 或 (2,1) 两个点。就本例而言，两种移动都是可行的，因为这两个位置上的值都是 0。假定我们选择 (1,2)，把 maze(1,2) 置为 1。迷宫当前状态如图 20-3b 所示。这时我们有两个活动节点 (1,1) 和 (1,2)。(1,2) 还成为 E-节点。在图 20-1 中从当前 E-节点开始有 3 个可能移动到的位置，但其中两个是不可行的，因为这些位置上的值为 1。唯一可移动到的位置是 (1,3)。移动到这个位置，并置 maze(1,3) 为 1。此时迷宫状态为图 20-3c 所示，(1,3) 成为 E-节点。在图 20-1 中，从 (1,3) 出发有两个可能移动到的位置，但没有一个是可行的。所以该节点也就"死亡"了。我们回溯到最近的活动节点 (1,2)，但是在这个节点已经没有剩下可移到的位置，所以这一节点也"死了"。唯一留下的活动节点是 (1,1)。这个节点再次变为 E-节点，从此点可移动到 (2,1)。现在的活动节点为 (1,1) 和 (2,1)。这样继续下去，我们能达到 (3,3)。此时，活动节点表为 (1,1)，(2,1)，(3,1)，(3,2)，(3,3)，这便是到达出口的路径。■

程序 8-15 是一个寻找迷宫路径的回溯算法。

例 20-2[0/1 背包问题]　考察如下背包问题：$n=3$，$w=[20,15,15]$，$p=[40,25,25]$，$c=30$。从根节点开始搜索图 20-2 中的树。根节点是当前唯一的活动节点，也是 E-节点。从这里能够移动到节点 B 或 C。假定移动到 B，则当前的活动节点为 A 和 B。B 也是当前的 E-节点。在节点 B，剩余容量 r 为 10，而收益 cp 为 40。从 B 点可能移动到 D 或 E。但移动到 D 是不可行的，因为移动到 D 所需的容量 w_2 为 15。移动到 E 是可行的，因为这个移动不占用任何容量。E 变成新的 E-节点。这时活动节点为 A、B、E。在节点 E，$r=10$，$cp=40$。我们从 E 点有两种可能移动到的位置：J和K。移动到J是不可行的，而移动到K是可行的。节点K变成了新的E-节点。因为K是一个叶节点，所以得到一个可行解。这个解的收益 $cp=40$。x 的值由根到K的路径来决定。这个路径（A，B，E，K）也是此时的活动节点序列。因为K节点不能进一步扩充，所以K节点死亡，我们回溯到E。而E点也不能进一步扩充，它也死亡了。

接着我们回溯到B，它也死亡了，A再次变为E-节点。它可以进一步扩充，到达节点C。此时 $r=30$，$cp=0$。从C点能够移动到F或G。假定移动到F。F变为新的E-节点，活动节点为A、C、F。在F点，$r=15$，$cp=25$。从F点能移动到L或M。假定移动到L。此时 $r=0$，$cp=50$。既然L是一个叶节点，而且它代表了一个比目前最优解（即在节点K的解）更好的可行解，我们把这个解作为最优解。节点L死亡，我们回溯到节点F。这样继续下去，搜索整棵树。在搜索期间发现的最好解即为最优解。 ∎

例 20-3[旅行商问题] 给定一个 n 顶点网络（有向或无向），找出一个包含 n 个顶点且具有最小耗费的环路。任何一个包含网络所有 n 个顶点的环路称为一个**旅行**（tour）。**旅行商问题**是要寻找一条耗费最少的旅行。

图 20-4 是一个四顶点无向网络。这个网络有一些旅行：1,2,4,3,1；1,3,2,4,1 和 1,4,3,2,1。旅行 2,4,3,1,2；4,3,1,2,4 和 3,1,2,4,3 与旅行 1,2,4,3,1 一样。而旅行 1,3,4,2,1 与旅行 1,2,4,3,1 相反。旅行 1,2,4,3,1 的耗费为 66；旅行 1,3,2,4,1 的耗费为 25；旅行 1,4,3,2,1 的耗费为 59。故 1,3,2,4,1 是该网络中耗费最少的旅行。

顾名思义，旅行商问题可用来模拟旅行商的经营区域。顶点表示城市（包括起点）。边上的权表示在两个城市间所需要的旅行时间（或花费）。旅行表示当旅行商访问其经营区域的所有城市再回到出发点时所走的路线。

图 20-4 四顶点网格

旅行商问题还可以用来模拟其他问题。假定在一个金属板或印刷电路板上用一个机器钻头来钻一些孔。孔的位置已知。机器钻头从起始位置开始，移动到每一个钻孔位置钻孔，然后回到起始位置。总时间是钻所有孔的时间与钻头移动的时间。钻所有孔的时间独立于钻孔顺序。然而，钻头移动时间是钻头旅行距离的函数。因此，希望找到距离最短的旅行。

另一个例子是批量生产，其中一台机器可用来批量生产 n 个不同的产品。利用一个生产循环过程，这些产品可以不断地批量生产。在一个生产循环中，所有 n 个产品按顺序生产出来，然后进行下一个生产循环。在下一个生产循环中，生产顺序不变。例如，如果这台机器是顺序地为红色、白色和蓝色小汽车喷漆，那么在为蓝色小汽车喷漆之后，我们又开始了新一轮循环。一个循环的花费包括生产一个循环中的产品所需的花费以及从一个产品转变到另一个产品的花费。虽然生产产品的花费独立于生产顺序，但从一个产品转变到另一个产品的花费却与生产顺序有关。为了使花费最小，可以定义一个有向图，顶点表示产品，边 (i,j) 上的值是从产品 i 转变到产品 j 所需的花费。一个耗费最小的旅行是一个耗费最小的生产循环。

既然旅行是包含所有顶点的一个循环，那么可以把任意一个顶点作为起点（因此也是终点）。我们任意选取顶点 1 作为起点和终点。于是每一个旅行可用顶点序列 $1, v_2, \cdots, v_n, 1$ 来描述，其中 $v_2, \cdots, v_n$ 是 $(2,3,\cdots,n)$ 的一个排列。可能的旅行可用一棵树来描述，其中每一个从根到叶的路径定义了一个旅行。图 20-5 是一棵表示四顶点网络的树。从根到叶的路径中，边上的标号定义了一个旅行（还要附加 1 作为终点）。例如，到节点 L 的路径表示旅行 1,2,3,4,1，而到节点 O 的路径表示旅行 1,3,4,2,1。网络中的每一个旅行都正好由树中的一条根到叶的路径来表示。因此，树中叶子的数目为 $(n-1)!$。

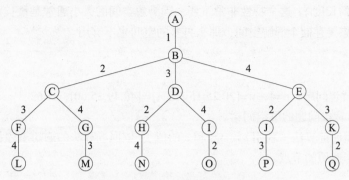

图 20-5　四顶点网络的解空间树

回溯算法，从搜索解空间树的根开始，按深度优先方式寻找耗费最小的旅行。利用图 20-5 的解空间树，一个可能的搜索为 ABCFL。在 L 点，旅行 1,2,3,4,1 作为当前最佳旅行被记录下来。旅行耗费是 59。从 L 点回溯到活动节点 F。由于 F 没有未检查的孩子，所以它成为死节点，我们回溯到 C 点。C 变为 E-节点，从 C 点向前移动到 G，然后是 M。这样构造出旅行 1,2,4,3,1，耗费是 66。既然它不比当前的最佳旅行好，抛弃这个旅行并回溯到 G，然后是 C，B。从 B 点向前移动到 D，然后是 H，N。这个旅行是 1,3,2,4,1，耗费 25，比当前的最佳旅行好，把它作为当前最佳旅行。从 N 点回溯到 H，然后是 D。从 D 点向前移动，到达 O 点。如此继续下去，搜索完整棵树，得到耗费最少的旅行是 1,3,2,4,1。　■

当问题需要 n 个元素的一个子集来优化函数时，解空间树称为**子集树** (subset tree)。对 n 个对象的 0/1 背包问题来说，解空间树便是一个子集集。这样一棵树有 2^n 个叶节点，全部节点有 $2^{n+1}-1$ 个。因此，访问树中所有节点的每一个算法都要耗时 $\Omega(2^n)$。当问题需要 n 个元素的一个排列来优化函数时，解空间树称为**排列树** (permutation tree)。这样的树有 $n!$ 个叶节点。遍历树中所有节点的每一个算法都要耗时 $\Omega(n!)$。图 20-5 的树便是，寻找顶点 $\{2,3,4\}$ 的最佳排列时的树。顶点 1 是旅行的起点和终点。

确定一个新到达的节点能否导致一个比当前最优解还要好的解，可加速对最优解的搜索过程。如果不能，则移动到该节点的任何一棵子树都是无意义的。这个节点可被立即杀死。用来杀死活动节点的策略称为**界定函数**（bounding function)。在例 20-2 中，我们使用了如下界定函数：杀死那些代表不可行解的节点。对于旅行商问题，可使用这样的界定函数：如果到达当前节点的一段旅行的耗费不少于当前最佳路径的耗费，则杀死当前节点。如果在图 20-4 的例子中使用该界定函数，那么当达到图 20-5 的节点 I 时，已经找到了具有耗费 25 的 1,3,2,4,1 的旅行。而到达节点 I 的一段旅行 (1,3,4) 的耗费为 26。若继续这段旅行，则不会得到一个耗费小于 25 的结果。因此，搜索以 I 为根节点的子树毫无意义。

小结

回溯方法的步骤如下：
1）定义一个解空间，它包含对问题实例的解。
2）用适合于搜索的方式组织解空间。
3）用深度优先方式搜索解空间，利用界定函数避免进入无解的子空间。
回溯算法的实现有一个有意义的特性：在进行搜索的同时产生解空间。在搜索过程的任何时刻，仅保留从开始节点到当前 E-节点的路径。因此，回溯算法的空间需求为 $O($ 从开始节点起最长路径的长度 $)$。这个特性非常重要，因为解空间的大小通常是最长路径长度的指数或阶乘。所以如果要存储全部解空间，那么再多的空间也不够用。

练习

1. 考察如下 0/1 背包问题：$n=4$，$w=[20,25,15,35]$，$p=[40,49,25,60]$，$c=62$。
   1）画出该 0/1 背包问题的解空间树。
   2）对该树运用回溯算法（利用 ps、ws 和 c 的值）。依回溯算法的遍历顺序标记节点。确定回溯算法未遍历的节点。

2. 如题：
   1）当 $n=5$ 时，画出旅行商问题的解空间树。
   2）在该树上，运用回溯算法（使用图 20-6 的实例）。依回溯算法的遍历顺序标记节点。确定未遍历的节点。

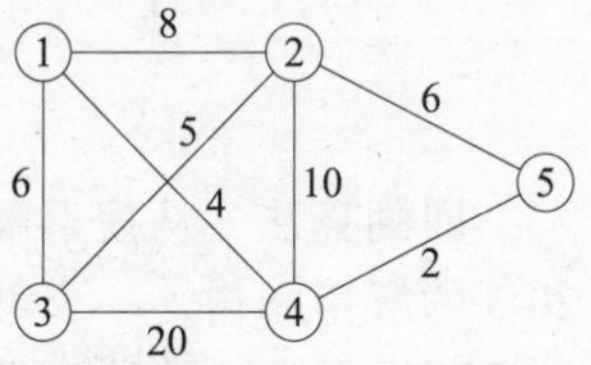

图 20-6　练习 2 的实例

3. 每周六 Mary 和 Joe 都在一起打乒乓球。她们每人都有一个篮子，每个篮子装着 120 个球。一直打下去，直到两个篮子为空。然后她们需要拾起 240 个球，装满各自的篮子，然后把篮子放回原处。以网为界，Mary 只拾她这边的球，而 Joe 拾剩下的球。如何用旅行商问题帮助 Mary 和 Joe 决定拾球的顺序以便她们走最少的路。

20.2 应用

20.2.1 货箱装载

1. 问题描述

17.3.1 节考察的问题是，用最大数量的货箱装船。现在该问题有一些改动：有两艘船，n 个货箱。第一艘船的载重量是 c_1，第二艘船的载重量是 c_2。w_i 是货箱 i 的重量且 $\sum_{i=1}^{n} w_i \leqslant c_1+c_2$。我们希望确定是否有一种办法可以把 n 个货箱全部装上船。如果有，找出这种方法。

例 20-4　若 $n=3$，$c_1=c_2=50$，$w=[10,40,40]$，则可将货箱 1、2 装到第一艘船上，货箱 3 装到第二艘船上。如果 $w=[20,40,40]$，则无法将货箱全部装船。　■

当 $\sum_{i=1}^{n} w_i = c_1+c_2$ 时，两艘船的装载问题等价于**子集之和**（sum-of-subset）问题，即有 n 个数字，要求找到一个子集（如果存在的话），使它的和为 c_1。当 $c_1=c_2$ 且 $\sum_{i=1}^{n} w_i = 2c_1$ 时，两艘船的装载问题等价于**分割问题**（partition problem），即有 n 个数字 a_i，（$1 \leqslant i \leqslant n$），要求找到一个子集（如果存在的话），使得子集之和为 $\left(\sum_{i=1}^{n} a_i\right)/2$。分割问题和子集之和问题都是 NP-复杂问题。而且即使问题被限制为整数，它们仍是 NP- 复杂问题。所以不能期望在多项式时间内解决两艘船的装载问题。

只要有一种方法能够把所有 n 个货箱都装上船，就可以验证以下的装船策略行之有效：1）尽可能将第一艘船装载到它的载重量极限；2）将剩余货箱装到第二艘船。为了尽可能地将第一艘船装满，需要选择一个货箱的子集，它们的总重量尽可能接近 c_1。这个选择可通过 0/1 背包问题来解决

$$\max \sum_{i=1}^{n} w_i x_i$$

限制条件是

$$\sum_{i=1}^{n} w_i x_i \leqslant c_1 \quad x_i \in \{0,1\}, 1 \leqslant i \leqslant n$$

当重量是整数时，可用19.2.1节的动态规划方法确定第一艘船的最佳装载。用元组方法所需的时间为 $O(\min\{c_1,2^n\})$。可以使用回溯方法设计一个复杂度为 $O(2^n)$ 的算法，在有些实例中，它比动态规划算法要好。

2. 第一种回溯算法

既然要找一个重量的子集，使子集之和尽量接近 c_1，那么可以使用一个子集空间，并将其组织成如图20-2所示的二叉树。用深度优先方式搜索子空间以求最优解。用界定函数防止无解节点的扩张。如果 Z 是树中 $j+1$ 层的一个节点，那么从根到 Z 的路径便定义了 $x_i(1 \leqslant i \leqslant j)$ 的值。使用这些值定义 cw（当前重量）为 $\sum_{i=1}^{n} w_i x_i$。若 $cw>c_1$，则以 Z 为根的子树不包含可行解。可用这个检验作为界定函数。（我们可以增加一个检验，判断等式 $cw=c_1$ 是否成立。如果成立，就可以停止搜索。不过我们不增加这样的检验。）一个节点是**不可行**的，当且仅当它的 cw 值大于 c_1。

例20-5 假定 $n=4$，$w=[8,6,2,3]$，$c_1=12$。解空间树为图20-2的树再加上一层节点。搜索从根 A 开始且 $cw=0$。若移动到左孩子 B，则 $cw=8$，$cw \leqslant c_1=12$。以 B 为根的子树包含一个可行的节点，故移动到节点 B。从节点 B 不能移动到节点 D，因为 $cw+w_2>c_1$；因此在这棵子树中，没有树叶代表可行的解。直接移动到节点 E，这个移动未改变 cw。下一步为节点 J，这时 $cw=10$。J 的左孩子的 cw 值为13，超出了 c_1，故搜索不能移动到 J 的左孩子。可移动到 J 的右孩子，它是一个叶节点。至此，已找到了一个子集，它的 $cw=10$。x_i 的值由从 A 到 J 的右孩子的路径获得。这些 x_i 值为 [1,0,1,0]。

回溯算法现在回溯到 J，然后是 E。从 E，再次沿着树向下移动到节点 K，此时 $cw=8$。移动到它的左子树，有 $cw=11$。既然已到达了一个叶节点，就检查 cw 的值是否大于当前的最优 cw 的值。结果确实大于最优值，所以这个叶节点表示了一个比 [1,0,1,0] 更好的解决方案。到该节点的路径决定了 x 的值 [1,0,0,1]。

从这个叶节点回溯到节点 K，现在可以移动到 K 的右孩子，它是一个叶节点，其 $cw=8$。这个值不比当前最优的 cw 值更好，所以我们回溯到 K、E、B，直到 A。从根节点开始，沿树继续向下移动。算法将移动到 C 并搜索它的子树。 ∎

使用前述的界定函数得到程序20-1中的回溯算法。这个算法使用了全局变量 numberOf-Containers、weight、capacity、weightOfCurrentLoading 和 maxWeightSoFar。货箱重量为 weight[1: numberOfContainers]。调用 rLoad(1)，返回 ≤ capacity 的最大子集之和，但它不能找到这个最大子集。后面将改进这个代码以便找到这个子集。

程序20-1 第一种回溯算法

```
void rLoad(int currentLevel)
{// 从 currentLevel 处的节点开始搜索
   if(currentLevel > numberOfContainers)
   {// 在一个叶节点
      if(weightOfCurrentLoading> maxWeightSoFar)
         maxWeightSoFar = weightOfCurrentLoading;
```

```
        return;
    }
    // 不在一个叶节点，检查子树
    if(weightOfCurrentLoading + weight[currentLevel] <= capacity)
    {// 搜索左子树；即 x[currentLevel]=1
        weightOfCurrentLoading += weight[currentLevel];
        rLoad(currentLevel + 1);
        weightOfCurrentLoading -= weight[currentLevel];
    }
    rLoad(currentLevel+1);              // 搜索右子树
}
```

rLoad(currentLevel) 从 currentLevel 层中一个隐式确定的节点开始，搜索以该节点为根的子树。若 currentLevel>numberOfContainers，则已到达一个叶节点。由这个叶节点定义的解有重量 weightOfCurrentLoading，它一定 ≤ capacity，因为搜索不会移动到不可行的节点。若 weightOf-CurrentLoading>maxWeightSoFar，则更新当前最优解的值。当 currentLevel ≤ numberOfContainers 时，我们到达有两个孩子的节点 Z。左孩子表示 x[currentLevel]=1 的情况，只有 weight-OfCurrentLoading+weight[currentLevel] ≤ capacity，才能移到这里。当移动到左孩子时，weightOfCurrentLoading 增加 weight[currentLevel]，并且到达一个 currentLevel+1 层的节点。递归搜索以该节点为根的子树。搜索完成后，回到节点 Z。为了得到 Z 的 weightOfCurrentLoading 值，需用当前的 weightOfCurrentLoading 值减去 weight[currentLevel]。Z 的右子树还未搜索。既然这个子树表示 x[currentLevel]=0 的情况，所以无需进行可行性检查就可移动到该子树，因为一个可行节点的右孩子总是可行的。

注意，函数 rLoad 没有明确建立解空间树。rLoad 在其到达的每一个节点上花费 $\Theta(1)$ 时间。到达的节点数量为 $O(2^n)$，所以复杂度为 $O(2^n)$。这个函数使用的递归栈空间为 $\Theta(n)$。

3. 第二种回溯方法

有些右子树不可能包含比当前最优解更好的解，我们不要移动到这种右子树中去，以此提高函数 rLoad 的性能。令 Z 为解空间树第 i 层的一个节点。以 Z 为根的子树中没有叶节点的重量超过 weightOfCurrentLoading+remainingWeight，其中 remainingWeight=$\sum_{j=i+1}^{n}$weight[j] 为剩余货箱的重量（n 是货箱数量）。因此，当

$$\text{weightOfCurrentLoading+remainingWeight} \leq \text{maxWeightSoFar}$$

没有必要去搜索 Z 的右子树。

例 20-6　令 n、w、c_1 的值与例 20-5 中的相同。用新的界定函数，搜索至第一个叶节点（它是 J 的右孩子）。maxWeightSoFar 置为 10；回溯到 E，然后向下移动到 K 的左孩子，此时 maxWeightSoFar 更新为 11。我们没有移动到 K 的右孩子，因为在右孩子节点 weightOfCurrentLoading=8，remainingWeight=0，weightOfCurrentLoading+remaining-Weight ≤ maxWeightSoFar。回溯到节点 A。同样，我们不必移动到右孩子 C，因为在 C 点 weightOfCurrentLoading=0，remainingWeight=11 且 weightOfCurrentLoading+remainingWeight ≤ maxWeightSoFar。

加强了条件的界定函数避免了对 A 的右子树和 K 的右子树的搜索。　　　　　■

使用加强版的界定函数，得到程序 20-2 的代码。这个代码增加了全局变量 remainingWeight，它的初值是货箱重量之和。新的代码没有检查一个到达的叶节点是否具有比当前最优解还多的重量。这样的检查是不必要的，因为加强版的界定函数只允许移动到能

够产生更优解的节点。因此，每到达一个新的叶节点都意味着找到了比当前最优解还优的解。虽然新代码的复杂度仍是 $O(2^n)$，但它搜索的节点比程序 20-1 的要少。

程序 20-2　程序 20-1 的细化

```
void rLoad(int currentLevel)
{// 从 currentLevel 处的节点开始搜索
   if(currentLevel > numberOfContainers)
   {// 在一个叶节点
      maxWeightSoFar = weightOfCurrentLoading;
      return;
   }

   // 不在一个叶节点，检查子树
   remainingWeight -= weight[currentLevel];
   if(weightOfCurrentLoading + weight[currentLevel] <= capacity)
   {// 搜索左子树
      weightOfCurrentLoading += weight[currentLevel];
      rLoad(currentLevel + 1);
      weightOfCurrentLoading -= weight[currentLevel];
   }
   if(weightOfCurrentLoading + remainingWeight > maxWeightSoFar)
      // 搜索右子树
      rLoad(currentLevel+1);
   remainingWeight += weight[currentLevel];
}
```

4. 寻找最优子集

为了确定重量最接近 capacity 的货箱子集，有必要增加代码来记录当前找到的最优子集。为此，使用一维数组 bestLoadingSoFar。当且仅当 bestLoadingSoFar[i]=1 时，货箱 i 属于最优子集。新代码见程序 20-3 和程序 20-4。

程序 20-3　报告最优装载的预处理程序

```
int maxLoading(int *theWeight, int theNumberOfContainers,
               int theCapacity, int *bestLoading)
{// 数组 theWeight[1:theNumberOfContainers] 是货箱重量
 // theCapacity 是船的装载量
 // 数组 bestLoading[1:theNumberOfContainers] 是解
 // 返回最大装载重量
   // 初始化全局变量
   numberOfContainers = theNumberOfContainers;
   weight = theWeight;
   capacity = theCapacity;
   weightOfCurrentLoading = 0;
   maxWeightSoFar = 0;
   currentLoading = new int [numberOfContainers + 1];
   bestLoadingSoFar = bestLoading;

   // remainingWeight 的初始值是所有货箱重量之和
   for (int i = 1; i <= numberOfContainers; i++)
      remainingWeight += weight[i];

   // 计算最优装载的重量
   rLoad(1);
```

```
    return maxWeightSoFar;
}
```

程序 20-4 　 报告最优装载的回溯算法

```
void rLoad(int currentLevel)
{// 从 currentLevel 处的节点开始搜索
    if (currentLevel > numberOfContainers)
    {// 到达一个叶节点, 存储更优的解
        for (int j = 1; j <= numberOfContainers; j++)
            bestLoadingSoFar[j] = currentLoading[j];
        maxWeightSoFar = weightOfCurrentLoading;
        return;
    }

    // 没有到达一个叶节点, 检查子树
    remainingWeight -= weight[currentLevel];
    if(weightOfCurrentLoading + weight[currentLevel] <= capacity)
    {// 搜索左子树
        currentLoading[currentLevel] = 1;
        weightOfCurrentLoading += weight[currentLevel];
        rLoad(currentLevel + 1);
        weightOfCurrentLoading -= weight[currentLevel];
    }
    if(weightOfCurrentLoading + remainingWeight > maxWeightSoFar)
    {
        currentLoading[currentLevel] = 0;          // 搜索右子树
        rLoad(currentLevel + 1);
    }
    remainingWeight += weight[currentLevel];
}
```

　　这段代码增加了两个全局变量：currentLoading 和 bestLoadingSoFar。这两个变量都是整型一维数组（也可以用布尔型）。数组 currentLoading 用来记录从搜索树的根到当前节点的路径（即它保留路径上的 x_i 值），bestLoadingSoFar 记录当前最优解。只要到达一个具有较优解的叶节点，就更新 bestLoadingSoFar 以表示从根到这个叶节点的路径。路径中的 1 确定了要装载的货箱。数组 currentLoading 空间由 maxLoading 分配。

　　因为 bestLoadingSoFar 要更新 $O(2^n)$ 次，所以 rLoad 的复杂度为 $O(n2^n)$。使用下列方法之一，复杂度可降为 $O(2^n)$：

　　1) 首先运行程序 20-2 的代码，以确定最优装载的重量。令这个重量为 maxWeight。然后运行改进程序 20-3 和程序 20-4。改进后的程序从 maxWeightSoFar=maxWeight 开始，只要 weightOfCurrentLoading+remainingWeight $\geqslant$ maxWeightSoFar，就搜索右子树，而且在第一次到达一个叶节点时终止（即 currentLevel>numberOfContainers）。

　　2) 修改程序 20-4 的代码，以不断保留从根到当前最优叶节点的路径。尤其到达 i 层节点时，到最优叶节点的路径由 currentLoading[j]($1 \leqslant j<i$) 和 bestLoadingSoFar[j] ($j \leqslant i \leqslant$ numberOfContainers) 给出。按照这种方法，算法每次回溯一层级，一个 x_i 便存储在 bestLoadingSoFar。由于算法回溯的次数是 $O(2^n)$，所以额外开销为 $O(2^n)$。

　　5. 一个改进的迭代版本

　　可改进程序 20-3 和程序 20-4 以减少它们的空间需求。因为数组 currentLoading 中存储着可在树中移动的信息，所以可以取消大小为 $\Theta(n)$ 的递归栈空间。如例 20-5 所示，从解空间树的任何一个节点，算法不断向左孩子移动，直到不能再移动为止。如果到达一个叶节点，则更新最优解。否则，查看是否可以移动到右孩子。如果到达一个叶节点，或者不能移动到一个右孩子，算法就要回溯到一个节点，从这个节点可以向其右孩子移动且有可能找到最优解。这个节点有一个特性：它是路径上具有 currentLoading[i]=1 的节点中离根节点最近的节点。如果向右孩子移动是可能有结果的，那就移动到右孩子，然后再进行一系列向左孩子的移动。如果向右孩子的移动是无效的，则回溯到 currentLoading[i]=1 的下一个节点。程序 20-5 是这种遍历算法的迭代形式（即循环形式）。和递归算法不同，迭代算法先移动到右孩子，再检查是否该向右孩子移动。如果不能移动，则回溯。迭代的时间复杂度与程序 20-3 和程序 20-4 一样。

程序 20-5　装载问题的迭代算法

```
int maxLoading(int *weight, int numberOfContainers, int capacity,
               int *bestLoading)
{// 数组 weight[1:numberOfContainers] 是货箱的重量
 // capacity是船的装载量
 // 数组 bestLoading[1:numberOfContainers] 是解
 // 返回最大装载的重量 .
   // 初始化根
   int currentLevel = 1;
   int *currentLoading = new int [numberOfContainers + 1];
         // 数组 currentLoading[1:i-1] 是到达当前节点的路径
   int maxWeightSoFar = 0;
   int weightOfCurrentLoading = 0;
   int remainingWeight = 0;
   for (int j = 1; j <= numberOfContainers; j++)
      remainingWeight += weight[j];

   // 对树进行搜索
   while (true)
   {// 尽可能沿左分支移动
      while (currentLevel <= numberOfContainers &&
             weightOfCurrentLoading + weight[currentLevel] <= capacity)
      {// 移到左孩子
         remainingWeight -= weight[currentLevel];
         weightOfCurrentLoading += weight[currentLevel];
         currentLoading[currentLevel] = 1;
         currentLevel++;
      }

      if(currentLevel > numberOfContainers)
      {// 到达叶节点
         for (int j = 1; j <= numberOfContainers; j++)
            bestLoading[j] = currentLoading[j];
         maxWeightSoFar = weightOfCurrentLoading;
      }
      else
      {// 移到右孩子
         remainingWeight -= weight[currentLevel];
         currentLoading[currentLevel] = 0;
         currentLevel++;
      }
```

```
// 需要时回溯
while (weightOfCurrentLoading + remainingWeight <= maxWeightSoFar)
{// 这棵子树没有更好的叶节点，回溯
    currentLevel--;
    while (currentLevel > 0 && currentLoading[currentLevel] == 0)
    {// 从一个右孩子回溯
        remainingWeight += weight[currentLevel];
        currentLevel--;
    }

    if(currentLevel == 0)
        return maxWeightSoFar;

    // 移到右子树
    currentLoading[currentLevel] = 0;
    weightOfCurrentLoading -= weight[currentLevel];
    currentLevel++;
}
}
}
```

20.2.2 0/1 背包问题

1. 回溯求解

0/1 背包问题是一个 NP- 复杂问题，为了解决该问题，我们采用了 17.3.2 节的贪婪启发算法和 19.2.1 节的动态规划算法。在本节，我们要用回溯算法。既然要选择一个对象的子集，将它们装入背包，以便获得最大的收益，解空间就应该组织成子集树结构（如图 20-2 所示）。0/1 背包问题的回溯算法与 20.2.1 节的装载问题的回溯算法很类似。首先形成一个递归算法，寻找可获得的最大收益。然后把该算法细化成代码，找到可以装入背包、含有最大收益的对象集合。

与程序 20-2 的情况一样，只要左孩子表示一个可行的节点，就沿着左分支移动；否则，当右子树可能含有优于当前最优解的解时，搜索右孩子。是否要搜索右子树，一个简单的判定方法是，当前节点的收益加上还未考察的对象的收益是否超过当前最优解的收益。如果不是，则不需要搜索右子树。一种更有效的方法是按收益密度（p_i/w_i）对剩余对象排列，将对象按密度递减的顺序填充背包的剩余容量，当遇到第一个不能全部放入背包的对象时，就使用它的一部分。

例 20-7 考察一个背包装载实例：$n=4$，$c=7$，$p=[9,10,7,4]$，$w=[3,5,2,1]$。对象的收益密度为 [3,2,3.5,4]。当以密度递减顺序装包时，首先选择对象 4，然后是对象 3、对象 1。在把这三个对象装入背包后，剩余容量为 1。这个容量可容纳对象 2 的 0.2 的重量，可产生的收益为 2。生成的解为 $x=[1,0.2,1,1]$，相应的收益为 22。尽管该解不可行（x_2 是 0.2，而实际应为 0 或 1），但它的收益 22 一定不少于可行的最优解。因此我们得知，该 0/1 背包问题没有收益多于 22 的解。

解空间树为图 20-2 再加上一层节点。当位于解空间树的节点 B 时，$x_1=1$，收益为 $cp=9$。该节点所用容量为 $cw=3$。为获得最好的附加收益，要以密度递减的顺序填充剩余容量 $cleft=c-cw=4$。也就是说，先把对象 4 装包，然后是对象 3，然后是对象 2 的 0.2 倍的重量。因此，子树 A 的最优解的收益至多为 22.

当位于节点 C 时，$cp=cw=0$，$cleft=c=7$。按密度递减顺序填充剩余容量，先把对象 4 和 3 装入背包。然后把对象 2 的 0.8 倍装入背包。这样产生的收益为 19。在子树 C 中没有节点可产生出更大的收益。

在节点 E，$cp=9$，$cw=3$，$cleft=4$。仅剩对象 3 和 4 需要考虑。按密度递减顺序考虑，先把对象 4 装入背包，然后是对象 3。所以在子树 E 中无节点有多于 $cp+4+7=20$ 的收益。如果已经找到一个收益为 20 或更多的解，则不必搜索 E 子树。　■

如果对象按收益密度递减顺序排列，那么这个定界函数是容易实现的。

2. 用 C++ 实现

背包问题的回溯算法使用了结构 element，其数据成员是 id（元素标志符，整型）和 profitDensity（双浮点型）。其中还定义了一个向双浮点型的类型转换，返回 profitDensity 的值。有了这个转换，一组元素排序之后就可以产生按收益递增顺序的排列。递归回溯算法所使用的全局变量如程序 20-6 所示。

程序 20-6　背包装载问题回溯算法的全局变量

```
double capacity;
int numberOfObjects;
double *weight;    // weight[1:numberOfObjects] --> 对象重量
double *profit;
double weightOfCurrentPacking;
double profitFromCurrentPacking;
double maxProfitSoFar;
```

函数 knapsack（程序 20-7）返回背包最优填充的收益值。这个函数首先建立类型为 element 的数组 q，它包含所有对象的收益密度。然后使用归并排序 mergeSort（程序 18-3），按照收益密度递增顺序把数组 q 排序。接下来，使用排序的结果，给全局变量 profit 和 weight 赋值，使 profit[i]/weight[i] ≥ profit[i–1]/weight[i–1]。这些准备工作完成之后，调用递归函数 rKnap（程序 20-8），实际地实施回溯算法。

注意，函数 rKnap 和 rLoad（程序 20-2）是相似的。程序 20-9 是界定函数。注意，程序 20-8 仅当向右孩子移动时，才计算界定函数。当向左孩子移动时，左孩子的界定函数值与其父节点的相同。

程序 20-7　函数 knapsack

```
double knapsack(double *theProfit, double *theWeight,
                int theNumberOfObjects, double theCapacity)
{// 数组 theProfit[1:theNumberOfObjects] 是对象收益
 // 数组 theWeight[1:theNumberOfObjects] 是对象重量
 // 变量 theCapacity 是背包容量
 // 返回最优填充收益
    // 初始化全局变量
    capacity = theCapacity;
    numberOfObjects = theNumberOfObjects;
    weightOfCurrentPacking = 0.0;
    profitFromCurrentPacking = 0.0;
    maxProfitSoFar = 0.0;

    // 定义一个类型为结构 element 的数组，存储收益密度
    element *q = new element [numberOfObjects];
```

```
// 在数组 q[0:n-1] 中存储收益密度值
for (int i = 1; i <= numberOfObjects; i++)
    q[i - 1] = element(i, theProfit[i] / theWeight[i]);

// 按照收益密度递增顺序排序
mergeSort(q, numberOfObjects);

// 初始化剩余全局变量
profit = new double [numberOfObjects + 1];
weight = new double [numberOfObjects + 1];
for (int i = 1; i <= numberOfObjects; i++)
{// 按密度递减顺序排列的收益和重量
    profit[i] = theProfit[q[numberOfObjects - i].id];
    weight[i] = theWeight[q[numberOfObjects - i].id];
}

rKnap(1);                        // 计算最大收益
return maxProfitSoFar;
}
```

程序 20-8   0/1 背包问题的递归回溯函数

```
void rKnap(int currentLevel)
{// 从 currentLevel 中的一个节点开始搜索
    if (currentLevel > numberOfObjects)
    {// 到达一个叶节点
        maxProfitSoFar = profitFromCurrentPacking;
        return;
    }

    // 没有达到一个叶节点，检查子树
    if (weightOfCurrentPacking + weight[currentLevel] <= capacity)
    {// 搜索左子树
        weightOfCurrentPacking += weight[currentLevel];
        profitFromCurrentPacking += profit[currentLevel];
        rKnap(currentLevel + 1);
        weightOfCurrentPacking -= weight[currentLevel];
        profitFromCurrentPacking -= profit[currentLevel];
    }
    if (profitBound(currentLevel + 1) > maxProfitSoFar)
        rKnap(currentLevel + 1);    // 搜索右子树
}
```

程序 20-9   背包界定函数

```
double profitBound(int currentLevel)
{// 界定函数
 // 返回子树中最优叶节点的值的上界
    double remainingCapacity = capacity - weightOfCurrentPacking;
    double profitBound = profitFromCurrentPacking;

    // 按照收益密度顺序填充剩余容量
    while (currentLevel <= numberOfObjects &&
           weight[currentLevel] <= remainingCapacity)
```

```
      {
         remainingCapacity -= weight[currentLevel];
         profitBound += profit[currentLevel];
         currentLevel++;
      }

      // 取下一个对象的一部分
      if(currentLevel <= numberOfObjects)
         profitBound += profit[currentLevel] / weight[currentLevel]
                        * remainingCapacity;
      return profitBound;
   }
```

3. 复杂度分析

rKnap 的复杂度是 $O(2^n)$，即使复杂度为 $O(n)$ 的界定函数要在 $O(2^n)$ 个右孩子处进行计算。为达到这个复杂度，注意，在计算界定函数时，如果进入 profitBound 的 while 循环 q 次，那么在界定函数计算之后要向左孩子移动 q 次。在整个 rKnap 的运行过程中，进入 profitBound 的 while 循环次数不会多于向左孩子移动的次数。这个数是 $O(2^n)$。因此，计算界定函数的总时间是 $O(2^n)$。

20.2.3 最大完备子图

1. 问题描述

令 U 为无向图 G 的顶点子集，当且仅当对于 U 中任意顶点 u 和 v，(u,v) 都是图 G 的一条边时，U 是一个**完全子图**（complete subgraph）。子图的**大小**（size）是子图中顶点的数量。当且仅当一个完全子图不包含于 G 的一个更大的完全子图时，它是图 G 的一个**完备子图**（clique）。**最大完备子图**（max clique）是最大的完备子图。

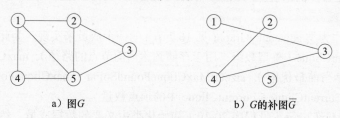

a）图 G b）G 的补图 $\overline{G}$

图 20-7 图和补图

例 20-8 在图 20-7a 中，子集 {1,2} 是一个大小为 2 的完备子图。这个子图不是一个完备子图，因为它包含于一个更大的完备子图 {1,2,5}。{1,2,5} 是一个最大完备子图。点集 {1,4,5} 和 {2,3,5} 是另外两个最大完备子图。∎

当且仅当对于 U 中的任意顶点 u 和 v，(u,v) 都不是 G 的一条边时，U 是一个空子图。当且仅当一个子集不包含于一个更大的点集，并且后者还是空子图时，该子集是图 G 的一个**独立集**（independent set）。**最大独立集**（max-independent set）是最大的独立集。对于任意图 G，它的**补图**（complement）$\overline{G}$ 是和 G 有同样点集的图，且当且仅当 (u,v) 不是 G 的一条边时，它是 $\overline{G}$ 的一条边。

例 20-9 图 20-7b 是图 20-7a 的补图，反之亦然。{2,4} 是图 20-7a 的一个空子图，而且是图 20-7a 的一个最大独立集。虽然 {1,2} 是图 20-7b 的一个空子图，但它不是一个独立集，

因为它包含于空子图 {1,2,5} 中。{1,2,5} 是图 20-7b 的一个最大独立集。   ■

注意，如果 U 是 G 的一个完全子图，那么它也是 $\overline{G}$ 的一个空子图，反之亦然。所以在 G 的完备子图与 $\overline{G}$ 的独立集之间有对应关系。特别是，G 的一个最大完备子图是 $\overline{G}$ 的一个最大独立集。

最大完备子图问题是指寻找图 G 的最大完备子图。类似地，**最大独立集问题**是指寻找图 G 的一个最大独立集。这两个问题是 NP- 复杂问题。当有算法解决一个问题时，也就解决了另一个问题。例如，如果有一个算法，可以求解最大完备子图问题，那么这个算法也能解决最大独立集问题，做法是先计算图的补图，然后寻找补图的最大完备子图。

例 20-10   假定由 n 个动物构成一个集合。可以定义一个 n 个顶点的**相容图** G。当且仅当动物 u 和 v 相容时，(u,v) 是 G 的一条边。G 的一个最大完备子图是由相互间相容的动物构成的最大子集。

在 19.2.5 节，我们考察了网组中最大无交叉子集问题，这个问题可以看做是一个最大独立集问题。定义一个图，每个顶点表示一个网组。两个顶点之间有一条边，当且仅当它们对应的网组是交叉的。该图中一个最大独立集对应网组中一个最大无交叉子集。当网组有一个端点在布线通道顶部，另一端在底部时，存在这样的算法，它可以在多项式时间（实际上是 $\Theta(n^2)$）内找到网组的最大无交叉子集。但是当一个网组的端点可能在任意地方时，就不存在这样的算法了。   ■

2. 回溯求解

最大完备子图问题和最大独立集问题可由回溯算法在 $O(n2^n)$ 时间内解决。两个问题都可以用解空间的子集树（如图 20-2 所示）来描述。考察最大完备子图问题，其递归回溯算法与程序 20-3 非常相似。若要移动到空间树的 i 层节点 Z 的左孩子，则需要证明从顶点 i 到其他的每一个顶点 j（在从根到 Z 的路径上，$x_j=1$）有一条边。若要移动到 Z 的右孩子，则需要证明在右子树还有足够多的未检查的顶点，以致可能存在一个较大完备子图。

3. 用 C++ 实现

回溯算法可作为类 adjacencyGraph(见 16.7 节) 的一个成员来实现，为此首先要在类中加入静态成员 currentClique（整型数组，用于存储到达当前节点的路径），maxCliqueFoundSoFar（整型数组，保存当前最优解），sizeOfMaxCliqueFoundSoFar（maxCliqueFoundSoFar 中的顶点数量），sizeOfCurrentClique（currentClique 中的顶点数量）。

公有方法 btMaxClique（见程序 20-10）初始化类中必要的数据成员。然后调用保护方法 rClique（见程序 20-11）。方法 rClique 使用回溯算法实际地搜索解空间。

程序 20-10   方法 adjacencyGraph::biMaxClique

```
int btMaxClique(int *maxClique)
{// 用回溯法求解最大完备子图问题
 // 设置 maxClique[] 使得 maxClique[i] = 1 当且仅当 i 属于最大完备子图
 // 返回最大完备子图的大小
 // 为 rClique 初始化
 currentClique = new int [n + 1];
 sizeOfCurrentClique = 0;
 sizeOfMaxCliqueSoFar = 0;
 maxCliqueSoFar = maxClique;

 // 寻找最大完备子图
 rClique(1);
```

```
    return sizeOfMaxCliqueSoFar;
}
```

程序 20-11　寻找最大完备子图的递归回溯方法

```
void rClique(int currentLevel)
{// 从 currentLevel 处的节点开始搜索
    if (currentLevel > n)
    {// 到达叶节点，发现一个最大完备子图
     // 更新 maxCliqueSoFar 和 sizeOfMaxCliqueSoFar
        for (int j = 1; j <= n; j++)
            maxCliqueSoFar[j] = currentClique[j];
        sizeOfMaxCliqueSoFar = sizeOfCurrentClique;
        return;
    }

    // 没有达到叶节点；查看顶点 currentLevel 是否与当前完备子图的其他顶点连通
    bool connected = true;
    for (int j = 1; j < currentLevel; j++)
        if (currentClique[j] == 1 && !a[currentLevel][j])
        {// 顶点 currentLevel 与顶点 j 不连通
            connected = false;
            break;
        }

    if (connected)
    {// 搜索左子树
        currentClique[currentLevel] = 1;                // 加到完备子图
        sizeOfCurrentClique++;
        rClique(currentLevel + 1);
        sizeOfCurrentClique--;
    }

    if (sizeOfCurrentClique + n - currentLevel > sizeOfMaxCliqueSoFar)
    {// 搜索右子树
        currentClique[currentLevel] = 0;
        rClique(currentLevel + 1);
    }
}
```

20.2.4　旅行商问题

1. 回溯法求解

旅行商问题（例 20-3）的解空间是一棵排列树。这样的树可用函数 perm（见程序 1-32）搜索，生成元素表的所有排列。如果以 $x=[1,2,\cdots,n]$ 开始，那么从 x_2 到 x_n 的所有排列，可生成 n 顶点旅行商问题的解空间。可以修改函数 perm，使其生成的排列中既没有那些不可行的前缀（即不会产生路径的前缀），也没有那些不可能产生比当前最优旅行更优者的前缀，而且这种修改并不难。注意，在一棵排列空间树中，由任意子树的叶节点定义的排列有相同的前缀（如图 20-5 所示）。所以，要排除某些前缀相当于不搜索某些子树。

2. 用 C++ 实现

旅行商问题的回溯算法作为类 adjacencyWDigraph（见程序 16-2）的一个成员来实现是

再好不过了。这需要增加数据成员 partialTour（整型数组，用来记录到达当前节点的旅行）、bestTourSoFar、costOfBestTourSoFar 和 costOfPartialTour。在其他例子中，有两个成员函数：btSalesperson 和 rTSP。前者是公有成员，后者是保护成员。btSalesperson（见程序 20-12）实质上是 rTSP 的预处理程序，它在排列树空间中实施递归回溯搜索。预处理程序 btSalesperson 出现在程序 20-12 中，它调用 rTSP(2) 来搜索排列树，这棵树包含 partialTour[2:n] 的所有排列。

程序 20-12　旅行商回溯法的预处理程序

```
T btSalesperson(int *bestTour)
{// 旅行商问题的回溯法
 // 把 bestTour[1:n] 设置为最优旅行
 // 返回最优旅行成本

    // 此处省去的代码是用来验证 *this 是加权图的

    // 设置 partialTour 为一个恒等排列
    partialTour = new int [n + 1];
    for (int i = 1; i <= n; i++)
        partialTour[i] = i;

    costOfBestTourSoFar = noEdge;
    bestTourSoFar = bestTour;
    costOfPartialTour = 0;

    // 搜索 partialTour[2:n] 的排列
    rTSP(2);

    return costOfBestTourSoFar;
}
```

程序 20-13 是函数 rTSP。它的结构与函数 perm（见程序 1-32）的结构相同。当 currentLevel=n 时，我们处在排列树的一个叶节点的父节点上，首先需要验证从 partialTour[n−1] 到 partialTour[n] 有一条边，从 partialTour[n] 回到始点 1 也有一条边。若两条边都存在，则找到一个新旅行。在本例中，需要验证这个旅行是否为当前发现的最优旅行。如果是，将这个旅行及其费用分别存储在 bestTourSoFar 和 costOfBestTourSoFar 中。

当 currentLevel<n 时，只要满足下列条件，我们就移动到当前节点的一个孩子节点：1）从 partialTour[currentLevel−1] 到 partialTour[currentLevel] 有一条边（若如此，则 partialTour[1: currentLevel] 定义了网络中的一条路径）；2）路径 partialTour[1: currentLevel] 的费用少于当前最优旅行的费用（如果不是这样，这条路径不能产生一个更优的旅行）。

程序 20-13　旅行商问题的递归回溯算法

```
void rTSP(int currentLevel)
{// 旅行商问题的递归回溯代码
 // 从 currentLevel 处的节点开始，搜索排列树，寻找最优旅行
    if(currentLevel == n)
    {// 在一个叶节点的父节点
        // 增加最后两条边，以完成旅行
        if(a[partialTour[n - 1]][partialTour[n]] != noEdge &&
            a[partialTour[n]][1] != noEdge &&
            (costOfBestTourSoFar == noEdge ||
            costOfPartialTour + a[partialTour[n - 1]][partialTour[n]]
```

```
                    + a[partialTour[n]][1] < costOfBestTourSoFar))
          {// 发现更优的旅行
              copy(partialTour + 1, partialTour + n + 1, bestTourSoFar + 1);
              costOfBestTourSoFar = costOfPartialTour
                              + a[partialTour[n - 1]][partialTour[n]]
                              + a[partialTour[n]][1];
          }
     }
     else
     {// 搜索子树
          for (int j = currentLevel; j <= n; j++)
              // 移动到子树 partialTour[j] 是可行的吗？
              if(a[partialTour[currentLevel - 1]][partialTour[j]] != noEdge
                  && (costOfBestTourSoFar == noEdge ||
                     costOfPartialTour +
                       a[partialTour[currentLevel - 1]][partialTour[j]]
                       < costOfBestTourSoFar))
              {// 搜索这棵子树
                  swap(partialTour[currentLevel], partialTour[j]);
                  costOfPartialTour += a[partialTour[currentLevel - 1]]
                                      [partialTour[currentLevel]];
                  rTSP(currentLevel + 1);
                  costOfPartialTour -= a[partialTour[currentLevel - 1]]
                                      [partialTour[currentLevel]];
                  swap(partialTour[currentLevel], partialTour[j]);
              }
     }
}
```

3. 复杂度分析

每次找到一个更好的旅行，除了更新 bestTourSoFar 的耗费外，rTSP 需耗时 $O((n-1)!)$。因为需要 $O((n-1)!)$ 次更新，每次更新需耗时 $\Theta(n)$，所以更新所需时间为 $O(n*(n-1)!)$。因此总的时间复杂度为 $O(n!)$。在加强的条件下（见练习 16），能减少由 rTSP 搜索的树节点的数量。

20.2.5　电路板排列

1. 问题描述

在大规模电子系统的设计中出现了电路板排列问题。这个问题的典型形式是，将 n 个电路板插到一个机箱的插槽中（如图 20-8 所示）。n 个电路板的每一种排列都定义了一种插入方法。令 $B=\{b_1,\cdots,b_n\}$ 表示 n 个电路板。$L=\{N_1,\cdots,N_m\}$ 是电路板上的 m 个网组。N_i 是 B 的子集，子集中的电路板需要连接。实际的连接是用电线经插槽将这些电路板连接起来。

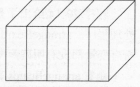

图 20-8　带有插槽的机箱

例 20-11　令 $n=8$，$m=5$。给定的电路板和网组如下：

$$B=\{b_1,b_2,b_3,b_4,b_5,b_6,b_7,b_8\}$$

$$L=\{N_1,N_2,N_3,N_4,N_5\}$$

$$N_1=\{b_4,b_5,b_6\}$$

$$N_2=\{b_2,b_3\}$$

$$N_3=\{b_1,b_3\}$$

$$N_4=\{b_3,b_6\}$$

$$N_5=\{b_7,b_8\}$$

图 20-9 是电路板的一个可能的排列。边表示在电路板之间的连线。

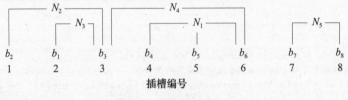

图 20-9 电路板布线

令 x 为电路板的一个排列。利用排列 x_i，电路板 x_i 放置到机箱的插槽 i 中。density(x) 为机箱中任意一对相邻插槽间连线数目的最大值。在图 20-9 的排列中，密度为 2。用两根电线连接的相邻插槽有 2 和 3，4 和 5，5 和 6。插槽 6 和 7 之间无电线，余下的相连插槽都只有一根电线。

板式机箱的设计是有统一间距的（相邻插槽间的距离是相同的）。这个间距决定了机箱的大小。间距的大小必须足够容纳相邻插槽间的连线。因此，这个间距（继而机箱的大小）由density(x) 决定。

2. 回溯求解

电路板排列问题的目标是找到一种电路板的排列，使其具有最小的 density。这是一个NP- 复杂问题，不可能有一个多项式时间内的算法可以解决这个问题。回溯搜索算法是解决这个问题的一种较好的选择。回溯算法将搜索排列树，以寻找最优的电路板排列。

3. 用 C++ 实现

用一个整型数组 board 表示输入，使得当且仅当网组 N_j 包含电路板 b_i 时，board[i][j]=1（也可以用布尔型数组，以节省空间）。令 boardsWithNet[j] 为包含网组 N_j 的电路板数量。对于任意部分的电路板排列 partial[1:i]，令 boardsInPartialWithNet[j] 为 partial[1:i] 中包含网组 N_j的电路板数量。当且仅当 boardsInPartialWithNet[j]>0 且 boardsInPartialWithNet[j] ≠ boardsWithNet[j] 时，网组 N_j 在插槽 i 和 i+1 之间有连线。用这种测试方法可以计算插槽 i 和 i+1 间的线密度，以确定有哪些线路连接这两个插槽。插槽 k 和 k+1($1 \leqslant k \leqslant i$) 间的线密度的最大值给出了局部排列的密度。

程序 20-14 给出了函数 arrangeBoards，它实际上是递归函数 rBoard（程序 20-15）的预处理程序。arrangeBoards 返回最优电路板排列的密度，最优排列由数组 bestPermutation 返回。所有变量都没有明确声明为全局变量。

函数 arrangeBoards 首先初始化全局变量。尤其是，初始化 boardsWithNet，使得 boardsWith-Net[j] 等于 N_j 中电路板的数量。boardsInPartialWithNet[1:n] 具有缺省值 0，与一个空的局部排列相对应。调用 rBoard(1,0) 搜索 partial[1:numberOfBoards] 的排列树，从密度为 0 的空排列中去寻找一个最优的排列。通常，rBoard(currentLevel,densityOfPartial) 寻找局部排列 partial[1:currentLevel−1] 的最优布局。这个局部排列的密度是 densityOfPartial。

函数 rBoard（见程序 20-15）和程序 20-13 有同样的结构，程序 20-13 也搜索一个排列空间。然而在程序 20-15 中，当 i=numberOfBoards 时，所有电路板已进入插槽且

densityOfPartial 为全排列的密度。既然这个算法只寻找那些比当前最优排列还优的排列，所以不必验证 densityOfPartial 是否比 leastDensitySoFar 要小。当 currentLevel<numberOfBoards 时，排列还未完成。partial[1: currentLevel−1] 是当前节点的局部排列，而且 densityOfPartial 是它的密度。这个节点的每一个孩子要在末端增加一个电路板，以扩充这个局部排列。对每一个这种扩充，密度 density 都要重新计算，而且只有对 density<leastDensitySoFar 的节点才搜索，对其他的节点和它们的子树不搜索。

4. 复杂度分析

在排列树的每一个节点，函数 rBoard 计算每一个孩子节点的密度需用时 $\Theta(m)$。所以计算密度的总时间为 $O(mn!)$。除此之外，生成排列所需时间为 $O(n!)$，更新最优排列所需时间为 $O(mn)$。注意，每一次更新至少将 bestDensitySoFar 的值减 1，最终 bestDensitySoFar ≥ 0。所以更新的次数是 $O(m)$。函数 rBoard 的复杂度为 $O(mn!)$。

程序 20-14 rBoard 函数（程序 20-15）的预处理程序

```
int arrangeBoards(int **theBoard, int theNumberOfBoards,
                  int theNumberOfNets, int *bestPermutation)
{// 递归回溯函数的预处理程序
 // 返回最优布局的密度
   // 初始化全局变量
   numberOfBoards = theNumberOfBoards;
   numberOfNets = theNumberOfNets;
   partial = new int [numberOfBoards + 1];
   bestPermutationSoFar = bestPermutation;
   boardsWithNet = new int [numberOfNets + 1];
   fill(boardsWithNet + 1, boardsWithNet + numberOfNets + 1, 0);
   boardsInPartialWithNet = new int [numberOfNets + 1];
   fill(boardsInPartialWithNet + 1,
      boardsInPartialWithNet + numberOfNets + 1, 0);
   leastDensitySoFar = numberOfNets + 1;
   board = theBoard;

   // 初始化 partial 为恒定排列
   // 计算 boardsWithNet[]
   for (int i = 1; i <= numberOfBoards; i++)
   {
      partial[i] = i;
      for (int j = 1; j <= numberOfNets; j++)
         boardsWithNet[j] += board[i][j];
   }

   // 寻找最优布局
   rBoard(1, 0);
   return leastDensitySoFar;
}
```

程序 20-15 搜索排列树

```
void rBoard(int currentLevel, int densityOfPartial)
{// 从 currentLevel 层的一个节点开始搜索
   if(currentLevel == numberOfBoards)
   {// 所有电路板已就位，现在是一个更好的排列
      for (int j = 1; j <= numberOfBoards; j++)
```

```
                    bestPermutationSoFar[j] = partial[j];
                leastDensitySoFar = densityOfPartial;
        }
    else // 搜索子树
        for (int j = currentLevel; j <= numberOfBoards; j++)
        {// 用 partial[j] 作为下一个电路板检查孩子节点

            // 在最后一个插槽更新 boardsInPartialWithNet[]，计算密度
            int density = 0;
            for (int k = 1; k <= numberOfNets; k++)
            {
                boardsInPartialWithNet[k] += board[partial[j]][k];
                if(boardsInPartialWithNet[k] > 0 &&
                    boardsWithNet[k] != boardsInPartialWithNet[k])
                    density++;
            }

            // 将 density 更新为局部排列的总密度
            if(densityOfPartial > density)
                density = densityOfPartial;

            // 只要子树包含更优的排列，就搜索该子树
            if (density < leastDensitySoFar)
            {// 移动到孩子节点
                swap(partial[currentLevel], partial[j]);
                rBoard(currentLevel + 1, density);
                swap(partial[currentLevel], partial[j]);
            }

            // 重置 boardsInPartialWithNet[]
            for (int k = 1; k <= numberOfNets; k++)
                boardsInPartialWithNet[k] -= board[partial[j]][k];
        }
}
```

练习

4. 两船装载的策略是，尽可能先装满第一艘船。证明，只要存在一种方法能把所有货箱装载到两条船上去，两船装载的策略就是可行的。

5. 运行程序 20-3 和程序 20-5，测试它们的相对运行时间。

6. 使用策略 1 来编写程序 20-3 的一个新版本，使其时间复杂度达到 $O(2^n)$。

7. 使用策略 2 来修改程序 20-3，使其时间复杂度减少至 $O(2^n)$。

8. 编写一个递归回溯算法求解子集之和问题。在这个问题中，给定一个表示重量的整型数组，要求找出其重量之和等于 c 的子集。注意，只要这样的子集找到，算法就可以终止。不用记录当前最优解。不要使用程序 20-3 中的数组 x。而是要在和为 c 的一个子集找到之后，随着递归的扩展，重构解。

9. 优化程序 20-7，以便能计算一个与背包问题最优解相对应的 0/1 数组 x。

10. 设计一个迭代回溯算求解 0/1 背包问题。该算法应该与程序 20-5 类似。注意，可以修改定界函数，使得在计算一个定界函数之后，可直接移动到最左面的节点。

11. 编写程序 20-11（与程序 20-5 对应）的迭代版本，并比较这两个版本的优点。

12. 改写程序 20-10，使其首先按度的递减次序对顶点排序。你认为改写后的程序比程序 20-10 更好吗？

13. 编写一个回溯算法，求解最大独立集问题。

14. 重写最大完备子图代码（见程序 20-10 和程序 20-11），它与实现无关。新代码是抽象类 graph（见程序 16-1）的成员。对于类 adjacencyGraph、adjacencyWGraph、linkedGraph 和 linkedWGraph（见 16.7 节）的实例，该代码都同样有效。

15. 令 G 为一个 n 顶点的有向图。令 Max_i 为始于顶点 i 的消费最大的边的消费。

　1）证明旅行商的每一个旅行有一个小于 $\sum_{i=1}^{n} Max_i + 1$ 的消费。

　2）使用上述消费界限作为 costOfBestTourSoFar 的初值。重写 btSalesperson 和 rTSP，尽可能简化代码。

16. 令 G 是一个 n 顶点的有向图，$MinOut_i$ 为始于顶点 i 的消费最小的边的消费。

　1）证明具有前缀 x_1 到 x_i 的旅行商的所有旅行，其费用至少为 $\sum_{j=2}^{i} A(x_{j-1}, x_j) + \sum_{j=i}^{n} MinOut_{x_j}$，其中 $A(u,v)$ 是边 (u,v) 的费用。

　2）使用 1) 的结果，我们得到一个用于程序 20-13 的比下面条件更强的条件

```
if (a[partialTour[currentLevel-1]][partialTour[jcostOfPa]]!=noEdge
   &&(costOfBestTourSoFar==noEdge)||
       costOfPartialTour
       +a[partialTour[currentLevel-1]][partialTour[j]]
       <costOfBestTourSoFar ))
```

使用这个条件来决定何时移动到一个孩子节点。由 costOfPartialTour 很容易计算第一个和。用一个新变量 minAdditionalCost 保留不在当前路径中的顶点的 $MinOut_i$ 之和，由此很容易计算第二个和。

　3）测试 rTSP 的新版本。与程序 20-13 比较，它访问了排列树中多少节点？

17. 考察电路板排列问题。一个网组的长度是包含这个网组第一块和最后一块电路板间的距离。对于图 20-9，网组 N_4 中的第一个电路板在插槽 3 中，最后一个电路板在插槽 6 中，因此 N_4 的长度为 3。网组 N_2 的长度是 2，因为它的第一个电路板在插槽 1，最优一个电路板在插槽 3。图 20-9 中最长的网组长度是 3。编写一个回溯算法来寻找一个电路板排序，它的最长网组长度是最短的。测试代码的正确性。

18. [顶点覆盖] 已知 G 为一个无向图。称 G 的一个顶点子集 U 是一个**顶点覆盖**（vertex cover），当且仅当 G 中的每一条边必有一个顶点属于 U 或两个顶点都属于 U。U 中顶点的数量是覆盖的**大小**（size）。在图 20-7a 中，$\{1,2,5\}$ 是一个大小为 3 的顶点覆盖。编写一个回溯算法寻找最小的顶点覆盖。确定算法的复杂度。

19. [简易最大切割] 已知 G 是一个无向图。令 U 是 G 中顶点的任意子集。令 V 是 G 中剩余顶点的集合。这样一来，U 便把 G 的顶点做了一个**切割**（cut），一部分属于 U，另一部分属于 V。一个端点在 U 中，另一个端点在 V 中的边的数量表示切割的大小。编写一个回溯算法，寻找最大切割的大小和相应的子集 U。确定算法的复杂度。

20. [机器设计] 某机器由 n 个部件组成。每个部件都有 3 个供应处。令 w_{ij} 是来自供应处 j 的零件 i 的重量，c_{ij} 则为该零件的费用。编写一个回溯算法，找出耗费不超过 c、重量最轻的机器构成方案。算法的复杂度是多少？

21. [网络设计] 一个原油传输网络可用一个加权有向无环图 G 表示。G 有一个称为**始点**的顶

点 s。从 s 点出发，原油流向图中其他顶点。s 的入度为 0，每一条边上的权是它所连接的两个顶点间的距离。随着原油在网络中输送，压力在损失，这种损失是输送距离的函数。为了保证原油在网络中正常输送，在整个网络中必须保证最小压力 P_{min}。为了维持最小压力，可在图 G 的一部分或全部顶点上放置压力放大器。压力放大器可将压力恢复到可允许的最大量级 P_{max}。令 d 为原油在压力 P_{max} 降为 P_{min} 时所输送的距离。在原油无压力放大器时所输送的距离不超过 d 的条件下，要求在网络中放置最少的放大器。编写一个回溯算法来求解这个放大器放置问题。算法的复杂度是多少？

22. [n 皇后问题] 在 n 皇后问题中，我们希望在 $n \times n$ 的棋盘上找到 n 个皇后的放置方法，以便任意两个皇后不会互相攻击。当且仅当两个皇后在同一行，同一列、同一对角线，或反对角线上时，她们会互相攻击。假定在任何一个可行解中，皇后 i 都是放置在棋盘的第 i 行。所以我们只决定每一个皇后应该放置在哪一列。令 c_i 为皇后 i 所处的列。如果任意两个皇后不冲突，则 $[c_1,\cdots,c_n]$ 是 $[1,2,\cdots,n]$ 的一个排列。因此，n 皇后问题的解空间被限制在 $[1,2,\cdots,n]$ 的所有排列中。

1）将 n 皇后的解空间组织成一棵树。

2）编写一个回溯算法，搜索这棵树，以寻找 n 皇后问题的可行排列。

23. 编写一个函数，使用回溯算法搜索一个二叉子集空间树。其参数应包含如下函数：确定一个节点是否可行，计算该节点的界限值，确定这个界限值是否优于另一个界限值等。把它用在装载和 0/1 背包问题上来测试你的代码。

24. 对排列空间树来完成练习 23。

25. 编写一个函数，用回溯法搜索一个解空间。其中的参数应包括下列函数：产生一个节点的下一个孩子，决定下一个孩子是否是可行的，计算该节点的界限，确定该界限值是否优于另一个界限值等。把它用在装载和 0/1 背包问题上来测试你的代码。

分支定界

概述

任何美好的事情都有结束的时候。这是书本最后一章。幸运的是，本章的大部分概念在前面各章中都作了介绍。和回溯法一样，分支定界法也经常把解空间组织成树结构然后进行搜索。常用的树结构是第 20 章所介绍的子集树和排列树。与回溯法不同的是，回溯法使用深度优先方法搜索树，而分支定界法一般用广度优先或最小耗费方法来搜索树。本章的应用与第 20 章的完全相同，因此，可以很容易比较回溯法与分支定界法的异同。

相对而言，分支定界法的空间需求比回溯法要大得多，因此当内存容量有限时，回溯法常常更容易成功。

21.1 算法思想

分支定界（branch and bound）是另一种系统地搜索解空间的方法。它与回溯法的主要区别在于 E-节点的扩充方式。每个活动节点仅有一次机会变成 E-节点。当一个节点变为 E-节点时，从该节点移动一步即可到达的节点都是生成的新节点。在生成的节点中，那些不可能导出（最优）可行解的节点被舍弃（成为"死"节点），剩余节点加入活动节点表，然后从表中选择一个节点作为下一个 E-节点。将选择的节点从表中删除，然后扩展。这种扩展过程一直持续到一个解找到了或活动表成为空表。

有两种常用的方法可用来选择下一个 E-节点（虽然也可能存在其他的方法）：

● 先进先出（FIFO）

从活动节点表中取出节点的顺序与加入节点的顺序相同。活动节点表与队列相同。

● 最小耗费或最大收益法

每个节点都有一个对应的耗费或收益。若搜索的是耗费最小的解，则活动节点表可以组织成小根堆，下一个 E-节点是耗费最小的活动节点。若需要的是收益最大的解，那么活动节点表可以组织成大根堆，下一个 E-节点是收益最大的活动节点。

例 21-1[迷宫老鼠] 考察图 20-3a 的迷宫老鼠实例和图 20-1 的解空间结构。使用 FIFO 分支定界，初始时（1,1）为 E-节点且活动队列为空。把迷宫位置（1,1）置为 1，以免重回这个位置。把（1,1）扩展，把它的相邻节点（1,2）和（2,1）加入队列（即活动节点表）。为避免重回到这两个位置，将（1,2）和（2,1）置为 1。此时迷宫如图 21-1a 所示，而且 E-节点（1,1）被舍弃。

```
1 1 0        1 1 1        1 1 1
1 1 1        1 1 1        1 1 1
0 0 0        0 0 0        1 0 0
  a)           b)           c)
```

图 21-1 迷宫问题的 FIFO 分支定界方法

把节点（1,2）从队列中取出，并扩展。检查它的三个相邻节点（见图 20-1 的解空间），只有（1,3）是可行的节点（其余两个节点都是障碍节点），因此将其加入队列，并把相应位置（1,3）置为1，所得到的迷宫状态如图21-1b所示。节点（1,2）被舍弃。把下一个E-节点（2,1）从队列中取出，并扩展。把节点（3,1）加入队列，并把相应位置（3,1）置为1，节点（2,1）被舍弃，所得到的迷宫如图21-1c所示。此时队列包含（1,3）和（3,1）两个节点。随后节点（1,3）变成下一个E-节点，由于此节点不能到达任何新的节点，所以被舍弃。节点（3,1）成为新的E-节点，这时队列已空。扩展节点（3,1），把（3,2）加入队列，把（3,1）舍弃。（3,2）变为新的E-节点，并扩展。扩展后到达节点（3,3），搜索终止。

使用FIFO搜索迷宫时，所找到的路径（如果存在的话）一定是从入口到出口的最短路径。而用回溯法找到的路径却不一定是最短路径。有趣的是，我们已经见过用来搜索迷宫的FIFO分支定界法代码。电路布线的最短路径程序9-8便是如此，它利用FIFO分支定界来确定从迷宫的（1,1）到（n,n）的最短路径。 ■

例21-2[0/1背包问题] 已知一个背包问题实例：$n=3$，$w=[20,15,15]$，$p=[40,25,25]$，$c=30$。我们将用FIFO分支定界和最大收益分支定界来解决这个问题。FIFO分支定界用一个队列来记录活动节点，E-节点按照FIFO顺序从队列中取出；而最大收益分支定界用一个最大堆记录活动节点，E-节点按照每个活动节点收益值的递减顺序，或按照活动节点子树中任意叶节点的收益估计值的递减顺序从堆中取出。本例与例20-2相同，解空间树与图20-2一样。

FIFO分支定界法搜索以根节点A作为起始时的E-节点，此时的活动节点队列为空。当节点A扩展时，生成节点B和C。由于这两个节点都是可行的，所以都加入到活动节点队列，节点A被舍弃。下一个E-节点是B，它扩展后生成节点D和E，D是不可行的，被舍弃，而E加入队列。接下来节点C成为E-节点，它扩展后生成节点F和G，两者都是可行节点，因此都加入队列。下一个E-节点是E，生成节点J和K，J不可行而被舍弃，K是可行的叶节点，并表示一个可行的解，收益值为40。

下一个E-节点是F，它扩展后生成L和M。L代表一个可行的解且收益值为50，而M代表另一个收益值为15的可行解。G是最后一个E-节点，它的孩子N和O都是可行的。现在活动节点队列变为空，搜索过程终止。最佳解的收益值为50。

解空间树的FIFO分支定界搜索与广度优先搜索很相似。它们的主要区别是前者不搜索不可行节点的子树。

最大收益分支定界算法以解空间树的节点A作为初始E-节点。活动节点的最大堆初始为空。扩展初始E-节点A得到节点B和C，两者都是可行节点，因此插入堆。节点B的收益值是40（设$x_1=1$），而节点C的收益值为0。A被舍弃，B成为下一个E-节点，因为它的收益值比C的大。扩展节点B得到节点D和E，D是不可行的，因而被舍弃，把E加入堆。E的收益值为40，而C的收益值为0，因此E成为下一个E-节点。扩展E节点生成节点J和K，J不可行而被舍弃，K代表一个可行的解。这个解作为目前最优解被记录下来，然后K被舍弃。现在堆中只剩下一个活节点C，因此C作为E-节点而扩展，生成F、G两个节点，并插入堆中。F的收益值为25，成为下一个E-节点，扩展后得到节点L和M，但L、M都被舍弃，因为它们是叶节点。与L对应的解作为当前最优解记录下来。最后，G成为E-节点，生成节点为N和O，两者都是叶节点而被舍弃。两者所对应的解都不优于当前最优解，因此最优解保持不变。此时堆变成空，搜索过程终止，L表示的解是最优解。

如同回溯法一样，利用一个定界函数可以加速最优解的搜索过程。定界函数为最大收益设置了一个上限（这个最大收益是通过一个特定节点的扩展而得到）。一个节点，若其定界函数值不大于目前最优解的收益值，则被舍弃，不作扩展。我们用最大收益分支定界方法从堆中提取节点时，不是根据节点的实际收益值，而是按照收益定界函数值的非递增顺序。这种策略所优先考虑的是有可能到达一个含有最优解的叶节点的活动节点，而不是目前具有较大收益值的节点。■

例 21-3[旅行商问题] 考虑图 20-4 的四城市旅行商问题，其解空间的组织结构是图 20-5 所示的排列树。FIFO 分支定界算法在初始时的 E-节点是节点 B，活动节点队列为空。当 B 扩展时，生成节点 C、D 和 E。由于从顶点 1 到顶点 2、3、4 的每一个顶点都有边，所以节点 C、D、E 都是可行的，并加入队列中。当前的 E-节点 B 被舍弃，下一个 E-节点是队列中的第一个活动节点 C。扩展节点 C，生成节点 F 和 G。把它们加入队列，因为在图 20-4中，从顶点 2 到顶点 3 和 4 都有边。接下来 D 成为 E-节点，然后 E 成为 E-节点。现在，活动节点队列包含节点 F 到 K。

下一个 E-节点是 F，扩展后得到了叶节点 L。一个旅行路径找到。它的费用是 59。扩展下一个 E-节点 G，得到叶节点 M，它对应一个费用为 66 的旅行路径。接下来节点 H 成为 E-节点，由此得到叶节点 N，对应一个费用为 25 的旅行路径。下一个 E-节点是 I，它对应的部分旅行 1、3、4 其开销已经为 26，超过目前最优旅行的费用，因此，I 不扩展。最后，节点 J 和 K 相继成为 E-节点，然后扩展。这时队列成空，算法结束。最优方案是由节点 N 所确定的旅行路径。

可以不使用 FIFO 方法，而使用最小耗费方法来搜索解空间树，用一个最小堆来存储活动节点。在搜索起始时，也是节点 B 作为 E-节点，活动节点列表为空。当扩展节点 B 时，生成节点 C、D 和 E，并将它们加入小根堆。在小根堆中，E 耗费最小（因为部分旅行路径 1、4 的耗费是 4），因此 E 成为 E-节点。扩展 E，生成节点 J 和 K，并将它们加入小根堆。这两个节点的耗费分别为 14 和 24。此时在小根堆中，D 的耗费最小，因而 D 成为 E-节点，并生成节点 H 和 I。至此，最小堆包含节点 C、H、I、J 和 K，其中 H 的耗费最小，因此 H 成为下一个 E-节点。扩展节点 E，得到一个完整的旅程 1、3、2、4、1，耗费是 25。节点 J 是下一个 E-节点，扩展它得到节点 P，它对应一个耗费 25 的旅行路径。节点 K 和 I 是下两个 E-节点。由于 I 的耗费超过了当前最优旅行的耗费，因此搜索结束；剩下的所有活动节点都不能使我们得到更优的解。

对于例 21-2 的背包问题实例，可以使用一个定界函数来减少生成和扩展的节点数量。这种函数可以确定旅行的最小耗费的下限，这个下限可通过某个节点的扩展得到。如果一个节点的定界函数值不能比当前最优旅行的耗费更小，那么可以把它舍弃而不用扩展。另外，在最小耗费分支定界搜索中，我们按照耗费的非递减顺序从小根堆中提取节点。■

如在以上几个实例中所述，利用定界函数可以降低解空间树中生成的节点数目。但是设计定界函数时必须记住，我们的主要目的是用最少的时间，在内存允许的范围内去解决问题。生成最少的节点来解决问题并不是我们的根本追求。我们需要的定界函数是以减少生成节点的数量为手段，以最大限度地减少计算时间为目标的定界函数。

一般来说，在内存利用效率方面，回溯法优于分支定界法。回溯法需要的内存是 $O($ 解空间的最长路径长度 $)$，而分支定界所占用的内存为 $O($ 解空间大小 $)$。对于一个子集空间，回溯法需要 $\Theta(n)$ 的内存，而分支定界需要 $O(2^n)$ 的内存。对于排列空间，回溯需要 $\Theta(n)$ 的内存，分支定界需要 $O(n!)$ 的空间。虽然最大收益（或最小耗费）分支定界在直觉上要好于回溯法，而且检查的节点也更少，但在实际应用中，在回溯法还没有超出时间的上限之前，分支定界已经超出了内存的上限。

练习

1. 假定在一个 LIFO 分支定界搜索中，活动节点列表相当于栈。描述这种算法在处理例 21-2 的背包问题时的过程。这种方法与回溯法有什么不同？

2. 已知 0/1 背包问题实例如下：$n=4$，$p=[4,3,2,1]$，$w=[1,2,3,4]$，$c=6$。

   1）画出这个背包问题的解空间树。

   2）像例 21-2 那样，描述 FIFO 分支定界法在解决上述问题时的过程。

   3）使用定界函数（程序 20-9）来计算子树上任一叶节点可能获得的最大收益值。使用这个定界函数和当前最优解的值来决定是否将一个节点加入活动节点列表中。解空间树中哪些节点是使用以上机制的 FIFO 分支定界方法产生的？

   4）像例 21-2 那样，描述用最大收益分支定界法解决上述问题的过程。

   5）若最大收益分支定界算法使用 3）中的定界函数，将生成解空间树中的哪些节点？

21.2 应用

21.2.1 货箱装载

1. FIFO 分支定界

20.2.1 节的货箱装载问题实质上是寻找第一条船的最大装载方案。这是一个子集选择问题，它的解空间被组织成子集树。程序 21-1 类似于程序 20-1 的 FIFO 分支定界。像程序 20-1 一样，程序 21-1 只是寻找最大装载的重量。

程序 21-1　货箱装载问题的 FIFO 分支定界算法

```
int maxLoading(int *weight, int theNumberOfContainers, int capacity)
{// 用 FIFO 分支定界搜索解空间
 // 数组 weight[1:theNumberOfContainers] = 货箱重量
 // 变量 capacity = 船装载量
 // 返回最优装载重量．
   // 初始化全局变量
   numberOfContainers = theNumberOfContainers;
   maxWeightSoFar = 0;
   liveNodeQueue.push(-1);                         // 层结束标志

   // 初始化 1 层中的 E- 节点
   int eNodeLevel = 1;
   int eNodeWeight = 0;

   // 搜索子集空间树
   while (true)
   {
      // 检查 E- 节点的左孩子
      if(eNodeWeight + weight[eNodeLevel] <= capacity)
         // 左孩子
         addLiveNode(eNodeWeight + weight[eNodeLevel], eNodeLevel);

      // 右孩子总是可行的
      addLiveNode(eNodeWeight, eNodeLevel);

      // 取得下一个 E- 节点
```

```
        eNodeWeight = liveNodeQueue.front();
        liveNodeQueue.pop();
        if(eNodeWeight == -1)
        {// 层结束
            if(liveNodeQueue.empty())                    // 没有活动节点
                return maxWeightSoFar;
            liveNodeQueue.push(-1);                       // 层结束标志
            // 取得下一个 E-节点
            eNodeWeight = liveNodeQueue.front();
            liveNodeQueue.pop();
            eNodeLevel++;
        }
    }
}

void addLiveNode(int theWeight, int theLevel)
{// 把其权值等于 theWeight 的节点（如果不是叶节点）加到活动节点队列
    if(theLevel == numberOfContainers)
    {// 可行的叶节点
        if(theWeight > maxWeightSoFar)                    // 达到更优的叶节点
            maxWeightSoFar = theWeight;
    }
    else    // 不是叶节点
        liveNodeQueue.push(theWeight);
}
```

函数 maxLoading 对解空间树进行 FIFO 分支定界搜索，用队列 liveNodeQueue 保存活动节点权值。队列还用 –1 标志每一层的活动节点的结尾。函数 addLiveNode 把节点（即节点的权值）加入到活动节点队列。对要加入队列的节点，函数 addLiveNode 首先检验该节点是否等于货箱的数量。若相等，则已达到叶节点。叶节点不加入队列，因为它们不展开。每个到达的叶节点都确定了一个可行的解，我们把每个可行解都与目前最优解比较，以确定最优。把非叶节点的权加入队列。

函数 maxLoading 首先初始化 eNodeLevel=1(当前 E-节点是根节点)，maxWeightSoFar=0 (目前最优装载的值)。此时，活动节点队列为空。下一步，把 –1 加入队列以说明我们正处在第一层的末尾。在 while 循环中，首先检查 E-节点的左孩子是否可行。如果可行，则调用 addLiveNode，然后将右孩子加入队列（此节点必定是可行的）。

如果 E-节点的两个孩子都已生成，则舍弃该 E-节点，并从队列中取出下一个 E-节点。此时队列不为空，因为至少含有本层结尾的标志 –1。如果到达一层的结尾，则查看下一层是否有活动节点。当且仅当队列不为空时，下一层就有活动节点。若下一层存在活动节点，则把下一层的结束标志加入队列，并开始处理下一层的活动节点。

maxLoading 函数的时间和空间复杂度都是 $O(2^n)$。

2. 改进

我们可以改进程序 20-2：只有当右孩子对应的重量加上剩余货箱的重量（remainingWeight）超出 maxWeightSoFar 时，才选择右孩子。在程序 21-1 中，maxWeightSoFar 直到 eNodeLevel 等于 numberOfContainers 时才更新。在此之前，对右孩子的测试总是成功的，因为 maxWeightSoFar=0 且 remainingWeight>0。当 eNodeLevel 等于 numberOfContainers 时，不会再有节点加入队列。因此这时不再需要测试右孩子。

为了使右孩子的测试有效，需要提前更新 maxWeightSoFar 的值。我们知道，最优装载的重量是子集树中可行节点的重量的最大值。由于仅在向左孩子移动时，这些重量才会增大，所以可在这种移动时改变 maxWeightSoFar 的值。根据这种观察，我们设计了程序 21-2。当一个活动节点加入队列时，theWeight 不会超过 maxWeightSoFar，因此 maxWeightSoFar 没有更新。现在我们可以用一条直接插入 maxLoading 的语句取代函数 addLiveNode。

程序 21-2　对程序 21-1 的改进

```
int maxLoading(int *weight, int theNumberOfContainers, int capacity)
{// 用 FIFO 分支定界搜索解空间
 // 数组 weight[1:theNumberOfContainers] = 货箱重量
 // 变量 capacity = 船装载量
 // 返回最优装载重量
   // 初始化全局变量
   numberOfContainers = theNumberOfContainers;
   maxWeightSoFar = 0;
   liveNodeQueue.push(-1);                            // 层结束标志

   // 初始化 1 层中的 E-节点
   int eNodeLevel = 1;
   int eNodeWeight = 0;
   int remainingWeight = 0;
   for (int j = 2; j <= numberOfContainers; j++)
      remainingWeight += weight[j];

   // 搜索子空间树
   while (true)
   {
      // 检查 E-节点的左孩子
      int leftChildWeight = eNodeWeight + weight[eNodeLevel];
      if (leftChildWeight <= capacity)
      {// 可行的左孩子节点
         if (leftChildWeight > maxWeightSoFar)
            maxWeightSoFar = leftChildWeight;
         // 如非叶子节点，加入队列
         if (eNodeLevel < numberOfContainers)
            liveNodeQueue.push(leftChildWeight);
      }

      // 检查右孩子节点
      if (eNodeWeight + remainingWeight > maxWeightSoFar
         && eNodeLevel < numberOfContainers)
         // 右孩子节点可以通向更好的叶节点
         liveNodeQueue.push(eNodeWeight);
      // 取下一个 E-节点
      eNodeWeight = liveNodeQueue.front();
      liveNodeQueue.pop();
      if (eNodeWeight == -1)
      {// 层的结尾
         if (liveNodeQueue.empty())                   // 不再有活动节点
            return maxWeightSoFar;
         liveNodeQueue.push(-1);                      // 层的结束标志
         // 取下一个 E-节点
         eNodeWeight = liveNodeQueue.front();
         liveNodeQueue.pop();
```

```
            eNodeLevel++;
            remainingWeight -= weight[eNodeLevel];
        }
    }
}
```

3. 寻找最优子集

为了找到最优子集，需要存储从活动节点到根节点的路径。这样一来，在找到最优装载所对应的叶节点之后，就可以沿着至根节点的路径设置 x 的值。我们需要把活动节点队列中的元素类型从整型改变为 qNode 类型。其中 qNode 包含数据成员 parent（指向解空间树中父节点的指针），leftChild（当且仅当节点是其父节点的左孩子时，其值为 true），weight（在该节点的部分装载重量）。这个新的分支定界代码见程序 21-3。

程序 21-3　计算最优子集的分支定界代码

```
int maxLoading(int *weight, int theNumberOfContainers, int capacity,
                int *theBestLoading)
{// 用 FIFO 分支定界法搜索解空间
 // 数组 weight[1:theNumberOfContainers] = 货箱重量
 // 变量 capacity = 船装载量
 // 数组 theBestLoading[1:theNumberOfContainers] 是最优装载
 // 返回最优装载重量。
    // 初始化全局变量
    numberOfContainers = theNumberOfContainers;
    maxWeightSoFar = 0;
    liveNodeQueue.push(NULL);                      // 层结束标志
    qNode *eNode = NULL;
    bestENodeSoFar = NULL;
    bestLoading = theBestLoading;

    // 初始化 1 层中的 E-节点
    int eNodeLevel = 1;
    int eNodeWeight = 0;
    int remainingWeight = 0;
    for (int j = 2; j <= numberOfContainers; j++)
        remainingWeight += weight[j];

    // 搜索子空间树
    while (true)
    {
        // 检查 E-节点的左孩子
        int leftChildWeight = eNodeWeight + weight[eNodeLevel];
        if(leftChildWeight <= capacity)
        {// 可行的左孩子节点
            if(leftChildWeight > maxWeightSoFar)
                maxWeightSoFar = leftChildWeight;
            addLiveNode(leftChildWeight, eNodeLevel, eNode, true);
        }

        // 检查右孩子节点
        if(eNodeWeight + remainingWeight > maxWeightSoFar)
            addLiveNode(eNodeWeight, eNodeLevel, eNode, false);

        eNode = liveNodeQueue.front();
```

```
        liveNodeQueue.pop();
        if(eNode == NULL)
        {//层的结尾
            if(liveNodeQueue.empty()) break;          //没有活动节点
            liveNodeQueue.push(NULL);                 //层结尾的指针
            eNode = liveNodeQueue.front();
            liveNodeQueue.pop();
            eNodeLevel++;
            remainingWeight -= weight[eNodeLevel];
        }

        eNodeWeight = eNode->weight;
    }
    //沿着从 bestENodeSoFar 到根的路径生成 bestLoading[]
    //用 addLiveNode 设置 bestLoading[numberOfContainers]
    for (int j = numberOfContainers - 1; j > 0; j--)
    {
        bestLoading[j] = (bestENodeSoFar->leftChild) ? 1 : 0;
        bestENodeSoFar = bestENodeSoFar->parent;
    }
    return maxWeightSoFar;
}


void addLiveNode(int theWeight, int theLevel,
                 qNode* theParent, bool leftChild)
{//把 theLevel 层中且重量为 theWeight 的一个节点（非叶节点）
 //加到活动节点队列。 若是可行的叶节点，则
 //bestLoading[numberOfContainers] = 1 当且仅当 leftChild 的值为 true
 //theParent = 新节点的父节点
 //leftChild 为 true 当且仅当新节点是 theParent 的左孩子
    if(theLevel == numberOfContainers)
    {//可行的叶节点
        if(theWeight == maxWeightSoFar)
        {//当前最优叶节点
          bestENodeSoFar = theParent;
          bestLoading[numberOfContainers] = (leftChild) ? 1 : 0;
        }
        return;
    }
    //不是一个叶节点，加入队列
    qNode *b = new qNode(theParent, leftChild, theWeight);
    liveNodeQueue.push(b);
}
```

4. 最大收益分支定界

在对子集树进行最大收益分支定界搜索时，活动节点列表是一个最大优先级队列。其中队列中的每个活动节点 x 都有一个相应的重量上限（或最大收益）。这个重量上限是节点 x 的重量加上剩余货箱的重量。活动节点按其重量上限的递减顺序成为 E-节点。注意，若节点 x 的重量上限是 x.upperWeight，则其子树中不可能存在重量超过 x.upperWeight 的节点。另外，与一个叶节点相应的重量等于其重量上限，据此我们得出结论，在最大收益分支定界算法中，当一个叶节点成为 E-节点时，沿剩余活动节点不可能到达具有更大重量的叶节点。因此可以终止最优装载的搜索。

上述策略可以用两种方法来实现。在第一种方法中，每一个活动节点都单独存储在最大优先级队列。这时，每个活动节点必须包含从子集树的根到该节点的路径信息。一旦找到产生最优装载的叶节点，就利用这个路径信息来计算 x 值。在第二种方法中，除了把每一个活动节点加入最大优先级队列以外，还必须把该节点放在另一个树结构中，这个树结构表示生成的子集树部分。当找到最优叶节点时，就可以沿着从该叶节点到根的路径来计算出 x 值。本章使用第二种方法，把第一种方法留作习题 5。

用类型为 bbNode 的节点来表示解空间树。这种类型的节点有 parent 域（指向解空间树的父节点指针）和 leftChild 域（当且仅当该节点是其父节点的左孩子时，其值为 true）。

优先级队列可以用大根堆来表示。大根堆的元素类型为 heapNode。heapNode 的每一个实例包含数据域 liveNode（解空间树的节点 p 的一个指针，节点 p 用堆节点表示），upperWeight（节点 p 的重量上限）和 level（节点 p 所在层）。结构 heapNode 用 upperWeight 域定义了一个向整型的类型转换。

函数 addLiveNode（见程序 21-4）用 bbNode 类型的节点，把活动节点加到子集树中；用 heapNode 类型的节点，把相应的节点插入大根堆。

程序 21-4 最大收益分支定界装载的 addLiveNode 函数

```
void addLiveNode(int upperWeight, int level,
                 bbNode* theParent, bool leftChild)
{// 把一个新的活动节点加到活动节点大根堆和解空间树
 // theParent 是新活动节点的父节点
 // leftChild是true，当且仅当这个新活动节点是其父节点的左孩子
   // 生成解空间堆的这个新节点
   bbNode* b = new bbNode(theParent, leftChild);

   // 把相应的堆节点插入大根堆
   liveNodeMaxHeap.push(heapNode(b, upperWeight, level));
}
```

函数 maxloading（见程序 21-5）从解空间树的根节点开始，实施最大收益分支定界搜索。while 循环产生当前 E-节点的左右孩子。如果左孩子是可行的（即它的重量没有超出容量），那么将它加入子集树中并作为一个第 eNodeLevel+1 层节点加入大根堆。一个可行的节点的右孩子肯定是可行的，因此它总是加入子树和大根堆中。完成插入操作之后，从大根堆中取出下一个 E-节点。如果下一个 E-节点是叶节点，则它代表最优装载。沿着从该叶节点到根的路径可以得到这个最优装载。

程序 21-5 装载问题的最大收益分支定界法

```
int maxLoading(int *weight, int numberOfContainers, int capacity,
               int *bestLoading)
{// 用最大收益分支定界法搜索解空间
 // 数组 weight[1:numberOfContainers] = 货箱重量
 // 变量 capacity = 船装载量
 // 数组 bestLoading[1:numberOfContainers] 是最优装载
 // 返回最优装载重量
   // 初始化层 1 的 E-节点
   bbNode* eNode = NULL;
   int eNodeLevel = 1;
   int eNodeWeight = 0;
```

```
// remainingWeight[j] 是 weight[j+1:n] 的和
int *remainingWeight = new int [numberOfContainers + 1];
remainingWeight[numberOfContainers] = 0;
for (int j = numberOfContainers - 1; j > 0; j--)
    remainingWeight[j] = remainingWeight[j + 1] + weight[j + 1];

// 搜索子集空间树
while (eNodeLevel != numberOfContainers + 1)
{// 不在叶节点
    // 检查 E-节点的孩子
    if(eNodeWeight + weight[eNodeLevel] <= capacity)
        // 可行左孩子
        addLiveNode(eNodeWeight + weight[eNodeLevel] +
                    remainingWeight[eNodeLevel], eNodeLevel + 1,
                    eNode, true);
    // 右孩子总是可行的
    addLiveNode(eNodeWeight + remainingWeight[eNodeLevel],
                eNodeLevel + 1, eNode, false);

    // 取下一个 E-节点，堆不能为空
    heapNode nextENode = liveNodeMaxHeap.top();
    liveNodeMaxHeap.pop();
    eNodeLevel = nextENode.level;
    eNode = nextENode.liveNode;
    eNodeWeight = nextENode.upperWeight
                  - remainingWeight[eNodeLevel - 1];
}

// 沿着从 eNode 到根的路径生成 bestLoading[]
for (int j = numberOfContainers; j > 0; j--)
{
    bestLoading[j] = (eNode->leftChild) ? 1 : 0;
    eNode = eNode->parent;
}

return eNodeWeight;
}
```

5. 关于实现的说明

定义 maxWeightSoFar 为当前可行节点的最大重量。活动节点的优先级队列可能包含若干个其 upperWeight 不超过 maxWeightSoFar 的节点。沿着这些节点不可能到达最优叶节点。这些节点占用了珍贵的队列空间，也增加了插入/删除操作的时间。我们应该删除这些节点。一种删除策略是，在把一个节点插入优先级队列之前，检验是否有 upperWeight>maxWeightSoFar。然而，由于 maxWeightSoFar 在算法执行过程中是不断增大的，所以目前在插入时经过检验的节点，在以后可能不再满足条件 upperWeight>maxWeightSoFar。一个更积极的策略是，只要 maxWeightSoFar 增值，就进行检验，把 upperWeight<maxWeightSoFar 的节点从优先级队列中删除。这种策略要求删除 upperWeight 最小的节点。因此，我们需要一种优先级队列，它既能插入和删除最大节点，也能删除最小节点。这种优先级队列称作**双端优先级队列**（double-ended priority queue）。关于这种队列的数据结构，请参看本书网站。

21.2.2 0/1 背包问题

0/1 背包问题的最大收益分支定界算法可以用程序 20-9 来设计，对每一个活动节点 N，计算收益上限 maxPossibleProfitInSubtree，使得在以 N 为根的子树中，任一节点的收益值都不可能超过 maxPossibleProfitInSubtree。

最大收益分支定界算法的代码与程序 21-5 相似。我们使用活动节点大根堆，然后按需要构造解空间树。大根堆的元素类型是 heapNode，它具有数据成员 upperProfit（子树中任意一个叶节点的收益上限）、profit（该节点的部分解的收益）、weight（该节点的部分解的重量）、level（该节点在解空间树的层）、liveNode（指向解空间树中相应节点的指针）。节点按其 upperProfit 值从最大堆中取出。解空间树中的节点类型是 bbNode，它具有数据成员 parent（指向父节点的指针）和 leftChild（当且仅当节点是其父节点的左孩子时，值为 true）。

程序 21-6 假设背包装载对象已经按收益密度递增顺序排序，使用的是程序 20-7 中的方法。函数 addLiveNode 使用一个 bbNode 类型的节点，把新的活动节点插入到解空间树，同时使用一个 heapNode 类型的节点，把新的活动节点插入大根堆。这个函数与程序 21-4 的装载程序很类似，因此函数代码便省略了。

程序 21-6 0/1 背包问题的最大收益分支定界法

```
double maxProfitBBKnapsack()
{// 用最大收益分支定界法搜索解空间树
 // 令 bestPackingSoFar[i] = 1，当且仅当对象 i 属于最优装载背包
 // 返回最优装载收益
  // 初始化层 1 中的始点
  bbNode* eNode = NULL;
  int eNodeLevel = 1;
  double maxProfitSoFar = 0.0;
  double maxPossibleProfitInSubtree = profitBound(1);

  // 搜索子空间树
  while (eNodeLevel != numberOfObjects + 1)
  {// 不在叶节点
    // 检查左孩子节点
    double weightOfLeftChild = weightOfCurrentPacking
                               + weight[eNodeLevel];
    if(weightOfLeftChild <= capacity)
    {// 可行的左孩子节点
      if(profitFromCurrentPacking + profit[eNodeLevel]
         > maxProfitSoFar)
        maxProfitSoFar = profitFromCurrentPacking
                         + profit[eNodeLevel];
      addLiveNode(maxPossibleProfitInSubtree,
              profitFromCurrentPacking + profit[eNodeLevel],
              weightOfCurrentPacking + weight[eNodeLevel],
              eNodeLevel + 1, eNode, true);
    }
    maxPossibleProfitInSubtree = profitBound(eNodeLevel + 1);

    // 检查右孩子节点
    if(maxPossibleProfitInSubtree >= maxProfitSoFar)
      // 右孩子是可行的
      addLiveNode(maxPossibleProfitInSubtree,
```

```
                        profitFromCurrentPacking,
                        weightOfCurrentPacking,
                        eNodeLevel + 1, eNode, false);

    // 取下一个 E-节点，堆不为空
    heapNode nextENode = liveNodeMaxHeap.top();
    liveNodeMaxHeap.pop();
    eNode = nextENode.liveNode;
    weightOfCurrentPacking = nextENode.weight;
    profitFromCurrentPacking = nextENode.profit;
    maxPossibleProfitInSubtree = nextENode.upperProfit;
    eNodeLevel = nextENode.level;
  }

  // 沿着从节点 eNode 到根的路径构造 bestPackingSoFar[]
  for (int j = numberOfObjects; j > 0; j--)
  {
    bestPackingSoFar[j] = (eNode->leftChild) ? 1 : 0;
    eNode = eNode->parent;
  }

  return profitFromCurrentPacking;
}
```

　　函数 maxProfitBBKnapsack 用最大收益分支定界法搜索子集树。while 循环的迭代直到一个叶节点成为 E-节点时为止。因为留在大根堆中的节点没有一个的收益上限大于该叶节点的收益，所以该叶节点便对应一个最优解，它是由该叶节点至根的路径确定的。

　　maxProfitKnapsack 中的 while 循环的结构与程序 21-4 的 while 循环很类似。首先检验 E-节点左孩子的可行性。若它是可行的，则将它插入子集树和活动节点表（即大根堆）。仅当节点右孩子的 maxPossibleProfitInSubtree 值预示着这个右孩子可能带给我们一个最优解时，我们才将它加入子集树和活动节点表中。

21.2.3　最大完备子图

　　完备子图问题（见 20.2.3 节）的解空间树也是一个子集树，因此与解决装箱问题和背包问题一样，我们在解决完备子图问题时，也可以使用最大收益分支定界法。解空间树部分中的节点类型为 bbNode，而最大优先队列中的节点类型是 heapNode。这一次，节点类型 heapNode 的数据成员有 cliqueSize（该节点所对应的完备子图中的顶点数目）、upperSize（该节点子树中叶节点所对应的最大的完备子图的大小）、level（节点在解空间树中的层）、liveNode（解空间树中相应节点的指针）。upperSize 的值等于 cliqueSize+n-level+1。因为根据 upperSize 和 cliqueSize，或 upperSize 和 level，可以求出 level 或 cliqueSize，所以可以去掉 cliqueSize 或 level 域。当从最大优先级队列中选取元素时，选取 upperSize 最大的元素。在实现代码中，heapNode 包含了所有三个域：cliqueSize、upperSize 和 level。这样一来，如果需要改变 upperSize 的内容，那就容易了。

　　函数 addLiveNode 把一个活动节点插入正在构建的子集树和大根堆中。其代码与装箱和背包问题中的对应函数很相似，故将其省去。

　　程序 21-7 是方法 maxProfitBBMaxClique。它是类 adjacencyGraph 的一个成员，对解空

间子集树实施最大收益分支定界搜索。树的根是初始 E-节点。这个节点并没有在所构造的树中明确地存储。对于这个节点来说，其 sizeOfCliqueAtENode 值（E-节点对应的完备子图的大小）为 0，因为还没有任何顶点加入到完备子图。E-节点的层由变量 eNodeLevel 指定。它的初值为 1，因为初始 E-节点是子集树的根。

在 while 循环中，不断扩展 E-节点，直到一个叶节点（即一个 n+1 层的节点）变成 E-节点。对于一个叶节点，upperSize=sizeOfCliqueAtENode。由于所有其余节点的 upperSize 值都小于等于当前 E-节点的 upperSize 值，所以，与当前 E-节点所表示的完备子图相比，它们不可能产生更大的完备子图。因此最大完备子图已经找到。在生成子集树中，沿着已成为 E-节点的叶节点到根的路径构造这个最大完备子图。

为了扩展一个非叶节点的 E-节点，首先检查它的左孩子。如果左孩子所对应的顶点 v 与当前 E-节点所包含的每一个顶点之间都有一条边，则把顶点 v 加入当前的完备子图。为此，我们沿着从 E-节点到根的路径，确定其中包含哪些顶点，而且证实每一个被包含的顶点都与顶点 v 有边相连。如果左孩子是可行的，则把它加入最大优先级队列和正在构造的子集树。下一步，如果右孩子的子树包含一个叶节点，它对应一个最大完备子图，则把右孩子也加入进来。

由于每个图都有一个最大完备子图，所以在从大根堆中删除节点时，不需要检验堆是否为空。仅当到达一个可行的叶节点时，while 循环才终止。

程序 21-7　最大完备子图问题的最大收益分支定界算法

```
int maxProfitBBMaxClique(int *maxClique)
{// 最大收益分支定界法寻找最大子图
 // maxClique[i] 值为 1，当且仅当 i 属于最大完备子图
 // 返回最大完备子图的大小
   // 初始化层 1 中的始点
   bbNode* eNode = NULL;
   int eNodeLevel = 1;
   int sizeOfCliqueAtENode = 0;
   int sizeOfMaxCliqueSoFar = 0;

   // 搜索子集空间树
   while (eNodeLevel != n + 1)
   {// 当不在叶节点时
      // 查看顶点 eNodeLevel 是否与当前完备子图的所有顶点相连
      bool connected = true;
      bbNode* currentNode = eNode;
      for (int j = eNodeLevel - 1; j > 0;
           currentNode = currentNode->parent,j--)
         if(currentNode->leftChild && !a[eNodeLevel][j])
         {// 顶点 j 属于完备子图，但是和顶点 eNodeLevel 之间没有边
            connected = false;
            break;
         }

      if(connected)
      {// 左孩子可行
         if(sizeOfCliqueAtENode + 1 > sizeOfMaxCliqueSoFar)
            sizeOfMaxCliqueSoFar = sizeOfCliqueAtENode + 1;
         addLiveNode(sizeOfCliqueAtENode + n - eNodeLevel + 1,
            sizeOfCliqueAtENode + 1, eNodeLevel + 1, eNode, true);
      }
```

```
        if(sizeOfCliqueAtENode + n - eNodeLevel >= sizeOfMaxCliqueSoFar)
            // 右孩子可行
            addLiveNode(sizeOfCliqueAtENode + n - eNodeLevel,
                sizeOfCliqueAtENode, eNodeLevel + 1, eNode, false);

        // 取下一个 E-节点，堆不为空
        heapNode nextENode = liveNodeMaxHeap.top();
        liveNodeMaxHeap.pop();
        eNode = nextENode.liveNode;
        sizeOfCliqueAtENode = nextENode.cliqueSize;
        eNodeLevel = nextENode.level;
    }

    // 沿着从 eNode 到根的路径构建 maxClique[]
    for (int j = n; j > 0; j--)
    {
        maxClique[j] = (eNode->leftChild) ? 1 : 0;
        eNode = eNode->parent;
    }

    return sizeOfMaxCliqueSoFar;
}
```

21.2.4　旅行商问题

旅行商问题的介绍见 20.2.4 节。它的解空间是排列树。如在子集树中进行最大收益和最小耗费分支定界搜索一样，这里也有两种求解方法。第一种只使用一个优先级队列，其中每个元素都包含到根的路径。另一种使用生成的部分解空间树和一个活动节点的优先级队列。这个优先级队列中的元素并不包含到达根的路径。本节只实现前一种方法，虽然后者也使用过。

因为要寻找最小耗费旅行路径，所以使用最小耗费分支定界法。实现方法使用活动节点的最小优先级队列。队列中每个节点的类型为 heapNode。每个节点具有 partialTour 域（从 1 到 n 的整数排列，其中 partialTour[0]=1）；sizeOfPartialTour 域（一个整数，使得 partialTour[0: sizeOfPartialTour] 成为从排列树的根节点到当前节点的路径所定义的旅行前缀，partialTour[sizeOfPartialTour+1:n−1] 为旅行中还要访问的节点，而且它还等于部分旅行中的边数）；costOfPartialTour 域（从解空间树的根到当前节点的路径所表示的旅行前缀的费用）；lowerCost 域（在当前节点子树中任意叶节点中的最小耗费）和 minAdditionalCost 域（始于顶点 partialTour[sizeOfPartialTour:n−1] 的最小费用的出边的费用之和）。根据 lowerCost 值实施小根堆的删除操作。分支定界算法的代码见程序 21-8。

程序 21-8　旅行商问题的最小费用分支定界算法

```
T leastCostBBSalesperson(int *bestTour)
{// 最小费用分支定界代码，寻找最短旅行
 // bestTour[i] 是最短旅行中第 i 个顶点
 // 返回最短旅行的费用

    // 此处省略的检验图是否为加权图的代码

    minHeap<heapNode> liveNodeMinHeap;
```

```
// costOfMinOutEdge[i] = 顶点 i 的费用最小的出边
T *costOfMinOutEdge = new T [n + 1];
T sumOfMinCostOutEdges = 0;
for (int i = 1; i <= n; i++)
{// 计算 costOfMinOutEdge[i] 和 sumOfMinCostOutEdges
   T minCost = noEdge;
   for (int j = 1; j <= n; j++)
      if (a[i][j] != noEdge && (minCost == noEdge || minCost > a[i][j]))
         minCost = a[i][j];

   if (minCost == noEdge) return noEdge;        // 没有路径
   costOfMinOutEdge[i] = minCost;
   sumOfMinCostOutEdges += minCost;
}


// 初始 E-节点是树根
heapNode eNode(0, 0, sumOfMinCostOutEdges, 0, new int [n]);
for (int i = 0; i < n; i++)
   eNode.partialTour[i] = i + 1;
T costOfBestTourSoFar = noEdge;               // 当前没有找到旅行
int *partialTour = eNode.partialTour;         // 记录 eNode.partialTour

// 搜索排列树
while (eNode.sizeOfPartialTour < n - 1)
{// 不在叶节点
   partialTour = eNode.partialTour;
   if (eNode.sizeOfPartialTour == n - 2)
   {// 叶节点的父节点
      // 把两边相加得到一个旅行
      // 检查是否为当前更优的旅行
      if (a[partialTour[n - 2]][partialTour[n - 1]] != noEdge
         && a[partialTour[n - 1]][1] != noEdge
         && (costOfBestTourSoFar == noEdge ||
            eNode.costOfPartialTour
            + a[partialTour[n - 2]][partialTour[n - 1]]
            + a[partialTour[n - 1]][1]
            < costOfBestTourSoFar))
      {// 是更优的旅行
         costOfBestTourSoFar =.eNode.costOfPartialTour
                 + a[partialTour[n - 2]][partialTour[n - 1]]
                 + a[partialTour[n - 1]][1];
         eNode.costOfPartialTour = costOfBestTourSoFar;
         eNode.lowerCost = costOfBestTourSoFar;
         eNode.sizeOfPartialTour++;
         liveNodeMinHeap.push(eNode);
      }
   }
   else
   {// 生成子节点
      for (int i = eNode.sizeOfPartialTour + 1; i < n; i++)
         if (a[partialTour[eNode.sizeOfPartialTour]]
            [partialTour[i]] != noEdge)
         {
            // 可行的子节点，旅行费用下限
```

```
            T costOfPartialTour = eNode.costOfPartialTour
                + a[partialTour[eNode.sizeOfPartialTour]] [partialTour[i]];
            T minAdditionalCost = eNode.minAdditionalCost
                    -  costOfMinOutEdge[partialTour
                        [eNode.sizeOfPartialTour]];
            T leastCostPossible = costOfPartialTour
                                    + minAdditionalCost;
            if (costOfBestTourSoFar == noEdge ||
              leastCostPossible < costOfBestTourSoFar)
            {// 子树可能有更优的叶节点，把根放入小根堆
               heapNode hNode(leastCostPossible,
                              costOfPartialTour,
                              minAdditionalCost,
                              eNode.sizeOfPartialTour + 1,
                              new int [n]);
               for (int j = 0; j < n; j++)
                  hNode.partialTour[j] = partialTour[j];
               hNode.partialTour[eNode.sizeOfPartialTour + 1] =
                       partialTour[i];
               hNode.partialTour[i] =
                       partialTour[eNode.sizeOfPartialTour + 1];
               liveNodeMinHeap.push(hNode);
            }
         }
      }

   // 取下一个 E-节点
   delete [] eNode.partialTour;
   if (liveNodeMinHeap.empty()) break;
   eNode = liveNodeMinHeap.top();
   liveNodeMinHeap.pop();
}

if (costOfBestTourSoFar == noEdge)
    return NULL;                                    // 没有路径

// 把最优旅行复制到数组 bestTour[1:n]
for (int i = 0; i < n; i++)
    bestTour[i + 1] = partialTour[i];

return costOfBestTourSoFar;
}
```

程序 21-8 首先创建小根堆，用于活动节点的最小优先级队列。下一步计算有向图中每个顶点费用最小的出边的费用。如果某个顶点没有出边，则有向图就没有旅行路径，搜索终止。如果每个顶点都有出边，则启动最小耗费分支定界搜索。以根的孩子（图 20-5 的节点 B）作为第一个 E-节点。由此生成的旅行路径前缀只有一个顶点 1。因此 sizeOfPartialTour=0，partialTour[0]=1，partialTour[1:n−1] 是剩余的顶点（即顶点 2,3,···,n）。旅行路径前缀 1 的费用为 0，即 costOfPartialTour=0。而且，minAdditionalCost=$\sum_{i=1}^{n}$ costOfMinOutEdge[i]。初始时，没有找到任何旅行路径，因此 costOfBestTourSoFar 的值为 null。

while 循环不断地扩展 E-节点，直至到达一个叶节点或没有 E-节点可以扩展。当 sizeOfPartialTour=n−1 时，到达一个叶节点，旅行前缀是 partialTour[0:n−1]，这个前缀中包含

了有向图中所有 n 个顶点。因此 sizeOfPartialTour=n−1 的活动节点即为一个叶节点。由于算法本身的性质，叶节点的 costOfPartialTour 和 lowerCost 等于其对应的旅程费用。由于所有剩余活动节点的 lowerCost 值都至少等于从小根堆中取出的第一个叶节点的 lowerCost 值，所以不可能由它们得到更优的叶节点。因此，一旦有一个叶节点成为 E-节点，搜索过程即可结束。如果在到达叶节点之前，已经没有 E-节点可以扩展，那说明图中没有旅行路径。

while 循环体分别按两种情况处理。一种是处理 sizeOfPartialTour=n−2 的 E-节点。这时的 E-节点是某个单独叶节点的父节点。如果这个叶节点定义了一个可行的旅行，并且此旅行费用小于当前最优旅行费用，则把这个叶节点插入小根堆。否则这个叶节点被舍弃，然后处理下一个 E-节点。

其余的 E-节点都放在 while 循环体的第二种情况中处理。首先生成当前 E-节点的每个孩子节点。由于这个 E-节点代表一条可行路径 partialTour[0: sizeOfPartialTour]，所以当且仅当 (partialTour[s],partialTour[i]) 是有向图的一条边，且 partialTour[i] 是路径 partialTour[sizeOfPartialTour+1:n−1] 上的顶点时，它的子节点可行。对于每个可行的孩子节点，将边 (partialTour[sizeOfPartialTour],partialTour[i]) 的费用加到 eNode.costOfPartialTour 上即可得到路径前缀 (partialTour[0:sizeOfPartialTour],partialTour[i]) 的耗费 costOfPartialTour。由于每个包含此前缀的旅行都包含每个剩余顶点的一个出边，所以任何叶节点的费用都不会小于 costOfPartialTour 加上每一个剩余顶点的费用最小的出边的费用之和。我们用这个下限值作为 E-节点的子节点的 lowerCost 值。若新孩子的 lowerCost 值小于当前最优旅行的费用，则把新孩子插到活动节点表（即小根堆）中。

如果有向图不含旅行，程序 21-8 返回 null；否则，返回最优旅行的费用。而最优旅行的顶点序列储存在数组 bestTour 中返回。

21.2.5　电路板排列

电路板排列问题（见 20.2.5 节）的解空间是一棵排列树。我们对这棵树，可以实施最小耗费分支定界搜索，以寻找最小密度的电路板排列。我们使用一个最小优先级队列，其中元素表示活动节点，类型为 HeapNode。HeapNode 类型的对象包含的数据域有 partial（电路板的一个排列）；sizeOfPartial（电路板 partial[1:sizeOfPartial] 分别放在 1 到 sizeOfPartial 的位置上）；partialDensity（电路板排列 partial[1:sizeOfPartial] 的密度，其中包括到达 partial[sizeOfPartial] 右边的连线）；boardsInpartialWithNet（boardsInpartialWithNet[j] 是排列 partial[1:sizeOfPartial] 中包含网组 j 的电路板的数目）。节点按其 partialDensity 值的递增顺序从小根堆中删除。相应的代码见程序 21-9。

程序 21-9 首先把 E-节点初始化为排列树的根。在此节点中没有电路板。因此 sizeOfPartial=0，partialDensity=0，boardsInpartialWithNet[i]=0（$1 \leqslant i \leqslant$ numberOfBoards），partial[1：numberOfBoards] 是整数 1 到 numberOfBoards 的任意排列。数组 boardsWithNet 初始化，boardsWithNet[i] 的值为包含网组 i 的电路板数目。当前最优电路板排列存储在数组 bestPermutationSoFar 中，对应的密度存储在 leastDensitySoFar 中。do-while 循环一次检查一个 E-节点。在每次迭代结束时，从活动节点的小根堆中选出其 partialDensity 值最小的节点作为下一个 E-节点。如果这个 E-节点的 partialDensity $\geqslant$ leastDensitySoFar，则任何剩余活动节点都不能使我们找到密度小于 leastDensitySoFar 的电路板排列，因此算法终止。

do-while 循环分两种情况处理 E-节点，第一种情况是 sizeOfpartial=numberOfBoards−1。

此种情况下，有 numberOfBoards-1 个电路板已经就位，而且 E-节点是解空间树中某个叶节点的父节点。与这个叶节点对应的排列是 partial。计算它的密度，如果需要，更新 leastDensitySoFar 和 bestPermutationSoFar。

在第二种情况中，E-节点有两个或更多的子节点。生成每一个子节点 N，计算与该节点对应的部分排列（partial[1:sizeOfpartial+1]）的密度 N.partialDensity。只有 N.partial-Density<leastDensitySoFar，才把 N 放入最小优先级队列中。注意，当 N.partialDensity ≥ leastDensitySoFar 时，子树中的所有叶节点对应的密度都 ≥ leastDensitySoFar，不会有优于 bestPermutationSoFar 的排列。

程序 21-9 电路板排列问题的最小耗费分支定界算法

```
int leastCostBBBoards(int **board, int numberOfBoards, int numberOfNets,
                      int *bestPermutation)
{// 最小费用分支定界代码
 // 返回最优排列密度
   minHeap<heapNode> liveNodeMinHeap;

   // 初始化第一个 E-节点 (partialDensity,
   // boardsInPartialWithNet, sizeOfPartial, partial)
   heapNode eNode(0, new int [numberOfNets + 1],
                  0, new int [numberOfBoards + 1]);

   // 令 eNode.boardsInPartialWithNet[i] = partial[1:s] 中含有网组 i 的电路板个数
   // 令 eNode.partial[i] = i，初始排列
   // 令 eNode.boardsWithNet[i] = 带有网组 i 的电路板个数
   int *boardsWithNet = new int [numberOfNets + 1];
   fill (boardsWithNet + 1, boardsWithNet + numberOfNets + 1, 0);
   for (int i = 1; i <= numberOfBoards; i++)
   {
      eNode.partial[i] = i;
      eNode.boardsInPartialWithNet[i] = 0;
      for (int j = 1; j <= numberOfNets; j++)
         boardsWithNet[j] += board[i][j];
   }

   int leastDensitySoFar = numberOfNets + 1;
   int *bestPermutationSoFar = NULL;

   do
   {// 扩展 E-节点
      if (eNode.sizeOfPartial == numberOfBoards - 1)
      {// 仅有一个子节点
         int localDensityAtLastBoard = 0;
         for (int j = 1; j <= numberOfNets; j++)
            localDensityAtLastBoard +=
                  board[eNode.partial[numberOfBoards]][j];
         if(localDensityAtLastBoard < leastDensitySoFar)
         {// 更优的排列
            bestPermutationSoFar = eNode.partial;
            eNode.partial = NULL;
            leastDensitySoFar = max(localDensityAtLastBoard,
                                    eNode.partialDensity);
         }
```

```
        }
        else
        {// 生成 E-节点的子节点
            for (int i = eNode.sizeOfPartial + 1; i <= numberOfBoards; i++)
            {
                heapNode hNode(0, new int [numberOfNets + 1],
                               0, new int [numberOfBoards + 1]);
                for (int j = 1; j <= numberOfNets; j++)
                    // 计算新电路板中的网组
                    hNode.boardsInPartialWithNet[j] =
                                    eNode.boardsInPartialWithNet[j]
                                    + board[eNode.partial[i]][j];

                int localDensityAtNewBoard = 0;
                for (int j = 1; j <= numberOfNets; j++)
                    if(hNode.boardsInPartialWithNet[j] > 0 &&
                      boardsWithNet[j] != hNode.boardsInPartialWithNet[j])
                        localDensityAtNewBoard++;

                hNode.partialDensity = max(localDensityAtNewBoard,
                                        eNode.partialDensity);
                if(hNode.partialDensity < leastDensitySoFar)
                {// 可能导致更优的叶节点
                    hNode.sizeOfPartial = eNode.sizeOfPartial + 1;
                    for (int j = 1; j <= numberOfBoards; j++)
                        hNode.partial[j] = eNode.partial[j];
                    hNode.partial[hNode.sizeOfPartial] = eNode.partial[i];
                    hNode.partial[i] = eNode.partial[hNode.sizeOfPartial];
                    liveNodeMinHeap.push(hNode);
                }
            }
        }

        // 下一个 E-节点
        delete [] eNode.partial;
        delete [] eNode.boardsInPartialWithNet;
        if(liveNodeMinHeap.empty()) break;
        eNode = liveNodeMinHeap.top();
        liveNodeMinHeap.pop();
    } while (eNode.partialDensity < leastDensitySoFar);

    for (int i = 1; i <= numberOfBoards; i++)
        bestPermutation[i] = bestPermutationSoFar[i];
    return leastDensitySoFar;
}
```

练习

3. 在程序 21-4 中，定义一个 maxWeightSoFar 来记录目前生成的可行节点所对应的最大重量。
   修改程序 21-4，使得当且仅当一个活动节点的 upperWeight 大于或等于 maxWeightSoFar 时，
   将它加入子集树和大根堆中。此外，还必须增加初始化和更新 maxWeightSoFar 的代码。

4. 编写一个最大收益分支定界代码求解货箱装载问题，只使用一个最大优先级队列。即不要
   像程序 21-4 那样，使用部分解空间树。每个优先级队列的节点都包含通向根节点的路径。

5. 编写最大收益分支定界代码，求解 0/1 背包问题，只使用一个最大优先级队列。即不必保存部分解空间树。每个优先级队列的节点都包含通向根节点的路径。

6. 1）在程序 21-7 中，若右孩子的 upperSize 值大于等于 bestn，则加入大根堆。如果条件改为 upperSize 值仅大于 sizeOfMaxCliqueSoFar，那么程序是否还正确？为什么？

   2）程序是否将其 upperSize ≥ sizeOfMaxCliqueSoFar 的左孩子加入大根堆？

   3）修改程序，使得只将其 upperSize>sizeOfMaxCliqueSoFar 的节点加入大根堆和正在生成的解空间子树。

7. 考察最大完备子图问题的解空间树。对于子树的任意 i 层的节点 x，令 minDegree(x) 为 x 所包含的顶点的度的最小值。

   1）证明以 x 为根的子树中，任何叶节点都不可能表示这样的一个完备子图，其大小超过 x.upperSize=min{x.sizeOfCliqueAtENode+n−i+1,minDegree(x)+1}。

   2）使用以上 x.upperSize 的定义重写 maxProfitBBMaxClique。

   3）在运行时间和解空间树的节点个数方面，比较 maxProfitBBMaxClique 的两个版本。

8. 编写最大收益分支定界代码，求解最大完备子图问题，只使用最大优先级队列。即不用保存一个部分解空间树。最大优先级队列的每一个节点都包含通向根的路径。

9. 修改程序 21-8，使得其 sizeOfPartialTour=n−2 的节点不进入优先级队列。并且，把当前最优排列存储在数组 bestPermutationSoFar 中。当下一个 E-节点的 lowerCost ≥ costOfBestTourSoFar 时，算法终止。

10. 编写程序 21-8 的另一个版本，它使用父节点指针来直接保存由算法检查的部分解空间树（像程序 21-6 那样），优先级队列节点仅包含数据域 lowerCost、costOfPartialTour、minAdditionalCost 和 liveNode（解空间树中对应节点的指针）。

11. 写出 FIFO 分支定界代码，求解电路板排列问题。必须输出最优电路板排列及其密度。使用合理的数据来测试代码的正确性。

12. 编写 FIFO 分支定界算法，寻找一种电路板排列，使得最长网组的长度最小（参见第 20 章练习 17）。

13. 使用最小耗费分支定界法来完成练习 12。

14. 编写最小耗费分支定界算法，求解第 20 章练习 18 的顶点覆盖问题。

15. 编写最大收益分支定界算法，求解第 20 章练习 19 的简易最大切割问题。

16. 编写最小耗费分支定界算法，求解第 20 章练习 20 的机器设计问题。

17. 编写最小耗费分支定界算法，求解第 20 章练习 21 的网络设计问题。

18. 编写 FIFO 分支定界算法，求解第 20 章练习 22 的 n 皇后放置问题。

19. 用 FIFO 分支定界完成第 20 章练习 23。

20. 用 FIFO 分支定界完成第 20 章练习 24。

21. 用 FIFO 分支定界完成第 20 章练习 25。

22. 用最小耗费分支定界完成第 20 章练习 23。

23. 用最小耗费分支定界完成第 20 章练习 24。

24. 用最小耗费分支定界完成第 20 章练习 25。

25. 用任意分支定界方法完成第 20 章练习 25。为此，需要使用函数来增加活动节点，并且选择下一个 E-节点作为函数的参数。

推荐阅读

数据结构与算法分析——C语言描述（原书第2版）

作者：Mark Allen Weiss 译者：冯舜玺 ISBN：978-7-111-12748-X 定价：35.00元

数据结构与算法分析：Java语言描述 第2版

作者：Mark Allen Weiss 译者：冯舜玺 ISBN：978-7-111-23183-7 定价：55.00元

第3版中文版即将出版

数据结构与算法设计

作者：王晓东 ISBN：978-7-111-37924-9 定价：29.00元

数据结构与算法：C语言版 第2版

作者：徐凤生 ISBN：978-7-111-47940-6 定价：35.00元

推荐阅读

作者：Abraham Silberschatz 著
中文翻译版：978-7-111-37529-6，99.00元
本科教学版：978-7-111-40085-1，59.00元

作者：Jiawei Han 等著
中文版：978-7-111-39140-1，79.00元

作者：Ian H.Witten 等著
中文版：978-7-111-45381-9，79.00元

作者：Randal E. Bryant 等著
书号：978-7-111-32133-0，99.00元

作者：David A. Patterson John L. Hennessy 著
中文版：978-7-111-35305-8，99.00元

作者：James F. Kurose 著
书号：978-7-111-45378-9，79.00元

作者：Thomas H. Cormen 等著
书号：978-7-111-40701-0，128.00元

作者：Brian W. Kernighan 等著
书号：978-7-111-12806-0，30.00元

作者：Roger S. Pressman 著
书号：978-7-111-33581-8，79.00元